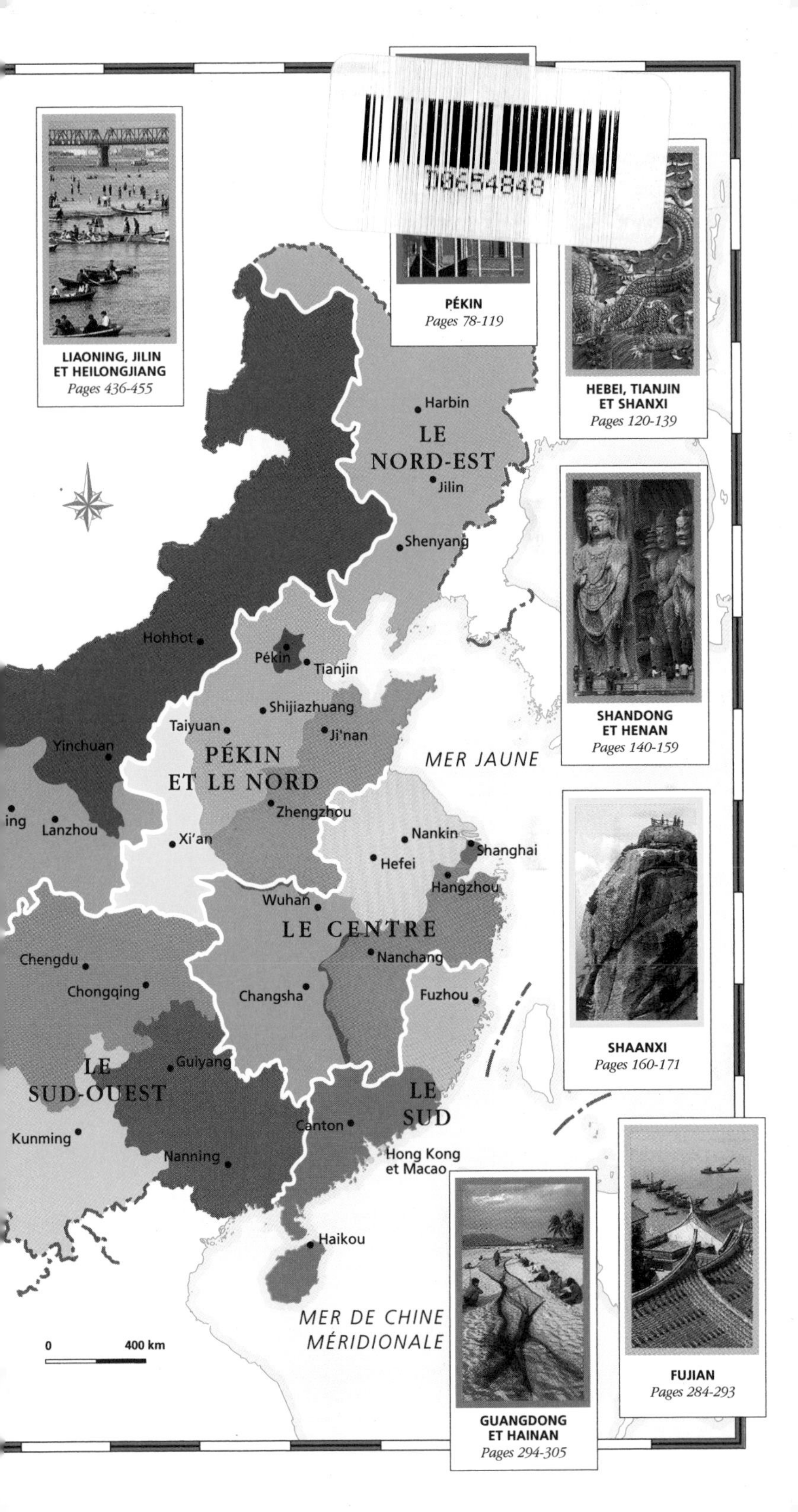

LIAONING, JILIN
ET HEILONGJIANG
Pages 436-455
PÉKIN
Pages 78-119
HEBEI, TIANJIN
ET SHANXI
Pages 120-139
SHANDONG
ET HENAN
Pages 140-159
SHAANXI
Pages 160-171
FUJIAN
Pages 284-293
GUANGDONG
ET HAINAN
Pages 294-305
LE NORD-EST
PÉKIN ET LE NORD
LE CENTRE
LE SUD-OUEST
LE SUD
Harbin
Jilin
Shenyang
Hohhot
Pékin
Tianjin
Shijiazhuang
Taiyuan
Ji'nan
Yinchuan
Zhengzhou
Lanzhou
Xi'an
Nankin
Shanghai
Hefei
Hangzhou
Wuhan
Nanchang
Chengdu
Chongqing
Changsha
Fuzhou
Guiyang
Kunming
Canton
Nanning
Hong Kong
et Macao
Haikou
MER JAUNE
MER DE CHINE
MÉRIDIONALE
0
400 km

GUIDES VOIR

CHINE

Une compagnie de Quebecor Media

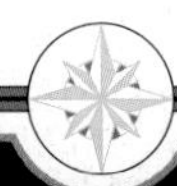

Une compagnie de Quebecor Media

DIRECTION
Nathalie Pujo

RESPONSABLE DE PÔLE ÉDITORIAL
Cécile Petiau

RESPONSABLE DE COLLECTION
Catherine Laussucq

ÉDITION
Émilie Lézénès et Adam Stambul

TRADUIT ET ADAPTÉ DE L'ANGLAIS PAR
Dominique Brotot, Daphné Halin et Florence Paban,
avec la collaboration d'Emmanuelle Mary

CORRECTION
Pascale Guéret

MISE EN PAGES (PAO)
Maogani

CE GUIDE VOIR A ÉTÉ ÉTABLI PAR
Hugh Thompson, Katryn Lane

Publié pour la première fois en Grande-Bretagne
en 2005, sous le titre :
Eyewitness Travel Guides : China

Aussi soigneusement qu'il ait été établi, ce guide
n'est pas à l'abri des changements de dernière heure.
Faites-nous part de vos remarques, informez-nous de vos
découvertes personnelles : nous accordons la plus grande
attention au courrier de nos lecteurs.

IMPRIMÉ ET RELIÉ EN ITALIE PAR L.E.G.O.

Les Éditions Libre Expression
Groupe Librex inc.
Une compagnie de Quebecor Media
La Tourelle
1055, boul. René-Lévesque Est, Bureau 800
Montréal (Québec) H2L 4S5

DÉPÔT LÉGAL : Bibliothèque et Archives nationales du Québec
et Bibliothèque et Archives Canada, 2008

ISBN 978-2-7648-0420-9

Confucius (551-479 av. J.-C.)

SOMMAIRE

PRÉSENTATION DE LA CHINE

PÉKIN ET LE NORD

LE CENTRE

◁ **La Grande Muraille sillonne les crêtes des montagnes du nord de la Chine**

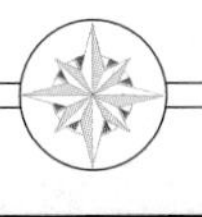

GUIDES VOIR

CHINE

Pailou, ou portique décoratif, de Gao Miao à Ningxia

Spectaculaires collines karstiques dans Guilin, Guangxi

Fengxian Si, la plus grande des grottes bouddhiques de Longmen, Henan

COMMENT UTILISER CE GUIDE

Ce guide a pour but de vous aider à profiter au mieux de votre séjour en Chine en vous fournissant des conseils avisés et des informations pratiques et détaillées. En introduction, le chapitre intitulé *Présentation de la Chine* situe le pays dans son contexte historique, géographique et culturel. Il est suivi de sept chapitres consacrés à sept régions englobant chacune une à trois provinces. Vous y trouverez une description des principaux sites, accompagnée de cartes, de photos et d'illustrations. *Les bonnes adresses* vous fourniront des informations sur les hôtels et les restaurants, tandis que les *Renseignements pratiques* vous donneront des conseils utiles dans tous les domaines de la vie quotidienne.

1 La région d'un coup d'œil
Une carte touristique répertoriant les villes et les sites principaux ouvre chacun des sept chapitres consacrés à une région et donne un aperçu en images de la région.

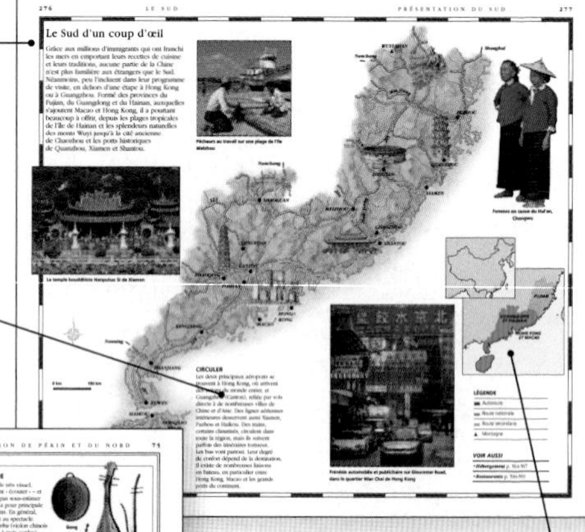
276 LE SUD — PRÉSENTATION DU SUD 277

Le Sud d'un coup d'œil

Circuler fait rapidement le tour des moyens de transport pour accéder à la région.

Une carte de localisation précise la couleur des provinces abordées dans le chapitre.

74 PÉKIN ET LE NORD — PRÉSENTATION DE PÉKIN ET DU NORD 75

L'Opéra de Pékin

2 La Chine région par région
L'introduction à chaque région souligne ses aspects culturels, historiques, géographiques et culinaires, complétés par des détails passionnants.

3 Introduction
Chaque chapitre correspond à un code de couleur. Pour faciliter la lecture, chaque site est numéroté et reporté sur un plan. Les numéros cerclés de noir indiquent également l'ordre dans lequel chaque site est abordé dans le chapitre.

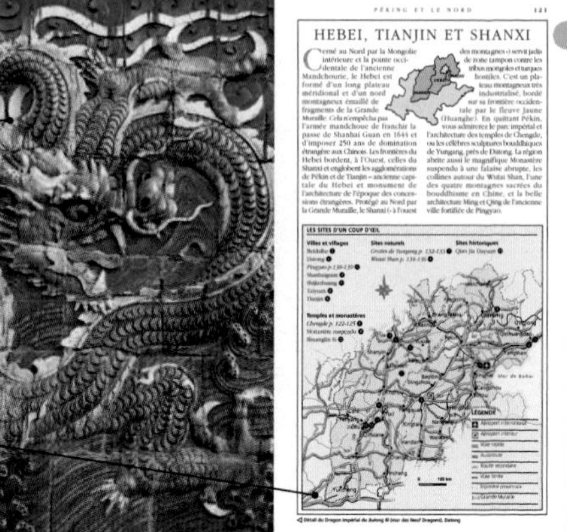
PÉKIN ET LE NORD 121

HEBEI, TIANJIN ET SHANXI

Une carte localise les villes, les voies ferrées et les routes principales.

4 Plan de la ville

Dans chaque chapitre, les grandes villes sont minutieusement décrites et de nombreux sites sont recommandés. Un mode d'emploi *fournit des informations pratiques et un plan situe les principaux sites et nœuds de communication.*

Le mode d'emploi fournit entre autres l'adresse, les horaires d'ouverture et les moyens de transport.

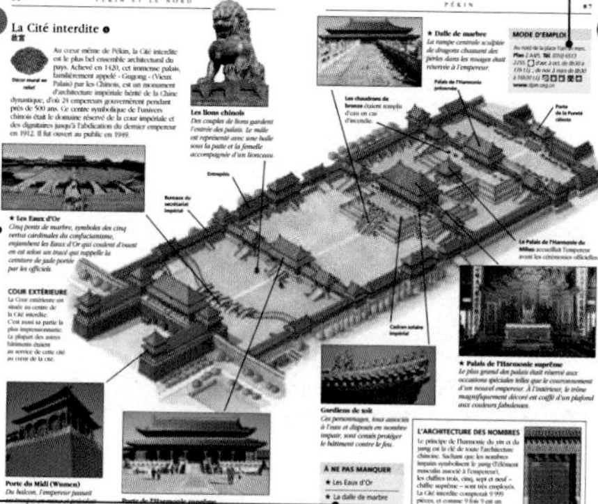

Les sites numérotés sont reportés sur le plan.

5 Les principaux sites

Les monuments historiques sont soigneusement illustrés : les musées par des plans en couleurs permettant de situer les collections les plus intéressantes, et les parcs naturels par des cartes indiquant les itinéraires.

Des étoiles signalent les sites à ne pas manquer.

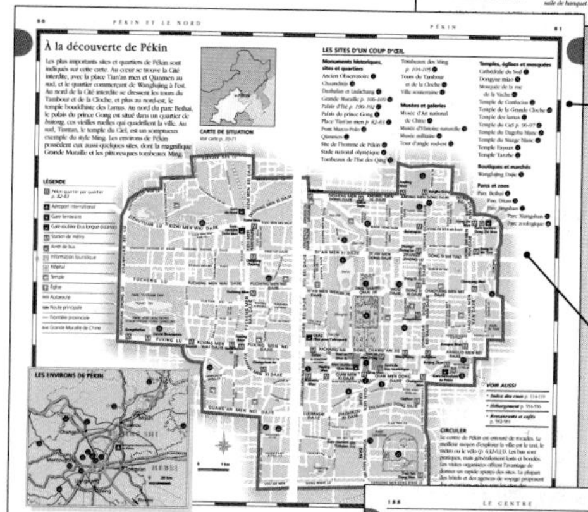

6 Plan des principales localités

Pékin, Hong Kong et Shanghai ont toutes un chapitre qui leur est consacré et des plans sur lesquels les sites sont numérotés et cerclés de noir. Hong Kong et Pékin ont également un Atlas des rues détaillé.

Les sites cerclés de noir sont classés par ordre alphabétique.

À chaque chapitre correspond un code de couleur qui est repris sur la carte du premier rabat de couverture.

7 Informations détaillées

Outre les informations pratiques, chaque site est orthographié en caractères chinois et abordé en détail dans l'ordre de numérotation indiqué sur la carte en début de chapitre.

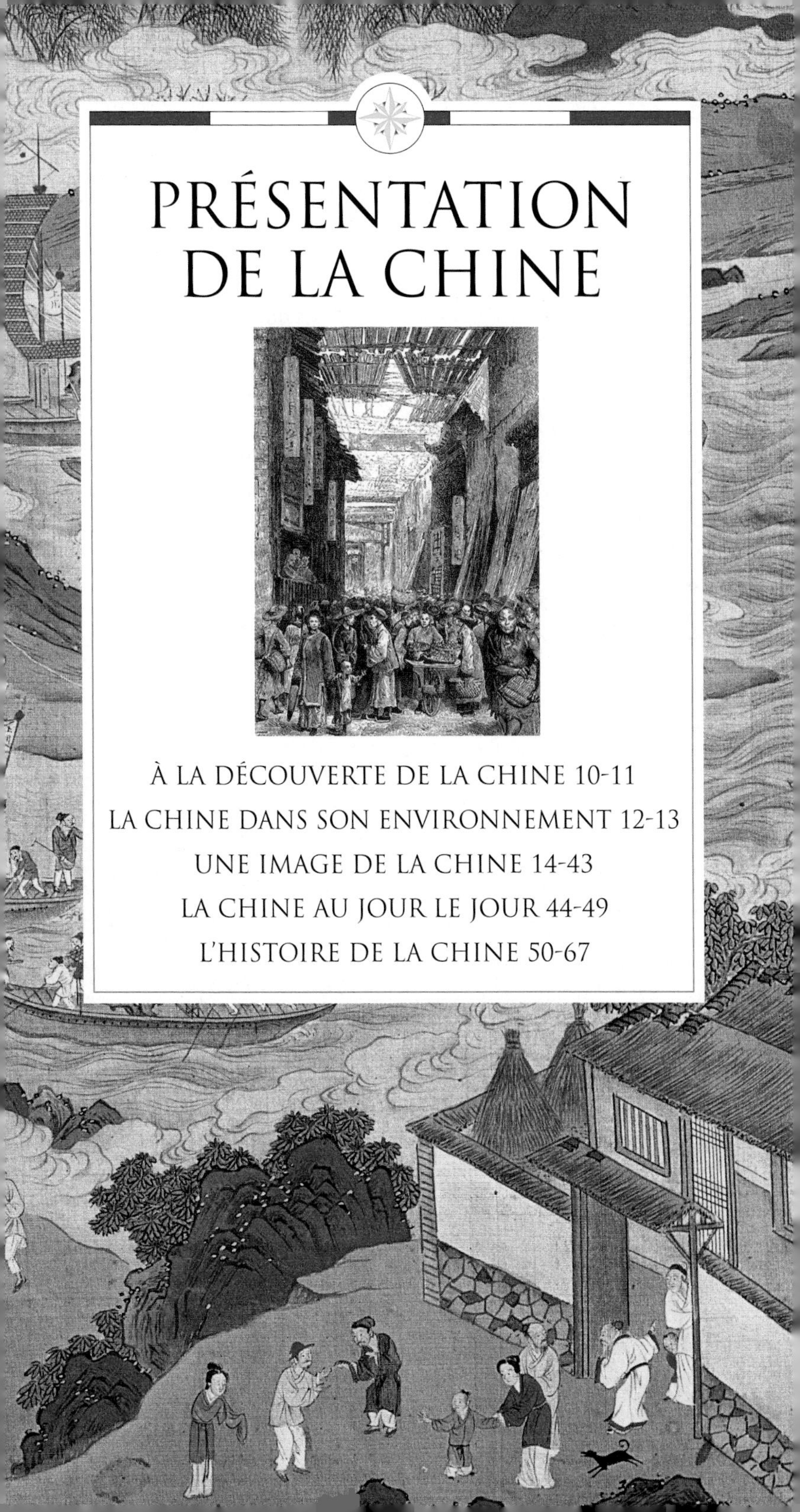

PRÉSENTATION DE LA CHINE

À LA DÉCOUVERTE DE LA CHINE

La Chine est célèbre pour les méandres de sa Grande Muraille, ses palais perchés sur les sommets tibétains et les grands temples rupestres qui jalonnent les anciennes Routes de la soie. Les paysages subtropicaux luxuriants côtoient les hauts sommets enneigés et les sages rizières millénaires. La population y est aussi hétéroclite que le territoire qu'elle occupe. Peu de pays peuvent se targuer d'offrir une telle diversité. La Chine va d'ailleurs devenir l'une des premières destinations touristiques mondiales.

Assiette de porcelaine de l'époque Guangxu

La spectaculaire Cité interdite de Pékin

PÉKIN ET LE NORD

- **La Cité interdite de Pékin**
- **La Grande Muraille**
- **L'armée de terre cuite de Xi'an**
- **L'antique Pingyao**

La Chine du Nord recèle à elle seule la plupart des sites les plus emblématiques du pays, à commencer par la **Cité interdite** *(p. 86-89)*, où les visiteurs peuvent passer des heures dans le dédale des allées et des luxueux pavillons de l'ancien palais impérial des dynasties Ming et Qin. C'est aussi au Nord, pour protéger la cour impériale, que fut construite la puissante **Grande Muraille** *(p. 106-108)*. Plusieurs portions se visitent à la journée au départ de Pékin. Xi'an, l'ancienne capitale, abrite quant à elle l'étrange **armée de terre cuite** du premier empereur *(p. 168-169)*. Le Shanxi possède la plupart des plus vieux temples en bois du pays, dont ceux de **Datong** *(p. 131)* et de **Wutai Shan** *(p. 134-136)*, ainsi que **Pingyao** *(p. 138-139)* – la ville fortifiée la mieux conservée.

LE CENTRE

- **Shanghai la dynamique**
- **Les jardins de Suzhou**
- **Les « Venise chinoises »**
- **Tunxi et Shexian de l'ère Ming**

Le Zhejiang est aujourd'hui la province la plus riche de Chine. C'est sur sa côte, dans d'anciens ports de commerce tels que Ningbo et Wenzhou, que se concentre une grande partie de la richesse du pays. **Shanghai** *(p. 183-201)* est redevenue la ville la plus dynamique de la Chine continentale. Face aux bâtiments coloniaux se dresse la forêt de grues et de tours futuristes du quartier de Pudong. Non loin de là, les **jardins de Suzhou** *(p. 204-215)* et les « Venise chinoises » telles que **Tongli**, **Zhouzhuang** et **Wuxi** *(p. 216)* déploient leurs charmes plus discrets, tandis que dans l'arrière-pays, les humbles maisons de l'époque Ming côtoient les magnifiques demeures chaulées des riches commerçants de **Tunxi**, **Shexian**, **Hongcun** et **Xidi** *(p. 234)*.

Les néons de la très animée rue Nanjing de Shanghai

Une sortie en jonque est idéale pour voir la ville de Hong Kong

LE SUD

- **Hong Kong**
- **Les maisons coloniales de Xiamen**
- **Quanzhou la multiculturelle**
- **Les *tulou* en terre de Yongding**

Le souvenir de la présence étrangère constitue l'intérêt du Sud-Est. Policée et cosmopolite, l'ancienne ville britannique de **Hong Kong** *(p. 307-325)* incarne toutes les aspirations des villes du continent. Le site est l'un des plus spectaculaires au monde. La communauté étrangère qui peuplait **Xiamen** *(p. 286-287)* laissa derrière elle des demeures européennes raffinées. Quelques centaines d'années plus tôt, catholiques et musulmans avaient doté **Quanzhou** *(p. 291)* d'une étonnante mosaïque d'édifices religieux. À **Yongding** *(p. 290)*, dans les montagnes de l'arrière-pays, les forteresses en terre (*tulou*) du peuple hakka étaient des villages à part entière où vivaient des habitants avec leur bétail.

Rue pavée typique de la vieille ville de Lijiang

LE SUD-OUEST

- **Les collines calcaires du Guangxi**
- **Les villes de Dali et de Lijiang**
- **Les ponts naturels de Sanjiang**

Cette région très pittoresque jouit d'un climat doux où cohabitent de nombreuses minorités ethniques réputées pour leurs festivals et leur extraordinaire architecture. Les collines calcaires sculptées du **Guangxi** *(p. 397-413)* – l'un des sites chinois les plus connus – se visitent à la journée en remontant la rivière Li au départ de **Guilin** *(p. 414-417)*. **Dali** *(p. 386-388)* et **Lijiang** *(p. 390-393)* sont des villes de canaux bien conservées dans les montagnes du Yunnan. Dans le Guangxi, autour de **Sanjiang** *(p. 420-421)*, on peut admirer des tours du tambour en bois, ainsi qu'un temple-pont couvert.

Spectaculaires pics calcaires des montagnes du Guangxi

LE NORD-EST

- **L'architecture coloniale de Dalian et Harbin**
- **Le palais Qin de Shenyang**
- **Les cascades de Changbai Shan**

En été, le Nord-Est est un havre de fraîcheur dans un pays caniculaire. L'architecture coloniale de **Dalian** *(p. 444-445)* et **Harbin** *(p. 450-451)* – l'une des mieux préservées du pays – date des occupations russe et japonaise. **Shenyang** *(p. 438-439)* possède encore un palais Qin et c'est depuis un palais de **Changchun** *(p. 446)* que le dernier empereur Pu Yi dirigea une Mandchourie sous contrôle japonais. La volcanique **Changbai Shan** *(p. 448-449)* donne sur les eaux de Tian Chi (le lac du Paradis), à cheval sur la frontière nord-coréenne.

LA MONGOLIE INTÉRIEURE ET LES ROUTES DE LA SOIE

- **Les grottes de Mogao**
- **Les oasis du désert de Taklamakan**
- **Les monastères tibétains**

La région possède de magnifiques temples bouddhistes. Les **grottes de Mogao**, à Dunhuang *(p. 497)*, sont les plus grandes. Parmi les oasis autour du **désert de Taklamakan**, **Turpan** *(p. 504-505)* possède de grands vignobles ; **Kuqa** *(p. 509)* s'organise autour d'un dédale de maisons en adobe ; tandis que **Kashgar** *(p. 510-513)*, avec sa mosquée et son marché aux bestiaux du dimanche, est en rapide mutation. Les monastères tibétains de **Xining** *(p. 498)* et **Xiahe** *(p. 482)* sont plus accessibles que le Tibet lui-même, et le fort reconstitué de **Jiayuguan** *(p. 492-493)* marque la fin de la Grande Muraille habillée de briques de l'ère Ming.

Splendeur et majesté du palais du Potala, à Lhassa

LE TIBET

- **Le train pour Lhassa**
- **Le palais du Potala à Lhassa**
- **Le camp de base de l'Everest**

La voie de chemin de fer pour **Lhassa** *(p. 528-537)* est désormais la plus spectaculaire du pays et la plus haute du monde. Les hauts plateaux tibétains comptent encore quelques zones interdites aux étrangers. Le **palais du Potala** *(p. 534-535)* domine Lhassa et offre une vue impressionnante. La route qui mène au **camp de base de l'Everest** *(p. 546-547)* depuis la *Friendship Highway* (Route de l'Amitié) vers le Népal offre une vue imprenable sur l'Everest et les autres sommets à plus de 8 000 mètres d'altitude.

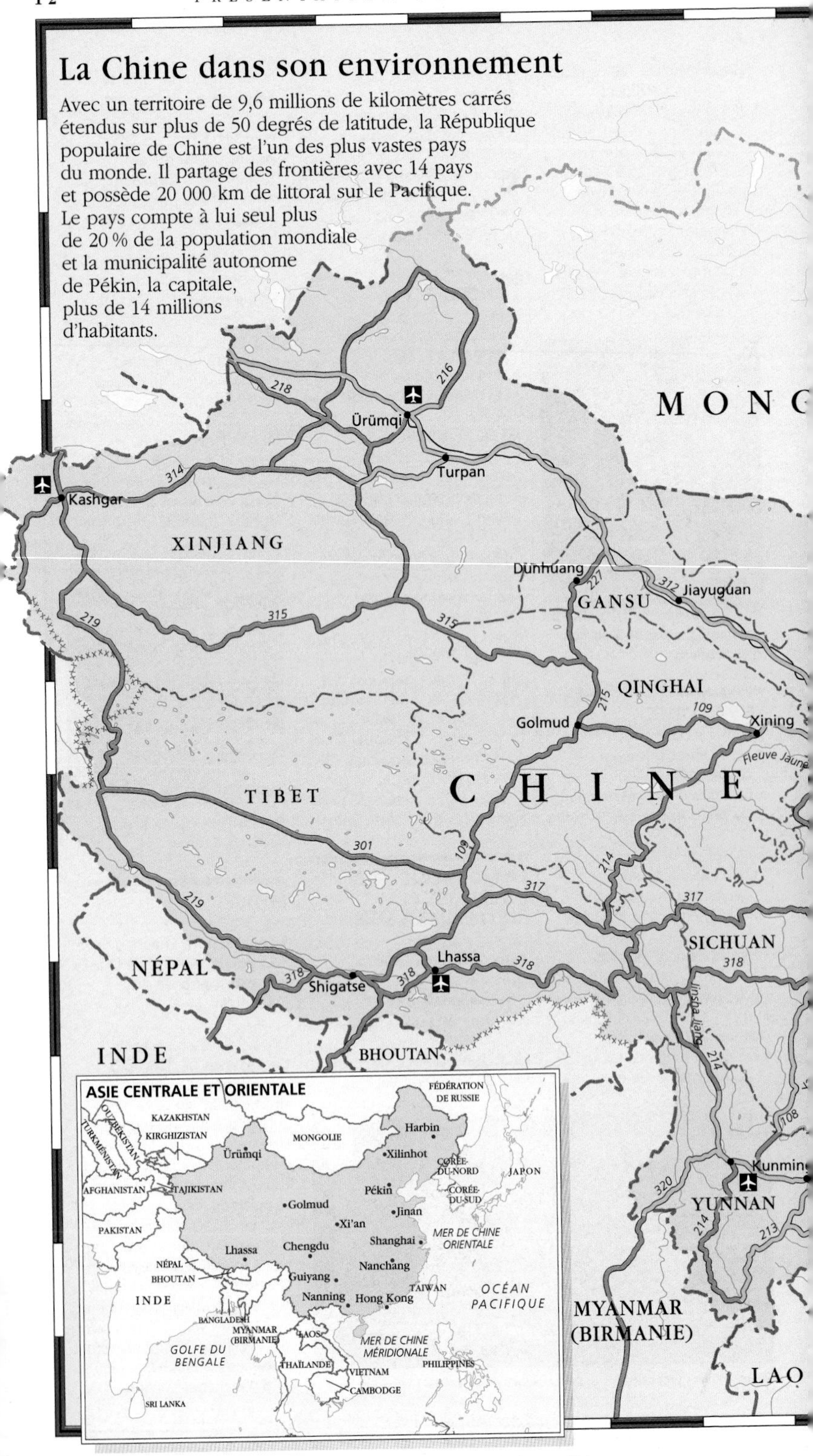

◁ Détail de l'*Histoire des empereurs de Chine*, série de peintures sur soie du XVIIe siècle env.

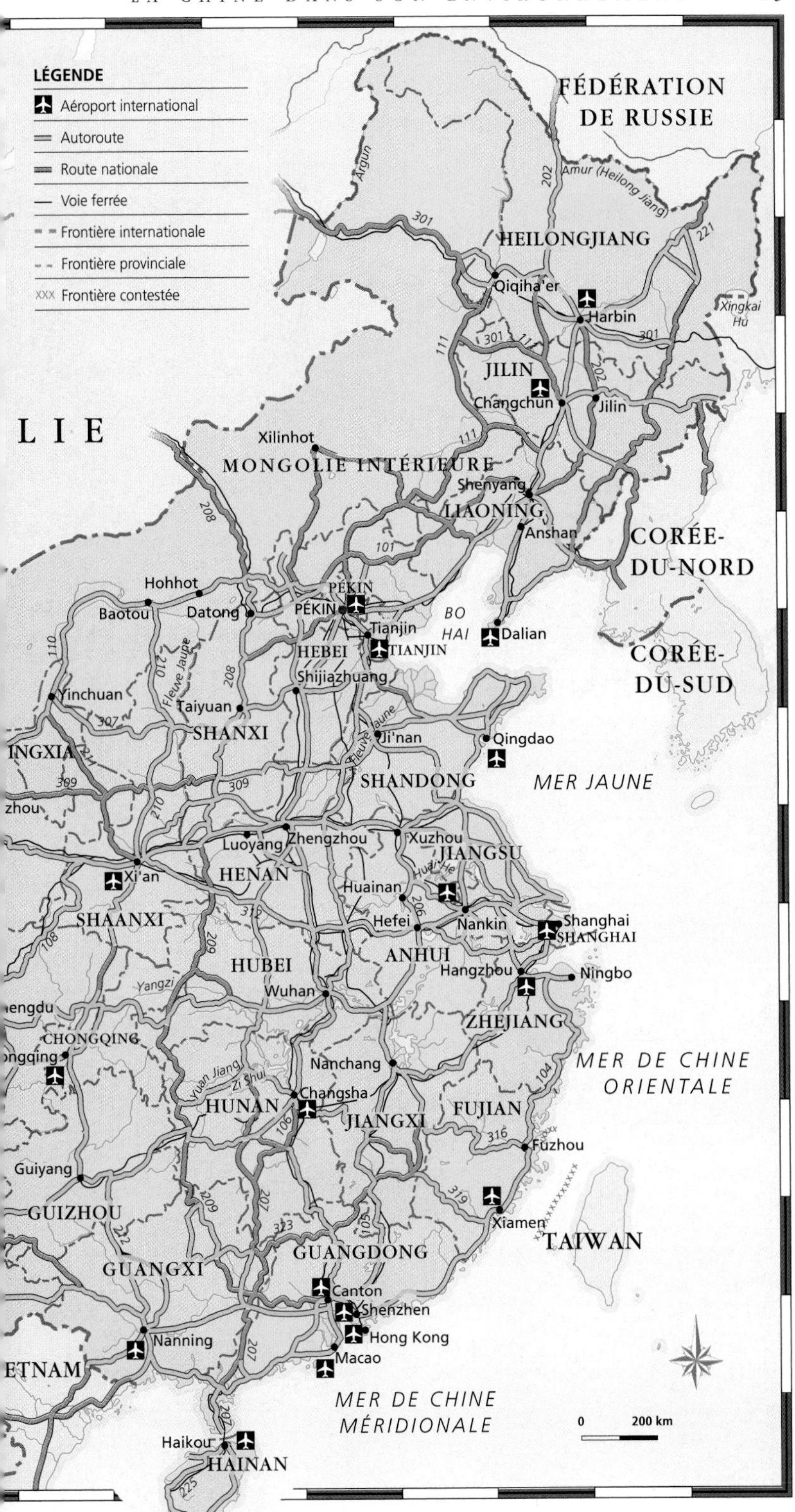
LÉGENDE
Aéroport international
Autoroute
Route nationale
Voie ferrée
Frontière internationale
Frontière provinciale
Frontière contestée
FÉDÉRATION DE RUSSIE
HEILONGJIANG
Qiqiha'er
Harbin
JILIN
Changchun
Jilin
MONGOLIE INTÉRIEURE
Xilinhot
Shenyang
LIAONING
Anshan
CORÉE-DU-NORD
CORÉE-DU-SUD
Hohhot
Baotou
Datong
PÉKIN
Tianjin
TIANJIN
BO HAI
Dalian
HEBEI
Shijiazhuang
Yinchuan
Taiyuan
SHANXI
Ji'nan
Qingdao
SHANDONG
MER JAUNE
Luoyang
Zhengzhou
Xuzhou
JIANGSU
Xi'an
HENAN
Huainan
SHAANXI
Hefei
Nankin
Shanghai
SHANGHAI
ANHUI
HUBEI
Hangzhou
Ningbo
Wuhan
ZHEJIANG
CHONGQING
Nanchang
MER DE CHINE ORIENTALE
Changsha
HUNAN
JIANGXI
FUJIAN
Fuzhou
Guiyang
GUIZHOU
Xiamen
TAIWAN
GUANGDONG
GUANGXI
Canton
Shenzhen
Hong Kong
Nanning
Macao
MER DE CHINE MÉRIDIONALE
Haikou
HAINAN
0 200 km

UNE IMAGE DE LA CHINE

Vingt ans après la politique « de réforme et d'ouverture » de feu Deng Xiaoping, qui rouvrit les portes de la Chine aux étrangers, le pays conserve presque le même mystère qu'au XIXe siècle, à l'époque où les superpuissances étrangères usèrent de la politique dite de la canonnière pour obliger la dernière dynastie trébuchante à ouvrir le pays aux marchands et aux explorateurs.

Séduits par cette part de mystère, les visiteurs sont de plus en plus nombreux à visiter une Chine qui, d'après l'Organisation mondiale du tourisme, devrait devenir la première destination touristique du monde d'ici 2020.

Les principaux sites du pays ne laissent personne insensible. La Grande Muraille a beau avoir été totalement reconstruite à l'époque moderne, les volutes vertigineuses qu'elle dessine à l'horizon continuent de subjuguer les visiteurs. Au cœur de Pékin, la Cité interdite a perdu de sa superbe au milieu de la foule, mais il suffit de se hasarder dans le dédale des passages pour tomber sous le charme. Quant aux soldats de l'armée de terre cuite de Xi'an, rien ne nous prépare au face-à-face avec ces milliers de guerriers. La Chine n'est peut-être pas la réussite économique en voie de modernisation rapide que nous vantent les investisseurs, mais elle n'est pas non plus le marigot moyenâgeux dont nous parlent les touristes. La vérité se situe entre les deux. À deux pas des villes de gratte-ciel dynamiques et prospères, les charrues continuent d'être tractées par des buffles d'eau et la population de se déplacer en charrettes tirées par des ânes. Aujourd'hui encore, la campagne est pleine de marchés animés, de collines perchées et de pagodes délabrées.

Paysan chinois

Les gratte-ciel de Shanghai, symboles de l'essor économique chinois

◁ **Pêcheur au cormoran dans le paysage intemporel des collines de karst du sud de la Chine**

Les boucles vertigineuses de la Grande Muraille

LA CHINE MODERNE

Malgré les famines et les guerres civiles, la population chinoise est passée de 400 millions à environ 1,3 milliard d'habitants en moins d'un siècle. Cette hausse a entraîné un essor de la consommation. En témoignent les villes où les panneaux publicitaires pour le café, les ordinateurs et la mode ornent les rues bordées de boutiques de restauration rapide, de téléphonie et d'esthétique.

À Shanghai, icône du dynamisme chinois, le visiteur est frappé par les panneaux d'affichage, les tours et la forêt de grues, sans se douter que beaucoup de projets de construction restent inachevés, ni que de nombreux projets terminés sont inoccupés. Mais Shanghai n'est qu'une ville dans un vaste pays où 70 % des Chinois travaillent dans l'agriculture et où la majorité des entreprises commerciales sont encore – en totalité ou en majorité – aux mains de l'État.

Le pays a toutefois connu une croissance économique rapide et a su se doter d'hôtels de luxe, de transports modernes et d'excellents restaurants. Ces progrès sont les bienvenus, mais la construction d'autoroutes rapidement saturées s'est faite au prix de la destruction de l'habitat traditionnel. En revanche, ils ont permis à certains d'accéder à un revenu suffisant pour financer un retour aux loisirs et aux passe-temps traditionnels.

Maisons traditionnelles de Lijiang, dans le sud-ouest du pays

Aujourd'hui, les anciens occupants des maisons à cour carrée décrépies sont peut-être exilés dans des tours inachevées en banlieue, mais ils y trouvent un espace pour faire revivre une tradition : promener leurs pékinois. Ici et là, les oiseaux chanteurs voletent et pépient dans leurs délicates cages en bambou, pendant que leurs maîtres sont assis à discuter. Et sur les ponts qui enjambent les rocades, les vieux Chinois se réunissent pour faire voler leurs cerfs-volants – désormais fabriqués avec des sacs en plastique.

UNE CROISSANCE TROP RAPIDE ?

La croissance démographique entraîne une explosion de la consommation, mais aussi des besoins énergétiques du pays, qui vont rapidement dépasser sa capacité de production. La Chine prévoit une vaste extension de son réseau de centrales au charbon, alors qu'elle est déjà le deuxième pollueur du monde après les États-Unis et que, dans de nombreuses villes, l'air est à peine respirable.

Face au chômage dans les campagnes, des dizaines de millions de travailleurs tentent leur chance en ville. Ils vivent dans la misère et envoient tout ce qu'ils peuvent à leur famille restée au pays. Dans la construction, ils ne sont souvent pas payés à la fin des chantiers. Beaucoup travaillent dans la restauration ou vivent de petits boulots – du cireur de chaussures à l'aiguiseur de couteaux.

Ceux qui vivent mieux reprochent à ces migrants la recrudescence de la délinquance urbaine, mais se plaignent dès que cette main-d'œuvre bien utile rentre chez elle pour les vacances du nouvel an chinois.

L'architecture européenne du Bund, Shanghai

LA POLITIQUE

La fin du XXe siècle a beau avoir vu l'effondrement des régimes communistes en Europe, l'actuel gouvernement chinois a clairement fait savoir que tout changement politique était exclu à court et moyen terme. La politique, bien que quasiment invisible, est omniprésente, jusque dans la formation des guides touristiques chargés de fournir des informations culturelles et historiques conformes à l'image de la Chine que le Parti souhaite promouvoir. Comme beaucoup d'autres nations, les Chinois sont plongés dans l'apathie politique,

Hong Kong aux heures de pointe – comme dans n'importe quelle métropole internationale

Moyens de transport traditionnels à Pékin

persuadés qu'individuellement, ils sont impuissants. Leur insatisfaction porte sur des questions pratiques, notamment sur des faits de corruption officielle, et ne débouche sur aucune critique plus générale de la mainmise du Parti sur le pouvoir.

LA FAMILLE

Parmi les membres de la génération des 40-50 ans, huit sur dix se sont vu attribuer un conjoint approuvé par leur unité de travail. Aujourd'hui, en ville, leurs enfants vivent ensemble hors mariage (ce qui n'est plus illégal depuis peu) et prennent leur temps avant de fonder un foyer.

Le divorce, resté tabou jusqu'à la fin du XXe siècle, est désormais courant et les relations extra-conjugales sont tellement omniprésentes que le gouvernement réfléchit à une législation répressive. L'attitude à l'égard des enfants est elle aussi en train de changer. La politique de l'enfant unique, contournée depuis longtemps avec des relations ou de l'argent, semble en passe d'être assouplie, car tout indique que la classe moyenne urbaine, bien que représentant une infime partie de la population, préfère jouir des plaisirs qu'elle peut s'offrir plutôt que d'avoir des enfants. Il y a 20 ans, avoir un vélo était une chance. Aujourd'hui, les jeunes urbains pleins d'ambition peuvent espérer posséder une voiture.

Une femme et son enfant d'une minorité chinoise

L'UNITÉ LINGUISTIQUE

En 2003, la nation tout entière se sentit fière du lancement dans l'espace de Yang Liwei, le premier astronaute chinois, qui marqua l'entrée de la Chine dans le club très fermé des nations spatiales. Le gouvernement chinois profite toujours de ces occasions pour promouvoir l'unité Han – « Han » étant le nom de la majorité chinoise, par opposition à la cinquantaine de minorités officiellement reconnues au sein des frontières du pays (p. 24-25) et depuis toujours traitées comme des trublions. Depuis quelques années, leurs fêtes et leurs costumes traditionnels sont mis en avant pour promouvoir le tourisme. Ce n'est pas idéal, mais préférable à la politique d'assimilation forcée du passé.

Presque tous les Chinois reçoivent une éducation en mandarin (putonghua), la langue officielle du pays, mais il existe cinq langues régionales radicalement différentes assorties d'un fort sentiment de culture et de traditions locales.

Concert de rock en plein air à Pékin

Yang Liwei, le premier astronaute chinois, inaugure une nation spatiale

Les Chinois sont unis par un même amour de la bonne chère, mais préfèrent, selon les régions, les saveurs épicées, vinaigrées, douces ou autres. Le Sichuan et le Yunnan sont fiers de leur cuisine très relevée, tandis que le Guangdong et le Guangxi surprennent par la subtilité et la délicatesse de la cuisine cantonaise.

LA CULTURE ET LA RELIGION

L'opéra traditionnel se cantonne désormais aux spectacles pour touristes étrangers. En revanche, l'art moderne, le cinéma et la musique populaire sont florissants. Les galeries d'art s'installent sur les circuits touristiques, les étudiants écoutent des groupes punks chinois dans les bars, et des amateurs du monde entier viennent assister aux combats d'arts martiaux à gros budget.

Le gouvernement, redoutant toute organisation hors de son contrôle, s'inquiète du retour discret de la religion et des superstitions. Beaucoup de Chinois ont encore du mal à accepter la fin d'une époque où l'État prenait tout en charge, et certains trouvent un substitut dans les structures religieuses. Aujourd'hui, les possibilités de créer une entreprise et de gagner de l'argent sont bien plus nombreuses, et beaucoup de métiers sont nés avec la politique de réforme économique de Deng Xiaoping. Mais un emploi ne s'accompagne plus d'un logement ni de la sécurité sociale, et n'offre aucune garantie de durée.

Pourtant les Chinois, habitués aux convulsions, sont incroyablement stoïques. Face aux visiteurs, leur attitude va de l'indifférence étudiée des élégants métropolitains à l'intérêt appuyé pour les portefeuilles étrangers dans les pièges à touristes, en passant par la curiosité sincère (voire envahissante), l'accueil chaleureux et la générosité du Chinois moyen.

Centre commercial de Xi Dan, à Pékin – exemple de consommation moderne à la chinoise

La nature et les paysages de l'Ouest

Papillon des forêts

L'ouest de la Chine est un haut plateau montagneux aride prolongé au nord par un désert sec et rude. Ces terres incultivables sont très peu peuplées et seuls les animaux ayant réussi à s'adapter y survivent. Aux confins orientaux du plateau tibétain se dressent les montagnes et les collines boisées de la Chine du Centre et de l'Ouest, où surgissent ici et là des forêts de bambous, dans lequel vit l'un des plus célèbres animaux du pays, le panda géant. Ces forêts, arrosées par les rivières formées par la fonte des neiges du Tibet, abritent également un grand nombre d'autres animaux, d'arbres et de fleurs magnifiques *(p. 344-345)*.

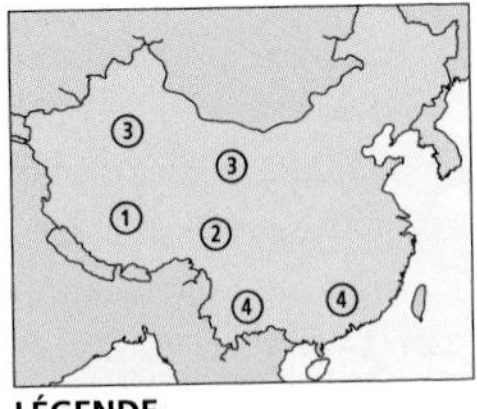

LÉGENDE

① Haut plateau tibétain
② Montagnes du Centre et de l'Ouest
③ Déserts du Nord et du Nord-Ouest
④ Forêt de bambous

LE HAUT PLATEAU TIBÉTAIN

Le vaste plateau rocheux Qinghai-Tibet s'étend entre les monts Kunlun au nord, le Karakoram à l'ouest et l'Himalaya au sud. Son altitude moyenne d'environ 4 875 m en fait le plus haut plateau du monde.

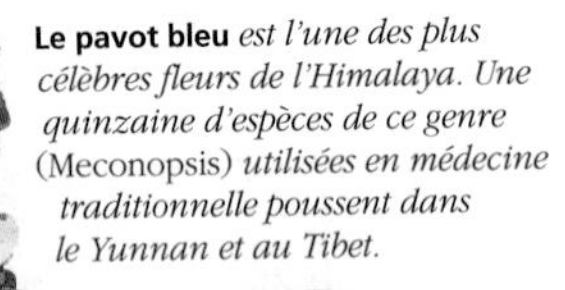

Le pavot bleu *est l'une des plus célèbres fleurs de l'Himalaya. Une quinzaine d'espèces de ce genre* (Meconopsis) *utilisées en médecine traditionnelle poussent dans le Yunnan et au Tibet.*

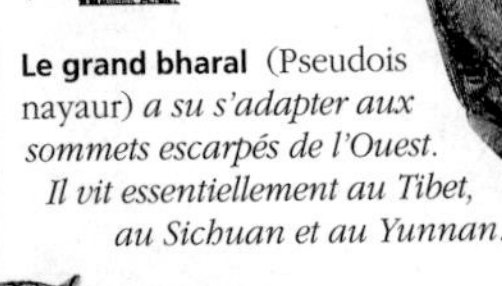

Le grand bharal (Pseudois nayaur) *a su s'adapter aux sommets escarpés de l'Ouest. Il vit essentiellement au Tibet, au Sichuan et au Yunnan.*

La panthère des neiges (Panthera uncia) *résiste au froid grâce à l'épaisse fourrure qui fait d'elle, bien qu'elle soit protégée, une proie pour les braconniers.*

LES MONTAGNES DU CENTRE ET DE L'OUEST

Les montagnes du Centre sont couvertes de vastes forêts naturelles de plus de 52 000 km² qui sont autant de refuges pour la faune et la flore, notamment pour une espèce menacée, le singe doré.

Le macaque rhésus (Macaca mulatta) *vit dans les forêts chinoises. Habitué à la présence humaine, il harcèle parfois les visiteurs pour avoir de la nourriture.*

Le sapin de Chine (Cunninghamia lanceolata) *est un conifère courant dans les forêts mixtes (épineux et feuillus) des hauteurs subtropicales.*

Le faisan argenté (Lophura nycthemera) *est l'un des plus beaux oiseaux de Chine. On le trouve dans les forêts d'arbres à feuilles persistantes et les bosquets de bambous du Sud et de l'Est.*

LES MARCHES DE LA CHINE

D'ouest en est, le paysage chinois forme une volée de trois marches. La première, le plateau tibétain, est située principalement au-dessus de 4 000 mètres sur un tiers de la largeur du territoire chinois. Puis viennent, entre 1 500 et 3 000 mètres, les montagnes du Sichuan et du Centre, marquées par de brusques changements de végétation, où un désert glacé de haute altitude voisine parfois avec une forêt tropicale ; et enfin les plaines fertiles, qui s'étendent de 1500 mètres à la côte. On comprend que les fleuves chinois en provenance du plateau tibétain enflent à mesure qu'ils approchent de la côte est.

LES DÉSERTS DU NORD ET DU NORD-OUEST

Les déserts couvrent près de 20% du territoire chinois et sont concentrés au nord-ouest. La faune et la flore adaptées à cet environnement difficile sont rares : les reptiles et les petits rongeurs tels que la gerboise y règnent en maîtres.

Seulement 600 *chameaux de Bactriane* (Camelus bactrianus) *survivent dans les déserts chinois.*

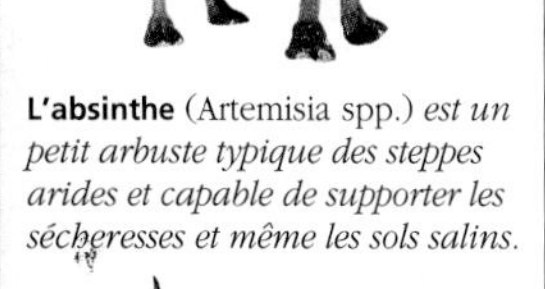

L'absinthe (Artemisia spp.) *est un petit arbuste typique des steppes arides et capable de supporter les sécheresses et même les sols salins.*

Dans les déserts *du nord de la Chine, près de la Mongolie, la gazelle à goitre* (Gazella subgutturosa) *reste, malgré sa rareté, la proie des chasseurs de trophées.*

LA FORÊT DE BAMBOUS

Quelque 500 espèces de bambous occupent près de 3 % des forêts chinoises. Réparties dans 18 provinces, ces forêts de bambous forment un écosystème indispensable et leurs tiges quasiment indestructibles constituent une ressource précieuse.

Les forêts géantes de bambous Moso (Phyllostachys pubescens) *sont cultivées pour leurs tiges, que les habitants utilisent à toutes sortes de fins* (p. 411).

Le faisan doré (Chrysolophus pictus) *vit dans les forêts et les coteaux broussailleux du centre de la Chine entre 800 et 2 500 m d'altitude.*

Le panda géant (Ailuropoda melanoleuca), *icône de la protection animale, repeuple lentement les réserves forestières du Centre et de l'Ouest.*

La nature et les paysages de l'Est

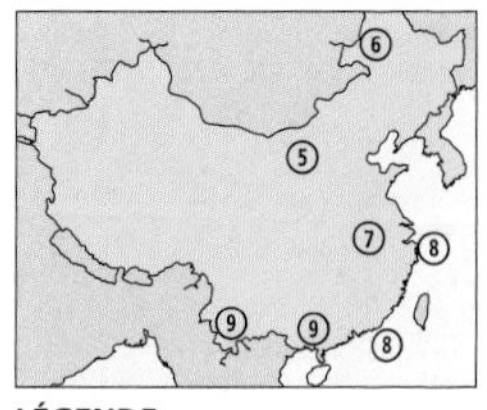

LÉGENDE

- ⑤ Steppes herbeuses
- ⑥ Forêts du Nord-Est
- ⑦ Plaines fertiles
- ⑧ Marécages et côtes
- ⑨ Forêt tropicale

Lotus sacré

La Chine est le pays de la zone tempérée qui possède la faune et la flore les plus riches : environ 30 000 espèces végétales, 500 espèces de mammifères et 1 200 espèces d'oiseaux. La plupart des plaines font l'objet de cultures intensives depuis des siècles, mais il reste de vastes étendues d'habitat sauvage, dont 12 millions d'hectares de lacs et 13 millions d'hectares de marécages et de marais salants. L'inhospitalité des zones frontalières du nord-est leur a épargné la déforestation. Malgré de lourds abattages, la région est le plus vaste territoire boisé de Chine. En revanche, la steppe, facile d'accès, a largement cédé la place aux terres agricoles.

LA STEPPE HERBEUSE

Les pâturages résistant à la sécheresse sont une source de nourriture importante pour les nomades. Leurs racines maintiennent la couche arable, empêchant l'érosion et la désertification. Mais les cultures intensives ont provoqué des tempêtes de sable à Pékin.

Le chat sauvage (Felis libyca) *est courant dans les steppes broussailleuses des monts Célestes (Tian Shan) du nord-ouest. Il se nourrit de petits mammifères, d'oiseaux et de reptiles.*

L'outarde barbue (Otis tarda) *est le plus lourd oiseau volant. Elle peut atteindre 15 kg et niche sur des mottes d'herbes sèches.*

L'antilope saïga (Saiga tatarica), *une étrange créature au large nez filtrant la poussière et réchauffant l'air qu'elle respire.*

LES FORÊTS DU NORD-EST

Ici, les forêts sont essentiellement constituées de conifères – sapins, épicéas, pins à feuillage persistant et mélèzes à feuilles caduques. Au sud de ces régions forestières se trouvent des forêts de feuillus tempérées mixtes où dominent le chêne et le bouleau.

L'ours noir d'Asie (Ursus thibetanus) *vit dans de nombreuses régions – au sud, jusqu'au Hainan – et hiberne dans les régions les plus froides.*

Le robinier (Robinia pseudoacacia), *bien que natif de l'est de l'Amérique du Nord, a été massivement planté en Chine.*

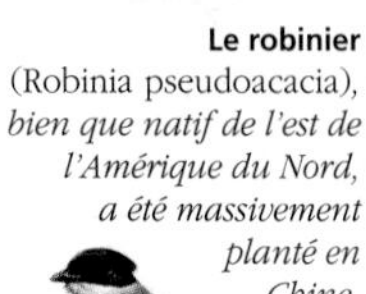

La magnifique pie bleue (Cyanopica cyana) *est une espèce sociable se déplaçant en nuées bruyantes dans les arbres des forêts et des parcs.*

UN ENVIRONNEMENT MENACÉ

La pollution de l'air, du sol et de l'eau menace une partie des écosystèmes, des animaux et des végétaux fragiles de Chine, notamment dans le cas de grands projets tels que le barrage des Trois Gorges. Certains animaux rares utilisés dans les « potions » médicinales sont également victimes du braconnage. Le gouvernement chinois commence pourtant à se pencher sur la question et affirme que le panda géant, l'ibis huppé et l'alligator de Chine sont tous trois en augmentation grâce à la préservation de leur habitat et à l'amélioration des écosystèmes. Il reste toutefois beaucoup à faire.

LA FORÊT TROPICALE

Les forêts tropicales situées à l'extrême sud du pays – sur l'île d'Hainan et dans les bassins du Yunnan – sont secondaires ou ont cédé la place, à force d'abattage et de pâturage, à une sorte de savane ou à des plantations, en particulier de caoutchouc.

LES PLAINES FERTILES

Dépourvues de végétation naturelle, les immenses plaines inondées des grands fleuves (fleuve Jaune et Yangzi) sont dévolues aux cultures intensives. Les champs céréaliers et les rizières sont ponctués de mares aux poissons, aux canards et aux grenouilles.

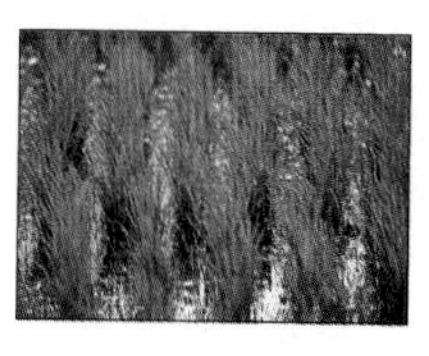

Les rizières *occupent une grande partie des plaines et des coteaux fertiles du centre et du sud du pays.*

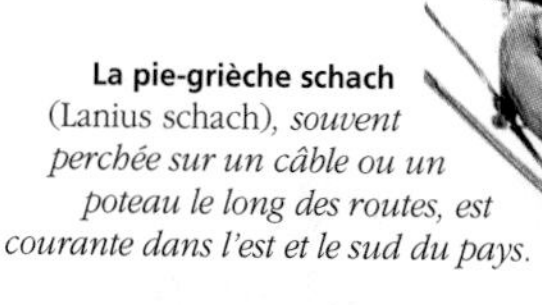

La pie-grièche schach (Lanius schach), *souvent perchée sur un câble ou un poteau le long des routes, est courante dans l'est et le sud du pays.*

Le buffle d'eau (Bubalus arnee) *est utilisé pour labourer les rizières humides et boueuses du Sud.*

LES MARÉCAGES ET LES CÔTES

Les marécages sont l'habitat privilégié d'espèces végétales et animales rares ou endémiques. Les lacs et les vallées inondées sont des escales indispensables pour les oiseaux migrateurs tels que le gibier d'eau et certaines grues en voie d'extinction.

Le calla des marais (Calla palustris) *pousse autour des marécages du Nord-Est jusqu'à une altitude de 1 100 mètres.*

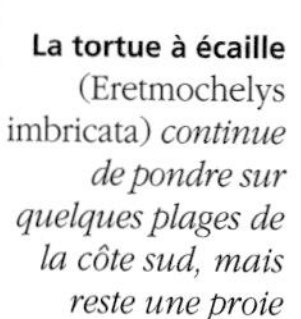

Le canard mandarin (Aix galericulata), *avec son plumage resplendissant, niche dans les troncs d'arbres creux et vit principalement sur les berges boisées du Nord-Est.*

La tortue à écaille (Eretmochelys imbricata) *continue de pondre sur quelques plages de la côte sud, mais reste une proie facile pour l'homme.*

La population chinoise

La Chine compte environ 55 minorités ethniques ayant chacune ses propres coutumes, ses propres costumes et, souvent, sa propre langue. Bien que culturellement riches et variées, ces minorités ne représentent qu'environ 7% de la population – le reste étant constitué par une ethnie majoritaire, les Han. La modernisation de la société et les mariages mixtes entraînent inévitablement une dilution de ces différences, mais de nombreuses minorités restent fières de leur héritage et perpétuent leurs croyances et leurs coutumes. Beaucoup conservent une tradition de costumes (en particulier les femmes) et de folklore dont elles ont fait un formidable atout touristique.

Plus d'un million de Kazakhs *Les musulmans vivent dans le nord du Xinjiang. Réputés pour leurs talents de cavaliers, les Kazakhs consacrent leur vie à leurs précieuses montures et à l'agriculture.*

Les Ouïghours, *une minorité musulmane parlant une langue proche du turc, sont environ 8 millions et vivent dans le Xinjiang, aux confins nord-ouest de la Chine.*

LE NORD-OUEST

Un ensemble d'ethnies à majorité islamique habitent cette région dominée par le désert, les terres arides et les montagnes. Les Ouïghours – minorité dominante ayant sa propre région autonome – côtoient les Hui, les Kazakhs, les Kirghiz, les Ouzbeks, les Tadjiks et les Tatars.

Les Naxi de Lijiang ont de fortes traditions et sont les gardiens d'une écriture ancestrale.

Les Bai *sont 1,6 million et vivent traditionnellement de l'agriculture et de la pêche dans le Sichuan, le Yunnan, le Guizhou et le Hunan. Leur capitale est Dali (Yunnan) et leurs costumes colorés sont devenus une attraction touristique.*

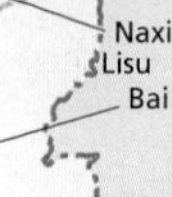

LE SUD-OUEST

Plus de 4,5 millions de Tibétains vivent sur le plateau tibétain. Avec une vingtaine de minorités, le Sud-Ouest affiche la plus grande diversité ethnique. L'ethnie majoritaire, les Yi (6,6 millions), vit dans le Sichuan, le Yunnan et le Guizhou.

Les Dai et les Hani *de Xishuangbanna, dans le sud de la région tropicale du Yunnan, sont essentiellement des fermiers bouddhistes et ont un profond respect pour la nature.*

LE NORD-EST

Le Nord-Est est peuplé de Mongols et de quelques autres minorités, notamment quelques milliers de Daur, des Oroqen, des Henzhen et des Ewenki, sans oublier environ 2 millions de Coréens (Chaoxian). Les 9,8 millions de Mandchous forment l'ethnie majoritaire.

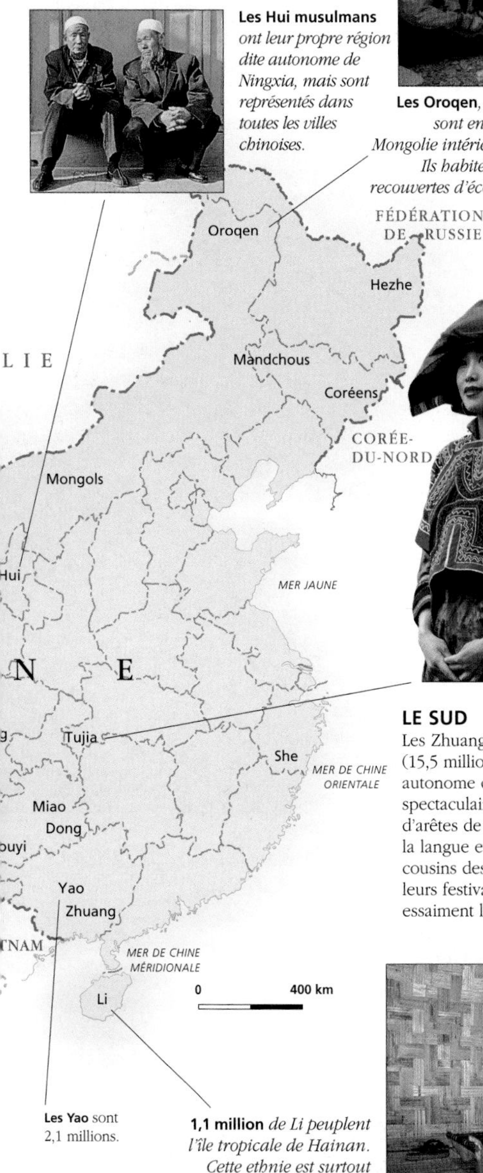

Les Hui musulmans *ont leur propre région dite autonome de Ningxia, mais sont représentés dans toutes les villes chinoises.*

Les Oroqen, *l'une des plus petites minorités du pays, sont environ 7 000 et vivent principalement en Mongolie intérieure et dans la province d'Heilongjiang. Ils habitent des huttes soutenues par des piliers et recouvertes d'écorce de bouleau ou de peaux* (p. 455).

LE CENTRE ET L'EST

Les 630 000 She vivent principalement dans les provinces de Fujian et de Zhejiang. Ces fermiers ont une longue tradition du travail du bambou. Les Gaoshan (environ 400 000), un autre petit groupe, viennent de Taiwan et sont souvent installés dans l'Est, en particulier dans la province de Fujian.

Les Tujia *du Hunan, du Hubei et du Sichuan ont une histoire vieille de plus de 2 000 ans. Ils sont environ 5,7 millions.*

LE SUD

Les Zhuang – la plus grande minorité chinoise (15,5 millions) – vivent surtout dans la région autonome de Guangxi, célèbre pour les spectaculaires rizières en terrasses aux allures d'arêtes de dragon de Longsheng. Ils sont liés par la langue et la culture aux Dai, eux-mêmes cousins des Thaïs. Réputés pour leur artisanat et leurs festivals *(p. 406-409)*, les Miao (7,4 millions) essaiment les provinces du Sud.

Les Yao sont 2,1 millions.

1,1 million *de Li peuplent l'île tropicale de Hainan. Cette ethnie est surtout connue pour ses tissages aux couleurs éclatantes.*

La langue et la calligraphie

Les origines de la calligraphie chinoise remontent à la dynastie Shang (XVI-XIe siècle av. J.-C.), à une époque où les oracles gravaient des symboles sur des os divinatoires. Depuis, les supports ont évolué, mais les caractères chinois ont étonnamment peu changé. Pour lire le journal, il faut connaître au moins 3 000 caractères, mais une personne instruite doit en posséder plus de 5 000. Depuis 1913, la langue officielle parlée est le putonghua (mandarin), mais il existe de nombreux dialectes régionaux. D'une région à l'autre, les Chinois peuvent ne pas se comprendre, mais ils utilisent la même écriture.

Cang Jie, *ministre du légendaire Souverain Jaune, aurait eu l'idée d'inventer la calligraphie chinoise après avoir observé un matin des empreintes d'oiseaux et d'animaux dans la neige.*

UNE ÉCRITURE MAGNIFIQUE

La calligraphie fut élevée au rang d'art *(p. 28-29)*, au même titre que la peinture. Le passage de la gravure sur os, sur laiton ou sur pierre à l'utilisation d'un pinceau sur soie et papier autorisa une plus grande fluidité.

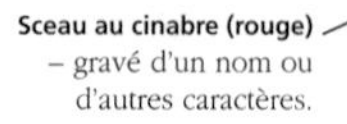

Sceau au cinabre (rouge) – gravé d'un nom ou d'autres caractères.

Les supports étaient la soie, la pierre ou le papier, inventé vers le IIe siècle av. J.-C.

La cursive *(caoshu)* est une écriture fluide, dynamique et aussi très expressive, où les traits s'entremêlent.

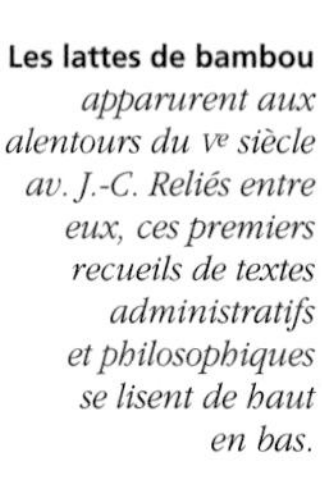

Les os divinatoires *sont les premières traces de calligraphie. Les oracles gravaient des questions sur les os, les portaient au feu, puis interprétaient les fissures.*

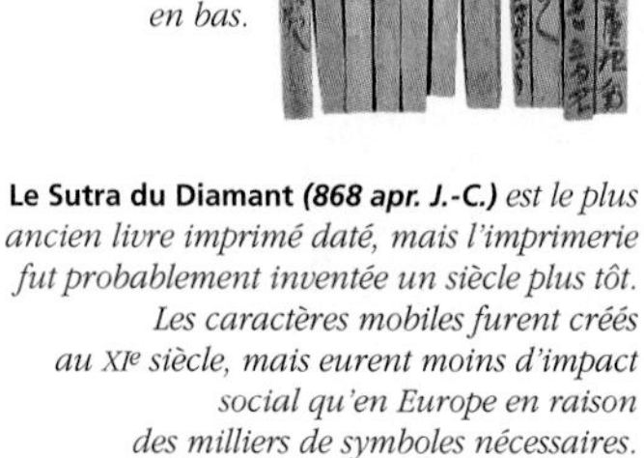

Les lattes de bambou *apparurent aux alentours du Ve siècle av. J.-C. Reliés entre eux, ces premiers recueils de textes administratifs et philosophiques se lisent de haut en bas.*

Le Sutra du Diamant *(868 apr. J.-C.)* *est le plus ancien livre imprimé daté, mais l'imprimerie fut probablement inventée un siècle plus tôt. Les caractères mobiles furent créés au XIe siècle, mais eurent moins d'impact social qu'en Europe en raison des milliers de symboles nécessaires.*

LES CARACTÈRES CHINOIS

Ils se composent d'éléments pictographiques, idéographiques et phonétiques. Le radical (ou racine), qui figure à gauche ou au-dessus d'un caractère, donne généralement une idée du sens. Ici, pour le caractère « bon », prononcé *hao*, le radical s'accompagne d'un autre élément, « enfant ». L'idée est donc ici que « femme » plus « enfant » égale « bon ».

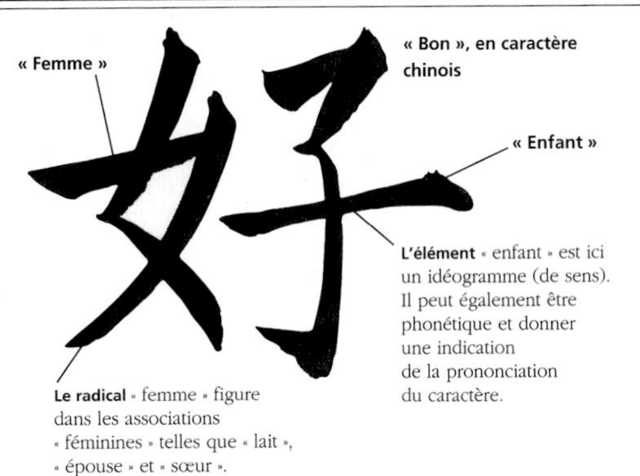

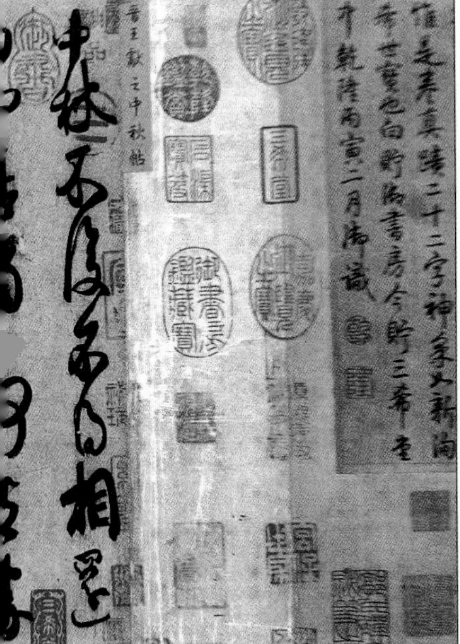

Le pinyin est une transcription en caractères latins *créée en 1956. Il ne remplacera jamais les caractères chinois, mais facilite l'apprentissage de la langue chez les enfants et la saisie informatique.*

Les machines à écrire chinoises *étaient très peu pratiques, car il fallait chercher chaque caractère dans un chariot en contenant des milliers. L'ordinateur a facilité l'écriture simplifiée, il suffit de taper une syllabe en pinyin, puis de choisir à l'écran parmi les différents caractères.*

LES STYLES D'ÉCRITURE

Le zhuanshu, ou écriture sigillaire, fut mis au point pendant la période Zhou et utilisé en gravure.

Le lishu, ou écriture de chancellerie, apparut probablement pendant la période Han et fut utilisé sur de la pierre.

Le kaishu, ou écriture régulière, est un dérivé du lishu d'après l'époque Han. Il est à la base de la calligraphie moderne.

Le caoshu, ou écriture cursive, littéralement « écriture d'herbe », se réduit à des courbes et des points abstraits.

Le xingshu, ou écriture courante, a des traits entremêlés. C'est une écriture semi-cursive.

L'écriture simplifiée apparut en 1956 pour faciliter l'apprentissage de la lecture chez les paysans.

La littérature chinoise

Au VIe siècle av. J.-C., les premiers textes chinois étaient avant tout des écrits philosophiques, dont les Analectes de Confucius et le *Livre de la Voie et de la Vertu (Daodejing)*, attribué à Laozi. L'histoire est un genre littéraire qui n'émergea qu'à l'époque Han (206 av. J.-C. - 220 apr. J.-C.) avec les *Mémoires historiques* de Sima Qian. Par la suite, chaque dynastie rédigea une histoire de la précédente. Quant au roman, le bel exemple abouti n'apparut qu'à l'époque Ming (1368-1644) et se développa sous la dynastie Qing avant d'être réprimé sous le communisme. Depuis les années 1980, les écrivains chinois jouissent d'une plus grande liberté d'expression, bien qu'en 2000, l'annonce du prix Nobel de littérature de l'écrivain exilé Gao Xingjiang ait été étouffée.

Confucius, auteur des Analectes, et ses disciples

LES CLASSIQUES

Dans l'ère post-Qin, une fois le confucianisme devenu religion d'État, cinq livres anciens, les Cinq Classiques - *Livre des changements, Livre des documents, Livre des odes, Annales des Printemps et des Automnes*, et *Livre des rites* –, constituèrent le socle de l'éducation chinoise.

Les lettrés *accédaient aux postes de la fonction publique au terme d'une série d'examens exigeant une connaissance approfondie des Classiques et la maîtrise de la calligraphie.*

Baoyu préfère flirter que d'obéir à son père et étudier pour faire une belle carrière.

LES POÈTES TANG

Plus de douze cents ans après le *Livre des odes* et les *Élégies* de Chu, la poésie chinoise atteignit son apogée sous la dynastie Tang (618-907). Les deux plus grands poètes de l'époque sont Du Fu et Li Bai, suivis du bouddhiste Wang Wei, tous trois du VIIIe siècle, puis de Bai Juyi (772-846).

Du Fu *(712-770 env.) évoqua les souffrances de la guerre et la vie de famille. Ses poèmes d'une érudition considérable exaltaient la compassion, considérée comme une vertu confucéenne.*

Li Bai *(701-761 env.) était un personnage plus trivial. Ce poète prolifique avait deux sujets de prédilection : la contemplation et la fête. La liberté est un thème taoïste.*

LA LITTÉRATURE ÉPIQUE

À l'époque Ming, les contes et mythes populaires cédèrent la place à des romans tels que *La Pérégrination vers l'Ouest*, *Les Trois Royaumes* et *Au bord de l'eau* – une fable sur le combat héroïque contre la corruption. Puis, à l'époque Qin, les auteurs s'orientèrent vers un style plus travaillé et des personnages plus subtils, dont *Le Rêve dans le Pavillon rouge* constitue le point d'orgue. Certains personnages de ces romans sont repris dans l'Opéra de Pékin, les séries télévisées et les téléfilms populaires.

Guandi, dieu de la Guerre, *s'inspire de Guan Yu, général du royaume de Shu, immortalisé dans* Les Trois Royaumes, *un roman faisant revivre des personnages de l'époque des Trois Royaumes (220-280). Ses figurines, symboles de justice, d'honnêteté et d'intégrité, trônent dans des temples à travers la Chine.*

La Pérégrination vers l'Ouest *est un roman fantastique de la fin de l'époque Ming qui raconte le pèlerinage en Inde du moine bouddhiste Xuanzan et de ses compagnons, dont un singe qui incarne le génie intrépide, le courage et la loyauté.*

LE RÊVE DANS LE PAVILLON ROUGE

Ce roman chinois – peut-être le plus grand – décrit le déclin d'une famille aristocratique Qing. Empreint du concept taoïste de la transcendance, il se focalise sur la vie et les amours de l'oisif Baoyu et de douze belles jeunes filles.

LE XXe SIÈCLE

Au début du XXe siècle, les écrivains adoptèrent un style réaliste pour aborder les questions sociales, refusant les thèmes révolutionnaires. Après avoir été persécutés pendant la Révolution culturelle *(p. 64-65)*, les écrivains développèrent des formes et des styles expérimentaux. Il arrive encore que des œuvres soient interdites si elles critiquent ouvertement le gouvernement ou soient estampillées « polluants spirituels », mais des versions piratées circulent alors sous le manteau.

Mo Yan *est un auteur de fiction de l'après-Révolution culturelle rendu célèbre pour son roman* Le Clan du Sorgho *(1986), porté à l'écran sous le titre* Le Sorgho rouge. *Son style est riche, souvent graphique, fantastique et violent.*

Lu Xun, *auteur de nouvelles au début du XXe siècle, est considéré comme le père de la littérature chinoise moderne. Son style réaliste et satirique l'apparente à des écrivains tels que Dickens. Il s'est rendu célèbre par sa description humoristique d'Ah Q, un paysan illettré mais enthousiaste, broyé par le poids des conventions.*

La religion et la philosophie

Traditionnellement, les trois piliers de la religion et de la philosophie chinoises sont le confucianisme, le taoïsme et le bouddhisme. L'approche éclectique de la religion permet leur coexistence. Le confucianisme, le premier à avoir acquis une réelle influence, est une sorte de manifestation publique et responsable du moi, tandis que le taoïsme en offre une vision personnelle plus libre, et accorde à la relativité des choses une importance qui contraste avec le souci confucéen de l'ordre établi. Le bouddhisme, quant à lui, est une importation étrangère d'ordre spirituel et intemporel offrant une alternative au pragmatisme chinois. Pendant la Révolution culturelle, la religion était proscrite, car contraire aux idées communistes. Aujourd'hui, chacun est assez libre d'exprimer ses croyances.

Laozi, Bouddha et Confucius

LE CONFUCIANISME

Cette doctrine élaborée par Confucius (551-479 av. J.-C.), puis développée ultérieurement, préconise une société dans laquelle les personnes sont liées entre elles par des liens moraux de cinq types : parent-enfant, maître-sujet, frère-frère, mari-femme et ami-ami. Dans la Chine impériale, le confucianisme était la philosophie d'une élite de lettrés. Pendant une grande partie de l'ère communiste, il fut qualifié de philosophie réactionnaire associée à l'ancienne aristocratie dirigeante.

La piété filiale, *ou* xiao, *autre concept confucéen, est l'obéissance et le respect des parents, et par extension le respect des autres membres de la famille et du maître.*

Confucius *était un penseur et un enseignant. Sa conception des obligations familiales et de la gouvernance reposait sur les principes du* ren *(bienveillance) et du* yi *(vertu). Il mourut dans l'anonymat et ce sont ses disciples qui propagèrent ses enseignements.*

La naissance de Confucius *est célébrée fin septembre à Qufu. Plusieurs milliers de ses descendants, tous du nom de Kong, vivent encore dans la ville du philosophe.*

Le culte des ancêtres *repose sur la piété filiale et imprègne toute la culture chinoise. Pendant la fête Qingming en avril, la tradition veut que les Chinois nettoient et entretiennent les tombes de leurs ancêtres.*

Les lettrés *compilèrent bien après sa mort une série d'ouvrages, dont le Lunyu (Analectes), un ensemble d'entretiens de Confucius, qui furent les bases de l'éducation jusqu'en 1912.*

LE TAOÏSME

Étroitement lié aux croyances populaires ancestrales, le taoïsme intègre les concepts traditionnels d'un univers structuré, du *yin* et du *yang*, et de l'énergie vitale, le *qi*. Au fil du temps, le taoïsme est devenu une religion complexe autour d'un vaste panthéon. Cette philosophie incite à suivre son intuition et le cours de l'univers en vivant en harmonie avec le *dao*.

Laozi, *fondateur du taoïsme, est un personnage fantasmagorique qui aurait vécu au VIe siècle av. J.-C. Le* Daodejing (Livre de la Voie et de la Vertu) *lui est attribué.*

Han Xiangzi, *l'un des Huit Immortels, un groupe de disciples taoïstes, serait tombé d'un pêcher transmettant la vie éternelle. Il est généralement représenté avec une flûte.*

Les alchimistes taoïstes, *dans leur quête de l'élixir de longue vie, avaient les faveurs de l'empereur. Le taoïsme influa sur les progrès scientifiques et contribua à la découverte de la poudre à canon au IXe siècle.*

Dans *Souvenir de la source des fleurs de pêcher*, *le poète taoïste Tao Qian évoque un pêcheur entré dans un monde idyllique perdu. L'amour de la nature des taoïstes conduisit à la création de nombreux paradis.*

LE BOUDDHISME

Les Chinois pratiquent le bouddhisme Mahayana, qui promet le salut à quiconque le cherche. Les bodhisattvas (êtres éveillés) restent en ce monde pour conduire les autres à l'Éveil. Les fidèles, quant à eux, accumulent des mérites et se rapprochent des bodhisattvas par leurs actes et leur dévotion en vue de se rapprocher du nirvana.

Le roi-gardien *du Sud (à g.) est enroulé d'un serpent, tandis que le roi du Nord tient un parasol. L'entrée de nombreux temples est gardée par les rois des quatre points cardinaux qui protègent la principale divinité des influences diaboliques.*

Le Bouddha rieur, *ou Milefo, est l'incarnation chinoise de Maitreya, le Bouddha du Futur. Son ventre rebondi et sa mine réjouie sont des signes d'abondance. Il apporte bonheur et prospérité.*

Les bouddhistes pratiquants *brûlent des bâtons d'encens pendant la prière. Les temples bouddhistes vibrent d'une énergie spirituelle émanant des prières et des offrandes.*

Les luohan *ou* arhats, *les disciples de Bouddha, apparaissent souvent dans les temples par groupes de 18. Leur dévouement leur permettrait, à leur mort d'accéder à l'Éveil (nirvana).*

Le pouvoir du *qi*

En philosophie chinoise, la notion de *qi* ou souffle cosmique qui emplit l'univers date des époques Shang et Zhou. Le *qi* aurait créé le cosmos et la Terre et engendré les forces négatives et positives opposées et complémentaires du yin et du yang. Tout changement physique qui se produit dans le monde est considéré comme le fruit du *qi*. Le *Daodejing (Livre de la Voie et de la Vertu)* définit le *qi* comme le Dao (« la Voie »). Le caractère *qi* (ci-contre) représente un bol de riz, d'où s'échappe la vapeur, ou le pouvoir du riz ou du *qi*. Le concept de *qi* imprègne toute la pensée chinoise : c'est un principe directeur de la science et des arts.

Le caractère chinois *qi* ressemble à un bol de riz fumant

EXPLOITER LE *QI*

Le *qi* influe sur de multiples domaines pratiques et appliqués. Lorsque, par exemple, la médecine chinoise prit forme au IIe siècle av. J.-C., le *qi* s'imposa comme concept central. Cette substance vitale des organismes vivants circule dans le corps via un réseau de canaux, ou méridiens *(p. 232)*.

L'acupressure *et l'acupuncture partent de l'idée que le* qi *circule dans l'organisme. En cas de manque ou d'excès de* qi, *il convient de le libérer ou de le réprimer pour rétablir l'équilibre.*

Le trigramme « kun » est très *yin*. Ses attributs sont la dévotion et la réceptivité ; il est connecté à la terre.

Le qigong, *un ensemble d'exercices de respiration profonde, repose sur le concept du* qi. *Traditionnellement, les taoïstes associaient l'allongement du souffle à celui de la vie. Aujourd'hui, le* qigong *est un facteur de bien-être.*

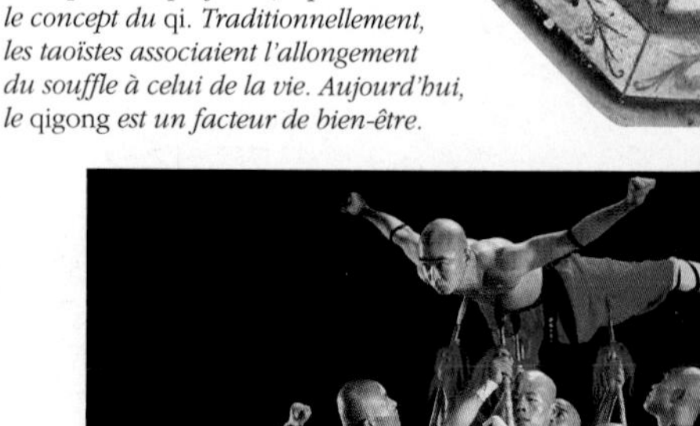

Les arts martiaux *illustrent la culture du* qi. *À force de concentration, les praticiens, notamment les moines du monastère Shaolin, sont capables de prouesses de force et d'endurance.*

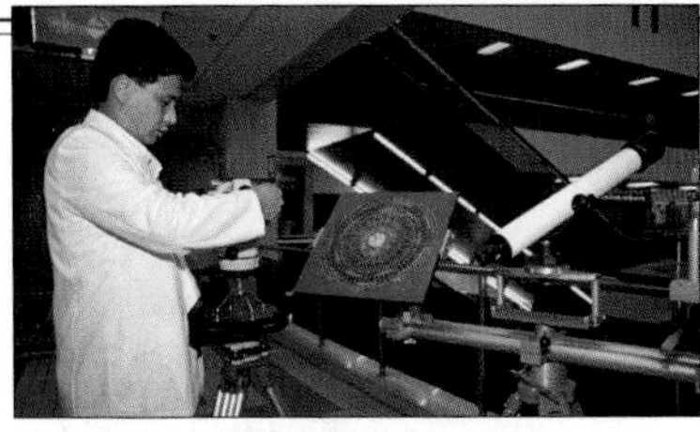

Ce praticien du feng shui utilise un diagramme bagua et d'autres instruments pour tracer le flux du qi dans un immeuble de bureaux. Le feng shui est très populaire à Hong Kong, où il n'est pas assimilé à une superstition.

LE FENG SHUI

La géomancie chinoise, ou *feng shui* (« vent et eau »), s'appuie sur la circulation du *qi*, postulant que l'aménagement d'un bâtiment ou d'une pièce, notamment la position des portes, influe sur le *qi*, et donc sur le bien-être de ses occupants.

Les tombeaux des empereurs Ming *(p. 104-105) furent situés et construits dans le respect des règles du* feng shui, *à l'abri du massif du Jundu Shan, censé repousser les esprits diaboliques venant du Nord.*

L'immeuble HSBC, *sur la place de la Statue, à Hong Kong (p. 310), jouirait d'un excellent* feng shui *grâce à la vue sur le port et à un vaste atrium permettant une libre circulation du* qi.

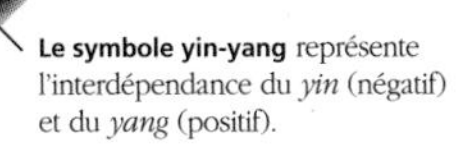

Le trigramme « qian », dans lequel le *qi yang* est le plus fort, compte trois lignes pleines.

Le symbole yin-yang représente l'interdépendance du *yin* (négatif) et du *yang* (positif).

LE YIJING

Le *Yijing (I Ching)*, ou *Livre des changements*, est un guide de divination vieux de plusieurs millénaires. Le *bagua* y est décliné en 64 hexagrammes de six lignes de *yin* ou de *yang* chacun. Les hexagrammes illustrent encore plus d'états du *qi* que le *bagua*.

Confucius, *à la fin de sa vie, s'intéressa de près au* Yijing, *et y ajouta de nombreuses annotations. Ici, il divise au hasard des tiges d'achillée pour créer des hexagrammes et consulte le* Yijing *pour les interpréter.*

LE DIAGRAMME *BAGUA*

Les huit trigrammes disposés autour du symbole yin-yang constituent le diagramme *bagua* de base, qui tente de codifier le fonctionnement du *qi*. Chaque trigramme se compose de trois lignes *yin* (brisées) ou *yang* (pleines). Ensemble, ils permettent toutes les combinaisons de ces lignes et décrivent le mouvement potentiel entre les différents états du *qi*.

Les bâtons de divination *sont utilisés de nos jours pour prédire l'avenir. À la sortie des temples de Hong Kong, les fidèles éparpillent des bâtons au sol et un médium interprète les formes en repérant les* bagua.

L'architecture

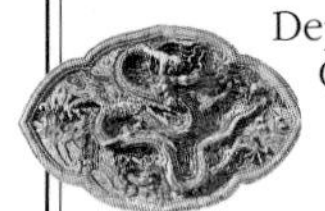

Dragon impérial en céramique

Depuis plus de deux mille ans, les Chinois construisent les édifices impériaux et religieux sur un même modèle architectural en trois volets : une plate-forme, une charpente de poutres et de colonnes, et l'absence de murs porteurs. Toute construction compte une porte d'entrée, des enceintes ou des cours en quadrilatère, ainsi qu'une série de pavillons en enfilade du sud au nord. Les Chinois construisaient essentiellement en bois. Seuls quelques édifices ont survécu aux incendies. Le plus ancien date de l'époque Tang.

Cette vue aérienne de la Cité interdite illustre l'alignement traditionnel

LE PAVILLON

Quel que soit le contexte, le pavillon chinois, ou *tang*, répond au même schéma : une plate-forme de terre battue ou de pierre surmontée de colonnes en bois. En façade, le pavillon compte toujours un nombre impair de travées. Entre les colonnes et les poutres, des consoles *(dougong)* supportent la structure et permettent aux auvents de déborder. Le bois est peint de couleurs vives et le toit joliment concave est habillé de tuiles ou de chaume.

La porte de la Pureté céleste (p. 88)
L'archétype du pavillon chinois : la porte centrale et le nombre impair de travées renforcent l'élément processionnel.

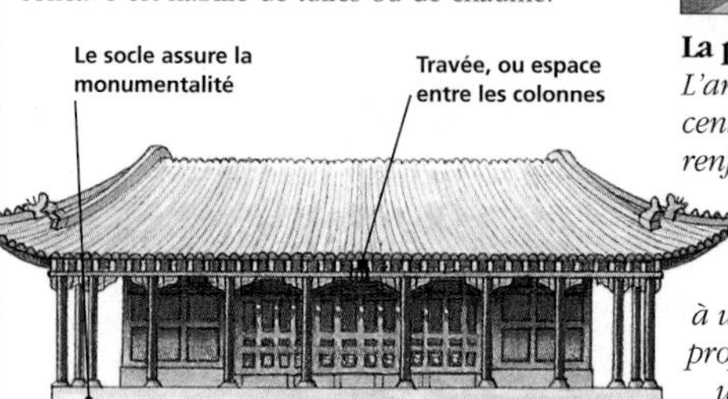

Le pavillon standard
L'architecture chinoise répond à un ensemble de règles de proportions. Cette uniformité crée un sentiment identitaire – utile dans un vaste pays hétérogène.

L'IMMEUBLE À ÉTAGES *(LOU)* ET LE PAVILLON À ÉTAGES *(GE)*

Avant les pagodes, les Chinois construisirent des immeubles à étages allant des maisons individuelles à deux étages aux immenses tours d'au moins sept étages, permettant de jouir du paysage. Les pavillons à étages servaient d'entrepôts et seule la façade était percée de portes et de fenêtres. Tous deux possédaient les mêmes éléments de base – colonnes et murs suspendus.

Le pavillon à étages
Il servait à entreposer des objets importants – des bibliothèques de sutras bouddhistes ou des statues colossales.

Toit concave typique

Façade symétrique

L'immeuble à étages
Sa structure reposait en grande partie sur les consoles (dougong).

LA PAGODE

Construite sur le modèle du stupa indien, la pagode chinoise, ou *ta*, apparut au Iᵉʳ siècle de notre ère avec l'arrivée du bouddhisme. Conçues à l'origine pour abriter une relique sacrée, les pagodes à étages furent bâties en brique, en pierre ou en bois et intégrées aux temples bouddhistes (avant de se retrouver souvent seules).

Le sommet ressemble à un stupa indien

Le socle abrite généralement une chambre souterraine

L'ARCHE ORNEMENTALE

Le *pailou*, ou *paifang*, est une arche commémorative ou décorative construite en bois, en brique ou en pierre, parfois habillée de céramiques vernissées, et souvent ornée d'une inscription. On la trouve près des carrefours, des temples, des ponts, des services gouvernementaux, des parcs et des tombes.

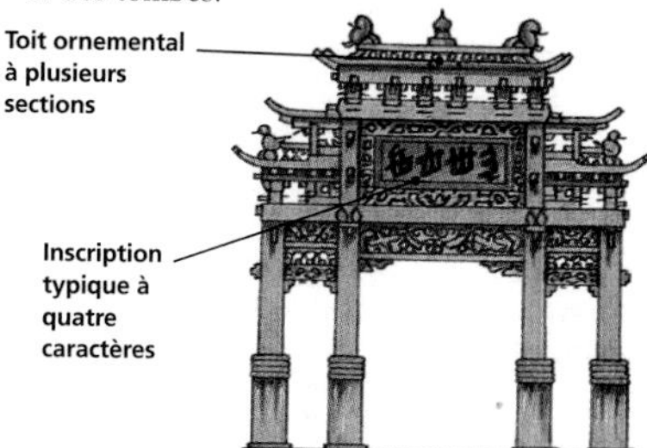

LES REMPARTS

Les premiers murs défensifs étaient en terre, soit martelée au pilon, soit humidifiée puis pressée contre une structure en roseau. Plus tard, ils furent construits en brique. Les remparts des villes étaient traditionnellement carrés, la porte principale orientée au sud. En chinois, *cheng* signifie à la fois « ville » et « mur ».

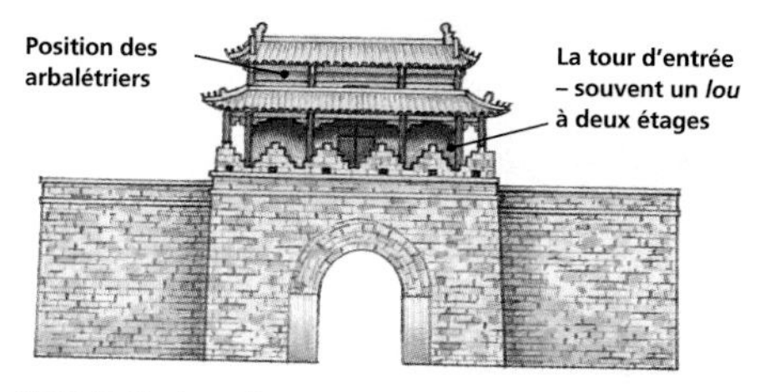

Rempart et porte
Les remparts étaient surmontés de tours allant de petits bâtiments à d'immenses structures à étages.

Les remparts
Généralement en terre battue ou en brique, les remparts et les tours de guet constituaient une défense efficace. À l'origine, Pékin et Shanghai en étaient toutes deux entourées.

LES DÉTAILS ARCHITECTURAUX

Les détails architecturaux des constructions chinoises ont tous un sens. Les tuiles jaunes, par exemple, étaient réservées à l'empereur. Le mur des Neuf Dragons, que l'on retrouve entre autres dans la Cité interdite, a lui aussi vocation impériale puisque le dragon symbolise le yang, ou le masculin, et par extension l'empereur.

Chiwen
Capable de provoquer un déluge, le chiwen *est souvent placé à l'extrémité de l'arête du toit* (p. 87) *pour éviter les incendies.*

Dougong
La console (dougong) *transmet la charge du toit à la colonne. C'est une méthode complexe de construction traditionnelle et ornementale sans clou.*

Les inventions chinoises

Compas de poche

Imprimerie, porcelaine, soie, parapluie et cerf-volant ne sont que quelques-unes des inventions chinoises utilisées aujourd'hui tous les jours dans le monde entier, sans parler de la technique de la porcelaine fine, que les Chinois mirent au point plus de 1 000 ans avant les Européens. La philosophie inspira deux des plus célèbres inventions chinoises : la poudre à canon, inventée par des alchimistes taoïstes en quête de l'élixir de vie, et le compas magnétique, dérivé d'un instrument utilisé en géomancie et en *feng shui*.

La brouette *était employée dans l'agriculture, l'industrie et l'armée. Comme la charrue, elle augmenta considérablement le rendement manuel.*

La fonte du fer *était obtenue par abaissement du point de fusion du minerai avec du phosphore avant la cuisson dans des hauts-fourneaux très chauds, mis au point au fil des siècles pour la cuisson des poteries.*

Le système décimal fut mis au point parallèlement à l'écriture et permit des avancées mathématiques.

Le premier papier fut fabriqué à base d'écorce de mûrier, de bambou, de chanvre, de lin et de soie.

L'arbalète avait une portée, une pénétration et une précision supérieures à celles de l'arc traditionnel.

2000	1800	1600	1400	1200	1000	800	600	400	200
AV. J.-C.									AV. J.-C.
2000	1800	1600	1400	1200	1000	800	600	400	200

Les poteries *furent produites pour la première fois sous la dynastie Shang, à la même époque que les premiers vernis, qui amélioraient la solidité, la couleur et l'étanchéité.*

Le *kuan*, ou charrue à soc, *augmentait le rendement agricole. Une lame en fonte pouvait labourer des terres jusque-là incultivables.*

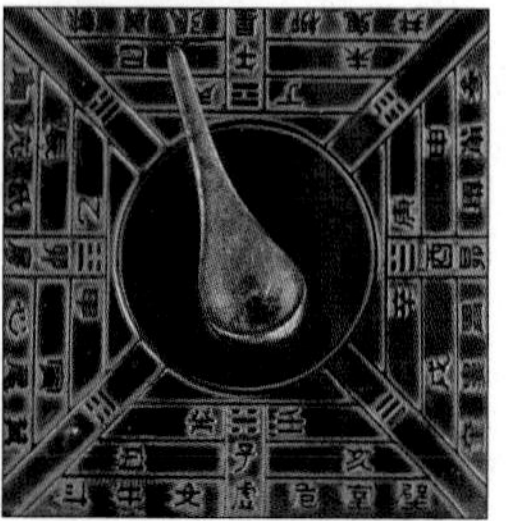

Le compas magnétique : *le premier se composait d'une cuiller en magnétite sur une plaque de bronze. Les versions suivantes permirent aux navigateurs chinois d'aller commercer au loin.*

DE GRANDS BONDS EN AVANT

Les progrès techniques entraînèrent une révolution agricole. Les charrues à soc en fer augmentèrent la superficie des terres cultivées et les rendements, permettant de nourrir plus de monde. Par la suite, le papier, le papier-monnaie et l'imprimerie furent essentiels à la bonne administration de ce vaste État. Puis l'augmentation de la main-d'œuvre et une meilleure organisation permirent à leur tour d'améliorer la production industrielle, notamment dans les mines et les usines de porcelaine, et de renforcer la puissance militaire chinoise.

La porcelaine : *la technique de la céramique franchit une nouvelle étape au VIe siècle avec la découverte de la « véritable » porcelaine : dure, blanche, translucide et sonore au toucher. Les secrets de production resteront bien gardés afin de lui conserver sa valeur à l'exportation*

L'étrier : *il améliora le rendement des chevaux comme instruments de communication, de transport et de guerre.*

L'imprimerie : *la xylogravure, déjà bien développée à l'époque du Sutra du Diamant* (p. 26), *servit à répandre le bouddhisme. En 1041-1048, Bi Sheng grava des caractères individuels sur des pièces d'argile, inventant ainsi le caractère mobile.*

L'IMPRIMERIE

L'invention du caractère mobile n'eut pas vraiment d'impact sur la société chinoise et la plupart des imprimeurs continuèrent de graver chaque caractère, alors que la même invention quatre siècles plus tard en Europe révolutionna la société. L'explication est simple : il est beaucoup plus facile de combiner les 26 lettres de l'alphabet romain que les quelque 3 000 caractères employés dans un journal chinois – sans parler des suppléments. La xylogravure nécessitait donc beaucoup moins d'efforts.

200	400	600	800	1000	1200	1400	1600	1800	2000

R. J.-C. APR. J.-C.

200	400	600	800	1000	1200	1400	1600	1800	2000

La monnaie papier : *certificats d'échange mis au point par des commerçants, les billets, plus légers que les pièces, furent rapidement adoptés par le gouvernement.*

La poudre à canon : *découverte à l'origine par les nécromanciens, elle servait aux feux d'artifice et aux mines, et ne fut employée à la guerre qu'à partir du VIIIe siècle.*

Le sismomètre *fut inventé par Chang Heng. La balle qui tombait de l'un des dragons dans la bouche d'une grenouille indiquait le sens de la secousse.*

Les navires cargos : *équipés de compartiments étanches, de mâts décentrés et de gouvernails de poupe, ces voiliers étaient plus grands et techniquement supérieurs à leurs homologues européens.*

L'abaque : *inventé sous la dynastie Yuan, il permet de réaliser des calculs complexes, ce qui explique qu'on en parle souvent comme du premier ordinateur et qu'il soit encore utilisé en Chine.*

Les arts traditionnels

Cloche funéraire en bronze

C'est dans les tombeaux royaux que l'on a découvert les plus anciens objets chinois, notamment des bronzes, des céramiques et des jades des époques Shang et Zhou, ainsi que les soldats de terre cuite de l'époque Qin. Parmi les nombreux arts qui firent florès en Chine, la peinture et la poterie triomphèrent – peut-être parce qu'elles poussèrent plus loin le raffinement –, mais la sculpture, en particulier la sculpture bouddhiste de Chine occidentale, est elle aussi un art majeur. Il existe également de nombreuses formes populaires et typiques d'art décoratif chinois.

Sculpture bouddhiste de style Gandharan

Tripode rituel en bronze *d'un tombeau royal orné d'animaux mythiques portant le nom de* taotie.

Encre humide et sèche utilisée pour le détail des arbres.

La texture du trait donne de la profondeur aux rochers.

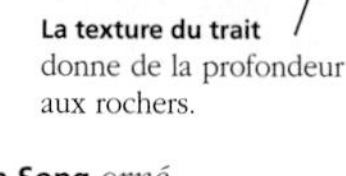

LA POTERIE

Après l'invention de la poterie, la Chine mit au point toutes sortes de techniques de fabrication, de décoration et de vernis, importées d'Europe et du Japon. L'esthétique et la technique de la céramique chinoise dominèrent le monde jusqu'à la fin de la dynastie Qing.

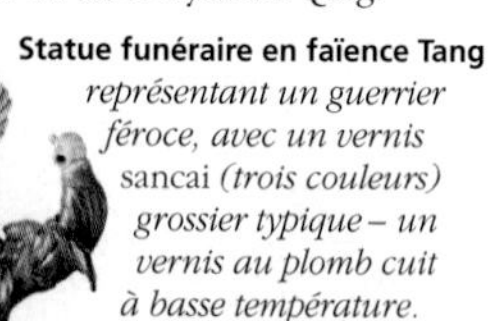

Statue funéraire en faïence Tang *représentant un guerrier féroce, avec un vernis* sancai *(trois couleurs) grossier typique – un vernis au plomb cuit à basse température.*

Bol céladon Song *orné d'un motif floral incisé. Le céladon est le nom européen donné au vernis bleu-vert raffiné de ce type de poterie et de porcelaine.*

Vase Ming *dans le style bleu et blanc connu et imité dans le monde entier par application d'une sous-couche bleu cobalt avant la cuisson.*

Vase Qing « famille rose », *une porcelaine délicate de coloris particuliers. Le nom vient de l'utilisation d'émail rose vif.*

La peinture d'oiseaux et de fleurs *(y compris de fruits et d'insectes) illustre l'intérêt porté par le taoïsme chinois à l'observation du monde naturel. Malgré la légèreté du sujet, les peintures ont une profondeur intense et quasiment scientifique.*

LA PEINTURE CHINOISE

Le plus noble des arts, la peinture chinoise s'exécute sur soie ou sur papier avec un pinceau et des encres ou de l'aquarelle. **La peinture de paysage**, que s'approprièrent les lettrés, atteignit son apogée à l'époque Song du Nord et Yuan. Huang Gongwang (ci-dessous), un maître Yuan, était admiré pour son style calligraphique sobre.

La peinture religieuse *fit son apparition sur la Route de la soie avec l'arrivée du bouddhisme d'Inde. Les Chinois inventèrent rapidement leur propre style.*

Le lavis est utilisé pour les collines au loin.

La peinture de bambous *était pratiquée par les lettrés. Le bambou symbolisait le lettré qui plie mais ne rompt pas face à l'adversité.*

L'ARTISANAT TRADITIONNEL

Les arts majeurs traditionnels que sont la peinture et la poterie côtoient en Chine toutes sortes de magnifiques arts décoratifs, parmi lesquels les délicates gravures sur laque, ivoire et jade, les émaux cloisonnés, les bâtons d'encre décorés, les tabatières et les éventails.

Les tabatières *étaient fabriquées en masse à l'époque Ming. En verre, en jade, en nacre ou en pierre semi-précieuse, elles étaient délicatement gravées ou peintes à l'intérieur avec minutie.*

La laque sculptée *est remarquable pour sa couleur rouge et ses motifs floraux. Elle est souvent appliquée sur des boîtes.*

Le cloisonné *est un style d'émaillage dans lequel on soude des cloisons métalliques, généralement en cuivre, sur la pièce sur laquelle on incruste des émaux de couleurs, avant de la faire cuire et de la polir.*

L'art moderne

La naissance de l'art moderne en Chine au début du XXe siècle coïncida avec l'ouverture à l'Ouest. C'est à cette époque que prit naissance l'expérimentation de nouveaux matériaux, de nouveaux styles d'art visuel, de musique occidentale, de « théâtre parlé » *(huaju)*, de cinéma et de formes littéraires modernes telles que les vers libres. Mais cet élan créatif fut réprimé à partir de 1949 par un réalisme socialiste à la soviétique. Pendant la Révolution culturelle, de nombreux artistes furent même persécutés au motif que leurs œuvres étaient « réactionnaires ». Depuis, les années 1980 et 1990 ont vu une libéralisation des arts et l'émergence de nouvelles formes d'expression artistique.

L'Oriental Pearl TV Tower, *à Pudon (Shanghai), illustre l'explosion de la verticalité architecturale en Chine depuis le début des années 1990.*

Performance *de Cang Xin, artiste conceptuel de Pékin depuis le milieu des années 1990. Le titre,* Unification du Ciel et de l'Homme, *fait référence aux concepts philosophiques classiques chinois.*

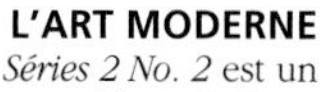

L'ART MODERNE

Séries 2 No. 2 est un tableau de Fang Lijun, chef de l'école du réalisme cynique, né en réaction à la fin du mouvement démocratique de 1989. Rejetant l'idéalisme, ces artistes tournent en dérision les problèmes quotidiens des Chinois.

Sculpture *intitulée* Torso, *de Zhan Wang, artiste conceptuel de Shanghai. Il utilise des feuilles d'acier réfléchissant pour créer une illusion de solidité.*

La musique orchestrale et la musique de chambre *sont populaires en Chine depuis le début du XXe siècle. Aujourd'hui, de nombreuses écoles enseignent la musique occidentale, et plusieurs ensembles et artistes de grand talent se produisent sur la scène mondiale.*

LE CINÉMA CHINOIS

Depuis les premiers classiques – dont *Street Angel* (1937), réalisé dans l'enclave (alors) étrangère de Shanghai –, le cinéma chinois a remporté d'immenses succès sur la scène internationale avec des réalisateurs de la trempe de Zhang Yimou.

Adieu ma Concubine (1993), *de Chen Kaige, un réalisateur de l'après-Révolution culturelle qui exprima de nouvelles incertitudes morales, se déroule dans l'univers traditionnel de l'Opéra de Pékin.*

Le cinéma de Hong Kong *suivit sa propre voie et se rendit célèbre pour ses films d'action. Jackie Chan, star des arts martiaux (ci-dessus à ses débuts devant et derrière la caméra dans* La Hyène intrépide*), fit de nombreux films et réussit à partir pour Hollywood.*

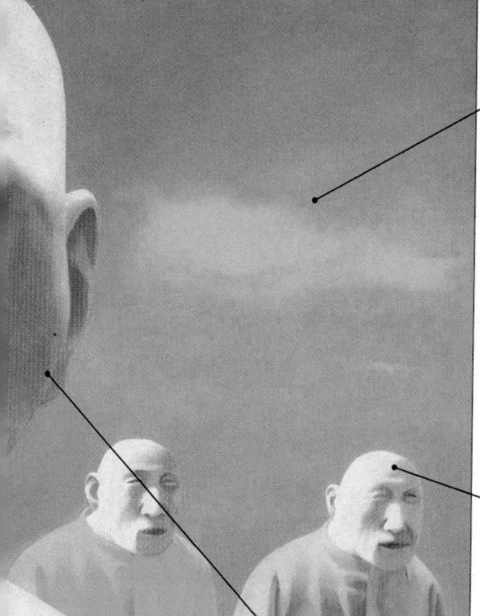

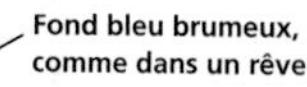

Wei Wei *est l'une des stars de la pop chinoise. En Chine, le rock ne décolla que dans les années 1980. Cui Jian, le « papy » du rock chinois, est considéré comme un rebelle par les autorités. En revanche, moins controversés, les chanteurs de cantopop de Hong Kong ont toujours joui d'une plus grande liberté.*

Le ballet *chinois contemporain mêle les influences traditionnelles chinoises et occidentales. Ici, le ballet tiré du film de Zhang Yimou,* Épouses et Concubines, *par le Ballet national.*

Le théâtre moderne *s'intéresse à la vie en Chine au XXIe siècle. Ici, le Théâtre national de Pékin joue* Toilet, *une comédie noire qui, en 2004, fit tomber des tabous en dressant un portrait sans concession de la vie urbaine et en abordant la question de l'homosexualité.*

Les fêtes

Les fêtes constituent un élément important de la culture et de la tradition chinoises. Ces événements gais et festifs sont la réaffirmation des croyances et des coutumes anciennes. La plus grande de ces fêtes est la fête du Printemps, ou nouvel an chinois. À cette occasion, les familles se réunissent pour plusieurs jours, font le ménage de fond en comble, portent des vêtements neufs, décorent les maisons et s'échangent des cadeaux. En affaires, toutes les dettes doivent être réglées à cette date. Tous ces rites n'ont souvent qu'un but : attirer la chance et la prospérité. La fête se termine toujours par un carnaval haut en couleur, couronné d'un éclatant spectacle pyrotechnique. Tout le pays reste fermé pendant quatre jours, sur les quinze que durent les festivités.

Hongbao
Ces enveloppes rouges décoratives, symboles de chance et de prospérité, contiennent les étrennes généralement offertes aux enfants au nouvel an chinois.

La danse du lion
Le lion est interprété par deux personnes. Cette danse exige une plus grande maîtrise des arts martiaux que la danse du dragon, également pratiquée au nouvel an.

Feux d'artifice au-dessus du port Victoria de Hong Kong

Les pétards
Des chapelets de pétards explosent au nouvel an, rendant les rues bruyantes, voire dangereuses. Pékin a tenté de les interdire dans le centre, poussant les gens à se livrer à leurs jeux sonores dans la banlieue.

Les percussions
Lors de la fête du Printemps, des processions de danseurs et de percussionnistes défilent jusqu'à la fête des Lanternes. Le bruit des percussions, comme celui des pétards, est censé chasser les mauvais esprits.

Variété de gâteau de lune

UNE CUISINE DE FÊTE

À chaque fête, sa spécialité : les *jiaozi* (raviolis) sont généralement mangés au nouvel an, en particulier dans le nord de la Chine, les *yuanxiao* (boulettes de riz farcies, sucrées ou salées) pendant la fête des Lanternes, et les *zongzi* (papillotes de riz gluant enveloppées dans des feuilles de bambou) sont servis à la fête du Bateau du Dragon. À la fête de la Mi-Automne, jour de pleine lune, on déguste des gâteaux de lune de toutes sortes, sucrés ou salés, qui symbolisent la lune.

Papillotes de riz ou *zongzi*

FEUX D'ARTIFICE SPECTACULAIRES

Pas de nouvel an sans feux d'artifice. Dans certaines grandes villes, ils sont impressionnants et durent toute la nuit. À l'origine, ils devaient chasser les mauvais esprits ou réveiller le dragon qui apporterait la pluie, gage de bonne récolte pour la nouvelle année.

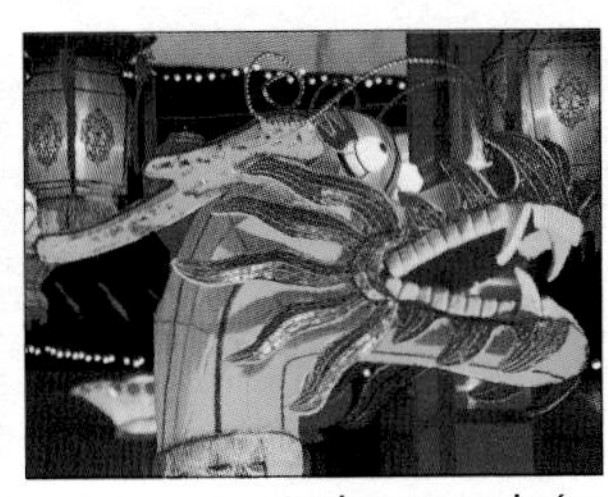

Les lanternes colorées
Coïncidant avec la pleine lune, la fête des lanternes marque la fin de la quinzaine du nouvel an. Les lanternes représentent des figures bienveillantes ou des animaux.

Les mandarines
Symboles de chance, elles sont exposées dans la maison au côté de fleurs fraîches. En mandarin, les mots « mandarine » et « chance » sont proches. Les fleurs symbolisent un nouveau départ.

Duilian
Sur ces parchemins rouges affichés à l'entrée, les couplets de Printemps adressent en chinois classique les bons vœux à la famille pour l'année à venir.

Diagramme astrologique chinois traditionnel

L'ASTROLOGIE CHINOISE

Chaque année est associée à l'un des douze animaux du calendrier astrologique chinois. Les personnes nées sous le signe d'un animal sont censées posséder quelques-unes de ses qualités.
Au nouvel an, les Chinois disent qu'ils accueillent l'« année du Chien », par exemple.

Rat, 2008. Animal protecteur, gage de prospérité.

Bœuf, 2009. Le philosophe taoïste Laozi est souvent représenté assis sur un bœuf.

Tigre, 2010. En Chine, c'est le roi des animaux.

Lapin, 2011. Symbole de longévité, il vit dans la lune.

Dragon, 2012. Symbole de la Chine, de l'empereur et du yang (élément positif) *(p. 32-33)*.

Serpent, 2013. Dans la mythologie, Fuxi serait mi-homme, mi-serpent.

Cheval, 2014. Symbole de liberté.

Chèvre, 2015. Synonyme de paix et de créativité.

Singe, 2016. Associé à la joie et au génie, en référence au roi Singe.

Coq, 2017. Possède cinq vertus : raffinement, courage, assurance, bienveillance et fiabilité.

Chien, 2018. Personnage chanceux de la mythologie chinoise.

Cochon, 2019. Associé à la fertilité et à la virilité.

LA CHINE AU JOUR LE JOUR

Les fêtes traditionnelles chinoises obéissent à un calendrier luni-solaire, qui compte 29,5 jours par mois, ce qui signifie que leurs dates changent chaque année, à l'inverse des fêtes créées sous le communisme – fête nationale et fête du Travail, par exemple –, qui suivent le calendrier grégorien. Les fêtes religieuses, perpétuées à Hong Kong, au Tibet et dans d'autres régions du monde chinois, font progressivement leur retour en République populaire de Chine (RPC), tandis que des régions périphériques telles que la Mongolie intérieure célèbrent leurs propres fêtes. Certaines sont d'origine étrangère, notamment Noël. La grande fête du nouvel an nécessite des semaines de préparatifs. À cette occasion, la plupart des bureaux et des commerces sont fermés pendant trois jours, voire toute une semaine, et les transports sont saturés car la plupart des Chinois rentrent au pays.

Lanterne rouge porte-bonheur

Défilé coloré du nouvel an chinois

PRINTEMPS (FÉV.-AVR.)

C'est la période de l'année où les Chinois tentent de solder leurs dettes et prennent le temps de se retrouver entre amis et en famille. La floraison des pêchers est le signal du renouveau et la fête du printemps célèbre le début du cycle ancestral des labours et des semences.

1er MOIS LUNAIRE

Fête du printemps (Chun Jie). Au nouvel an chinois *(p. 42-43)* s'échangent des cadeaux et des enveloppes rouges avec des étrennes.
Fête des lanternes *(fév.-mars).* Cette fête coïncide avec la nouvelle lune et marque la fin de la quinzaine du nouvel an. On suspend d'innombrables lanternes représentant des personnages bienveillants ou des animaux et l'on mange des *yuanxiao* (boulettes de riz gluant).

2e MOIS LUNAIRE

Nouvel an tibétain. Les Tibétains mangent des « miettes d'orge » et s'échangent les vœux de Tashi Delek. Puis vient le Monlam, la grande fête de la prière, un peu plus tard dans le mois, et la fête de la lampe à beurre.

Minutieuse sculpture tibétaine en beurre

Festival des arts de Hong Kong *(fév.-mars).* Grand festival d'art international et premier événement artistique de Hong Kong. Trois ou quatre semaines de musique, de théâtre, de danse, de spectacles populaires, de films et d'expositions autour d'artistes étrangers et locaux.
Journée internationale de la Femme *(8 mars).* Les employées bénéficient d'une demi, voire d'une journée de vacances, tandis que les hommes travaillent.

3e MOIS LUNAIRE

Journée de reboisement *(1er avr.).* Instaurée à la fin des années 1970 par le gouvernement réformateur. Ce n'est pas un jour férié.
Fête des cerfs-volants de Weifang *(avr.).* Les cerfs-volants font partie des fêtes du Qingming. Plus de 1 000 concurrents participent à cette fête dans le Shandong.
Fête de l'aspersion par l'eau *(mi-avr.).* À l'occasion de leur nouvel an lunaire, les Dai (Xishuangbanna, Yunnan, *p. 383*) se souhaitent les vœux en s'aspergeant ou en s'arrosant d'eau pour apaiser les flammes d'un démon tyrannique.
Qingming *(avr.).* Fête des morts. Les familles célèbrent

Balayage et entretien des tombes des ancêtres lors du Qingming

leurs morts en balayant les tombes et en y déposant de la nourriture, puis font un grand pique-nique.

Fête de la noix de coco du Hainan *(avr.)*. Vitrine de la récolte locale de noix de coco créée en 1992.

Foire de la troisième lune *(avr.)*. Région de Dali. Fête propre à la minorité bouddhiste Bai du Yunnan : foires, courses de chevaux, chants et danses.

Tin Hau *(avr.-mai)*. Célébré à Hong Kong et dans les régions côtières telles que le Fujian, l'anniversaire de l'Impératrice céleste, ou Mazu *(p. 149)*, patronne des navigateurs, est une date importante pour les pêcheurs et les marins.

ÉTÉ (MAI-JUIL.)

En été, les fêtes se déroulent souvent en plein air. Mai est le début de la saison touristique, car beaucoup de Chinois traversent le pays pour rendre visite à leur famille et à leurs amis.

4e MOIS LUNAIRE

Fête internationale du Travail *(1er mai)*. La semaine du 1er mai, il est difficile de voyager, car beaucoup de Chinois sont en vacances.

Fête de la jeunesse *(4 mai)*. Commémore les mouvements étudiants de 1919, qui sont à l'origine de l'émergence de la Chine moderne.

Anniversaire du Bouddha. Cette grande fête religieuse tibétaine n'est pas reconnue en RPC, où toutefois les bouddhistes la célèbrent désormais en privé. Hong Kong la commémore avec faste et l'appelle également « fête des dix mille Bouddhas » pour le pardon des péchés et l'accès à la sagesse et à la paix.

Festival « Meet in Pékin » *(mai)*. Festival international de musique et d'art – opéra, danse, musique instrumentale et vocale.

5e MOIS LUNAIRE

Fête des enfants *(1er juin)*. Les cinémas et autres loisirs sont gratuits pour les enfants, couverts de cadeaux.

Fête du bateau du dragon (ou de la cinquième lune) *(juin)*. Fête religieuse, devenue fête populaire, qui commémore le suicide par noyade du poète patriotique Qu Yuan. Des rameurs s'affrontent à bord de bateaux colorés et l'on déguste des papillotes de riz *(zongzi)*. Hong Kong organise plusieurs courses hautes en couleur. L'une d'elles accueille des équipes internationales.

Festival international du film de Shanghai *(juin)*. Inauguré en octobre 1993, c'est le seul festival international du film de Chine continentale.

Fête du bateau du dragon, colorée, animée et passionnante

Nadaam, foire et fête sportive mongole

6e MOIS LUNAIRE

Fondation du Parti communiste chinois *(1er juillet)*. Commémoration de l'événement, qui se produisit en 1921 à Shanghai.

AUTOMNE (AOÛT-OCT.)

Il fait encore chaud dans la région subtropicale, mais sur les hauts plateaux et dans le Centre, le climat se refroidit. Le moment où les feuilles jaunissent est traditionnellement la saison des festivals.

7e MOIS LUNAIRE

Fête de l'Armée populaire de libération *(1er août)*. Commémore le premier soulèvement communiste de 1927 contre les nationalistes. Le thème est l'unité entre l'armée et le peuple.

Fête des amoureux *(août)* ou fête des Sept Sœurs. Fête romantique qui célèbre les amours d'un bouvier et d'une fée tisserande, séparés par la volonté des dieux. Le septième jour du septième mois de chaque année, les pies forment un pont dans le ciel pour les réunir.

Shoton (fête du yaourt) *(août-sept.)*. Festival d'opéra tibétain qui doit son nom au yaourt servi aux moines par les pèlerins.

Nadaam *(août)*. Foire commerciale qui se déroule en Mongolie intérieure, notamment à Hohhot et Bayanbulak, avec concours hippiques, lutte et tir à l'arc. Les femmes portent le costume traditionnel.

Concours hippique de Nakchu (Tibet) *(août)*. La plus importante fête populaire tibétaine se déroule à Nakchu. Plus d'un millier de bergers concourent dans les disciplines tibétaines traditionnelles du tir à l'arc et de l'équitation.

Dragon de la fête de la Mi-Automne

Zhongyuan (fête du fantôme affamé). Fête traditionnelle semblable à Halloween, mélange de culte ancestral et de bouddhisme, interdite sous le communisme et considérée comme une date peu propice pour les déménagements et les mariages.

Fête internationale de la bière de Qingdao *(août)*. Se tient dans la ville portuaire orientale de Qingdao, dans le Shandong, siège des brasseries Tsingtao, une bière brassée avec les eaux de la source voisine de Lao Shan *(p. 146)*.

8e MOIS LUNAIRE

Fête des enseignants *(1er sept.)*. Fête officieuse née dans les années 1980 en réaction à l'anti-intellectualisme de la révolution culturelle.

Fête de la mi-automne, ou Zhong Qiu *(sept.)*. Fête de la récolte ou de la lune, où l'on se réunit en famille pour manger des gâteaux de lune dans tout le pays *(p. 43)*.

Festival international d'arts martiaux de Shaolin *(sept.)*. Événement annuel depuis 1991 dans la ville de Zhengzhou.

Anniversaire de Confucius *(28 sept.)*. Remis à l'honneur en RPC après avoir été diabolisé par le régime communiste, le sage (né en 551 av. J.-C.) est célébré dans les temples confucéens de Qufu, de Pékin et d'ailleurs.

Festival international de la mode *(mi-sept.) à* Dalian. Deux semaines de défilés de mode des couturiers asiatiques, inaugurées par un défilé d'ouverture spectaculaire.

Danseurs de la fête internationale de la bière de Qingdao

Défilé des troupes lors de la fête nationale

9e MOIS LUNAIRE

Fête nationale *(1er oct.)*. Une semaine de congés marquée par une ruée de vacanciers. Des défilés commémorent la fondation de la RPC en 1949.
Fête du double neuf (Chongyang) *(oct.)*. Double neuf signifie double yang, symbole d'assurance et de force masculines. Ce jour-là, dans certaines régions, la tradition veut que l'on se livre à quelques gestes symboliques – gravir une colline, porter une brindille de cornouiller et boire du vin de chrysanthème – pour chasser les mauvais esprits.

HIVER (NOV.-JANV.)

Cette saison est marquée par une baisse des températures et le retour d'un temps plus sec dans le Sud, mais aussi par l'arrivée d'un climat très rigoureux dans le Centre et le Nord. La saison touristique est terminée, mais tout le monde s'attelle avec bonheur aux longs préparatifs du nouvel an chinois.

10e MOIS LUNAIRE

Festival de Zhuang *(nov.)*. La minorité Zhuang du Guangxi a ses propres danses et musiques folkloriques qu'elle présente depuis 1999 au Festival international de chants et d'arts folkloriques de Nanning.

11e MOIS LUNAIRE

Solstice d'hiver. Les astronomes chinois identifièrent cette journée dès l'époque Han. Aujourd'hui, cette fête est un peu délaissée. Au Nord, les habitants se régalent de soupe de raviolis ou de raviolis pour se réchauffer. Au Sud, ils mangent des haricots rouges et du riz gluant pour chasser les mauvais esprits.
Noël *(25 déc.)*. Très peu de Chinois sont chrétiens, mais cette fête commerciale a pris de l'ampleur grâce aux sapins de Noël et à Shengdan Laoren, le père Noël chinois, véritable icône populaire. C'est un jour férié à Hong Kong.

12e MOIS LUNAIRE

Fête du Corban *(déc.-janv.)*. Célébrée à Xinjiang, Ningxia et parmi la minorité Hui à travers la Chine, cette fête musulmane évoque Abraham épargnant son fils à la dernière minute et sacrifiant une chèvre. Sacrifices d'animaux, chants et danses.

Nouvel an *(1er janv.)*. C'est encore un jour férié, bien qu'éclipsé par les célébrations massives du nouvel an chinois, plus tard en janvier ou février.

LES JOURS FÉRIÉS

Nouvel an (1er janv.)

Nouvel an chinois ou fête du printemps 7-13 janv. 2008, 26 janv.-1er fév. 2009

Fête du Travail (1er-3 mars)

Fête nationale (1er-3 oct.)

Week-end ouvrés
Les week-ends (sam., dim.) d'avant et après les vacances de mai et octobre sont souvent travaillés pour permettre d'avoir une semaine de congés d'affilée. Pour ajouter à la confusion des touristes, la date exacte des vacances est rarement connue longtemps à l'avance. Pourtant, mieux vaut éviter de voyager pendant cette période, car beaucoup d'installations sont fermées et les transports saturés. Renseignez-vous auprès d'une agence de voyages.

Le climat en Chine

Vaste territoire traversé de nombreuses zones climatiques, la Chine connaît tous les climats extrêmes, des étés caniculaires et humides suivis d'hivers doux de la côte sud-ouest subtropicale et des températures très élevées de la dépression Turpan, aux étés frais accompagnés d'hivers longs et secs des régions montagneuses. Les précipitations sont faibles dans les hautes terres arides du Nord et dans le Nord-Est proche de la Sibérie, mais abondantes dans les régions humides du Sud et de l'Est.

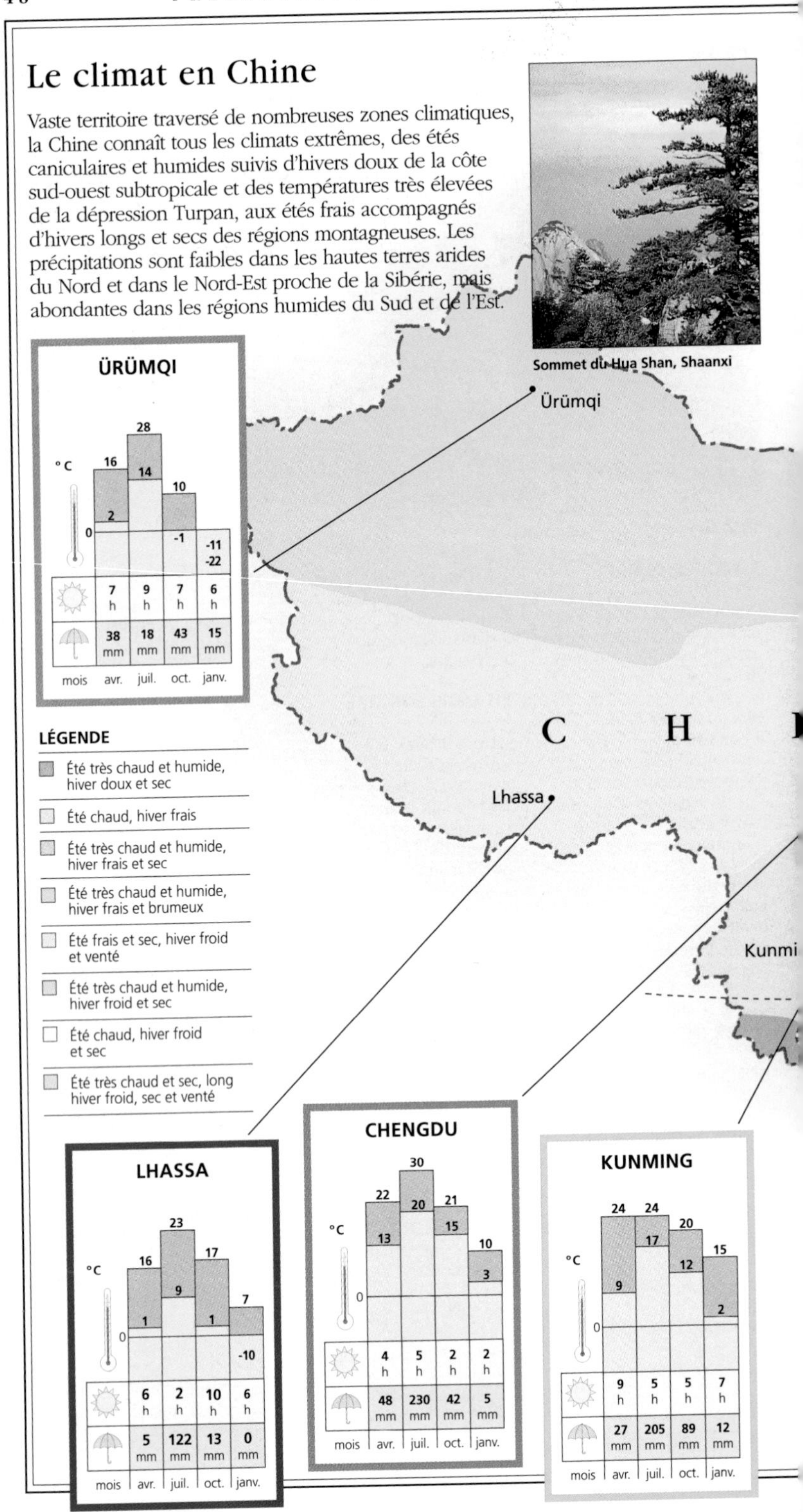

Sommet du Hua Shan, Shaanxi

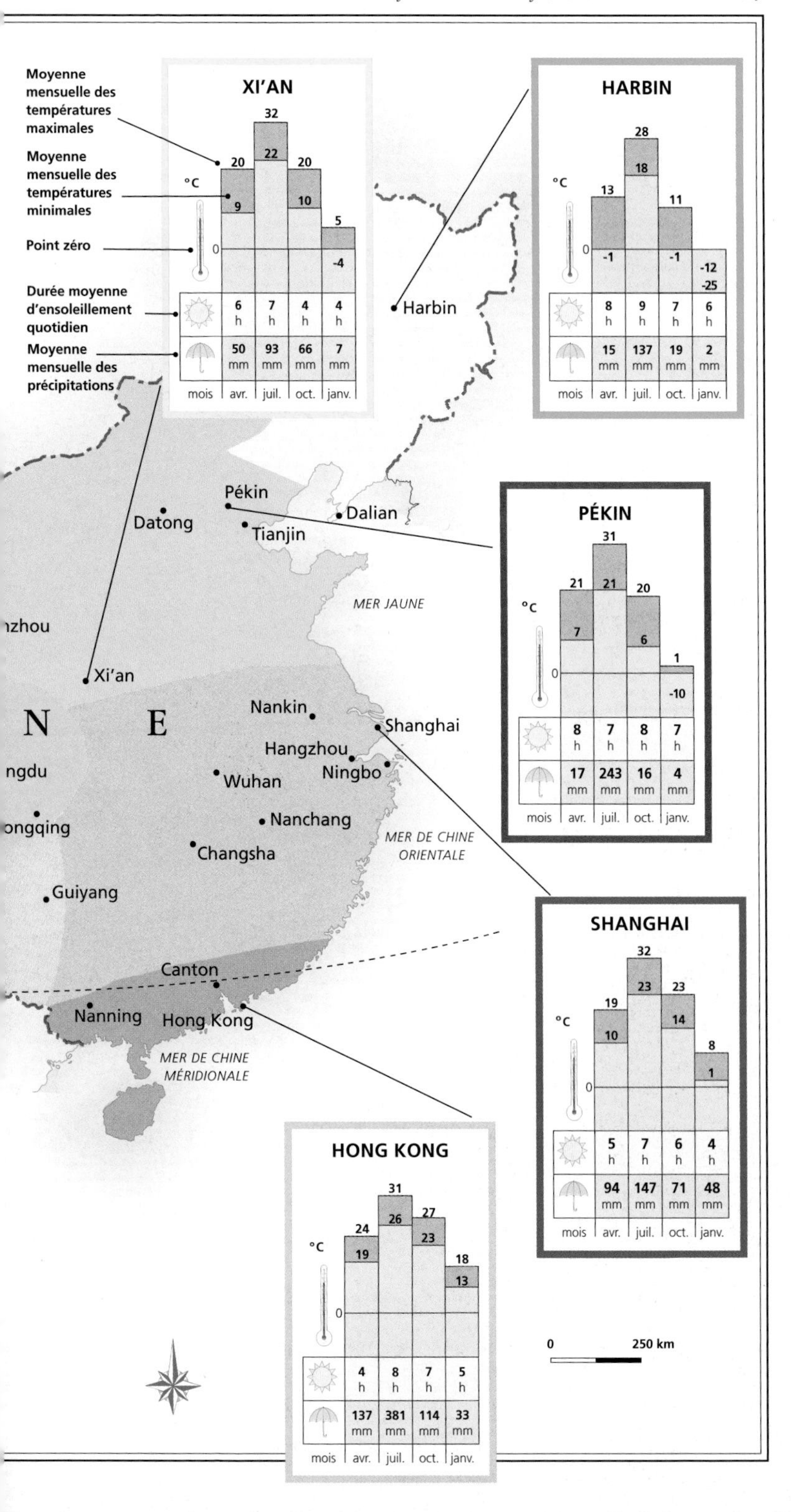
Moyenne mensuelle des températures maximales
Moyenne mensuelle des températures minimales
Point zéro
Durée moyenne d'ensoleillement quotidien
Moyenne mensuelle des précipitations
XI'AN
°C
0
20 9
32 22
20 10
5 -4
6 h
7 h
4 h
4 h
50 mm
93 mm
66 mm
7 mm
mois
avr.
juil.
oct.
janv.
HARBIN
°C
0
13 -1
28 18
11 -1
-12 -25
8 h
9 h
7 h
6 h
15 mm
137 mm
19 mm
2 mm
mois
avr.
juil.
oct.
janv.
PÉKIN
°C
0
21 7
31 21
20 6
1 -10
8 h
7 h
8 h
7 h
17 mm
243 mm
16 mm
4 mm
mois
avr.
juil.
oct.
janv.
SHANGHAI
°C
0
19 10
32 23
23 14
8 1
5 h
7 h
6 h
4 h
94 mm
147 mm
71 mm
48 mm
mois
avr.
juil.
oct.
janv.
HONG KONG
°C
0
24 19
31 26
27 23
18 13
4 h
8 h
7 h
5 h
137 mm
381 mm
114 mm
33 mm
mois
avr.
juil.
oct.
janv.
Harbin
Pékin
Datong
Tianjin
Dalian
MER JAUNE
nzhou
Xi'an
N
E
Nankin
Shanghai
Hangzhou
Ningbo
ngdu
Wuhan
ongqing
Nanchang
Changsha
MER DE CHINE ORIENTALE
Guiyang
Canton
Nanning
Hong Kong
MER DE CHINE MÉRIDIONALE
0
250 km

L'HISTOIRE DE LA CHINE

La Chine peut se targuer d'être l'une des plus anciennes nations unifiées du monde. Son histoire est une succession de luttes de pouvoir entre factions rivales, de périodes de paix et de prospérité consécutives à l'assimilation d'idées venues de l'étranger, d'empires ravagés par la corruption et les subterfuges politiques, et de nouveaux empires fondés à chaque fois par des chefs ambitieux.

LES PREMIERS COLONS

À partir d'environ 8000 av. J.-C., des colonies vivant d'une agriculture primitive commencent à apparaître sur la côte est et autour des deltas fertiles du Huanghe (fleuve Jaune), du Yangzi et de la Wei. Ces peuples vivent de la chasse, de la cueillette et de la pêche, ainsi que de la culture du millet dans le Nord et du riz dans le Sud. Chaque civilisation se distingue par son propre style de poterie, des faïences audacieuses du Yangshao (5000-3000 av. J.-C.) aux céramiques noires du Longshan (3000-1700 av. J.-C.).

Amphore Yangshao

L'ÂGE DU BRONZE ET LES PREMIERS ROYAUMES

La première dynastie chinoise est fondée par les Shang vers 1600 av. J.-C. Ils vivent en vastes sociétés complexes et sont les premiers à couler le bronze en masse. Le pouvoir est entre les mains d'une élite qui agit comme des sortes de chamans, communiquant avec les ancêtres et les dieux par la voix des médiums.

Les Shang utilisent de la vaisselle en bronze raffinée pour les banquets et les offrandes aux ancêtres. Les inscriptions des os divinatoires datés d'environ 1300 av. J.-C. sont les premiers témoins de l'écriture.

En 1066 av. J.-C., les Zhou de l'Ouest s'emparent du pouvoir et établissent leur capitale dans l'actuelle Xi'an. Ils commencent par perpétuer de nombreuses traditions Shang avant de réorganiser le système politique et de remplacer les os divinatoires par la gravure sur bronze, puis, plus tard, par l'écriture sur soie et sur lattes de bambou.

La dynastie des Zhou de l'Est (770-221 av. J.-C.) se divise en deux périodes, les « Printemps et Automnes » (770-476 av. J.-C.) et les Royaumes combattants (475-221 av. J.-C.) – toutes deux marquées par des conflits politiques et sociaux, conséquences des manœuvres de chaque faction rivale pour accéder au pouvoir. Mais l'apparition du fer, qui révolutionne l'agriculture, en fait également une période d'essor économique et de progrès. C'est dans ce climat troublé qu'émergent les idéologies philosophiques du confucianisme, du taoïsme et du légisme.

CHRONOLOGIE

8000-6500 av. J.-C. Néolithique

5000-3000 av. J.-C. Culture de Yangshao autour de la rivière Wei

2200-1600 av. J.-C. Première dynastie semi-mythique des Xia

1300 av. J.-C. Premières inscriptions sur os divinatoires

Vers 551-479 av. J.-C. Vie de Confucius

475-221 av. J.-C. Zhou de l'Est : les Royaumes combattants

8000 av. J.-C | 6000 av. J.-C. | 4000 av. J.-C. | 2000 av. J.-C. | 1000 av. J.-C. | 500 av. J.-C.

6500-5000 av. J.-C. Premières colonies dans le nord de la Chine

Récipient alimentaire en bronze, Shang

1600-1050 av. J.-C. Dynastie Shang

1066-771 av. J.-C. Prise de pouvoir par les Zhou

770-476 av. J.-C. Zhou de l'Est : période des « Printemps et Automnes »

513 av. J.-C. Première trace de fonte du fer

◁ Détail du *Premier Empereur de la dynastie Han pénétrant à Guandong* du peintre Song Chao Pochu

Chronologie des dynasties

La Chine fut gouvernée par une succession de dynasties, entrecoupée ici et là de périodes d'éclatement et de guerres civiles. L'empereur, investi d'un mandat divin, avait un pouvoir sans limites, et chaque nouvel empereur prétendait que son prédécesseur avait déplu aux dieux et s'était donc vu retirer son mandat.

DYNASTIE SHANG

1600-1050 av. J.-C.

La dynastie Shang marqua le début de l'âge du bronze chinois et de la culture palatiale. Le souverain semi-divin était une sorte de chaman qui communiquait avec les dieux.

Tripode culinaire en bronze, dynastie Shang

HAN DE L'OUEST

206 av. J.-C. – 9 apr. J.-C.

Gaozu	206-195 av. J.-C.
Huidi	195-188 av. J.-C.
Shaodi	188-180 av. J.-C.
Wendi	180-157 av. J.-C.
Jingdi	157-141 av. J.-C.
Wudi	141-87 av. J.-C.
Zhaodi	87-74 av. J.-C.
Xuandi	74-49 av. J.-C.
Yuandi	49-33 av. J.-C.
Chengdi	33-7 av. J.-C.
Aidi	7-1 av. J.-C.
Pingdi	1 av. J.-C.-6 apr. J.-C.
Ruzi	7-9 apr. J.-C.

Têtes de terre cuite brisées trouvées dans la tombe de Jingdi

HAN DE L'EST

25-220 apr. J.-C.

Guang Wudi	25-57
Mingdi	57-75
Zhangdi	75-88
Hedi	88-105
Shangdi	106
Andi	106-125
Shundi	125-144
Chongdi	144-145
Zhidi	145-146
Huandi	146-168
Lingdi	168-189
Xiandi	189-220

TANG

618-907

Gaozu	618-626
Taizong	626-649
Gaozong	649-683
Zhongzong	684 et 705-710
Ruizong	684-690 et 710-712
Wu Zetian	690-705
Xuanzong	712-756
Suzong	756-762
Daizong	762-779
Dezong	779-805
Shunzong	805
Xianzong	805-820
Muzong	820-824
Jingzong	824-827
Wenzong	827-840
Wuzong	840-846
Xuanzong	846-859
Yizong	859-873
Xizong	873-888
Zhaozong	888-904
Aidi	904-907

Figurines tombales dansantes au vernis sancai

CINQ DYNASTIES ET DIX ROYAUMES

907-960

Au nord du Yangzi, les Cinq Dynasties se succédèrent rapidement, aucune ne durant plus de trois règnes. Au sud, les Dix Royaumes traversèrent eux aussi des turbulences. Pendant cette période et une grande partie de la dynastie Song, les frontières du Nord furent dominées à l'est par la dynastie semi-nomade des Liao (907-1125), et à l'ouest par les Xia de l'ouest (990-1227). En 1115, les Liao furent renversés par les Jin (1115-1234), qui repoussèrent les Song vers le sud en 1127.

YUAN

1279-1368

Gengis Khan (1162-1227) unifia les nombreuses tribus de langue mongole et s'empara de Pékin en 1215. Son petit-fils Qubilaï acheva la conquête de la Chine en écrasant les Song du Sud en 1279.

Qubilaï Khan	1279-1294
Temur Oljeitu	1294-1307
Khaishan	1308-1311
Ayurbarwada	1311-1320
Shidebala	1321-1323
Yesun Temur	1323-1328
Tugh Temur	1328-1329, 1329-1333
Khoshila	1329
Toghon Temur	1333-1368

MING

1368-1644

Hongwu	1368-1398
Jianwen	1399-1402
Yongle	1403-1424
Hongxi	1425
Xuande	1426-1435
Zhengtong	1436-1449
Jingtai	1450-1457
Tianshun (Retour de Zhengtong)	1457-1464
Chenghua	1465-1487
Hongzhi	1488-1505
Zhengde	1506-1521
Jiajing	1522-1567
Longqing	1567-1572
Wanli	1573-1620
Taichang	1620
Tianqi	1621-1627
Chongzhen	1628-1644

DYNASTIE ZHOU DE L'OUEST

1066-771 av. J.-C.

Les Zhou installèrent leur capitale à Chang'an (Xi'an) et perpétuèrent quelques traditions Shang, mais ils réformèrent le système politique et hiérarchisèrent l'aristocratie. Le système féodal des Zhou de l'Ouest s'effondra après la mise à sac de la capitale et l'assassinat de l'empereur.

DYNASTIE ZHOU DE L'EST

770-221 av. J.-C.

Printemps et Automnes
770-475 av. J.-C.

Royaumes combattants
475-221 av. J.-C.

La dynastie Zhou, gouvernant depuis sa capitale orientale de Luoyang, cohabita avec de nombreux États rivaux. La victoire des Qin mit fin à une longue période de guerre quasiment permanente.

DYNASTIE QIN

221-206 av. J.-C.

Qin Shi	221-210 av. J.-C.
Er Shi	210-207 av. J.-C.

Statue de gardien du tombeau de Qin Shi Huangdi

PÉRIODE DE DIVISION

220-589

La Chine fut divisée entre les Royaumes combattants des Wei, des Wu et des Shu. Les Wei réunifièrent brièvement la Chine sous les Jin de l'Ouest (280-316), la première des six Dynasties du Sud (280-589), avec pour capitale Jiankang (Nankin), tandis que le Nord fut gouverné par une succession de dynasties – les 16 Royaumes (304-439). La tribu nomade des Toba fonda la dynastie des Wei du Nord, la première de cinq Dynasties du Nord (386-581), avec pour capitale Datong, puis Luoyang.

SUI

581-618

La Chine fut à nouveau unifiée sous le règne bref mais décisif des Sui.

Wendi	581-604
Yangdi	604-617
Gongdi	617-618

Flottille de l'empereur Wendi sur le Grand Canal

SONG DU NORD

960-1126

Taizu	960-976	Shenzong	1068-1085
Taizong	976-997	Zhezong	1086-1101
Zhenzong	998-1022	Huizong	1101-1125
Renzong	1022-1063	Qinzong	1126-1127
Yingzong	1064-1067		

Peinture de l'empereur Huizong

SONG DU SUD

1127-1279

Gaozong	1127-1162
Xiaozong	1163-1190
Guangzong	1190-1194
Ningzong	1195-1224
Lizong	1225-1264
Duzong	1265-1274
Gongdi	1275
Duanzong	1276-1278
Di Bing	1279

L'empereur Zhengde, grand amateur loisirs, assouplit la mainmise impériale

QING

1644-1911

Shunzhi	1644-1661
Kangxi	1661-1722
Yongzheng	1723-1735
Qianlong	1736-1795
Jiaqing	1796-1820
Daoguang	1821-1850
Xianfeng	1851-1861
Tongzhi	1862-1874
Guangxu	1875-1908
Xuantong (Pu Yi)	1909-1912

Détail de dragon impérial au dos d'un habit officiel d'eunuque

LA FONDATION DE LA CHINE IMPÉRIALE

L'époque des Royaumes combattants prend fin avec la victoire des Qin. En 221 av. J.-C., Qin Shi se proclame Premier empereur *(huangdi)* de Chine et gouverne pendant une période brève mais décisive de l'histoire. L'État Qin s'appuie sur les théories politiques du légisme, qui donne un rôle prépondérant à l'empereur et instaure un système de responsabilité collective. Une fois l'unification réalisée, ce chef impitoyable attelle des milliers de travailleurs à la construction des remparts défensifs du Nord – la Grande Muraille. Il unifie le système monétaire, le système des poids et mesures, pose les premières pierres d'un système juridique, puis meurt avec la conviction que sa célèbre armée de terre cuite le protégera dans l'au-delà contre ses nombreux ennemis.

Archer de l'armée de terre cuite Qin

La fondation de la dynastie Han (206 av. J.-C. - 220 apr. J.-C.) annonce un « âge d'or » de la Chine. L'empereur Gaodi (env. 206-195 av. J.-C.) établit la capitale des Han de l'Ouest (206 av. J.-C. - 9 apr. J.-C.) à Chang'an (Xi'an) et conserve une grande partie de l'administration centralisée des Qin. Les examens de la fonction publique, destinés à recruter des hommes compétents au service de l'État, datent de ses successeurs. Fidèle aux principes énoncés par Confucius, la société Han s'inspire tout naturellement des classiques confucéens pour recruter ses serviteurs. Le taoïsme et la théorie du yin et du yang cohabitent avec le culte des ancêtres dans ce qui devient la philosophie chinoise *(p. 30-31)*.

L'empire Han annexe des régions d'Asie centrale, le Vietnam et la Corée. En 138 av. J.-C., le général Zhang Qian, chargé d'établir des relations diplomatiques avec l'Asie centrale, revient avec des récits de riches pâturages et de « chevaux célestes ». L'échange de pur-sang du Ferghana (dans l'actuel Ouzbékistan) contre de la soie chinoise inaugure la célèbre Route de la soie.

La domination Han est brièvement interrompue quand Wang Mang s'empare du pouvoir en l'an 9 de notre ère, puis restaurée par Guang Wudi (env. 25-57 apr. J.-C.). Les Han de l'Est établissent leur capitale à Luoyang et étendent une fois de plus le territoire chinois. Ils impriment la plupart des documents officiels sur papier et publient le premier dictionnaire chinois. Le bouddhisme commence à se répandre en Chine avec l'arrivée des premières communautés bouddhiques dans la province du Jiangsu.

Chariot et valets gravés dans la brique d'une tombe, Han

CHRONOLOGIE

213 av. J.-C. Autodafé dans le cadre du processus d'« unification »

206 av. J.-C. - 9 apr. J.-C. Chang'an (Xi'an), capitale des Han de l'Ouest

Vers 139-126 av. J.-C. L'émissaire officiel Zhang Qian établit les premières relations diplomatiques et commerciales sur la Route de la soie

Cheval et cavalier de bronze, Han

Vers 100 Premier dictionnaire *Shuo Wen*, de plus de 9 000 caractères

200 av. J.-C. | **100 av. J.-C.** | **1** | **100**

221-206 av. J.-C. Dynastie Qin. Premier empereur, Qin Shi

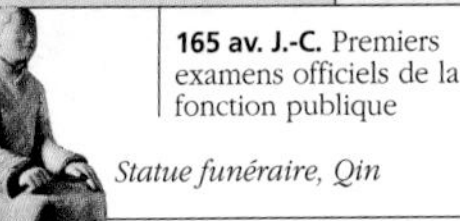

Statue funéraire, Qin

165 av. J.-C. Premiers examens officiels de la fonction publique

25-220 Luoyang, capitale des Han de l'Est

65 Première trace d'une communauté bouddhiste à la cour du prince Ying de Chu

Les empereurs Sui Yangdi et Wendi dans un détail des *Portraits des treize Empereurs* du peintre Tang Yen Li Pen

UNE PÉRIODE DE DIVISION

Le règne d'Hedi (env. 88-105) annonce le déclin des Han de l'Est. En 220, la guerre civile finit par diviser le pays. Pendant les 350 ans qui suivent, la Chine connaît une succession de guerres et est gouvernée par plus de quatorze dynasties éphémères et seize « royaumes ».

Entre les dynasties du Nord et du Sud (265-581), chaque région a sa propre identité. Les étrangers prennent le contrôle du Nord et les Toba du Xianbei fondent les Wei du Nord en 386. Ces dynasties ouvertes aux idées et aux religions venues d'ailleurs créent quelques-uns des plus beaux ensembles rupestres bouddhiques à Yungang, près de Datong, puis à partir de 494 à Longmen, après le transfert de leur capitale à Luoyang. Face à l'invasion étrangère du Nord, les Han se replient au Sud et établissent leur nouvelle capitale à Jiankang (Nankin). Dans un climat de relative stabilité, la population se déplace vers le delta du Yangzi, faisant du Sud le centre économique et culturel du pays. L'épanouissement de la philosophie et des arts voit le renouveau du taoïsme et l'émergence du bouddhisme.

Apsara d'une grotte bouddhiste, Wei du Nord

UNITÉ ET STABILITÉ

Après ses victoires militaires contre les Liang et les Chen, le général Yang Jian (541-604) des Zhou du Nord se proclame empereur (Wendi) et fonde la dynastie Sui en 581. Son règne bref mais décisif est une période de stabilité politique et sociale. Il entreprend de grands travaux, notamment l'extension de la Grande Muraille et le creusement du Grand Canal.

Le second empereur, Yangdi (569-617), rétablit les relations diplomatiques avec le Japon et Taiwan et intensifie le commerce avec l'Asie centrale.

0 Rupture des échanges ec l'Asie centrale

IIe s. Premier recensement connu : 57 671 400 habitants

310 Exode massif de l'élite chinoise vers le Sud

Bouddha colossal des grottes de Yungang, Wei du Nord

581-618 Dynastie Sui, fruit de la réunification de la Chine par Wendi

200 | 300 | 400 | 500 | 600

ıerre civile pposant les es de Wei, Shu et Wu

265-581 Division de la Chine entre les dynasties du Nord et du Sud

386-535 Wei du Nord, première dynastie à adopter le bouddhisme

Vers le VIe s. Production des premières porcelaines

Vers le VIIe s. Invention de la xylogravure en Chine

La dynastie Tang

La dynastie Tang est considérée comme l'un des âges d'or de la Chine en matière de richesse économique, d'expansion territoriale et de stabilité politique. Le pays n'a jamais été et ne sera jamais plus aussi vaste, de la Corée au Vietnam en passant par l'Asie centrale et le sud de la Sibérie. Le commerce terrestre et maritime en plein essor stimule l'échange de marchandises de luxe entre l'Orient et l'Occident. Les religions étrangères sont tolérées et le bouddhisme remporte les faveurs de la population et de l'empereur. Quant à l'art et à la littérature, l'époque Tang fut un âge d'or, en particulier grâce aux célèbres poètes Li Bai et Du Fu.

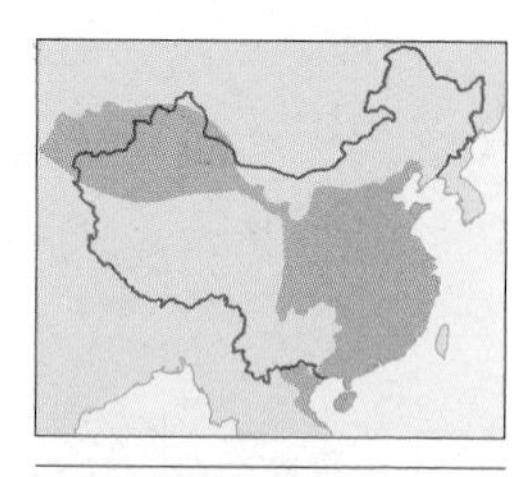

Règne Tang 750 apr. J.-C.

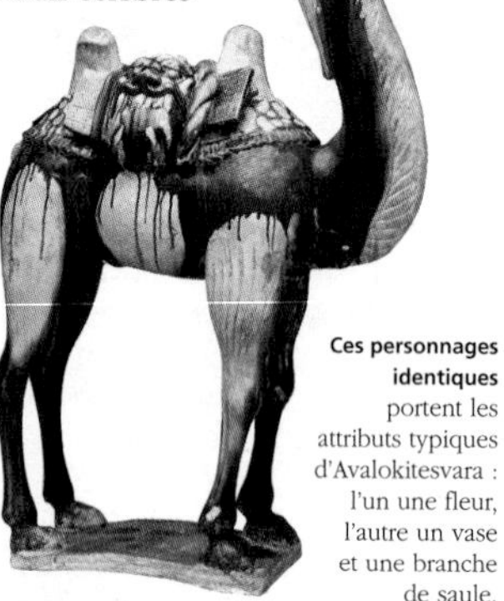

Cette poterie *décorée de vernis tricolore,* ou sancai, *décrit la vie sur la Route de la soie. Marchands et pèlerins parcouraient cette route légendaire, chargés d'objets sculptés en or et en argent, de tissus, de nourritures exotiques et de magnifiques chevaux.*

Ces personnages identiques portent les attributs typiques d'Avalokitesvara : l'un une fleur, l'autre un vase et une branche de saule.

Robes amples et drapées typiques du style Tang

Les émissaires étrangers, *notamment coréens (à d.) et occidentaux (à g. du Coréen), se rendaient à la cour Tang pour obtenir délégation et payer tribut, comme l'illustre cette fresque tombale.*

Cette tasse en argent, *découverte en 1970 dans un trésor enfoui, révèle une influence occidentale, malgré un relief typiquement Tang.*

Chang'an (Xi'an) *accueillait au* VIIe *siècle un million d'habitants dans ses remparts. C'était alors la plus grande ville du monde, une capitale cosmopolite peuplée de Sogdiens, de Turcs, d'Ouïgours, d'Arabes et de Perses.*

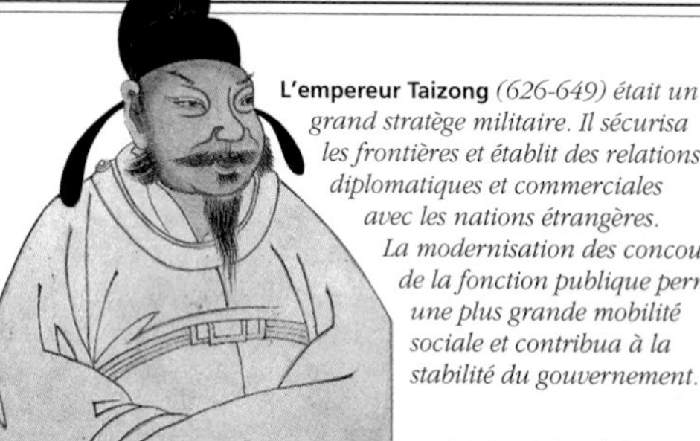

L'empereur Taizong *(626-649) était un grand stratège militaire. Il sécurisa les frontières et établit des relations diplomatiques et commerciales avec les nations étrangères. La modernisation des concours de la fonction publique permit une plus grande mobilité sociale et contribua à la stabilité du gouvernement.*

Wu Zetian *(690-705), unique impératrice de l'histoire de Chine, manipula son mari, le faible Gaozong, et élimina impitoyablement ses opposants. Son immoralité ne l'empêcha pas d'être un grand chef et d'instaurer la paix et la prospérité.*

Des inscriptions étaient destinées aux riches donateurs qui commandaient des peintures pour eux-mêmes ou pour leurs proches afin d'accroître leurs mérites religieux.

Avalokitesvara, l'un des boddhisattvas les plus populaires, se reconnaît à l'Amitabha Bouddha de sa couronne.

L'empereur Xuanzong *(712-756) ou Minghuang, l'Empereur Éclatant, régna sur une période glorieuse. Ce grand érudit protecteur des arts consacra sa fortune à la construction de temples et fonda l'Académie des lettres (Hanlin-yuan) en 754.*

LES SOIERIES DE DUNHUANG

Sous la dynastie Tang, le bouddhisme obtint le soutien du peuple et de l'empereur, en particulier sous le règne du dévot Wu Zetian. Les communautés bouddhistes devinrent d'importants centres de traduction des sutras et de fabrication d'art bouddhique, dont les magnifiques peintures sur soie de Dunhuang.

AMOUR ET FIN D'UN EMPEREUR

À la fin de sa vie, succombant au charme de sa concubine Yang Guifei, l'empereur Xuanzong négligea peu à peu ses obligations, laissant les intrigues de cour déstabiliser son pouvoir. En 750, le général An Lushan, moitié sogdien, moitié turc de naissance, s'empara de la frontière nord-est. En 755, il envahit la capitale, obligeant la cour à fuir au Sichuan. En arrivant à Mawei, les troupes de Xuanzong se mutinèrent et demandèrent à l'empereur la tête de Yang Guifei, qui fut pendue sous ses yeux. Les poètes immortalisèrent l'histoire de cet amour tragique. An Lushan finit par tomber, mais le glas de la dynastie Tang avait sonné.

La silhouette rondelette de Yang Guifei est un motif *sancai* classique

LA SPLENDEUR DES TANG

La dynastie Tang (618-907) est un nouvel âge d'or de la Chine, ainsi qu'une longue période de paix et de prospérité. Les arts florissants s'enrichissent de styles, de motifs et de techniques venus de l'étranger tels que l'argenterie. Les religions étrangères, dont le christianisme nestorien, sont tolérées et cohabitent avec le taoïsme et le confucianisme. La xylogravure, inventée en Chine au VIIe siècle, hâte la diffusion du bouddhisme.

Cheval « trois couleurs », ou *sancai*, Tang

Suite à la rébellion d'An Lushan en 755, les Tang se replient sur eux-mêmes et la grande persécution bouddhiste de 841-846 révèle une dynastie en déclin, qui prend fin en 907.

LA DYNASTIE LIAO (907-1125)

La dynastie Liao, qui, à son apogée, englobe une grande partie de la Mongolie, de la Mandchourie et du nord de la Chine, est gouvernée par un peuple de bergers semi-nomades, les Qidan (Kitan). Ils conservent une double administration – qidan et chinoise –, et même un Premier ministre, pour garantir la survie de leurs propres coutumes et traditions tout en exploitant l'efficacité des structures gouvernementales Tang. En 1115, les Qidan sont renversés par un autre peuple semi-nomade, les Jürchen. Aidés des Song du Nord, les Ruzhen prennent le contrôle du Nord et fondent la dynastie Jin. Les Liao sont repoussés à l'ouest vers les monts Tian, dans l'actuel Xinjiang, où ils établissent la dynastie Liao de l'Ouest (1125-1211). Le reste du nord-ouest de la Chine est dominé par les Xia de l'Ouest, un peuple d'origine tibétaine qui reconnaît la domination des Liao.

LES CINQ DYNASTIES ET LES DIX ROYAUMES (907-960)

Au moment où le nord de la Chine subit l'insurrection des peuples semi-nomades des steppes, le Sud est gouverné par une série de dictatures militaires éphémères. La dynastie Song est fondée en 960 par Zhao Kuangyin, commandant militaire Zhou (951-960) et futur empereur Shizong. Dans le delta du Yangzi et les régions du Sud, les Dix Royaumes cohabitent dans une paix et une stabilité relatives, avant d'être réunifiés par les Song en 979.

LA DYNASTIE SONG (960-1279)

Les Song inaugurent une période de rayonnement culturel et de croissance

Peinture de cérémonie officielle, Cinq Dynasties (923-938)

CHRONOLOGIE

618-907 Les Tang inaugurent un nouvel âge d'or

690-705 Wu Zetian, première impératrice chinoise

755-763 La révolte d'An Lushan chasse l'empereur et la cour de Chang'an au Sichuan

806 Premier manuscrit imprimé daté, le Sutra du Diamant

907-960 Période de division dite des Cinq Dynasties et des Dix Royaumes

Xe s. 1ère utilisatic la poud canon e armes à

700 | 750 | 800 | 850 | 900

661 Administration du Cachemire, du Boukhara et des frontières de l'Iran oriental

705 Naissance du célèbre poète Li Bai

Coupe en argent Tang

770 Mort du grand poète Du Fu

806-820 Premier billet de banque

907-1125 Les Qidan gouvernent le nord-est de la Chine (dynastie Liao). Pékin devient leur capitale méridionale

urbaine sans précédent qui métamorphose fondamentalement le visage social de la Chine. Ayant moins d'ambitions territoriales que les Tang, les Song privilégient le développement économique en améliorant les moyens de communication et de transport. De nouvelles industries voient le jour, en particulier celle de la porcelaine dans la province du Jiangxi. Sous les Song du Sud, la Chine connaît une révolution industrielle qui lui permet de produire des quantités de matières premières (sel et fer) à une échelle que l'Europe n'atteindra qu'au XVIIIe siècle.

Ce dynamisme économique fait naître une classe moyenne demandeuse d'une nouvelle gamme de produits de consommation. Le pouvoir passe des mains d'une élite aristocratique à celles des bureaucrates qui consacrent leur temps libre à l'art de la poésie, de la calligraphie et de la peinture. L'apparition des collectionneurs et des connaisseurs permet une renaissance artistique et la création des premières collections impériales. L'empereur Huizong devient un grand défenseur des arts. Il assied sa position sur des valeurs ancestrales. Ce néoconfucianisme et la renaissance du taoïsme marquent le retour aux croyances indigènes et aux structures de pouvoir traditionnelles. Les Song du Nord sont attaqués sans relâche par les Xia de l'Ouest au nord-ouest et les Jin au nord-est. Douze ans seulement après s'être alliés aux Song contre les Liao, les Jin envahissent Bianliang (Kaifeng), la capitale des Song du Nord, capturant l'empereur Qinzong et obligeant la cour à fuir au sud. Les Song du Sud (1127-1279) établissent leur capitale à Lin'an (Hangzhou), au sud du Yangzi.

Portrait de l'empereur Song Huizong, vers 1101-1125

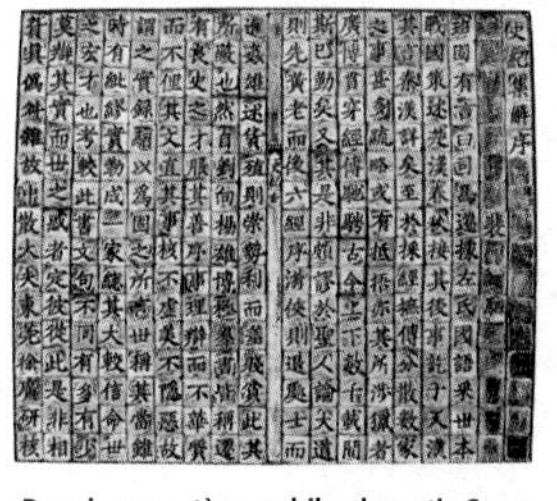
Premier caractère mobile, dynastie Song

LA DYNASTIE JIN (1115-1234)

Les Jin sont un peuple semi-nomade originaire de Mandchourie. La guerre contre les Song et les attaques incessantes des Mongols affaiblissent cette dynastie qui, au début du XIIIe siècle, fait tampon entre les Song au Sud et les Mongols au Nord. En 1227, les forces alliées mongoles et chinoises renversent les Jin ; en 1234, l'empereur se suicide et les Jin sont intégrés à un empire mongol en pleine expansion.

960-1126 Les Song du Nord réunifient la Chine et installent leur capitale à Bianliang (Kaifeng)

Détail d'une peinture de l'empereur Huizong

1127-1279 Dynastie des Song du Sud – capitale Hangzhou – chassée au Sud par les Jin

1154 Première émission de papier monnaie (Jin)

1206-1208 Guerre opposant Song et Jin

950 | 1000 | 1050 | 1100 | 1150 | 1200

990-1227 Les Xia de l'Ouest fondent un royaume au nord-ouest de la Chine

1041-1048 Première tentative d'imprimerie à caractères mobiles

1090 Première utilisation du compas sur des navires chinois

1115-1234 Fondation de la dynastie Jin dans le Nord-Est, chassant les Liao vers l'Ouest

1214 Les Jin transfèrent la capitale de Pékin à Kaifeng, dans le Henan

L'EMPIRE MONGOL (1279-1368)

Le chef mongol Gengis Khan unifie les différentes tribus des steppes de langue mongole et conquiert le nord de la Chine en 1215 avant de diviser son empire entre ses quatre fils. Son petit-fils Qubilaï Khan (1260-1294), Grand Khan de l'Est, finit par vaincre les Song du Sud en 1279 et se proclame empereur de la dynastie Yuan. La Chine fait alors partie d'un vaste empire s'étendant de la mer de Chine à la Russie, à l'Ukraine et à Bagdad. Deux capitales cohabitent : Dadu, ou Cambaluc (l'actuelle Pékin), et Yuanshangdu (Xanadu). Les Routes de la soie sont rouvertes entre la Chine, le Moyen-Orient et l'Europe du Moyen Âge, et la cour mongole établit ses premiers contacts directs avec les diplomates européens, les missionnaires franciscains et les marchands, dont Marco Polo, qui raconte avoir passé 21 ans au service de Qubilaï et de sa cour.

Gengis Khan (vers 1162-1227), miniature persane

Divinité bouddhiste, dynastie Yuan

Les Mongols adoptent un gouvernement militaire, s'affranchissant de la fonction publique instaurée par les Chinois. Les deux langues officielles – le chinois et le mongol – cohabitent, mais les Chinois ne sont pas encouragés à occuper des fonctions officielles. Remplacés par des musulmans d'Asie centrale et occidentale, ils disparaissent progressivement de la vie officielle.

En 1328, en l'absence de règles de succession, les aristocrates mongols se livrent à une guerre civile. Les sociétés secrètes des Turbans rouges et du Lotus blanc soulèvent des révoltes paysannes et, en 1368, le général Zhu Yuanzhang chasse les Mongols de Chine et devient le premier empereur de la dynastie Ming.

LA DYNASTIE MING (1368-1644)

La dynastie Ming (littéralement « brillante ») fut l'une des plus longues et des plus stables de l'histoire de la Chine. Après de modestes débuts, son fondateur, Zhu Yuanzhang, devient général, puis gouverne sous le titre d'empereur Hongwu (« grandes victoires militaires »). Pendant son règne, Hongwu réforme en profondeur le gouvernement central et local et instaure un gouvernement impérial plus autocratique en supprimant le poste de Premier ministre afin de superviser lui-même directement ses six ministres.

Hongwu nomme son petit-fils à sa succession. À sa mort, son fils, le prince de Yan, qui contrôle la région de Pékin, monte une armée contre son neveu, s'empare de Nankin et se proclame empereur Yongle (« Joie Éternelle »,

CHRONOLOGIE

1215 Les Mongols s'emparent de Pékin

1227 Gengis Khan meurt après avoir unifié les tribus des steppes de langue mongole

1234 L'empereur des Jin se suicide et les Jin intègrent l'Empire mongol

Cavalier mongol

1250

1279-1368 Qubilaï Khan défait les Song du Sud et devient empereur de la dynastie Yuan

1300

1328 Guerre civile entre les aristocrates mongols

1350

1368-1644 Dynastie Ming fondée par un chef rebelle, le général Zhu Yuanzhang

1400

1403 Construction de la Grande Muraille en Chine du Nord

Éléphant de jade, Ming

Actuels remparts de la Grande Muraille, renforcés et achevés sous la dynastie Ming

1403-1424). Il transfère la capitale à Pékin, où il fonde une cité selon les principes traditionnels d'aménagement urbain. Au cœur de la ville, la Cité interdite *(p. 62-67)*, le palais impérial et les bureaux gouvernementaux sont entourés d'un quadrillage de rues délimité par un autel impérial à chaque point cardinal, le tout entouré d'un rempart défensif. En 1421, Pékin devient la capitale officielle et le restera jusqu'à nos jours, hormis un bref interlude décidé par les nationalistes au début du XXe siècle.

Au XVe siècle, la Chine est une puissance maritime majeure et ses navires surpassent les flottes européennes. La porcelaine bleue et blanche, la soie et autres marchandises luxueuses s'arrachent sur les marchés du Japon, d'Asie du Sud-Est et du Moyen-Orient. Yongle envoie six expéditions maritimes sous le commandement de l'amiral eunuque musulman Zheng He. Elles parviendront jusqu'aux côtes orientales de l'Afrique. En 1514, les commerçants portugais débarquent en Chine et achètent du thé, un breuvage qui deviendra très en vogue dans la société européenne. À bord des navires marchands, la porcelaine sert de ballast et la cargaison est accompagnée de marchandises de luxe. Les Hollandais tiennent les rênes du commerce au XVIIe siècle avant d'être surpassés par les Britanniques un siècle plus tard. Arrivés au XVIe siècle, les missionnaires jésuites font peu de convertis, mais réussissent à approcher l'empereur et la cour.

Les arts sont florissants sous l'empereur Xuande (env. 1426-1435), artiste et poète, défenseur des arts, amateur de porcelaine de Jingdezhen. En littérature, la fin de la dynastie Ming est célèbre pour ses pièces et ses romans classiques, dont *La Pérégrination vers l'Ouest (p. 29)*. La philosophie de l'époque réaffirme le néoconfucianisme des Song.

La fin de l'époque Ming est marquée par des soulèvements paysans, des assauts de pirates japonais et de tribus mongoles, et par la surreprésentation des eunuques. À l'intérieur, les mouvements de révolte finissent par s'allier aux puissances extérieures pour mettre fin au règne des Ming.

Parure nuptiale Ming

26-1435 L'empereur ande est le premier pereur Ming enseur des arts

1514 Les Portugais débarquent en Chine et sont les premiers Européens à faire le commerce du thé et de la porcelaine

Bol plaqué en bronze

1573-1620 Le règne de Wanli débute bien, mais la dynastie décline quand l'empereur délaisse ses obligations

1620 L'empereur Taichang est empoisonné par les eunuques

1450 | 1500 | 1550 | 1600

Achèvement Cité interdite kin

Début du XVIe s. Les derniers empereurs Ming se déchargent de leurs obligations sur les eunuques

1538 Le jésuite Matteo Ricci entre en Chine du Sud et commence son œuvre missionnaire

1570 Publication du célèbre roman Xi Yu Ji *(La Pérégrination vers l'Ouest)*

Années 1600 Domination hollandaise sur le commerce entre l'Europe et la Chine

1601 Le missionnaire jésuite Matteo Ricci est autorisé à pénétrer à Pékin

LE RÈGNE DES QING (1644-1911)

Le chef mandchou Nurhachi établit la dynastie des Jin Postérieurs en 1616, unifiant les tribus éparses du Nord sous huit bannières. En 1636, son successeur Abahai les rebaptise Qin, littéralement « pur », et prépare la prise de Pékin en 1644. Sous contrôle mandchou, la Chine est à nouveau gouvernée par des étrangers. Désireux d'adopter les méthodes du gouvernement chinois, les Mandchous incitent les lettrés à se mettre au service du nouvel empire. Les bureaucrates mandchous et chinois travaillent côte à côte au niveau national et provincial en utilisant d'abord le mandchou puis le chinois comme langue officielle. Toutefois, malgré cette étroite collaboration, les dirigeants mandchous veillent à maintenir une nette distinction afin de protéger leurs privilèges et leurs traditions culturelles.

L'empereur Kangxi, vers 1661-1722

Les premiers empereurs Qing sont les dirigeants éclairés de l'un des pays les plus grands et les plus peuplés du monde. Les ambitions territoriales de l'empereur Kangxi ramènent les régions d'Asie centrale et du sud de la Sibérie sous contrôle chinois. À Kangxi succède l'empereur Yongzheng. Son quatrième fils, l'empereur Qianlong, « Éminence Durable » (1736-1796), ouvre un nouvel âge d'or. Ce dirigeant ambitieux est déterminé à repousser les frontières chinoises au-delà de celles des Tang et mène personnellement des campagnes en Birmanie, au Vietnam et en Asie centrale.

Au XVIIIe siècle, les missionnaires jésuites et les marchands multiplient les contacts avec l'Ouest. Mais au milieu du siècle, les Chinois tentent de faire main basse sur le commerce en refusant tout contact officiel avec les Occidentaux et en n'ouvrant que Canton aux marchands étrangers. Les ambassades européennes font pression jusqu'à ce que les Britanniques chargent lord Macartney d'aller établir des relations diplomatiques afin d'ouvrir la Chine au commerce en 1792-1794. Mais la Chine refuse la moindre concession aux Britanniques.

LE DÉCLIN DE L'EMPIRE

Le XIXe siècle est l'une des périodes les plus troubles de l'histoire chinoise. Les révoltes internes, les catastrophes naturelles et les assauts incessants de l'Occident aboutissent à la chute de l'empire. Les dirigeants successifs sont faibles, se laissent manipuler et contrôler par l'impératrice douairière

La vaste suite de lord Macartney arrivant à la tente de Qianlong

CHRONOLOGIE

1644-1800 Expansion militaire en Asie centrale et en Sibérie : colonisation des nouveaux territoires du Yunnan et Xinjiang

1723-1735 Yin Zhen, fils de Kangxi, s'empare du pouvoir et règne sous le nom de Yongzheng

L'empereur Shunzhi, vers 1644-1661

1747 Qianlong construit Yuanming Yuan *(p. 84)* dans un style occidental

1650 | 1675 | 1700 | 1725 | 1750

1644-1911 Les Mandchous fondent la dynastie Qing

1650 Première église catholique à Pékin

1661-1722 Règne de l'empereur Kangxi, qui nomme les jésuites à la tête du Conseil des Astronomes

1736-1795 Qianlong, grand défenseur des arts, inaugure un nouvel âge d'or

1757 Les Chinois limitent le commerce extérieur à Canton

Marchand goûtant le thé dans un entrepôt cantonais

Cixi, qui tire les ficelles en coulisses pendant toute la fin de l'empire Qing. De 1850 à 1864, le sud et le centre de la Chine sont dévastés par la révolte des Taiping.

Les puissances occidentales, heurtées par le refus des Chinois de s'ouvrir au commerce, renforcent leurs pressions. Désireux de protéger le commerce de l'opium depuis leurs colonies indiennes, les Britanniques déclarent la première guerre de l'Opium (1840-1842), qui aboutit au traité de Nankin, à l'ouverture de quatre nouveaux ports, au paiement d'indemnités colossales et à la cession de Hong Kong à la Grande-Bretagne. Suite à la guerre des Flèches (seconde guerre de l'Opium) avec la Grande-Bretagne et la France en 1856, les Européens divisent la Chine en « sphères d'influence » – les Britanniques en position de force le long du Yangzi et à Shanghai, les Allemands dans la province de Shanding, et les Français aux frontières du Vietnam. En 1900, les Boxeurs s'allient aux troupes impériales pour attaquer les légations étrangères à Pékin. Les huit nations contre-attaquent, et Cixi s'enfuit à Xi'an. Le gouvernement chinois paie une fois de plus de sa vie et Cixi retourne à Pékin où elle demeurera jusqu'à sa mort en 1908. Le jeune – et dernier empereur – Puyi vivra dans la Cité interdite jusqu'à son abdication. Le 1er janvier 1912, le chef républicain Sun Yat-sen proclame la République chinoise.

Sun Yat-sen, 1866-1925

DE L'EMPIRE À LA RÉPUBLIQUE

Dans les dernières années de l'empire, de nombreux intellectuels chinois reconnaissent la nécessité de moderniser le pays. Les partisans du Mouvement réformateur de 1898 proposent l'adoption du modèle technique et éducatif occidental, et, suite à la révolte des Boxeurs, des réformes sont adoptées. Les assemblées régionales élues viennent grignoter encore un peu plus le pouvoir des Qing. En 1911, l'empire s'effondre. Provisoirement élu président de la Chine, Sun Yat-sen est obligé de capituler en faveur du général Yuan Shikai. Son ambition est de devenir empereur, mais il renonce face à la révolte des gouverneurs et meurt peu après 1916. Le pays tombe alors sous le contrôle de plusieurs seigneurs de la guerre avant d'être à nouveau unifié avec la fondation de la République populaire de Chine en 1949.

-1805 La révolte du Lotus blanc ntame le prestige et la prospérité de la dynastie

1816 Le Britannique Lord Amherst part convaincre la Chine de s'ouvrir au commerce

1850-1864 Révolte des Taiping

1856-1858 Guerre des Flèches (seconde guerre de l'Opium) contre la Grande-Bretagne et la France

1898 L'empereur Guangxu est emprisonné par l'impératrice Cixi

1900 Révolte des Boxeurs

1775 | **1800** | **1825** | **1850** | **1875** | **1900**

1792-1794 Lord Macartney conduit une délégation à Pékin et tente en vain d'établir des relations commerciales

1861 L'impératrice douairière Cixi commence à régner dans l'ombre

1840-1842 Première guerre de l'Opium avec la Grande-Bretagne

Protège-ongles de Cixi

1908 Mort de l'impératrice douairière Cixi

1894 Guerre sino-japonaise

Pendentif en jade, Qing

La Révolution culturelle

Acteur d'opéra

En 1965, Mao Zedong déclencha une série d'événements qui allaient plonger la Chine dans la tourmente aujourd'hui appelée Révolution culturelle. Après avoir nationalisé l'industrie et l'agriculture, Mao en appela au peuple pour transformer la société – afin d'abolir toute distinction entre travail manuel et intellectuel et d'effacer toute idée de classe. La Révolution atteignit des sommets de violence en 1967, lorsque les « gardes rouges » propagèrent la révolte sociale. L'Armée populaire de libération (APL) finit par rétablir l'ordre, mais les années qui suivirent furent des années de terreur, de violence et de défiance.

Les enfants étaient encouragés *à prendre part à la Révolution. Leur enthousiasme les poussa à détruire des photos et des biens de famille, et parfois même à dénoncer leurs propres parents.*

LES GARDES ROUGES

Mao appela les étudiants à former les gardes rouges et leur confia le sort de la Révolution. Le mouvement prit vite de l'ampleur. Les gardes traversaient la Chine pour propager les « Pensées » d'un Mao Zedong élevé au rang de dieu, saccageant les vestiges du passé, dévastant les temples et semant la désolation sur leur passage.

Les réunions publiques *du Mouvement d'éducation socialiste, précurseur de la Révolution culturelle, étaient destinées à inverser les tendances « capitalistes » et « révisionnistes » perçues dans la vie sociale et économique. Tout le monde était censé y participer.*

Le *Petit livre rouge* – la bible des gardes rouges – était donné à chaque soldat sous le commandement de Lin Biao.

Un cadre blessé *est emporté après dénonciation. Les vexations devinrent monnaie courante dans les réunions publiques. De nombreux hommes politiques et enseignants furent exhibés et accusés. Certains perdaient leur emploi, d'autres se suicidaient.*

En signe d'opposition *au communisme à la soviétique et de soutien au maoïsme, les gardes rouges rebaptisent une rue de Pékin devant l'ambassade d'Union soviétique « Fanxiu Lu » (rue de l'Antirévisionnisme).*

Lin Biao dispensa l'étude *des « Pensées de Mao » et compila le* Petit livre rouge, *dont la lecture devint obligatoire pour les recrues de l'armée. En tant que chef de l'APL, Lin Biao apporta un soutien militaire indispensable. Successeur désigné de Mao, il mourut dans un accident d'avion en Sibérie en 1971 au milieu de rumeurs d'usurpation imminente.*

L'opéra *était le passe-temps favori de la troisième épouse de Mao, Jiang Qing, qui entreprit de créer une culture révolutionnaire politiquement correcte. De nombreux artistes et intellectuels furent envoyés en rééducation à la campagne.*

Les Écoles de cadres du 7 mai *furent créées par le gouvernement central en 1968. Cent mille officiels et les 30 000 membres de leurs familles y furent envoyés en camp de travail et de rééducation idéologique. Des milliers d'autres écoles de cadres accueillirent un nombre inconnu de cadres inférieurs.*

Liu Shaoqi *(à d.), président du Parti communiste chinois de 1959 à 1966, fut l'un des nombreux officiels haut placés à être dénoncé, emprisonné et exhibé dans des « séances de lutte ». Il en mourut.*

LA BANDE DES QUATRE

La « Bande des Quatre » orchestra les attaques contre les intellectuels et les écrivains, les officiels haut placés, le Parti et l'État ; elle est à l'origine de quelques-uns des pires excès de la Révolution culturelle. Le critique et propagandiste Zhang Chunqiao, le rédacteur en chef du *Quotidien* de l'Armée de libération de Shanghai, Yao Wenyuan, le jeune ouvrier Wang Hongwen, et la troisième femme de Mao, une ancienne actrice, Jiang Qing, dominèrent la scène politique jusqu'à la mort de Mao en 1976. En 1980-1981, des millions de Chinois regardèrent leur procès à la télévision. Jiang Qing fut montrée du doigt par les propagandistes et devint l'un des personnages les plus haïs du pays. Tout au long du procès, elle s'insurgea contre ses accusateurs et se donna la mort en 1991, pendant qu'elle purgeait une condamnation à vie.

Lynchage des effigies des membres de la Bande des Quatre suspendues à un arbre

Chiang Kai-shek (1887-1975), chef du Guomindang

COMMUNISTES ET NATIONALISTES

À la chute de l'empire, le paysage politique change considérablement. Deux forces se détachent – le Parti nationaliste, ou Guomindang, et le Parti communiste, fondé en 1921. Les nationalistes sont d'abord menés par Sun Yat-sen depuis son siège de Guangzhou, puis par le général Chiang Kai-shek, qui s'empare du pouvoir en 1926. En 1923, les deux partis forment un « front uni » contre les seigneurs de la guerre, mais, en 1926, les communistes sont exclus du Guomindang. Chiang Kai-shek conduit son armée à Nankin, où il tente d'établir une capitale nationaliste et trahit les ouvriers communistes de Shanghai, massacrés par la pègre. Les communistes entrent dans la clandestinité et Mao Zedong se replie dans la campagne.

En 1930, réfugiés dans les montagnes du Jiangxi, Mao et Zhu De fondent le Soviet de Jiangxi. Depuis ce bastion inaccessible, ils redistribuent les terres aux paysans et réforment les lois sur le mariage. En 1934, Chiang Kai-shek tire les communistes de leur retraite, obligeant Mao à s'embarquer dans la légendaire Longue Marche jusqu'à Yan'an, qui sera le siège du Parti communiste jusqu'en 1945.

L'ATTAQUE JAPONAISE

La Chine est fragilisée par ces luttes intestines. En 1931, les Japonais envahissent la Mandchourie et fondent le gouvernement fantoche de Mandchoukuo, plaçant à sa tête le dernier empereur Qing, Puyi. En 1937, le Japon occupe une grande partie de la Chine du Nord, Shanghai et la vallée du Yangzi, s'emparant des villes et propageant la mort et la désolation. Les Japonais sont finalement chassés du sol chinois en 1945 et la Chine plonge dans la guerre civile.

L'ORIENT COMMUNISTE

En 1947, la réforme agraire porte ses fruits et obtient le soutien des campagnes. En 1948-1949, les communistes remportent des victoires décisives sur le Guomindang. Le 1er octobre 1949, Mao proclame la création de la République populaire de Chine. Chiang Kai-shek fuit à Taiwan, emportant avec lui de nombreux trésors impériaux, et y instaure un gouvernement nationaliste. Dans les premières années de la

Affiche communiste montrant Mao entouré par la foule

CHRONOLOGIE

1912 L'abdication de l'empereur Puyi marque la fin de la Chine impériale

1921 Fondation du Parti communiste chinois

1937 Les Japonais s'emparent d'une grande partie du nord de la Chine

1945 Fin de la Seconde Guerre mondiale et défaite du Japon

1958 Réforme radicale du Grand Bond en avant

1947 La guerre civile éclate en Chine

1965 Mao lance la Révolution culturelle

1910 | 1920 | 1930 | 1940 | 1950 | 1960

1926 Chiang Kai-shek prend la tête du Parti nationaliste, ou Guomindang

Puyi, le dernier empereur

1931 Le Japon envahit la Mandchourie

1934 Mao conduit la Longue Marche de l'armée Rouge

1951-1952 Création des coopératives rurales

1949 Mao proclame la création de la République populaire de Chine

République populaire, les Chinois travaillent à la reconstruction d'un pays dévasté par un siècle d'agitation. Des réformes tentent de pallier les erreurs du passé, redistribuant les terres et interdisant les mariages arrangés. Les intellectuels sont étiquetés « droitistes » et envoyés en rééducation dans les campagnes. Mécontent de la lenteur du changement, Mao lance le Grand Bond en avant en 1958. De grandes communes chargées de l'alimentation et des enfants se substituent à la famille, déchargeant ainsi la main-d'œuvre afin d'en améliorer la productivité. Mais les objectifs de production sont irréalistes et les chiffres falsifiés pour masquer les effets désastreux des choix de Mao. Les mauvaises récoltes, ajoutées aux catastrophes naturelles, plongent des millions de Chinois dans la famine.

Zhou Enlai et le président Nixon

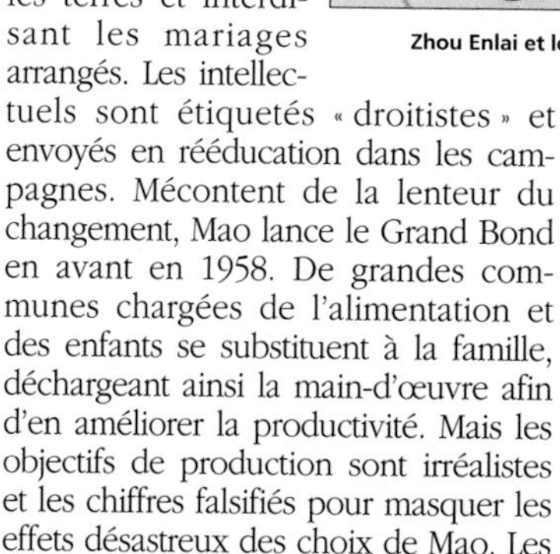

Après avoir réformé l'agriculture et l'industrie, Mao cherche à transformer la société et lance la Révolution culturelle en 1965 *(p. 64-65)*. Les plus grands excès de cette période prendront fin en 1971, mais le pays restera sous étroit contrôle jusqu'à la mort de Mao en 1976. Son successeur, Deng Xiaoping, introduit des réformes économiques qui restituent la terre aux paysans et encouragent une plus grande liberté économique.

La libéralisation économique des années 1980 ne s'accompagne d'aucun libéralisme politique. Le 4 juin 1989, le mouvement démocratique, qui réclame des réformes politiques et la fin de la corruption, est brutalement réprimé sur la place Tian'an men. De nombreux étudiants et intellectuels fuient à l'étranger. D'autres sont encore incarcérés dans les prisons chinoises. Deng Xiaoping poursuit les réformes économiques avec la création, dans les années 1990, de zones économiques spéciales et de bourses dans les grandes villes. En 1992, la Chine est l'une des premières puissances économiques mondiales.

La croissance sans précédent des années 1990 s'accompagne d'une métamorphose du paysage, l'habitat traditionnel cédant aux gratte-ciel. Les anciennes colonies de Hong Kong et Macao redeviennent chinoises et les investissements étrangers affluent. Les entrepreneurs prospèrent et le Parti communiste souhaite accueillir cette nouvelle classe dans ses rangs. Mais la fin de l'économie dirigée engendre aussi des inégalités et creuse l'écart entre les riches et les pauvres. La solution que la nation la plus peuplée de la terre trouvera pour résoudre ses nombreux problèmes intéresse le reste du monde, car la Chine qui s'éveille pèsera lourd sur son avenir. Les Jeux olympiques de Pékin en 2008 donneront un aperçu certainement de ce qui l'attend.

Courtiers en Bourse chinois

Le Petit livre rouge

1976 Mort de Mao

1978 Deng Xiaoping s'impose à la tête du pays

1993 Jiang Zemin devient président. Début de la construction du barrage des Trois Gorges

2003 La Chine envoie son premier homme dans l'espace ; Hu Jintao devient président

2008 Pékin organise les Jeux olympiques

70 | 1980 | 1990 | 2000 | 2010 | 2020

1989 Répression du mouvement démocratique de la place Tian'an men

1972 Nixon est le premier président américain à se rendre en Chine

1997 Hong Kong réintègre la Chine ; *idem* pour Macao deux ans plus tard

2001 La Chine devient membre de l'OMC

2010 Shanghai accueille l'Exposition universelle

PÉKIN ET LE NORD

Pékin et le Nord d'un coup d'œil

Traversé par le fleuve Jaune et la Grande Muraille, le nord de la Chine est un vaste territoire qui englobe les six provinces du Hebei, du Tianjin, du Shanxi, du Shandong, du Henan et du Shaanxi, ainsi que Pékin, la capitale. C'est là que furent fondées six anciennes capitales chinoises à qui l'on doit une pléthore de sites dynastiques, dont la magnifique Cité interdite de Pékin, l'armée de terre cuite près de Xi'an et les sculptures bouddhistes de Longmen et Yungang. La région compte également quelques sites sacrés tels que les pics taoïstes de Huashan et Taishan, le Wutai Shan bouddhiste et le monastère Shaolin, ainsi que, sur la côte, les ports de Tianjin et de Qingdao, vestiges de l'architecture européenne. C'est aussi là, à Shanhai Guan, que la Grande Muraille rejoint la mer.

Séance de *taijiquan*, temple du Ciel, Pékin

Magnifiques peintures rupestres des grottes de Yungang, Datong, Shanxi

CIRCULER

Les liaisons aériennes, ferroviaires et routières entre Pékin et la région sont bonnes. Des vols quotidiens partent pour Xi'an, Luoyang, Qingdao, Kaifeng et Zhengzhou ; des trains rapides et directs relient Pékin à toutes les grandes villes de la région, tandis que de nombreuses petites villes sont desservies par des trains moins rapides. Tianjin est un gros nœud ferroviaire entre le Nord et le Sud. Quant aux bus, leur réseau est vaste, mais les grands circuits touristiques sont desservis par des bus privés rapides.

LÉGENDE

- Autoroute
- Route nationale
- Route secondaire
- ▲ Région montagneuse

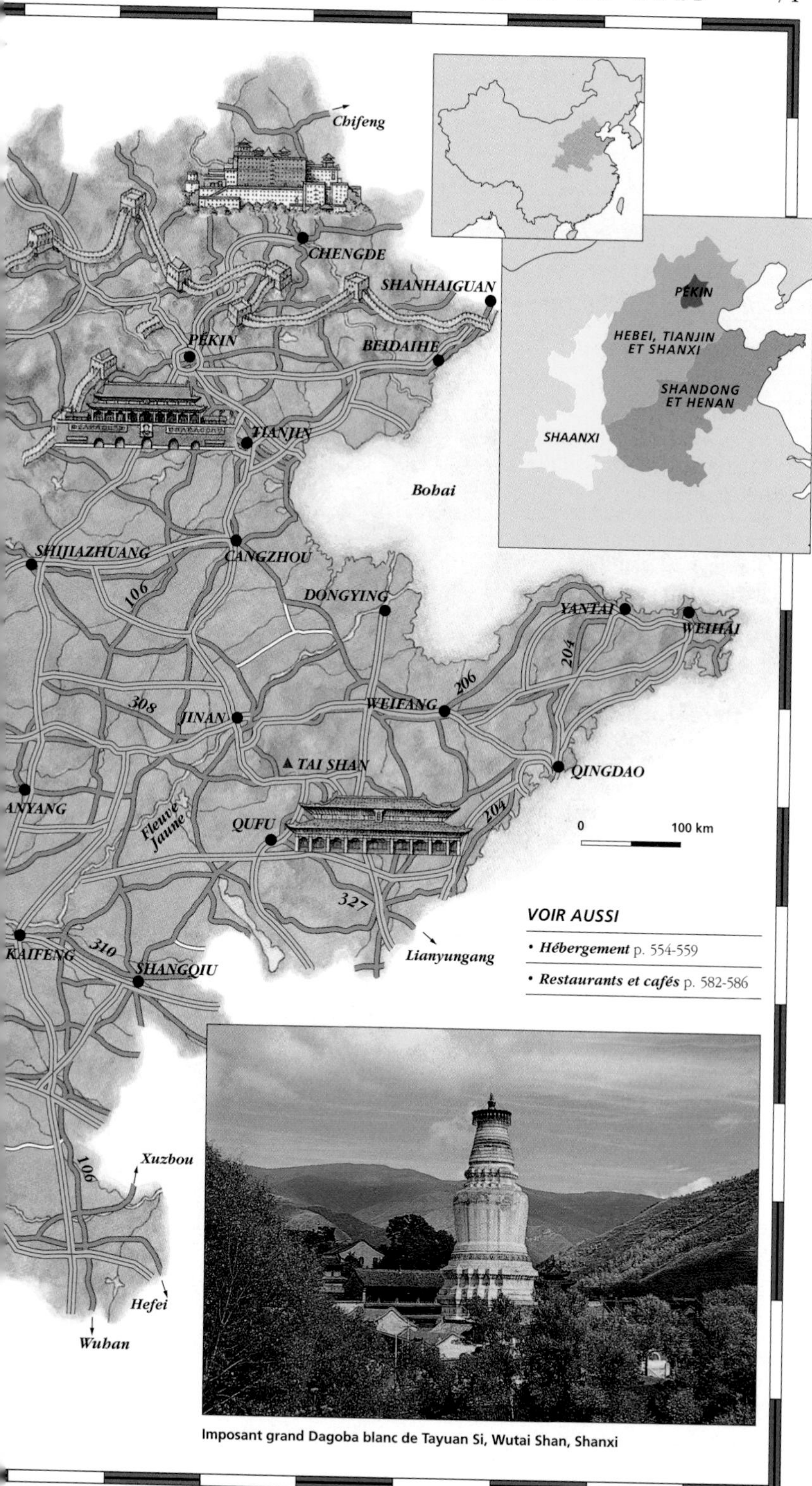

VOIR AUSSI

- **Hébergement** p. 554-559
- **Restaurants et cafés** p. 582-586

Imposant grand Dagoba blanc de Tayuan Si, Wutai Shan, Shanxi

UNE IMAGE DE PÉKIN ET DU NORD

Le fleuve Jaune, source de la culture et de la civilisation chinoises, serpente à travers les paysages arides du nord du pays, patrie historique des Han. La plupart des visiteurs de l'Empire du Milieu se concentrent sur cette région où se trouvent rassemblés la majorité des sites historiques majeurs du pays, à commencer par la capitale, Pékin.

Le fleuve Jaune (Huanghe) nourrit depuis des millénaires les communautés implantées le long de ses rives, mais en emporte aussi de temps à autre les villages. Le grand fleuve traverse les provinces du Shaanxi, du Shanxi, du Henan et du Shandong. Pour certaines, il forme une frontière naturelle ; pour d'autres, il en a forgé le nom – Henan signifie « Sud du Fleuve », et Hebei « Nord du Fleuve ». Au cours de son long et sinueux voyage, il traverse un territoire riche en sites et en cités historiques avant de se jeter dans la mer de Bohai, au nord de la montagne sacrée du Taishan. Ici et là, il rencontre les vestiges d'une autre frontière, la Grande Muraille, un bastion décrépi qui barre le visage de la Chine du Nord et rappelle la vulnérabilité d'une région si proche de la frontière avec la Mongolie intérieure et l'ancienne Mandchourie. La Grande Muraille, conçue comme une fortification défensive, n'empêcha pas les hordes de tribus nomades de pénétrer en Chine.

Gardien de Bouddha, Longmen

Les découvertes néolithiques et les sites archéologiques firent entrer la province du Henan dans les premières pages de l'histoire chinoise. Ici, au sud du fleuve Jaune, Luoyang et Kaifeng furent deux des plus importantes capitales dynastiques du pays ; quant à Anyang, elle fut la capitale de la dynastie Shang. Toutefois, c'est à Xi'an, dans la province du Shaanxi, que le passé d'ancienne capitale

Tour des Fragrances bouddhiques, dominant le lac Kunming, palais d'Été, Pékin

La ville moderne de Qingdao, dans le Shandong, sur la côte est de la Chine

éclipse le plus la ville. Car le plus grand trésor de Xi'an est son armée de terre cuite *(p. 168-169)*, créée pour garder le tombeau de Qin Shi Huangdi, qui unifia la Chine. Toutefois, Xi'an atteignit son apogée sous la dynastie Tang *(p. 56-57)* et prospéra grâce à sa position à l'extrémité orientale de la Route de la soie. La Grande Mosquée et la population musulmane non négligeable attestent de la splendeur cosmopolite de Xi'an à cette époque.

Bâtons d'encens, temple des Lamas, Pékin

Vers la fin du XIIIe siècle, le chef mongol Qubilaï Khan fit de Pékin sa capitale, mais ce n'est qu'en 1407, avec l'empereur Ming Yongle, que Pékin devint une cité impériale. La ville a conservé l'organisation des dynasties Ming et Qing, avec ses grands boulevards rectilignes et ses étroites ruelles sinueuses autour d'un palais central, la Cité interdite. Les temples et les palais sont aujourd'hui agrémentés de rues commerçantes où vibre la fièvre commerciale d'un peuple qui fait son entrée dans le XXIe siècle.

Les deux provinces voisines du Hebei et du Shanxi connaissent des hivers glaciaux et des étés caniculaires, sauf dans les villes de la côte est du Hebei, où souffle une agréable brise marine. Le Shanxi est victime de tempêtes de sable saisonnières venant du désert de Gobi. Son terrain minéral enclavé contraste avec le sol fertile et l'économie agraire productive du Hebei. Les deux provinces sont très industrialisées, mais possèdent encore de nombreux sites intéressants, notamment le monastère bouddhiste de Chongshan Si *(p. 137)*, la montagne sacrée de Taishan et le port de Tianjin, l'ancienne capitale du Hebei. Les remarquables sculptures bouddhiques des grottes de Longmen, à Luoyang *(p. 154-155)*, sont inscrites au patrimoine mondial de l'Unesco. Le Shandong, quant à lui, est surtout connu pour Qufu, la ville natale de Confucius, dont les enseignements influencèrent la culture chinoise et qui sont à nouveau tolérés aujourd'hui.

Le paysage, source d'inspiration des poètes et des artistes chinois depuis des millénaires, Huashan, Shaanxi

L'Opéra de Pékin

Masque souvenir

L'Opéra de Pékin – qui n'est qu'un parmi plusieurs centaines d'opéras chinois – naquit sous la dynastie Qing. On raconte que l'empereur Qianlong (1736-1796), en visite dans le Sud, aurait été fasciné par les opéras du Anhui et du Hebei et aurait ramené les troupes à Pékin, où fut créée une nouvelle forme d'opéra. L'empereur Guangxu et l'impératrice douairière Cixi en furent eux aussi très friands et contribuèrent à développer cet art. Pendant la Révolution culturelle, l'Opéra de Pékin parvint remarquablement bien à survivre à la persécution des acteurs et à l'interdiction de la plupart des pièces.

L'empereur Qianlong, qui fut à l'initiative de l'Opéra de Pékin

L'OPÉRA DE PÉKIN
Ce spectacle étonnant d'un style musical particulier s'inspire de l'histoire et de la littérature chinoises. L'Opéra de Pékin est une forme de « théâtre complet » où se mêlent chansons, dialogues, mimes, acrobaties et effets visuels symboliques.

Le singe – *intelligent, rusé et courageux – est l'un des personnages favoris. Il vient de la littérature chinoise classique* (p. 21).

Les couleurs des visages peints *symbolisent les vertus de chaque personnage. Le rouge, par exemple, incarne la loyauté et le courage ; le violet, la solennité et la justice ; le vert, la bravoure et l'irascibilité.*

Les acrobaties *de l'Opéra de Pékin – mélange de gymnastique et d'arts martiaux aux mouvements gracieux – exigent un entraînement très difficile. Les costumes sont conçus pour tourbillonner pendant les pirouettes afin de rendre les sauts encore plus spectaculaires.*

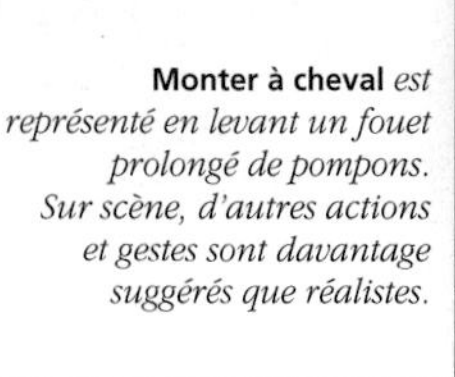
Monter à cheval *est représenté en levant un fouet prolongé de pompons. Sur scène, d'autres actions et gestes sont davantage suggérés que réalistes.*

INSTRUMENTS DE MUSIQUE

L'Opéra de Pékin est un spectacle très visuel, mais les Chinois disent qu'ils vont « écouter » – et non voir – de l'opéra. Il ne faut pas sous-estimer l'importance de la musique, qui a pour principale fonction d'accompagner les chants. En général, six ou sept musiciens participent au spectacle. Les instruments à cordes sont l'*erhu* (violon chinois à deux cordes), le *sanxian* (luth à trois cordes) et le *pipa* (luth traditionnel). Les percussions – claves, gongs et tambours – servent surtout à ponctuer l'action, les mouvements et les sons étant étroitement liés. On entend aussi parfois des instruments à vent, notamment le cor chinois, la flûte et le *suona*.

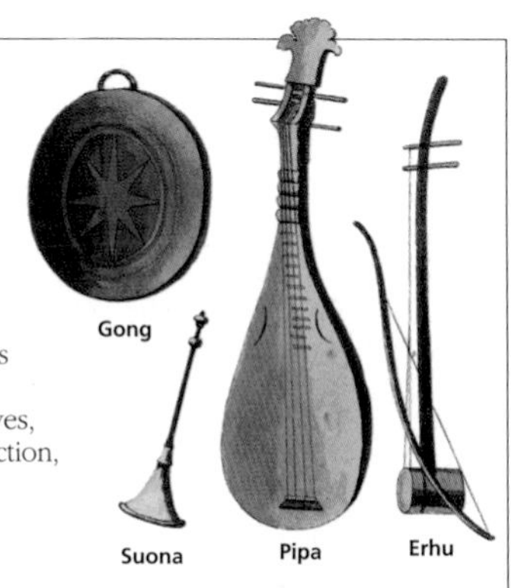

Mei Lanfang *fut le tout premier interprète du rôle féminin* (dan) *pendant l'âge d'or de l'opéra dans les années 1920 et 1930. À l'origine, tous les rôles féminins étaient joués par des hommes.*

LES QUATRE RÔLES PRINCIPAUX

Les quatre rôles principaux de l'Opéra de Pékin sont : le *sheng* (homme) et le *dan* (femme), au maquillage naturaliste ; les *jing* ou « visages peints », aux visages à motifs colorés et stylisés ; les *chou*, des personnages comiques.

Sheng : jeune ou vieux, avec ou sans barbe.

Chou : avec sa tache blanche sur le visage, il est généralement terne, mais drôle.

Dan : personnage à six rôles, de la jeune fille vertueuse à la vieille femme.

Jing : personnage à l'allure la plus étonnante et à la personnalité la plus affirmée.

La cuisine régionale : Pékin et le Nord

La population se développa avant 6000 av. J.-C. autour du fleuve Jaune, mais il faut attendre environ 1500 av. J.-C., date des premiers écrits, pour se faire une idée claire des habitudes alimentaires du pays. À l'époque, les Chinois élevaient des cochons et cultivaient le millet, le blé, l'orge et le riz, et faisaient même fermenter le blé pour distiller de l'alcool. Plus tard (vers 1100 av. J.-C.), les germes de soja apparurent dans l'alimentation, rapidement suivis de dérivés tels que la sauce de soja et le tofu. Pékin n'a jamais eu de cuisine à elle, mais, en tant qu'épicentre de l'empire, elle importa des ingrédients et des influences de tout le pays.

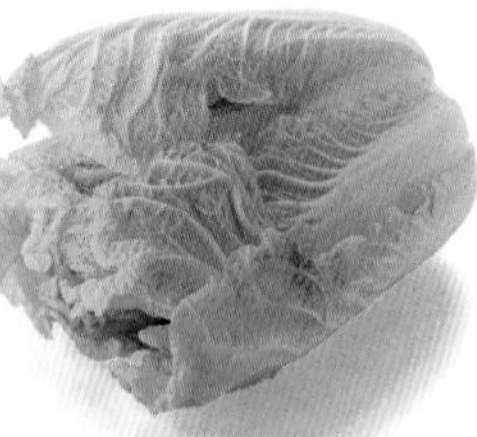

Chou chinois, ou chou de Tianjin

Marchand ambulant de pommes d'amour, spécialité du Nord

LA GASTRONOMIE IMPÉRIALE

Qubilaï Khan fit de Pékin sa capitale en 1271 et apporta une touche mongole empreinte de simplicité à la cuisine du Nord – agneau, rôtisseries et ragoûts. Avant cela, les capitales étaient concentrées autour du fleuve Jaune à Xi'an, Luoyang ou Kaifeng. Ici, les mets raffinés et les ingrédients coûteux – aileron de requin, soupe de nid d'oiseaux et ormeaux, tous importés du Sud – s'accompagnent de présentations sculpturales et de noms poétiques. La cuisine pékinoise est le fruit de près d'un millénaire de créativité des chefs des cuisines impériales.

SHANDONG

La gastronomie du Shandong, patrie de Confucius, est généralement considérée comme la plus ancienne et la meilleure de Chine. La région a d'ailleurs donné naissance à un grand nombre de chefs célèbres, et aurait même produit le premier wok en fer.

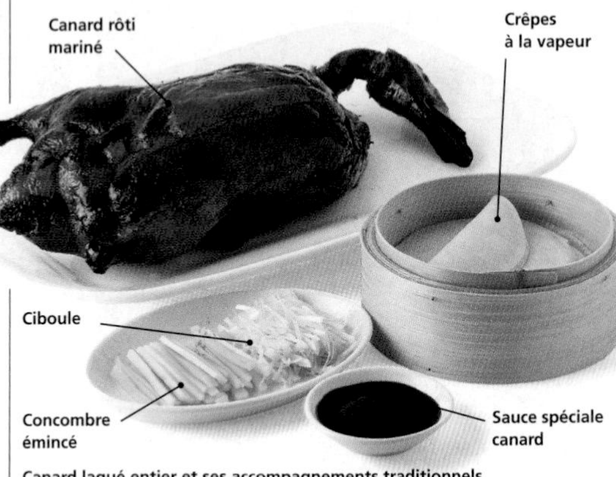

Canard laqué entier et ses accompagnements traditionnels

PLATS RÉGIONAUX ET SPÉCIALITÉS

Le canard laqué est un mets impérial, et certainement le plat le plus connu de la cuisine du nord de la Chine. Le canard pékinois est soigneusement séché, puis badigeonné de marinade sucrée avant d'être rôti sur des copeaux de bois parfumé. Pour finir, le chef le découpe et le sert enveloppé dans des crêpes avec une sauce spéciale au canard, de la ciboule émincée et du concombre. On peut aussi l'accompagner de pâté de foie de canard et de soupe de canard. Autre spécialité de la région : le ragoût mongol, un plat unique adapté à la vie nomade. Certains plats régionaux puisent dans les ressources locales : la carpe du fleuve Jaune, les gambas et les perches jaunes de la côte du Shandong, sans oublier les aromates – l'ail, le poireau et la ciboule.

Poires aux allures de « tête de canard »

Porc Mu Shu : *émincé de porc aux œufs brouillés et aux champignons noirs, enroulé dans des crêpes.*

Quelques-uns des innombrables produits vendus sur un marché de nuit

Quand on parle de la cuisine pékinoise, on parle en réalité de la cuisine du Shandong, qui est l'une des plus importantes régions agricoles du pays. C'est elle qui alimente en majeure partie la capitale. Ses principales cultures sont le blé, l'orge, le sorgho, le millet, le maïs, le soja et les arachides. En outre, les pêcheries pullulent le long du fleuve Jaune et de la côte nord de la Chine, dans la péninsule rocheuse du Shandong, dont les spécialités sont le poisson, la crevette, les coquillages, l'ormeau, la limace de mer et l'oursin. La région produit des fruits, ainsi que des vins et des bières – la célèbre Tsingtao *(p. 146)* – exportés dans le monde entier.

Démonstration de l'art du thé dans un restaurant de Pékin

TIANJIN

La troisième plus grande ville de Chine après Shanghai et Pékin occupe une place unique dans la cuisine chinoise. En effet, son statut de comptoir lui valut au fil des ans une influence cosmopolite dans de nombreux aspects de la vie quotidienne, en particulier en provenance de la Russie et du Japon, ce qui explique les nombreux plats de bœuf et d'agneau.

LES CUISINES MONGOLE ET MUSULMANE

La cuisine musulmane de Chine vient des Hui, des Ouïgours et des minorités mongoles. Les premiers sont dispersés dans toute la Chine, mais leur implantation traditionnelle est le Nord. Les deuxièmes vivent surtout dans le Nord-Est, tandis que les derniers sont traditionnellement nomades et peuplent tout le Nord. Les musulmans ne mangent pas de porc et se nourrissent de bœuf, d'agneau et de mouton cuits en brochettes, ainsi que de nouilles faites à la main et de pains plats.

À LA CARTE

Poulet Impératrice Ivre
Du nom de Yang Guifei, une concubine impériale très portée sur l'alcool.

Fleurs de rognons frits
Rognons de porc taillés en « fleurs » et sautés avec des pousses de bambou, des châtaignes d'eau et des champignons noirs.

Filets de poisson au vin
Filets de poisson frits et braisés dans une sauce au vin.

Beignets de gambas
Beignets de queues de gambas.

Agneau à l'aigre-doux
Tranche de filet d'agneau cuit dans une pâte de haricots rouges avec du vinaigre pour la saveur aigre-douce.

Pommes d'amour chaudes
Dessert chinois très répandu.

Agneau à la ciboule : *émincé d'agneau sauté à l'ail, au poireau ou à la ciboule, avec de la pâte de haricots rouges.*

Ragoût mongol : *agneau, légumes et nouilles plongés dans l'eau bouillante et servis avec toutes sortes de sauces.*

Carpe à l'aigre-doux : *plat emblématique du Shandong traditionnellement préparé avec des carpes du fleuve Jaune.*

PÉKIN

Avec plus de 14 millions d'habitants, la capitale de la République populaire de Chine est l'une des plus grandes villes du monde. La dynastie mongole des Yuan (1279-1368) fut la première à y installer sa capitale impériale, d'où les empereurs Ming et Qing gouvernèrent ensuite depuis la Cité interdite. Aujourd'hui, le vent du changement ajoute une dimension nouvelle à cette ville passionnante.

Organisé en cercles concentriques autour de la Cité interdite, le quadrillage de la ville moderne porte encore les stigmates de la dynastie Ming. Le passé subsiste dans les temples, les palais et les ruelles *(hutong)* qui sillonnent la ville au-delà de la deuxième couronne, le long du tracé des anciens remparts démolis de la ville. Au sein de ce tracé se trouvent d'immenses avenues, des auto-ponts, des gratte-ciel, des centres commerciaux et la vaste place Tian'an men. La ville que le chef de guerre mongol Gengis Khan incendia au XIIIe siècle change une fois encore radicalement de visage, conséquence d'un quart de siècle de réformes, d'une croissance démographique galopante et des Jeux olympiques de 2008. Pékin est un concentré de la Chine moderne, avec toutes ses contradictions – un mélange détonant de clients aisés, de jeunes branchés, de mendiants et de policiers en civil. Les bars et les cafés se multiplient et les distractions ne manquent pas, de l'Opéra de Pékin traditionnel et ses acrobaties spectaculaires aux clubs de modern jazz ou même de punk. Quant aux nombreux restaurants de la capitale, on y savoure la cuisine de toute la Chine, des épices du Sichuan aux délicats *dim sum* cantonais. Dans les rues, le vélo est peut-être menacé par l'immense afflux de voitures, mais le deux-roues reste aujourd'hui encore l'un des meilleurs moyens de circuler dans Pékin.

Plaisance sur le lac Kunming, palais d'Été

◁ **Drapeaux rouges flottant près de Zhengyang men, place Tian'an men**

À la découverte de Pékin

Les plus importants sites et quartiers de Pékin sont indiqués sur cette carte. Au cœur se trouve la Cité interdite, avec la place Tian'an men et Qianmen au sud, et le quartier commerçant de Wangfujing à l'est. Au nord de la Cité interdite se dressent les tours du Tambour et de la Cloche et, plus au nord-est, le temple bouddhiste des Lamas. Au nord du parc Beihai, le palais du prince Gong est situé dans un quartier de *hutongs*, ces vieilles ruelles qui quadrillent la ville. Au sud, Tiantan, le temple du Ciel, est un somptueux exemple du style Ming. Les environs de Pékin possèdent eux aussi quelques sites, dont la magnifique Grande Muraille et les pittoresques tombeaux Ming.

CARTE DE SITUATION
Voir carte p. 70-71

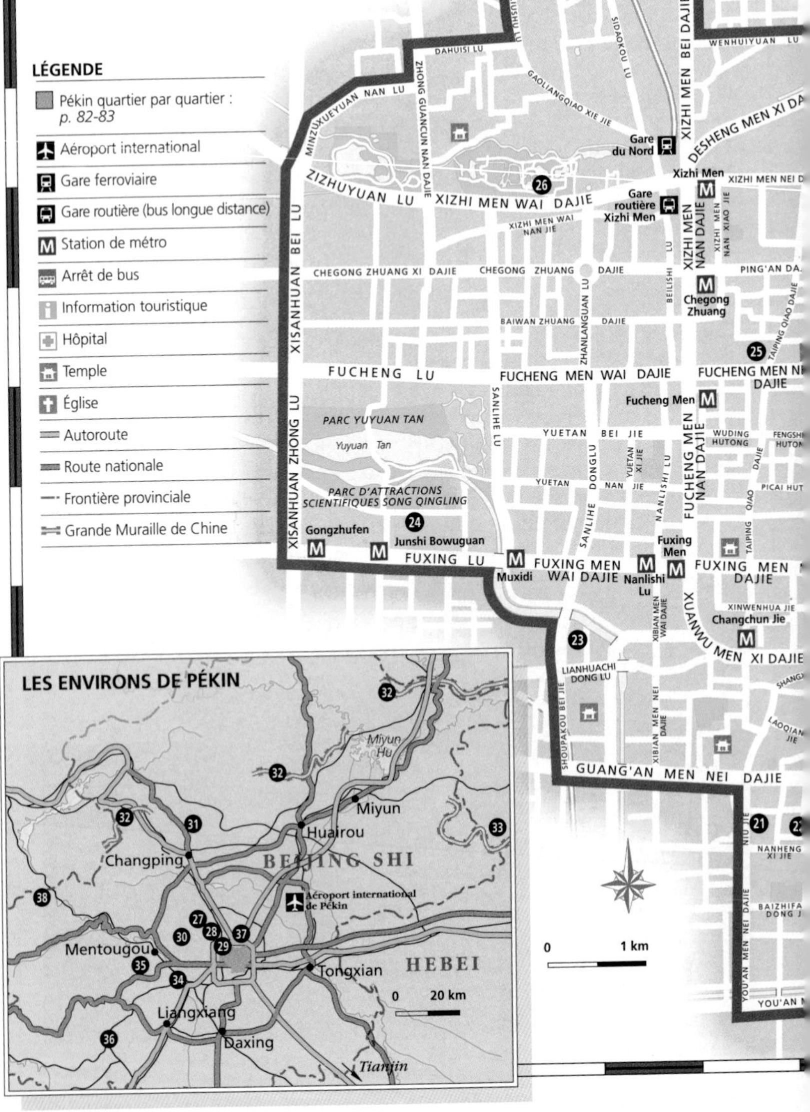

LES SITES D'UN COUP D'ŒIL

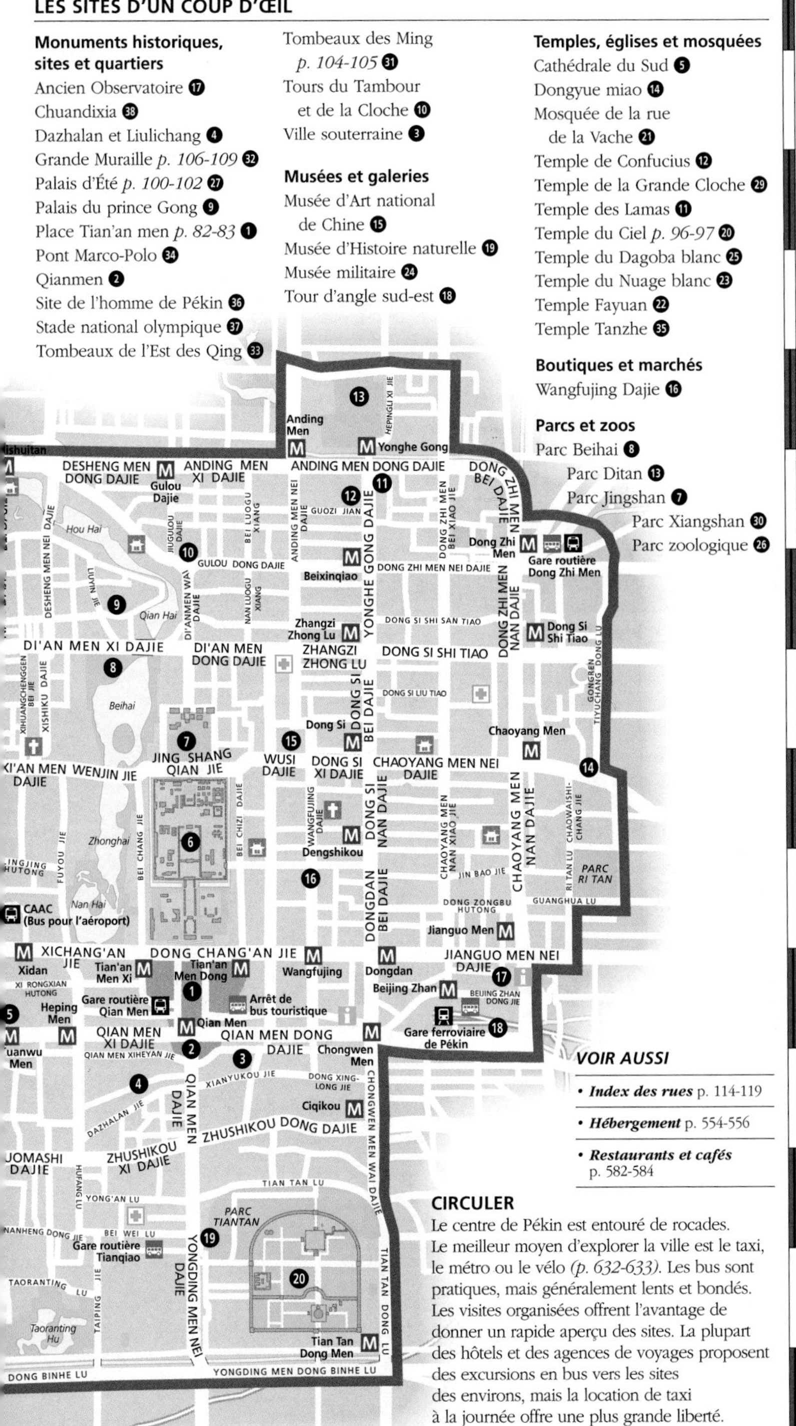

VOIR AUSSI

- ***Index des rues*** p. 114-119
- ***Hébergement*** p. 554-556
- ***Restaurants et cafés*** p. 582-584

CIRCULER

Le centre de Pékin est entouré de rocades. Le meilleur moyen d'explorer la ville est le taxi, le métro ou le vélo *(p. 632-633)*. Les bus sont pratiques, mais généralement lents et bondés. Les visites organisées offrent l'avantage de donner un rapide aperçu des sites. La plupart des hôtels et des agences de voyages proposent des excursions en bus vers les sites des environs, mais la location de taxi à la journée offre une plus grande liberté.

La place Tian'an men pas à pas ❶

天安门广场

Le président Mao

La place de la Porte de la Paix céleste – Tian'an men Guangchang – est une gigantesque esplanade de béton au cœur du Pékin moderne, où se déroule un défilé permanent de promeneurs, les yeux levés vers un vol de cerfs-volants. Au centre se dresse le mausolée de Mao. Autour, les immeubles de style stalinien des années 1950 côtoient les portes des remparts aujourd'hui démolis. La place a toujours été le théâtre de manifestations populaires, mais reste à jamais associée aux soulèvements étudiants de 1989 et à leur sanglant épilogue.

Cyclistes sur Chang'an jie

Palais de l'Assemblée du peuple
Siège de la législature chinoise, ce vaste auditorium et la salle de banquet sont ouverts au public une partie de la journée en dehors des sessions du Congrès national du peuple.

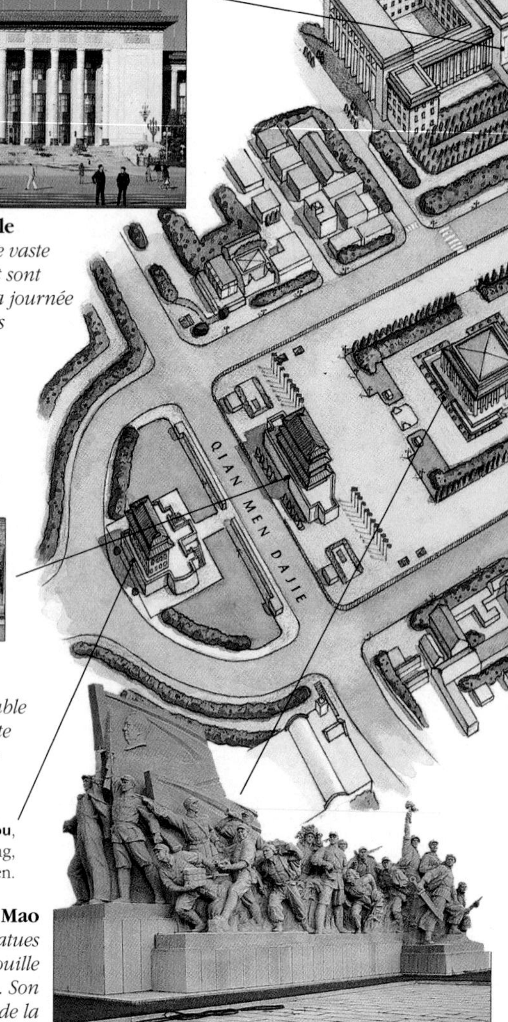

★ Zhengyang men
La porte Face au Soleil formait, avec la tour de la Flèche, une double porte baptisée Qianmen. Elle abrite désormais un musée sur l'histoire de la ville.

La tour de la Flèche, ou Jian Lou, fut construite sous la dynastie Ming, tout comme Zhengyang men.

★ Mausolée de Mao
Le bâtiment flanqué de statues révolutionnaires renferme la dépouille embaumée du président Mao. Son cercueil est remonté matin et soir de la chambre froide pour être exposé.

★ Tian'an men
C'est de cette porte de la dynastie Ming, où trône encore son immense portrait, que Mao proclama la fondation de la République populaire de Chine le 1er octobre 1949.

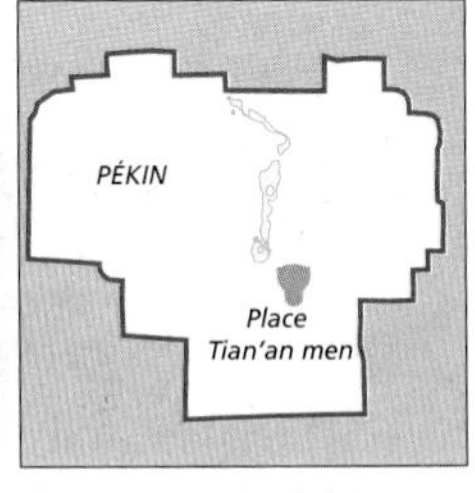

CARTE DE SITUATION
Voir l'atlas des rues de Pékin, plan 3 C1

0 20 m

Le drapeau national est hissé à l'aube et baissé au crépuscule.

Musée national de Chine
Cet édifice de 1959 est la réunion des anciens musées de l'Histoire de la Chine et de la Révolution. On y retrouve les mêmes collections (sous le même angle propagandiste), ainsi que des expositions d'autres grands musées du monde.

Sacs, vestes et appareils photo doivent être déposés à la consigne avant de visiter le mausolée de Mao.

Monument aux Héros du peuple
Érigé en 1958, ce monument de granit est orné de bas-reliefs illustrant des épisodes de la Révolution chinoise et d'inscriptions des héros communistes Mao Zedong et Zhou Enlai.

À NE PAS MANQUER

★ Mausolée de Mao

★ Tian'an men

★ Zhengyang men

Zhengyang men, Qianmen – vestiges des fortifications de Pékin

Qianmen ❷

前门

Qianmen Dajie. **Plan** 3 C2. *Qianmen.* *de 8h30 à 15h30 t.l.j.*

Qianmen, ou porte Antérieure, se compose de deux bastions : **Zhengyang men**, ou porte Face au Soleil, au sud de la place Tian'an men, et **Jian Lou**, ou tour de la Flèche, juste au sud. Zhengyang men était la plus grande des neuf portes des remparts qui séparaient les quartiers impériaux de la Cité interdite de la « ville chinoise », où vivait la communauté chinoise sous la dynastie mandchou des Qing. Haute de 40 mètres, la porte se dresse sur l'axe nord-sud qui traverse la place Tian'an men et la Cité interdite. Son musée expose des dioramas des anciens remparts et des photographies des vieilles rues de Pékin. Construite en 1439, Jian Lou (tour de la Flèche) est percée de 94 fenêtres où se postaient les archers. D'une hauteur de 38 mètres, elle est désormais fermée au public. Jian Lou et Zhengyang men furent lourdement endommagées par un incendie pendant la révolte des Boxeurs *(p. 433)*. En 1916, le mur d'enceinte en demi-lune reliant les deux tours fut démoli pour laisser la place à une rue. De l'autre côté de la rue, à l'est, l'ancienne gare ferroviaire construite par les Britanniques abrite désormais des boutiques. Tout autour, le vieux quartier commerçant de la ville est animé. Les allées bordées de boutiques de toutes sortes, magasins de soieries, de tissus, restaurants et cinémas en font un quartier animé et intéressant.

Zhengyang men
Tél. *(010) 6522 9386.* *t.l.j.*

Ville souterraine ❸

北京地下城

62 Xi Damo Hutong.
Plan 4 D2. *Qianmen* ***Tél.*** *(010) 6702 2657.* *de 8h30 à 18h t.l.j.*

Dans les années 1960, au plus fort de la rupture avec l'Union soviétique, Mao Zedong fit creuser un vaste réseau d'abris antiaériens sous Pékin. Les travaux furent effectués manuellement et le dédale de tunnels fut pourvu en armes, en hôpitaux et en vastes stocks d'eau et de nourriture. Les accès à ce labyrinthe sont difficiles à trouver, sauf sur Xi Damo Hutong, une ruelle au sud-est de Qianmen. Les visiteurs sont guidés à travers un réseau de tunnels froids et humides où des panneaux illustrent les fonctions des pièces et indiquent la localisation sur un plan. Des passages non éclairés partent du tunnel principal, mais beaucoup sont soit endommagés, soit bloqués, et il est dangereux de s'y aventurer seul. On y voit également des puits de ventilation et des portes étanches. Selon la rumeur, un tunnel reliait à une époque le Zhongnanhai, siège du Parti communiste, aux collines de l'Ouest, 20 kilomètres à l'ouest de la ville, pour permettre l'évacuation des dirigeants en cas d'urgence.

战备医院
War Hospital

Panneau « hôpital de campagne », ville souterraine

LES REMPARTS DE PÉKIN

Les premiers remparts défensifs de Pékin (alors appelée Yanjing, puis Zhongdu) furent érigés sous la dynastie Jin (1115-1234) sur le modèle de ceux de Kaifeng *(p. 150)*. Le Mongol Qubilaï Khan rebâtit Zhongdu, qu'il baptisa Dadu, et l'entoura d'un mur de 30 kilomètres. Ce n'est qu'à l'époque Ming (1368-1644) que les remparts prirent leur aspect définitif : un mur extérieur à sept portes et un mur intérieur à neuf portes. Le magnifique mur intérieur mesurait 11,50 mètres de haut et 19,50 mètres de large. Les remparts et la plupart des portes furent hélas démolis dans les années 1950 et 1960 pour faire place à la circulation. Du rempart intérieur, seuls subsistent Qianmen et Desheng men, tandis que du rempart extérieur, il ne reste que Dongbian men *(p. 95)*. Les anciennes portes ont donné leur nom à des places du deuxième boulevard circulaire et à des stations de métro de la ligne en boucle.

Tour de la Flèche, Qianmen

Boutique de souvenirs communistes, Dazhalan Jie

Dazhalan et Liulichang ❹
大栅栏和琉璃厂

Plan 3 C2. Ⓜ *Qianmen.*

Au sud de Qianmen se trouvent les étroits et animés *hutongs (p. 91)* du vieux quartier chinois. Les remparts et ses portes séparaient la « ville intérieure » – résidence impériale des empereurs mandchous – de la « ville chinoise », où les Chinois vivaient, séparés de leurs suzerains Qing. Aujourd'hui, le quartier est plein de boutiques, de cinémas et de restaurants. La rue à l'ouest de l'extrémité nord de Qianmen Dajie a été baptisée Dazhalan Jie (« rue de la Grande Barrière »), en référence aux anciennes portes qui étaient fermées chaque soir pour isoler les résidents de Qianmen de ceux de la ville intérieure. Le quartier, endommagé pendant la révolte des Boxeurs, a été restauré. Les *hutongs* peuvent se visiter en cyclopousse au départ des rues de Dazhalan.

Le quartier est idéal pour flâner. Quelques boutiques pittoresques sont spécialisées dans l'époque Qing. Au bout de la première rue à gauche sur Dazhalan Jie, **Liubiju** propose depuis un siècle un grand choix de condiments. Sur Dazhalan, **Ruifuxiang** est réputé depuis 1893 pour ses soieries et ses étoffes chinoises traditionnelles. Au sud de Dazhalan Jie, la **pharmacie Tongrentang** officie depuis 1669, jadis auprès des empereurs. Sur le même trottoir, le salon de thé **Zhangyiyuan Chazhuang** vend des thés de qualité depuis le début du XXe siècle.

À l'ouest de Dazhalan Jie, Liulichang Jie est une rue fascinante bordée de bâtiments restaurés et de magasins. On y trouve de tout : des céramiques, des peintures, des laques, des livres anciens et des souvenirs de la Révolution culturelle. Attention toutefois aux soi-disant « antiquités ».

Cyclistes sur la toute nouvelle Liulichang jie

Cathédrale du Sud ❺
南堂

141 Qianmen Xi Dajie. **Plan** 3 A2. Ⓜ *Xuanwu Men.*

Nan Tang, la plus vieille église catholique de Pékin, est située près de la station de métro Xuanwu Men, à l'emplacement de l'ancienne résidence du jésuite Matteo Ricci, le premier missionnaire à avoir pu entrer à Pékin. Arrivé en 1601, il envoya des cadeaux venus d'Europe – montres, instruments mathématiques et une carte du monde – à l'empereur Wanli afin d'obtenir ses faveurs, puis plus tard l'autorisation de fonder une église. Comme beaucoup d'églises du pays, la plus grande cathédrale catholique active de Pékin a un passé mouvementé.

Construite en 1605, son histoire fut chaotique : elle fut détruite par un incendie en 1775, puis reconstruite un siècle plus tard, puis à nouveau détruite pendant la révolte des Boxeurs en 1900, et enfin reconstruite en 1904. Elle est dédiée à Marie et propose des offices réguliers en plusieurs langues, dont le chinois, le latin et l'anglais.

Les horaires sont affichés à l'entrée et une petite boutique de cadeaux est située près de la porte sud.

Vitrail de la cathédrale du Sud (Nan Tang)

La Cité interdite ❻

故宫

Décor mural en relief

Au cœur même de Pékin, la Cité interdite est le plus bel ensemble architectural du pays. Achevé en 1420, cet immense palais, familièrement appelé « Gugong » (Vieux Palais) par les Chinois, est un monument d'architecture impériale hérité de la Chine dynastique, d'où 24 empereurs gouvernèrent pendant près de 500 ans. Ce centre symbolique de l'univers chinois était le domaine réservé de la cour impériale et des dignitaires jusqu'à l'abdication du dernier empereur en 1912. Il fut ouvert au public en 1949.

Les lions chinois

Des couples de lions gardent l'entrée des palais. Le mâle est représenté avec une balle sous la patte et la femelle accompagnée d'un lionceau.

★ Les Eaux d'Or

Cinq ponts de marbre, symboles des cinq vertus cardinales du confucianisme, enjambent les Eaux d'Or qui coulent d'ouest en est selon un tracé qui rappelle la ceinture de jade portée par les officiels.

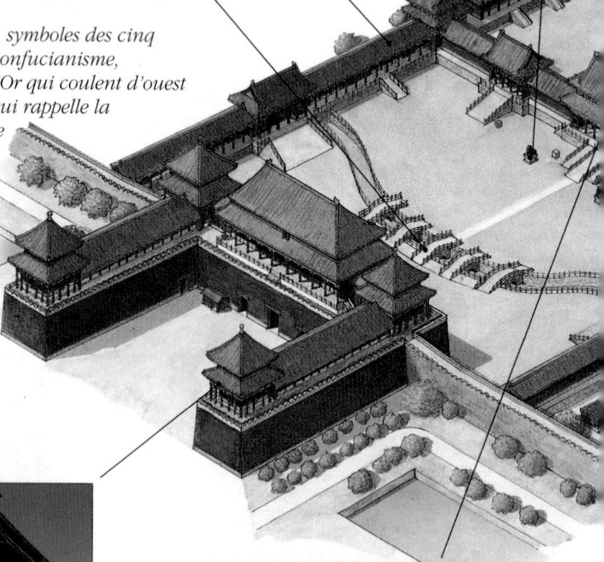

COUR EXTÉRIEURE

La Cour extérieure est située au centre de la Cité interdite. C'est aussi sa partie la plus impressionnante. La plupart des autres bâtiments étaient au service de cette cité au cœur de la cité.

Porte du Midi (Wumen)

Du balcon, l'empereur passait ses troupes en revue et présidait les cérémonies marquant le début d'un nouveau calendrier.

Porte de l'Harmonie suprême

Utilisée à l'origine pour recevoir les visiteurs, cette salle de 24 mètres de haut à double toiture servit de salle de banquet sous la dynastie Qing (1644-1912).

Pour les hôtels et les restaurants de Pékin, voir p. 554-556 et p. 582-584

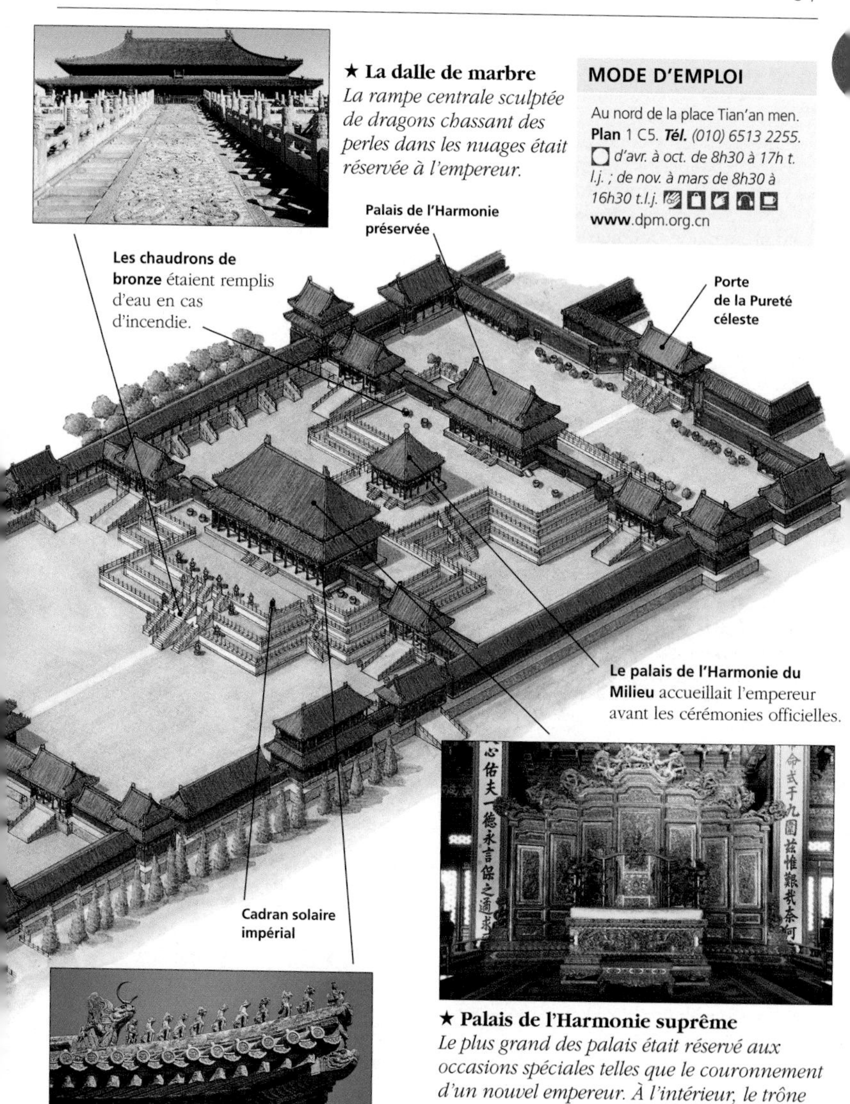

★ La dalle de marbre
La rampe centrale sculptée de dragons chassant des perles dans les nuages était réservée à l'empereur.

Les chaudrons de bronze étaient remplis d'eau en cas d'incendie.

Le palais de l'Harmonie du Milieu accueillait l'empereur avant les cérémonies officielles.

★ Palais de l'Harmonie suprême
Le plus grand des palais était réservé aux occasions spéciales telles que le couronnement d'un nouvel empereur. À l'intérieur, le trône magnifiquement décoré est coiffé d'un plafond aux couleurs fabuleuses.

Gardiens de toit
Ces personnages, tous associés à l'eau et disposés en nombre impair, sont censés protéger le bâtiment contre le feu.

MODE D'EMPLOI

Au nord de la place Tian'an men. **Plan** 1 C5. ***Tél.*** *(010) 6513 2255.* *d'avr. à oct. de 8h30 à 17h t.l.j. ; de nov. à mars de 8h30 à 16h30 t.l.j.* **www**.dpm.org.cn

À NE PAS MANQUER

- ★ La dalle de marbre
- ★ Les Eaux d'Or
- ★ Palais de l'Harmonie suprême

L'ARCHITECTURE DES NOMBRES

Le principe de l'harmonie du yin et du yang est la clé de toute l'architecture chinoise. Sachant que les nombres impairs symbolisent le yang (l'élément masculin associé à l'empereur), les chiffres trois, cinq, sept et neuf – chiffre suprême – sont très employés. La Cité interdite compterait 9 999 pièces et, 9 x 9 étant un nombre particulièrement favorable, les portes impériales contiennent généralement 81 clous en laiton.

Porte de palais ornée d'un nombre de clous favorable

À la découverte de la Cité interdite

La Cour intérieure et ses trois impressionnants palais intérieurs s'étendent au nord de la porte de la Pureté céleste. Au-delà, derrière le Jardin impérial, la porte du Génie militaire, ou Shenwu men – la sortie nord de la Cité interdite –, donne sur une promenade qui mène au parc Jingshan *(p. 90)*. De part et d'autre de la Cour intérieure, de nombreux palais se visitent eux aussi, et certains abritent des collections (entrée payante).

Le pavillon des Mille Automnes, jardins impériaux

La Cour intérieure

Au nord du **palais de l'Harmonie préservée** (Cour extérieure), une longue cour étroite donne sur des espaces ouverts à l'est et à l'ouest, et une porte principale, la **porte de la Pureté céleste**, donne sur la Cour intérieure, où se trouvent trois superbes palais, modèles réduits de ceux de la Cour extérieure. Le **palais de la Pureté céleste** à double toiture abritait les chambres impériales et la salle de réception des officiels. C'est là que Chongzhen, le dernier empereur Ming, rédigea son ultime missive à l'encre rouge avant de s'enivrer, de tuer sa fille de 15 ans et ses concubines, puis de se pendre à Jingshan *(p. 90)*, au nord du palais, quand les paysans rebelles envahirent la capitale. Au-delà, le **palais de l'Union** constituait la salle du trône de l'impératrice, et le **palais de la Tranquillité terrestre** accueillait les appartements des impératrices Ming. Sous la dynastie Qing, le palais était utilisé pour les rites chamaniques mandchous, notamment les sacrifices d'animaux.

Les Jardins impériaux

Au nord des trois palais intérieurs et de la porte de la Tranquillité terrestre, le **Jardin impérial** date de l'empereur Ming Yongle. L'aménagement des pavillons, des temples et des palais, ainsi que du jardin de pierre et des arbres centenaires, est symétrique. À l'ouest et à l'est du jardin se dressent le pavillon des Mille Automnes et le pavillon des Dix Mille Printemps, deux charmants pavillons coiffés d'un toit circulaire. Au nord du jardin, le **palais de la Tranquillité impériale** est un ancien temple. Au nord-est, perché au sommet d'une colline de rocaille, le pavillon de la Vue impériale offre un panorama imprenable sur les jardins et au-delà. Sous la dynastie Qing, le septième jour du septième mois lunaire (l'équivalent chinois de la Saint-Valentin), l'empereur, l'impératrice et les concubines se livraient ici à des sacrifices en hommage à deux étoiles incarnant un couple d'amoureux.

Les palais de l'Est

À l'est de la Cour intérieure se dresse un ensemble beaucoup plus dense de petits palais et de cours où vivaient les concubines. Aujourd'hui, certaines parties ont été transformées en musées de jade, de peinture, de cloisonnés et d'objets anciens. L'impressionnant musée de l'Horloge (installé dans le **palais de l'Éternelle Harmonie**) abrite une vaste et fascinante

Dragons impériaux à cinq griffes sur le mur aux Neuf Dragons vernissé

LES DRAGONS CHINOIS

Le dragon chinois est un curieux hybride de différents animaux – corps de serpent, bois de cerf, oreilles de taureau, serres de faucon et écailles de poisson. Doté de pouvoirs magiques, il vole, nage, se métamorphose, apporte la pluie et chasse les esprits maléfiques. Le dragon à cinq griffes, quant à lui, représentait le pouvoir de l'empereur et n'ornait par conséquent que les bâtiments impériaux. Le dragon chinois est un animal bénéfique assurant protection et chance, ce qui explique sa présence sur les murs et les dalles de marbre, mais aussi son importance, encore aujourd'hui, dans les fêtes telles que le nouvel an chinois.

Pour les hôtels et les restaurants de Pékin, voir p. 554-556 et p. 582-584

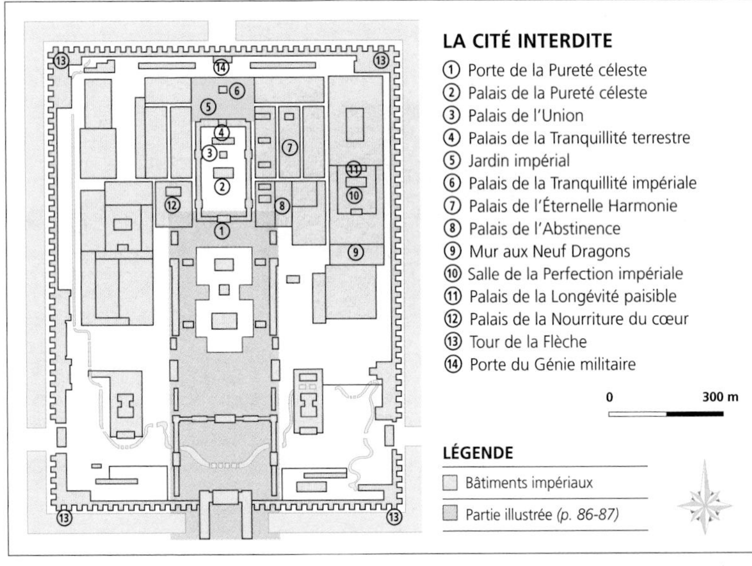

collection, notamment de magnifiques horloges chinoises, britanniques et françaises offertes ou collectionnées par les empereurs Qing. Sachez que les expositions sont régulièrement déplacées dans d'autres palais et que certaines sont payantes. Au sud-est de la Cour intérieure, l'empereur allait jeûner au **palais de l'Abstinence** avant les cérémonies du sacrifice. Plus au sud-est, le magnifique **mur aux Neuf Dragons** – un mur écran de 31 mètres de long en faïences richement vernissées – est la réplique du mur du parc Beihai *(p. 90)*. Ces murs servaient à se protéger de la vue et à permettre aux visiteurs de se rendre présentables. Le mur conduit à une collection de bijoux dans une série de salles au nord-est de l'ensemble, notamment la **salle de la Perfection impériale** et le **palais de la Longévité paisible**. Ces salles abritent un ensemble d'objets décoratifs et d'objets impériaux. Au nord-ouest du palais de la Longévité paisible s'étend un long et tranquille jardin floral de rocailles et de pavillons.

Les palais de l'Ouest

Une grande partie de l'ouest de la Cité interdite est fermée aux visiteurs, à l'exception des pavillons à l'ouest des trois palais intérieurs. Yongzheng *(p. 109)* préféra le **palais de la Nourriture du cœur** au palais de la Pureté céleste, où son père, Kangxi, avait vécu 60 ans. C'est dans la salle de l'Est que Puyi, le dernier empereur, abdiqua officiellement le 12 février 1912 *(p. 446)*.

Relief en céramique du palais de la Nourriture du cœur

Les remparts du palais

Le mur d'enceinte de la Cité interdite est marqué à chaque angle d'une **tour de la Flèche**, intéressante pour ses nombreuses toitures et son architecture raffinée. Au nord du palais, la **porte du Génie militaire**, ou Shenwu men, servit de tour de la cloche et du tambour. Le mur du palais était entouré de douves. Un autre mur entourait la Cité impériale. Au-delà se dressaient les remparts intérieurs et extérieurs de Pékin. Seules quelques portions des remparts de la Cité impériale ont survécu aux ravages des années 1950 et 1960. Les remparts de la ville, eux, ont totalement disparu. Le mur de la Cité interdite et ses quatre portes sont intacts et peuvent encore être admirés.

L'une des quatre tours de la Flèche, à chaque angle du mur d'enceinte du palais

Beihai et la colline du Jingshan au loin

Parc Jingshan ❼
景山

44 Jingshan Xi Jie, Xicheng. **Plan** 1 C4. Ⓜ *Tian'an Men Xi.* ***Tél.*** *(010) 6404 4071.* ◯ *de 6h à 20h t.l.j.*

Le parc Jingshan fut créé sous la dynastie Yuan (1279-1368) sur l'axe nord-sud de Pékin, et sa colline construite avec la terre provenant du creusement des douves du palais par l'empereur Ming Yongle. Baptisée Wansuishan (colline de Longue Vie) au début de l'époque Ming, elle fut rebaptisée Jingshan (colline de la Contemplation) par les Qing. Les étrangers l'appelaient également colline de Charbon (Meishan), probablement parce que le minerai était stocké à son pied, mais ce n'est qu'une théorie parmi d'autres.

Jusqu'à la chute des Qing, Jingshan était rattaché à la Cité interdite et son accès réservé à l'empereur. La colline était censée protéger les palais impériaux des influences maléfiques du nord, que le *feng shui* disait porteuses de mort et de destruction. Mais elle ne parvint pas à sauver Chongzhen, le dernier empereur Ming, qui se pendit à un caroubier *(huaishu)* du parc en 1644, quand les troupes rebelles pénétrèrent dans Pékin. Un arbre planté après l'abattage du spécimen d'origine marque l'emplacement au sud-est du parc.

Le parc est émaillé de pavillons et de palais, mais ne manquez surtout pas la superbe vue de la Cité interdite depuis le Wanchun Ting (pavillon Wanchun).

Parc Beihai ❽
北海公园

1 Wenjin, Jie Xicheng. **Plan** 1 C4. Ⓜ *Tian'an Men Xi.* ***Tél.*** *(010) 6403 3225.* ◯ *de 6h à 20h30 t.l.j.*

Dagoba blanc, parc Beihai

Ce jardin impérial millénaire, où les collines artificielles côtoient les pavillons et les temples, fut redessiné par Qubilaï Khan sous la dynastie mongole Yuan et ouvert au public en 1925. Près de l'entrée sud, le Tuancheng (Cité ronde) est une immense vasque de jade sculpté lui ayant appartenu. Le parc porte le nom du grand lac, le **lac Beihai**, dont l'extrémité sud longe l'inaccessible Zhongnan hai, le siège du Parti communiste. Au milieu du lac, l'île des Hortensias aurait été construite avec la terre provenant du creusement du lac. Elle est surmontée du **Dagoba blanc**, un stupa tibétain de 36 mètres de haut bâti en l'honneur de la visite du cinquième dalaï-lama en 1651. Sous l'immense dagoba, le temple **Yong'an Si** comprend une série de pavillons en escalier. La rive nord du lac possède plusieurs sites, dont l'imposant **mur aux Neuf Dragons**, un mur écran de 31 mètres de long en tuiles polychromes vernissées représentant neuf dragons entremêlés et servant de protection contre les mauvais esprits. Le temple Xiaoxitian se dresse à l'ouest.

Palais du prince Gong ❾
恭王府

17 Qianhai Xi Jie, Xicheng. **Plan** 1 D3. Ⓜ *Gulou.* ***Tél.*** *(010) 6616 8149.* ◯ *de 8h à 16h30 t.l.j.*

Situé dans un charmant quartier *hutong* à l'ouest de Qianhai, le plus bel exemple de palais historique aurait inspiré la résidence décrite au XVIIIe siècle par Cao Xueqin dans son roman intitulé *Le Rêve dans le Pavillon rouge (p. 29).* Construit sous le règne de l'empereur Qianlong, le vaste palais est agrémenté d'un charmant jardin composé d'allées et de pavillons, de piscines et de portes. Il fut bâti par Heshun, un officiel mandchou favori de l'empereur, puis confisqué par l'empereur qui l'accusa d'y avoir inséré des motifs impériaux. Il fut ensuite légué au prince Gong sous le règne de l'empereur Xianfeng (vers 1851-1861). Le palais accueille de nombreux groupes de touristes. Mieux vaut venir à l'ouverture, et visiter ensuite les *hutongs* du quartier. En été, l'Opéra de Pékin se produit dans la grande salle d'opéra.

Magnifique portique cintré, palais du prince Gong

Pour les hôtels et les restaurants de Pékin, voir p. 554-556 et p. 582-584

Les maisons à cour carrée de Pékin

Si Pékin semble une ville totalement moderne, il suffit de se balader dans les ruelles *(hutongs)* qui sillonnent tout son centre pour retrouver les charmes de la vieille ville. C'est là que vivent la plupart des habitants de Pékin *(Beijingren)*. Généralement orientés d'est en ouest, les *hutongs* sont dessinés par les murs des maisons à cour carrée *(siheyuan)*, d'anciennes maisons d'officiels et de nantis qui sont pour la plupart propriété de l'État. Les *hutongs* sont très faciles à trouver. Rendez-vous entre les rues principales au sud de Qianmen ou autour de Houhai et de Qianhai. La modernisation de Pékin a fait disparaître une partie des *siheyuan*, mais certains ont été réhabilités et sont à nouveau habités ; d'autres ont été transformés en hôtel *(p. 554-556)*, permettant aux visiteurs de pénétrer dans un monde en voie d'extinction.

La lessive est l'affaire de tous

Cours surpeuplées
Quand l'espace vint à manquer, les Pékinois construisirent de nouveaux bâtiments dans leurs grandes cours. Plusieurs familles pouvaient habiter un même siheyuan.

Le pavillon principal – le plus au nord – était généralement réservé à l'aîné de la famille, et notamment aux grands-parents.

Le mur assure l'intimité et repousse les esprits incapables de négocier un angle.

La cour ouverte laisse pénétrer autant le soleil que le vent et le froid.

Le nombre des pavillons et des cours détermine le statut de la famille.

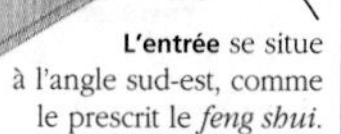

L'entrée se situe à l'angle sud-est, comme le prescrit le *feng shui*.

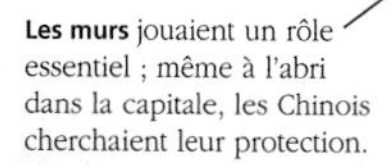

Les murs jouaient un rôle essentiel ; même à l'abri dans la capitale, les Chinois cherchaient leur protection.

Logement social
La cohabitation de plusieurs familles favorise un fort sentiment communautaire. À l'extérieur, le hutong *devient une extension de la maison.*

***Hutong* typique de Pékin**
Des visites sont organisées en cyclopousse à travers les hutongs, *avec ou sans l'entrée du palais du prince Gong* (p. 90), *mais il est plus amusant de les découvrir par soi-même.*

Vue de la tour de la Cloche depuis la tour du Tambour

Tours du Tambour et de la Cloche ⑩
鼓楼

Extrémité nord de Di'an Men Wai Daije, Dongcheng. **Plan** 1 C2. Ⓜ *Gulou.* ***Tél.*** *(010) 8402 7869.* ◯ *de 9h à 17h t.l.j.*

La tour du Tambour (Gu Lou) se dresse dans un quartier historique de *hutong (p. 91)*, sur l'axe nord-sud qui traverse la Cité interdite et la place Tian'an men. Cette structure massive fut construite en 1420 sous Yongle, l'empereur Ming. Un escalier abrupt permet d'admirer la vue sur la ville et les 25 tambours – un grand et 24 petits – qui marquaient les heures de la journée. Selon la version officielle chinoise, les tambours d'origine furent détruits par les soldats de l'armée internationale qui libéra Pékin lors de la révolte des Boxeurs *(p. 433)*.

À quelques pas au nord de la tour du Tambour, la tour de la Cloche (Zhong Lou) est un édifice de 1745 qui remplaça une ancienne tour détruite par un incendie. Suspendue dans la tour, une cloche de 4,50 mètres de haut et de 42 674 kg fut fondue en 1420. Pendant la fête du Printemps *(p. 42-43)*, payer pour sonner la cloche porte bonheur.

Temple des Lamas ⑪
雍和宫

12 Yonghe Gong Dajie, Dongcheng. **Plan** 2 E2. Ⓜ *Yonghe Gong.* ***Tél.*** *(010) 6404 4499.* ◯ *de 9h à 16h t.l.j.*

Le temple des Lamas (Yonghe gong) est le plus spectaculaire de Pékin. Il fut édifié au XVIIe siècle et converti en lamaserie tibétaine en 1744. Ses cinq salles principales sont un mélange de styles han, mongol et tibétain. Dans la première, Milefo, le rondelet Bouddha rieur, est adossé à Weiduo, le gardien de la Doctrine bouddhiste, et flanqué des quatre Rois célestes. Derrière, la **salle Yonghe** abrite trois statues de Bouddha entourées de 18 *luohan* (ou *arhat*) – disciples de Bouddha qui atteignirent l'Éveil. Plus loin, la **salle Falun**, ou salle de la Roue de la Loi, de style tibétain, possède une statue de Tsongkapa, fondateur de la secte lamaïque des Bonnets jaunes (p. 522-523). Ne manquez pas la statue de 17 mètres de haut de Maitreya (Bouddha du futur), sculptée dans un seul tronc de bois de santal, exposée dans le **pavillon Wanfu** (Wanfu Ge).

Magnifique porte principale du pittoresque temple des Lamas

Pour les hôtels et les restaurants de Pékin, voir p. 554-556 et p. 582-584

Statue de Confucius à l'entrée principale du temple qui lui est dédié

À l'arrière du temple, une splendide collection d'objets lamaïques comprend des statues des divinités Padmasambhava (Guru Rinpoché) et Chenresig, le Guanyin tibétain, ainsi que des objets rituels tels que le *dorje* (foudre) en forme de sceptre et le *dril-bu* (cloche), symboles des énergies masculines et féminines.

Temple de Confucius ⓬

孔庙

13 Guozijian Jie, Dongcheng. **Plan** 2 E2. Ⓜ *Yonghe Gong.* ***Tél.*** *(010) 8401 1977.* ◯ *de 9h à 16h t.l.j.*

À deux pas du temple des Lamas, le temple de Confucius est le deuxième de Chine après celui de Qufu, la ville natale du philosophe, dans le Shandong *(p. 142)*. La ruelle qui y conduit possède l'un des derniers *pailou* (portique décoratif) de Pékin. Construit pour la première fois en 1302 sous la dynastie mongole Yuan, le temple fut agrandi en 1906 sous l'empereur Guangxu. Dans ce lieu paisible à l'abri de l'agitation citadine, les quelque 200 stèles postées dans la cour silencieuse devant la salle principale (Dacheng Dian) portent le nom des lettrés reçus aux concours impériaux. D'autres sont perchées sur le dos de *bixi* (créatures mythiques mi-tortue, mi-dragon) dans les pavillons entourés de cyprès. Les statues de Confucius et de quelques-uns de ses disciples ornent la terrasse en marbre de la salle principale.

Parc Ditan ⓭

地坛公园

Au nord du temple des Lamas, Dongcheng. **Plan** 2 E1. Ⓜ *Yonghe Gong.* ***Tél.*** *(010) 6421 4657.* ◯ *de 6h à 21h t.l.j.*

Le temple de la Terre (Ditan), ancien lieu de sacrifices impériaux, est l'endroit idéal pour se balader au milieu des arbres. L'autel du parc (Fangzetan) d'époque Ming a une forme carrée représentant la Terre. Sous les Ming, cinq autels furent établis aux points cardinaux de la ville – Tiantan (temple du Ciel) au sud, Ditan au nord, Ritan (temple du Soleil) à l'est, Yuetan (temple de la Lune) à l'ouest et Shejitan (temple du Sol et des Moissons) au centre. La grande fête du temple *(miaohui)* se déroule pendant le nouvel an chinois *(p. 42-43)*. Cet héritage des cérémonies anciennes inaugure la saison des plantations de printemps et apaise les dieux.

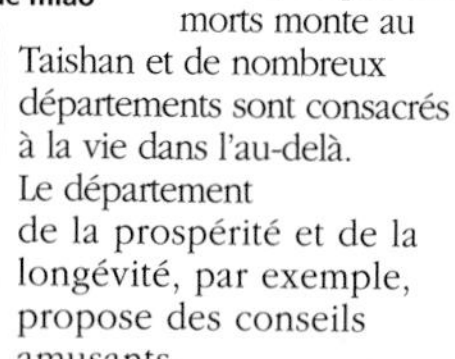

Gardien à l'entrée du Dongyue miao

Dongyue Miao ⓮

东岳庙

141 Chaoyang Men Wai Dajie, Chaoyang. **Plan** 2 F4. Ⓜ *Chaoyang Men.* ***Tél.*** *(010) 6551 0151.* ◯ *mar.-dim. 8h30-16h30.*

À l'est de Pékin, près du stade des Travailleurs de Chaoyang, l'étonnant temple taoïste Dongyue Miao est dédié au Taishan *(p. 144-145)*, le pic sacré de l'Est. En façade, un fabuleux *paifang* vernissé d'époque Ming porte l'inscription « Zhisi Daizong », qui signifie : « offrir des sacrifices au mont Tai (Taishan) ».

Ce temple pittoresque du début du XIVe siècle, restauré à grands frais en 1999, est occupé par des moines taoïstes. La cour principale conduit au pavillon du Taishan, où se dressent des statues du dieu du Taishan et de ses serviteurs. On y visite quelque 70 « départements » peuplés de dieux et de démons taoïstes. Des explications sur leur rôle sont légendées en anglais.

Dans la tradition taoïste, l'esprit des morts monte au Taishan et de nombreux départements sont consacrés à la vie dans l'au-delà. Le département de la prospérité et de la longévité, par exemple, propose des conseils amusants.

Caractères chinois tracés avec du blé, fête du temple, parc Ditan

Musée d'Art national de Chine ⓯
中国美术馆

1 Wusi Dajie, Dongcheng. **Plan** 2 D4. Ⓜ *Dong Si.* ***Tél.*** *(010) 8403 3500.* ◯ *de 9h à 17h t.l.j., dernière admission à 16h.*

Les 14 salles du bâtiment assez ordinaire à trois niveaux du musée d'Art national de Chine (Zhongguo Meishuguan) présentent une collection d'art chinois et international, ainsi que des expositions temporaires de photographie, sans oublier une collection passionnante de peintures modernes chinoises, un art moins soumis à la censure que le cinéma ou la littérature. Les magazines *Time Out Beijing* et *That's Beijing* informent des expositions en cours et à venir.

Rue Wangfujing ⓰
王府井

Plan 2 B5. Ⓜ *Wangfujing.* **Marché de nuit** ◯ *de 17h30 à 22h t.l.j.* **Église Saint-Joseph** 74 Wangfujing Dajie. ***Tél.*** *(010) 6524 0634.* ◯ *tôt le matin pendant l'office.*

La très animée rue Wangfujing (Wangfujing Dajie), la principale rue commerçante de Pékin, est bordée de grands magasins et de centres commerciaux tels que le Sun Dong'an Plaza *(p. 112)*. On y trouve de tout : des bibelots, des objets d'art, des antiquités,

L'imposante façade de l'église Saint-Joseph, rue Wangfujing

des vêtements et des livres, le tout au milieu d'un mélange pittoresque de pharmacies, de teintureries et de boutiques de soieries, de thé et de chaussures. L'immense **Foreign Language Bookstore** vend des plans détaillés de Pékin. Mais la rue accueille surtout un marché de nuit, où l'on peut déguster un choix infini de plats traditionnels – des brochettes de bœuf aux mets les plus exotiques tels que des scorpions, en passant par des galettes, des fruits, des crevettes, des calamars et autres. Au sud du marché, la rue Wangfujing se remplit de restaurants pittoresques. Au n° 74 s'élèvent les trois dômes de l'impressionnante **église Saint-Joseph**, dite cathédrale de l'Est, l'une des plus importantes églises de Pékin. Construite en 1655 sur le site de l'ancienne demeure du jésuite Adam Schall von Bell (1591-1669), elle fut reconstruite plusieurs fois après avoir été détruite successivement par un tremblement de terre, un incendie et la révolte des Boxeurs. Elle a été récemment restaurée pour environ deux millions d'euros. On y accède par une cour ouverte et un portique.

Ancien Observatoire ⓱
古观象台

Plan 4 F1. Ⓜ *Jianguo Men.* ***Tél.*** *(010) 6524 2202.* ◯ *de 9h à 11h30 et de 13h à 16h t.l.j.*

Sphère armillaire, ancien Observatoire

L'ancien Observatoire (Gu Guanxiangtai) de Pékin – l'un des plus vieux du monde – date de 1442. Il se dresse sur une plate-forme le long d'un autopont près de Jianguo Mennei Dajie, là où un précédent observatoire se trouvait déjà sous la dynastie Yuan (1279-1368). Celui-ci fut bâti quand les empereurs Ming transférèrent leur capitale de Nankin à Pékin. Au début du XVIIe siècle, les jésuites, sous l'égide de Matteo Ricci (1552-1610), puis d'Adam Schall von Bell, impressionnèrent l'empereur et les astronomes impériaux par leurs connaissances scientifiques, en particulier par la précision de leurs prédictions d'éclipse. En 1674, le père jésuite belge Verbiest (1623-1688) fut nommé au Bureau d'astronomie impérial, où il mit au point un ensemble d'instruments astronomiques. Plusieurs furent emportés par les soldats allemands pendant la révolte des Boxeurs en 1900 et ne furent restitués qu'après la Première Guerre mondiale. Une collection de répliques d'instruments astronomiques est

Délicieuse cuisine à emporter, marché de nuit de la rue Wangfujing

Pour les hôtels et les restaurants de Pékin, voir p. 554-556 et p. 582-584

Pittoresque Red Gate Gallery, tour d'angle sud-est

présentée dans la cour du rez-de-chaussée, certains décorés de motifs chinois fantastiques, notamment de dragons. Un escalier conduit au toit où se trouvent d'impressionnants instruments en bronze, dont un théodolite servant à mesurer l'altitude des corps célestes, et une sphère armillaire pour mesurer les coordonnées des planètes et des étoiles.

Tour d'angle sud-est (Dongnan Jiao Lou)

Tour d'angle sud-est ⓲
东边门箭楼

Près de Jianguo Men Nan Dajie, Chongwen. **Plan** 5 F2. M *Beijing Zhan.* **Red Gate Gallery** ***Tél.*** *(010) 6525 1005.* *de 9h à 17h t.l.j.* *Précisions sur le site* **www**.redgategallery.com

Au sud de l'ancien Observatoire, la tour d'angle sud-est (Dongnan Jiao Lou) est un vestige des remparts de Pékin *(p. 85).*

Après avoir escaladé les remparts Ming, vous pourrez longer une brève mais impressionnante portion de mur et admirer l'imposant bastion percé de meurtrières et la ville en contrebas. La façade de la tour porte les graffitis laissés par les soldats de l'armée internationale qui marchèrent sur la ville pour libérer les légations étrangères pendant la révolte des Boxeurs.

Les remparts donnent accès à l'intérieur de splendides salles traversées d'énormes colonnes et poutres en bois rouges. Les niveaux 1 et 4 constituent le superbe cadre de la **Red Gate Gallery**, l'une des plus intéressantes galeries d'art de Pékin, fondée en 1991 par un Australien venu apprendre le chinois. La galerie présente les œuvres multimédias d'artistes chinois et étrangers contemporains et prometteurs. Le site Internet (voir l'adresse ci-dessus) de la galerie informe des expositions à venir.

Musée d'Histoire naturelle ⓳
自然历史博物馆

126 Tianqiao Nan Dajie, Chongwen. **Plan** 3 C3. M *Qian Men, puis en taxi.* ***Tél.*** *(010) 6702 4431.* *mar.-sam. 9h à 17h* **www**.bmnh.org.cn

Situé dans un immense bâtiment des années 1950 couvert de végétation, le plus grand musée d'histoire naturelle de Chine possède environ 5 000 spécimens classés en trois catégories : zoologie, paléontologie et botanique. La section de paléontologie – la plus intéressante – présente des squelettes de dinosaures et autres animaux préhistoriques ayant peuplé la Chine il y a 500 millions à un million d'années, dont un squelette de *Lufengosaurus* du début du Jurassique et d'hadrosaure chinois *(Tsintaosaurus spinorhinus)*, doté d'une crête en forme de corne, de la fin du Crétacé. Dans la section de zoologie, de nombreux spécimens marins, ornithologiques et végétaux illustrent l'évolution des formes de vie aquatiques primitives vers des formes terrestres beaucoup plus complexes. L'évolution humaine n'est pas oubliée. Les visiteurs les plus courageux se rendront au sous-sol, à la découverte d'une macabre exposition d'échantillons de cadavres, de membres et d'organes humains. La section de botanique est moins impressionnante, mais aussi beaucoup moins dérangeante.

Squelettes de dinosaures, section de paléontologie du musée d'Histoire naturelle

Le temple du Ciel ⓴

天坛

Porte de l'autel du Ciel

Édifié sous la dynastie Ming, Tiantan, le temple du Ciel, est l'un des plus grands sanctuaires du pays et un modèle d'équilibre et de symbolisme architecturaux chinois. C'est là que l'empereur se livrait à des sacrifices et implorait le ciel et ses ancêtres au solstice d'hiver. En tant que fils du Ciel, il pouvait intercéder auprès des dieux, incarnés par des tablettes du Ciel, au nom de son peuple, et prier pour de bonnes moissons. Interdit au commun des mortels sous les dynasties Ming et Qing, le temple du Ciel est situé dans un vaste parc agréable qui attire chaque matin les amateurs de *taijiquan* *(p. 273)*.

Qinian Dian, lieu de prière impériale pour de bonnes moissons

TIANTAN

Les principaux sites de ce sanctuaire sont reliés à l'axe nord-sud par un passage surélevé, le pont de l'Escalier rouge. L'autel du Ciel est constitué d'un nombre de dalles de pierre concentriques multiple de neuf, le chiffre le plus favorable. Avec sa forme circulaire, le mur de l'Écho permet à deux personnes placées aux deux extrémités de dialoguer sans élever la voix.

① Salle de la Prière pour de bonnes moissons
② Pont de l'Escalier rouge
③ Mur de l'Écho
④ Voûte céleste impériale
⑤ Autel du Ciel

Triple portique de l'empereur (est), des officiels (ouest) et des dieux

Voûte céleste impériale, où étaient conservées les tablettes du Ciel

L'autel du Ciel, site des sacrifices impériaux

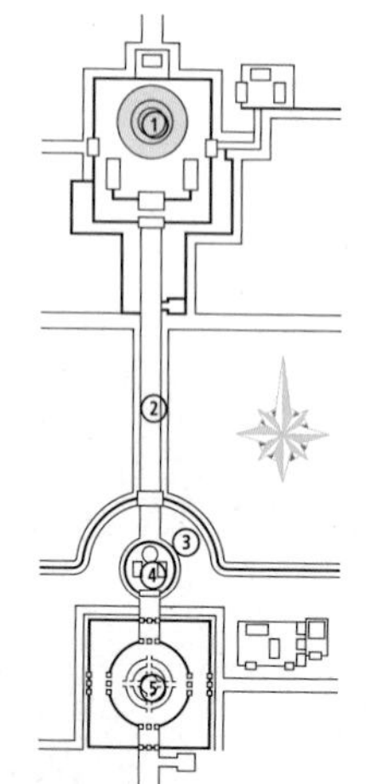

LÉGENDE

▢ Partie illustrée

À NE PAS MANQUER

★ Piliers du Puits du Dragon

★ Plafond à caissons

Pour les hôtels et les restaurants de Pékin, voir p. 554-556 et p. 582-584

Le fleuron d'or, haut de 38 mètres, attire la foudre.

Le bleu est la couleur du ciel.

Offrandes symboliques

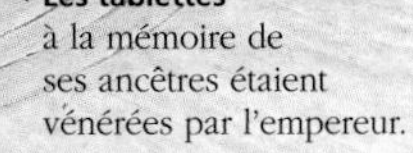

Les tablettes à la mémoire de ses ancêtres étaient vénérées par l'empereur.

MODE D'EMPLOI

Tiantan Donglu (porte Est), Chongwen. **Plan** 4 E4. *Tél. (010) 6702 2617.* *Qian Men.* *34, 6, 35.* **Parc** *de 8h à 17h t.l.j.* **Bâtiments du temple** *de 8h30 à 17h.*

★ Plafond à caissons

Le splendide plafond circulaire est orné en son centre d'un dragon et d'un phénix dorés. La salle a été entièrement construite en bois sans un seul clou.

★ Piliers du Puits du Dragon

Les toits de la salle sont soutenus par 28 piliers richement décorés. Au centre, quatre immenses colonnes appelées piliers du Puits du Dragon illustrent les saisons, tandis que les 24 autres petits piliers symbolisent les mois de l'année plus les deux fois douze heures d'une journée.

Tertre circulaire de marbre

Trois terrasses de marbre forment un cercle de 90 mètres de diamètre et 6 mètres de hauteur. À l'étage supérieur, les balustrades sont décorées de sculptures de dragons illustrant la nature impériale de l'édifice.

QINIAN DIAN

Construite en 1420, la salle de la Prière pour de bonnes moissons (Qinian Dian) est souvent appelée à tort temple du Ciel. En réalité, aucun temple ne porte ce nom à Tiantan, littéralement « autel du Ciel » – qui désigne l'ensemble du complexe.

Mosquée de la rue de la Vache ㉑
牛街清真寺

18 Niu Jie, Xuanwu. **Plan** 3 A3. *Xuanwu Men, puis taxi.* ***Tél.*** *(010) 6353 2564.* *de 7h30 à 19h t.l.j. Éviter le ven. (jour saint).*

La plus ancienne et la plus grande mosquée de Pékin date du xe siècle. Elle est située dans le quartier Hui, près de nombreux restaurants et magasins musulmans. Les Hui, une minorité musulmane chinoise originaire de la province de Ningxia et désormais dispersée dans toute la Chine, sont près de 200 000 à Pékin. Les hommes se reconnaissent à leur barbe et à leur calot blanc.

Cette mosquée est un bel édifice dont les salles et les stèles sont ornées de motifs islamiques et de versets coraniques. Mais surtout, elle possède une copie manuscrite du Coran *(Gulanjing)* datant de 300 ans.

Le **Wangyue Lou** était une sorte d'observatoire astronomique. Les tombes de deux missionnaires arabes de la dynastie Yuan y sont gravées d'inscriptions arabes. La cour verdoyante est une oasis de paix à l'abri du tumulte urbain. Pour visiter, il est conseillé de porter une tenue correcte. Les non-musulmans ne sont pas autorisés à entrer dans la salle des prières.

Statues bouddhistes de la salle principale du temple Fayuan

Temple Fayuan ㉒
法源寺

7 Fayuan Si Qian Jie, Xuanwu. **Plan** 3 A3. *Xuanwu Men.* ***Tél.*** *(010) 6353 4171.* *de 8h30 à 15h t.l.j.*

À deux pas à l'est de la mosquée de la rue de la Vache, le temple Fayuan est probablement le plus ancien temple de Pékin. Construit en 645, il fut consacré par l'empereur Tang Taizong (vers 626-649) en hommage aux soldats qui périrent dans une expédition contre les tribus nordiques. Les bâtiments d'origine furent détruits par une succession de catastrophes naturelles et les structures actuelles datent de l'époque Qing. L'aménagement est typique des temples bouddhiques. Près de la porte, un brûle-parfum *(lu)* est flanqué à l'est et à l'ouest des tours du Tambour et de la Cloche. Plus loin, la salle des Rois célestes (Tianwang Dian) est gardée par un couple de lions en bronze et abrite les statues de Milefo (le Bouddha rieur) et de ses serviteurs, les Rois célestes. Des stèles anciennes devancent la salle principale, où la statue dorée de Sakyamuni (le Bouddha historique) est entourée de bodhisattvas et de *luohan* – disciples ayant atteint l'Éveil. À l'arrière du temple, la salle des Écritures renferme des sutras, tandis qu'une autre abrite une statue de Bouddha de 5 mètres de haut. Les lieux sont peuplés de moines du Collège bouddhique du temple.

Somptueux intérieur de la mosquée de la rue de la Vache

Temple du Nuage blanc ㉓
白云寺

6 Baiyuanguan Jie, Xuanwu. *Nanlishi Lu, puis taxi.* ***Tél.*** *(010) 6344 3666.* *de 8h30 à 16h t.l.j.*

Fondé en 739, le temple du Nuage blanc (Baiyun Guan), le plus grand sanctuaire taoïste de Pékin, est le siège de l'Association taoïste chinoise. Connu sous le nom de temple de l'Éternité céleste, il constituait l'une des trois salles de l'école taoïste Quanzhen, doctrine fondée sur les bonnes actions et les bienfaits d'un bon karma. Cet édifice essentiellement en bois fut détruit par un incendie en 1166 avant d'être maintes fois reconstruit. Les structures actuelles datent pour la plupart des dynasties Ming et Qing. Un triple *pailou* (portique décoratif) Ming marque l'entrée. Caresser le singe sculpté sur la porte principale porterait chance. Les grandes salles sont aménagées le long d'un axe central d'où partent d'autres salles : la salle des Gardiens célestes est dédiée aux quatre généraux qui gardent le temple ; la salle des Vieilles Disciplines est consacrée aux Sept Maîtres célestes, disciples de Wang Chongyang, fondateur de l'école Quanzhen ; le pavillon du dieu de la Richesse attire les pèlerins venus quérir la bénédiction des trois esprits de la richesse ; et enfin la salle dédiée au dieu de la Médecine accueille les infirmes.

Le temple est peuplé de moines taoïstes reconnaissables à leur chignon et s'anime surtout à l'occasion de la fête du temple (miaohui), pendant le nouvel an chinois *(p. 42-43)*.

Moines bouddhistes, temple du Dagoba blanc

Musée militaire ㉔
军事博物馆

9 Fuxing Lu, Haidian. Ⓜ *Junshi Bowuguan.* ***Tél.*** *(010) 6686 6114.* ◯ *de 8h à 16h30 t.l.j.*

Surmonté de l'emblème doré de l'Armée populaire de libération (APL), ce musée est consacré à l'armement et à l'héroïsme révolutionnaire. Il est situé près de Muxidi, où l'APL tua des dizaines de civils en 1989. Les visiteurs sont accueillis par des portraits de Mao, Marx, Lénine et Staline. Le rez-de-chaussée abrite des avions de chasse F-5 et F-7, des tanks et des missiles sol-air. La galerie du dernier étage relate avec fierté quelques-unes des campagnes militaires chinoises.

Avions de combat F-5, Musée militaire

Temple du Dagoba blanc ㉕
妙应寺

Fucheng Men Nei Dajie, Xicheng. **Plan 1 A4.** Ⓜ *Fucheng Men.* ***Tél.*** *(010) 6616 0211.* ◯ *de 9h30 à 16h t.l.j.*

Célèbre pour son dagoba (stupa ou tertre funéraire) blanc tibétain de 51 mètres de haut dessiné par un architecte tibétain, le temple Miaoying (Miaoying Si) date de 1271, époque de la domination mongole. En plus des traditionnelles tours du Tambour et de la Cloche et de la salle des Rois célestes, ce temple bouddhique possède une remarquable collection de petites statues tibétaines, ainsi que 18 *luohan* (disciples) en bronze.

Parc zoologique ㉖
北京动物园

137 Xizhi Men Wai Dajie, Haidian. Ⓜ *Xizhi Men, puis en taxi.* ***Tél.*** *(010) 6831 4411.* ◯ *de 7h30 à 17h.*

À l'ouest du Parc des Expositions, les cages en béton et en verre vieillottes du zoo de Pékin sont une relique d'un passé révolu. La salle des pandas est l'une des plus visitées, mais on vient surtout pour l'immense **aquarium**, ses récifs coralliens, sa forêt tropicale humide et son bassin de requins, sans oublier toutes sortes de mammifères marins (baleines et dauphins).
Si les ours vous intéressent, sachez qu'ils sont plus actifs le matin que l'après-midi.

Le palais d'Été ㉗

颐和园

Dragon de bronze

Le vaste domaine du palais d'Été (Yihe Yuan) devint un lieu de villégiature impériale sous la dynastie Qing, qui venait y fuir la chaleur étouffante qui régnait l'été dans la Cité interdite. Les dynasties précédentes en avaient déjà fait un parc impérial, mais il fallut attendre l'empereur Qianlong, qui régna de 1736 à 1795, pour que le palais d'Été devienne ce qu'il est aujourd'hui. Le palais est toutefois surtout associé à Cixi, qui le fit reconstruire deux fois : l'une après sa destruction par les troupes françaises et britanniques en 1860, et l'autre en 1902 après sa mise à sac pendant la révolte des Boxeurs.

★ Colline de la Longévité
Le pavillon des Fragrances bouddhiques domine cette colline peuplée d'édifices religieux impressionnants.

Pavillon de la Mer de la parfaite sagesse

Bateau en marbre
Cixi finança cette folie extravagante avec les fonds destinés à la modernisation de la flotte impériale. Les superstructures en bois du bateau sont peintes en blanc pour imiter le marbre.

Embarcadère

Le pavillon de Bronze (188 tonnes) est une minutieuse réplique d'un bâtiment en bois.

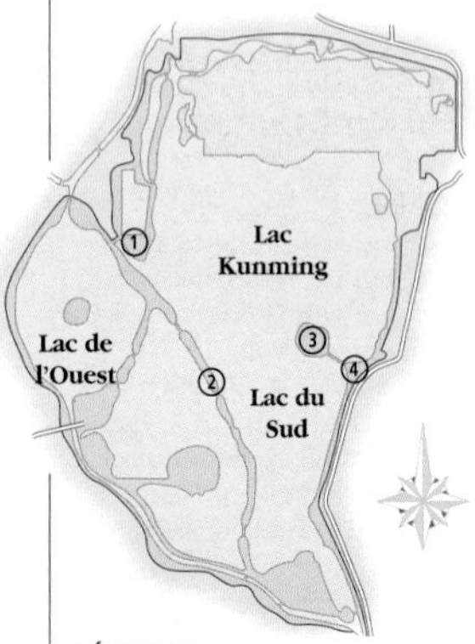

PLAN DU SITE

Le site du palais d'Été s'étend sur 290 hectares. Au sud de la colline de la Longévité, l'île Nanhu se trouve au large de la rive orientale du lac Kunming. Comptez deux heures pour faire le tour complet du lac à pied.

① Pont de jade
② Digue ouest
③ Île Nanhu
④ Bœuf en bronze

Lac Kunming
Lac de l'Ouest
Lac du Sud

0 800 m

LÉGENDE

☐ Zone illustrée

À NE PAS MANQUER

★ Colline de la Longévité

★ Galerie couverte

★ Jardin de l'Harmonie vertueuse

Impératrice Cixi (1835-1908)

CIXI, IMPÉRATRICE DOUAIRIÈRE

À l'instar de l'impératrice Wu Zetian *(p. 57)* de la dynastie Tang, Cixi est considérée comme l'une des femmes les plus puissantes de l'histoire chinoise. Après avoir donné un fils à l'empereur Xianfeng, cette concubine impériale exerça le pouvoir en tant que régente des empereurs Tongzhi et Guangxu (respectivement son fils et son neveu). Elle empêcha Guangxu de réformer l'État et précipita la chute de la dynastie Qing en 1911 en s'alliant à la révolte des Boxeurs.

MODE D'EMPLOI

10 km au nord-ouest de Pékin. **Tél.** *(010) 6288 1144.* *Xizhi Men, puis bus n° 32, ou 808 depuis le zoo* *au départ du parc Yuyuan tan, et du Parc des Expositions près du zoo (sauf en hiver).* de *8h30 à 17h t.l.j.*

★ Jardin de l'Harmonie vertueuse
Il abrite un théâtre à trois étages où les 348 membres de la troupe de l'Opéra devaient divertir Cixi, qui assistait aux spectacles depuis la galerie.

★ Galerie couverte
Les boiseries de ce couloir de 728 mètres de long sont ornées de plus de 14 000 peintures décoratives.

Palais de Bienveillance et de Longévité
Ce pavillon d'apparat à toiture simple abrite le trône où siégeait Cixi.

À la découverte du palais d'Été

À l'instar de la résidence impériale de Chengde *(p. 122-125)*, le parc du palais recrée un environnement naturel de collines *(shan)* et de pièces d'eau *(shui)* agrémentées de ponts, de temples, de digues et de pavillons d'apparat. Les restaurations répétées n'ont pas entamé l'harmonie entre l'utile et l'agréable si joliment atteinte dans ce palais, où les quartiers administratifs et résidentiels cohabitent avec des panoramas champêtres, de nombreux temples et des sanctuaires paisibles.

Le pont aux Dix-Sept Arches, entre l'île Nanhu et la rive

Le parc du palais d'Été est vaste, mais les principaux bâtiments sont assez proches les uns des autres. L'entrée principale, **porte Est** (Gongdong Men), donne sur les pavillons officiels et résidentiels du palais. Face à l'entrée, le **palais de Bienveillance et de Longévité** (Renshou Dian) est précédé de statues de bronze, dont celle d'un symbole de vertu confucéenne, le mythique *qilin*, animal hybride aux sabots fendus, affublé de cornes et d'écailles.

Près du lac, à l'ouest, le **palais des Vagues de jade** (Yulan Tang) fut la prison où Cixi fit emprisonner l'empereur Guangxu après l'échec du mouvement des réformes de 1898. À l'ouest du **jardin de l'Harmonie vertueuse** (Dehe Yuan) et au nord de la jetée d'où Cixi embarquait pour traverser le lac se trouve le **palais de la Joie et de la Longévité** (Leshou Tang), d'où part la **galerie couverte** (Changlang) qui longe le lac, entrecoupée de quatre pavillons. À mi-parcours, un ensemble d'édifices religieux s'adosse à la **colline de la Longévité** (Wanshou Shan) au départ du lac et d'un portique magnifiquement décoré *(pailou)*, derrière lequel se dresse la **porte des Nuages ordonnés** encadrée de deux lions de bronze assis. Le premier grand pavillon est le **palais des Nuages ordonnés** (Paiyun Dian). Sa double toiture est dominée par la structure proéminente et octogonale du **pavillon des Fragrances bouddhiques** (Foxiang Ge). Derrière, le **pavillon de la Mer de la parfaite sagesse** (Huihai Si) est un rectangle de brique et de tuile du XVIIIe siècle décoré de céramiques jaunes et vertes et de statues bouddhiques vernissées, dont beaucoup ont été mises à sac. De là, on aperçoit le **lac Noir** (Hou Hu) et la **rue de Suzhou**, une reconstitution de la rue commerçante que l'empereur Qianlong et ses concubines avaient créée pour se promener, et qui abrite aujourd'hui des restaurants et des boutiques de souvenirs. À l'ouest du pavillon des Fragrances bouddhiques, le **pavillon des Nuages précieux** (Baoyun Ge), ou pavillon de Bronze, fut bâti au XVIIIe siècle. C'est l'un des rares à avoir échappé aux destructions perpétrées par les troupes étrangères. Si le nord du lac peut vous occuper toute une journée, le sud est divinement désert.

Bœuf de bronze censé pacifier les eaux et prévenir les inondations

Des bateaux se rendent à l'**île Nanhu** au départ de la jetée près du Bateau en marbre (au nord duquel se trouvent les hangars à bateaux impériaux). Si vous avez le temps, louez une barque pour faire le tour du lac Kunming. Sur l'île, le **temple du Roi Dragon** (Longwang Miao) est dédié au dieu des rivières, des mers et de la pluie. L'île est reliée à la rive orientale par l'élégant **pont aux Dix-Sept Arches** (Shiqi kong qiao). Un lion de marbre coiffe chacun des 544 balustres du pont, et un grand bœuf en bronze datant de 1755 se dresse sur la rive orientale. Sur la rive opposée, le très pentu **pont de Jade** relie le continent à la digue qui rejoint la rive méridionale du lac.

Pavillon de Bronze entièrement construit en métal

Pour les hôtels et les restaurants de Pékin, voir p. 554-556 et p. 582-584

Vestiges du Yuanming Yuan, sorte de petit Versailles

Yuanming Yuan ㉘
圆明园

28 Qinghua Xi Lu, Haidian.
Xizhi Men, puis bus 375.
de 7h à 18h30 t.l.j.

Le Yuanming Yuan (jardin de la Perfection et de la Clarté, ou ancien palais d'Été) est désormais séparé du palais d'Été, après avoir appartenu à un ensemble de jardins réunis par Qianlong au milieu du XVIIIe siècle. L'empereur Qing invita les jésuites à la Cour pour créer un complexe de style européen qu'ils comparèrent à Versailles. Hélas ! tous les pavillons chinois traditionnels furent incendiés par les troupes britanniques et françaises lors de la seconde guerre de l'Opium en 1860. Les bâtiments de style européen furent ensuite démolis et une grande partie des vestiges emportés pour la construction d'autres édifices. Quand ils évoquent cet épisode de l'histoire, les Chinois critiquent autant les actes de pillage des troupes européennes que l'inefficacité des dirigeants Qing.

Aujourd'hui, le Yuanming Yuan est un bel ensemble de ruines de pierre et de marbre éparpillées dans le **jardin du Printemps éternel**, à l'angle nord-est du parc. Un petit musée montre la taille et la magnificence du palais au travers de dessins et de maquettes. Le **labyrinthe** (Palace Maze) a été reconstruit en béton à l'ouest des ruines.

Temple de la Grande Cloche ㉙
大钟寺

31a Beisanhuan Xi Lu, Haidian.
300, 367. ***Tél.*** *(010) 6255 0819.*
de 8h30 à 16h t.l.j.

Le Dazhong Si fut bâti au XVIIIe siècle selon un plan bouddhique comprenant un pavillon des Rois célestes, un pavillon principal et un pavillon du bodhisattva Guanyin. Le fleuron de sa fascinante collection de cloches est une cloche de 47 tonnes – l'une des plus grandes du monde –, fondue entre 1403 et 1424, transportée du temple de Wanshou sous le règne de l'empereur Qianlong et sur laquelle sont gravés des sutras en chinois et en sanskrit. Sous les dynasties Ming et Qing, la cloche était frappée 108 fois pour annoncer le nouvel an et s'entendait à 40 kilomètres à la ronde. La galerie supérieure présente une collection de moulages de cloches, et des centaines de spécimens des époques Song, Yuan, Ming et Qing sont exposés dans un pavillon à l'ouest.

Parc Xiangshan ㉚
香山公园

Wofosi Lu, Xiang Shan, Haidian district.
333 depuis le palais d'Été, 360 depuis le zoo. *de 6h à 19h.*
Jardin botanique *t.l.j.*

Le parc boisé des Collines parfumées revêt ses plus beaux atours à l'automne, quand les érables se teintent de rouge. On y vient pour le panorama du **pic du Brûle-parfum**, accessible en téléphérique, et pour le splendide **temple Biyun**, ou temple des Nuages d'azur, près de la porte principale, gardé par les divinités menaçantes Heng et Ha dans le pavillon de la Porte de la montagne. Une série de salles conduit au mémorial de Sun Yat-sen, où son cercueil fut entreposé en 1925 avant son transfert à Nankin. À l'arrière du temple se dressent les 34 mètres de la pagode du Trône de diamant. Environ à deux kilomètres à l'est du parc, le **Jardin botanique** de Pékin est un agréable lieu de promenade parmi quelque 3 000 espèces végétales. Le **temple du Bouddha couché** est réputé pour sa magnifique statue en bronze du Bouddha couché. Puyi, le dernier empereur *(p. 446)*, y termina ses jours comme jardinier.

Heng, divinité du temple Biyun

Temple de la Grande Cloche, ou Dazhong Si

Les tombeaux des Ming : Changling ㉛

明十三陵

Qilin mythique sur la Voie des Esprits

Les tombeaux des Ming (Shisan Ling) sont la dernière demeure de treize des seize empereurs Ming. Ils sont aussi le plus bel exemple de nécropole impériale chinoise. Le site fut choisi pour son alignement conforme aux règles du *feng shui* : au nord, un cirque de collines enserre les tombeaux sur trois côtés et s'ouvre au sud, protégeant les défunts des mauvais esprits portés par le vent du nord. Le premier, et aussi le plus impressionnant, est Changling, le tombeau de l'empereur Yongle (1360-1424). Il a été magnifiquement restauré, mais la chambre funéraire où Yongle, son épouse et ses seize concubines auraient été enterrés n'a jamais été fouillée.

★ Voie des Esprits
Cette voie de sept kilomètres qu mène aux tombeaux est bordée de 36 statues de pierre d'officie de soldats, d'animaux et de créatures mythiques.

★ Palais des Faveurs éminentes
Ce pavillon à double toiture perché sur une triple plate-forme est l'un des derniers grands bâtiments Ming.

RECONSTITUTION DE CHANGLING
Reconstitution du tombeau de Changling au XVe siècle, à l'époque de l'enterrement de l'empereur Yongle.

Le pavillon des Stèles porte des inscriptions de l'époque Qing à la gloire des empereurs Ming.

Porte des Faveurs éminentes

LES TOMBEAUX DES MING

Les treize tombeaux sont dispersés sur 40 km². Mieux vaut les visiter en taxi. Changling, Dingling et Zhaoling ont été restaurés et sont très fréquentés. Les autres, non restaurés, sont ouverts et plus calmes.

① Changling (1424)
② Yongling (1566)
③ Deling (1627)
④ Jingling (1435)
⑤ Xianling (1425)
⑥ Qingling (1620)
⑦ Yuling (1449)
⑧ Maoling (1487)
⑨ Tailing (1505)
⑩ Kangling (1521)
⑪ Dingling (1620)
⑫ Zhaoling (1572)
⑬ Cimetière des concubines
⑭ Siling (1644)

Voie des Esprits

pailou (portique)

0 4 km

Pour les hôtels et les restaurants de Pékin, voir p. 554-556 et p. 582-584

★ Trésors de Dingling
Des reliques du tombeau de l'empereur Wanli, dont cette couronne tissée d'or décorée de deux dragons, sont exposées dans la salle principale de Changling.

Colonnes de cèdre
Le poids colossal du toit repose sur d'énormes piliers en nanmu *(cèdre aromatique) de 13 mètres de haut coiffés de consoles* (dougong) *raffinées.*

Statue de l'empereur Yongle
Yongle, troisième empereur Ming, transféra la capitale de Nankin à Pékin, d'où il supervisa la construction de la Cité interdite.

MODE D'EMPLOI

45 km au nord-ouest de Pékin. *845 depuis Xizhi Men (près du métro) jusqu'à Zhengfa Daxue à Changping, puis taxi ou bus 314 pour Da Gong Men. Les excursions pour la Grande Muraille* *(p. 106-108)* *font souvent halte ici.* ***Tél.*** *(010) 6076 1888.* *de 8h30 à 17h t.l.j.* *à l'intérieur*

À NE PAS MANQUER

★ Palais des Faveurs éminentes

★ Trésors de Dingling

★ Voie des Esprits

L'HYPOGÉE DE DINGLING

Dingling, le tombeau de Wanli (vers 1573-1620), l'empereur Ming ayant connu le plus long règne, est la seule chambre funéraire des seize tombeaux à avoir été fouillée et à être ouverte au public. Dans les années 1950, les archéologues furent surpris de trouver intactes les portes intérieures, derrière lesquelles ils découvrirent les trésors d'un empereur dépensier dont le règne amorça la chute de la dynastie Ming.

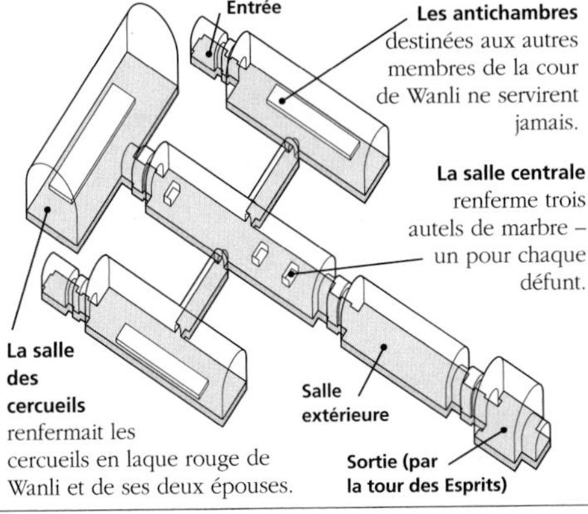

La Grande Muraille ㉜

长城

Symbole de l'isolement et du sentiment de vulnérabilité de la Chine, la Grande Muraille sillonne le paysage, traversant plusieurs milliers de kilomètres de déserts, de collines et de plaines. Ces remparts n'étaient à l'origine qu'un ensemble de fortifications en terre disparates construites par les différents États et ne furent achevés qu'après l'unification de la Chine sous Shi Huangdi des Qin (221-210 av. J.-C.). Cette impressionnante muraille s'avéra toutefois inefficace. Elle fut franchie au XIIIe siècle par les Mongols, puis au XVIIe siècle par les Mandchous. Aujourd'hui, seuls quelques morceaux choisis de ses ruines ont été intégralement restaurés.

Ruines
La majeure partie de la muraille n'est pas restaurée et s'effrite, ne laissant apparaître que le cœur.

★ Vues panoramiques
Exploitant au mieux le terrain naturel à des fins défensives, longeant les pics et s'accrochant aux crêtes, la muraille offre désormais de superbes vues panoramiques.

Les remparts permettaient aux soldats en défense de faire feu sur leurs attaquants en toute impunité.

Revêtement de dalles de pierre et de brique

Couche de terre et de déblais tassés

Pierres et cailloux plus gros

Briques cuites au four et cimentées par un mortier de chaux et de riz gluant

Blocs de pierre des environs

RECONSTITUTION DE LA GRANDE MURAILLE
Voici la muraille telle que la construisirent les empereurs Ming (1368-1644), qui furent les plus grands bâtisseurs de fortifications, notamment dans la section de Bada ling, dressée vers 1505 et restaurée dans les années 1950 et 1980.

★ Tours de guet
Cet ajout des Ming servait de poste de signalisation, de fort, de logement et d'entrepôt de vivres.

À NE PAS MANQUER
- ★ Tours de guet
- ★ Vues panoramiques

Pour les hôtels et les restaurants de Pékin, voir p. 554-556 et p. 582-584

Canons
Cet autre ajout des Ming servait à défendre la muraille et à appeler les secours.

Rempart multifonction
La muraille permettait des communications rapides via la fumée, les torchères, les tambours et les cloches, ainsi qu'un transport rapide des troupes à travers le pays.

CONSEILS

- Le mur est très exposé. Préparez-vous à toutes les éventualités : prévoyez plusieurs couches de vêtements et un imperméable, mais aussi de la crème solaire.
- Emportez beaucoup d'eau.
- Par endroits, la pente est très raide. Prévoyez de bonnes chaussures à semelle antidérapante comme des chaussures de randonnée.

LA GRANDE MURAILLE DE CHINE (DYNASTIE MING)

0 400 km

Mongolie intérieure
Fleuve Jaune
① ② ③ ④ ⑤
Datong
Pékin
Taiyuan
Tianjin
Bo Hai
Lac Qinghai
Lanzhou
Mer Jaune

La plupart des touristes visitent la Grande Muraille près de Pékin *(p. 108)*, mais elle vaut le détour sur toute sa longueur, et les forts restaurés de Juyongguan, Jiayuguan et Shanhai Guan sont impressionnants.

À voir

① Jiayuguan *(p. 498-499)*
② Badaling et Juyongguan
③ Mutianyu et Huanghua Cheng
④ Sima tai
⑤ Shanhai Guan *(p.128)*

À la découverte de la Grande Muraille

La visite des fortifications est le passage obligé de tout voyageur à Pékin. La plupart des hôtels organisent des excursions, généralement couplées avec la visite des tombeaux des Ming *(p. 104-105)*. Mais assurez-vous qu'il n'est pas prévu de détour par un atelier de cloisonnés ou de jade ni par un centre de médecine chinoise. Les petits groupes pourront bénéficier d'une visite plus personnalisée et découvrir les parties les plus éloignées de la muraille en partageant un taxi à la journée au départ de Pékin.

Ruines de Huanghua cheng adossées à un raidillon

Marchand de souvenirs, Grande Muraille, Bada ling

Bada ling

70 km au nord-ouest de Pékin.
Tél. *(010) 6912 1017.* *depuis Qian Men.* *de 6h30 à 18h30 t.l.j.*

Équipées de garde-fous, de téléphériques, de tours de guet immaculées et d'équipements touristiques, les fortifications Ming restaurées de Bada ling sont la portion la plus fréquentée de la Grande Muraille. La vue sur la muraille sillonnant les collines y est époustouflante. Pour l'apprécier pleinement, éloignez-vous de la foule en vous écartant le plus loin possible de l'entrée vers l'est ou l'ouest. Le billet inclut l'entrée au musée de la Grande Muraille.

Sur la route de Bada ling, la passe de **Juyongguan** est souvent plus calme, bien que récemment restaurée. Les montagnes inaccessibles qui l'entourent en font un site défensif idéal. Au milieu de la passe, une plate-forme en pierre, ou « terrasse de nuages », porte d'authentiques inscriptions bouddhiques de la dynastie Yuan (1279-1368).

Mutian yu

90 km au nord de Pékin, ville de Mutianyu, district de Huairou.
6 depuis Xuanwu Men.
de 7h30 à 18h t.l.j.
télécabines.

Le charme de Mutian yu tient à son site spectaculaire et à une présence touristique plus discrète. Le tronçon restauré et entrecoupé de plusieurs tours de guet date ici de 1368 et fut bâti sur les fondations du mur construit sous la dynastie des Qi du Nord (550-577).

Huanghua cheng

60 km au nord de Pékin, district d'Huairou. *t.l.j.*

Situé sur la même portion que Mutian yu, Huanghua est un tronçon fascinant de la muraille Ming, beaucoup moins aménagé que d'autres. Ici, la grande barrière est coupée en deux par un vaste réservoir. La plupart des visiteurs prennent à droite après le réservoir, car la voie de gauche est plus difficile d'accès. Soyez prudents, car l'édifice en ruine est dépourvu de garde-fous et parfois dangereux. Son mauvais état a obligé les autorités à entreprendre des travaux qui empêchent parfois d'y accéder.

Sima tai

110 km au nord-est de Pékin, district de Miyun. *6 depuis Xuanwu Men.* *de 6h à 18h t.l.j.* *(avr.-nov.)*

À Sima tai, la muraille a été partiellement restaurée, donnant une idée plus précise de l'édifice d'origine. Certains tronçons escarpés et dangereux nécessitent une grande prudence. La plupart des visiteurs escaladent la partie est, qui conduit à des portions plus abruptes du mur, puis à des ruines impraticables. Malgré les pièges à touristes, la vue est superbe. La randonnée de quatre heures entre Sima tai et Jingshan ling offre elle aussi des panoramas spectaculaires.

Partie restaurée de la muraille à Bada ling, au nord-ouest de Pékin

Tombeaux de l'Est des Qing ㉝
清东陵

125 km à l'est de Pékin, district de Zunhua, province d'Hebei.
mai-oct. t.l.j. 8h-17h ; nov.-avr. t.l.j. 9h-16h30.

Est des Qing, Voie des Esprits menant au tombeau de l'empereur Shunzhi

L'éloignement des tombeaux de l'Est des Qing, à l'est de Pékin, dans la province d'Hebei explique qu'ils attirent beaucoup moins de visiteurs que les tombeaux des Ming *(p. 104-105)*. Pourtant, le site est encore plus majestueux. C'est même la nécropole impériale la plus grande et la plus complète de Chine, car elle fut édifiée à une échelle aussi spectaculaire que la Cité interdite *(p. 86-89)*. Sur les nombreux tombeaux qui émaillent le site, seuls cinq sont ceux d'empereurs Qing et quatre sont ouverts : les tombeaux des empereurs Shunzi (1644-1661), Kangxi (1661-1722), Qianlong (1736-1795) et Xianfeng (1851-1861), celui de l'empereur Tongzhi (1862-1874), à l'écart du groupe principal, étant fermé. Les cinq kilomètres bordés de statues de gardiens de la Voie des Esprits conduisent au Xiaoling, le tombeau de Shunzhi, au cœur du principal groupe de tombes. Au sud-ouest, le Yuling, l'hypogée de Qianlong, possède une salle incroyable, ornée de sculptures bouddhiques et d'inscriptions en tibétain et en sanskrit (rares dans les nécropoles impériales, surtout confucéennes). La redoutable impératrice Cixi *(p. 101)* repose à l'ouest, à Dingdongling, dans un double hypogée – à sa gauche gît Ci'an, la doyenne des épouses de l'empereur Xianfeng. Les deux tombes datent de 1879, mais Cixi fit magnifiquement restaurer la sienne en 1895. Sur l'allée de marbre qui conduit au palais des Faveurs éminentes, elle fit sculpter le phénix *(feng)*, symbole de l'impératrice, au-dessus du dragon *(long)*, symbole de l'empereur. À l'ouest de Dingdongling, un ensemble de statues d'animaux en pierre mène à Dingling, nécropole partiellement ouverte où les petits tombeaux des concubines ont des toits de tuiles vertes (le jaune étant réservé aux empereurs et aux impératrices).

Brûle-parfums devant une tour des esprits, tombeaux de l'Est des Qing

L'EMPEREUR YONGZHENG

Fils de l'empereur Kangxi et d'une servante, Yongzheng (1723-1735) choisit de ne pas être enterré dans les tombeaux de l'Est des Qing et préféra étrangement installer le plus loin possible ses tombeaux de l'Ouest des Qing (dans le district de Yixian, province d'Hebei). Il se peut que, rongé par la culpabilité, il ne put se résoudre à être enterré près de son père dont il avait trahi la volonté. En effet, après la mort de Kangxi, Yongzheng renversa son frère (successeur désigné par son père) et se déclara l'héritier légitime, éliminant impitoyablement tous les frères et oncles susceptibles de menacer son règne. Pourtant, malgré des débuts incertains, Yongzheng s'avéra un chef talentueux et un fervent bouddhiste, punissant la fraude des officiels et luttant pour la moralité et l'éducation de son peuple. L'autre explication est peut-être qu'il n'était tout simplement pas satisfait des tombeaux de l'Est et qu'il leur préféra ce site. Quoi qu'il en soit, les amateurs d'architecture funéraire chinoise apprécieront le calme des tombeaux de l'Ouest des Qing. Non loin de là, un cimetière accueille depuis 1995 la dépouille de Puyi, le dernier empereur.

Yongzheng en habits brodés, symboles de sa puissance

Stupa de brique de Talin Si, le temple de la Forêt de stupa

Pont Marco-Polo 34

芦沟桥

Ville de Wanding, district de Fengtai. 16 km au sud-ouest du centre. *339 depuis la gare routière Lianhuachi à Pékin ; 309 depuis WAZI (près de la gare de l'Ouest à Pékin).* *de 7h à 19h t.l.j.* **Mémorial** *101 Wanpingcheng Nei Jie.* *mar.-dim. de 8h à 17h.*

Ce pont de marbre de 267 mètres de long qui enjambe le fleuve Yongding à Wanping fut construit pour la première fois en 1189 sous la dynastie Jin avant d'être détruit par une crue. La structure actuelle date de 1698. De son nom chinois Lugou Qiao, le pont fut baptisé Marco-Polo par les Européens d'après la description qu'en fit le marchand vénitien dans son célèbre *Devisement du Monde (**p. 243**)*. Les stèles des extrémités est et ouest du pont sont ornées de calligraphies des empereurs Qing Kangxi et Qianlong. À l'est, Qianlong écrivit « lugou xiaoyue » (« la lune à l'aube sur la rivière Lugou »). Le parapet du pont est décoré de plus de 400 statues de lions, toutes légèrement différentes les unes des autres. La légende locale veut que ces créatures féroces s'animent la nuit. Malgré d'intensifs travaux de restauration au fil des siècles, une étonnante partie du pont est d'origine. L'édifice doit également sa réputation au tristement célèbre « incident du pont Marco-Polo » – le 7 juillet 1937, il fut le théâtre d'un échange de coups de feu entre l'armée impériale japonaise et les soldats nationalistes chinois – prélude à l'occupation nippone de Pékin et à la guerre. Pour ceux qu'intéresse cette période de l'histoire, l'incident est relaté au travers d'une exposition assez terrifiante dans le **mémorial** de Wanping.

Lion de pierre, pont Marco-Polo

Temple de Tanzhe 35

潭柘寺

District de Mentougou, 45 km à l'ouest de Pékin. *Pour Pingguo Yuan (1h), puis bus 931 ou bus touristique 7.* ***Tél.*** *(010) 6086 2505.* *de 8h à 17h t.l.j.*

Cet immense temple du IIIe siècle, baptisé à l'origine Jiafu Si, prit le nom de la montagne voisine, Tanzhe Shan, qui doit elle-même son nom au lac du Dragon (Long Tan) tout proche et aux cudranias *(zhe)* des environs. Le cadre montagneux est fantastique et les pavillons s'accrochent aux flancs abrupts. Le temple est surtout célèbre pour ses arbres centenaires, parmi lesquels un immense ginkgo dit « arbre de l'empereur ». Non loin de là, un arbre un peu plus petit est appelé « épouse de l'empereur ».

Le plus fascinant est toutefois le **temple de la Forêt de stûpa** (Talin Si), près du parking, et son merveilleux ensemble de stupas de brique cachés dans le feuillage, chacun dédié à un moine célèbre. Les imposants édifices sont tous différents et les plus anciens datent de la dynastie Jin (1115-1234). L'élégant *miyan ta*, ou stupa à toiture dense, se caractérise par une superposition de toitures.

Les onze arches du pont Marco-Polo, Lugou Qiao en chinois

Site de l'homme de Pékin 36

周口店北京猿人遗址

Village de Zhoukoudian, 48 km au sud-ouest de Pékin. *917 de la gare routière Tianqiao de Pékin pour Fangshan, puis bus n° 2 ou taxi.* *de 8h30 à 16h30 t.l.j.*

Les 40 ossements humains et outils primitifs fossilisés découverts dans les années 1920 à Zhoukoudian se sont révélés être la dépouille de l'homme de Pékin *(Homo erectus Pekinensis)*, qui vécut ici il y a plus de 500 000 ans. Cette formidable découverte aurait pu constituer le chaînon manquant tant recherché entre l'homme de Neandertal et l'homme moderne. Le site s'adresse aux spécialistes, mais un petit musée présente une intéressante collection d'outils, d'ornements et de fragments d'os. Hélas ! l'homme de Pékin n'est pas présent et le site a souffert de nombreuses négligences.

Site de l'homme de Pékin, Zhoukoudian

Stade national olympique 37

奥林匹克体育中心

Olympic Green. *Olympic Park* *En construction.* www.beijing2008.com

Le nouveau Stade national olympique de Pékin est le plus étonnant fleuron de l'immense chantier de construction entrepris par la Chine pour les Jeux olympiques de 2008. Il s'intègre dans le projet « Olympic Green », qui comprend un vaste parc paysager, un village olympique et de nombreux stades, dont le Stade national couvert et le Centre de natation.

Structure futuriste du Stade national olympique

Les architectes suisses Herzog et de Meuron remportèrent le concours pour la construction du stade avec cette structure en forme de nid d'oiseau, faite de rameaux en acier et en béton entrelacés de façon irrégulière, et qui forment à la fois la façade et la structure. Entre ces entrelacements, des coussins gonflables translucides abritent le stade tout en laissant pénétrer la lumière naturelle. Le toit est constitué d'une membrane transparente, et la structure est enveloppée d'une couche translucide qui protège le stade contre le vent. Une fois les Jeux achevés, ce sera l'un des édifices les plus spectaculaires du monde.

Chuandixia 38

川底下

Près de la ville de Zhaitang, 90 km au nord-ouest de Pékin. *Pour Pingguo Yuan (1h), puis bus 929 pour Zhaitang (3h), puis taxi.* *t.l.j.*

Arriver au minuscule village de Chuandixia (Sous la Rivière) est une véritable expédition, mais elle en vaut la peine, car ce hameau décrépi adossé à une colline escarpée est un musée vivant de l'architecture villageoise des dynasties Ming et Qing, un ensemble pittoresque de maisons à cour carrée *(siheyuan)* et d'habitat rural. À l'origine, la densité du village était telle que toutes les cours étaient reliées entre elles par de petites allées. Le billet d'entrée donne accès à tout le village, que l'on peut explorer en quelques heures. Des graffitis et des slogans maoïstes restent gravés sur les murs d'enceinte ; dans la plupart des autres villes chinoises, ces stigmates de la Révolution culturelle ont été effacés.

Les 70 habitants de Chuandixia appartiennent à une poignée de familles. Si vous souhaitez explorer les collines environnantes ou simplement goûter à l'hospitalité rurale, vous pourrez vous loger dans l'une des vieilles demeures qui, conscientes de leur potentiel touristique, proposent des chambres rudimentaires à des prix raisonnables.

Maisons traditionnelles Ming et Qing, village de Chuandixia

Faire des achats et sortir à Pékin

Souvenir de Mao, Liulichang

Les commerces de Pékin ont radicalement changé de visage ces dernières années. Désormais, les grands magasins modernes cohabitent avec les vieilles échoppes et les centres commerciaux ; les grandes surfaces côtoient les boutiques spécialisées, les marchés aux puces et aux soieries et les marchands ambulants. Sur Wangfujing Dajie *(p. 94)*, la principale rue commerçante de la ville, l'impressionnant Oriental Plaza Mall domine de toute sa hauteur. Hélas ! beaucoup d'échoppes traditionnelles ont disparu, sauf sur Dazhalan Jie *(p. 85)*. La nuit, la ville est également très animée. Les pubs, les bars et les clubs se multiplient, mais l'Opéra de Pékin traditionnel, le théâtre et la musique ne sont pas en reste.

ACHATS

Les visiteurs trouveront de tout à Pékin : artisanat traditionnel, objets de collection, tapis, soieries, électronique, mobilier, antiquités et mode. La plupart des magasins cités ici se chargent de l'emballage et de l'expédition.

ANTIQUITÉS, ARTISANAT ET CURIOSITÉS

Les véritables antiquités *(gugong)* sont rares. Les objets datant de 1939 à 1975 ne peuvent officiellement pas sortir du territoire sans un certificat, et tout objet plus ancien est interdit à l'exportation *(p. 598-599)*. Le plus intéressant marché aux puces est le **marché Panjiayuan**, ouvert toute la semaine dans le sud-est de la ville. Mieux vaut s'y rendre tôt le week-end pour espérer dénicher une affaire parmi les statues de bodhisattva, les céramiques, les paravents, les calligraphies et toutes sortes d'ornements. Non loin de là, le **Beijing Curio City** propose un grand choix de céramiques, de meubles, de bijoux et d'art tibétain sur plusieurs étages. Près du temple du Ciel *(p. 96-97)*, le grand **marché Hong Qiao** intéressera les amateurs d'objets de collection, de souvenirs et de perles. Sachez toutefois que les objets en vente ici sont rarement des originaux. Pour les antiquités restaurées et les copies de meubles, rendez-vous chez **Huayi Classical Furniture**. Les amateurs de laques, de céramiques, de peintures et d'artisanat pourront passer des heures à arpenter **Liulichang** *(p. 85)*.

LIBRAIRIES

Il est conseillé d'emporter vos propres lectures quand vous voyagez en Chine, les œuvres françaises sont rares. En revanche, on trouve une sélection d'ouvrages photographiques, culturels et touristiques sur la Chine. À Pékin, la seule librairie française est **L'Arbre du voyageur**, dans le Centre culturel français. Le **Foreign Languages Bookshop** est bien situé, mais peu fourni. La plus grande librairie *(shudian)* de Pékin, **Tushu Dasha**, propose des ouvrages en anglais aux troisième et quatrième étages, mais elle est bondée et bruyante. Certains bars (tels le Pass By Bar et The Bookworm) font des échanges ou des prêts de livres.

GRANDS MAGASINS ET CENTRES COMMERCIAUX

Malgré la concurrence féroce des nouvelles enseignes spécialisées, les immenses grands magasins restent appréciés des Chinois. Xidan Dajie est réputée en avoir une forte concentration. Pris d'une frénésie consumériste, les centres commerciaux géants ont poussé comme des champignons (notamment autour de la station de métro Xi Dan). Ils regorgent d'objets et de vêtements de marque. **Sun Dong'an Plaza**, sur Wangfujing, est gigantesque, mais l'Oriental Plaza, à l'extrémité sud de la rue, l'est plus encore.

TAPIS ET TISSUS

Les marchés de Pékin vendent des tapis *(ditan)* du Tibet, du Gansu et du Xinjiang, mais il faut vraiment marchander. Sur Xingfu Dajie, la **Qian Men Carpet Company** propose de beaux tapis faits main du Xinjiang, de Mongolie et du Tibet. Si vous êtes intéressé, rendez-vous également chez **Antique Carpets**, chez les marchands de tapis de **Liulichang**, au **Liangma Antique Market** et au **marché Panjiayuan**.

Les locaux exigus du Silk Street Alley Market ont été transformés en un **New Silk Street Alley Market** de plusieurs étages. Les habitués disent que le marché n'a pas le charme de l'ancien et qu'il faut toujours marchander pour obtenir un bon prix. Le **Yuanlong Silk Corporation** remporte un grand succès avec ses soieries et son grand choix de vêtements en soie. Au sud de Qianmen, le **Beijing Silk Store** propose de la soie d'un bon rapport qualité-prix. Pour le haut de gamme, rendez-vous chez **Na-Li**. Le **Yaxiu Clothing Market** comprend quatre étages de vêtements, de tissus et de bibelots.

LES SORTIES

La vie culturelle pékinoise repose essentiellement sur les arts du spectacle, notamment l'Opéra de Pékin et le théâtre traditionnel, mais aussi de plus en plus sur des expositions et des concerts. La scène rock, punk et jazz est également en pleine expansion.

Côté cinéma, rares sont les films étrangers autorisés, mais de nombreuses ambassades, centres culturels et bars diffusent des films (doublés ou sous-titrés). En revanche, tous les films européens et américains sont piratés et vendus sous format DVD et VCD de qualité variable sur les marchés. Pour être au courant des sorties, consultez les magazines anglophones qui circulent dans les pubs fréquentés par les expatriés sur Sanlitun Lu et dans la plupart des hôtels. *That's Beijing* est l'un des plus complets.

L'OPÉRA DE PÉKIN

L'Opéra de Pékin *(jingju)* se produit traditionnellement dans le splendide **théâtre Zhengyici**, un ancien temple qui est aujourd'hui le dernier théâtre en bois du pays. Les représentations commencent presque tous les soirs à 19h30. Le **palais des corporations de Huguang** propose un cadre tout aussi raffiné et des représentations quotidiennes à 19 h 15. Pendant la saison chaude, le magnifique **palais du prince Gong** *(p. 90)* assure lui aussi des représentations à 19h30. Les groupes de touristes sont généralement conduits au **théâtre Liyuan** de l'hôtel Jianguo.

LE THÉÂTRE TRADITIONNEL

Les nombreuses maisons de thé sont d'excellents endroits pour profiter d'un certain nombre de spectacles tels que la musique traditionnelle chinoise, l'art du conte, l'opéra chinois, l'acrobatie et les arts martiaux.

Les acrobates *(zaji)* chinois montrent leurs exploits extraordinaires en différents lieux de la capitale. Les spectacles quotidiens du **théâtre Chaoyang** à 19h15 ont beaucoup de succès. La Troupe des acrobates de Pékin se produit à 19h au **théâtre Wansheng**. L'**Universal Theater** ouvre lui aussi ses portes tous les soirs à 19h. Des spectacles d'opéra et d'acrobaties se déroulent à la **maison de thé de Laoshe** chaque soir à 19h40, et parfois aussi en matinée.
La **maison de thé joyeuse de Tianqiao** propose également des spectacles tous les soirs à 18h30.

PUBS, BARS ET CLUBS

Les bars des expatriés de Pékin se concentrent depuis quelques années sur Sanlitun Lu, dans le district de Chaoyang, à l'est de la station de métro Dong Si Shi.
Pour une ambiance plus décontractée, rendez-vous dans les bars situés à la jonction des lacs Houhai et Qianhai, notamment dans le décor style Ming du très select **World of Suzie Wong**. L'un des premiers, et encore considéré comme l'un des meilleurs, le **No Name Bar**, près de Houhai, mérite le détour. Pour une ambiance plus raffinée, rendez-vous au bar de l'un des hôtels quatre et cinq étoiles de la ville.

ADRESSES

ANTIQUITÉS, ARTISANAT ET CURIOSITÉS

Beijing Curio City
21 Dongsanhuan Nan Lu, à l'ouest de Huawei Bridge, quartier de Chaoyang.

Marché Hong Qiao
Hong Qiao Lu, quartier de Chaoyang. **Plan** 4 E3.

Huayi Classical Furniture
89 Xiaodian Dongwei Lu, quartier de Chaoyang.

Marché Panjiayuan
Panjiayuan Lu, quartier de Chaoyang. ☐ *6h-15h t.l.j.*

LIBRAIRIES

Foreign Languages Bookshop
235 Wangfujing Dajie. **Plan** 2 D5.

Tushu Dasha
17 Xi Chang'an Jie, Xi Cheng District. **Plan** 3 B1.

L'Arbre du voyageur
Guangcai Building, 18 Gongti Xilu, Beijing.

GRANDS MAGASINS ET CENTRES COMMERCIAUX

Oriental Plaza
1 Dong Chang'an Jie. **Plan** 4 D1.

Sun Dong'an Plaza
138 Wangfujing Dajie. **Plan** 2 D5.

TAPIS ET TISSUS

Antique Carpets
4A6 Gongti Donglu, quartier de Chaoyang.

Beijing Silk Store
5 Zhubaoshi, Qian Men Dajie. **Plan** 3 C2.

Liangma Antique Market
27 Liangmaqiao Lu, quartier de Chaoyang.

Na-Li
Sanlitun Beilu, quartier de Chaoyang.

Qian Men Carpet Company
F1, Building 3, 59 Xingfu Dajie. **Plan** 4 F3.

Yaxiu Clothing Market
58 Gongti Bei Lu, quartier de Chaoyang.

Yuanlong Silk Corporation
15 Yongding Men Dong Jie. **Plan** 4 D4.

L'OPÉRA DE PÉKIN

Palais des corporations de Huguang
3 Hufangqiao Lu. **Plan** 3 B3. ***Tél.*** *(010) 6351 8284.*

Palais du prince Gong
17 Qianhai Xi Jie. **Plan** 1 B3. ***Tél.*** *(010) 6615 7671.*

Théâtre Zhengyici
220 Qian Men Xiheyan Dajie. **Plan** 3 C2. ***Tél.*** *(010) 6303 3104.*

LE THÉÂTRE TRADITIONNEL

Théâtre Chaoyang
36 Dongsanhuan Bei Lu. ***Tél.*** *(010) 6507 2421.*

Maison de thé de Laoshe
3 Qian Men Xi Dajie, Xuanwu. **Plan** 3 C2. ***Tél.*** *(010) 6303 6830.*

Maison de thé joyeuse de Tianqiao
1 Bei Wei Lu, quartier de Xuanwu. **Plan** 3 C3. ***Tél.*** *(010) 6304 0617.*

Universal Theater
10 Dong Zhi Men Nan Dajie. **Plan** 2 F3. ***Tél.*** *(010) 6416 9893.*

Théâtre Wansheng
95 Tianqiao Market Street. **Plan** 3 C3. ***Tél.*** *(010) 6303 7449.*

PUBS, BARS ET CLUBS

No Name Bar
Qianhai Dong Yan, à l'est de Yinding Bridge. **Plan** 1 C3.

World of Suzie Wong
1A Nongzhanguan Lu, quartier de Chaoyang.

LES RUES DE PÉKIN

Les références cartographiques de chaque site, hôtel, restaurant, boutique et salle de spectacle de Pékin présentés dans ce guide renvoient aux plans suivants. La carte ci-dessous précise la zone couverte par les plans de l'atlas des rues du centre de Pékin. Dans les pages suivantes, vous trouverez un index des rues indiquées sur le plan. Les légendes ci-dessous précisent l'échelle des plans ainsi que ce que vous y trouverez, notamment les stations de métro, les gares ferroviaires, les gares routières, les hôpitaux et les centres d'information touristique. Pékin s'est beaucoup étendue autour du centre. Page 80, un plan des environs de Pékin donne un aperçu des quartiers nord, ouest et sud. Il est indispensable de s'habituer au système de dénomination des rues *(voir ci-contre)* pour pouvoir s'orienter facilement en ville.

Le vélo, un bon moyen de circuler

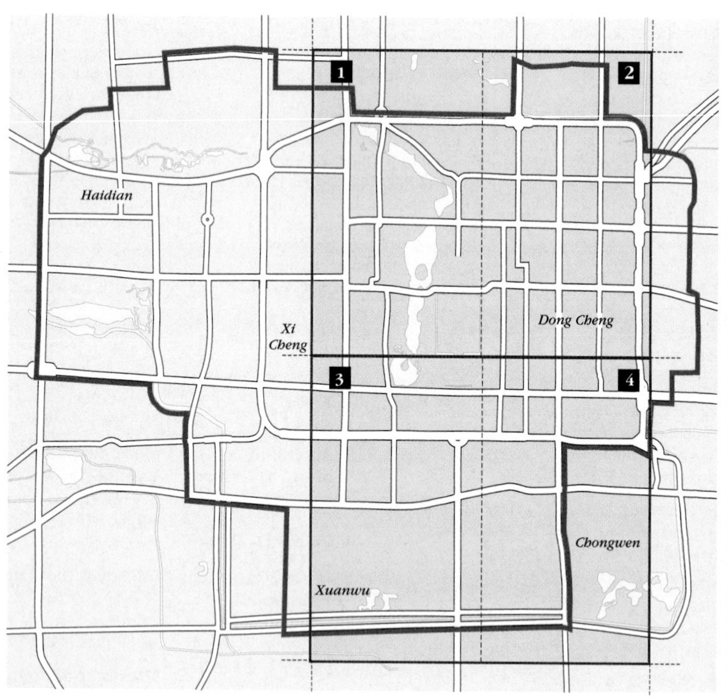

LÉGENDE DE L'ATLAS DES RUES

- Site exceptionnel
- Site intéressant
- Autre édifice
- Gare ferroviaire
- Gare routière (longue distance)
- Station de métro
- Arrêt de bus urbain
- Information touristique
- Hôpital
- Bureau de poste
- Temple
- Église
- Mosquée

ÉCHELLE DE LA CARTE

0 2 km

ÉCHELLE DES PLANS

0 500 m

Atlas des rues de Pékin

Dans les noms de rue, les suffixes *jie* (« rue ») et *lu* (« route ») sont souvent interchangeables. Quand vous demandez votre chemin ou une adresse, sachez que Tian Tan Jie peut très bien se dire Tian Tan Lu. Les rues peuvent également être appelées *dajie* (« avenue »). Les directions telles que *zhong* (« milieu ») et les quatre points cardinaux – *dong* (« est »), *xi* (« ouest »), *bei* (« nord ») et *nan* (« sud ») – sont souvent ajoutés aux noms de rue. Un autre mot revient souvent, c'est *hutong* (« ruelle »).

A

Andeli Bei Jie **1C1**
Anding Men Dong Dajie **2E2**
Anding Men Xi Dajie **1C2**
se prolonge dans **2D2**
Anding Men Nei Dajie **2D2**
Anding Men Wai Dajie **2D1**

B

Baizhifang Dong Jie **3A4**
Baochan Hutong **1A3**
Bei Chang Jie **1C5**
Bei Chizi Dajie **2D5**
Bei Gangzi Jie **4E3**
Bei Heyan Dajie **2D4**
Beijing Zhan Dong Jie **4F1**
Beijing Zhan Jie **4F1**
Beijing Zhan Xi Jie **4E1**
se prolonge dans **4E2**
Bei Wei Lu **3C3**
Bei Xinhua Jie **3B1**
Bei Yangshikou Jie **4E2**
Bingjiaoxie Jie **3C2**
se prolonge dans **3C3**

C

Caishikou Dajie **3A3**
se prolonge dans **5A3**
Chaoyang Men Bei Dajie **2F4**
Chaoyang Men Bei Xiao Jie **2F4**
Chaoyang Men Nan Dajie **2F5**
Chaoyang Men Nan Xiao Jie **2F5**
Chaoyang Men Nei Dajie **2E4**
se prolonge dans **2F4**
Chongwen Men Dong Dajie **4E2**
se prolonge dans **4F2**
Chongwen Men Xi Dajie **4E2**
Chongwen Men Xi Heyan **4D2**
Chongwen Men Nei Dajie **4E1**
Chongwen Men Wai Dajie **4E2**
se prolonge dans **4E3**

D

Dajiao Hutong **1A3**
Daxi Hutong **4D2**
Dazhalan Jie **3C2**
Desheng Men Dong Dajie **1B2**
Desheng Men Xi Dajie **1A2**
Desheng Men Nei Dajie **1B2**
Di'an Men Dong Dajie **2D3**
Di'an Men Xi Dajie **1B3**
se prolonge dans **1C3**
Dong Chang'an Jie **4D1**
se prolonge dans **4E1**
Dong Huashi Dajie **4F2**
Dong Rongxian Hutong **3B1**
Dong Si Shi Tiao **2E3**
se prolonge dans **2F3**
Dong Si Shi San Tiao **2E3**
Dong Si Shi Si Tiao **2E3**
Dong Si Bei Dajie **2E4**
Dong Si Nan Dajie **2E5**
Dong Si Xi Dajie **2E4**
Dong Xinglong Jie **4D2**
se prolonge dans **4E2**
Dong Zhi Men Bei Dajie **2F2**
Dong Zhi Men Bei Xiao Jie **2F2**
Dong Zhi Men Nan Dajie **2F3**
Dong Zhi Men Nan Xiao Jie **2F3**
Dong Zhi Men Nei Dajie **2E3**
se prolonge dans **2F3**
Dong Zongbu Hutong **4F1**
Dongdan Bei Dajie **4E1**
Douban Hutong **2F4**

F

Fahua Si Jie **4E3**
Fayuan Si Qian Jie **3A3**
Fenfangliuli Jie **3B3**
Fucheng Men Nei Dajie **1A4**
Fu Xue Hutong **2D3**
se prolonge dans **2E3**
Fuxing Men Nei Dajie **3A1**
Fuyou Jie **3B1**

G

Guang'an Men Nei Dajie **3A3**
Guangming Lu **4F3**
Guangqu Men Nei Dajie **4E2**
se prolonge dans **4F2**
Gulou Dong Dajie **1C3**
se prolonge dans **2D3**
Gulouwai Dajie **1C1**
Guowang Hutong **1C2**
Guoxing Hutong **1C2**
Guozi Jian **2E2**

H

Haiyuncang Hutong **2F3**
Heiyaochang Jie **3B3**
se prolonge dans **3B4**
Hepingli Dong Jie **2F1**
Hepingli Xi Jie **2E1**
se prolonge dans **2E2**
Hepingli Zhong Jie **2E1**
Hongxian Hutong **3B3**
Hufang Lu **3B3**

J

Jianguo Men Bei Dajie **4F1**
Jianguo Men Nei Dajie **4E1**
se prolonge dans **4F1**
Jiaochangkou Hutong **3A2**
Jiaodaokou Dong Dajie **2D3**
se prolonge dans **2E3**
Jiaodaokou Nan Dajie **2D3**
Jin Bao Jie **2E5**
se prolonge dans **2F5**
Jing Shan Qian Jie **1C4**
se prolonge dans **2D4**
Jingtu Hutong **2D2**
Jinyuchi Zhong Jie **4D3**

L

Laoqianggen Jie **3A2**
Liuyin Jie **1B3**
Longtan Lu **4F4**
Luomashi Dajie **3B3**

M

Maweimao Hutong **4E3**
Meishuguan Houjie **2D4**

N

Nacaochang Jie **1A3**
Nanchang Jie **3C1**
Nan Chizi Dajie **4D1**
Nan Gangzi Jie **4F3**
Nanheng Dong Jie **3A3**
se prolonge dans **3B3**
Nanheng Xi Jie **3A3**
Nan Heyan Dajie **4D1**
Nan Qiaowan Jie **4D3**
Nan Xiaoshikou Jie **4F2**
Nan Xinhua Jie **3B2**

P

Puhuangyu Lu **4E5**

Q

Qianmachang Hutong **1C2**
Qian Men Dajie **3C2**
Qian Men Dong Dajie **4D2**
Qian Men Xi Dajie **3C2**
Qian Men Xiheyan Jie **3C2**
Qingyun Hutong **4D2**

R

Rufuli **3A4**

S

Shangxie Jie **3A2**
Shengou Hutong **4D2**

T

Taijichang Dajie **4D1**
Taiping Jie **3B4**
Taiping Qiao Dajie **1A5**
se prolonge dans **1A4**
Taoranting Lu **3B4**
Tianqiao Nan Dajie **3C3**
se prolonge dans **3C4**
Tian Tan Dong Lu **4E4**
Tian Tan Lu **4D3**
Tieshuxie Jie **3B2**
se prolonge dans **3B3**
Tiyuguan Lu **4E3**
Tonglingge Lu **3A1**

W

Wangfujing Dajie **2D5**
Wenhuiyuan Lu **1A1**
Wenjin Jie **1B4**
Wulutong Jie **1B1**
Wusi Dajie **2D4**

X

Xi'an Men Dajie **1A4**
se prolonge dans **1B4**
Xianyukou Jie **3C2**
Xiaxie Jie **3A2**
Xibahe Nan Lu **2F1**
Xicaochang Jie **3A2**
se prolonge dans **3B2**
Xi Chang'an Jie **3B1**
se prolonge dans **3C1**
Xidan Bei Dajie **1A5**
Xi Damochang Jie **3C2**
se prolonge dans **4D2**
Xi Huashi Dajie **4E2**
Xijiaomin Xiang **3B1**
se prolonge dans **3C1**
Ximi Hutong **4D2**
Xinde Jie **1B1**
Xingfu Dajie **4F3**
Xinjiekou Bei Dajie **1A2**
Xinjiekou Nan Dajie **1A3**
Xinjiekouwai Dajie **1A1**
Xinkang Jie **1A1**
se prolonge dans **1B1**
Xinwenhua Jie **3A1**
Xi Rongxian Hutong **3A1**
se prolonge dans **3B1**
Xishiku Dajie **1B4**
Xisi Bei Dajie **1A4**
Xizhi Men Nei Dajie **1A3**
Xizongbu Hutong **4E1**
Xuanwu Men Dong Dajie **3B2**
Xuanwu Men Dong Heyan Jie **3B2**
se prolonge dans **3A2**
Xuanwu Men Xi Dajie **3A2**
Xuanwu Men Nai Dajie **3A1**
Xueyuan Nan Lu **1A1**

Y

Yong'an Lu **3C3**
Yongding Men Dong Binhe Lu **4D5**
Yongding Men Dong Jie **4D4**
Yongding Men Xi Binhe Lu **3C5**
se prolonge dans **3B5**
Yongding Men Xi Jie **3C4**
se prolonge dans **3B4**
Yongding Men Nei Dajie **3C4**
Yongding Men Wai Dajie **3C5**
Yonghe Gong Dajie **2E3**
se prolonge dans **2E2**
You'an Men Dong Binhe Lu **3A5**
se prolonge dans **3B5**

Z

Zhangzi Zhong Lu **2D3**
se prolonge dans **2E3**
Zhaodengyu Lu **1A3**
Zhengyi Lu **4D1**
Zhushikou Dong Dajie **4D2**
se prolonge dans **4E2**
Zhushikou Xi Dajie **3B3**
se prolonge dans **3C3**
Zhuying Hutong **4E2**
Zuo'an Men Dong Jie **3A5**
se prolonge dans **3B5**
Zuo'an Men Nei Dajie **4F4**
Zuo'an Men Xi Binhe Lu **4E5**
se prolonge dans **4F5**

1
A
B
C
XUEYUAN NAN LU
XINKANG JIE
XINDE JIE
WULUTONG JIE
Rending Hu
ANDELI BEI JIE
RENDING HU GONG YUAN
ANDELI ZHONG JIE
ANDELI NAN JIE
ANDELI DONG JIE
GULOUWAI DAJIE
JIUGULOUWAI DAJIE
DESHENGLI XIJIE
DEWAI XI HOU JIE
DESHENG MEN WAI DAJIE
TYUAN HUTONG
HONGCI XIANG
JIAOCHANGKOU JIE
LIBAISI JIE
LINJIA HUTONG
DAJING HUTONG
WENHUIYUAN LU
XINJIEKOU WAI DAJIE
ANDE LU
BINGJIAOKOU HUTONG
DESHENG MEN XI BINHE LU
Tour de la flèche
Jishuitan
DESHENG MEN DONG DAJIE
Gulou Dajie
ANDING M
DESHENG MEN XI DAJIE
Temple Huifeng
XIHAI BEI YAN
Xihai
XIHAI DONG YAN
DESHENG MEN NEI DAJIE
Maison de Song Qingling
XITAO HUTONG
BABUKOU HUTONG
ZHONGTAO HUT
DASHIQIAO HUTONG
XIJIAOCHANGXIAO 7 TIAO
XINJIEKOU 7 TIAO
XIJIAOCHANG HUTONG
BANQIAOTOU TIAO
XIHAI NAN YAN
XIAOSHIQIAO HUTONG
GUOWANG HUTONG
ZHAOFU JIE
XINJIEKOU 4 TIAO
HEITA HUTONG
BEI CAOCHANG HUTONG
DONGXINKAI HUTONG
SHUICHE HUTONG
GULOU XI DAJIE
Houhai
HOUHAI BEI YAN
QIANMACHANG HUTONG
DOUFUCHI HUTO
XIZHANG HUTONG
XINJIEKOU DONG JIE
YANGFANG HUTONG
Tour de la Cloche
Temple Guanghua
Tour du Tambour
XIZHI MEN NEI DAJIE
DAHOUCANG HUTONG
ZHENGJUE HUTONG
LUO'ER HUTONG
BOQICANG HUTONG
DASHIHU HUTONG
HANGKONG HUTONG
SANBULAO HUTONG
HONGSHAN HUTONG
HOUHAI NAN YAN
LIU XIANG
QIANGONGYONG HUTONG
MIANHUA HUTONG
SONGSHU JIE
LIUYIN JIE
DAXINKAI HUTONG
Maison du Prince Gong
BEIWEI HUTONG
LIUHAI HUTONG
QIANHAI DONG YAN
FANGZHUA HUTONG
DONGGUANYING HUTONG
ZHAODENGYU LU
NACAOCHANG JIE
XINJIEKOU NAN DAJIE
3
Musée de Mei Lanfang
YANNIAN HUTONG
QIANHAI BEI YAN
Qianhai
DI'AN MEN WAI DAJIE
DACHENG XIANG
LONGTOUJING JIE
DAJIAO HUTONG
BAOCHAN HUTONG
HUGUOSI JIE
DINGFU JIE
QIANHAI NAN YAN
XINGHUA HUTONG
JINGYONGLI
JINGUO HUTONG
YUYOU HUTONG
YUDE HUTONG
PING'AN DAJIE
DI'AN MEN XI DAJIE
QIANCHE HUTONG
FUGUO JIE
XI SI BEI BA TIAO
TAIPINGCANG HUTONG
PARC BEIHAI
XI SI BEI QI TIAO
XI SI BEI LIU TIAO
ZHONGMAOJIAWAN
AIMIN 4 XIANG
AIMIN JIE
DI'AN MEN NAI DAJIE
CUIHUA JIE
XI SI BEI WU TIAO
BEIHAIBEIJIA DAO
HUANGHUAMEN JIE
DONGLANGXIA HUTONG
CUIHUAHENG JIE
DACHAYE HUTONG
XI SI BEI SI TIAO
BEI JIE
Beihai
XI SI BEI SAN TIAO
AIMIN 7 XIANG
TAIPING QIAO DAJIE
DAHONGLUOCHANG JIE
JING SHAN HOU JIE
ANPING XIANG
XISI BEI ER TIAO
XISI BEI DAJIE
4
XISI BEI TOU TIAO
DAGUAIBANG HUTONG
XIHUANGCHENGGEN BEI JIE
XISHIKU DAJIE
JING SHAN XI JIE
Palais des enfants
Temple du Dagoba blanc
Temple Guangji
Église Xishiku
Île de Jade
PARC JING SHA (COLLINE DU CHARBON)
FUCHENG MEN NEI DAJIE
DASHIZOU HUTONG
YANGROU HUTONG
ZHUANTA HUTONG
Tuancheng (ville ronde)
XI'AN MEN DAJIE
WENJIN JIE
JING SHAN QI
JINGSHENG HUTONG
BANSANG HUTONG
NENGREN HUTONG
SANDAOZHALAN HUTONG
DAYUAN HUTONG
XIXIN HUTONG
GUANGMING HUTONG
JARDIN IMPÉRIAL
XIHUANGCHENGGEN NAN JIE
BINGMA SI HUTONG
BEI CHANG JIE
FENGSHENG HUTONG
TAIPING QIAO DAJIE
HOUNIWA HUTONG
FENZI HUTONG
HUZHU XIANG
FUYOU JIE
Cité interdite
5
BANBI HUTONG
SHIFANGXIAO JIE
DONG XIEJIE
YUQIAN HUTONG
HONGMIAO HUTONG
Zhonghai
XIDAN BEI DAJIE
PICAI HUTONG
LINGJING HUTONG
XI CHENG
BEIYIN HUTONG
DAMUCANG HUTONG
TAIPUSI JIE

2
D
E
F
1
2
3
4
5
LIUYIN GONG YUAN
QINGNIAN HU GONG YUAN
Qingnian Hu
ANDING MEN WAI DAJIE
HEPINGLI ZHONG JIE
HEPINGLI XI JIE
HEPINGLI BEI JIE
HEPINGLI DONG JIE
JIAOLINJIADAO
DONGTUCHENG LU
XIBAHE NAN LU
Bahe
Temple de la Terre
PARC DITAN
HEPINGLI NAN JIE
HUTONG
MINWANG BEI
MINWANG NAN HUTONG
Andingmenxibin
ANDING MEN
DONG DAJIE
DONG ZHI MEN
Anding Men
Yonghe Gong
Temple des Lamas
Temple de Confucius
WUDAOYING HUTONG
QINGLONG HUTONG
BEIGUANTING HUTONG
DONG ZHI MEN BEI DAJIE
ANDING MEN NEI DAJIE
GUOZI JIAN
JINGGUAN HUTONG
PAOJU HUTONG
HOUYONGKANG HUTONG
ZHENXIAN HUTONG
DONGZHI MEN BEI XIAO JIE
CHENIANDIAN HUTONG
XIEJIA HUTONG
FENSITING HUTONG
FANGJIA HUTONG
NANGUAN GONG YUAN
MIN'AN HUTONG
Dong Zhi Men
Dong Zhi Men Gare routière
BEIXINQIAO SAN TIAO
CAOYUAN HUTONG
XIYANGGUAN HUTONG
DONG ZHI MEN BEIZHONGJIE
JIAODAOKOU BEITOU TIAO
BEIXIQIAOTOU TIAO
DONG SHOUPA HUTONG
Beixinqiao
JIAODAOKOU DONG DAJIE
DONG ZHI MEN NEI DAJIE
YONGHE GONG DAJIE
TU'ER HUTONG
SHIQUE HUTONG
DAJU HUTONG
XIANG'ER HUTONG
JU'ER HUTONG
BEIXINCANG HUTONG
BEIGONGJIANGYING HUTONG
DONG ZHI MEN NAN DAJIE
XINTAICANG
XIAOJU HUTONG
DONGZHIMEN NAN XIAO JIE
JIAODAOKOU NAN DAJIE
TAIXING HUTONG
SHAJING HUTONG
XIGUAN HUTONG
DONG SI SHI SI TIAO
BEIBINGMASI HUTONG
DONG SI SHI SAN TIAO
HAIYUNCANG HUTONG
DONGMIANHUA HUTONG
FU XUE HUTONG
BANCHANG HUTONG
DONG SI SHI ER TIAO
BIANDAN HUTONG
CHAODOU HUTONG
Dong Si Shi Tiao
Zhangzi Zhong Lu
DONG SI SHI YI TIAO
DI'AN MEN DONG DAJIE
ZHANGZI ZHONG LU
DONG SI SHI TIAO
BEIHE HUTONG
XIEZUO HUTONG
DONG SI JIN TIAO
SHANLAO HUTONG
WANGZHIMA HUTONG
DONG SI BA TIAO
WEIJIA HUTONG
DONG SI QI TIAO
NANJIANZI HUTONG
DONG CHENG
DONGMENCANG HUTONG
BEI DOUYA HUTONG
CHAOYANG MEN BEI DAJIE
MEISHUGUAN HOUJIE
SHIJINHUAYUAN HUTONG
DONG SI LIU TIAO
LIUSHUI XIANG
BEI HEYAN DAJIE
HUANGCHENGEN BEI JIE
SONGZHUYUAN BEIXIANG
YUQUN HUTONG
NANMENCANG HUTONG
DOUBAN HUTONG
NAN DOUYA HUTONG
QIANLIANG HUTONG
DONG SI WU TIAO
DONG SI SI TIAO
NANGONGJIANGYING HUTONG
CANGNAN HUTONG
DONG SI BEI DAJIE
CHAOYANG MEN BEI XIAO JIE
IAN MEN
Musée national de Chine
DONG SI SAN TIAO
Temple Fuwangfu
Chaoyang Men
Dong Si
WUSI DAJIE
DONG SI XI DAJIE
CHAOYANG MEN NEI DAJIE
CUIHUA HUTONG
DUOFU XIANG
BEI ZHUGAN HUTONG
YINCHA HUTONG
DONGCHANG HUTONG
QIANCHAOMIAN HUTONG
QIANGUAIBANG HUTONG
ZHUGAN HUTONG
BAOFANG HUTONG
LISHI HUTONG
NAN ZHUGAN HUTONG
Capital Theater
DENGCAO HUTONG
XINXIAN HUTONG
CHAOYANG MEN NAN DAJIE
CHAOYANG MEN NAN XIAO JIE
BEI CHIZI DAJIE
HUANGCHENGEN
FUQIANG HUTONG
YANLE HUTONG
Église Saint-Joseph
FANGJIAYUAN HUTONG
SANFENG HUTONG
Dengshikou
BENSI HUTONG
ZHIDE BEI XIANG
QIHELOU NAN XIANG
DENGSHIKOU XIJIE
DENGSHIKOU DAJIE
NEIWUBU JIE
DAFANJIA HUTONG
SHIJIA HUTONG
LUMICANG HUTONG
BAISHU HUTONG
Temple Zhihua
XIAOPAIFANG HUTONG
WANGFUJING DAJIE
SHAOJIU HUTONG
XITANGZI HUTONG
GANMIAN HUTONG
LUMICHANGHOU HUTONG
XILA HUTONG
GANYU HUTONG
XIAOYABAO HUTONG
HUAMEN DAJIE
DONG'AN MEN DAJIE
JINYU HUTONG
JIN BAO JIE
CHENGUANGJIE
Place Sun Dong'an
HONGXING HUTONG
BEIZONGBU HUTONG
Temple Mahakala
MEIZHA HUTONG
DONGTANGZI HUTONG
ZHAOTANGZI HUTONG
BEIPAIFANG HUTONG
DONG SI NAN DAJIE
CHAOWAITOU TIAO
BEI HE YAN
4

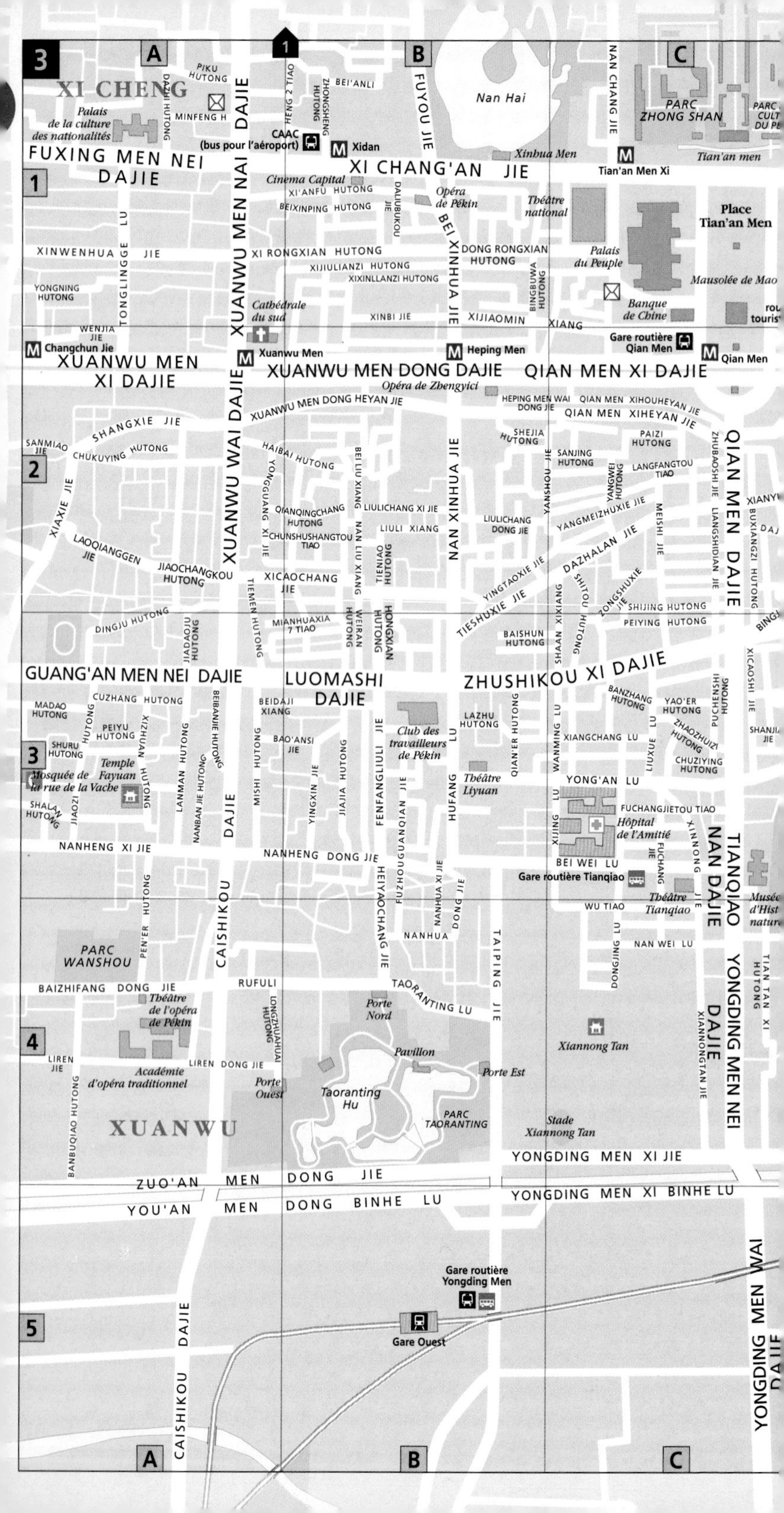
3
XI CHENG
Palais de la culture des nationalités
FUXING MEN NEI DAJIE
XUANWU MEN NAI DAJIE
CAAC (bus pour l'aéroport)
Xidan
Nan Hai
FUYOU JIE
Xinhua Men
XI CHANG'AN JIE
Tian'an Men Xi
PARC ZHONG SHAN
Tian'an men
Cinema Capital
Opéra de Pékin
Théâtre national
Place Tian'an Men
Palais du Peuple
Mausolée de Mao
Banque de Chine
BEI XINHUA JIE
XINWENHUA JIE
TONGLINGGE LU
Cathédrale du sud
Changchun Jie
Xuanwu Men
Heping Men
Gare routière Qian Men
Qian Men
XUANWU MEN XI DAJIE
XUANWU MEN DONG DAJIE
QIAN MEN XI DAJIE
Opéra de Zhengyici
XUANWU WAI DAJIE
NAN XINHUA JIE
QIAN MEN DAJIE
GUANG'AN MEN NEI DAJIE
LUOMASHI DAJIE
ZHUSHIKOU XI DAJIE
Temple Fayuan
Mosquée de la rue de la Vache
Club des travailleurs de Pékin
Théâtre Liyuan
Hôpital de l'Amitié
Gare routière Tianqiao
Théâtre Tianqiao
TIANQIAO NAN DAJIE
PARC WANSHOU
CAISHIKOU DAJIE
Théâtre de l'opéra de Pékin
Académie d'opéra traditionnel
Porte Nord
Pavillon
Porte Est
Porte Ouest
Taoranting Hu
PARC TAORANTING
Xiannong Tan
Stade Xiannong Tan
XUANWU
YONGDING MEN NEI DAJIE
YONGDING MEN XI JIE
ZUO'AN MEN DONG JIE
YOU'AN MEN DONG BINHE LU
YONGDING MEN XI BINHE LU
Gare routière Yongding Men
Gare Ouest
YONGDING MEN WAI DAJIE

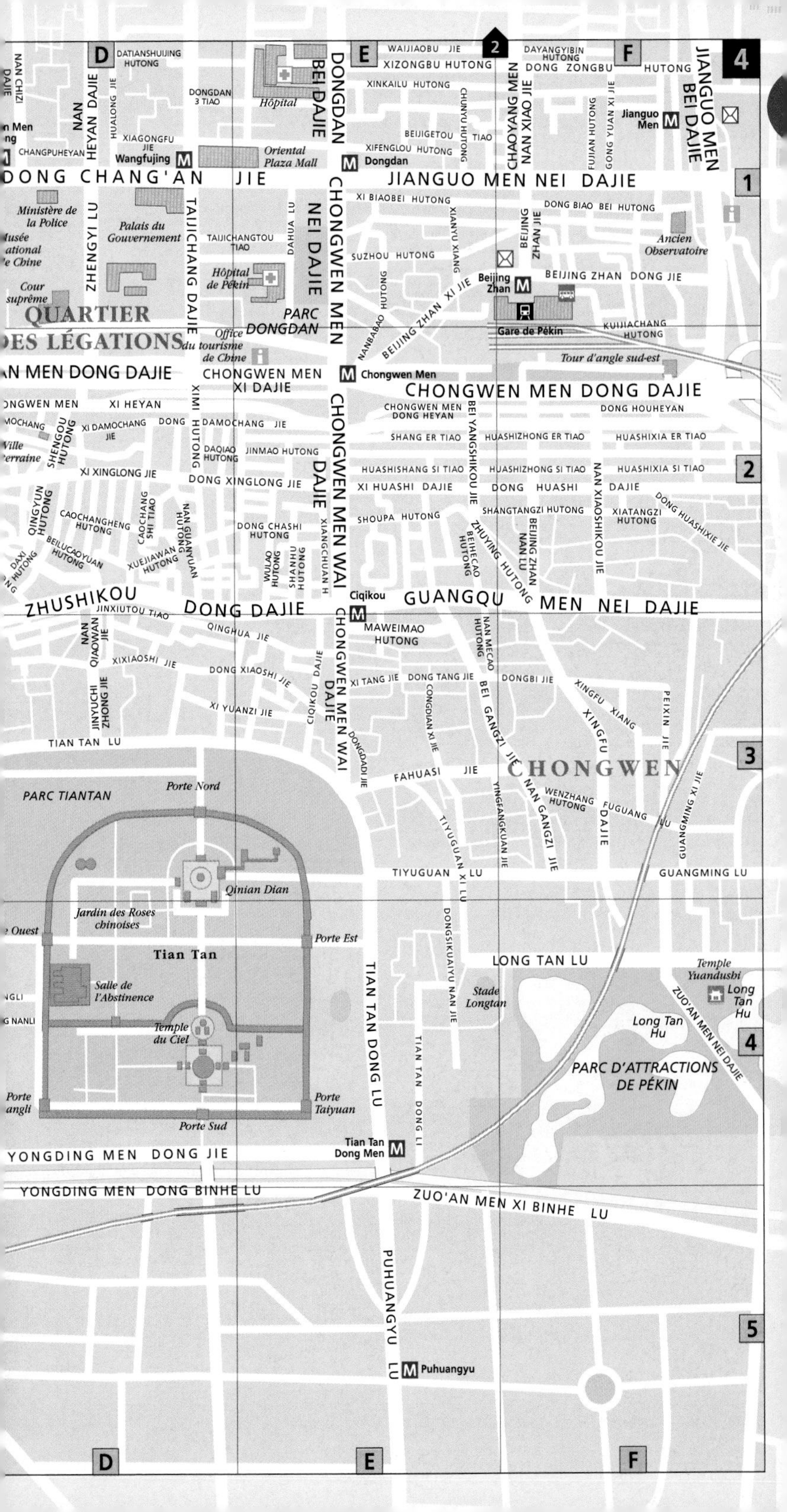

4
D
E
F
1
2
3
4
5
DONG CHANG'AN JIE
JIANGUO MEN NEI DAJIE
JIANGUO MEN BEI DAJIE
DONGDAN BEI DAJIE
CHONGWEN MEN NEI DAJIE
CHONGWEN MEN WAI DAJIE
CHONGWEN MEN DONG DAJIE
CHONGWEN MEN XI DAJIE
CHAOYANG MEN NAN XIAO JIE
Wangfujing
Dongdan
Jianguo Men
Beijing Zhan
Chongwen Men
Ciqikou
Tian Tan Dong Men
Puhuangyu
Hôpital
Oriental Plaza Mall
Ministère de la Police
Palais du Gouvernement
Hôpital de Pékin
Cour suprême
QUARTIER DES LÉGATIONS
PARC DONGDAN
Office du tourisme de Chine
Ancien Observatoire
Gare de Pékin
Tour d'angle sud-est
ZHUSHIKOU DONG DAJIE
GUANGQU MEN NEI DAJIE
CHONGWEN
TIAN TAN LU
PARC TIANTAN
Porte Nord
Qinian Dian
Jardin des Roses chinoises
Tian Tan
Salle de l'Abstinence
Temple du Ciel
Porte Est
Porte Taiyuan
Porte Sud
TIYUGUAN LU
GUANGMING LU
LONG TAN LU
Stade Longtan
Temple Yuandusbi
Long Tan Hu
PARC D'ATTRACTIONS DE PÉKIN
TIAN TAN DONG LU
YONGDING MEN DONG JIE
YONGDING MEN DONG BINHE LU
ZUO'AN MEN XI BINHE LU
ZUO'AN MEN NEI DAJIE
PUHUANGYU LU

HEBEI, TIANJIN ET SHANXI

Cerné au nord par la Mongolie intérieure et la pointe occidentale de l'ancienne Mandchourie, le Hebei est formé d'un long plateau méridional et d'un nord montagneux émaillé de fragments de la Grande Muraille. Cela n'empêcha pas l'armée mandchoue de franchir la passe de Shanhai Guan en 1644 et d'imposer 250 ans de domination étrangère aux Chinois. Les frontières du Hebei bordent, à l'ouest, celles du Shanxi et englobent les agglomérations de Pékin et de Tianjin – ancienne capitale du Hebei et monument de l'architecture de l'époque des concessions étrangères. Protégé au nord par la Grande Muraille, le Shanxi (« à l'ouest des montagnes ») servit jadis de zone tampon contre les tribus mongoles et turques hostiles. C'est un plateau montagneux très industrialisé, bordé sur sa frontière occidentale par le fleuve Jaune (Huanghe). En quittant Pékin, vous admirerez le parc impérial et l'architecture des temples de Chengde, ou les célèbres sculptures bouddhiques de Yungang, près de Datong. La région abrite aussi le magnifique monastère suspendu à une falaise abrupte, les collines autour du Wutai Shan, l'une des quatre montagnes sacrées du bouddhisme en Chine, et la belle architecture Ming et Qing de l'ancienne ville fortifiée de Pingyao.

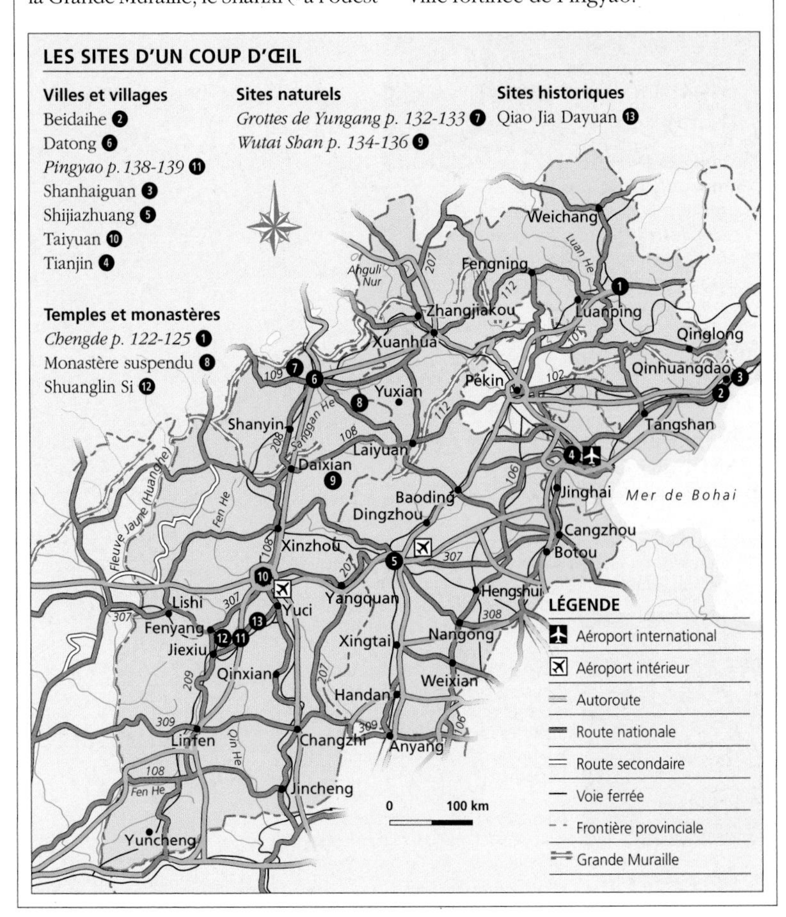

◁ **Détail du Dragon impérial du Jiulong Bi (mur des Neuf Dragons), Datong**

Chengde ❶

承德

Brûle-parfum

En 1703, l'empereur Kangxi choisit la station montagneuse de Chengde (Bishu Shanzhuang) pour fuir la chaleur estivale de la Cité interdite. Niché au creux d'une vallée fluviale encadrée de montagnes, le parc impérial occupait une position défensive stratégique et laissait au robuste Mandchou tout le loisir de se livrer à la chasse et aux arts martiaux dans un paysage qui, au-delà de la Grande Muraille, lui rappelait sa patrie du Nord-Est. L'architecture éclectique des huit temples extérieurs inspirait confiance aux chefs mongols et tribaux en visite, assurant ainsi l'empereur de leur allégeance.

Décors lamaïques destinés à rassurer les alliés mongols

Shuxiang Si

Putuozong Zhi Miao

Porte Nord-Ouest

★ Putuozongcheng Zhi Miao

Construit sur le modèle du palais du Potala de Lhassa, le temple est le plus grand des huit temples extérieurs. Il possède une collection de thangkas (rouleaux religieux tibétains), et deux maquettes de pagodes en bois de santal.

BISHU SHANZHUANG

LÉGENDE

- Ville
- Route

Le mur s'étend sur plus de 10 km de long.

Porte Ouest

VILLE DE CHENGDE

L'EMPEREUR KANGXI

Kangxi (1654-1722) est le deuxième empereur Qing à avoir gouverné depuis Pékin et son règne de 61 ans fut le plus long de toute l'histoire de la Chine. En comparaison des autres empereurs, ce fut un chef sobre, pragmatique et consciencieux. Grâce à lui, l'empire s'agrandit, s'enrichit et connut le plus souvent la paix et la prospérité. Il taxa modérément les fermiers et protégea la paysannerie, constituant ainsi une solide économie rurale. Ce grand chef militaire fut aussi un défenseur des arts et des sciences et invita les savants jésuites à la Cour. Il laissa le trône à son quatrième fils, Yongzheng (vers 1723-1735), puis à son petit-fils, Qianlong (vers 1736-1795), qui lui vouait une telle vénération qu'il démissionna au bout de 60 ans de règne pour ne pas le surpasser.

L'empereur Kangxi dans sa bibliothèque

À NE PAS MANQUER

- ★ Bishu Shanzhuang
- ★ Puning Si
- ★ Putuozongcheng Zhi Miao

Pour les hôtels et les restaurants de la région, voir p. 556-557 et p. 584-585

Xumifushou Zhi Miao
Ce temple fut bâti pour impressionner le panchen-lama en visite à Chengde à l'occasion de l'anniversaire de l'empereur Qianlong en 1780.

MODE D'EMPLOI

Chengde. 250 km au nord-est de Pékin. *5, 7, 11 et 15 depuis la gare de Chengde.* **Bishu Shanzhuang** *de 8h30 à 18h30 t.l.j.* **Temples extérieurs** *t.l.j. (tous les temples ne sont pas ouverts au même moment).*

Puning Si
PUYOU SI
Xumifushou Zhi Miao
Porte Est
Pagode Yongyousi
Anyuan Miao
Puren Si
0 800 m

★ **Puning Si**
La façade d'architecture chinoise Han cache une structure typiquement tibétaine, dont le plus beau fleuron est la majestueuse statue de bois de Guanyin dans la salle principale (p. 124-125).

Pule Si
Le plus impressionnant pavillon de Pule Si, le temple de la Joie universelle, est son pavillon à double toit conique de tuiles jaunes qui rappelle fortement le temple du Ciel à Pékin.

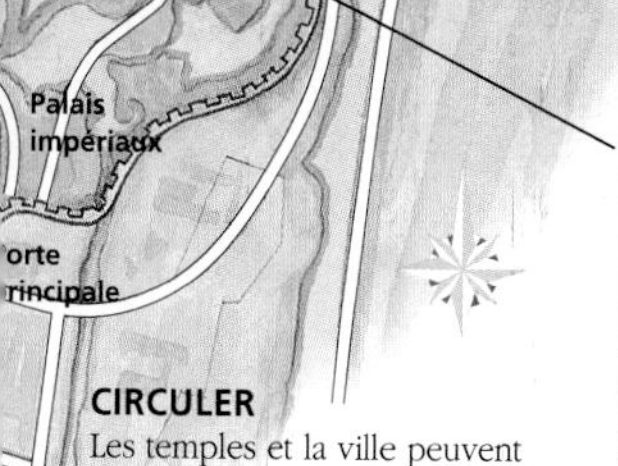

★ **Bishu Shanzhuang**
Le sud de la ville abrite un ensemble de palais sobres mais élégants, de lacs ombragés et de pavillons lacustres à découvrir en barque.

CIRCULER

Les temples et la ville peuvent se visiter en un jour en minibus, mais la journée sera longue. Le mieux est de passer un jour à explorer la ville, puis de prendre un taxi pour découvrir les temples le lendemain.

Puning Si, Chengde

普宁寺

Brûle-parfum

Puning Si (temple Puning ou temple de la Paix universelle), l'un des plus impressionnants temples extérieurs de la résidence impériale d'été de Chengde, fut construit en 1755 par l'empereur Qianlong pour célébrer la défaite des rebelles mongols. Ce vaste ensemble est une synthèse harmonieuse des architectures chinoise et tibétaine. L'un des pavillons adossés à la montagne, le pavillon du Mahayana, abrite l'une des plus grandes statues en bois du monde, une sculpture de 22 mètres de haut de Guanyin, la déesse bouddhique de la Compassion.

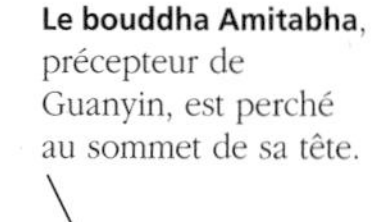

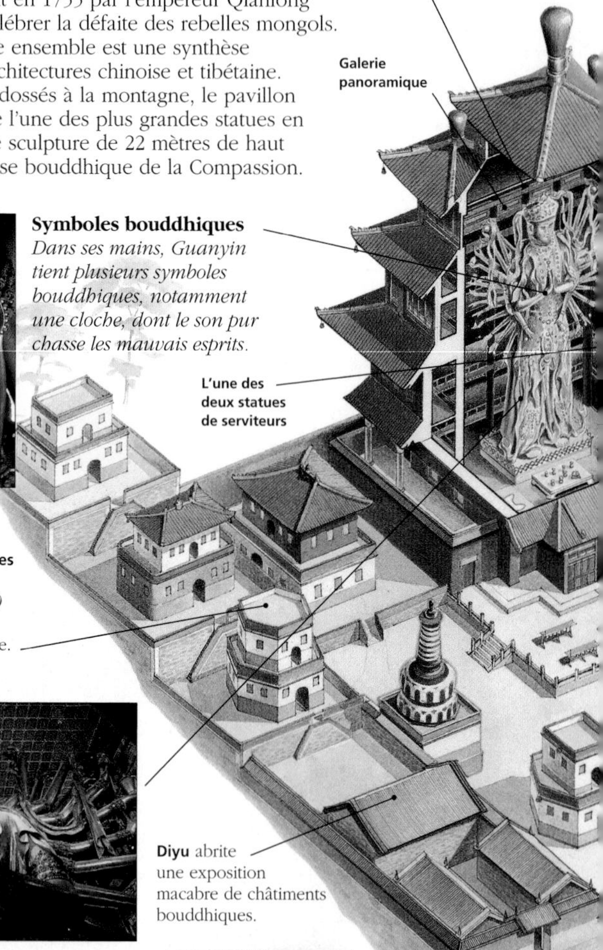

Le bouddha Amitabha, précepteur de Guanyin, est perché au sommet de sa tête.

Galerie panoramique

Symboles bouddhiques

Dans ses mains, Guanyin tient plusieurs symboles bouddhiques, notamment une cloche, dont le son pur chasse les mauvais esprits.

L'une des deux statues de serviteurs

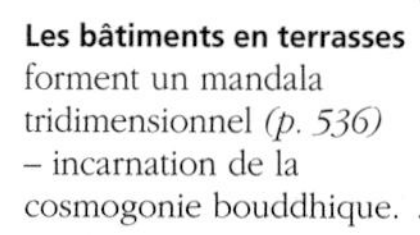

Les bâtiments en terrasses forment un mandala tridimensionnel *(p. 536)* – incarnation de la cosmogonie bouddhique.

★ Guanyin

La statue colossale de Guanyin – Avalokitesvara chez les bouddhistes – se compose de cinq bois différents. Des galeries panoramiques permettent de l'admirer en hauteur.

Diyu abrite une exposition macabre de châtiments bouddhiques.

À NE PAS MANQUER

★ Guanyin

★ Pavillon du Mahayana

Moines

Puning Si est le seul temple en activité de Chengde. Le matin, on peut assister à la prière des moines.

Pour les hôtels et les restaurants de la région, voir p. 556-557 et p. 584-585

MODE D'EMPLOI

8 km au nord-est de Chengde, province du Hebei. 6. *mai-mi-oct. : de 8h à 17h30 t.l.j. ; mi-oct.-avr. : de 8h à 16h30 t.l.j.*

PUNING SI

On découvre ici l'arrière typiquement tibétain du temple. Les nombreuses terrasses sont là pour souligner les différences de hauteur et de proportions, par contraste avec la partie chinoise traditionnelle, qui se compose d'une série de bâtiments symétriques situés sur un même axe.

★ **Pavillon du Mahayana**
Appelée Dashengge en chinois, cette salle de 37 mètres de haut symbolise le palais de Bouddha sur le mont Sumeru, le centre du monde bouddhique.

Beidaihe, l'une des grandes stations balnéaires de Chine du Nord

Beidaihe ❷

北戴河

300 km à l'est de Pékin. ✈ *pour Qinhuangdao, 15 km au nord-est de Beidaihe, puis en bus rapide.* 🚉 🚌

Malgré son immense façade maritime, la Chine possède très peu de belles plages, sauf peut-être sur l'île d'Hainan, dans le Sud. En été, la station balnéaire de Beidaihe, dans le nord du pays, est un havre de fraîcheur loin de la chaleur intolérable de Pékin. Découverte au XIXe siècle par les ingénieurs des chemins de fer britanniques, Beidaihe attira rapidement les étrangers de Tianjin. Ils y construisirent des villas, des maisons de vacances et des terrains de golf qui passèrent ensuite aux mains des cadres du Parti communiste chinois, dont les chefs continuent aujourd'hui encore à y organiser leur congrès annuel en août.

Hélas! ces élégantes villas européennes sont souvent cachées par les immeubles modernes clinquants de front de mer et, en été (d'avril à octobre), les plages de Beidaihe sont noires de monde. Pour passer un bon moment, dégustez des fruits de mer, louez un vélo ou un tandem dans l'un des magasins de Zhonghaitan Lu et longez la côte. À l'ouest de la ville, dans le **parc Lianfengshan**, le pavillon panoramique perché sur la colline de cyprès et de pins offre un beau point de vue sur la côte. Le **temple de Guanyin** a été restauré. Les trois plages de Beidaihe sont émaillées de statues de travailleurs révolutionnaires. La **plage du Centre** est la plus fréquentée, la **plage de l'Ouest** la plus calme. Pour admirer le lever du soleil, rendez-vous non loin de là aux **Rochers du Tigre**. À marée basse, la **plage de l'Est**, à six kilomètres au nord-est de Beidaihe, est couverte d'algues et de coquillages.

Shanhai Guan ❸

山海关

350 km à l'est de Pékin. ✈ *pour Qinhuangdao, 13 km au sud-ouest de Shanhai Guan, puis en bus rapide.* 🚉 🚌

À Shanhai Guan (« passe de la montagne et de la mer »), à quelques kilomètres au nord de Beidaihe, la Grande Muraille rejoint la mer. Cette charmante cité historique est moins huppée que Beidaihe, mais elle est protégée par des remparts de l'époque Ming et sillonnée de *hutongs* (ruelles). Quelques hôtels accueillent les visiteurs.

Shanhai Guan est fière de sa Grande Muraille. À l'est de la ville, la **Première Passe sous le Ciel** est une formidable portion de muraille terminée par un immense bastion. Les Mandchous triomphèrent ici d'une résistance timide et partirent fonder la dynastie Qing à Pékin. Les visiteurs peuvent escalader les remparts ou accéder à la tour, où sont exposés des armes et des costumes Qing. Au sud, le **musée de la Grande Muraille** présente d'intéressantes photographies et maquettes des fortifications, ainsi que des outils ayant servi à sa construction. Les légendes sont en chinois, mais la collection est intéressante.

Trois kilomètres au nord de la ville, le tronçon plus émouvant et plus escarpé de **Jiaoshan** se visite à pied ou en périphérique. À **Laolongtou** (Tête du vieux dragon), à quatre kilomètres au sud de la ville, la Grande Muraille atteint la mer. Cette partie de la muraille a été reconstruite et mérite le détour malgré les nombreux bus touristiques. Les visiteurs peuvent longer la plage à l'ouest, à la découverte d'Haishen Miao (temple du Dieu de la Mer).

Musée de la Grande Muraille
🕒 *de 8h à 17h t.l.j.*

À Laolongtou, la Grande Muraille rejoint la mer

◁ Temple de la Joie universelle de Pule Si, Chengde

Tianjin ❹

天津

80 km au sud-est de Pékin. *10 000 000.* *Gare principale, gare Nord, gare Ouest.* *Gare routière Ouest, gare Nord-Est, arrêt n°1, CAAC (bus de l'aéroport), gare Sud.* *Port de Tanggu.* *22 Youyi Lu, (022) 2835 8309.*

L'ancienne capitale du Hebei est la quatrième ville de Chine et un important port maritime. La ville doit son charme à son architecture coloniale héritée d'un passé de comptoir étranger depuis 1858. Les anciennes puissances – d'abord la Grande-Bretagne et la France, puis le Japon, l'Allemagne, l'Autriche-Hongrie, l'Italie et la Russie – y ont construit des écoles, des banques et des églises.

Dans le nord de la ville, la **rue de l'Ancienne-Culture** est une reconstitution d'une ancienne rue chinoise. Le **temple de Tianhou**, consacré à la déesse de la Mer, est situé sur le côté ouest de la rue. Au sud-ouest, près de la vieille ville chinoise, le **temple de Confucius** fut endommagé pendant la Révolution culturelle, puis restauré en 1993. À moins de deux kilomètres au nord-est se dresse la mince **cathédrale Wanghailou** (Wanghailou Jiao Tang). À l'extérieur, une plaque rappelle l'histoire de l'église, détruite par la pègre en 1870, puis sous la révolte des Boxeurs en 1900, puis à nouveau endommagée en 1976 par le tremblement de terre de Tangshan, et enfin restaurée en 1983. Au nord de la cathédrale, le **monastère de Dabei** de l'époque Qing est accessible par un marché pittoresque de bâtons d'encens et de talismans bouddhiques. Milefo (le bouddha rieur) garde l'entrée, et Guanyin dispose de sa propre salle. À l'ouest, la mosquée de style chinois de **Qingzhen Si** est fermée au public, mais les visiteurs en tenue correcte peuvent demander à entrer. **Jiefang Bei Lu** regroupe une grande partie des bâtiments coloniaux de la ville, dont l'**Hôtel Astor**, qui reçut entre autres le dernier empereur Puyi.

Divinité, marché aux puces

Magnifique céramique murale du temple de Tianhou, Tianjin

L'excellent **marché aux puces** de Shenyang Dao est un fascinant bric-à-brac. On y déniche entre autres des souvenirs de l'ère communiste. Au sud, au bout de Binjiang Dao, la plus grande rue commerçante de Tianjin, se dressent les trois dômes verts de la **cathédrale Xikai** (Xikai Jiao Tang), construite par les Français et ouverte le dimanche.

Monastère de Dabei
40 Tianwei Lu.
t.l.j.

Pour les hôtels et les restaurants de la région, voir p. 556-557 et p. 584-585

Shijiazhuang ❺
石家庄

250 km au sud-ouest de Pékin.
8 600 000.
26 Donggang Lu, (0311) 582 7777.

La capitale du Hebei souffre souvent de la comparaison avec Pékin et Tianjin, l'ancienne capitale de la province. Cette ville industrielle de l'époque du chemin de fer n'offre effectivement que quelques sites, dont le **musée provincial du Hebei**, à l'est de la ville, où sont exposées des reliques historiques intéressantes telles qu'un habit funéraire en jade et une armée de terre cuite miniature. À l'ouest, sur Zhongshan Lu, le **mémorial des Martyrs** est un parc en hommage à deux médecins, héros de la Révolution, le Canadien Norman Bethune et l'Indien Dwarkanath Kotnis, qui servirent le Parti communiste au début du XXe siècle.

Musée provincial du Hebei
de 9h à 16h30 t.l.j.

Aux environs : la plupart des principaux sites de la région sont situés à l'extérieur de Shijiazhuang et sont facilement accessibles en train, en bus ou en minibus. À 15 kilomètres en train ou en bus au nord de la ville, la cité fortifiée de **Zhengding** est réputée pour ses temples et ses pagodes. Le plus célèbre, le **Dafo Si** (temple du Grand Bouddha), ou Longxing Si, est surtout connu pour la gigantesque (21 mètres) statue de bronze de Guanyin (déesse de la Compassion) qui trône dans le Dabei Ge (pavillon de la Grande Miséricorde). Sculptée il y a plus de mille ans sous la dynastie Song, la statue aux innombrables bras est fascinante. Une galerie surélevée permet d'en faire le tour de près.

À l'ouest de Dafo Si, dans le temple Tianning si, **Lingxiao Ta** est une pagode restaurée, en bois et en brique, de 41 mètres d'époque Tang.

À deux pas de Yanzhao Dajie, la rue principale de Zhengding, la pagode **Kaiyuan Si** date de la même époque et Zhong Lou est la seule tour de la Cloche Tang encore debout. Les alentours de Zhengding sont émaillés de temples et de pagodes, dont le Chengling Ta (pagode Chengling) du temple confucéen de Linji Si, et le Hua Ta (pagode Hua) de Guanghui Si, et ses fascinantes sculptures de bouddhas, d'éléphants et de baleines.

Pagode Tang de Kaiyuan Si, Zhengding

À environ 40 kilomètres au sud-est de Shijiazhuang, près de la ville de Zhaoxian, le **pont Zhaozhou** (Zhaozhou Qiao) est une élégante prouesse technique vieille de 1 400 ans. Ce pont de 51 mètres de long fut achevé en 605 au terme de dix ans de travaux du maçon Li Chun, qui dut faire face à plusieurs exigences. L'arche devait être suffisamment plane pour laisser passer les troupes impériales, mais suffisamment haute pour échapper aux crues, et s'appuyait sur un terrain mou. La travée principale (qui forme un arc plutôt qu'un demi-cercle) est formée de 28 blocs de pierre. De part et d'autre, les deux petites travées allègent la structure et laissent passer les eaux de crue.

À une quarantaine de kilomètres au sud-ouest de Shijiazhuang, un étonnant ensemble de monastères et de pagodes se perd dans les cyprès et les falaises de **Cangyan Shan** (montagnes de Cangyan). Le Cangyan Shan Si, ou palais suspendu, perché à plusieurs centaines de marches sur la montagne, date de la dynastie Sui. Le pavillon Qiao Lou occupe une position spectaculaire, flottant dans le vide sur un pont entre deux falaises. Un sentier sillonne les vallées et les collines aux alentours, à la découverte d'un paysage fantastique.

Qiao Lou, Cangyan Shan Si (palais suspendu), Cangyan Shan

Dafo Si
de 8h à 17h t.l.j.

Pont Zhaozhou
t.l.j.

Cangyan Shan
de Shijiazhuang. t.l.j.

Élégant pont Zhaozhou (Zhaozhou Qiao) en pierre

Pour les hôtels et les restaurants de la région, voir p. 556-557 et p. 584-585

Datong ❻
大同

265 km au sud-ouest de Pékin. 2 700 000. CITS Datong, (0352) 510 2265.

Datong possède quelques sites splendides qui valent la peine d'être explorés malgré les mines de charbon et les centrales électriques qui défigurent le paysage.

La ville fut la capitale de deux dynasties étrangères, les Wei du Nord (386-534) et les Liao (907-1125). Les premiers, fervents bouddhistes, sculptèrent et décorèrent les **grottes de Yungang** voisines. Des seconds, il subsiste une relique importante dans le **Huayan Si** (temple Huayan), situé dans une ruelle près de Da Xi Jie, à l'ouest de la vieille ville. Fondé par les Jin, le temple fut restauré par les dynasties suivantes. Élevé sur une terrasse de 4 mètres, le pavillon du Grand Trésor (Daxiong Bao Dian) de Huayan Si est l'un des plus grands pavillons bouddhiques de Chine. Il abrite cinq statues dorées d'époque Ming, entourées de leurs serviteurs. Le plafond est décoré de caractères sanskrits, de fleurs et de dragons. À deux pas à l'est du carrefour de Da Dong Jie, **Jiulong Bi** (mur des Neuf Dragons) est un mur en céramique de 45 mètres

Statue bouddhique dorée, salle de Mahavira, Huayan Si, Datong

construit au XIIIe siècle pour chasser les esprits devant le palais du fils de Hingwu, le premier empereur Ming. Moins de 2 kilomètres au sud du carrefour de Da Nan Jie, **Shanhua Si** fut construit à l'époque Tang, puis détruit par un incendie et reconstruit au XIIe siècle. Dans la salle principale, cinq bouddhas sont flanqués de 24 généraux divins.

Huayan Si
de 8h à 17h t.l.j.

Shanhua Si
de 8h30 à 17h t.l.j. 17.

Grottes de Yungang ❼

Voir p. 132-133.

Monastère suspendu ❽
悬空寺

65 km au sud-est de Datong. *de Datong à Hunyuan, puis en taxi.* **Tél.** *(0352) 832 7417.* *de 7h à 18h t.l.j.*

Le Hengshan, ou Beiyue (pic du Nord), est l'une des cinq montagnes sacrées taoïstes de Chine. Ces montagnes attirent beaucoup de visiteurs venus escalader son plus haut sommet, perché à 2 000 mètres – une tradition inaugurée par Shi Huangdi des Qin, le premier empereur, et perpétuée par ses successeurs. On vient surtout y admirer le spectaculaire Xuankong Si, un monastère porté par de minces piliers en bois, dangereusement suspendu aux parois du canyon. Les Wei du Nord furent les premiers à construire ici, mais les crues de la rivière Heng emportaient régulièrement leurs édifices. L'actuel temple date de la dynastie Qing. Quarante salles taillées dans des grottes naturelles sont fermées par des façades de bois et reliées par des sentiers et des ponts. Elles renferment des statues en pierre, en fer et en bronze de divinités confucéennes, bouddhistes et taoïstes. Dans le Sanjiao Dian (salle des Trois Enseignements), les statues de Confucius, de Bouddha et de Laozi sont assises côte à côte.

Spectaculaire monastère suspendu (Xuankong Si), Hengshan

Les grottes de Yungang ❼

云岗石窟

Arhat jovial, grotte 18

Creusées dans des falaises de grès, les grottes de Yungang sont l'une des plus célèbres œuvres d'art bouddhique de Chine. Cet ensemble de plus de 51 000 statues fut initié par la dynastie des Wei du Nord en 453 pour expier les persécutions contre le bouddhisme. Les influences hellènes, perses, indiennes et d'Asie centrale perceptibles dans les sculptures témoignent des nombreux courants qui traversèrent la Chine. Les travaux cessèrent quand la capitale fut transférée de Datong à Luoyang en 494. Les statues – de la plus colossale à la plus minuscule – sont légendées en anglais.

★ Façade de la grotte 6
La façade en bois du temple a protégé la pagode en pierre magnifiquement sculptée, de 16 mètres de haut, et les sculptures intérieures.

Grotte 16
Sculptures délicates, dont une tête de bouddha.

Grotte 13
Observez le petit personnage soutenant le bras de bouddha.

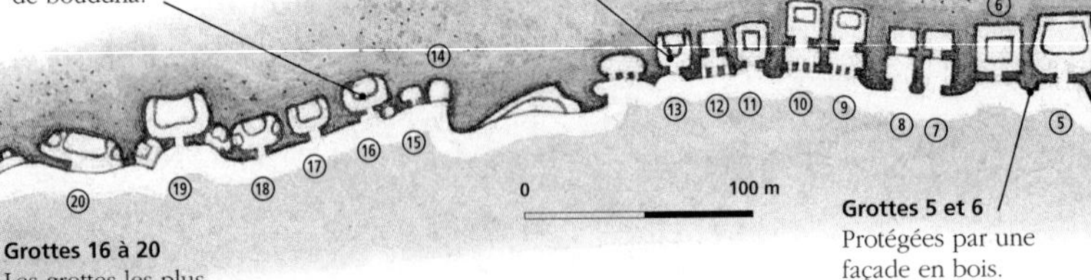

Grottes 5 et 6
Protégées par une façade en bois.

Grottes 16 à 20
Les grottes les plus anciennes – construites entre 453 et 462 par le moine Tan Hao.

Détail de la grotte 10
Cette grotte identique à la n° 9 est elle aussi divisée en deux salles. L'intérieur est richement décoré de bas-reliefs pittoresques et de statues logées dans des niches.

★ Bouddha principal, grotte 20
La simplicité et l'équilibre de cette scène sont la preuve d'un grand talent artistique. Cette grotte était protégée par un paravent en bois.

Musiciens, grotte 12
Cette grotte, ornée de musiciens et de danseurs, témoigne de l'importance accordée à la création et à la pratique de la musique dans la Chine de l'époque.

★ Bouddha assis, grotte 5
Finie l'époque où les bouddhas étaient stylisés. Celui-ci est plus corpulent et plus réaliste. Protégée par sa façade en bois, la grotte est en bon état.

À NE PAS MANQUER

- ★ Grotte 5
- ★ Grotte 6
- ★ Grotte 20

Pour les hôtels et les restaurants de la région, voir p. 556-557 et p. 584-585

Vue de la partie centrale des grottes de Yungang, Datong

MODE D'EMPLOI

16 km à l'ouest de Datong.
Tél. *(0352) 510 2265, CITS Datong.* *n° 4, puis bus n°3 ou minibus, face à la gare de Datong, ou excursion CITS (réservation à la gare).* *de 8h30 à 17h30 t.l.j.*

Intérieur, grotte 3
Les bouddhas ont ici des visages ronds et potelés avec des lèvres charnues, signe qu'ils sont plus récents, peut-être d'époque Sui (581-618).

Pagode, grotte 2
Cette grotte presque carrée abrite une pagode carrée sculptée allant du sol au plafond. Les statues ont légèrement souffert des intempéries.

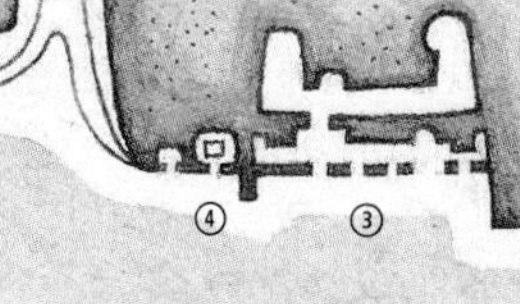

INFLUENCES ARTISTIQUES, GROTTE 18

Ce bouddha colossal rappelle le style de Gandhara *(p. 465)*. Ce bastion bouddhique au carrefour de nombreuses Routes de la soie cherchait à recréer la solennité, la dignité et l'autorité de Bouddha. Les cinq petits *arhat* qui l'entourent et la couronne du bodhisattva sont plus réalistes.

L'épaule dénudée fut remplacée par une robe et une ceinture plus chinoises *(voir grotte 5)*

Le réalisme des visages de ces *arhat* témoigne de l'implication personnelle des artistes

La statue a des doigts palmés, l'un des attributs de Bouddha

Façade de la grotte 18 ornée du bouddha colossal

Wutai Shan ❾

五台山

Brûleur d'encens

Niché au creux d'une vallée encadrée par les cinq pics (ou terrasses) montagneux du Wutai Shan, le charmant village de Taihuai abrite la plus forte concentration de temples, ainsi que la plupart des hôtels et des restaurants du Wutai Shan. À l'époque Qing, la montagne comptait plus de 300 temples, dont beaucoup ont été détruits. Les montagnes et leurs sanctuaires sont vénérés par les lamaïstes du Tibet et de Mongolie. Tsongkhapa, le fondateur de la secte lamaïque des Bonnets jaunes, vécut ici. La fin du printemps et l'été sont les meilleurs moments pour visiter le Wutai Shan, mais aussi les plus demandés.

Luohou Si

Ce temple renferme une fleur de lotus en bois, ornée de huit pétales en bois également qui, en tournant, s'ouvrent et dévoilent des sculptures bouddhiques.

★ Tayuan Si

Ce temple est dominé par son Grand Dagoba blanc (Da Bai Ta) de style tibétain et d'époque Ming, de 50 mètres de haut, coiffé d'une calotte de bronze et de clochettes.

Wan Fo Dong

Shu Xiang Si

Ming Qing Jie

Pu Hua Si

LÉGENDE

- ☐ Agglomération
- ═ Route

À NE PAS MANQUER

- ★ Pusading Si
- ★ Tayuan Si
- ★ Xian Tong Si

Taihuai

À l'ouest de la rivière Qingshui, le village est peuplé de pèlerins, de moines et de lamas. Les visiteurs viennent ici explorer les temples bouddhiques et acheter des talismans.

Pour les hôtels et les restaurants de la région, voir p. 556-557 et p. 584-585

★ Xian Tong Si
Le fleuron de ce temple – le plus grand du Wutai Shan – est le pavillon de Bronze, construit entièrement en bronze et décoré de milliers de petites statues bouddhiques.

MODE D'EMPLOI

240 km au nord de Taiyuan. *depuis Datong ou Taihuai.* de Pékin à Shahe, puis 1 h de bus. CITS (0350) 654 2122. t.l.j. minibus privés, taxis ou via CITS.

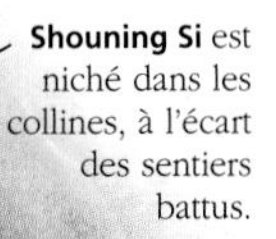

Shouning Si est niché dans les collines, à l'écart des sentiers battus.

★ Pusading Si
Pour accéder à Pusading (« sommet du boddhisattva »), un temple d'époque Ming et Qing, il faut gravir 108 marches – comme les 108 perles du rosaire bouddhique.

Ta Si

Guang Hua Si

Jin Jie Si

Qifo Si
Ce temple est moins visité que d'autres plus célèbres, et donc plus propice à la contemplation des paysages. Il possède également une pagode en pierre blanche.

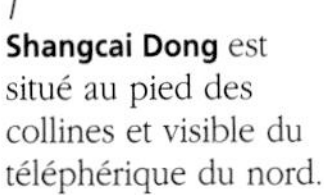

Shangcai Dong est situé au pied des collines et visible du téléphérique du nord.

0 100 m

LE CULTE DE MANJUSRI

Connu sous le nom de Wenshu en Chine, Manjusri est le boddhisattva de la Sagesse et le patron du Wutai Shan. Ce disciple du bouddha Sakyamuni est souvent représenté à dos de lion ou brandissant une épée – pour pourfendre à la fois l'ignorance et la souffrance. Plusieurs temples et pavillons du Wutai Shan lui sont dédiés. L'association de cette divinité et de la montagne remonte au Ier siècle de notre ère, quand un moine indien en visite eut une vision du boddhisattva. Beaucoup d'autres visions ont été relatées depuis.

Manjusri, ou Wenshu, patron du Wutai Shan

À la découverte du Wutai Shan

Le Wutai Shan fut vénéré par les disciples du Tao, à la recherche du secret de l'immortalité, avant d'attirer les fidèles de Bouddha, qui édifièrent de nombreux temples en son nom. Autour de Taihuai, les visiteurs découvriront de nombreux temples dispersés parmi les pics environnants et dans des coins plus reculés de la région. La plupart sont accessibles sans grande difficulté, et les efforts sont récompensés par le bonheur d'admirer quelques-uns des plus vieux monuments chinois.

Pentes très boisées du Wutai Shan

Les temples du Wutai Shan
Les premiers temples du Wutai Shan apparurent sous la dynastie des Han de l'Est. Les cinq temples perchés au sommet des cinq pics sont difficiles d'accès et attirent surtout les pèlerins. Plusieurs autres se visitent soit en randonnée, soit en bus, soit en minibus au départ de Taihuai (notamment via le CITS). Certaines excursions, notamment à Nanshan Si, sont plus longues.

Nanshan Si (monastère de la Montagne du Sud) domine la vallée à environ 3 kilomètres au sud de Taihuai. C'est l'un des plus grands temples du Wutai Shan, surtout connu pour ses 18 *arhat* superbement sculptés. Cinq kilomètres au sud-ouest de Taihuai, **Youguo Si** est situé juste au-dessus de Nanshan Si, dans le même ensemble. Accessible par un escalier de 108 marches via un magnifique portique de marbre, **Longquan Si** (monastère de la Source au Dragon) abrite entre autres le pavillon des Rois célestes (avec sa statue de Milefo, bouddha du Futur, également connu sous la forme rondelette du bouddha rieur), la pagode Puji, joliment dessinée et décorée, et le pavillon Guanyin.

Deux autres temples sont faciles d'accès depuis Taihuai : Bishan Si, temple Ming aux intéressantes sculptures bouddhiques, et **Zhenhai Si**.

À 70 km au sud de Taihuai, sur la route de Taiyuan, **Nanchan Si** abrite l'un des plus anciens pavillons en bois du pays (782 de notre ère). Le pavillon principal a réussi à échapper à la destruction – un miracle quand on connaît les nombreuses purges anti-bouddhistes qu'a connu la Chine. Les importants travaux de restauration ont su conserver une architecture d'origine Tang très rare dans les temples bouddhiques chinois. À 40 km au sud de Taihuai, **Foguang Si** (monastère de la Lumière du Bouddha) possède lui aussi un pavillon Tang du IXe siècle, dans lequel on remarque surtout les magnifiques consoles (ou *dougong*, *p. 35*), les peintures murales d'époque Tang et Song, et une collection d'*arhat* de la dynastie Ming.

Portique très ouvragé de Longquan Si

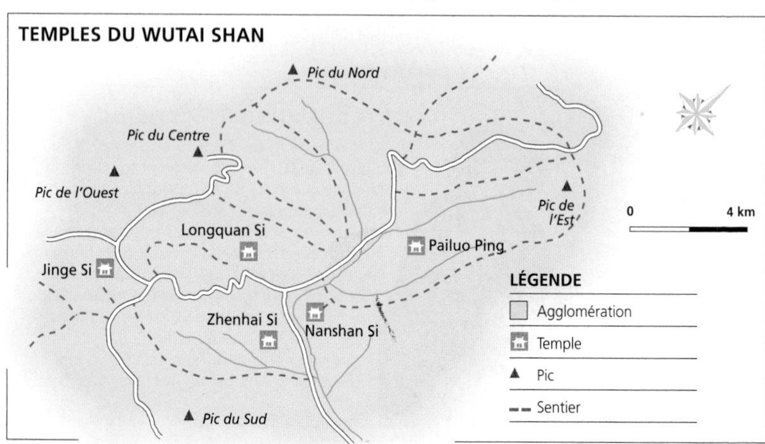

Pour les hôtels et les restaurants de la région, voir p. 557-558 et p. 584-585

Chongshan Si, Taiyuan

Taiyuan ⑩

太原

408 km au sud-ouest de Pékin. 1 900 000. CITS 38 Pingyang Lu, (0351) 821 1109.

Cette ville industrielle des bords de la rivière Fen, au cœur du Shanxi, constitue un excellent point de départ pour visiter Pingyao *(p. 138)* et le Wutai Shan *(p. 134-136)*. Taiyuan fut la capitale de l'empire Zhao entre 471 et 221 av. J.-C. et devint un important centre bouddhique au VIe siècle, sous la dynastie Tang. Sa position stratégique faisant d'elle l'ultime rempart contre les tribus nomades hostiles du Nord, elle se dota de fortifications massives. Toutefois, craignant qu'elle ne nourrisse des ambitions, les Song la réduisirent en cendres. La ville fut reconstruite quelques années plus tard.

Le monastère bouddhique **Chongshan Si** se cache au bas d'une ruelle au nord-est de la place Wuyi (1er Mai). Un premier sanctuaire y fut construit au VIIe siècle. Le temple actuel date du XIVe siècle et fut en partie détruit par les flammes en 1864 avant d'être reconstruit. Le pavillon de la Grande Compassion (Dabei Dian) abrite l'étonnante Qianshou Guanyin (déesse à mille bras de la Compassion), personnage central de la trinité bouddhique. La statue atteint plus de 8 mètres de haut et déploie ses bras derrière elle. Le temple possède également des sutras et des rouleaux de prière des époques Song, Yuan et Ming. À l'est de la ville, le **temple des deux Pagodes** (Shuangta Si, ou Yongzuo Si) fut bâti sur ordre impérial à la fin de la dynastie Ming. Ses pagodes à 13 étages de 50 mètres de haut sont devenues l'emblème de Taiyuan.

Divinité gardienne de Jinci Si

Le **Musée provincial du Shanxi** se divise en deux sections. La partie principale, installée dans l'ancien temple taoïste Chunyang d'époque Ming, au nord-ouest de la place Wuyi, expose des reliques, des bronzes et des statues découverts dans le Shanxi. La seconde partie, située dans l'ancien temple de Confucius d'époque Ming, à l'est de la place Wuyi, abrite des reliques de l'histoire récente du Shanxi, ainsi qu'une collection de sutras.

Chongshan Si
de 8h à 16h30 t.l.j.

Musée provincial du Shanxi
Les deux sections. mar.-dim. de 9h à 17h.

Aux environs : à 25 km au sud-ouest de la ville, au pied du Xuanwang Shan (montagne Xuanwang), le très animé **Jinci Si** date des Wei du Nord, même si son architecture est en grande partie d'époque Song. L'entrée principale mène directement à la terrasse du Miroir d'eau Ming, qui servait à l'origine de scène de théâtre. À l'ouest, le pont qui enjambe le canal conduit à une terrasse supportant quatre féroces statues de métal. Au-delà, le temple de la Sainte-Mère (Shengmu Dian), l'un des plus vieux bâtiments en bois du pays, est orné de sculptures impressionnantes. À l'intérieur, un groupe de statues en terre cuite d'époque Song entourent la statue de la Sainte Mère.

À environ 40 km au sud-ouest de Taiyuan, les **grottes de Tianlong Shan**, dans les montagnes du Tianlong, sont un petit mais magnifique exemple d'art rupestre bouddhique. Les 21 grottes accrochées aux flancs est et ouest de la montagne abritent des statues éreintées et abîmées des dynasties Wei de l'Est à la dynastie Tang. Le spécimen le mieux préservé est le grand bouddha assis de la grotte 9.

Jinci Si
de 8h à 17h t.l.j.

Grottes de Tianlong Shan
t.l.j.

Source du temple de Jinci Si, Taiyuan

Pingyao ⓫

平遥

Lanterne rouge traditionnelle

Pingyao est entourée de l'un des rares remparts Ming encore intacts et fourmille d'architecture chinoise traditionnelle, notamment de maisons à cour carrée, de temples et de plus de 3 000 boutiques historiques. Ce trésor architectural des époques Ming et Qing est l'héritage d'une ère prospère où la ville était un centre financier et qui prit fin le jour où la dynastie Qing ne put honorer ses dettes et abdiqua en laissant les caisses vides. Le transfert des finances du pays à Shanghai et Hong Kong plongea la ville en plein marasme, mais la protégea ainsi de la fièvre immobilière et préserva du même coup son charme.

★ Rishenchang

Ce vaste musée consacré aux débuts de la banque est le site de la première banque fondée en Chine en 1824.

Porte Ouest, gare

XI DAJIE

ZHENGFU JIE

NAN DAJIE

Yamen local

Ce Yamen, qui abritait les bureaux du ministère de la Justice de Pingyao sous les dynasties Ming et Qing, représentait le monde séculier. En face, de l'autre côté de Nan Dajie, les temples taoïstes incarnaient le royaume spirituel.

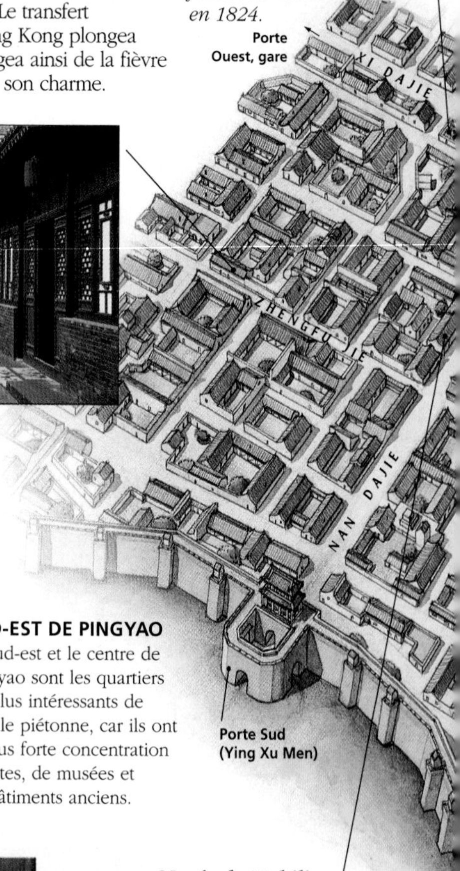

À NE PAS MANQUER

- ★ Remparts
- ★ Rishenchang
- ★ Tour de la Cloche

SUD-EST DE PINGYAO

Le sud-est et le centre de Pingyao sont les quartiers les plus intéressants de la ville piétonne, car ils ont la plus forte concentration de sites, de musées et de bâtiments anciens.

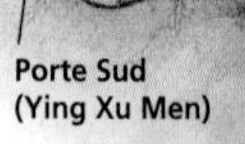

Porte Sud (Ying Xu Men)

★ Remparts

Les fortifications crénelées de 12 mètres de haut de 1370 rappelleraient les contours d'une tortue. La tête est située porte Sud, les quatre pattes portes Est et Ouest, et la queue porte Nord.

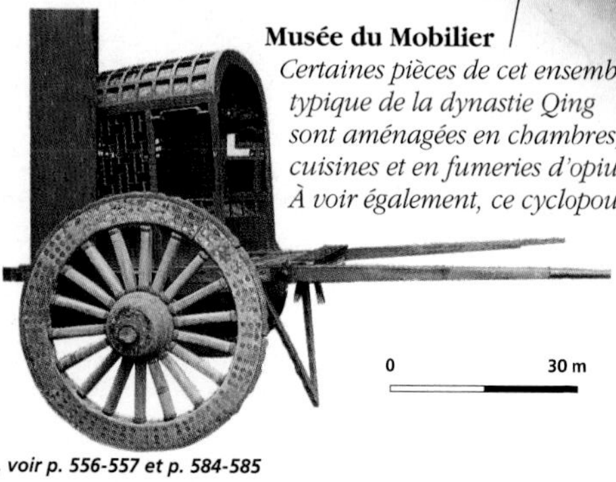

Musée du Mobilier

Certaines pièces de cet ensemble typique de la dynastie Qing sont aménagées en chambres, en cuisines et en fumeries d'opium. À voir également, ce cyclopousse.

0 30 m

Pour les hôtels et les restaurants de la région, voir p. 556-557 et p. 584-585

MODE D'EMPLOI

100 km au sud de Taiyun.
40 000.
Remparts *accès porte Ouest.*
Rishenchang *t.l.j.*
Musée du Mobilier *t.l.j.*
Yamen local *t.l.j.*

★ Tour de la Cloche
Surplombant Nan Dajie, la tour de la Cloche est une charmante structure aux toitures ornementales.

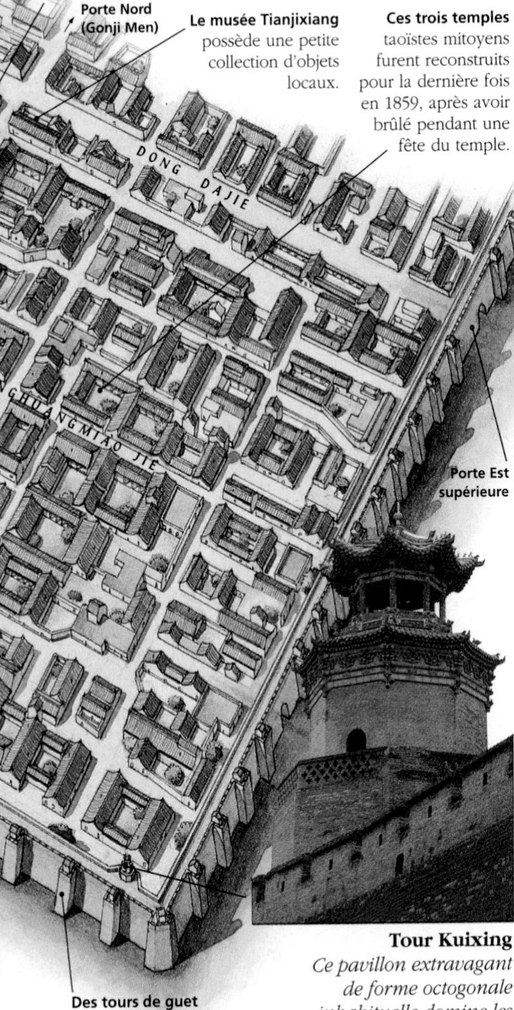

Porte Nord (Gonji Men)

Le musée Tianjixiang possède une petite collection d'objets locaux.

Ces trois temples taoïstes mitoyens furent reconstruits pour la dernière fois en 1859, après avoir brûlé pendant une fête du temple.

Porte Est supérieure

Des tours de guet ponctuent le mur tous les 50 mètres.

Tour Kuixing
Ce pavillon extravagant de forme octogonale inhabituelle domine les remparts. Il porte le nom d'une étoile des 28 constellations de l'astrologie chinoise.

Shuanglin Si ⓬
双林寺

6 km au sud-ouest de Pingyao.
de 8h30 à 18h30 t.l.j. (17h en hiver).

Ce temple vieux de 1 500 ans remonte aux Wei du Nord, qui avaient leur capitale à Datong. Le temple actuel, construit sous les dynasties Ming et Qing, renferme plus de 2 000 statues bouddhiques, certaines d'époque Song, exposées dans dix salles entourant trois cours. L'expression des visages est très réaliste, allant du sublime au sinistre en passant par le comique. Les *luohan* plus vrais que nature de la deuxième salle incarnent chacun un personnage et les bodhisattvas de la troisième salle méritent qu'on s'y arrête.

Cour typique du grand Qiao jia Dayuan

Qiao Jia Dayuan ⓭
乔家大院

20 km au nord de Pingyao.
se faire déposer entre Taiyuan et Pingyao. *depuis Pingyao.*
de 8h à 17h30 t.l.j.

Cette magnifique maison à cour carrée servit de décor au film de Zhang Yimou, *Épouses et concubines*, tourné ici en 1991 avec Gong Li. Ce vaste complexe de 313 pièces du XVIIIe siècle est un splendide exemple d'équilibre architectural. On y passe d'une cour à l'autre dans une atmosphère d'harmonie. La maison, encerclée par un mur d'enceinte de 10 mètres de haut, fut construite par Qiao Guifa, un marchand ayant fait fortune dans le tofu et le thé.

SHANDONG ET HENAN

Irriguées par la dernière boucle du fleuve Jaune (Huanghe), les terres du Shandong et du Henan accueillirent quelques-unes des premières colonies chinoises. Les habitants du Shandong sont fiers de leurs nombreux trésors, qui comprennent les sages Confucius et Mencius, le fleuve Jaune et le Taishan, la plus importante montagne sacrée taoïste du pays, et l'ancienne colonie allemande de Qingdao, avec ses rues bavaroises pavées et son architecture teutonique. Qingdao est peut-être le testament des ambitions étrangères humiliantes du XIXe siècle, mais c'est aussi le savoir-faire allemand qui a donné naissance aux célèbres brasseries Tsingtao. Le fleuve Jaune traverse le Shandong (« Est des Montagnes ») en venant de l'ouest après avoir coupé le Henan (« Sud du Fleuve ») en deux parties inégales. Les sites historiques du Henan sont regroupés sur la rive nord du fleuve, dans une région qui fut le berceau de la civilisation chinoise dès 6000 av. J.-C. Anyang, Kaifeng et Luoyang sont toutes d'anciennes capitales. Les sculptures bouddhiques des impressionnantes grottes de Longmen se nichent près de Luoyang, et Kaifeng, la capitale des Song du Nord, affiche une belle architecture bouddhique et des liens historiques avec le judaïsme. La région abrite également la montagne sacrée taoïste de Songshan, son temple Shaolin et ses moines guerriers.

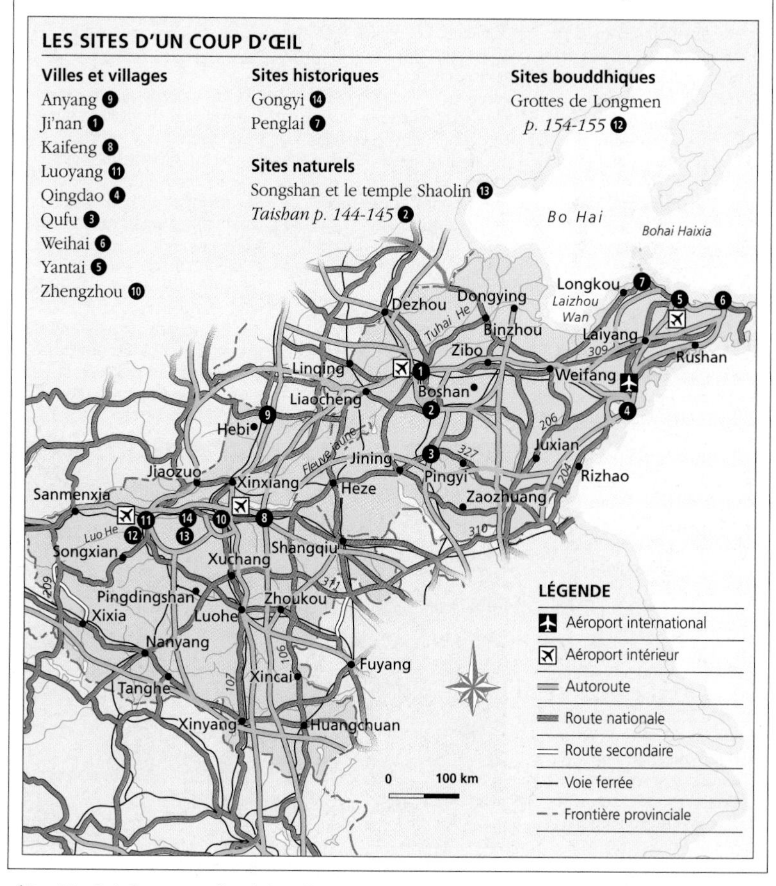

◁ **Bouddha, Roi céleste, et gardien du bouddha à Fengxian Si, grottes de Longmen**

La ville moderne de Jinan et le fleuve Jaune en arrière-plan

Jinan ❶

济南

350 km au sud de Pékin.
5 500 000. 9 Qianfoshan Dong Er Lu, (0531) 296 7401.

La capitale du Shandong est située au sud du fleuve Jaune, là où il prend son dernier élan pour se jeter dans la mer, et accueille essentiellement des visiteurs en route pour les sites très fréquentés que sont Taishan, Qingdao et Qufu. À une époque, Jinan était réputée pour ses nombreuses sources naturelles, dont la plus célèbre, la **source du Tigre noir**, jaillit de robinets en forme de tête de tigre.

Au nord de la ville, le parc entourant **Daming Hu** (Grand Lac brillant) est un agréable lieu de promenade. Au sud-ouest, le **mémorial Li Qingzhao** rend hommage à l'une des plus célèbres poètesses chinoises (XIIe siècle) au travers d'une statue, de portraits et d'extraits de ses œuvres.

Au sud-est de la ville se dresse la **montagne aux Mille Bouddhas** (Qianfo Shan), dont le sommet est couronné de plusieurs temples que l'on atteint en une bonne heure de marche ou en téléphérique. La plus ancienne statue date du VIe siècle, et de nombreuses autres brisées par les gardes rouges ont été récemment remplacées. Non loin de là, au nord, le **musée provincial du Shadong** présente des sculptures bouddhiques, des fragments de poteries du Néolithique (certaines du bourg voisin de Longshan) et des fossiles de dinosaures. On y trouve également le plus vieux livre chinois en bambou.

Aux environs : près du village de Liubu, à 33 kilomètres au sud-est de Jinan, la **pagode Si men** (pagode des Quatre Portes) est réputée pour son ancienneté et son architecture originale. Cet édifice lourd, en pierre, à un étage et quatre portes, coiffé d'un clocher, aurait recueilli la dépouille d'un moine célèbre. La pagode, érigée en l'an 611, est la plus vieille de ce type en Chine. À l'intérieur se dressent une colonne et des statues de Bouddha.

Montagne aux Mille Bouddhas
Environ 3 km au sud du musée (ci-dessous). t.l.j.

Musée provincial du Shandong
14 Jingshiyi Lu. t.l.j. le midi en semaine.

Taishan ❷

Voir p. 144-145

Qufu ❸

曲阜

180 km au sud de Jinan.
160 000. pour Yanzhou, 16 km à l'ouest, puis minibus. CITS 36 Hongdao Lu, (0537) 449 149.

Qufu, ville natale du plus grand sage chinois, est un lieu sacré pour les Chinois, mais aussi pour les légions de Japonais et de Coréens qui y viennent en pèlerinage, en particulier en septembre de chaque année, quand la ville célèbre la naissance de Confucius. Le sage vécut dans un relatif dénuement, mais ses descendants habitèrent le somptueux **palais Confucius** (Kong fu) au cœur de la ville. La famille Kong – baptisée « Première Famille sous le

Couloir couvert menant au temple de Confucius, Qufu

Temple de Mencius à Zoucheng, au sud de Qufu

Ciel » par les Chinois – usa de son immense autorité politique et de sa fortune colossale pour édifier cette demeure palatiale de plus de 16 hectares. Bâtie sur un axe nord-sud traditionnel, la demeure est divisée en quartiers résidentiels et administratifs, avec un temple à l'est et un jardin à l'arrière. La plupart des salles datent de l'époque Ming. Au nord, la porte des Deux Gloires était empruntée par l'empereur lors de ses visites, tandis qu'à l'est, la tour du Refuge accueillait la famille en cas de conflit.

Juste à côté, le **temple de Confucius** (Kong miao) est une enfilade de portiques, de cours, de salles, de pavillons, de temples, de cyprès noueux et de sanctuaires dédiés aux ancêtres. Ce temple modestement bâti en 478 av. J.-C., un an après la mort de Confucius, se développa progressivement au fil des siècles avant d'être subitement agrandi aux époques Ming et Qing. À l'entrée, 198 stèles de pierre portent les noms de quelque 50 000 candidats chanceux aux concours impériaux sous les dynasties Yuan, Ming et Qing. Certaines trônent sur le dos de puissants *bixi* – dragons primitifs aux allures de tortue. Une longue succession de portes mène au pavillon Kuiwen, un bâtiment à triple toiture du XIe siècle. La porte de la Grande Perfection conduit au pavillon de l'Abricotier, où Confucius prodiguait ses enseignements à ses disciples. Plantée sur une terrasse en marbre ornée de colonnes et de dragons délicatement sculptés, la splendide salle de la Grande Perfection (Dacheng Dian) marque le cœur du temple. Au-delà, la salle des Souvenirs du Sage abrite des dalles gravées illustrant des épisodes de la vie de Confucius. À l'est, la paroi de Lu est l'endroit où l'un de ses descendants cacha ses livres pour les protéger de l'autodafé lancé par l'empereur Shi des Qin (259-210 av. J.-C.). Les ouvrages furent redécouverts à l'époque Han.

Colonne sculptée, temple de Confucius

Au nord de la ville, la **forêt de Confucius** (Kong Lin) abrite en ses murs une nécropole avec la tombe de Confucius ainsi que d'autres membres du clan Kong, et des sanctuaires au milieu des pins et des cyprès.

Au sud de Qufu, **Zoucheng** est la ville natale de Mencius (372-289 av. J.-C.), deuxième philosophe confucéen après Confucius dans le panthéon chinois. Les 64 salles du paisible temple Mencius s'organisent autour de cinq grandes cours. Comme à Qufu, le philosophe y a un palais et un cimetière.

Demeure de Confucius
de 8h à 17h t.l.j.

Temple de Confucius
t.l.j.

CONFUCIUS

Les enseignements de Confucius (551-479 av. J.-C.) influencèrent profondément la culture de la Chine et d'autres pays, notamment du Japon, de la Corée et du Vietnam. Né dans l'état de Lu à une époque de guerres incessantes, Confucius (dont le nom vient de son nom chinois, Kong Fuzi ou Maître Kong), touché par la souffrance qui l'entourait, développa une philosophie pragmatique reposant sur le principe de vertu *(ren)* dans l'espoir que les dirigeants gouvernent avec équité. Ne trouvant aucune écoute, il transmit ses enseignements à un ensemble de disciples et se lança dans un voyage en quête d'un chef qui appliquerait sa philosophie. Il mourut dans l'indifférence, sans avoir rédigé aucun écrit, mais ses pensées furent rassemblées par ses disciples dans un ouvrage intitulé les *Analectes (Lunyu)*, et mises en application. Reprise par des générations de penseurs, dont Mencius, la philosophie confucéenne finit par occuper une place prépondérante et par inspirer le système de concours du service public, indispensable à toute carrière officielle jusqu'au XXe siècle.

Confucius, le sage philosophe

Taishan ❷

泰山

Porteur chargé de vivres pour le sommet

Le Taishan (mont Paisible), l'un des mythes de la création de la Chine, tient une place prépondérante dans l'imaginaire chinois depuis des millénaires. Toute l'année, des légions de pèlerins et de visiteurs font l'ascension de cette montagne – la plus visitée du pays –, sans entamer toutefois l'atmosphère surnaturelle qui imprègne les lieux. Le mieux est d'y monter en prenant le temps de s'arrêter dans les nombreux sanctuaires et monuments que l'on croise. On peut même passer la nuit dans l'un des hôtels de la montagne et admirer le lever de soleil depuis le sommet enveloppé de nuages, là où sont rassemblés les principaux temples très fréquentés de Taishan.

Bixia Ci, dédié à la princesse des Nuages azurés, attire au sommet les futures mamans.

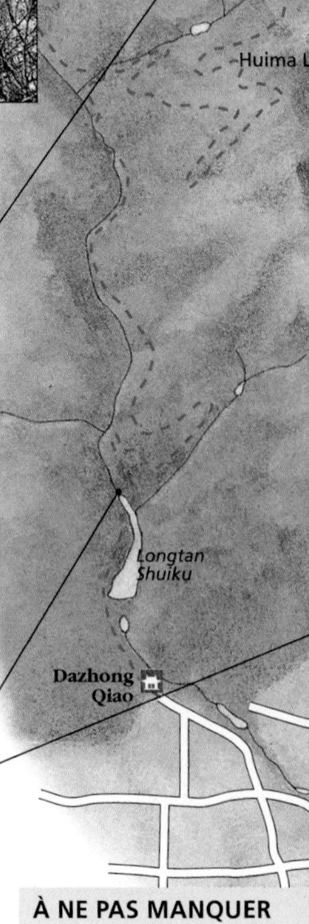

★ Yuhuang Miao
Le temple de l'Empereur de Jade, divinité suprême du taoïsme, marque la fin de l'ascension à 1 545 mètres d'altitude. On y trouve une statue de l'Empereur de Jade et des peintures murales.

★ Shiba Pan
L'abrupte passe des Dix-huit Courbes – l'ultime et la plus pénible partie de l'ascension – se voit depuis Zhongtian men (porte médiane) et conduit les voyageurs fatigués à Nantian men, qui est la dernière porte du Taishan, mais pas le sommet.

Heilong Tan (lac du Dragon Noir)

Puzhao Si
Tous les sanctuaires du Taishan ne sont pas taoïstes. Ce temple au nom typiquement bouddhique (temple de la Lumière universelle) se situe au tout début de la voie Ouest pour le sommet.

À NE PAS MANQUER

- ★ Daimiao
- ★ Shiba Pan
- ★ Yuhuang Miao

Pour les hôtels et les restaurants de la région, voir p. 557-558 et p. 585

LA MONTAGNE DES EMPEREURS

Le Taishan, la plus importante des cinq montagnes taoïstes de Chine, est un lieu de pèlerinage impérial fondamental depuis l'époque de Shi Huangdi des Qin. Les empereurs y venaient pour y avoir la confirmation de leur mandat divin et une ascension avortée pouvait signifier que le Ciel ne leur était pas favorable. Plusieurs sites sont liés aux visites impériales, notamment Huima Ling (« crête où le cheval fait demi-tour »), où le cheval de Zhengzong refusa de faire un pas de plus, obligeant l'empereur à poursuivre en chaise à porteurs. Le Taishan est d'autant plus important que deux autres personnalités l'escaladèrent : Confucius et Mao Zedong.

Shi Huangdi des Qin, premier empereur de Chine

MODE D'EMPLOI

Tai'an, 70 km au sud de Jinan.
à Jinan. *près de la gare, (0538) 827 2114.* *24 h.*
Course de Taishan (sept.).
Dai Miao *Shengping Jie.*
de 7h40 à 17h.

LÉGENDE

- Téléphérique
- Temple
- Route secondaire
- Sentier
- Agglomération

ESCALADER LE TAISHAN

Deux chemins mènent au sommet. La voie centrale – la plus fréquentée – suit le sentier impérial traditionnel et longe les principaux monuments. La voie Ouest, quant à elle, dessert moins de sites historiques et n'est pas particulièrement bien indiquée, mais elle traverse de beaux paysages naturels, notamment le lac Heilong Tan. Il est courant de monter par la voie centrale et de descendre par la voie Ouest.

Vallon de la Pierre au sutra
Au nord du Doumu Gong, le Sutra de Diamant, l'un des textes fondamentaux du bouddhisme, est gravé sur une grande dalle rocheuse – autre contribution bouddhiste au pic taoïste.

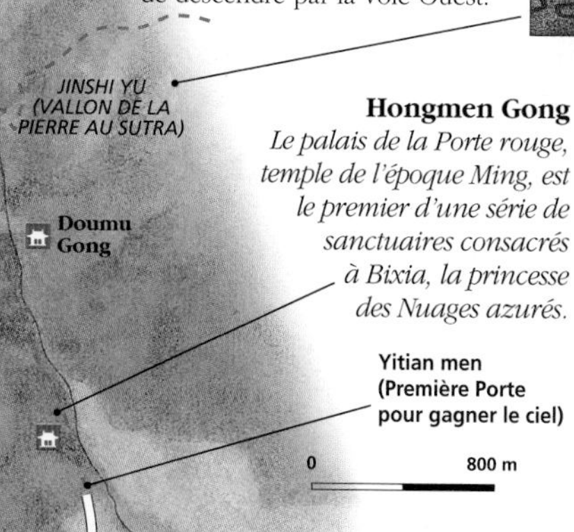

Hongmen Gong
Le palais de la Porte rouge, temple de l'époque Ming, est le premier d'une série de sanctuaires consacrés à Bixia, la princesse des Nuages azurés.

TAI'AN

★ Daimiao
Ce vaste temple est le point de départ naturel de l'ascension de la montagne. Le principal bâtiment, le Tiankuang Dian, est un immense pavillon à toit jaune abritant une grande peinture murale faiblement éclairée d'époque Song, qui représente l'empereur Zhengzong sous les traits du dieu du Taishan.

Qingdao ❹
青岛

Loin des ternes villes industrielles de Chine, Qingdao est un port maritime pittoresque et aéré de la péninsule du Shandong, connu des étrangers sous le nom de Tsingtao, du nom des brasseries homonymes locales. La cité doit son charme, ses rues pavées, ses toits de tuiles rouges, ses maçonneries et ses avenues arborées à son héritage allemand de 1897, quand la ville passa sous juridiction allemande, avant de revenir à la Chine en 1922. Désignée pour accueillir les épreuves de voile des Jeux olympiques de 2008, l'actuelle Qingdao est une ville propre et dynamique tournée vers l'avenir – une sorte de mini-Shanghai pleine de grandes ambitions.

Hôtel Ying, ancienne résidence du gouverneur

À la découverte de Qingdao

En 1897, l'empereur Guillaume s'empara de Qingdao après l'assassinat de deux missionnaires allemands par les Boxeurs *(p. 433)*. La cour Qing fut obligée de céder la ville à l'Allemagne pour 99 ans, mais elle fut restituée à la Chine en 1922, après huit ans d'occupation japonaise. Les Japonais reprirent le port entre 1938 et 1945.

Déambuler au hasard est le meilleur moyen de découvrir les principaux sites de Qingdao. La plupart sont situés au sud-ouest de la ville, dans la **concession allemande** qui s'étend de Tai'an Lu au parc Xiaoyu Shan. Les Allemands édifièrent l'imposante gare de chemin de fer surmontée d'un beffroi au terminus de la ligne qu'ils tracèrent en direction de la capitale provinciale de Jinan. Le pavillon Huilai, qui apparaît sur les étiquettes de la bière Tsingtao, se dresse au bout de la jetée **Zhanqiao**, un quai de 440 mètres qui se jette dans la baie de Qingdao, près de la très animée plage n° 6. En direction du nord, Zhongshan Lu est la plus grande rue commerçante de la ville. À l'est, la **cathédrale Saint-Michael** et ses flèches jumelles dominent un quartier pittoresque de ruelles pavées escarpées et de balcons ouvragés. Au sud-est de l'église, le charmant **temple protestant** construit en 1910 se distingue par son clocher et son horloge blanche. La façade est couleur sable, les tuiles en argile rouge et l'intérieur, très sobre, est ouvert aux visiteurs. Il est parfois possible de monter jusqu'au clocher de 39 mètres. Plus à l'est, dans le parc Xinhao shan, l'ancienne **résidence du gouverneur** abrite désormais l'hôtel Ying. Cette somptueuse demeure accueillit jadis Yuan Shikai et Mao Zedong. Un peu au sud, le **musée Qingdao** possède une intéressante collection de reliques, dont d'immenses statues de Bouddha en pierre

QINGDAO : LE CENTRE-VILLE

Badaguan ⑦
Résidence du gouverneur ③
Huashi Lou ⑥
Temple protestant ④
Musée de Qingdao ⑤
Cathédrale Saint-Michael ②
Jetée Zhanqiao ①

Légende des symboles,
voir rabat de couverture

BIÈRE CHINOISE

Canette de bière Tsingtao

Tsingtao, qui dit tout devoir à l'eau minérale du Laoshan, est la bière *(pijiu)* chinoise la plus célèbre. Construite en 1903 par des Allemands souffrant du mal du pays, la brasserie Tsingtao est la plus grande de Chine et exporte dans plus de 40 pays. Elle fait désormais face à une concurrence locale féroce. Aujourd'hui, les brasseries internationales investissent massivement dans ce marché à fort taux de croissance. En août, lors de la fête de la bière, le breuvage coule à flots dans la ville. L'office du tourisme organise des visites de la brasserie.

Pour les hôtels et les restaurants de la région, voir p. 557-558 et p. 585

L'une des nombreuses plages de sable de Qingdao

de l'an 500 et des peintures des époques Yuan et Ming. De là, on peut redescendre sur le front de mer et longer les nombreuses plages. La plus longue et la plus animée est la plage n° 1. À l'est, la n° 2 est plus jolie et conduit à **Huashi Lou**, une maison de pierre coiffée d'une tourelle bâtie par un aristocrate russe. Au nord, le quartier huppé de **Badaguan** est réputé pour ses villas et ses sanatoriums le long de charmantes allées bordées d'arbres.

Cathédrale Saint-Michael
15 Zhejiang Lu. *de 8h à 17h t.l.j. ; messes à 6h, 8h et 18h dim.*

Temple protestant
15 Jiangsu Lu. *de 8h30 à 17h t.l.j. ; messes dim.*

Qingdao Museum
27 Meiling Lu. *t.l.j.*

Terminal passager
Xinjiang Lu
Huayang Lu
Liaoning Lu
0 800 m
Zhushuishan Gongyuan
Rehe Lu
Yan'an Yi Lu
Daxue Lu
Qingdaoshan Gongyuan
Cathédrale Saint-Michael ②
④ Temple protestant
Jiangsu Lu
③ Résidence du gouverneur
Zhongshan Gongyuan
Zhanshan Si
Lao Shan
N ALLEMANDE
Xiaoyu Shan Gongyuan
Wendeng Lu
Xianggang Xi Lu
⑤ Musée de Qingdao
Nan Hai Lu
⑦
BADAGUAN
Zhengyangguan Lu
Donghai Xi Lu
Laiyang Lu
Plage n° 1
Luxun Gongyuan
Plage n° 3
Shanghaiguan Lu
Baie de Huiquan
Plage n° 2
⑥ Huashi Lou
Baie de Taiping
Huiquanjiao Horn
Taipingjiao Horn

MODE D'EMPLOI

330 km à l'est de Jinan.
1 860 000. *Gare.*
Gare routière (bus longue distance), CAAC (bus pour l'aéroport).
Terminal passager, terminal local.
9 Nanhai Lu, (0532) 389 3062.
Fête de la bière (août).

Aux environs : à 40 kilomètres d'un confortable trajet en bus depuis Qingdao, la vaste montagne parsemée de temples, de cascades et de sentiers de randonnée de **Laoshan** est un important lieu de culte. La région fortement ancrée dans la tradition taoïste reçut de tout temps des émissaires à la recherche de l'élixir de vie. Le **temple de la Grande Pureté**, d'époque Song, est situé à un tiers du chemin pour le sommet. Le premier empereur Song le fit construire pour accomplir les rituels funéraires taoïstes. De là, des chemins conduisent au sommet. Les visiteurs peuvent emprunter les escaliers à mi-parcours ou prendre le téléphérique pour jouir d'une vue magnifique. Jadis, la montagne était émaillée de temples taoïstes, mais seuls quelques-uns ont survécu. Le plus célèbre est le **temple Taiqing**, construit sous la dynastie Song, situé près de la côte et de l'endroit où vécut l'écrivain du Shandong, Pu Songling (1640-1715). Les pentes du Laoshan sont également réputées pour leurs grottes, ainsi que pour leur eau minérale, ingrédient phare de la bière Tsingtao.

L'architecture moderne de Qingdao rappelle celle de Pudong, à Shanghai

Portique du musée de Yantai, dans une belle maison de l'époque Qing

Yantai ❺
烟台

240 km au nord-est de Qingdao.
920 000. pour *Shanghai, Dalian et Tianjin.* *180 Jiefang Lu, (0535) 623 4144.*

À l'ombre du dynamisme du port de Qingdao au sud, l'ancienne Chefoo est un port en eau profonde de la côte nord de la péninsule du Shandong, célèbre pour ses horloges, ses fruits et son vin local. Le nom de Yantai (« Terrasse de fumée ») fait référence aux terrasses érigées par les Ming le long de la côte, dans lesquelles on faisait fumer des bouses de loup pour annoncer l'arrivée des pirates ou des Japonais. En 1863, la ville devint un comptoir britannique et un grand nombre de marchands étrangers s'y installèrent, même si, à la fin des années 1900, son expansion fut éclipsée par l'essor de Qingdao. Aux Britanniques succédèrent les Allemands, les Américains et enfin les Japonais. Malgré son passé de comptoir, la ville n'ayant jamais eu de concession étrangère, elle ne possède que très peu d'architecture européenne.

La plupart des voyageurs passent ici sans s'arrêter en se rendant à Penglai, à l'ouest. Pourtant, le **musée de Yantai** mérite le détour, même si la collection n'est pas à la hauteur de l'architecture et des sculptures de bois et de pierre du bâtiment – une splendide maison de la guilde des navigateurs et des marchands, construite à l'époque Qing.

Le pavillon principal, dit palais de l'Impératrice du Ciel, est impressionnant. Des navigateurs du Fujian, qui avaient trouvé refuge à Yantai lors d'une violente tempête, le dédièrent à Tianhou, impératrice du Ciel et patronne des marins. Tous les éléments du pavillon sont l'œuvre d'artisans des provinces méridionales du Fujian et du Guangdong, qui les ont expédiés à Yantai où ils furent assemblés en 1864. C'est un bel exemple du style méridional, avec une double toiture décorée de personnages mythiques en céramique, en pierre et en bois. Le hall d'entrée est finement sculpté de paraboles, d'épisodes de la littérature et de la mythologie chinoises : les Huit Immortels traversant la mer, des scènes de bataille, des personnages, des créatures fabuleuses et plusieurs scènes du *Roman des Trois Royaumes* *(p. 29)*. Des statues arabes jouent de la musique sous les toits, et les poutres prennent la forme d'une mère à l'enfant. Le temple est entouré d'un jardin et d'une scène dédiée aux spectacles et autres événements en l'honneur de la déesse Tianhou. Yantai possède également plusieurs parcs, dont le petit et central **parc Yuhuangding**, et le **parc Yantai Shan**, véritable oasis surplombant la mer.

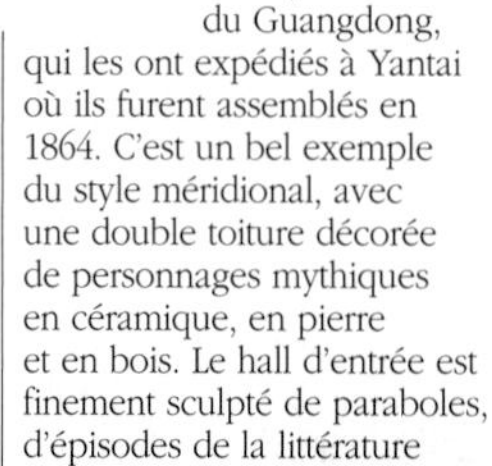

Portes décorées d'époque Qing, musée de Yantai

À l'est, les deux plages de Yantai sont assez désolées et décevantes au milieu des bâtiments et des chantiers de construction. Toutefois, la promenade du bord de mer est agréable. En allant vers le promontoire oriental, on aperçoit des pêcheurs réparer leurs filets ou tout simplement se détendre.

Musée de Yantai
Nan Dajie. *de 8h30 à 11h30, de 13h à 16h30 t.l.j.*

Weihai ❻
威海

60 km à l'est de Yantai.
2 500 000. *pour Yantai, Qingdao, Pékin et Shanghai.* *CITS 96 Guzhai Dong Lu, (0631) 589 2269.* *t.l.j. pour Dalian, trois fois par semaine pour Inchon (Corée-du-Sud).*

La cité portuaire de Weihai fut le théâtre du pillage de la flotte chinoise – construite par les Européens dans la mer du Nord (Beiyang) – par une flottille japonaise

Musée de la Guerre sino-japonaise de 1895, Weihai

Pour les hôtels et les restaurants de la région, voir p. 557-558 et p. 585

Pavillon de Penglai, résidence mythique des Huit Immortels

pendant la guerre sino-japonaise de 1894-1895. Plus tard, entre 1898 et 1930, la ville fut une concession britannique assez peu productive, connue sous le nom de Port Edward. Aujourd'hui, le principal atout de Weihai est l'**île de Liugong** (Liugong Dao), accessible en ferry à 5 kilomètres au large de la côte. L'île, un véritable bastion naturel qui protège le port de Weihai, servit de base à la flotte chinoise de la mer du Nord en déroute.

On y vient surtout pour le **musée de la Guerre sino-japonaise** de 1895, un conflit qui se solda par la cession de Taiwan et de la péninsule de Liaodong (dont Dalian) au Japon. Non loin de la jetée, le musée œuvre pour l'« éducation patriotique » des visiteurs chinois au travers d'une exposition de photos et d'objets repêchés sur les navires, ainsi que de souvenirs de l'époque où l'île était une base de la Royal Navy britannique. Le reste de l'île est agréable avec des sentiers de randonnée. La plage internationale est réputée pour sa longue étendue de sable et ses eaux calmes. Les ferries relient Weihai à Dalian et Inchon en Corée-du-Sud. Pas d'hébergement sur l'île.

Musée de la Guerre sino-japonaise de 1895
Péninsule de Liaodong. au départ de Weihai (20 min). Retour en ferry à Weihai : en été de 7h à 18h toutes les 8 min ; en hiver de 8h30 à 16h30 toutes les 30 min. t.l.j.

Penglai ❼
蓬莱

70 km au nord-ouest de Yantai.
depuis Yantai.

Selon la tradition taoïste, c'est dans le pavillon aux allures de château de **Penglai Ge** que les Huit Immortels se seraient enivrés avant de faire leur traversée mythique de la mer par leurs propres moyens, sans bateau. La vue sur la mer depuis le perchoir venté au sommet de la colline est magnifique. Le pavillon, accessible en bateau ou en bus, date de 1061, mais Penglai entra dans l'histoire quand le premier empereur chinois Shi Huangdi des Qin fit explorer la région à la recherche d'herbes assurant l'immortalité.

L'imposant complexe possède un vaste réseau de bâtiments, de pavillons, de salles, de temples, de jardins et de murs crénelés. Les six pavillons principaux ont été rénovés à grands frais. Le temple Tianhou, dédié à l'impératrice du Ciel, abrite une statue dorée de la déesse adossée à une belle fresque de dragons batifolant dans la mer et les nuages. L'animation du château bat son plein le jour de l'anniversaire de la déesse, le 23ᵉ jour du 3ᵉ mois du calendrier lunaire chinois *(p. 45)*, jour de la grande fête du temple. Les disciples invoquent la déesse en faisant brûler de l'encens et en récitant des prières.

Penglai Ge doit également sa notoriété au mirage qui s'y produirait toutes les quelques décennies. Les témoins rapportent avoir vu une île construite et peuplée jaillir de la brume. Les visiteurs peuvent en voir un enregistrement vidéo dans le temple Tianhou moyennant une petite participation. Le pavillon de Penglai attire beaucoup de groupes le week-end. Mieux vaut venir passer la journée en semaine en partant de Yantai.

Penglai Ge
depuis Penglai (90 min.) toutes les 20 min. t.l.j. Dernière entrée à 17h.

L'IMPÉRATRICE DU CIEL

Tianhou, l'impératrice du Ciel, est également connue des Chinois sous les noms de Mazu, Niangniang et Tianshang Shengmu. Elle est l'équivalent taoïste de Guanyin, déesse bouddhique de la Compassion. Les provinces côtières du Guangdong et du Fujian la vénèrent en tant que déesse de la Mer et patronne des marins. Elle se serait appelée Lin Mo et serait née en 960 sur l'île de Meizhou dans le Fujian *(p. 290)*. Très jeune, elle aurait porté secours aux navigateurs en détresse, et, après sa mort à 27 ans, elle apparaissait en robe rouge aux pêcheurs et aux marins en danger. En cantonais, son nom se prononce Tinhau. À Macao, elle est appelée A-Ma.

La déesse Tianhou représentée sur un drapeau de pirate chinois

Kaifeng 8

开封

Au sud du virage qu'amorce le fleuve Jaune pour entrer dans la province du Shandong, l'ancienne ville fortifiée de Kaifeng fut la capitale de sept dynasties et connut son apogée sous les Song du Nord (960-1126).
Toutefois, sa prospérité n'empêchait pas le fleuve Jaune de l'inonder régulièrement, provoquant à chaque fois de lourdes pertes humaines. D'importants bâtiments furent également emportés par les eaux, notamment la synagogue. Aujourd'hui, Kaifeng est une jolie ville dotée de beaux exemples de temples, de pagodes et de quelques marchés animés.

Maison richement décorée des guildes de Shanshaangan

À la découverte de Kaifeng

Une grande partie de la ville moderne se situe à l'intérieur des remparts. À l'ouest de la ville s'étend le vaste et paisible Baogong Hu (lac Baogong), au sud duquel se trouve le musée de Kaifeng, où l'on peut se rendre à pied, sur Yingbin Lu. Trois stèles qui se tenaient à l'origine devant l'ancienne synagogue racontent l'histoire de la communauté juive de la ville. Sur Beitu Jie, l'hôpital populaire n° 4 recouvre une ancienne synagogue du quartier juif dont il ne reste que le couvercle en fer de l'ancien puits. À l'extérieur des remparts, à 10 kilomètres au nord, le pavillon du Panorama sur le fleuve Jaune donne sur la vaste plaine de limons du fleuve tortueux. À côté du pavillon, la statue de bœuf en fer servait à l'origine à protéger la ville des inondations.

Maison des guildes de Shanshaangan

Xufu Jie, près de Shudian Jie. *t.l.j.*

Sous la dynastie Qing, l'exubérante maison des guildes de Shanshaangan servait de logement aux marchands des provinces du Gansu, du Shanxi et du Shaanxi. Elle compte une tour de la Cloche et du Tambour et un mur écran. Les toitures sont illustrées de scènes de la vie des marchands, et les auvents de la salle principale sont sculptés d'animaux, d'oiseaux et de chauves-souris dorées (symboles de chance).

Da Xiangguo Si

Ziyou Lu. *5, 9.* *de 8h à 18h t.l.j.* **Yanqing Guan** Baogong Hu. Dongbei Shengli Jie. *t.l.j.*

Construit en 555, Da Xiangguo Si (temple du Premier ministre) est le plus célèbre temple de Kaifeng. Sous la dynastie Song, c'était le premier sanctuaire du pays. À l'époque, il comptait 64 salles et une immense légion de moines. Le pavillon octogonal à l'arrière du temple abrite une statue remarquable de Guanyin. Cette statue, sculptée dans un seul tronc recouvert de feuilles d'or, est la plus belle du temple, et son aménagement quadrilatéral est rare. Une frise de *luohan* *(p. 31)* orne la salle principale et un vaste marché en plein air se tient près du temple.

À l'ouest, le **Yanqing Guan** (temple Yanqing) est un petit sanctuaire taoïste connu pour son pavillon de l'Empereur de Jade. Ce bâtiment octogonal décoré de céramiques turquoise et de briques sculptées abrite une statue en bronze de l'Empereur de Jade.

Pagode de Fer

Parc de la Pagode de Fer, Beimen Dajie. *de 8h à 18h t.l.j.*

La Pagode de Fer (Tieta) de 13 étages se dresse au sein des remparts Song, dans le nord-est de la ville. Cette pagode de brique bâtie en 1049 est tapissée de céramiques vernissées marron qui donnent à la tour son aspect métallique et son nom. Les visiteurs peuvent emprunter l'étroit escalier intérieur pour admirer la ville et les remparts. La pagode fait la fierté de Kaifeng.

Parc Longting

Au nord de Zhongshan Lu. *t.l.j.* **Millennium City** *t.l.j.*

Songdu Yu Jie remonte au nord jusqu'au parc Longting en empruntant l'ancienne

Magnifique Qianshou Guanyin, Da Xiangguo Si

Pour les hôtels et les restaurants de la région, voir p. 557-558 et p. 585

Drapeaux de prière devant Da Xiangguo Si

Voie impériale – la principale artère de Kaifeng sous la dynastie Song. Des reconstitutions de restaurants et de boutiques d'époque Song y vendent des antiquités, des calligraphies et des babioles. La rue devient progressivement plus touristique en allant vers le nord et vers Yangjia Hu (lac Yangjia), qui faisait à l'origine partie du parc impérial et qui est désormais entouré d'attractions touristiques et de parcs de loisirs, tels que le très populaire **Millennium City**. Le parc Longting occupe l'ancien palais impérial Song et son parc. Les lacs Xibei Hu et Yangjia Hu sont situés respectivement au nord-ouest et au sud. Le parc abrite des manèges pour enfants, ainsi que le pavillon des Dragons de la dynastie Qing. C'est l'endroit idéal pour observer les habitants dans leurs moments de détente.

Pagode Fan

70 km à l'est de Zhengzhou.
15. de 8h à 17h t.l.j.

Située à l'écart (mais accessible en bus) au sud des remparts et à l'ouest de l'agréable parc Yuwangtai (Yuwangtai gongyuan), la pagode Fan (Fanta ou Pota) des Song du Nord est le plus vieux monument bouddhique de Kaifeng. Construite en 997, cette pagode à trois étages, réputée pour ses briques sculptées, en comptait jadis neuf et mesurait 80 mètres de haut. Du sommet de ce prestigieux monument la vue plonge sur les usines et les maisons environnantes.

MODE D'EMPLOI

70 km à l'est de Zhengzhou.
4 630 000. Gare ferroviaire. Gare routière Sud, gare routière Nord. 98 Yingbin Lu, (0378) 398 4593.

LES JUIFS CHINOIS

Nul ne sait quand les premiers Juifs *(youtairen)* arrivèrent à Kaifeng, mais tout porte à croire que les marchands juifs apparurent en Chine au VIIIe siècle par les Routes de la soie. Marco Polo raconte avoir rencontré des Israélites en Chine à l'époque Yuan. On sait aussi que les Juifs chinois reçurent sept surnoms (Ai, Jin, Lao, Li, Shi, Zhang et Zhao) par décret impérial à l'époque Ming. On raconte également qu'en 1605, le jésuite Matteo Ricci se rendit à Kaifeng après avoir entendu dire qu'il y avait là une communauté monothéiste. S'attendant à y trouver des catholiques, il fut surpris d'y rencontrer des Juifs. La communauté vécut longtemps dans l'isolement et finit par disparaître après la destruction de la synagogue au XIXe siècle par une crue.

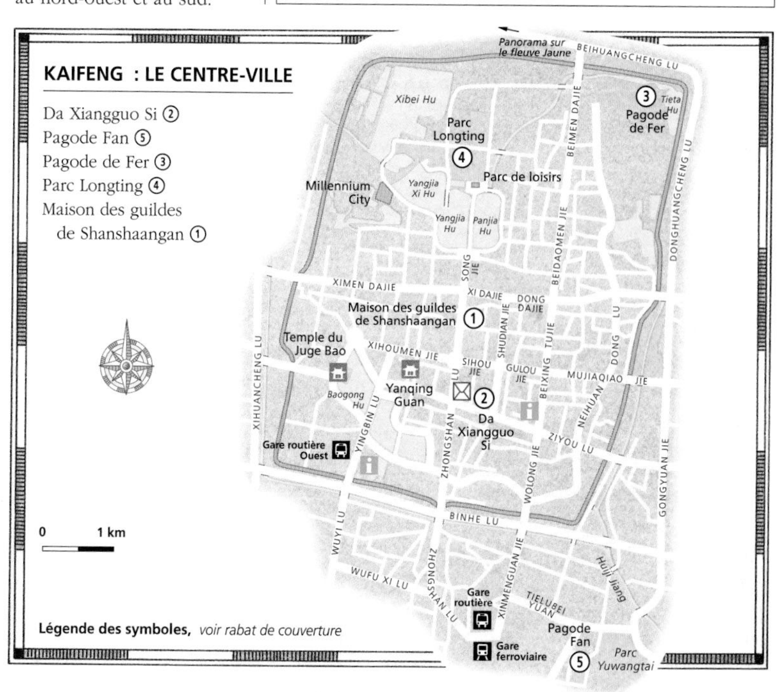

Anyang ❾
安阳

200 km au nord de Zhengzhou.
5 170 000.

Les fouilles archéologiques ont révélé qu'Anyang, dans le nord du Henan, était le site de l'ancienne Yin, la capitale de la dynastie Shang. À la fin du XIXe siècle, des paysans exhumèrent ici des os gravés de symboles chinois anciens, appelés « os divinatoires » *(p. 26)*. La découverte de bronzes, de jades et de tombes royales contribua à se faire une idée de la cité oubliée de Yin. Dans le nord de la ville, le **musée des Ruines de Yin** (Yinxu Bowuguan) présente des fragments d'os divinatoires, de poteries et de récipients en bronze, ainsi que six chariots tirés par des chevaux squelettiques.
À l'est se dresse l'ostentatoire **tombeau de Yuan Shikai**, ce général qui contribua à l'abdication des Qing, s'empara de la présidence, puis tenta de se faire couronner empereur. Autour de la tour de la Cloche au sud de Jiefang Lu, la **vieille ville** est très animée. Au sud-ouest, la **pagode Wenfeng**, de forme octogonale à plusieurs toitures, fut construite au Xe siècle et restaurée à l'époque Ming.

Pagode Wenfeng, Anyang

Musée des Ruines de Yin
de 8h à 17h30 t.l.j.

Tombeau de Yuan Shikai
8, 23. de 8h à 17h t.l.j.

Portique traditionnel à trois portes, Baima Si (temple du Cheval Blanc), Luoyang

Zhengzhou ❿
郑州

700 km au sud-ouest de Pékin.
6 210 000. Nongye Lu (Crn Huayuan Lu), (0371) 585 2339.

La capitale du Henan est avant tout une halte sur la route de Kaifeng, de Luoyang et du monastère Shaolin. À l'est de la ville, les **remparts Shang** sont les seuls vestiges de ce qu'était la ville il y a 3 000 ans. À l'ouest, **Chenghuang Miao** présente un toit orné de sculptures en forme de dragons et de phénix. Au nord, le pyramidal **musée de la Province du Henan** possède une superbe collection de vestiges Shang expliquée en anglais, et une galerie de dinosaures au quatrième étage. Admirez la vue sur le fleuve Jaune au **parc du fleuve Jaune**, à 28 kilomètres au nord-ouest de la ville.

Musée de la Province du Henan
8 Nongye Lu. *de 9h à 16h t.l.j.*

Luoyang ⓫
洛阳

121 km à l'ouest de Zhengzhou.
6 230 000.
Jiudu Xi Lu, (0379) 432 3212.

Le visage industriel de Luoyang reflète assez peu la richesse de son histoire, car la ville est le site de l'ancienne cour de Zhao, où le sage Laozi fut gardien des archives. Elle abrita également la première université chinoise en 29 av. J.-C., et fut la capitale de treize dynasties, du Néolithique jusqu'en 937.

À l'est du parc Wangcheng, le **musée de Luoyang** expose des bronzes Shang, des sculptures de jade et de la porcelaine *sancai* (tricolore) d'époque Tang. Au printemps, la fête de la pivoine attire les foules. Des centaines de pivoines fleurissent dans le parc Wangcheng.

La plupart des sites sont situés hors de la ville. À 7 kilomètres au sud, **Guanlin Si** est dédié à Guan Yu *(p. 29)*, général héroïque de la période des Trois Royaumes. Les bâtiments sont richement décorés et des lionnes de pierre bordent l'allée qui mène à la salle principale, où trône une statue colossale de Guan Yu. À une douzaine de kilomètres à l'est de la ville, **Baima Si** (temple du Cheval Blanc) serait le plus ancien monastère bouddhique de Chine (68 de notre ère). Les tombes des moines reposent dans la première cour, tandis que la salle principale abrite une statue de Bouddha.

Musée de la Ville de Luoyang
de 8h30 à 17h30 t.l.j.

Guanlin Si
de 8h à 18h t.l.j.

Chariot de guerre et son aurige de l'époque Shang, tombeau impérial, Anyang

Pour les hôtels et les restaurants de la région, voir p. 557-558 et p. 585

Le fleuve Jaune

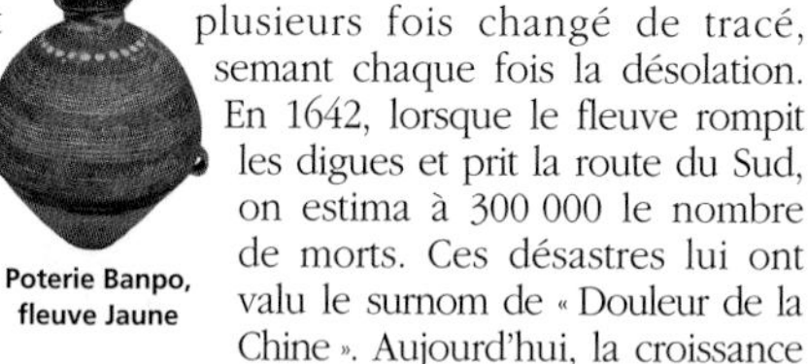
Poterie Banpo, fleuve Jaune

Le Huanghe, ou fleuve Jaune, est le deuxième plus long fleuve de Chine (5464 kilomètres). Il doit son nom à la vaste charge de limon qu'il charrie en sillonnant les terres argileuses du plateau du Lœss. En ralentissant, le fleuve dépose une grande partie de son limon, élevant le lit du fleuve au-dessus des plaines environnantes et augmentant ainsi les risques d'inondation. Près de Kaifeng, il s'élève à 10 mètres au-dessus de la ville. Le fleuve a plusieurs fois changé de tracé, semant chaque fois la désolation. En 1642, lorsque le fleuve rompit les digues et prit la route du Sud, on estima à 300 000 le nombre de morts. Ces désastres lui ont valu le surnom de « Douleur de la Chine ». Aujourd'hui, la croissance économique a considérablement augmenté la consommation d'eau dans le nord de la Chine, et le fleuve Jaune atteint désormais régulièrement ses niveaux les plus bas.

① **La source du fleuve Jaune** *est située dans les hauteurs des montagnes du Qinghai. La pente du plateau situé à 4 000 mètres d'altitude donne au fleuve son incroyable puissance.*

⑤ **Dans la mer**, *le limon déchargé par le fleuve Jaune est clairement visible. Au fil des siècles, les millions de tonnes de sédiments ont accru le territoire de la Chine.*

LÉGENDE

- Premières colonies
- Plaine inondable
- Tracé sud du fleuve

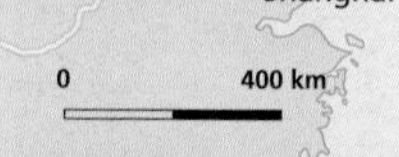

MÈRE DE LA CHINE

Les traces de quelques-unes des premières colonies chinoises remontant à 6000 av. J.-C. ont été découvertes près du fleuve Jaune, lui valant le titre de « Mère de la Chine ».

② **Le fleuve se charge de sédiments** *en traversant le plateau argileux du Lœss au nord. Chaque mètre cube de ses eaux tumultueuses charrie plus de 37 kilos de sédiments.*

④ **Quand le limon élève le lit du fleuve**, *les habitants des alentours doivent s'unir pour reconstruire les digues et maintenir les rives en bon état.*

③ **Quand le fleuve ralentit**, *il dépose ses sédiments et enrichit le sol, rendant les terres agricoles locales extrêmement productives.*

Les grottes de Longmen ⓬

龙门石窟

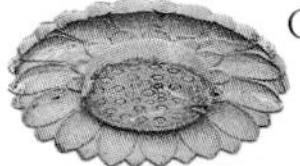

Fleur, plafond de la grotte au Lotus

Cette formidable collection de statues religieuses fut commencée par les dignitaires bouddhistes des Wei du Nord (386-534), aussi à l'origine des grottes de Yungang *(p. 132-133)* après le transfert de leur capitale de Datong à Luoyang. Après eux, les dynasties Sui et Tang poursuivirent le travail, sous le règne de l'impératrice Wu Zetian, jusqu'à ce que les purges antibouddhiques y mettent fin. Les statues décapitées suite à des actes de vandalisme et de pillage créent une atmosphère solennelle, même si, aujourd'hui, les grottes sont bien entretenues.

Vue de Fengxian Si et des grottes depuis la rive orientale de la rivière Yi

FENGXIAN SI ①

Cette grotte de la rive ouest est la plus grande de toutes les excavations et date de 675.

★ Bouddha Vairocana

Le visage de cette statue colossale de plus de 17 mètres de haut serait celui de l'impératrice Wu Zetian. Son sourire énigmatique lui a valu le surnom de « Mona Lisa orientale ».

Ananda

Cette statue représente Ananda, disciple de Sakyamuni, fondateur du bouddhisme. Ce gardien de la mémoire compila les sutras bouddhiques.

Ananda brisée

Certaines statues furent endommagées à la fin de la dynastie Tang, quand le bouddhisme tomba en disgrâce. D'autres furent dérobées par des collectionneurs ou vandalisées par les gardes rouges pendant la Révolution culturelle.

À NE PAS MANQUER

- ★ Bouddha Vairocana
- ★ Roi céleste

Pour les hôtels et les restaurants de la région, voir p. 557-558 et p. 585

★ Roi céleste

Tenant dans une main une pagode votive et écrasant sous ses pieds un démon, ce Roi céleste est remarquable par sa gestuelle et sa posture réaliste.

À la découverte des grottes de Longmen

Environ 2 000 grottes ou niches et plus de 100 000 statues (avec légendes en anglais) regroupées dans quelques grottes s'échelonnent le long de la rive occidentale de la rivière Yi.

La **grotte à la Fleur de Lotus** ②, bien préservée, fut creusée vers 527. Elle est importante parce qu'elle fut créée comme un tout, et non complétée au fil des ans. Elle doit son nom à la grande fleur de lotus sculptée au centre du plafond et entourée de nymphes célestes, les Apsara. La **grotte des Dix Mille Bouddhas** ③ est une grotte typique de l'époque Tang, taillée en 680. Les nombreuses statues de bouddha créent un irrésistible sentiment de présence du grand maître. La **grotte des Ordonnances médicales** ④ est ainsi nommée parce que 140 traitements médicaux pour soigner un grand nombre de maladies sont gravés sur les murs. La liste établie sur environ 150 ans témoigne de l'évolution typologique au fil du temps. Les trois grottes de **Binyang San Dong** ⑤ furent creusées en 24 ans et achevées en 523. Dans la grotte du centre sont adossées cinq très grandes statues de bouddha : au centre, Sakyamuni est flanqué de quatre bodhisattvas créés dans le style ascétique et assez formel des Wei du Nord. L'ensemble des statues des trois grottes symbolise les bouddhas du passé, du présent et du futur. Deux grands bas-reliefs de l'empereur et de l'impératrice vénérant Bouddha ont été dérobés dans les années 1930 et sont désormais exposés dans des musées américains. La grotte méridionale de Binyang renferme quelques magnifiques sculptures achevées en 641. Ces statues aux traits sereins témoignent clairement de la transition entre le style artistique des Wei du Nord, solennel et austère, et le naturalisme vivant des artistes Tang visibles à Fengxian Si.

Sakyamuni, le bouddha assis, dans la grotte centrale de Binyang Si

MODE D'EMPLOI

14 km au sud de Luoyang.
Tél. (0379) 598 1651. depuis le quai de Luoyang. 53, 60, 83 depuis la gare ferroviaire. interdites sur le site. de 7h à 18h30 t.l.j.

LES GROTTES DE LONGMEN

La rive orientale du fleuve offre un excellent point de vue pour apprécier la splendeur des sculptures de Fengxian Si. On y trouve également un temple et quelques grottes mineures.

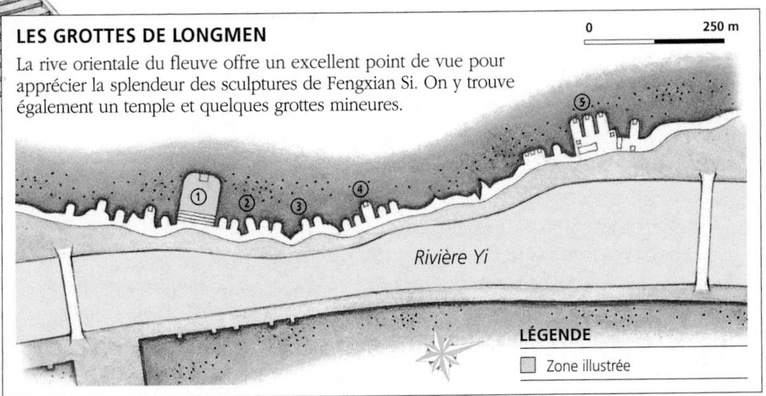

La monumentale forêt de stupa, monastère Shaolin

Songshan et le monastère Shaolin ⓭

嵩山和少林寺

80 km à l'ouest de Zhengzhou.
de Luoyang et Zhengzhou à Dengfeng et au monastère Shaolin
Dengfeng *203 Beihuan Lu, (0371) 6274 8276.*

Le pic du Centre – l'un des cinq pics taoïstes sacrés de Chine – culmine à 1 492 mètres. Au départ de **Dengfeng**, au pied du mont Taishi (Taishi Shan), de nombreux sentiers longent les temples et les pagodes du site, offrant une vue splendide sur la vallée. À 5 kilomètres à l'est, le vaste **Zhongyue Miao** (temple du pic du Centre), vieux de 2 200 ans, est probablement le plus ancien sanctuaire taoïste de Chine, même si le temple actuel est plus récent.

Trois kilomètres au nord de Dengfeng, le **collège de Songyang** fut l'un des quatre plus grands centres d'enseignement confucéens chinois. Les deux grands cyprès de la cour auraient été plantés il y a 2 000 ans par l'empereur Wudi des Han. En amont, la **pagode Songyue Si**, du VIe siècle, est la plus ancienne pagode en brique du pays. Dix kilomètres au sud-est de Dengfeng, l'observatoire de Gaocheng date de l'époque Yuan. Sa tour pyramidale est le plus vieil observatoire intact de Chine. Shaolin, littéralement « Petite Forêt », est le nom de l'ordre des moines guerriers bouddhiques du **monastère Shaolin**, à 13 kilomètres au nord-ouest de Dengfeng. Fondé au Ve siècle de notre ère, le monastère ne se tourna vers les arts martiaux qu'en 527, à l'arrivée de Bodhidharma, un moine indien qui conçut une méthode d'entraînement et fonda l'école du *chan (shaolinquan,* ou kung-fu*)*, à l'origine des grands arts martiaux chinois. Après avoir brûlé plusieurs fois, le monastère voit aujourd'hui son aura ternie par un mercantilisme criant, mais il reste un lieu de pèlerinage pour de nombreux adeptes des arts martiaux qui continuent à affluer ici pour améliorer leur *gongfu* (habileté). Le grand temple compte plusieurs pavillons. À l'arrière, le pavillon Debout dans la Neige marque l'endroit où le moine Huihe se trancha le bras pour mieux communier avec le bouddhisme zen. Derrière, le sol du pavillon Pilu porte encore les traces des exercices qu'y pratiquaient les moines. Et dans le pavillon Chuipu, des statues en terre cuite décrivent les différents styles de *kung-fu*.

Statue de Bodhidharma, monastère Shaolin

À quelques pas du temple, la forêt de stupa est un grand ensemble de pagodes en brique à la mémoire des célèbres moines de Shaolin. Chaque année en septembre, la célèbre fête des *wushu* (arts martiaux) s'y déroule. La grotte où Bodhidharma aurait passé neuf ans assis en méditation est située en amont dans la montagne.

Monastère Shaolin
de 8h à 17h t.l.j.
Zhongyue Miao
de 8h à 17h t.l.j.

Gongyi ⓮

工艺

80 km à l'ouest de Zhengzhou.
depuis Luoyang ou Zhengzhou.

À la sortie de la ville de Gongyi, on découvre une nécropole impériale de l'époque Song et un ensemble d'art rupestre bouddhique. Les sept tombeaux intacts des empereurs Song sont marqués par des tumulus et des statues dispersés sur un vaste domaine au sud-est de la ville, visibles depuis les bus reliant Luoyang à Zhengzhou. À environ 8 kilomètres au nord de Gongyi, les grottes bouddhiques *(shiku)* sont ornées de sculptures datant des Wei du Nord.

Grottes bouddhiques
t.l.j.

Sculptures bouddhiques des grottes près de Gongyi

◁ Étonnantes sculptures du Roi céleste et du gardien de Bouddha, grottes de Longmen

Le kung-fu

En Occident, les arts martiaux chinois sont collectivement appelés kung-fu ou *gongfu*. En réalité, *gongfu* signifie « habileté » et s'applique aussi bien à un calligraphe ou à un pianiste qu'à un pratiquant des arts martiaux. Nul ne sait avec certitude quand les arts de combat arrivèrent en Chine, mais il apparaît que le pays compte le plus grand nombre et les plus pittoresques styles de combat, notamment la boxe de l'homme ivre et le poing de la mante religieuse. Les frontières entre les disciplines sont floues, mais le kung-fu se divise en écoles internes *(neijia)* et externes *(waijia)*. La première s'appuie sur le pouvoir interne, le *qi* *(p. 32-33)*, utilisant l'esquive et la souplesse pour déstabiliser l'adversaire, tandis que la seconde cherche à le dominer par la force et la puissance physique. Le kung-fu emploie de nombreuses armes, dont l'épée, le bâton et le fouet, et prévoit même de s'entraîner avec des objets quotidiens : éventail, parapluie ou tabouret.

Épée de kung-fu

Bodhidharma, *le fondateur de l'école bouddhique du* chan *(zen), était un moine indien. Il s'installa au monastère Shaolin et inventa un ensemble d'exercices pour les moines qui étaient souvent assis en méditation. De là naquit l'école de lutte de Shaolin.*

Les moines de Shaolin *suivent un entraînement rigoureux. Ici, ils exécutent une version acrobatique de la « position du cheval »* (mabu), *un exercice difficile, essentiel pour « s'enraciner » profondément dans le sol et conserver une position stable au combat.*

Xingyi Quan *(le poing de la forme et de l'esprit) est probablement la pratique* neijia *qui se rapproche le plus des écoles externes. Les frappes et les blocages sont linéaires et puissants, mais le relâchement est crucial. Les bases de ce style de combat sont simples à apprendre, mais difficiles à maîtriser.*

Bagua Zhang *(la boxe des huit trigrammes) intègre des mouvements circulaires à tous les déplacements et les frappes. Les praticiens du* bagua *étaient considérés comme des adversaires imprévisibles, insaisissables et redoutables.*

Bruce Lee (à d.) dans *La Fureur de vaincre*

LE CINEMA DE *KUNG-FU*

Le cinéma chinois et hongkongais propose aux spectateurs des versions stylisées et enjolivées du kung-fu avec des scénarios qui tournent généralement autour des thèmes de la vengeance et du châtiment. Les acteurs célèbres sont Bruce Lee, Jackie Chan et Jet Li, ainsi qu'une pléthore de comédiens de séries B moins connus. *Combats de maître* (Jackie Chan) et *Opération Dragon* (Bruce Lee) sont des films cultes. Mais les arts martiaux sur grand écran sont très loin de la réalité, et un acteur de kung-fu, aussi impressionnant soit-il, n'est pas nécessairement un bon pratiquant. Les chorégraphies et les cascades donnent l'impression d'un véritable combat, sans les dangers inhérents à un combat réel.

SHAANXI

Au cœur de la Chine, bordée par le fleuve Jaune à l'est, la province poussiéreuse du Shaanxi connut jadis son heure de gloire. En 1066 av. J.-C., la dynastie des Zhou de l'Ouest établit sa capitale à Hao, près de l'actuelle Xi'an *(p. 162-167)*. C'est de là que, près de 850 ans plus tard, la Chine fut unifiée par le premier empereur Shi Huangdi des Qin *(p. 54)*. Pendant plus d'un millénaire, Xi'an fut le siège du pouvoir politique de plusieurs dynasties, dont les Han de l'Ouest, les Sui et les Tang. Au IXe siècle, Xi'an, alors connue sous le nom de Chang'an, était la ville la plus grande et la plus prospère du monde, inondée par les richesses qui circulaient sur la Route de la soie. À l'apogée de l'époque Tang, la population de Xi'an, qui dépassait le million d'habitants, pouvait se recueillir dans au moins un millier de temples abrités au sein de ses vastes remparts. La ville possède de nombreux trésors, de l'armée silencieuse des guerriers de terre cuite au nord-est de Xi'an, qui garde la tombe du premier empereur chinois, à l'impressionnant musée d'Histoire du Shaanxi, qui présente plus de 3 000 objets. Xi'an compte également des sites majeurs, notamment le vaste temple des Huit Immortels de la légende taoïste, et les deux pagodes de l'Oie sauvage, sanctuaires bouddhiques de l'époque Tang. Les nombreux visiteurs qui explorent la montagne sacrée de Huashan, à l'est de Xi'an, y trouvent un stimulant mélange de randonnée sportive et de spiritualité.

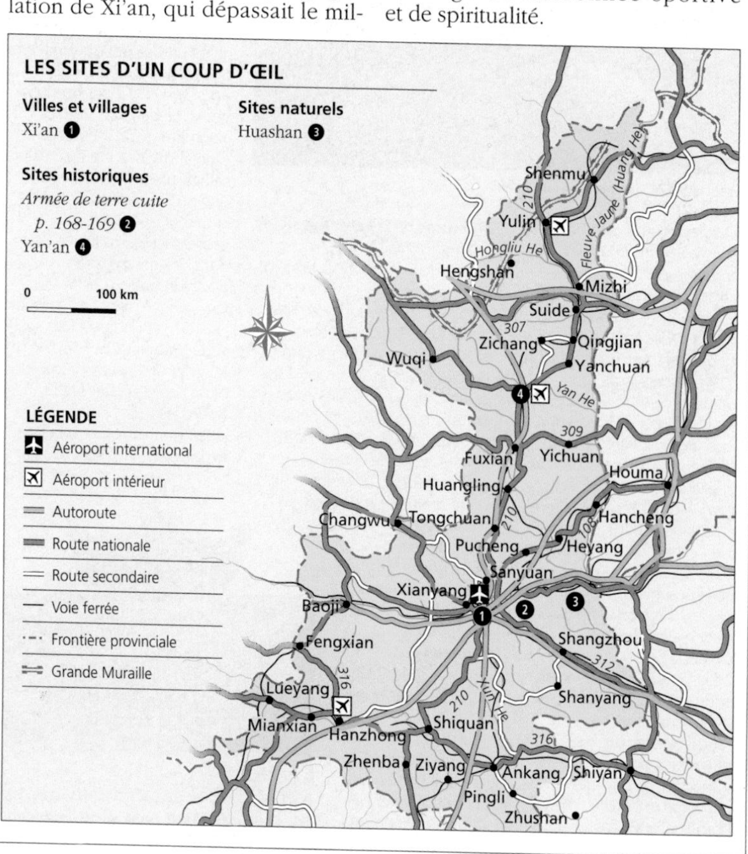

Touristes s'aventurant au sommet du pic du Sud, le plus haut sommet du Huashan

Xi'an ❶

西安

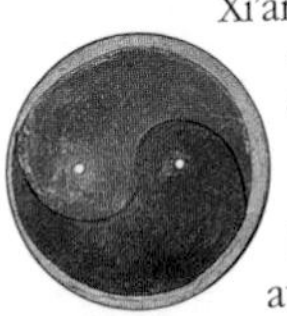

Tambour de la tour du Tambour de Xi'an

Xi'an, capitale de l'actuel Shaanxi, fut en 4 000 ans la capitale de 11 dynasties, dont les Zhou de l'Ouest, les Han de l'Ouest, les Qin, les Wei de l'Ouest, les Zhou du Nord, les Sui et les Tang. Les Chinois font remonter ses origines au mythique Empereur Jaune, qui installa sa capitale à Xianyang (2200-1700 av. J.-C.). Xi'an atteignit son apogée sous la dynastie Tang, quand la Route de la soie *(p. 464-465)* fit d'elle une métropole animée, attirant les marchands étrangers et les religieux de toutes obédiences : chrétiens nestoriens, musulmans, zoroastriens, manichéens et bouddhistes. La ville connut ensuite un déclin, mais elle a conservé quelques splendides sites et jouit d'un tourisme florissant.

Vue de la porte Sud, remparts de Xi'an

Les remparts de Xi'an

de 8h30 à 18h30 t.l.j.

Contrairement à beaucoup de fortifications chinoises, y compris les puissants murs de Pékin, les remparts de Xi'an sont intacts, formant un rectangle de 14 kilomètres de long autour du centre-ville. En 1370, sous le règne de Hongwu, le premier empereur Ming, ces remparts furent construits sur les fondations du palais impérial Tang avec de la terre battue, de la chaux vive et de l'extrait de riz gluant. Les bastions de 12 mètres de haut reposent sur des socles de près de 18 mètres d'épaisseur. Plusieurs accès, dont des escaliers à l'est de la porte Sud ou à la porte Ouest, mènent aux remparts où se bousculent les vendeurs de souvenirs. Bien qu'étonnantes, ces fortifications sont modestes par rapport au puissant bastion qui encerclait 78 km² de l'ancienne Chang'an de l'époque Tang.

Musée de la Forêt des stèles

de 8h à 18h t.l.j.

À l'est de la porte Sud, les sept salles de ce musée abritent plus de 1 000 stèles, dont les plus anciennes datent des Han. Ces tablettes commémoratives de pierre sculptée, ornées de caractères chinois classiques denses, n'intéresseront peut-être que les érudits, mais d'autres sont gravées de cartes et d'illustrations. Les stèles de la première salle sont un recueil des douze classiques confucéens, dont le *Livre des Chants (Shijing)*, le *Livre des changements (Yijing* ou *I Ching)* et les *Analectes (Lunyu)*. Gravés en 837 sur 114 tablettes en pierre sur ordre de l'empereur Wenzong des Tang, ils furent utilisés comme textes de référence pour éliminer les erreurs des copistes et conservés à l'Académie impériale de Xi'an.

Façade du musée de la Forêt des stèles, ancien temple de Confucius

Détail de la stèle nestorienne, musée de la Forêt des stèles

La deuxième salle abrite la stèle nestorienne de Daqin. Surmontée d'une croix, elle fut sculptée en 781 pour commémorer l'arrivée du nestorianisme à Xi'an. Les caractères au sommet de la stèle font référence à Rome (ou Daqin), et au nestorianisme, surnommé la « religion radieuse ». Accusés d'hérésie pour cause de croyance en la séparation des attributs humains et divins du Christ, les premiers nestoriens arrivèrent à Xi'an en 635 et y firent des émules pendant deux siècles avant de disparaître subitement.

Dans la troisième salle, une carte de Chang'an donne une idée de la taille de la ville à son apogée. La quatrième salle abrite des interprétations calligraphiques de poèmes de Su Dongpo (1037-1101) et autres poètes chinois, accompagnées d'illustrations, dont des gravures de Bodhidharma *(p. 158-159)*. Des œuvres utiles à l'étude de l'histoire et de la société locales sous les dynasties Song, Yuan, Ming et Qing sont conservées dans la cinquième salle. Enfin, les salles latérales présentent d'autres objets historiques et religieux.

Pour les hôtels et les restaurants de la région, voir p. 558-559 et p. 585-586

Tours du Tambour et de la Cloche

de 8h30 à 17h30 t.l.j.

L'énorme tour de la Cloche, avec sa triple toiture verte si particulière, est située dans le centre de Xi'an, où convergent les quatre rues principales de la ville. Dressée sur une plate-forme de brique, cette structure en bois fut d'abord construite en 1384, à deux pâtés de maisons à l'ouest, avant d'être déplacée ici en 1582, puis restaurée en 1739. La tour, qui abritait jadis une grande cloche en bronze qui sonnait chaque matin, présente désormais une collection de cloches, de carillons et d'instruments de musique. Un balcon sur toute la longueur offre une vue splendide sur les rues et les embouteillages de la ville. Construite en 1380, la tour du Tambour se dresse à l'ouest de la tour de la Cloche, à la lisière de l'ancien quartier musulman, où habita pendant des siècles la minorité hui de Xi'an, qui totalise aujourd'hui 30 000 représentants. La tour du Tambour en bois à triple toiture présente peu d'intérêt, à l'exception de son intérieur récemment restauré.

Cloche en fer, tour de la Cloche

La Grande Mosquée

de 8h à 18h30 t.l.j.

Au cœur du quartier musulman, à l'ouest de la tour de la Cloche, la Grande Mosquée (Da Qingzhen Si) de style chinois de Xi'an est l'une des plus grandes de Chine. Bâtie en 742 sous les Tang, quand l'islam était une religion jeune, elle fut reconstruite à l'époque Qing et récemment restaurée. Cette paisible oasis de tranquillité compte quatre cours. La première abrite un portique en bois décoré, de 9 mètres de haut, du XVIIe siècle, et la troisième le minaret de l'Introspection, une pagode octogonale à triple toiture. La salle au sud du minaret conserve une copie manuscrite du Coran datant de la dynastie Ming. Derrière deux fontaines, la grande salle de prière, coiffée de céramiques turquoise, possède un plafond gravé de versets du Coran. La salle est généralement fermée aux non-musulmans. Évitez de venir le vendredi, jour saint chez les musulmans. Avec ses ruelles étroites et tortueuses, ses maisons basses, son excellente cuisine et sa communauté hui, le quartier musulman est agréable.

Inscription arabe sur un portique de pierre de la cour de la Grande Mosquée

MODE D'EMPLOI

1 200 au sud-ouest de Pékin. *6 620 000. Aéroport de Xiguan, Xianyang 40 km. Gare ferroviaire de Xi'an. Gare routière de Xi'an, CAAC (bus pour l'aéroport), gare routière de l'Ouest. Centre d'information touristique de Xi'an (029) 8745 5043.*

Temple des Huit Immortels

t.l.j.

À l'est des remparts de Xi'an, le plus grand sanctuaire taoïste de la ville fut construit sur le site d'un temple consacré au dieu du tonnerre, qui avait signifié sa présence par des grondements souterrains. Plus tard, il fut rebaptisé Baxian Gong en référence aux Huit Immortels de la mythologie taoïste, qui furent aperçus ici sous la dynastie Song. Les salles et les cours du temple fourmillent de moines et de nonnes. On remarquera un ensemble de blocs fixés au mur de la cour principale, où sont gravés des textes et des illustrations taoïstes, notamment des extraits de Neijing, la bible des yogis et des alchimistes taoïstes. D'autres dalles sont gravées de curieux motifs taoïstes, dont les cinq symboles mystiques décrivant les cinq montagnes sacrées taoïstes. Le **pavillon Lingguan** est encadré de statues de gardiens, le Tigre Blanc et le Dragon Vert, et d'une effigie de Wang Lingguan, gardien du taoïsme. Des statues des Huit Immortels s'alignent de part et d'autre de leur pavillon.

À l'arrière du temple, le **pavillon Doumu** est consacré à l'importante déesse taoïste Doumu, ou Doulao, reine de la Grande Ourse. À l'arrière également, le pavillon de maître Qiu est l'endroit où l'impératrice douairière Cixi et l'empereur Guangxu trouvèrent refuge après avoir fui la Cité interdite en 1900, à la fin de la révolte des Boxeurs *(p. 433)*. Au-dessus de la porte, une tablette gravée des caractères *yuqing zhidao* (« le Tao de la Pureté de Jade ») est une dédicace de Cixi à l'abbé. Le temple célèbre une grande fête religieuse le premier et le quinzième jour de chaque mois lunaire. Un excellent marché de bibelots et de souvenirs se tient le mercredi et le dimanche dans la rue qui longe le temple.

Pavillon des Stèles, temple des Huit Immortels

Petite pagode de l'Oie sauvage – 15 étages à l'origine

Petite pagode de l'Oie sauvage

Youyi Xi Lu. *21, 402.* *t.l.j.*

Au sud-ouest de la porte Sud, du haut de ses 43 mètres, Xiaoyan Ta, la petite pagode de l'Oie sauvage, faisait partie de l'ancien temple de Jianfu Si. C'est l'un des vestiges majeurs de l'époque Tang, construit pour entreposer les sutras rapportés d'Inde à Xi'an via la Route de la soie. Achevée en 709, sa tour de brique devait protéger les sutras des incendies qui ravageaient régulièrement les temples en bois. Mais un premier tremblement de terre eut raison du sommet de la pagode. En 1487, un autre creusa une fissure d'environ 30 centimètres sur toute sa hauteur, qu'un dernier séisme referma le siècle suivant.

Musée d'Histoire du Shaanxi

p. 166-167.

Grande pagode de l'Oie sauvage

Yanta Lu. *5, 21,501.* *t.l.j.* *(autre billet pour monter dans la pagode).*

Dayan Ta fait partie du temple Cien (Ciensi). Cette pagode fut édifiée en 652 sous les Tang en mémoire de l'impératrice Wende, mère de l'empereur Gaozong. Le moine Xuanzang, qui traversa l'Asie centrale pour se rendre en Inde et rapporta des centaines de sutras *(p. 487)*, officia au temple et traduisit tous ces textes sanskrits en chinois. La pagode de 64 mètres, construite sur ses ordres pour la conservation des sutras, est une robuste structure carrée en brique à l'extérieur, et en bois à l'intérieur. À l'apogée de la dynastie Tang, Xi'an était près de sept fois plus grande qu'aujourd'hui et englobait le temple et la pagode.

Il faut à nouveau payer pour monter dans Dayan Ta. Sachez que lancer des pièces depuis les fenêtres porte bonheur. Le grand temple, plus petit qu'à son apogée sous les Tang, se visite également. La salle principale renferme trois statues de bouddha flanquées de 18 *luohan* ou *arhat* *(p. 30-31)*.

Visiteur allumant un cierge dans la cour de la grande pagode de l'Oie sauvage

L'histoire des pagodes

Cet élément typique de l'architecture chinoise est en réalité, autant par son concept que par sa forme, une émanation du stupa bouddhique indien. Toutefois, les Chinois y apportèrent rapidement leur propre style, comme en témoignent les pagodes à pilier unique des grottes de Yungang et leurs constructions à étages. En 1 500 ans, l'architecture des pagodes se diversifia, des colonnes aux tombeaux massifs en passant par d'immenses tours à étages. Qu'elles fussent en pierre, en brique ou en bois, elles pouvaient être carrées ou polygoniques. Dans le même temps, leur utilisation changea légèrement et elles furent détrônées de leur position centrale par des pavillons plus fonctionnels. Le *feng shui*, quant à lui, donna naissance à des pagodes isolées sur des collines hors des villes en surplomb de rivières pour porter chance et se protéger des inondations.

Pagode au pilier unique de Yungang

Le stupa indien, *un tombeau symbolique recueillant des reliques bouddhiques, inspira la pagode. Toutefois, ce style fut quasiment abandonné au XIIIe siècle, quand les Yuan introduisirent les stupa tibétains (ou dagobas), un style qui connut de beaux jours sous les dynasties suivantes.*

Cette pagode Dali *est un magnifique exemple de pagode en pierre à avant-toit serré. Perchée sur un socle carré, elle culmine à 69 mètres de haut avec une flèche en forme de bouton de lotus qui rappelle les stupa indiens.*

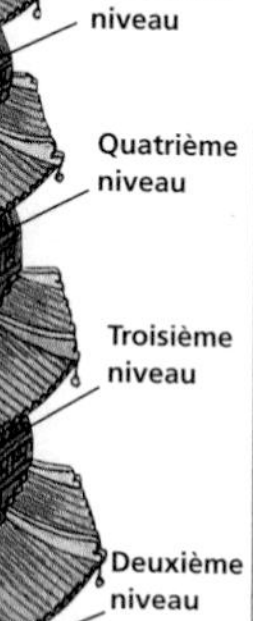

Les pagodes octogonales *viendraient du bouddhisme tantrique, qui utilisait une cosmogonie à huit points cardinaux.*

Flèche en bouton de lotus

Accès aux bouddhas supérieurs par un étroit escalier.

Les galeries furent une innovation des pagodes en bois.

Deux anneaux de colonnes renforçaient la stabilité de la structure.

Sakyamuni, (11 m), sutras et reliques.

Socle

Cinquième niveau

Quatrième niveau

Troisième niveau

Deuxième niveau

Premier niveau

PAGODE YINGXIAN

La pagode de bois de Fogong Si est l'une des plus belles pagodes encore debout. Cet édifice octogonal construit en 1056 est appelé pagode Sakyamuni.

Le musée d'Histoire du Shaanxi

陕西历史博物馆

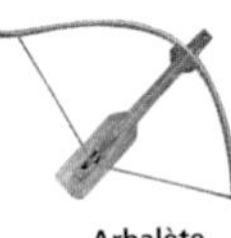

Arbalète ancienne

L'un des hauts lieux de Xi'an est ce musée moderne et spacieux qui présente plus de 370 000 reliques de la civilisation et de la culture Shaanxi remontant jusqu'à la préhistoire. La collection est riche en céramiques, bronzes, jades, objets en or et en argent, pièces anciennes et calligraphie des époques pré-Ming, signe du déclin ultérieur de Xi'an. Vous y découvrirez d'intéressantes fresques de la dynastie Tang et aurez la chance d'examiner de près quelques-uns des célèbres soldats de terre cuite *(p. 168-169)*. L'exposition est bien faite, avec des légendes en chinois et en anglais.

Le musée d'Histoire du Shaanxi, une construction moderne inspirée du style Tang

★ Tripode Shang

Le décor de masques de gloutons de cette marmite témoigne de l'intérêt porté par la société Shang au monde des esprits de la nature et des êtres surnaturels. Les bronzes de l'époque Shang sont considérés comme les plus grandes créations de la dynastie.

Décanteur Zhou

Avec son couvercle en forme de tigre et sa poignée en forme de queue, ce zun (sorte de carafe à vin) aux allures de bœuf fut découvert en 1967. Le décor stylisé est typique des décors animistes de la dynastie Zhou.

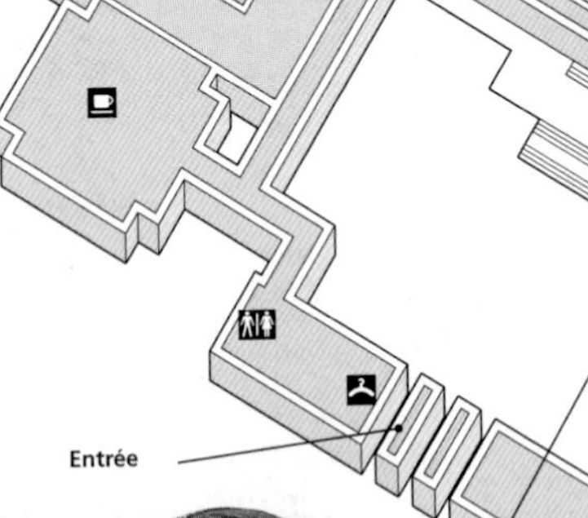

LÉGENDE DU PLAN

- Préhistoire
- Dynasties Shang et Zhou
- Dynastie Qin
- Dynastie Han
- Dynasties du Nord et du Sud
- Dynastie Tang
- Dynasties Song à Qing
- Expositions spéciales
- Espace hors exposition

Tigre de bronze

Incrusté de caractères archaïques utilisés pour les documents officiels Qin, ce remarquable objet en bronze servait à valider les ordres de mobilisation des troupes.

À NE PAS MANQUER

★ Cheval *sancai* Tang

★ Tripode Shang

Pour les hôtels et les restaurants de la région, voir p. 558-559 et p. 585-586

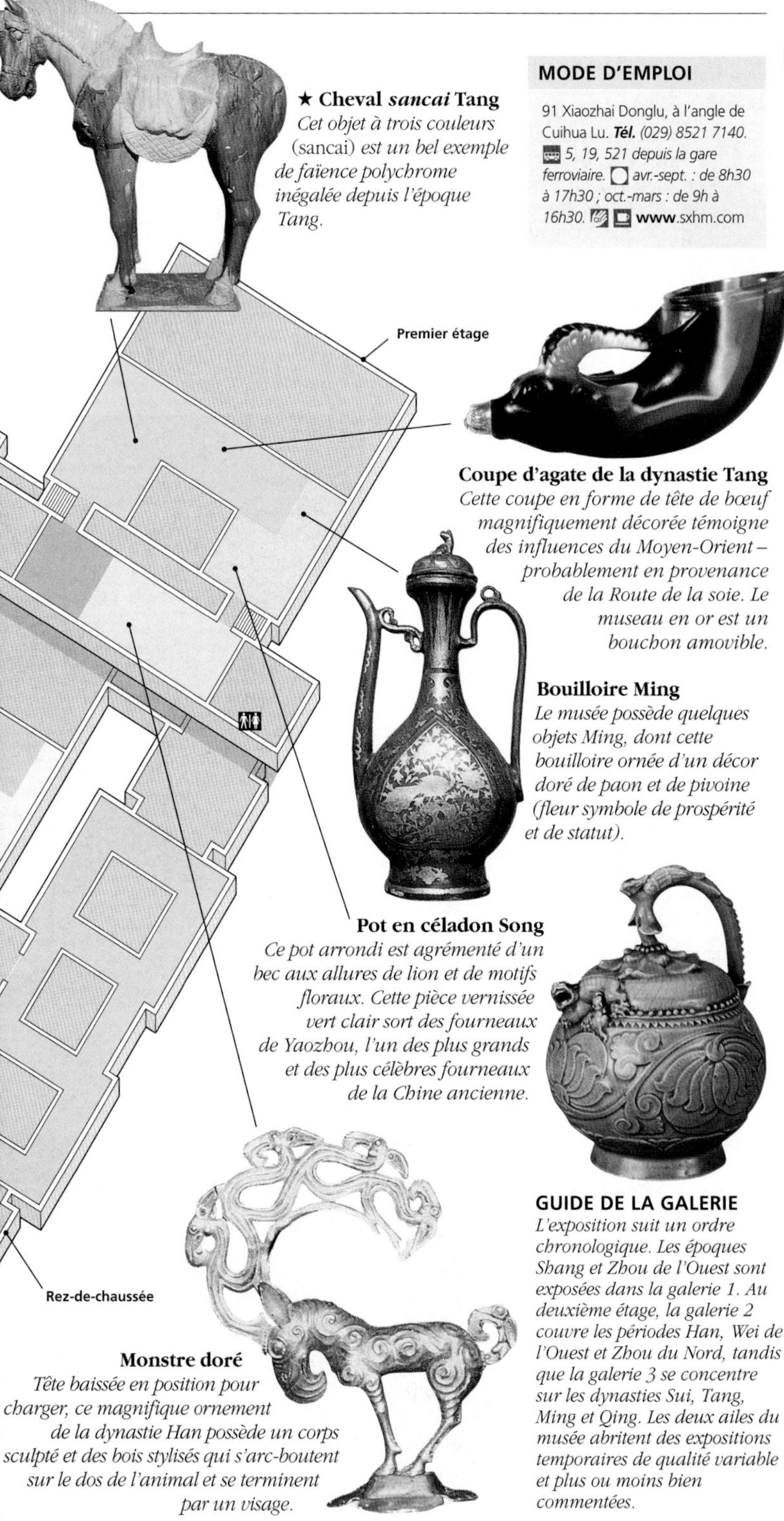

★ Cheval *sancai* Tang
Cet objet à trois couleurs (sancai) est un bel exemple de faïence polychrome inégalée depuis l'époque Tang.

Coupe d'agate de la dynastie Tang
Cette coupe en forme de tête de bœuf magnifiquement décorée témoigne des influences du Moyen-Orient – probablement en provenance de la Route de la soie. Le museau en or est un bouchon amovible.

Bouilloire Ming
Le musée possède quelques objets Ming, dont cette bouilloire ornée d'un décor doré de paon et de pivoine (fleur symbole de prospérité et de statut).

Pot en céladon Song
Ce pot arrondi est agrémenté d'un bec aux allures de lion et de motifs floraux. Cette pièce vernissée vert clair sort des fourneaux de Yaozhou, l'un des plus grands et des plus célèbres fourneaux de la Chine ancienne.

Monstre doré
Tête baissée en position pour charger, ce magnifique ornement de la dynastie Han possède un corps sculpté et des bois stylisés qui s'arc-boutent sur le dos de l'animal et se terminent par un visage.

MODE D'EMPLOI

91 Xiaozhai Donglu, à l'angle de Cuihua Lu. ***Tél.*** *(029) 8521 7140.* *5, 19, 521 depuis la gare ferroviaire.* *avr.-sept. : de 8h30 à 17h30 ; oct.-mars : de 9h à 16h30.* **www**.sxhm.com

GUIDE DE LA GALERIE

L'exposition suit un ordre chronologique. Les époques Shang et Zhou de l'Ouest sont exposées dans la galerie 1. Au deuxième étage, la galerie 2 couvre les périodes Han, Wei de l'Ouest et Zhou du Nord, tandis que la galerie 3 se concentre sur les dynasties Sui, Tang, Ming et Qing. Les deux ailes du musée abritent des expositions temporaires de qualité variable et plus ou moins bien commentées.

L'armée de terre cuite ❷

兵马俑

Cloche, tombeau de Shi Huangdi

L'armée des guerriers de terre cuite fut découverte en 1974. Les fascinantes rangées de statues grandeur nature modelées en argile jaune étaient là pour garder la tombe de Shi Huangdi des Qin, empereur despotique qui unifia la Chine il y a plus de 2 200 ans *(p. 54)*. Les fouilles révélèrent la présence de trois fosses avec plus de 7 000 soldats, archers et chevaux. La n° 1 renferme l'infanterie, la n° 2 (en cours de fouille) abrite la cavalerie, et la n° 3 (non fouillée) semble être le quartier général, avec 70 officiers de haut rang. Chaque guerrier, jadis armé et coloré aux pigments, affiche une expression unique.

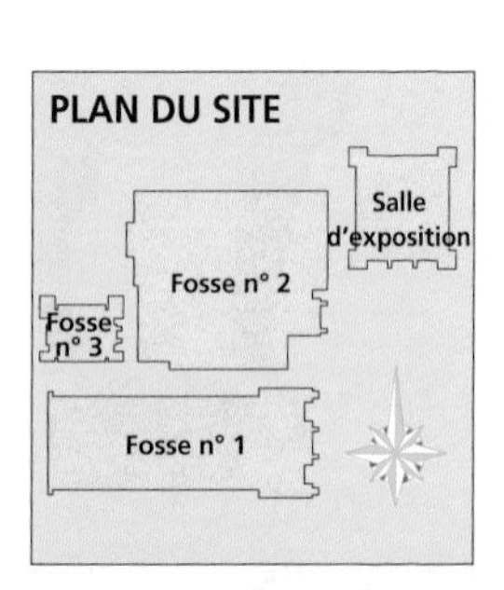

★ Armée de la fosse n° 1

La fosse la plus impressionnante contient plus de 6 000 guerriers en formation de bataille. L'arrière de la voûte est jonché de têtes brisées et de fragments en attente d'être assemblés

Les chevaux de terre cuite ont été assemblés à partir de débris, comme les soldats qui les entourent.

Officier de haut rang

Vêtue d'une longue tunique à double épaisseur, superposée jusqu'aux genoux, cette imposante statue se distingue à la fois par ses atours et par la supériorité de sa taille sur celle de l'infanterie qu'elle supervise.

Décoration d'origine

Toutes les statues étaient peintes dans des couleurs vives semblables à cette copie. Certaines portent encore des traces de peinture, mais la plupart se sont effacées au contact de l'air.

Infanterie

Les guerriers de terre cuite étaient à l'origine équipés d'armes, notamment d'épées, de lances, d'arcs et de flèches, dont beaucoup se sont décomposés.

À NE PAS MANQUER

- ★ Arbalétrier genou à terre
- ★ Armée de la fosse n° 1

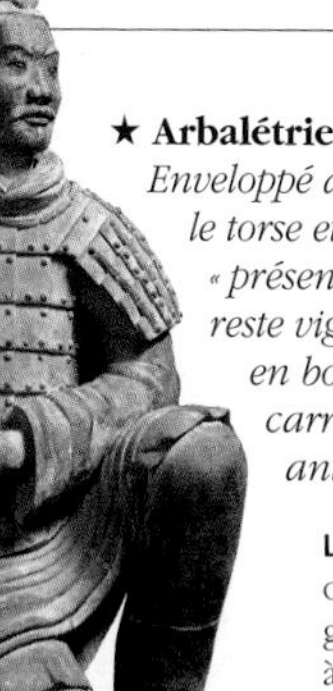

★ Arbalétrier avec un genou à terre
Enveloppé dans une armure qui couvre le torse et agenouillé en position de « présentez armes », cet arbalétrier reste vigilant, même sans son arc en bois. Ses chaussures à bout carré sont cloutées pour être antidérapantes.

MODE D'EMPLOI

28 km à l'est de Xi'an. 28 et 306 depuis la gare ferroviaire de Xi'an. **Tél.** (029) 8139 9001. de 8h30 à 17h30 t.l.j.

Les galeries en terre où se dressent les guerriers étaient à l'origine coiffées de chevrons en bois.

Le souci du détail
L'œuvre est d'une étonnante complexité, en particulier dans la minutieuse personnalisation des coiffures des têtes sculptées à la main, ainsi que dans le soin apporté aux ceintures, vêtements et chaussures.

Restauration de l'armée
Le travail de fouille et de restauration des statues de terre cuite se poursuit. Chaque guerrier est unique et la reconstitution est un minutieux travail d'équipe.

LE TOMBEAU DE SHI HUANGDI DES QIN

L'armée de terre cuite n'est que la partie défensive de cette vaste nécropole. La grande colline en attente de fouilles située à moins de 2 kilomètres à l'ouest des fosses serait le mausolée du premier empereur Qin, un tyran préoccupé par la mort et l'héritage qu'il laisserait derrière lui. Il ne recula devant aucune dépense et attela 700 000 personnes pendant 36 ans à la construction de sa tombe. Selon des sources anciennes, son tombeau serait traversé de rivières de mercure sous un toit émaillé de perles représentant la voûte céleste. L'ensemble contiendrait 48 tombes de concubines enterrées vivantes avec l'empereur, sort qui attendait également les ouvriers afin qu'ils ne dévoilent pas l'emplacement ni l'architecture de la nécropole. Deux magnifiques chariots de bronze, logés à l'origine dans des cercueils de bois, furent découverts près du tumulus et minutieusement reconstitués. L'un d'eux, réalisé à échelle réduite de moitié, est constitué de plus de 3 600 pièces métalliques.

L'un des deux chariots de bronze présentés dans la salle d'exposition

Fresque de la tombe de Yi De, Qianling

Les environs de Xi'an

Le meilleur moyen de découvrir les sites intéressants autour de Xi'an est d'emprunter les bus de Western Tour qui partent le matin de la gare ferroviaire de Xi'an. À 25 kilomètres au nord-est, Xianyang, première capitale dynastique chinoise, est une ville moderne, surtout visitée pour son musée et les tombeaux impériaux des environs. Situé dans un ancien temple confucéen, le **musée de la Ville de Xianyang** expose des reliques des époques Qin et Han, en particulier une armée de 3 000 soldats miniatures en terre cuite, découverte dans une tombe voisine. À 40 kilomètres à l'ouest de Xi'an, **Maoling** (tombeau Mao), la tombe de l'empereur Han Wudi (141-87 av. J.-C.), est le plus grand tombeau des Han des environs. Son musée possède des sculptures de pierre et autres reliques découvertes dans la nécropole. À 80 kilomètres au nord-ouest de Xi'an, l'impressionnant **Qianling** (tombeau Qian) est l'hypogée de l'empereur Tang Gaozong et de son épouse, l'impératrice Wu Zetian *(p. 58-59)*. La Voie des Esprits est bordée de statues de pierre. Le sud-est du site compte 17 tombes de moindre importance, dont les tombeaux du prince Zhanghuai, deuxième fils de l'empereur, et du prince héritier Yi De, petit-fils de l'empereur. À 70 mètres au nord-ouest de Xi'an, **Zhaoling** (tombeau Zhao), le mausolée de l'empereur Tang Taizong, est adossé à la montagne.

Stèle de la tombe de Yi De, Qianling

À 120 kilomètres au nord-ouest de Xi'an, le lointain **temple Famen** mérite le détour. Ce sanctuaire – l'un des plus anciens temples bouddhiques chinois – attire les pèlerins du monde entier. Il fut construit au IIe siècle pour abriter un os de doigt de Sakyamuni (bouddha historique) offert par le roi indien Ashoka, qui diffusait des reliques *(sarira)* en terre bouddhiques. À l'apogée de la dynastie Tang, les disciples de Bouddha vénéraient cette relique sacrée conservée dans la crypte du temple et la faisaient régulièrement défiler dans les rues de Xi'an. À la chute de la dynastie, la crypte tomba dans l'oubli, probablement suite à des purges antibouddhiques. Il est surprenant que la crypte soit restée cachée si longtemps, car les pagodes ont souvent des coffres pour conserver les reliques et les ornements bouddhiques. Dans les années 1980, l'effondrement partiel de la pagode permit de découvrir la crypte, les reliques et les trésors de la dynastie Tang. Aujourd'hui, l'os a retrouvé sa place dans une crypte et est exposé de temps à autre à l'étranger. Le musée du temple présente de nombreux objets de l'époque Tang.

Musée de la Ville de Xianyang
Zhongshan Lu. *de 8h à 17h t.l.j.*

Maoling, Qianling et Zhaoling
de la gare de Xi'an. *t.l.j.*

Temple Famen
de la gare de Xi'an, 4 navettes par jour à partir de 7h30. *de 8h à 17h30 t.l.j.*

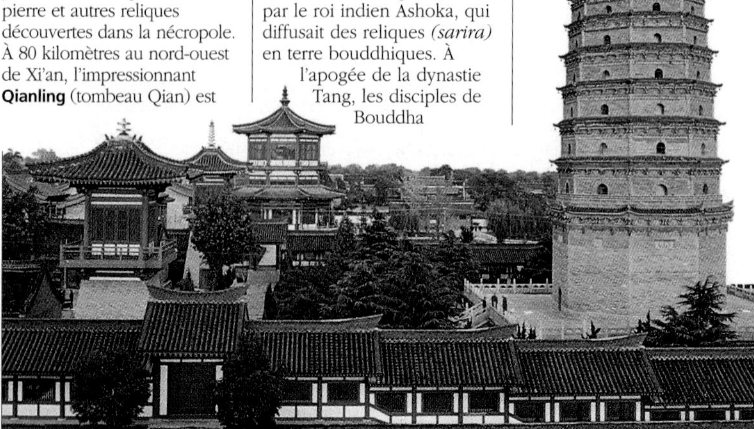

La pagode de 12 étages du temple Famen a retrouvé sa splendeur d'antan

Pour les hôtels et les restaurants de la région, voir p. 558-559 et p. 585-586

Pèlerins et randonneurs en route pour le pic du Nord, Huashan

Huashan ❸

华山

120 km à l'est de Xi'an.

de X'ian à Menyuan, puis bus.

Téléphérique.

Le Huashan, la plus à l'ouest et la plus haute (2 610 mètres) des cinq montagnes sacrées taoïstes de Chine, se caractérise par ses versants abrupts, ses précipices et ses paysages. Couronné de cinq pics (du Nord, du Sud, de l'Est, de l'Ouest et du Centre) dominant le sud-ouest du fleuve Jaune quand celui-ci vire à l'est le long de la frontière entre le Henan et le Shanxi, le Huashan (montagne Fleurie) était traditionnellement associé à une fleur de lotus. Connue sous le nom de Xiyue (pic de l'Ouest), la montagne serait placée sous la protection du dieu taoïste du Huashan. Pendant des siècles, elle attira les ermites et les ascètes en quête d'immortalité, et ses à-pics ainsi que ses failles restent empreints de mythes taoïstes. Quelques temples ont survécu, perchés sur la montagne.

Les randonneurs se rendent au pic du Nord soit en téléphérique, soit en trois à cinq heures de marche difficile avec les hordes de pèlerins au départ du village de Huashan. Une fois au pic du Nord, redescendez ou empruntez le sentier qui longe la dorsale vers les quatre autres pics situés au sud. Le printemps et l'été sont les meilleures saisons. En été et en hiver, les températures sont extrêmes. On peut également faire l'ascension de nuit. Mieux vaut apporter ses propres provisions, malgré les vendeurs ambulants et les gîtes du sentier. Prévoyez des chaussures de randonnée antidérapantes. En divers endroits près du sommet, vous apercevrez des paquets de cadenas pendus à des chaînes. Selon la tradition, les couples y font graver leurs noms et les ferment ici pour toujours. Vous pouvez également passer la nuit au village de Huashan et dans la montagne pour admirer le lever du soleil sur le pic de l'Est.

Cadenas gravés de noms de couples, Huashan

Yan'an ❹

延安

250 km au nord de Xi'an.

140 000. de Xi'an.

Cette ville paisible au cœur des collines cannelées du Lœss, dans le nord du Shaanxi, se visite en train depuis Xi'an. Yan'an attire les fans de Mao, car elle fut le siège du Parti communiste pendant une décennie à la fin de la Longue Marche *(p. 256)*, en octobre 1935. Dans le nord de la ville, le **musée de la Révolution** abrite un large éventail de reliques communistes, notamment le cheval empaillé de Mao, des armes, des photographies et des uniformes. Non loin de là se trouve le **quartier général de la révolution de Wangjiaping**, où Mao et d'autres grands chefs du parti travaillèrent et vécurent. Le **quartier général de la révolution de Fenghuang shan lu**, première base des communistes, abrite des souvenirs d'officiers de haut rang. Perchée sur une colline au sud-est de la ville, la **pagode Bao** d'époque Ming présente parfois des souvenirs et des badges communistes. La vue y est impressionnante.

Musée de la Révolution
Zaoyuan Lu. *de 8h à 17h20 t.l.j.*

Quartier général de la révolution de Wangjiaping
Zaoyuan Lu. *de 7h au coucher du soleil t.l.j.*

LE CENTRE

Le Centre d'un coup d'œil

Dominée par le puissant fleuve Yangzi, la Chine du Centre comprend la ville portuaire de Shanghai et les six provinces qui l'entourent au nord, au sud et à l'ouest : le Jiangsu, le Anhui, le Zhejiang, le Jiangxi, le Hunan et le Hubei. La région est riche en sites historiques et naturels. On y découvre notamment la belle ville de Nankin, avec ses remparts en grande partie intacts ; les splendides paysages du lac de l'Ouest, à Hangzhou, et les sommets du Huangshan, dans le Anhui ; ou encore les villes culturelles de Hangzhou et de Suzhou, situées le long du Grand Canal – l'une des plus grandes prouesses techniques des débuts de l'histoire de la Chine. Un autre exploit plus récent, le tout nouveau barrage des Trois Gorges – le plus grand du monde –, se trouve quant à lui dans le Hubei, sur le fleuve Yangzi.

Vue depuis le Jiuhua Shan, montagne sacrée bouddhique

Scène tranquille à Shizi Lin (bosquet du Lion), Suzhou

Hanzhong
WUDANG SHAN
XIANGFAN
207
318
YICHANG
ENSHI
Yangzi Jiang
WULINGYUAN
YUEYANG
107
319
CHANGSHA
320
HENGSHAN
322
TONGDAO
Liuzhou
YONGZHOU
107
JINGGANG
106
DAOXIAN
Xiao Shui
Wuzhou

CIRCULER

Shanghai possède le principal aéroport de la région, qui dessert le monde entier et toute la Chine. La région compte de nombreux aéroports intérieurs, mais, si vous avez le temps, il est plus agréable de voyager en train. Le Grand Canal et le fleuve Yangzi proposent tous deux des excursions touristiques en ferry ou en péniche, avec peu de lignes régulières. Dans les régions montagneuses reculées du Wudang Shan, dans le nord du Hubei, et du Jinggang Shan, dans le sud du Jiangxi, le bus est le moyen de transport le plus pratique.

LÉGENDE

- Autoroute
- Route nationale
- Route secondaire
- ▲ Zone montagneuse

◁ **Architecture futuriste sur les rives du Huangpu, à Pudong, Shanghai**

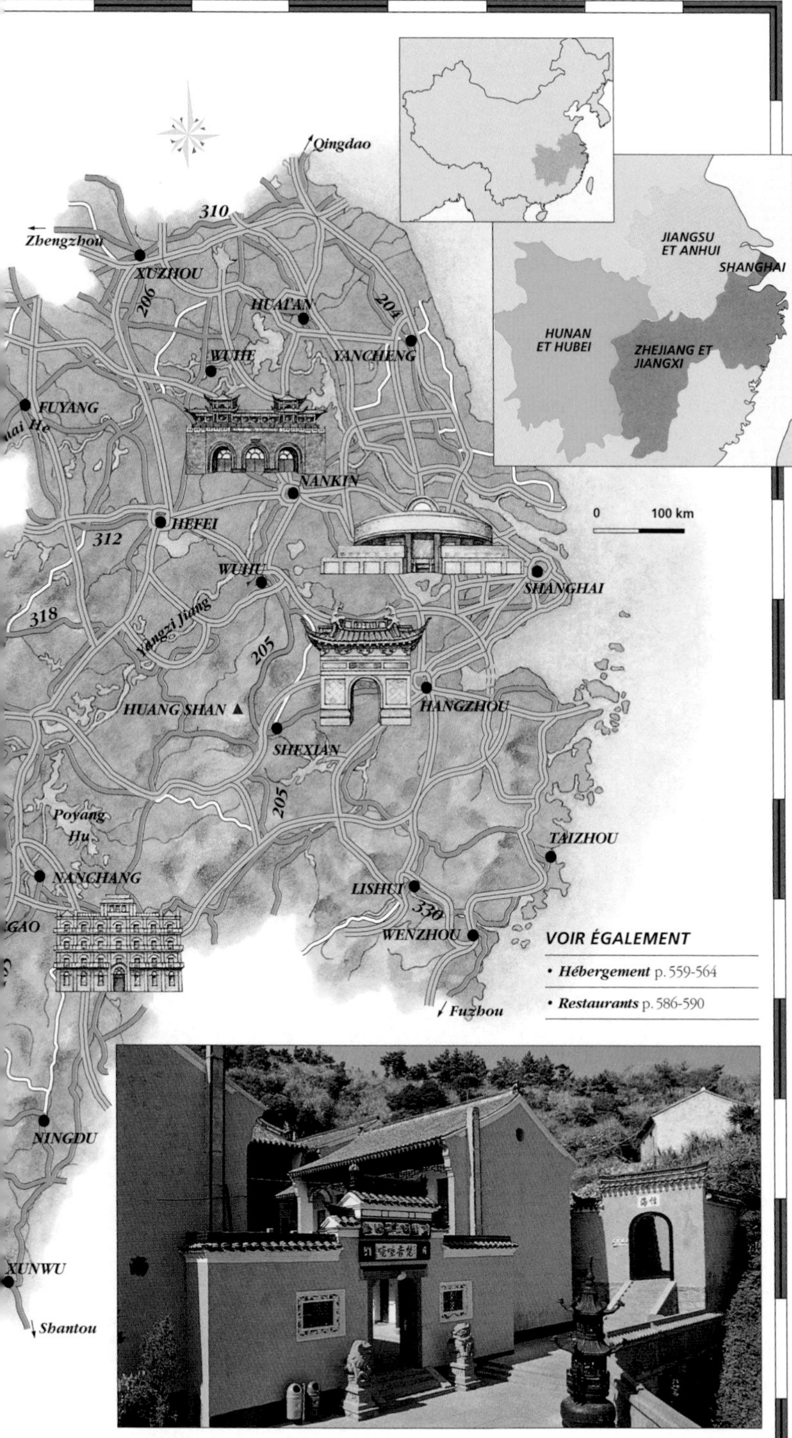

VOIR ÉGALEMENT

- ***Hébergement*** p. 559-564
- ***Restaurants*** p. 586-590

Temple de l'île de Putuo Shan, au large de la côte est du Zhejiang

PRÉSENTATION DU CENTRE

De la ville moderne de Shanghai aux cités émaillées de canaux historiques, la Chine du Centre embrasse l'essence du pays et de sa culture. La région peut aussi être considérée comme le creuset de la Chine moderne, car c'est ici que se déroula la majeure partie des grands événements historiques qui la façonnèrent au début du XXe siècle.

Le Yangzi (Chang Jiang), qui se jette dans la mer de Chine de l'Est, juste au sud de Shanghai, est le lien qui unit toute la Chine du Centre. Le mélange d'eau et de limon a fertilisé de vastes terres, en particulier autour de Wuhan, surnommé le « panier à blé de Chine » ou le « pays du poisson et du riz ». Malgré de nombreuses inondations, le fleuve est depuis des siècles un support vital du commerce chinois. Les nuées de sampans et de jonques décrites par Marco Polo au XIIIe siècle, puis les clippers à thé du XIXe siècle, ont aujourd'hui cédé la place aux ferries et aux bateaux de croisière. Le fleuve a également accéléré le développement du pays : sans le Yangzi, le Grand Canal et Shanghai n'auraient jamais existé. Aujourd'hui, avec la construction controversée du barrage des Trois Gorges, le fleuve répond encore aux besoins d'une population pléthorique.

Porte de jardin stylisée, Yangzhou

Shanghai, située sur un petit affluent du Yangzi, le Huangpu, est une sorte de parvenue, malgré sa réputation. Petite ville provinciale jusqu'au milieu du XIXe siècle, elle a fini par devenir non seulement la plus grande ville du pays, mais aussi l'une des plus importantes du monde. Même la Révolution culturelle ne l'a pas empêchée de rester, dans l'esprit des Chinois, la capitale de la mode et du shopping, ainsi qu'une formidable locomotive industrielle. Pourtant, à la mort du président Mao en 1976, c'était une métropole usée, et ce n'est qu'au cours de la dernière décennie qu'elle a retrouvé sa splendeur. Elle symbolise aujourd'hui la

Vue du quartier futuriste de Pudong depuis la promenade du Bund, Shanghai

L'un des nombreux canaux de Tongli

vitalité et le dynamisme de la Chine « nouvelle ».

Shanghai a également exercé une immense influence politique. La ville accueillit la première réunion du Parti communiste chinois, et fut le berceau de la Révolution culturelle ainsi que de la Bande des Quatre.

Détail des ruines du palais Ming, Nankin

En réalité, presque tous les événements politiques majeurs du XXe siècle se produisirent dans les provinces du Centre. Nankin, la première capitale Ming, fut le quartier général républicain de Chiang Kai-shek. Le président Mao naquit et grandit dans le Hunan, où il débuta son action révolutionnaire. Dans le Jiangxi, l'insurrection de Nanchang en 1927 fut le point de départ de la création de l'armée Rouge. C'est aussi de cette même province que partit la Longue Marche. Il n'est pas surprenant que la révolution se soit embra-sée aussi facilement, car le Anhui, le Hunan et le Jiangxi sont des régions en grande partie montagneuses, loin du Yangzi et des villes de pouvoir, et elles ont toujours connu une extrême pauvreté.

Pourtant, bien avant la chute du dernier empereur, c'est là que les ingrédients majeurs de la culture chinoise prérévolutionnaire fleurirent dans la splendeur des dynasties Song et Ming. Avant d'établir leur capitale à Pékin, les Ming imprimèrent leur marque à Nankin. C'est aussi à Hangzhou, ancienne capitale Song, que l'on peut admirer l'un des plus beaux paysages chinois : le lac de l'Ouest. Les jardins et les ateliers de broderie sur soie et ceux de porcelaine de la région sont tout aussi remarquables. Dans le Jiangsu, Suzhou a en partie conservé son charme d'antan. La ville est réputée pour ses jardins privés quasiment intacts. À Jingdezhen, la production de porcelaine se poursuit dans les fourneaux impériaux, tandis que la soie, produite dans la région, s'exporte comme il y a mille ans.

Mais aussi peuplée et façonnée par la main de l'homme soit-elle, la Chine du Centre réserve également des surprises avec ses grands espaces naturels, comme l'illustre parfaitement la légende de l'Homme Sauvage, l'équivalent chinois du Yeti, qui hanterait le Shennongjia, dans le Hubei. Pour échapper à la Chine urbaine ou champêtre, vous n'aurez que l'embarras du choix, des magnifiques paysages du lac Taihu (Jiangsu) aux superbes panoramas montagneux du Wulingyuan (Hunan) et du Yandang Shan (Zhejiang).

Passerelle suspendue des Falaises Divines, Yandang Shan

Le jardin chinois traditionnel

Le lotus, fleur symbolique par excellence

Le jardin chinois est né de la synthèse de deux concepts liés à la philosophie taoïste *(p. 23)* – le paysage et la sérénité –, la contemplation de la nature dans la solitude de la méditation conduisant à l'éveil. Aussi les riches lettrés aménageaient-ils pour leur usage personnel des décors naturels dans un environnement urbain. Le jardin mêlait poésie et peinture pour enjoliver la nature en créant un décor qui avait l'air naturel, mais qui en réalité s'avérait entièrement artificiel. Pour y parvenir, les paysagistes chinois disposaient de quatre éléments essentiels : la pierre, l'eau, le végétal et l'architecture.

Le jardin chinois classique *était considéré comme un art pictural ou poétique en trois dimensions.*

Les rochers*: il existait deux grands types de rochers le calcaire de l'érosion des lacs, souvent employé pour les sculptures, et la pierre jaune amoncelée pour évoquer les montagnes et les grottes. La beauté et le réalisme des rocailles étaient généralement déterminants pour la réussite d'un jardin.*

L'eau*: cet élément indispensable à la vie fait également miroir et semble donc agrandir le jardin. L'eau permet aussi les contrastes, notamment pour atténuer la dureté de la pierre. Les poissons rouges qui y vivent sont symboles de chance.*

L'intérieur *des pavillons était un lieu de créativité. On prenait grand soin d'attribuer à chacun un nom poétique cohérent.*

Des décors et des mosaïques *symboliques égaient le jardin. Les grues incarnent la longévité, tandis que le yin et le yang apparaissent souvent là où un chemin se divise en deux.*

Galeries, sentiers et ponts *relient les différents lieux et permettent à l'artiste de contrôler l'angle sous lequel le visiteur découvrira les paysages.*

LES PAYSAGES

Une fois ces quatre éléments agencés, le jardin ressemble à une série de tableaux peints sur un rouleau de soie. Un par un, ils se déroulent devant vos yeux comme le voulait l'artiste. Au fil des sentiers, vous découvrez ce qu'il veut vous montrer. Il peut s'agir de paysages empruntés, quand une scène extérieure s'invite dans un tableau; de paysages cachés, quand, au détour d'un virage, vous apercevez un paysage inattendu ; de paysages contrastés, lorsqu'un rameau de bambou adoucit un rocher ; ou encore de paysages complémentaires, où l'eau – élément yin – équilibre le rocher – élément yang.

Une porte lune *est une porte ronde qui encadre élégamment un paysage comme un tableau. Elle peut avoir la forme d'un carré, d'une jarre ou même d'un livre.*

Les murs ajourés *laissent pénétrer la lumière et peuvent imprimer des ombres aérées sur des murs blancs. Ils permettent aussi parfois d'offrir une vue partielle sur d'autres parties du jardin.*

Les plantes *: elles étaient employées pour leurs vertus symboliques. Ainsi, le lotus incarne la pureté, car il prend racine dans la boue ; le bambou, la détermination, car il ne rompt pas ; le prunier, la vigueur, car il fleurit en hiver ; le pin, la longévité, et la pivoine impériale, la prospérité.*

L'architecture *: les pavillons sur terre et au bord de l'eau font partie intrinsèque du jardin ; ces abris servent de lieux de contemplation et, plus important encore, de points d'observation. Ils prennent la forme de kiosques ouverts, de pavillons à étages ou encore de salles de réunion.*

LE PENJING

Le *penjing*, ou l'art de créer un paysage miniature en pot, remonte à la dynastie Tang (618-907). L'artiste ne se limite pas aux arbustes, mais peut également recourir à des rochers et à des plantes cultivées spécialement à cet effet pour créer un paysage naturel, comme en peinture. La beauté et l'harmonie de ces créations sont considérées comme l'expression spirituelle de la relation de l'homme à la nature, la rencontre entre le temporel et l'immuable. Les jardins chinois consacrent souvent un espace à l'exposition ou à l'expression de cet art délicat.

L'art chinois du *penjing*, ancêtre du bonsaï japonais

La cuisine régionale : le Centre

La Chine du Centre est l'une des premières régions agricoles chinoises, d'où son surnom de « pays du poisson et du riz ». On y cultive le blé et le riz, mais aussi l'orge, le maïs, la patate douce, la cacahuète et le soja. Les pêcheries d'eau douce abondent et la pêche en haute mer se pratique depuis longtemps dans les provinces côtières. Dans les montagnes sacrées du Huangshan et du Jiuhua Shan, le végétarisme bouddhique a également influencé la cuisine régionale. La cuisine du Hunan ressemble à la cuisine du Sichuan, en encore plus épicée *(p. 346-347)*.

Pousses d'ail et chou chinois

Vendeur de produits séchés au marché

SHANGHAI

Les caractéristiques de la cuisine de Shanghai se résument ainsi : d'apparence exquise, riche en saveurs et douce au palais. L'un des ingrédients favoris est le crabe venu de l'estuaire du Yangzi. Shanghai, ville relativement jeune, n'a pas véritablement développé sa propre cuisine, hormis ses beignets farcis. Elle a surtout été influencée par les écoles gastronomiques plus anciennes de Huaiyang et de Suzhe et par la cuisine bouddhiste. Étrangement, c'est Shanghai, ville de réputation légère, qui possède les meilleurs restaurants végétariens. Peut-être les pêcheurs tentent-ils de se racheter en s'abstenant de manger de la viande de temps à autre. Les plats végétariens portent souvent des noms de plats de viande et parviennent même à leur ressembler à la vue et au goût grâce à un savant dosage de sauce de soja, de tofu, de gluten et de gélose.

Mets aux huit trésors

PLATS RÉGIONAUX ET SPÉCIALITÉS

Nankin et Hangzhou furent tour à tour la capitale de la Chine du Centre. À chaque transfert de capitale, les immenses cuisines impériales emportaient avec elles le personnel, d'où un enrichissement des recettes et des techniques. Malgré son nom modeste, le poulet du mendiant – un poulet entier farci aux légumes et aux aromates, enveloppé de feuilles de lotus et cuit en croûte d'argile – était l'un des fleurons de la gastronomie impériale. Une fois servi, le plat d'argile est brisé et libère ses délicieux arômes. Le tofu fermenté rouge possède une saveur salée et âpre qui rappelle le fromage des plats végétariens et des plats de viande. Cette spécialité de la Chine du Centre est dégustée partout. Les crabes d'eau douce sont meilleurs en octobre et novembre, juste cuits à la vapeur avec des oignons nouveaux, du gingembre, du soja, du sucre et du vinaigre.

Tofu fermenté

Têtes de lion *: ces boulettes de porc braisées au chou chinois sont censées évoquer la tête et la crinière du lion.*

HUAIYANG ET SUZHE

La cuisine de Huaiyang est réputée pour ses excellents poissons et coquillages – les crabes d'eau douce de Taihu sont un délice. La cuisine de Suzhe couvre quant à elle un territoire plus vaste et compte quelques hauts lieux gastronomiques tels que Nankin et Hangzhou. La région est réputée pour ses ragoûts agrémentés de bouillon léger et sa « cuisine rouge » – des aliments braisés dans de la sauce de soja, du sucre, du gingembre et du vinaigre de riz. Le « vinaigre de Chinkiang », un vinaigre de riz noir de Zhenjiang, est réputé être le meilleur vinaigre de riz chinois.

Les anguilles, un mets très apprécié des rivières de la Chine du Centre

La province du Zhejiang produit bien sûr les meilleurs vins de riz de Chine à Shaoxing et d'excellents jambons à Jinhua. Goûtez le thé vert Long Jing (Puits du Dragon), cultivé autour du lac de l'Ouest à Hangzhou.

Les cafés des parcs servent des beignets farcis à grignoter

ANHUI

Plus à l'intérieur des terres, la cuisine du Anhui est peu connue malgré une longue tradition gastronomique. La province n'a pas de côtes, mais elle a beaucoup de poissons grâce à ses nombreux lacs et rivières. C'est aussi l'une des premières régions agricoles chinoises avec une production de céréales et de légumes très riche et très variée, notamment des pousses de bambou blanches, fraîches et craquantes. C'est un ingrédient phare de la cuisine végétarienne des sanctuaires bouddhiques perchés dans les montagnes et souvent mélangé à toutes sortes de champignons exotiques. Enfin, les collines humides de Qimen, dans le sud du Anhui, produisent le célèbre thé rouge Keemun, en réalité noir.

À LA CARTE

Poulet du mendiant Poulet entier farci, cuit dans un plat en terre.

Crevettes sautées Crevettes sautées avec leur carapace, puis braisées dans une sauce à la tomate et au soja.

Terrine « tricouche » Lamelles de jambon, de poulet et de porc cuites à la vapeur avec des pousses de bambou et des champignons noirs

Crabes d'eau douce Simplement cuits à la vapeur avec de la ciboule, du gingembre, du soja, du sucre et du vinaigre.

Poitrine de porc et semoule de riz à la vapeur Ce plat à cuisson lente fond littéralement dans la bouche.

Mets aux huit trésors Nom d'un délicieux plat végétarien constitué de toutes sortes d'ingrédients différents.

Marmite de tofu *aux champignons, concombres de mer, jambon, crevettes, pousses de bambou et chou.*

Poisson écureuil *: des filets de dorade frits dans une pâte à beignet sont servis avec une sauce aigre-douce.*

Travers de porc aigre-doux *: bouchées de travers de porc frites et braisées dans une sauce au soja, sucre et vinaigre.*

亚一金店
亚一金店
亚一金店

SHANGHAI

Située sur les rives du Huangpu, près de l'embouchure du puissant Yangzi, sur la côte est de la Chine, Shanghai est la ville la plus grande et la plus dynamique du pays. Cette agglomération de plus de 13 millions d'habitants est une municipalité autonome qui, depuis sa récente explosion économique et industrielle, est l'une des villes qui enregistre la plus forte croissance au monde.

L'expansion de Shanghai (littéralement « sur la mer ») est un phénomène relativement récent. Au XIIIe siècle, c'était une modeste capitale de comté, et elle le restera jusqu'au milieu du XIXe siècle, quand les ambitions commerciales britanniques conduiront à la guerre, qui déboucha sur le traité de Nankin autorisant les Britanniques à commercer librement depuis certains ports, dont Shanghai. La ville devint rapidement un lieu de prestige, de débauche, puis de décadence. Elle fut divisée en « concessions » où les étrangers vivaient dans des versions miniatures de la Grande-Bretagne, puis de la France, des États-Unis et enfin du Japon. Le Bund, le boulevard qui longe le Huangpu, est bordé d'immeubles coloniaux, témoignages d'une époque où Shanghai était le troisième centre financier du monde. En 1949, les communistes prirent le pouvoir et la ville perdit sa superbe. Elle connut un renouveau lorsqu'en 1990, le quartier de Pudong, de l'autre côté de la rivière, face au Bund, fut déclaré zone économique spéciale. Les investissements affluèrent à un rythme effréné. Des autoponts, des galeries marchandes, des hôtels sortirent de terre, et des gratte-ciel reluisants de métal et de verre surgirent le long du Huangpu. Aujourd'hui, Shanghai est à nouveau à la pointe de l'économie et de la mode avec de nombreux clubs et bars qui garantissent des soirées débridées.

Promenade sur le Bund, Shanghai

◁ **Déambulation sur le pont en zigzag de la maison de thé Hu Xing Ting, dans la vieille ville de Shanghai**

À la découverte de Shanghai

Parmi les trois principaux quartiers de Shanghai, la vieille ville, au sud, est typiquement chinoise, avec ses ruelles, ses marchés et ses temples. C'est aussi le site du jardin Yu (Yu yuan), le plus beau jardin traditionnel de la ville. Le quartier des anciennes concessions comprend, à l'ouest de la vieille ville, la concession française, et au nord, les concessions britannique et américaine appelées colonie internationale. On y trouve le Bund, le front de fleuve bordé de somptueux bâtiments coloniaux, dont l'Hôtel de la Paix et le Shanghai Club, ainsi que les deux principales rues commerçantes de la ville, Nanjing Lu et Huaihai Lu. Quant à Pudong, le nouveau quartier de Shanghai, il est devenu une immense zone d'affaires, dominée par quelques-uns des plus hauts gratte-ciel du monde.

CARTE DE LOCALISATION
Voir carte p. 174-175

VOIR AUSSI

• ***Hébergement*** p. 559-561

• ***Restaurants et cafés*** p. 586-588

LES SITES D'UN COUP D'ŒIL

Bâtiments, sites et quartiers historiques
Le Bund p. 186-187 ❶
Cimetière des Martyrs de Longhua ⓰
Concession française ❾
Maison de Song Qingling ⓮
Musée du Premier Congrès du Parti communiste chinois ❼
Palais des Expositions de Shanghai ❿
Pudong ❺

Temples et églises
Cathédrale de Xujiahui ⓯
Temple du Bouddha de Jade ⓬
Temple Jing'an ⓫

Parcs et jardins
Jardin Yu et Yu Garden Bazar p. 192-193 ❻
Parc Fuxing ❽
Parc Hongkou ⓭
Parc et place du Peuple ❸

Musée
Musée de Shanghai p. 190-191 ❹

Ville des environs
Song Jiang ⓲

Boutiques et marchés
Nanjing Lu ❷

Sites naturels
She Shan ⓱

CIRCULER

Le métro est le meilleur moyen de circuler dans Shanghai, d'autant que le réseau s'étend rapidement. Actuellement, trois lignes sont ouvertes *(p. 632)*. Les taxis sont pratiques, bon marché et nombreux. Il y a aussi beaucoup de bus, mais ils ont tendance à être extrêmement bondés et lents à cause de la circulation, en particulier le matin et le soir aux heures de pointe. Chaque bus respecte un calendrier assez difficile à comprendre pour un étranger.

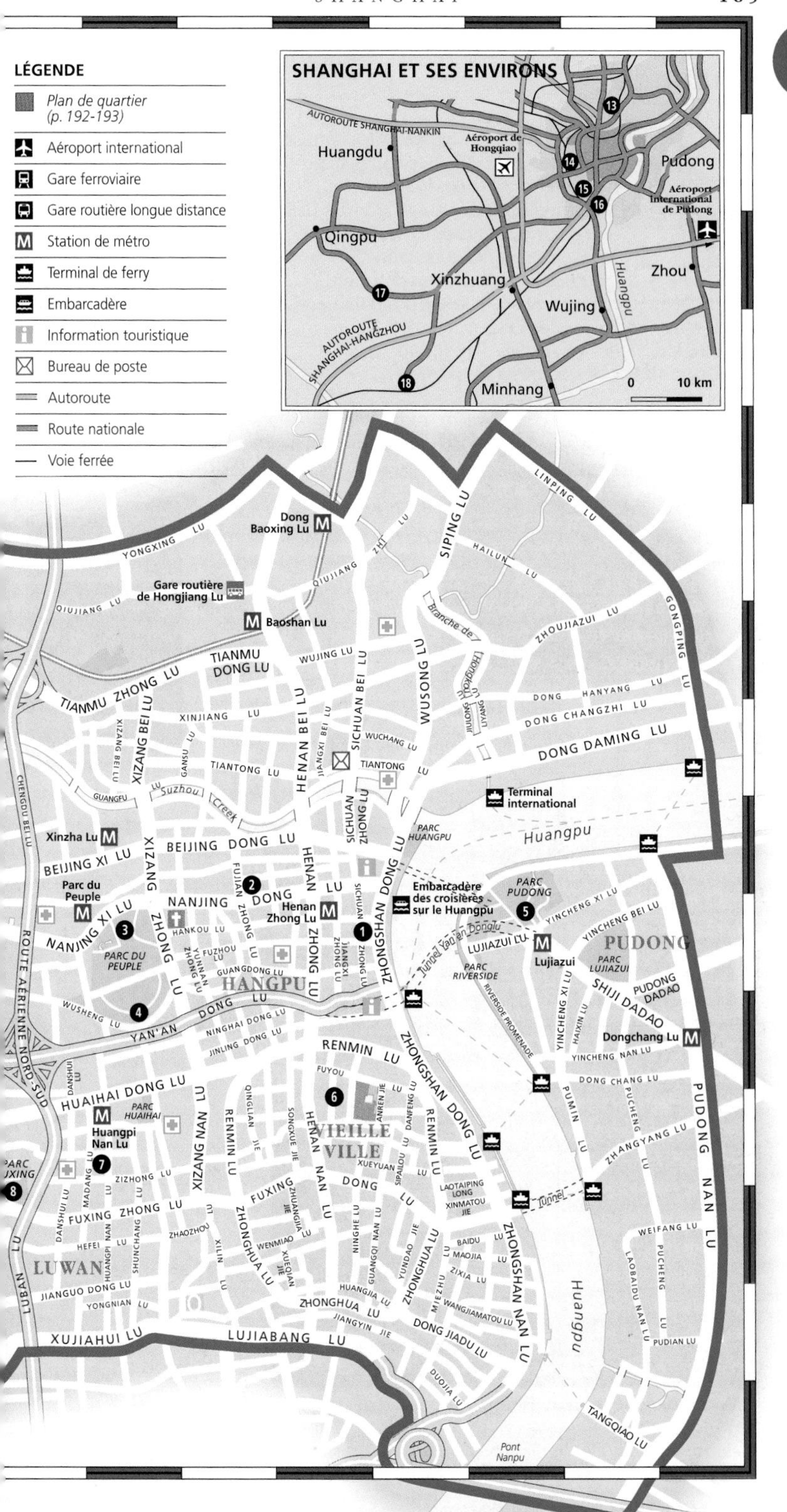
LÉGENDE
Plan de quartier (p. 192-193)
Aéroport international
Gare ferroviaire
Gare routière longue distance
Station de métro
Terminal de ferry
Embarcadère
Information touristique
Bureau de poste
Autoroute
Route nationale
Voie ferrée
SHANGHAI ET SES ENVIRONS
AUTOROUTE SHANGHAI-NANKIN
Huangdu
Aéroport de Hongqiao
Pudong
Aéroport International de Pudong
Qingpu
Xinzhuang
Huangpu
Zhou
Wujing
AUTOROUTE SHANGHAI-HANGZHOU
Minhang
0
10 km
13
14
15
16
17
18
Dong Baoxing Lu
YONGXING LU
QIUJIANG LU
Gare routière de Hongjiang Lu
Baoshan Lu
SIPING LU
LINPING LU
HAILUN LU
ZHOUJIAZUI LU
GONGPING LU
Branche de Hongkou
TIANMU DONG LU
TIANMU ZHONG LU
WUJING LU
WUSONG LU
XINJIANG LU
XIZANG BEI LU
HENAN BEI LU
SICHUAN BEI LU
WUCHANG LU
TIANTONG LU
DONG HANYANG LU
DONG CHANGZHI LU
DONG DAMING LU
GUANGFU
Suzhou Creek
Terminal international
CHENGDU BEI LU
Xinzha Lu
BEIJING DONG LU
BEIJING XI LU
SICHUAN ZHONG LU
PARC HUANGPU
Huangpu
Parc du Peuple
NANJING DONG LU
NANJING XI LU
FUJIAN ZHONG LU
Henan Zhong Lu
Embarcadère des croisières sur le Huangpu
PARC PUDONG
YINCHENG XI LU
YINCHENG BEI LU
PUDONG
PARC DU PEUPLE
XIZANG ZHONG LU
HENAN ZHONG LU
ZHONGSHAN DONG LU
Tunnel Yan'an Donglu
LUJIAZUI LU
Lujiazui
PARC LUJIAZUI
PARC RIVERSIDE
RIVERSIDE PROMENADE
SHIJI DADAO
PUDONG DADAO
HANGPU
WUSHENG LU
YAN'AN DONG LU
Dongchang Lu
YINCHENG NAN LU
ROUTE AÉRIENNE NORD-SUD
RENMIN LU
ZHONGSHAN DONG LU
DONG CHANG LU
HUAIHAI DONG LU
PARC HUAIHAI
Huangpi Nan Lu
XIZANG NAN LU
RENMIN LU
HENAN NAN LU
VIEILLE VILLE
PUMIN LU
ZHANGYANG LU
PUDONG NAN LU
PARC FUXING
ZIZHONG LU
FUXING DONG LU
FUXING ZHONG LU
ZHONGHUA LU
LAOTAIPING LONG
XIMATOU JIE
Tunnel
WEIFANG LU
LUWAN
JIANGUO DONG LU
ZHONGSHAN NAN LU
Huangpu
ZHONGHUA LU
DONG JIADU LU
XUJIAHUI LU
LUJIABANG LU
LUBAN LU
PUDIAN LU
TANGQIAO LU
Pont Nanpu
1
2
3
4
5
6
7
8

Le Bund ❶
外滩

Lion, symbole de la puissance coloniale

Certains lieux sont indissociables d'un site. Dans le cas de la ville de Shanghai, c'est indubitablement le Bund, ou Zhongshan Lu, qui se trouvait déjà au cœur de la Shanghai coloniale. L'avenue est flanquée d'un côté du fleuve Huangpu, et de l'autre d'hôtels, banques, bureaux et clubs qui symbolisaient la puissance commerciale occidentale. La plupart des édifices anciens sont intacts et on peut passer des heures à s'y promener.

Le Bund, à son apogée, était le troisième centre financier du monde

★ Hong Kong et Shanghai Bank
À sa construction, en 1921, il se voulait être le plus bel immeuble de toute l'Asie. À l'intérieur, quelques fresques ont été restaurées.

Bureau des douanes
Le hall d'entrée est décoré de quelques belles mosaïques marines.

Lions de bronze
Leur caresser les pattes et la tête porte chance.

Bâtiment de la Russo-Chinese Bank

Ancienne Bank of Communications

★ Promenade le long du fleuve
Le Bund est l'endroit idéal pour observer la vie du fleuve et le quartier de Pudong, confortablement assis à la terrasse d'un café tel que celui-ci.

À NE PAS MANQUER

- ★ Hong Kong et Shanghai Bank
- ★ Hôtel de la Paix
- ★ Promenade le long du fleuve
- ★ Vue sur Pudong

Pour les hôtels et les restaurants de Shanghai, voir p. 559-561 et p. 586-588

★ Hôtel de la Paix
Le bâtiment le plus typique du Bund fut construit en 1930 par un millionnaire, sir Victor Sassoon. Son Old Jazz Band perpétue une sorte d'atmosphère d'entre-deux-guerres.

Bank of China *Ce bloc, mélange d'architectures américaine des années 1920 et chinoise traditionnelle, fut construit par H.H. Kung.*

Ancien Palace Hotel
Le Palace Hotel fut construit en 1906 et resta longtemps l'un des meilleurs établissements de Shanghai avant d'être intégré à l'Hôtel de la Paix en 1949.

Chartered Bank Building of India, Australia and China

Ancienne Bank of Taiwan

Immeuble du North China Daily News

★ Vue sur Pudong
Le soir, le Bund se remplit de badauds profitant de la brise fluviale et des illuminations spectaculaires du quartier moderne de Pudong.

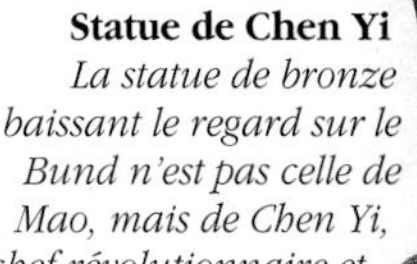

Statue de Chen Yi
La statue de bronze baissant le regard sur le Bund n'est pas celle de Mao, mais de Chen Yi, chef révolutionnaire et premier maire de Shanghai en 1949.

Nanjing Lu ❷

南京路

Ⓜ *Henan Zhong Lu (pour Nanjing Dong Lu), Shimen Yi Lu (pour Nanjing Xi Lu).*

À l'ouest du Bund, Nanjing Lu est la plus grande artère commerçante de Shanghai, malgré la concurrence d'autres rues telles que la très huppée Huaihu Lu, dans la concession française. La rue s'étend sur 10 kilomètres et se divise en deux : elle se nomme Nanjing Dong Lu (à l'est) du Bund aux portes du parc du Peuple, après quoi elle devient Nanjing Xi Lu (à l'ouest). Nanjing Dong Lu est le « paradis du shopping ». D'immenses enseignes y côtoient de petites boutiques spécialisées, auxquelles s'ajoutent des théâtres, des cinémas, des restaurants, des salons de beauté et des foules de badauds. Avant 1949, tous les grands magasins étaient ici. Les vitrines exotiques du **Grand Magasin n° 1** attirent chaque jour 100 000 clients, le lèche-vitrine étant un passe-temps populaire. Cette longue zone piétonne, perpétuellement animée du parc du Peuple au Bund, est bordée d'immeubles de style européen des années 1930.

Partie piétonne et animée de Nanjing Lu

Oiseaux en vente au marché aux poissons et aux fleurs sur Jiangyin Lu

Statues sur Nanjing Lu

Plus à l'ouest, Nanjing Xi Lu, jadis surnommée « rue du Puits bouillonnant » en raison du puits situé près du temple de Jing'an, est plus huppée et moins peuplée. Elle longe le **Pacific Hotel**, avec sa façade impressionnante et son bel intérieur en stucs, et le vieux **Park Hotel**, jadis l'un des hôtels les plus recherchés de la ville et le plus haut gratte-ciel du pays à sa construction en 1934. Nanjing Xi Lu se prolonge à l'ouest en passant devant des centres commerciaux et résidentiels huppés tels que le **Shanghai Center** *(p. 200)*, un ensemble de boutiques de créateurs, de restaurants et d'appartements regroupés autour de l'Hôtel Portman Ritz-Carlton, en face du Parc des Expositions de Shanghai.

Parc et place du Peuple ❸

人民广场

Nanjing Xi Lu. Ⓜ *Parc Renmin et Place Renmin.* ◯ *de 7h à 18h t.l.j.*

Face au Park Hotel, l'ancien champ de courses a cédé la place au joli jardin paysager du parc du Peuple (Renmin gong yuan) dans la moitié nord, et à la place du Peuple et au musée de Shanghai dans la moitié sud. Les Shanghaïens viennent au parc pour se promener, bavarder, faire de l'exercice ou simplement regarder le temps passer. Le parc est entouré de gratte-ciel flambant neufs en verre et en métal. En face, côté est, l'église baptiste **Mu'en Tang** est l'ancienne église évangélique américaine bâtie en 1929. Ce vestige œcuménique des nombreuses révolutions chinoises est ouvert à tous, notamment aux étrangers, même si l'office est toujours en chinois.

Le dernier-né du parc est l'élégant cube de verre du **MOCA Shanghai.** Les deux étages du musée d'Art contemporain accueillent des expositions temporaires d'art et de design d'avant-garde.

À l'angle nord-ouest du parc, le **musée d'Art de Shanghai** occupe les étages inférieurs d'un ancien élégant club hippique. La collection comprend un grand nombre de peintures chinoises traditionnelles, ainsi que des œuvres expérimentales.

À l'angle nord-ouest de la place du Peuple, ne manquez pas d'aller visiter et admirer la vue depuis le nouveau **Shanghai Grand Theatre** *(p.200)*, construit presque entièrement en verre et coiffé d'un toit convexe spectaculaire : visites guidées et déjeuner sur place. Pour trouver un peu d'animation, rendez-vous au **marché aux poissons et aux fleurs**, à l'ouest du Shanghai Grand Theatre. Ce marché de quartier est spécialisé dans les poissons d'ornement, les fleurs, les végétaux, les pierres, les théières, les oiseaux, les criquets et autres articles d'usage courant.

Pour les hôtels et les restaurants de la région, voir p. 559-561 et p. 586-588

Mu'en Tang
328 Xizang Zhong Lu. t.l.j.
offices quotidiens, horaires affichés à l'entrée.

MOCA Shanghai
dim.-jeu. de 10h à 18h.

Musée d'Art de Shanghai
de 9h à 17h t.l.j.

Shanghai Grand Theatre
de 9h à 11h et de 13h à 16h t.l.j.

Marché aux poissons et aux fleurs
Jiangyin Lu. t.l.j.

Musée de Shanghai 4

p. 190-191.

Pudong 5

浦东

Rive est du Huangpu.
de la Place Renmin à Lujiazui.
place Renmin. embarcadère de ferry inter-rives.

Au milieu du XXe siècle, en face du Bund, de l'autre côté du Huangpu, Pudong était le quartier le plus pauvre de la ville, un ramassis crasseux de taudis et de maisons closes, repaire du célèbre gangster Du Yuesheng, dit « Du les Grandes Oreilles ». En 1990, le quartier acquit le statut de zone économique spéciale. Depuis, il est devenu l'un des plus grands chantiers de la planète. Un tiers des grandes grues du monde s'y croisent et une forêt de gratte-ciel a surgi de ce marigot à mesure qu'affluaient les investissements.

La transformation est remarquable. La **Perle de l'Orient** (une tour de télévision de 457 mètres) offre une vue étonnante sur la ville et accueille l'intéressant **musée d'Histoire de Shanghai**. Pudong abrite également **Jinmao Dasha** (421 mètres), l'une des plus hautes tours de Chine, dont la plate-forme d'observation du 88e étage donne sur l'Oriental Pearl. Toutes deux seront supplantées en 2008 par les 460 mètres du **Shanghai Financial Center**.

L'Oriental Pearl TV Tower
1 Shiji Dadao. ***Tél.*** *(021) 5879 1888.*
de 8h à 21h30 t.l.j.

Musée d'Histoire de Shanghai
Tél. *(021) 5879 1888.*
de 8h à 21h.

L'ANCIEN CHAMP DE COURSES

Au début du XXe siècle, l'ancien hippodrome était au cœur de la vie sociale de Shanghai, et son club hippique était l'une des affaires les plus lucratives de Chine. Il disposait également d'une piscine et d'un terrain de cricket. À l'arrivée des communistes au pouvoir en 1949, le champ de courses fut décrété symbole de la décadence occidentale et transformé en parc et en place destinés aux rassemblements politiques, puis aménagés pour accueillir le musée de Shanghai. Il n'en reste que la vieille horloge de la tribune à l'ouest du parc.

L'ancien hippodrome de Shanghai avant 1949

Le quartier futuriste et en constante mutation de Pudong

Le musée de Shanghai ❹

上海博物馆

Pièce en bronze (927-951)

Avec une collection de plus de 120 000 pièces, le musée de Shanghai couvre plus de 5 000 ans d'histoire, du néolithique à la dynastie Qing, au travers de quelques-uns des plus beaux vestiges culturels chinois. On y admire surtout les bronzes, les céramiques, la calligraphie et la peinture, ainsi qu'une collection de jades, de meubles, de pièces et de sceaux. Le musée fut créé en 1952, mais le bâtiment actuel ouvrit ses portes en 1995 et symbolise « un ciel rond et une terre carrée » qui ne sont pas sans évoquer certaines pièces exposées.

Le musée de Shanghai évoque un pot *dìng* en bronze d'époque Shang

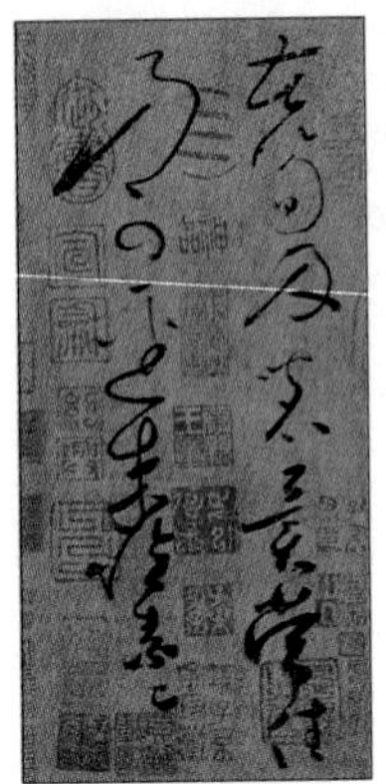

Calligraphie

Pour les Chinois, la calligraphie n'est pas qu'un simple outil de communication. C'est l'un des arts les plus nobles. Cette écriture cursive (p. 18-19) *est l'œuvre de Huai Su (737). Le mouvement est libre et les traits aussi délicats que fermes.*

Deuxième étage

★ Poteries *sancai*

Le grand progrès technique apporté par la dynastie Tang (618-907) en céramique est la création de la poterie sancai *(trois couleurs). Cette statue funéraire est un superbe exemple de céramique polychrome.*

Céladon

La sobriété et la solidité du céladon firent son succès. Cet exemple de poterie de Longquan d'époque Song du Sud (1127-1279) reproduit avec élégance le mouvement du dragon enroulé.

Premier étage

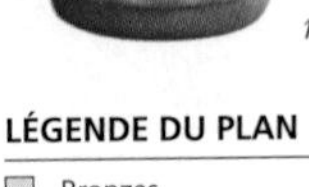

LÉGENDE DU PLAN

- Bronzes
- Sculptures
- Céramiques
- Céramiques Zande Lou
- Peintures
- Calligraphie
- Sceaux
- Jade
- Mobilier
- Pièces
- Galerie des minorités ethniques
- Expositions temporaires
- Espace hors exposition

Les céramiques Zande Lou sont une donation privée de 130 pièces, dont quelques formidables objets impériaux Qing.

Galerie du jade
La sculpture du jade, la pierre chinoise par excellence, atteignit son apogée sous la dynastie Qing (1644-1911), comme en témoigne ce magnifique gu *(carafe à vin) en jade.*

★ **Peinture de paysage**
La peinture chinoise doit beaucoup à la philosophie taoïste. Ce tableau intitulé Habitation isolée dans les montagnes du Qingbian *de Wang Men (1308-1385) tente de capturer l'essence intense, quasi animale de la nature.*

Liangtuxuan est une donation privée de peintures et de calligraphies.

★ **Bronzes Shang**
Ce jia *(carafe à vin), offrande funéraire des XVe-XIIIe siècles av. J.-C., porte un décor de masque d'animal raffiné, ou* taotie, *d'un talent et d'une facture magnifiques.*

La galerie des sceaux présente des gravures et des calligraphies d'une grande virtuosité.

La galerie des sculptures présente une collection d'objets anciens à dominante religieuse.

MODE D'EMPLOI

201 Renmin Da Dao, place du Peuple. ***Tél.*** *(021) 6372 3500.*
Place Renmin.
de 9h à 17h t.l.j. (dernière admission 1h avant la fermeture).
www.shanghaimuseum.net

GUIDE DE LA GALERIE

Les collections de calligraphie et de peinture sont fréquemment changées par mesure de protection. En plus des collections permanentes, le musée accueille souvent des œuvres d'autres grands musées du monde entier.

À NE PAS MANQUER

★ Bronzes Shang

★ Peinture de paysage

★ Poteries *sancai*

Le jardin Yu et le Yu Garden Bazar ❻

豫园

Statue de lion chinois

Les bâtiments à l'ancienne du Yu Garden Bazar sont assez récents, ce qui n'enlève rien à la beauté de leurs toits fantaisistes. Ici, on trouve de tout : des souvenirs de voyages, aux médicaments traditionnels, l'ensemble à des prix excessifs qui n'empêchent pas le quartier d'être très populaire. Mieux vaut arriver tôt et aller au Jardin Yu (Yu yuan), un magnifique jardin relativement paisible de la dynastie Ming. Un déjeuner de beignets vous mettra en condition pour une après-midi d'achats et de marchandages, suivie d'une tasse de thé dans la pittoresque maison de thé Hu Xing Ting.

Le Yu Garden Bazar et ses boutiques modernes dans des bâtiments à l'ancienne

Yu Garden Bazar
Ce bazar est un peu un piège à touristes, mais on prend plaisir à se promener entre les étals et à marchander les prix.

Dans les restaurants qui entourent le lac, on peut assister le matin à la préparation des beignets.

Spectacles de rue
De temps à autre, une troupe d'artistes fait son apparition, portant de jeunes acrobates sur des perches pour amuser la foule.

Old Shanghai Street (Fangbang Lu) et entrée du Bazar

★ Temple des Dieux de la Ville
Ce petit temple de l'époque Ming abrite les divinités protectrices de Shanghai et occupait jadis une superficie égale à celle du bazar. Aujourd'hui, il est restauré et très fréquenté par les touristes.

À NE PAS MANQUER

- ★ Immense rocaille
- ★ Maison de thé Hu Xing Ting
- ★ Temple des Dieux de la Ville

Pour les hôtels et les restaurants de la région, voir p. 559-561 et p. 586-588

★ Maison de thé Hu Xing Ting
Ce charmant édifice construit en 1784 ne devint une maison de thé qu'à la fin du XIVᵉ siècle. Le pont en zigzag protège la structure contre les esprits du mal, incapables de négocier les virages.

MODE D'EMPLOI

269 Fangbang Zhong Lu (Shanghai Old Street), Vieille Ville. 6. *Tél. (021) 6386 8649.*
Temple des Dieux de la Ville *de 8h30 à 16h30 t.l.j.*
Jardin Yu *de 8h30 à 16h30 t.l.j.*
Maison de thé Hu Xing Ting *de 8h30 à 22h t.l.j.*

★ Immense rocaille
Cette rocaille, l'une des plus belles rocailles Ming, est l'une des plus grandes. Elle rappelle les pics, les grottes et les gorges de la Chine du Sud.

Entrée du jardin

Mur du Dragon
Les murs blancs du jardin sont coiffés d'un dragon aux courbes ondoyantes. Notez qu'il n'a que quatre griffes et non cinq comme le dragon impérial, afin de ne pas encourir le courroux de l'empereur.

Paysages du jardin Yu
Des murs découpent le jardin en six tableaux, lui donnant des airs de labyrinthe et le faisant paraître plus grand qu'il ne l'est. Résultat, il est très fréquenté l'après-midi et le week-end.

Entrée du musée du Premier Congrès du Parti communiste chinois

Musée du Premier Congrès du Parti communiste chinois ❼
中共一大会址纪念馆

374 Huangpi Nan Lu. Ⓜ *Huangpi Nan Lu.* ◯ *de 9h à 16h.*

Cette maison de la concession française fut le théâtre d'une rencontre historique. C'est en effet ici que les représentants des cellules communistes chinoises se retrouvèrent pour constituer un parti national, le 23 juillet 1921. Il y avait officiellement douze participants, dont Mao Zedong, mais il semblerait qu'ils aient été plus nombreux. Découverts par la police, les délégués furent obligés de s'enfuir à bord d'un bateau sur le lac Nan, à Zhejiang. La maison présente une reconstitution de la réunion, avec les chaises et les tasses de thé d'origine, et relate l'histoire du Parti communiste chinois.

Parc Fuxing ❽
复兴公园

Fuxing Zhong Lu. Ⓜ *Huangpi Nan Lu.* **Maison de Sun Yat-sen** 7 Xingshan Lu. ***Tél.*** *(021) 6437 2954.* ◯ *de 9h à 16h t.l.j.* **Maison de Zhou Enlai** 73 Sinan Lu. ◯ *de 9h à 16h t.l.j.*

Les Français achetèrent ce jardin privé de la concession française en 1908. Alors connu sous le nom de « parc français », il fut rebaptisé Fuxing (« renouveau ») en 1949. On y retrouve les caractéristiques du jardin à la française, avec ses allées serpentant entre les cerisiers.

Près de là, sur Xiangshan Lu, la **maison de Sun Yat-sen** est une résidence typiquement shanghaïenne où lui et sa femme, Song Qingling, vécurent de 1918 à 1924. L'intérieur est conforme à ce qu'il était à l'époque, avec beaucoup d'effets personnels, dont un gramophone et des livres. Au sud du parc, au 73, rue Massenet (l'actuelle Sinan Lu), la **maison de Zhou Enlai**, autre exemple de villa européenne à Shanghai, accueillit le chef du Parti communiste de la ville dans les années 1940. L'ameublement y est spartiate.

Statue de Sun Yat-sen, maison de Sun Yat-sen

Concession française ❾
法国花园

Ⓜ *Shaanxi Nan Lu.*

L'ancienne concession française, qui s'étend des confins ouest de la vieille ville jusqu'à l'avenue Haig (Huashan Lu), comprend des boulevards, des boutiques et des cafés ; elle accueillait essentiellement des Russes blancs et des Chinois. Elle avait son propre système électrique, judiciaire et policier, ce dernier étant sous la coupe de « Huang le grêlé », chef de l'infâme Bande verte qui contrôlait le commerce de l'opium.

Aujourd'hui, l'ancienne concession s'organise autour de **Huaihai Lu** – une rue très animée – et de l'élégant **hôtel Jinjiang**, où se trouve la Grosvenor House, la plus belle résidence du Shanghai d'avant-guerre. Dans l'aile ancienne de l'hôtel, le VIP Club a conservé son architecture des années 1920. Les soirées sont animées dans les bars et les clubs *(p. 201)* des rues environnantes, en particulier sur Julu Lu et Maoming Nanlu. La **Ruijin Guesthouse** est située à l'angle de Fuxing Zhonglu et de Shaanxi Nanlu. Ce paisible manoir de style Tudor est aujourd'hui un hôtel. À l'extrême ouest de Yan'an Lu, le **palais des Enfants**, un centre d'activités artistiques pour enfants, est situé dans une ancienne résidence du début des années 1920. L'office du tourisme y propose des spectacles de chant et de danse.

Villa à l'européenne, maison de Zhou Enlai

Le fleuve Huangpu

Le Huangpu s'étend sur à peine 110 kilomètres depuis sa source, au lac Dianshan, jusqu'à son confluent avec le Yangzi, à 28 kilomètres en aval de Shanghai. Il offre cependant un fascinant spectacle depuis le Bund, le front de fleuve majestueux mais ancien, et de la toute nouvelle métropole moderne de Pudong, aux quais animés qui remontent jusqu'à l'embouchure large et ventée du Yangzi. Les bateaux de croisière partent des embarcadères du Bund entre Nanjing Lu et Yan'an Lu (p. 184-185). Les excursions d'une heure vont jusqu'au pont Yangpu, tandis que celles de trois heures et demie remontent jusqu'au fleuve Yangzi.

Cargos, fleuve Huangpu

Port de Shanghai ④
Les Shanghaïens sont fiers que près d'un tiers du commerce extérieur chinois emprunte le Huangpu, où règne une activité permanente.

Yangzi ⑦
La couleur de l'eau change quand le Huangpu huileux rencontre le Yangzi boueux et tumultueux. Un phare marque le confluent des deux fleuves.

Fort Wusong ⑥
Ce fort en forme de croissant armé, de dix canons, fut le site d'une bataille décisive contre les Britanniques en 1842.

Pont Yangpu ③
Construit en 1993, c'est l'un des plus longs ponts haubanés du monde avec des câbles fixés à chaque tour.

Parc forestier de Gongqing ⑤
Ce vaste et joli parc paysager gagné sur les marécages est très populaire auprès des habitants le week-end.

Parc Huangpu ②
À l'extrémité nord du Bund, ce parc accueille le monument aux Héros de Shanghai.

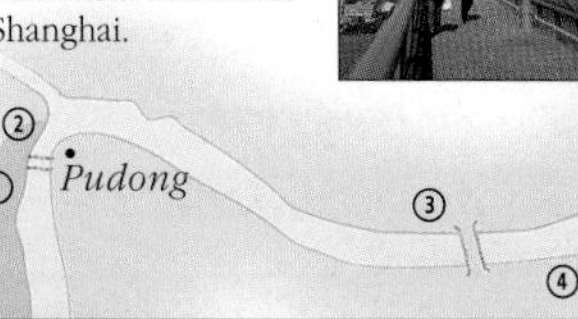

Le Bund ①
Le meilleur moyen de jouir du spectacle grandiose du Bund est de prendre le bateau, pour voir la ville telle que la découvraient les expatriés à leur arrivée ici avant 1949.

MODE D'EMPLOI

Itinéraire *: 60 km. Excursion d'une heure : 16 km.*
Excursions en bateau *: la taille des bateaux et les prestations sont variables, alors faites attention. Les formules les plus chères incluent un repas, voire un spectacle.*
Horaires *: 9h, 14h, 19h lun.-ven ; 11h, 15h30, 20h sam.-dim. Les excursions d'une heure sont plus fréquentes (les horaires varient).*

Façade typiquement soviétique du Palais des Expositions de Shanghai

Palais des Expositions de Shanghai ⑩
上海展览中心

1000 Yan'an Zhong Lu. *Tél. (021) 6279 0279.* Ⓜ *Temple Jing'an* ◯ *de 9h à 16h t.l.j.*

L'énorme Palais des Expositions de Shanghai est l'un des rares vestiges de l'influence qu'exerça jadis l'Union soviétique à Shanghai. En 1954, l'ancien Palais de l'Amitié sino-soviétique fut conçu pour exposer les progrès technologiques et agricoles chinois depuis la création de la République populaire en 1949. Ironie du sort, le bâtiment se dresse à l'emplacement de la propriété du millionnaire Silas Hardoon, le plus grand capitaliste du Shanghai des années 1920. L'architecture soviétique est résolument tarabiscotée. La décoration de l'entrée est impressionnante avec ses colonnes décorées d'étoiles rouges et sa flèche dorée. Aujourd'hui, c'est un centre commercial gigantesque rempli de boutiques de meubles et de souvenirs.

Non loin de là, sur Xinle Lu, dans l'ancienne concession française, la vieille église orthodoxe russe et ses dômes typiques en forme d'oignon accueillirent les milliers de réfugiés de la révolution russe en 1917. Le quartier de Julu Lu et de Changle Lu possède plusieurs villas et demeures Art déco intéressantes du début du xxe siècle construites par de riches Shanghaïens.

Temple Jing'an ⑪
静安寺

1686 Nanjing Xi Lu (près de Huashan Lu). Ⓜ *Temple Jing'an.* ◯ *de 7h30 à 17h t.l.j.*

En face du très joli parc Jing'an, où se trouve le vieux cimetière du Puits bouillonnant, le temple Jing'an (temple de la Tranquillité) est l'un des plus hauts lieux du culte des ancêtres. Il fut fondé durant la période des Trois Royaumes, mais sa structure actuelle date des dynasties Ming et Qing. Dans les années 1930, c'était le temple bouddhique le plus prospère de Shanghai, placé sous l'égide de l'influent abbé Khi Vehdu, un gangster entouré d'un harem de concubines et de gardes du corps russes. On raconte que ces derniers le suivaient partout, chargés de mallettes pare-balles pour se protéger en cas d'attaque. Le temple fut fermé pendant la Révolution culturelle. Depuis qu'il a rouvert ses portes, c'est l'un des meilleurs exemples de sanctuaire bouddhique actif de la ville. On vient y faire des prières pour connaître la réussite financière.

Temple du Bouddha de Jade ⑫
玉佛寺

170 Anyuan Lu. *Tél. (021) 6266 3668.* Ⓜ *Hanzhong Lu puis taxi.* ◯ *de 8h30 à 16h30 t.l.j.*

Dans le nord-ouest de la ville, Jufo li est le plus célèbre temple de Shanghai. Il fut construit en 1882 pour abriter deux magnifiques statues du bouddha de jade rapportées de Birmanie par l'abbé Wei Ken. À l'origine, le temple était situé ailleurs, mais il fut transféré ici en 1918 après qu'un incendie eut détruit l'ancien. Après 30 ans de fermeture, il rouvrit ses portes en 1980 et accueille aujourd'hui quelque 100 moines. Fidèle au style Song du Sud, il possède des toits à angle droit ornés de figurines. Ses trois pavillons principaux sont reliés par deux cours. Le premier est le **pavillon des Rois célestes**, dont les murs sont tapissés des quatre Rois célestes. Le **grand pavillon de la Magnificence** abrite trois incarnations du bouddha, tandis que la **chambre du Bouddha de Jade** contient une statue de jade – celle d'un grand bouddha couché. Une autre, plus belle, se tient à l'étage. Sculpté dans une seule pièce de jade, ce superbe bouddha assis est incrusté de pierres précieuses. Attention, les photographies sont interdites.

Détail de mur, temple du Bouddha de Jade

Bouddhas dorés du temple du Bouddha de Jade

Pour les hôtels et les restaurants de Shanghai, voir p. 559-561 et p. 586-588

Le vieux Shanghai

Jusqu'en 1842, Shanghai était un petit port fluvial réputé pour ses remparts défensifs. Mais cette année-là, le gouvernement chinois capitula face aux Occidentaux, qui exigeaient des concessions commerciales. C'est ainsi que certains ports du littoral oriental chinois, dont Shanghai, devinrent des avant-postes européens, caractérisés par leur extraterritorialité – qui signifiait que les résidents étrangers étaient soumis à la loi de leur propre pays. Américains, Britanniques et Français avaient leurs propres « concessions », des quartiers de la ville leur étaient réservés et ils disposaient de leurs propres forces de justice et de police. Cette situation attira non seulement des entrepreneurs, mais aussi des réfugiés, des criminels et des révolutionnaires. Ce mélange était explosif. De cette période d'embrasement politique de l'entre-deux-guerres naquit la réputation de luxe et d'excès de Shanghai. Tout prit fin dans les années 1940, quand les étrangers abandonnèrent leurs droits face à une opposition chinoise grandissante.

Mannequins des années 1930

Le Bund, *ou Zhongshan Lu, est la large promenade en bordure du fleuve Huangpu. C'est là que tous les grands acteurs du commerce shanghaïen firent bâtir leurs bureaux, créant un paysage grandiose qui accueille aujourd'hui encore les croisières fluviales.*

Le Great World *incarna la quintessence de Shanghai. Le monde de l'étrange, de la mode, du sexe et du théâtre s'y retrouvait sous un même toit, propriété du gangster Huang le Grêlé.*

L'hippodrome, *dans le quartier de l'actuel parc du Peuple, était un lieu incontournable de la vie des expatriés qui se retrouvaient entre eux là-bas, ainsi que dans les nombreux clubs et institutions pour non-Chinois.*

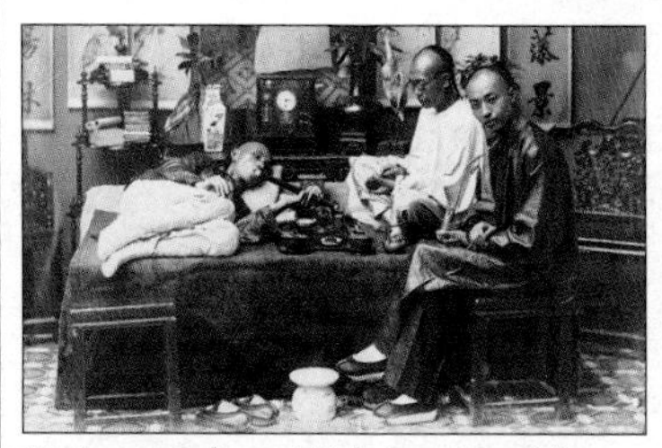

L'opium, *que des sociétés britanniques telles que Jardine Matheson commercialisaient sous prétexte de libre échange, fit la fortune de Shanghai. Les fumeries poussèrent dans toute la ville et, une fois le prétexte mercantile jeté aux oubliettes, l'opium devint la monnaie d'échange de la pègre locale.*

L'ancienne rue de Nankin *était et reste la principale artère commerçante de Shanghai. Divisée en deux parties (l'extrémité ouest était alors appelée rue du Puits bouillonnant), elle accueillit les premiers grands magasins, où Chinois et expatriés se côtoyaient sur un pied d'égalité.*

Bateaux aux couleurs vives sur le lac du parc Hongkou (parc Lu Xun)

Parc Hongkou ⓭
虹口公园

146 Dong Jiangwan Lu.
M *Hongkou.* ◯ *t.l.j.*

Au nord de la rivière Suzhou et du pont Waibaidu, le quartier japonais de l'ancienne colonie internationale possédait jadis un temple zen, une école nippone et des boutiques japonaises. On y apprécie surtout le parc Hongkou, où l'on peut passer un agréable moment à regarder les Chinois faire du bateau sur le lac, jouer aux échecs, pratiquer le *taijiquan* ou tout simplement se détendre. On le surnomme parc Lu Xun, car le grand romancier chinois Lu Xun (1881-1936) vécut à deux pas. Son roman le plus célèbre, *La Véritable Histoire de Ah Q*, parodiait le tempérament chinois. Lu Xun fut également l'un des premiers partisans du baihua, ou chinois vernaculaire, d'une simplification de l'écriture chinoise et de l'utilisation du chinois parlé en littérature. La **tombe de Lu Xun** reçut ses cendres en 1956 à l'occasion du 20e anniversaire de sa mort. À droite de l'entrée principale du parc, un **mémorial** présente les premières éditions des œuvres du romancier et la correspondance qu'il entretenait avec plusieurs intellectuels, dont le dramaturge irlandais George Bernard Shaw. Au sud du parc Hongkou, sur Shanyin Lu, la **maison de Lu Xun**, où le romancier passa les trois dernières années de sa vie, est un exemple intéressant d'architecture japonaise typique des années 1930, mais elle est probablement encore plus sobrement meublée que d'autres maisons de l'époque. On y voit également les chaises en rotin et le bureau de l'écrivain.

Statue, tombe de Lu Xun

Maison de Lu Xun
9 Dalu Xincun, Shanyin Lu.
◯ *de 9h à 16h t.l.j.*

Maison de Song Qingling ⓮
宋庆龄故居

1843 Huaihai Zhong Lu.
M *Hengshan Lu.* ◯ *de 9h à 11h et de 13h à 16h30 t.l.j.*

Song Qingling, épouse du chef révolutionnaire Sun Yat-sen, habita dans cette belle villa aux confins sud-ouest de la ville. Les trois sœurs et le frère de Song acquirent tous une grande influence sur la Chine. Song Meiling épousa Chiang Kai-shek, chef de la République de Chine de 1928 à 1949 ; Ailing épousa H.H. Kung, directeur de la Bank of China, et Song Qingling épousa Sun Yat-sen. Quant à leur frère, surnommé T.V. Song, il fut le ministre des Finances de Chiang Kai-shek. Song Qingling resta en Chine après l'arrivée des communistes et devint une héroïne communiste honoraire. À la mort de son mari, elle vécut à Shanghai, d'abord dans leur maison de l'ancienne concession française *(p. 132)*, puis dans cette villa. Elle mourut à Pékin en 1981.

La maison ornée de lambris et de laques magnifiques est un charmant exemple de villa shanghaïenne du milieu du XXe siècle. Ses limousines sont encore stationnées dans le garage et certains effets personnels demeurent.

Maison de Song Qingling – une charmante villa du début du XXe siècle

Cathédrale de Xujiahui ⑮
徐家汇堂

158 Puxi Lu. **Tél.** *(021) 6438 2595.*
Xujiahui.
de 13h à 16h sam., dim.

La cathédrale gothique de brique rouge de Saint Ignace à l'angle sud-ouest de Shanghai a longtemps été associée aux étrangers. À l'origine, le terrain appartenait à Xu Guangqi (1562-1633), un membre du clan Xu converti au catholicisme par Matteo Ricci. À sa mort, Xu légua le terrain aux jésuites pour la construction d'une église, d'un séminaire et d'un observatoire. La cathédrale, avec ses tours jumelles de 50 mètres, fut édifiée en 1906, puis partiellement détruite pendant la Révolution culturelle, et enfin reconstruite. Les offices dominicaux sont suivis par plus de 2 000 fidèles. L'intérieur est un intéressant mélange d'architecture catholique traditionnelle et d'ornementation chinoise. Xu Guangqi est enterré non loin, dans le parc Nandan.

Cimetière des Martyrs de Longhua ⑯
龙华烈士陵园

180 Longhua Xi Lu. *Stade de Shanghai, puis taxi.* **Tél.** *(021) 6468 5995.* *n° 41.* *mar.-dim. de 8h30 à 16h.* **Longhua Si** 2853 Longhua Xi Lu. *de 7h à 16h30 t.l.j.*

Ce site rend hommage aux victimes mortes pour le communisme avant la création de la République populaire en 1949. Le mémorial, au centre du parc, est entouré de sculptures commémoratives. Le cimetière est situé à l'emplacement du peloton d'exécution du Parti nationaliste, où Chiang Kai-shek fit fusiller plusieurs centaines de communistes. Non loin se dressent le **temple Longhua** et une pagode octogonale. Ce site accueille un temple depuis 687 et une pagode depuis 238-251, mais les fondations de l'actuelle pagode aux toits convexes datent de 977. Le temple demeure très actif. Au printemps, quand les pêchers sont en fleur, l'endroit est magnifique.

Statue commémorative du cimetière des Martyrs de Longhua

Sheshan ⑰
佘山

35 km au sud-ouest de Shanghai.
de l'arrêt de bus Wenhua Guangchang ou Xi Qu à Shanghai.

La colline She, ou Sheshan (100 mètres d'altitude), est couronnée d'une imposante église catholique de brique rouge, **Notre-Dame-de-Chine**. Dans les années 1850, les missionnaires européens y construisirent une petite chapelle. Plus tard, un évêque trouva refuge dans la région et fit vœu d'y construire une église. La basilique fut édifiée entre 1925 et 1935. Les messes, souvent dites en latin, se déroulent les jours des fêtes chrétiennes, en particulier en mai, quand les pèlerins affluent par centaines. L'impressionnante cathédrale mérite le coup d'œil. Le chemin qui mène au sommet représente le Chemin de Croix et traverse une agréable bambouseraie. Certains préféreront peut-être le téléphérique. La colline possède également un ancien observatoire qui abrite un ingénieux détecteur de séisme : une jarre entourée de têtes de dragons, chacun tenant une boule en acier dans la bouche, avec un balancier. Quand un séisme se produit, le balancier oscille et frappe l'un des dragons. Sa bouche s'ouvre et une boule tombe, indiquant la direction de l'épicentre.

Façade de la majestueuse église de Shesha, ou Notre-Dame-de-Chine

Songjiang ⑱
松江

40 km au sud-ouest de Shanghai.
de l'arrêt de bus Xi Qu à Shanghai.

Sur la ligne de chemin de fer Shanghai-Hangzhou, Songjiang est une petite ville avec une poignée de sites, dont une pagode carrée de la dynastie Song et un mur écran Ming, de 4 mètres de haut et 6 de long, décoré de sculptures de créatures légendaires illustrant les péchés humains. À l'ouest de Songjiang, la mosquée date en partie de la dynastie Yuan et serait l'un des plus vieux monuments islamiques de Chine. Elle est encore en activité.

Achats et sorties à Shanghai

Souvenirs de Mao, marché de Pongtai Lu

Shanghai est la capitale du shopping depuis qu'avant la Seconde Guerre mondiale, la riche communauté étrangère exigeait ce qui se faisait de mieux. Shanghai reste fidèle à sa réputation de nouveauté et de qualité, avec des boutiques pour tous les goûts et tous les budgets. La vie culturelle foisonne, avec un grand choix de spectacles d'opéra, de théâtre, d'acrobaties, de musique classique occidentale et de jazz. Les soirées sont animées dans les nombreux bars et restaurants à la mode, ainsi que dans les cinémas et les discothèques.

BOUTIQUES ET MARCHÉS

La rue commerçante la plus connue de Shanghai est Nanjing Lu *(p. 188)*. Rendez-vous au Friendship Store pour les objets chinois, ou au marché de Jiangyin Lu, tout près de Nanjing Lu. L'autre grande artère commerçante – Huaihai Lu, dans l'ancienne concession française – est remplie de boutiques de mode haut de gamme.

VÊTEMENTS ET TEXTILES

Toutes les grandes marques européennes, américaines et japonaises sont représentées, ainsi que quelques enseignes hongkongaises. Rendez-vous sur Nanjing Lu, Shaanxi Nan Lu, Huaihai Lu et Maoming Lu. Pour des vêtements bon marché, le **marché de Xiangyang Lu** se tient tous les jours au sud de Huaihai Lu. Pour de la soie à des prix raisonnables, visitez le **Grand Magasin N° 1** *(p. 188)*, mais pour de la meilleure qualité, préférez des magasins tels que **Isetan**, ou encore le **Friendship Store**. La ville a également ranimé sa tradition de tailleur. **W.W. Chan & Sons Tailor Ltd.** propose de la qualité à prix correct.

ANTIQUITÉS

Shanghai offre un large éventail d'antiquités, mais leur achat présente deux risques : d'abord, le marché est saturé de copies que les visiteurs peuvent confondre avec des originaux. Et ensuite il est illégal d'exporter des antiquités qui ne portent pas le sceau officiel. Il est difficile de faire des affaires et les articles de qualité ne sont pas tellement moins chers qu'à l'étranger. Les principaux marchés sont situés près de la vieille ville sur **Dongtai Lu**, **Fuyou Lu** (le dimanche uniquement) et **Fangbang Lu**. Sur cette dernière *(p. 192)*, le **marché Hubao** est le plus grand marché aux puces couvert de Shanghai. Le **Shanghai Antique & Curio Shop** est un magasin d'État sur Guangdong Lu, et dans le quartier de Hongkou, **Duolun Lu** abrite une série de boutiques restaurées vendant antiquités, livres et art.

ART ET ARTISANAT

Les arts et artisanats traditionnels chinois sont tous très présents à Shanghai. Le **Friendship Store** offre un bel assortiment général, bien que cher, tandis que le **Yu Garden Bazar** propose du thé, des théières et des accessoires de thé. Pour la porcelaine, privilégiez les belles reproductions classiques que l'on trouve au **musée de Shanghai** et qui, bien que chères, dépassent de loin tout ce que l'on trouve sur le marché. L'artisanat des minorités ethniques chinoises telles que les Tibétains et des pays voisins comme le Népal est vendu dans des boutiques spécialisées de Nanjing Lu. Les bijouteries sont légion dans toute la ville et le jade, bien que présent, est difficile à choisir. Mieux vaut porter son choix sur les perles de culture. On en trouve notamment au **Shanghai Pearl City**. Pour l'art chinois, vous trouverez plusieurs galeries sur Maoming Lu et Nanjing Lu, notamment **Duoyun Xuan** et **Room With a View.**

SORTIES, GUIDES ET RÉSERVATIONS

Plusieurs publications en anglais, dont le mensuel *That's Shanghai,* fournissent des précisions sur les manifestations en cours et des adresses de restaurants. Les grands événements sont annoncés dans les journaux locaux chinois. Les billets sont en vente dans les offices de tourisme, aux guichets des salles de spectacle ou même parfois à l'hôtel. Il est recommandé de réserver à l'avance.

SPECTACLES ET MUSIQUE

Shanghai est une ville de spectacles. La ville compte plusieurs salles d'envergure internationale telles que le **Shanghai Grand Theatre** *(p. 188)*, qui présente des opéras nationaux et internationaux, de la musique classique occidentale, de la danse et du théâtre. Une autre grande salle, le **Shanghai Center** *(p. 188)*, propose également de la musique et de l'opéra classiques occidentaux, ainsi que les prouesses quotidiennes de la plus célèbre troupe d'acrobates de la ville. L'opéra traditionnel chinois est à l'affiche du **Tianchan Yifu Theatre** et de temps à autre du vieux **Lyceum Theatre** (Lan Xin), où quelques-uns des grands noms du music-hall britannique jouèrent avant la Seconde Guerre mondiale. Le **Majestic Theater** affiche lui aussi des ballets de l'opéra local, tandis que le **Centre d'art dramatique de Shanghai** mise sur le théâtre chinois moderne.

Le **Shanghai Music Conservatory Auditorium** propose également des concerts tous les dimanches soir. Pour écouter du jazz, rien ne vaut le **Peace Hotel Jazz Bar,** voire le **Cotton Club**.

CINÉMAS

Les films européens et américains côtoient les films chinois et hongkongais. Des salles telles que l'**UME International Cineplex**, le **Shanghai Film Art Center** et **Studio City** présentent des films étrangers (souvent censurés) soit en version originale sous-titrée en chinois, soit doublés en chinois et sous-titrés en anglais.

BARS ET DISCOTHÈQUES

Les soirées shanghaïennes sont animées, dans cet ancien « paradis des aventuriers ». Les bars vont et viennent et ce qui est *in* un mois n'existe plus le suivant. Les bars sont à l'avant-garde et s'inspirent de Tokyo, New York et Londres. Les tarifs des boissons sont parfois élevés et de nombreux bars proposent une piste de danse, des musiciens, des soirées cinéma et cabaret. La plupart se trouvent autour de Huaihai Lu, sur Maoming Lu et Julu Lu, dont le magnifique **Face**. Les endroits branchés sont le **Buddha Bar**, **Judy's Too** et **Pegasus**. Le **House of Blues & Jazz** programme des musiciens, et **Goodfellas** attire une clientèle jeune. L'élégant **California Club** est situé tout près, dans le parc Fuxing. À l'ouest, sur Hengshan Lu, vous danserez au son d'un orchestre au **Bourbon Street**. Juste au nord de Nanjing Xi Lu, sur Tongren Lu, le **Malone's American Café** est un bar américain. Le quartier huppé de Xintiandi propose un beau choix de pubs, dont l'élégant **Le Club at La Maison**. Le **Peace Hotel Jazz Bar**, à l'angle de Nanjing Dong Lu et du Bund, est une institution de Shanghai, tandis que le **Glamour Bar**, à l'angle de Guangdong Lu, est un véritable décor hollywoodien des années 1930. Les nouveautés, telles les soirées des DJ de Londres et de New York, paraissent dans *That's Shanghai*.

ADRESSES

VÊTEMENTS ET TISSUS

Friendship Store
68 *Jinling Dong Lu.*
Tél. *(021) 6337 3555.*

Isetan
527 Huaihai Zhong Lu.
Tél. *(021) 5306 1111.*

Grand Magasin N° 1
830 Nanjing Dong Lu.
Tél. *(021) 6322 3344.*

W.W. Chan & Sons Tailor Ltd.
129-A02 Maoming Nan Lu.
Tél. *(021) 5404 1469.*

Marché de Xiangyang Lu
☐ *t.l.j.*

ANTIQUITÉS

Shanghai Antique et Curio Shop
218-226 Guangdong Lu.
Tél. *(021) 6321 4697.*

ART ET ARTISANAT

Duoyun Xuan
422 Nanjing Dong Lu.
Tél. *(021) 6351 0060.*

Room With a View
12/F, 479 Nanjing Dong Lu.
Tél. *(021) 6352 0256.*

Musée de Shanghai
201 Renmin Dadao.
Tél. *(021) 6372 3500.*

Shanghai Pearl City
Shanghai Travelling Gods Bldg, 2/F 558 Nanjing Dong Lu. ***Tél.*** *(021) 6322 3911.*

SPECTACLES ET MUSIQUE

Cotton Club
8 Fuxing Xi Lu.
Tél. *(021) 6437 7110.*

Lyceum Theater
57 Maoming Nan Lu.
Tél. *(021) 6217 8530.*

Majestic Theater
66 Jiang Ning Lu.
Tél. *(021) 6217 4409.*

Peace Hotel Jazz Bar
20 Nanjing Dong Lu.
Tél. *(021) 6321 6888.*

Shanghai Center
1376 Nanjing Xi Lu.
Tél. *(021) 6279 8600.*

Centre d'art dramatique de Shanghai
288 An Fu Lu.
Tél. *(021) 6473 4567.*

Shanghai Grand Theater
300 Renmin Dadao.
Tél. *(021) 6386 8686.*

Shanghai Music Conservatory Auditorium
20 Fen Yang Lu.
Tél. *(021) 6437 0137.*

Tianchan Yifu Theater
701 Fuzhou Lu.
Tél. *(021) 6351 4668.*

CINÉMAS

Shanghai Film Art Center
172 Xinhua Lu.
Tél. *(021) 6280 8995.*

Studio City
10/F, 1038 Nanjing Xi Lu.
Tél. *(021) 6218 7109.*

UME International Cineplex
4/F No. 6, Lane 123, Xingye Lu.
Tél. *(021) 6373 3333.*

BARS ET DISCOTHÈQUES

Bourbon Street
191 Hengshan Lu.
Tél. *(021) 6473 7911.*

Buddha Bar
172 Maoming Nan Lu, The French Concession.
Tél. *(021) 6415 2688.*

California Club
2a Gaolan Lu, Fuxing Park.
Tél. *(021) 5383 2328.*

The Door
3/F 1468 Honggiao Lu.
Tél. *(021) 6295 3737.*

Face
Ruijin Guesthouse, 118 Ruijin Er Lu.
Tél. *(021) 6466 4328.*

Glamour Bar
at M on the Bund, 7/F, 20 Guangdong Lu.
Tél. *(021) 6350 9988.*

Goodfellas
907 Julu Lu.
Tél. *(021) 6467 0775.*

House of Blues & Jazz
158 Maoming Nan Lu.
Tél. *(021) 6437 5280.*

Judy's Too
176 Maoming Nan Lu.
Tél. *(021) 6473 1417.*

Le Club at La Maison
North Block, House 23, Xiantiandi.
Tél. *(021) 6326 0855.*

Malone's
255 Tongren Lu.
Tél. *(021) 6247 2400.*

Pegasus
98 Huaihai Zhong Lu.
Tél. *(021) 5385 8187.*

Red
284 An Fu Lu.
Tél. *(021) 5403 7297.*

JIANGSU ET ANHUI

Les provinces du Jiangsu et du Anhui s'étendent respectivement au nord et à l'ouest de Shanghai. Le Jiangsu, l'une des régions les plus fertiles et les plus peuplées du pays, est essentiellement rural. Sa partie méridionale est dominée par le fleuve Yangzi, qui arrose Nankin, la capitale de la province, riche en sites historiques, ainsi que Suzhou et Yangzhou, réputées pour leurs jardins, leurs canaux et leurs soieries. La région conserve son charme, en particulier dans les petites villes, où l'on retrouve une architecture traditionnelle. Les principaux sites du Anhui se concentrent au sud, où de vastes étendues de rizières sont irriguées par la rivière Huai. Le sud du Yangzi est dominé par des chaînes de montagnes spectaculaires. Le Huangshan, ou montagnes Jaunes, est le plus célèbre paysage du Anhui. La montagne bouddhiste du Jiuhua Shan est plus calme. Au sud-est, les villes de Shexian et Yixian sont réputées pour leurs maisons traditionnelles ornées de belles sculptures en bois.

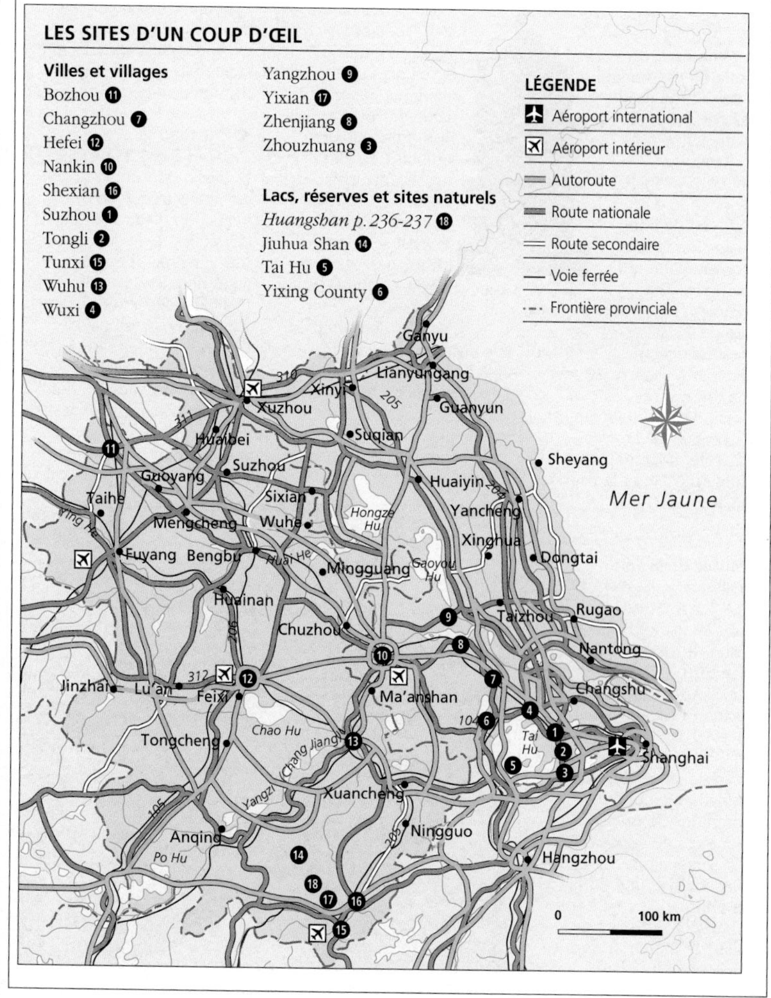

Fermier des rizières irriguées par le Yangzi

Suzhou ❶

苏州

Bouddha Milefo, au pied de Beisi Ta

La ville de Suzhou se caractérise par un tissu de canaux, de ponts et d'habitats en bordure de canal. Ses origines remontent au VIe siècle av. J.-C., quand les premiers canaux furent creusés pour contrôler la nappe phréatique basse de la région. La construction du Grand Canal *(p. 217)*, 1 000 ans plus tard, fit sa prospérité car elle lui permit d'exporter vers le Nord les soieries, principale richesse de la ville. Sous la dynastie Ming, Suzhou se transforma en un lieu de raffinement, attirant les lettrés et les marchands qui se firent construire d'élégants jardins. La ville, riche en sites, est découpée en larges avenues quadrillées.

Beisi Ta

1918 Renmin Lu. ***Tél.*** *(0512) 6753 1197.* *t.l.j.*

L'extrême nord de Renmin Lu est dominé par Beisi Ta (pagode du Nord), vestige d'un ancien temple reconstruit. La structure principale de la pagode date de la dynastie Song, mais ses fondations remonteraient à la période des Trois Royaumes (220-265). Haute de 76 mètres, elle est octogonale et ses toitures convexes sont très pointues. Les visiteurs peuvent monter au sommet pour profiter de la vue sur la ville, notamment sur Xuanmiao Guan et la pagode Ruiguang *(p. 212-213)*.

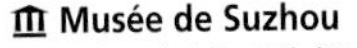

Beisi Ta, pagode octogonale

Musée de la Soie

2001 Renmin Lu. ***Tél.*** *(0512) 6753 6538.* *de 9h à 16h30 t.l.j.*

Ce musée est très agréable à visiter. Il retrace l'histoire de l'industrie de la soie *(p. 208-209)* et de son utilisation depuis ses débuts, vers 4 000 av. J.-C., à nos jours. On y voit notamment de vieux métiers à tisser en fonctionnement, des échantillons de motifs anciens et une exposition sur la sériciculture. La partie la plus intéressante est la salle remplie de vers à soie vivants se nourrissant de feuilles de mûrier et tissant leurs cocons. Les légendes sont en anglais.

Musée de Suzhou

204 Dongbei Jie. ***Tél.*** *(0512) 6754 1534.* *de 9h à 16h t.l.j.*

Le musée municipal est installé dans la villa qui faisait auparavant partie du jardin voisin de la Politique des Humbles. La villa fut occupée par Li Xiucheng, l'un des chefs de la révolte du Royaume Céleste de Taiping *(p. 422)* en 1860. Ce musée assez aride se concentre sur les liens entre la construction du canal et l'industrie de la soie. Certaines pièces, notamment les cartes anciennes, sont intéressantes, mais difficiles à apprécier pleinement, faute de commentaires.

Jardin de la Politique des Humbles

p. 206-207.

Shizilin

23 Yuanlin Lu. *t.l.j.*

La forêt des Rochers en forme de lion est considérée par beaucoup comme le plus beau parc de Suzhou. Toutefois, le visiteur qui ignore les subtilités de l'art du jardin chinois risque d'être déçu car on y trouve essentiellement des rochers. Les pierres d'ornement sont un élément fondamental des jardins classiques. Ils symbolisent la terre et les montagnes sacrées chinoises. Ce parc date de 1342. Un pont en zigzag et des bâtiments d'une finesse exceptionnelle enjambent le lac, tandis qu'une partie de la rocaille dessine un labyrinthe.

Ou Yuan

Cang Jie. *de 7h30 à 17h t.l.j.*

Le jardin du Couple retraité est moins fréquenté que beaucoup d'autres jardins classiques de la ville, et donc très agréable. Il doit son nom à ses deux jardins séparés par des bâtiments et des galeries. Au centre, un joli pavillon ouvert est entouré de rocailles, d'un bassin et de plusieurs maisons de thé. Il est situé dans un charmant quartier qui abrite quelques-uns des plus beaux canaux, maisons et ponts de la ville.

Le charmant jardin Ou Yuan

Pour les hôtels et les restaurants de la région, voir p. 561-562 et p. 588-589

Fresque du pavillon des Dieux de la Littérature, Xuanmiao Guan

Musée de l'Opéra

14 Zhongzhangjia Xiang. **Tél.** *(0512) 6727 3334.* *de 8h30 à 16h30 t.l.j.*

Installé dans un magnifique théâtre en bois de la dynastie Ming, le musée de l'Opéra (Xiqu Bowuguan) est fascinant et très visuel. Des instruments de musique anciens, des partitions et des livrets délicatement manuscrits, des masques et des costumes, ainsi qu'une reconstitution d'orchestre grandeur nature avec des photographies d'auteurs dramatiques et d'acteurs sont exposés. L'Opéra de Suzhou, appelé *kunju*, serait le plus ancien opéra chinois. Son histoire remonte à environ 5 000 ans.

Le musée présente des spectacles, tandis que la maison de thé voisine organise chaque jour des représentations d'opéra et de musique dans le style *kun*.

MODE D'EMPLOI

50 km au nord-ouest de Shanghai *5 750 000.* *Gare ferroviaire de Suzhou.* *Gare de Beimen, de Nanmen et de Wu Xianshi.* *ferries pour Hangzhou.* *excursions sur le Grand Canal.* *251 Ganjiang Xi Lu (0512) 6515 1369.*

Xuanmiao Guan

94 Miaoqian Jie. **Tél.** *(0512) 6777 5479.* *de 7h30 à 16h15 t.l.j.*

Le temple taoïste du Mystère fut fondé sous la dynastie Jin, mais fut maintes fois reconstruit, comme beaucoup de sanctuaires chinois. La salle des Trois Puretés, le plus grand pavillon taoïste ancien du pays, date de la dynastie Song. La structure complexe du toit est intéressante. Situé dans le quartier commerçant de Suzhou, le temple a toujours accueilli des spectacles de rue et, bien que les musiciens et les jongleurs aient disparu, il y règne toujours une atmosphère sereine.

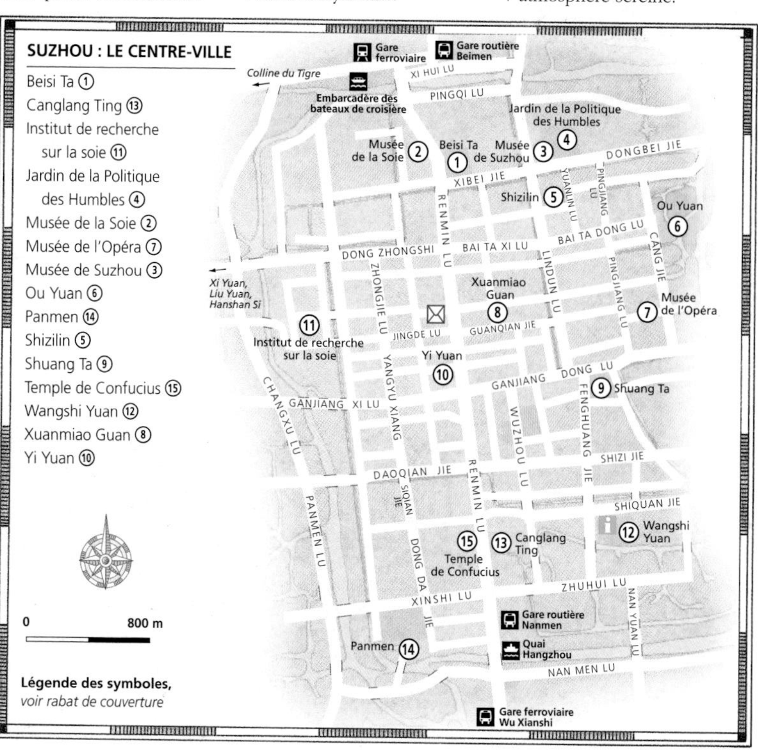

Le jardin de la Politique des Humbles

拙政园

Rocaille de Taihu

Zhuozheng Yuan, le plus grand jardin de Suzhou, est également considéré comme le plus beau de la ville. Il fut créé au XVIe siècle par Wang Xianchen, un magistrat à la retraite, et étoffé au fil des ans par ses propriétaires successifs qui le façonnèrent à la mode de leur époque. Une peinture du XVIe siècle montre qu'à l'origine, le jardin était moins décoratif qu'il ne l'est aujourd'hui. Il se décompose en trois parties – l'est, le centre et l'ouest. La section orientale est agrémentée de fleurs colorées, mais elle est moins intéressante que les deux autres. Un musée explique l'histoire et la philosophie du jardin chinois.

Galerie couverte, pour profiter du jardin, même sous un soleil de plomb

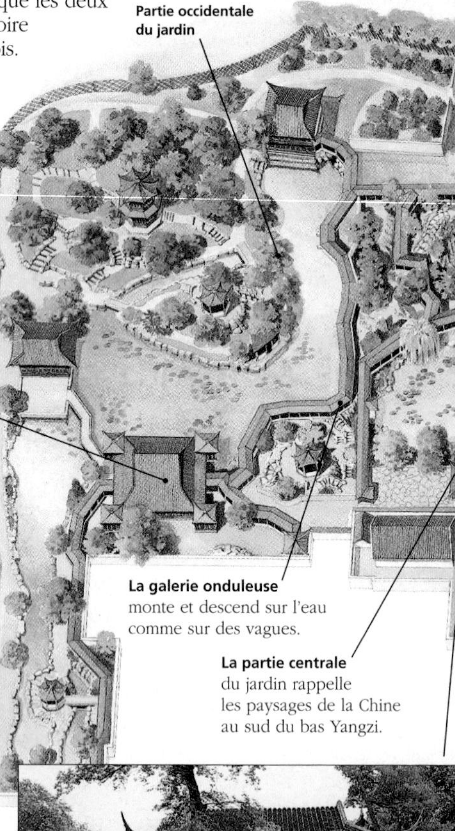

★ Pavillon des Canards mandarins
Le découpage en deux pièces identiques permettait aux visiteurs de profiter de la fraîcheur de la salle Nord l'été et de la chaleur de la salle Sud l'hiver.

À NE PAS MANQUER

- ★ Île des Fragrances
- ★ Kiosque des Parfums lointains
- ★ Pavillon des Canards mandarins

★ Île des Fragrances
Ce pavillon et sa terrasse sont censés évoquer le pont et la cabine d'un bateau. Gagnés sur l'eau, ils offrent une vue complète sur le jardin.

Pour les hôtels et les restaurants de la région, voir p. 561-562 et p. 588-589

MODE D'EMPLOI

178 Dongbei Jie, ville de Suzhou. **Tél.** *(0512) 6751 0286.* *de 8h à 17h30 t.l.j. (dernière admission 17h).* *musée du Jardin inclus.* **www**.szzzy.cn

Pavillon orange
Les collines artificielles étaient un élément important des jardins chinois et un lieu idéal pour la contemplation.

Retraite à l'ombre des bambous
C'est là que l'on jouit du plus célèbre paysage du jardin, le « paysage emprunté » (p. 179) *de Beisi Ta, reflet de la pagode du Nord dans l'eau.*

★ Kiosque des Parfums lointains
Le pavillon principal du jardin doit son nom aux fragrances délicates qui émanent du grand bassin de lotus voisin.

L'histoire de la soie chinoise

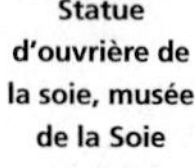

Statue d'ouvrière de la soie, musée de la Soie

Selon la légende, c'est l'impératrice Xi Ling qui, en 2640 av. J.-C., encouragea l'élevage des vers à soie à grande échelle. La Chine, qui exporta de grandes quantités de soie dans le monde entier, profita massivement de cette industrie, qui resta un monopole chinois pendant environ 3 000 ans, jusqu'à ce que des réfugiés exportent clandestinement le secret en Corée et au Japon. On raconte également qu'une princesse chinoise épousa le prince de Khotan et emporta secrètement des vers à soie comme présent à son époux. L'Occident, qui connaissait la Chine sous le nom de Seres, ou pays de la Soie, apprit le secret de la sériciculture par deux moines qui cachèrent des vers à soie dans leurs bâtons de bambou.

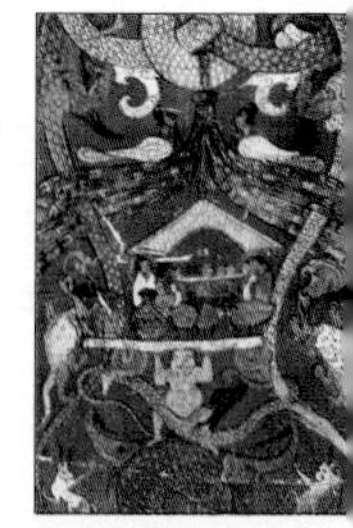

Offrande funéraire de soie datant d'environ 200 av. J.-C.

PRÉSENT IMPERIAL

La soie était à l'origine réservée au foyer impérial. Cette somptueuse tunique est brodée du symbole impérial du dragon à cinq griffes. Le jaune impérial symbolise la Terre.

Le commerce de la soie *(p. 464-465) était une importante source de revenus et le tissu était souvent utilisé comme moyen de paiement des taxes ou des salaires.*

Ce motif traditionnel évoque des vagues et des montagnes, et donc la nature infinie de l'Empire chinois.

Justinien, *empereur byzantin, déroba le secret de la soie en 600 de notre ère. La soie faisait depuis longtemps fureur dans l'Empire romain, mais les Romains pensaient qu'elle poussait sur des arbres.*

Les femmes fabriquaient des soieries *dans leur propre maison – ce qui les occupait à plein temps une bonne moitié de l'année. L'État avait également de nombreux ateliers de production et de tissage. Sous la dynastie Tang, toutes les classes de la société chinoise étaient autorisées à porter de la soie.*

La broderie de soie *devint un art majeur et les femmes de bonne famille pouvaient faire fortune si elles avaient des talents de brodeuse.*

LA PRODUCTION DE SOIE

Des milliers d'années d'élevage ont fait du bombyx du mûrier une machine pondeuse aveugle et incapable de voler, dont les larves détiennent le secret de la soie. Le génie des Chinois fut de découvrir le potentiel de son ancêtre, une phalène sauvage mangeuse de mûrier, unique au monde.

Culture des vers à soie *: les œufs sont d'abord conservés à 18 °C, puis à 25 °C. C'est alors qu'ils éclosent. Les vers à soie (ou plutôt les chenilles) sont ensuite conservés à température constante et se nourrissent nuit et jour de feuilles de mûrier à intervalles de 30 minutes, jusqu'à être assez gros pour passer au stade de cocon.*

Glandes séricigènes *: les glandes salivaires des vers à soie sécrètent un liquide clair qui, en séchant, se solidifie en fils de soie, ainsi qu'une gomme qui les agglutine.*

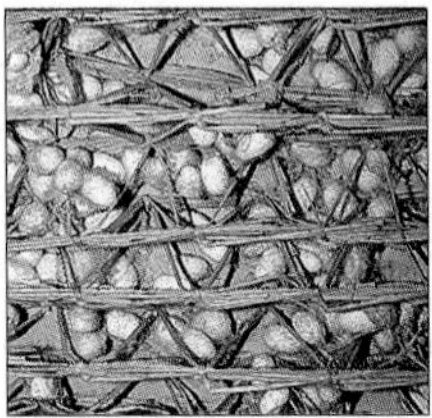

Cocons *: au stade de chrysalides, les chenilles tissent des cocons avec leurs sécrétions collantes.*

Fabrication de la soie *: les cocons sont cuits à la vapeur puis trempés pour délier les filaments de soie. Il faut tisser plusieurs filaments pour faire un fil de soie.*

SIGNIFICATION DES SYMBOLES

La hache *est l'un des douze symboles de souveraineté réservés à l'empereur. Elle représente le pouvoir de punir.*

La chauve-souris *n'est pas réservée aux empereurs. Elle porte bonheur à tous. Le mot chauve-souris* (fu) *ressemble au mot chance.*

Le double *chi* *est un autre des douze symboles impériaux qui incarne le pouvoir de l'empereur à juger ses sujets.*

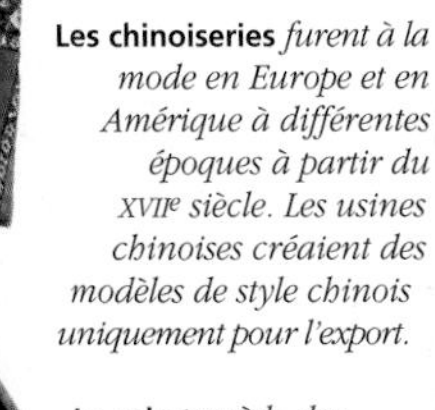

Les chinoiseries *furent à la mode en Europe et en Amérique à différentes époques à partir du XVIIe siècle. Les usines chinoises créaient des modèles de style chinois uniquement pour l'export.*

La soie *possède des qualités particulières. Elle conserve la chaleur, tout en étant légère et aérée, ce qui en fait un tissu confortable en hiver comme en été.*

L'industrie chinoise de la soie *reste prospère, mais une grande partie de la « soie » vendue sur les marchés de rue est en réalité de la rayonne.*

Les pagodes octogonales jumelles de Shuangta datent des Song

Shuangta

Dinghui Si Xiang. *t.l.j.*

Ces pagodes jumelles de 30 mètres de haut du début de l'ère Song faisaient jadis partie d'un temple. Elles furent initialement construites en 982 par deux étudiants, Wang Wenhan et son frère, en l'honneur du professeur qui les aida à réussir les examens d'entrée dans la fonction publique. Les pagodes jumelles sont monnaie courante en Inde, mais plus rares en Chine, où elles étaient avant tout des édifices uniques.

Yi Yuan

343 Renmin Lu. *de 7h30 à minuit t.l.j.*

Le jardin du Bonheur est l'un des plus jeunes jardins de Suzhou. Il fut construit à la fin de la dynastie Qing, sur une superficie plus grande que celle de nos jours, par un officiel du gouvernement qui récupéra des rochers et des paysages de jardins abandonnés. Aujourd'hui, il est recentré autour d'un bassin entouré de rocaille et enjambé par un pont en zigzag. Le pavillon du Parfum du Lotus offre le meilleur point de vue. Il surplombe le bassin et jouit d'une brise rafraîchissante. Jetez un coup d'œil aux œuvres calligraphiques des lettrés et des poètes célèbres.

Institut national de la broderie sur soie

280 Jingde Lu. *t.l.j.*

Installé dans le jardin Huan Xiu Shan Zhuang (jardin de la villa de la Montagne étreinte de Beauté), cet institut crée des broderies sur soie d'une finesse exquise – un travail exécuté principalement par des femmes. Pour donner à leurs modèles un effet pictural, les femmes travaillent parfois avec des filaments de soie si fins qu'ils sont presque invisibles. Leur spécialité est la soie réversible – un chat aura par exemple les yeux verts d'un côté, et bleus de l'autre.

Wangshi Yuan

Kuojia Xiang. ***Tél.** (0512) 6520 3514.* *de 7h30 à 17h t.l.j.*

Le jardin du Maître des Filets devrait son nom à l'un de ses propriétaires – un officiel à la retraite qui se disait pêcheur émérite. Créé en 1140, il fut totalement remodelé en 1770 et beaucoup le considèrent comme le plus beau des jardins de Suzhou. Il est petit, mais rassemble avec beaucoup de subtilité tous les éléments cruciaux du jardin classique *(p. 178-179)* : un lac central, des allées discrètes, des pavillons aux cours miniatures, des murs, des treillages délicats et, surtout, des points qui « encadrent » un paysage, comme une photographie parfaitement équilibrée. Le bâtiment le plus connu est le pavillon de la Lune, d'où l'on peut regarder la lune dans un miroir, dans l'eau et dans le ciel. Des soirées d'opéra chinois, dont le *kunju* local, y sont régulièrement données.

Canglang Ting

3 Canglang Ting Jie, Renmin Lu. ***Tél.** (0512) 6519 4375.* *de 7h30 à 17h t.l.j. (mi-avr.-oct. 16h).*

Le jardin du pavillon des Vagues azurées – dont le nom suggère une approche de la vie sereine et pragmatique – est probablement le plus vieux jardin de Suzhou. Il fut aménagé en 1044 par un lettré, Su Zimei, sur le site d'une ancienne villa. Il fut agrandi au XIIe siècle par son successeur, un général de l'armée impériale, puis reconstruit au XVIIe siècle. Il est réputé pour sa technique du « paysage emprunté », qui intègre au jardin des paysages extérieurs. Ici, cela se traduit par des murs abaissés sur la façade nord de certains

Le pavillon de la Lune, Wangshi Yuan

Entrée du temple de Confucius

pavillons, permettant de voir au-delà. Ailleurs, on peut apercevoir les collines du sud-ouest dont l'élément central est une sorte de colline boisée. Les jardins étaient l'endroit idéal pour la contemplation et la création poétique, comme en témoignent les vers et les poèmes gravés ici et là dans le jardin.

Liu Yuan et Xiyuan

Liu Yuan 338 Liuyuan Lu. ***Tél.*** *(0512) 6533 7903.* *de 7h30 à 16h30 t.l.j.* **Xiyuan** Xiyuan Lu. ***Tél.*** *(0512) 6533 4126.* *de 5h30 à 19h t.l.j.*

Ces deux jardins voisins, à l'ouest de l'ancien quartier entouré de douves, furent créés en même temps. Le Liu Yuan (jardin « attardez-vous ») fut restauré en 1953 et ses quatre sections sont reliées par une longue galerie. Le Xiyuan (jardin de l'Ouest), jadis propriété d'un disciple bouddhiste, ressemble plus à un temple qu'à un jardin. Avec son toit de tuiles et ses poutres rouges, le temple Jiechang est un bel exemple d'architecture méridionale. À côté se trouve le pavillon des Cinq Cents Luohan.

Panmen

p. 212-213.

Temple de Confucius

Renmin Lu. *t.l.j.*

Le temple de la dynastie Song fut reconstruit en 1864 après avoir été détruit lors de la révolte de Taiping *(p. 422)*. Son pavillon principal d'époque Ming possède plusieurs sculptures de pierre, dont un plan de Suzhou, ou plutôt de Pingjiang, comme on l'appelait en 1229. C'est le plus ancien plan de ville découvert en Chine. On trouve également une carte du ciel datant de 1247 – l'une des plus anciennes du genre.

Colline du Tigre

8 Sanmen Nei Lu. ***Tél.*** *(0512) 6723 2305.* *de 7h30 à 17h t.l.j.*

Dans le nord-ouest de la ville, la célèbre colline du Tigre (Huqiu Shan) abrite la tombe de He Lu, le roi de Wu, fondateur de Suzhou. Son esprit serait gardé par un tigre blanc qui apparut trois jours après sa mort et refusa de partir.

Urne cérémonielle, colline du Tigre

On y vient surtout pour Yunyan Ta (pagode du Rocher des Nuages), une pagode penchée de la dynastie Song, construite en brique et inclinée de plus de 2 mètres au sommet. Les travaux de consolidation permirent de découvrir quelques sutras bouddhiques du Xe siècle et un registre de l'année de sa construction (961). Le parc est assez vaste. Au printemps et au début de l'été, les bassins et les parterres sont très fleuris. L'un des nombreux rochers aurait été fendu en deux par He Lu, qui serait inhumé non loin de là avec 3 000 épées.

Han Shan Si

24 Hanshansi Long. ***Tél.*** *(0512) 6723 2891.* *de 8h30 à 16h t.l.j.*

Fondé sous la dynastie Liang, le temple de la Montagne froide porte le nom d'un moine poète de la dynastie Tang. Une statue en pierre le représente, accompagné du moine Shi De. Le temple fut reconstruit au XIXe siècle après avoir été détruit pendant la révolte de Taiping. Situé près du Grand Canal, il fut immortalisé par le poète de la dynastie Tang, Zhang Ji, qui jeta l'ancre non loin de là à son arrivée en bateau. Son poème « Nuit à l'ancre au pont des Érables » est gravé sur une stèle de pierre et contient des vers qui firent la célébrité du temple : « Du monastère de la Montagne froide, hors des murs de Suzhou, le son d'une cloche, à minuit, parvient jusqu'au bateau du voyageur. » La cloche dont il est question s'est perdue, et l'actuelle fut offerte par le Japon en 1905. Non loin de là, un magnifique pont enjambe le Grand Canal.

Brûle-parfum, Han Shan Si

Autour de Panmen

盘门

Bouddha de pierre, pagode Ruiguang

À l'angle sud-ouest de Suzhou, ce quartier jadis oublié a été restauré à grands frais. Finies les jolies bicoques au bord du canal, mais on y trouve encore quelques-uns des plus intéressants sites historiques de la ville. Panmen est un des remparts par lequel on entrait autant par voie terrestre que par voie maritime. Il aurait près de 700 ans, mais une grande partie de l'actuelle construction est beaucoup plus récente. Le charmant pont Wumen ainsi que la vue sur la ville et les canaux depuis la pagode Ruiguang valent eux aussi le détour.

Pavillon du Paysage attracti
Ce pavillon à trois étages abri une tranquille maison de thé avec vue sur la plate-forme de la Scène Ouest.

★ Panmen
Cette porte et sa portion de rempart (de 1351) sont tout ce qui reste des anciennes fortifications de la ville. C'est la seule porte à la fois terrestre et maritime de Chine.

Temple de Wu Zixu

Entrée maritime à deux portes

À NE PAS MANQUER

- ★ Pagode Ruiguang
- ★ Panmen
- ★ Pont Wumen

★ Pont Wumen
Cet élégant pont enjambant le Grand Canal est le plus haut de Suzhou. Son architecture date de la dynastie Song, même s'il a été reconstruit plusieurs fois. Un escalier permet d'accéder au sommet, d'où la vue est belle.

Pour les hôtels et les restaurants de la région, voir p. 561-562 et p. 588-589

Vue de la pagode Ruiguang
Un étroit escalier mène à un point de vue sur le cœur de Suzhou, une ville émaillée de vastes poches de verdure – ces magnifiques jardins qui ont fait la célébrité de la ville.

MODE D'EMPLOI

2 Dong Da Lu, angle sud-ouest de la ville. *de la gare ferroviaire.* de 8h à 17h t.l.j. *un tarif pour le parc paysager (Panmen et pont Wumen inclus), un autre pour la pagode Ruiguang.* **www**.szpmjq.com/doce/jj.htm

Porte d'entrée
C'est l'entrée principale du parc. L'accès et l'ascension de la pagode sont payants.

***Pailou*, ou portique ornemental**

Portion de rempart (90 m)

★ Pagode Ruiguang
Cette pagode de sept étages et 43 mètres de haut date de la dynastie Song. Elle est faite de briques et de plates-formes en bois, avec une base ornée de sobres sculptures bouddhiques.

Pavillon des Quatre Mérites
Le nom de ce pavillon s'inspire des enseignements bouddhiques. De part et d'autre du bâtiment, une galerie couverte mène à deux petits pavillons, dont un renferme un tambour et l'autre une cloche.

Maisons au bord du canal dans la vieille ville de Zhouzhuang

Tongli 2

同里

25 km au sud-est de Suzhou.
45 000.

Cette jolie petite ville d'eau, typique de la région, donne aux visiteurs une bonne idée de ce qu'était Suzhou du temps de son apogée. Toutes ses maisons donnent sur un réseau de canaux enjambés par des dizaines de ponts de pierre et encombrés de bateaux de transport et de commerce. Certains édifices sont ouverts au public, notamment le pavillon Jiayin, ancienne résidence de Liu Yazi, un acteur du début du XXe siècle, réputé pour sa collection assez étrange de chapeaux de gaze. On remarquera également Tuisi Yuan, un jardin classique de la fin de la période Qing.

Tuisi Yuan
de 7h45 à 17h30 t.l.j.

Balade touristique sur l'un des nombreux canaux de Tongli

Zhouzhuang 3

周庄

20 km à l'ouest de Shanghai.
32 000. *Shanghai, Suzhou.* *vers Tongli.* **Vieille ville** *: billets à Quangong Lu.* ***Tél.*** *(0512) 6721 1655.*

Cette petite ville des bords du canal Jinghang qui relie Suzhou à Shanghai fut jadis un port prospère spécialisé dans la soie, la poterie et les céréales. Les lettrés et les officiels y bâtirent de beaux ponts et de jolies maisons entre les époques Yuan et Qing. La charmante **vieille ville** se visite à pied ou en bateau sur les canaux. On y découvre les 70 pièces du Hall of Zhang's Residence, d'époque Ming, et le Hall of Shen's Residence, dont les 100 pièces sont toutes reliées au hall principal. Près du musée, le temple Chengxu est un sanctuaire taoïste d'époque Song.

Wuxi 4

无锡

40 km au nord-ouest de Suzhou.
4 320 000. *lignes pour Hangzhou et Suzhou.* *88 Chezhan Lu.* ***Tél.*** *(0510) 401 6081.*

Les fleurons de Wuxi sont le pittoresque Taihu (lac Tai) et le Grand Canal. Selon la légende, la ville fut créée il y a 3 500 ans au titre de capitale du royaume de Wu et de centre d'extraction de l'étain. Quand le gisement s'épuisa (Wuxi signifie « sans étain »), la capitale fut transférée vers l'ouest, mais Wuxi demeura une ville importante en raison de sa position sur le Grand Canal. À l'ouest de la ville, le parc Xihui fut créé en 1958 et abrite le jardin Jichang. À l'entrée du parc, un chemin mène à la pagode de la Lumière du Dragon, au sommet du Xishan. Un téléphérique relie le Xishan au Huishan voisin. Le musée de Wuxi possède des objets vieux de 6 000 ans et quelques canons d'époque Qing.

Parc Xihui
Huihe Lu. *de 6h à 18h t.l.j.*

Musée Wuxi
71 Huihe Lu. *de 9h à 16h t.l.j.*

Téléphérique panoramique, parc Xihui, Wuxi

Taihu 5

太湖

5 km au sud-ouest de Wuxi.

L'un des plus grands lacs de Chine est réputé pour ses rocailles, élément essentiel de tout jardin traditionnel *(p. 178-179)*. Sa rive nord est bordée de paysages pittoresques, dont **Meiyuan** (jardin des Pruniers), à voir au printemps quand ses 4 000 pruniers sont en fleur. **Yuantou Zhu** (presqu'île de la Tête de Tortue) est très apprécié des Chinois pour ses maisons de thé et sa belle vue sur le lac. À côté, l'**île Sanshan** est un ancien repaire de brigands peuplé de temples et de grandes statues de bouddha, dont aucune n'égale toutefois les 88 mètres du bouddha de Lingshan, dans la péninsule de Mashan, à quelques minutes en bus des autres sites.

Meiyuan et Yuantou Zhu
de 7h à 17h t.l.j.

Pour les hôtels et les restaurants de la région, voir p. 561-562 et p. 588-589

Le Grand Canal

Le Grand Canal fut commencé en 486 av. J.-C., puis construit durant un millénaire. Le but était de relier le Yangzi au fleuve Jaune, et une capitale à une autre. C'est aujourd'hui le plus grand canal créé par

Bateau de croisière sur le canal

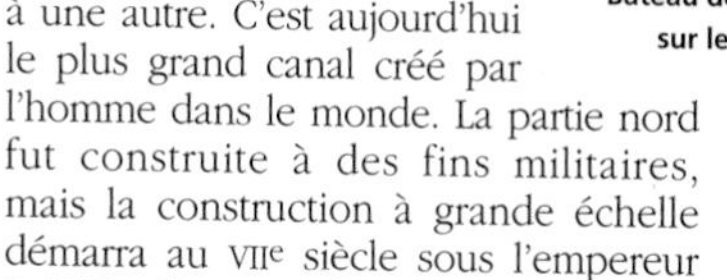

l'homme dans le monde. La partie nord fut construite à des fins militaires, mais la construction à grande échelle démarra au VIIe siècle sous l'empereur Sui Wendi, avec plus de 5 millions de conscrits âgés de 15 à 55 ans, placés sous les ordres de forces de police brutales. Il relia les régions assez peuplées du Nord aux régions rizicoles du Sud, mais n'atteignit Pékin qu'au XIIIe siècle. Au début du XXe siècle, la conjonction des défluviations de l'indomptable fleuve Jaune et de l'avènement du chemin de fer entraîna progressivement son abandon.

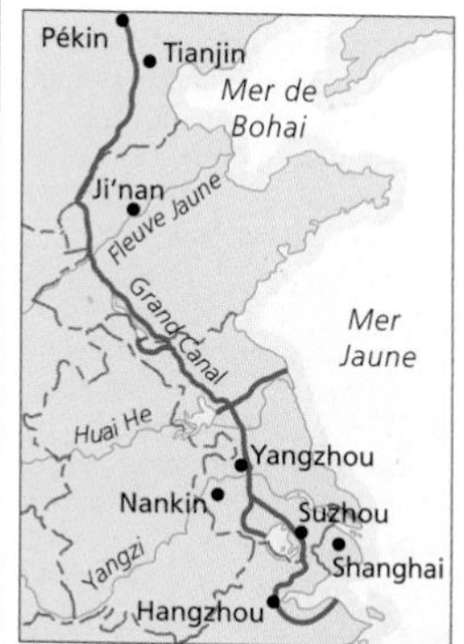

Cette carte *indique le tracé du canal de 1 900 kilomètres de Pékin à Hangzhou. Traversant les champs de bataille nord-sud traditionnels, le canal ravitaillait tout l'empire. Le terrain accidenté entraîna la construction des premières écluses doubles en 984 de notre ère.*

LÉGENDE

Grand Canal

L'empereur Sui Yang Di *aurait célébré l'achèvement de son ouvrage en sillonnant le canal avec une flottille de bateaux-dragons halés par les plus belles femmes de l'empire.*

Les bateaux touristiques *sont le seul moyen d'explorer le canal, car les habitants préfèrent désormais le transport routier et ferroviaire. Des compagnies proposent des croisières nocturnes entre Hangzhou et Suzhou ou Wuxi, ou à la journée entre les sites touristiques.*

Les barques *chargées de produits agricoles et manufacturés se frayent un chemin sur le canal. Le trafic est intense au sud et au nord du Yangzi à la frontière du Shandong.*

Les berges du canal *sont peuplées de gens occupés à des tâches ménagères. Les familles travaillent et vivent parfois à bord de leurs bateaux.*

Magasin de poteries typiques de Dingshan

Yixing ❻

宜兴

40 km au sud-ouest de Suzhou.
🚌 *entre Wuxi et Yixing.*

Yixing, capitale du comté, est un important nœud routier qui dessert toute la région. Cette dernière, fertile en canaux et en terres agricoles, est réputée pour ses poteries fabriquées à **Dingshan** depuis 3 000 ans. Le nom de Yixing (« sable pourpre ») lui vient de la couleur rouge-brun très particulière de l'argile locale. Les rues de la ville sont bordées d'usines et de magasins de poterie. L'office du tourisme de Dingshan organise des visites d'usine.

Près de la ville, le **musée des Théières de Yixing** présente toutes sortes de poteries, des premiers objets anciens de Yixing aux théières miniatures très recherchées. Non loin, les **grottes karstiques** se divisent en trois groupes – Zhanggong, Linggu et Shanjuan.

À Zhanggong, la salle du Roi du Dragon de la Mer peut accueillir plusieurs milliers de personnes. Linggu, quant à elle, possède une cascade souterraine.

Musée des Théières de Yixing
150 Ding Shan Beilu. *t.l.j.*

Grottes karstiques
t.l.j.

Changzhou ❼

常州

40 km au nord-ouest de Wuxi.
650 000.

Cette ville souvent oubliée du Grand Canal possède pourtant un ancien centre sillonné de rues aux maisons traditionnelles et de canaux. Les deux artères principales, Bei et Nan Dajie, sont bordées de boutiques de soieries et de peignes d'artisanat local peints à la main. Le **Tianning Si** du VIIe siècle est coiffé d'un toit orné de 83 statues de bouddha, tandis que le **pavillon Yizhou** accueillit le poète Su Dongpo lors de son séjour dans la ville.

Zhenjiang ❽

镇江

50 km à l'est de Suzhou.
3 000 000.
92 Zhongshan Xi Lu.

Joliment située sur les rives du Yangzi, Zhenjiang doit sa prospérité à la construction du Grand Canal *(p. 217)*. Au XIXe siècle, la ville fut cédée aux puissances étrangères. L'ancien **hôtel Royal** est un bel exemple de pastiche européen, et l'ancien consulat britannique abrite désormais le **musée municipal**, où l'on peut voir une photographie de l'*Amethyst*, le navire britannique qui remonta le fleuve en 1949 jusqu'à Nankin pour venir en aide aux Britanniques. Il échoua et resta prisonnier du sable avant de se dégager pour rejoindre sa flotte.

À l'ouest du musée, le **parc Jinshan** abrite le temple Jinshan fondé sous la dynastie des Jin de l'Est, et la pagode Cishou, l'une des deux pagodes jumelles d'époque Tang. L'ascension au sommet offre une vue splendide sur le Yangzi. Au nord-est de la ville, la colline **Beigushan** accueille la magnifique pagode **Lingyun Ting**. Plus à l'est, l'îlot **Jiaoshan** est réputé pour ses paysages. On y accède en téléphérique ou en bateau. La tour Xijiang Lou surplombe les fortifications de l'île et offre une belle vue sur le fleuve.

Musée municipal
85 Boxian Lu. *t.l.j.*

Parc Jinshan
62 Jinshan Xilu. *t.l.j.*

Tianning Si (temple de la Paix divine), style méridional, Changzhou

La calligraphie

La calligraphie élève l'écriture chinoise au rang d'art. C'est aussi un moyen d'expression, au même titre que la peinture et la poésie. La beauté de la calligraphie peut sembler difficile à appréhender pour qui ne lit pas le chinois. Mais la calligraphie libre, qui transforme les caractères ordinaires en peintures figuratives et abstraites, est plus facile d'accès. Les Chinois, formés dès leur plus jeune âge à l'enchaînement basique des traits, peuvent tracer mentalement les caractères tels qu'ils l'ont été par les artistes, et pénétrer ainsi leur univers spirituel. Étant limité aux huit mêmes traits, le style de chaque artiste – variations du poids, de l'angle et de la vigueur du trait – est facile à apprécier. Ce qui compte, c'est l'équilibre et le poids proportionnel des traits, la structure du caractère, son unité et son harmonie.

Pierre à encre décorative

LES QUATRE TRÉSORS
Les principaux outils du calligraphe, appelés les « quatre trésors du lettré », sont le bâton à encre, la pierre à encre, les pinceaux et le papier. L'Anhui est particulièrement réputé pour la qualité de son encre et de ses pinceaux.

Les bâtons à encre *sont en suie – de pin ou de résine – mélangée à de la glue, voire des épices. L'encre est généralement noire, mais existe également en couleurs.*

Chaque caractère se compose de huit traits réalisés dans un ordre précis.

Les traits fins paraissent moins pleins

Élégant trait de haut en bas vers la gauche

Trait en crochet effilé

Le sceau *est soigneusement placé sur la page. Le tampon au cinabre peut porter le nom de l'artiste ou une poésie.*

La pierre à encre *sert à dissoudre le bâton à encre avec la bonne quantité d'eau. Une encre épaisse est brillante et forte, tandis qu'une encre légère peut être vivante et subtile.*

Les porte-pinceaux *permettaient à l'artiste de changer de pinceau ou de le poser pour contempler son travail.*

Les pinceaux *permirent une plus grande liberté d'expression que la gravure sur os ou sur pierre* (p. 26), *et une plus grande fluidité. Les poils – de toutes sortes de fourrures – doivent être ronds mais effilés, réguliers et durs.*

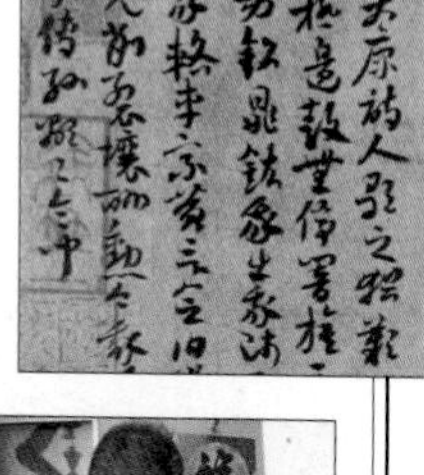

Le papier, *inventé vers l'an 100, était en fibre de mûrier ou de bambou. Bien moins cher que la soie qu'il remplaça, il est classé selon son poids, qui détermine la vitesse d'absorption de l'encre.*

L'entraînement *est crucial. La main doit toujours savoir ce qu'elle est sur le point de faire. Il n'y a pas de place pour l'hésitation. Il existe trois niveaux d'entraînement – le tracé, la copie et le travail de mémoire. À chaque étape, l'artiste peut davantage personnaliser son œuvre.*

Yangzhou ⑨

扬州

Pagode, Daming Si

Yangzhou, l'une des grandes villes du delta du Yangzi, a toujours été réputée pour sa richesse économique et culturelle. Sa position sur le Grand Canal dicta ses bonnes et ses mauvaises fortunes : la ville déclina avec la chute de la dynastie Song et la baisse de fréquentation du canal, pour renaître à l'époque Ming, quand le canal fut restauré pour le transport de la soie, du riz et du sel. Les marchands de sel bâtirent d'élégantes villas et de beaux jardins, en particulier au XVIIIe siècle, quand Yangzhou faisait partie des circuits d'inspection impériale. La ville a conservé de sérieux atouts, notamment de nombreux jardins.

Étal de fruits sur la vieille rue de Dong Guan Jie

Daming Si

1 Pingshan Tang Lu. ***Tél.*** *(0514) 734 0720.* *de 8h à 16h30 t.l.j.*

Perché au sommet d'une colline, le temple de la Grande Clarté fut fondé au Ve siècle, puis reconstruit après avoir été détruit lors de la révolte des Taiping *(p. 422)*. Au centre, le **pavillon Jianzhen** fut érigé en 1973 en hommage au moine éponyme qui se rendit au Japon en 753 et y introduisit de nombreux aspects de la culture chinoise. Le Japon finança la construction du pavillon principal sur le modèle de son temple Toshodai à Nara. À côté, une source naturelle jouxte une maison de thé.

Musée Hanlinyuan

Xiangbie Lu. *de 8h30 à 17h t.l.j.*

Le magnifique tombeau de Liu Xu, gouverneur du royaume de Guangling, sous la dynastie des Han de l'Ouest, s'étend sur cinq niveaux souterrains. Le 2e étage hermétique se compose de 840 briques en nanmu (cèdre) reliées par des crochets. Le 3e niveau abrite la réserve, le 4e les appartements du roi, et le 5e un cercueil sur roues. Le tombeau était équipé de tout le luxe imaginable, dont une salle de bains.

Shou Xi Hu

28 Da Hongqiao Lu. ***Tél.*** *(0514) 734 1324.* *de 7h30 à 17h t.l.j.*

Le lac de l'Ouest « maigre », le site le plus populaire de Yangzhou, est un modèle réduit du célèbre lac de l'Ouest *(p. 242-243)* de Hangzhou. Il serpente dans un parc peuplé de saules, de pavillons et de ponts. Le plus étonnant de tous, le joli **Wuting Qiao** (pont des Cinq Pavillons), fut bâti en 1757 par un marchand de sel en l'honneur de la visite de l'empereur Qianlong à Yangzhou. À l'ouest, Ershisi Qiao (pont Vingt-Quatre) doit son nom à ses 24 arches. **Baita** (dagoba blanc) est un stupa tibétain édifié sur le modèle de celui du parc Beihai *(p. 90)* de Pékin. Au jardin Xu, le **pavillon où l'on écoute le Chant du Rossignol** possède de belles sculptures sur bois, tandis que le **Pinyuan Lou** offre des vues censées démontrer les règles de la perspective décrites par l'artiste Song Guo Xi. À l'est du lac, la jetée impériale est l'endroit où était amarré le bateau de Qianlong.

Musée de Yangzhou

Près de Tianlin Si. ***Tél.*** *(0514) 734 4585.* *de 8h30 à 11h, de 13h à 17h t.l.j.*

Ce musée est installé dans un temple construit en 1772 en mémoire d'un officiel Ming qui refusa de livrer la ville aux Qing. On y découvre quelques splendides objets, dont un ancien bateau du Grand Canal, et un habit funéraire en jade.

Geyuan

10 Yanfu Dong Lu. ***Tél.*** *(0514) 734 7428.* *de 7h15 à 17h30 t.l.j.*

Le plus célèbre jardin de Yangzhou fut la propriété du peintre Shi Tao, puis d'un marchand de sel. Il doit son nom à la feuille de bambou, qui rappelle le caractère « ge » (« soi »). On y admire les rocailles, mais aussi quelques jolis pavillons.

Wuting Qiao (pont des Cinq Pavillons), Shou Xi Hu Gongyuan

Wang Shi Xiao Yuan
14 Dongquan Men Lishi Jiequ.
de 8h à 17h t.l.j.
Sur une rue bordée de maisons historiques, dont celle de l'ancien président Jiang Zemin, la magnifique Wang Shi Xiao Yuan était la résidence d'un riche marchand de sel. Elle est composée de 100 pièces luxueuses et la salle du Printemps principal est ornée d'un lustre allemand ainsi que de panneaux muraux en marbre.

Tombeau de Pu Hading
17 Jiefang Nan Lu. ***Tél.*** *(0514) 722 2241.* *de 8h à 17h t.l.j.*
Considéré comme le 16e descendant du prophète Mahomet, Pu Hading (ou Puhaddin) vécut à Yangzhou jusqu'à sa mort en 1275. Sa tombe est enfermée dans un bâtiment rempli de citations du Coran. D'autres personnalités musulmanes des époques Song et Ming sont enterrées à proximité. Pu Hading construisit aussi la minuscule mosquée Xianhe, au sud-ouest de Ganquan Lu. Le mur est couvert d'arabesques, souvenir des marchands persans qui fréquentèrent jadis la ville.

Shita, ou pagode de Pierre, d'époque Tang

Heyuan
66 Xuning Men Jie. ***Tél.*** *(0514) 723 9626.* *de 7h45 à 17h t.l.j.*
Ce petit jardin crée une illusion d'espace et de profondeur par l'ingénieux aménagement de ses éléments, dont des buissons, des arbres ainsi qu'une galerie, et porte le nom de l'un de ses propriétaires du XIXe siècle. Certains pavillons sont décorés de treillages de style méridional, mais les influences du Nord prédominent dans l'agencement global et le style.

MODE D'EMPLOI

60 km au nord-est de Nankin.
4 500 000. Gare routière Est, gare routière Ouest. 99 Daxue Bei Lu, (0514) 734 5746.

Wenchang Ge
De forme ronde, le Wenchang Ge (pavillon pour la Promotion de la Littérature) est tout ce qui reste de l'ancien Collège confucéen fondé par le premier empereur Ming, Hongwu, partisan de l'éducation pour tous. Au nord, le **Si Wang Ting** (pavillon des Quatre Vues) faisait partie du Collège provincial de l'époque Ming et servait d'observatoire. À l'ouest de Wenchang Ge, **Shita** (pagode de Pierre) faisait jadis partie d'un temple situé hors des remparts de la ville. Édifiée sous la dynastie Tang, elle fut transférée ici à l'époque Song.

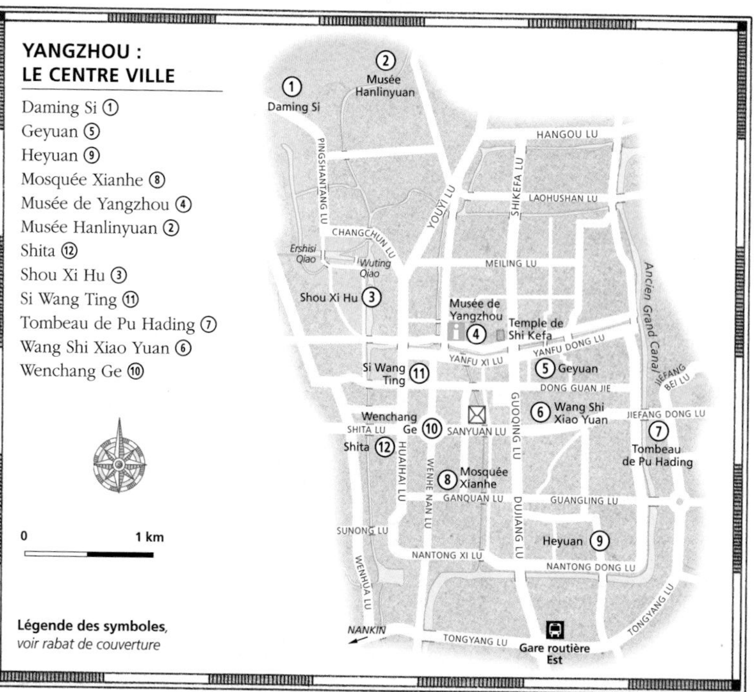

Nankin ⓾

南京

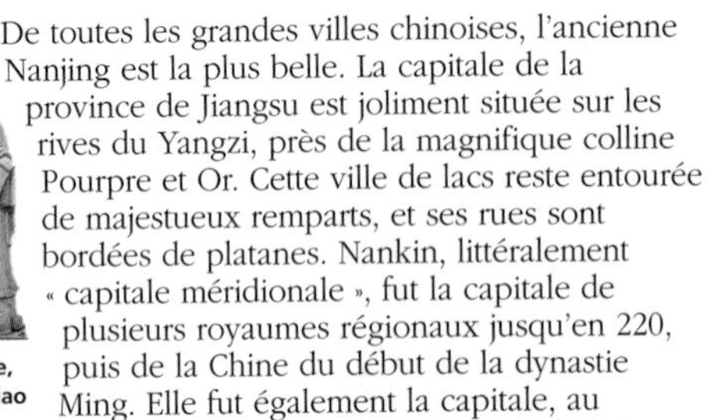

Statue, Fuzi Miao

De toutes les grandes villes chinoises, l'ancienne Nanjing est la plus belle. La capitale de la province de Jiangsu est joliment située sur les rives du Yangzi, près de la magnifique colline Pourpre et Or. Cette ville de lacs reste entourée de majestueux remparts, et ses rues sont bordées de platanes. Nankin, littéralement « capitale méridionale », fut la capitale de plusieurs royaumes régionaux jusqu'en 220, puis de la Chine du début de la dynastie Ming. Elle fut également la capitale, au XIXe siècle, du Royaume céleste des Taiping et de la première République de Sun Yat-sen. Aujourd'hui, c'est une ville en rapide expansion avec de bons restaurants et une vie nocturne animée.

Jardin et pavillons du musée de l'Histoire des Taiping

À la découverte de Nankin

Les remparts médiévaux donnent l'impression qu'elle est petite, mais la ville est en réalité assez étendue. Une grande partie se visite à pied. Pour le reste, les bus sont pratiques et les taxis nombreux et raisonnables.

Porte Zhonghua

p. 224-225.

Musée de l'Histoire des Taiping

128 Zhanyuan Lu. ***Tél.*** *(025) 8662 3024.* *t.l.j.*

Ce musée commémore la révolte antidynastique du Royaume céleste des Taiping de 1851-1864 *(p. 422)*. Le bâtiment fut utilisé par l'un des chefs de la révolte, les Princes Célestes. Le jardin Zhan, ou jardin de la Contemplation, appartenait à l'origine à l'empereur Hongwu, fondateur des Ming. Aujourd'hui, les salles sont remplies de souvenirs et de photographies de la révolte qui embrasa une partie du pays. Après avoir établi leur base à Nankin, les rebelles furent à deux doigts de renverser la dynastie Qing à Pékin avant d'être défaits par l'armée impériale menée par les Occidentaux en 1864. Le musée expose des armes et des uniformes, de la monnaie et des documents expliquant l'utopie des Taiping, qui voulaient changer la société féodale chinoise en une société égalitaire, notamment par la modernisation du système éducatif (il était encore fondé sur les préceptes confucéens), la redistribution des terres et l'égalité des sexes.

Parc Bailuzhou

t.l.j.

Le parc de l'Aigrette blanche fut la propriété du général Ming Xu Da avant de devenir le quartier chinois durant les siècles de règne mandchou. Les pavillons furent tous détruits pendant la révolte des Taiping, mais le parc fut restauré en 1951, et le quartier regorge de maisons traditionnelles.

Fuzi Miao

Gongyuan Lu. ***Tél.*** *(025) 8662 8639.* *de 8h à 21h t.l.j.*

Les origines de Fuzi Miao (temple de Confucius) remontent à 1034, mais les bâtiments actuels datent de la fin du XIXe siècle et quelques ajouts sont récents. Le temple fut un centre d'étude confucéenne pendant plus de 1 500 ans et abrite aujourd'hui une petite exposition d'art folklorique. Les rues aux alentours sont flanquées de maisons aux longs toits convexes et aux murs chaulés, dont beaucoup sont restaurées dans le style méridional. Non loin de là, les bateaux qui rallient la porte Zhonghua sont amarrés à la jolie rive du canal.

Double toiture du pavillon principal de Fuzi Miao

Chaotian Gong

Mochou Lu. ***Tél.*** *(025) 8446 6460.* *de 8h à 16h30 t.l.j.* **Reconstitution des rites de la cour** *de 11h15 à 12h15 t.l.j.*

Le palais du Ciel était jadis un lieu de culte des ancêtres, un centre d'enseignement et un temple confucéen. Les bâtiments du milieu du XIXe siècle tels que les pavillons, les tours et les allées se dressent sur le site d'un temple édifié en 390. Il abrite désormais le musée municipal, qui présente une collection de bronzes Shang et de fragments de la légendaire pagode en porcelaine détruite lors de la révolte des Taiping. La pagode fut bâtie au XVe siècle par l'empereur Ming Yongle en l'honneur de sa mère et couverte de céramiques blanches vernissées. Chaque jour, une reconstitution des **rites impériaux** se déroule sur la place du palais.

Non loin, au n° 74 sur Tangzi Jie, se dresse la maison occupée par un disciple du prince Yang Xiuqing des Taiping de l'Est.

Détail du pavillon Sun Yat-sen, Tianchao Gong

On y voit des peintures pittoresques d'animaux et d'oiseaux datant de l'occupation Taiping, découvertes en 1952. Leur intérêt historique et la qualité de leur exécution méritent le détour.

Tianchao Gong et Xu Yuan

292 Changjiang Lu. ***Tél.*** *(025) 8454 2362.* *de 9h à 17h t.l.j.*

MODE D'EMPLOI

200 km au nord-ouest de Shanghai. *5 350 000.* *Gare principale, gare Ouest.* *Gare Zhongyang Men, gare Hanfu Jie, CAAC (bus de l'aéroport), gare Est.* *Pour Shanghai, Wuhan et Chongqing.* *202/1 Zhongshan Bei Lu, (025) 8342 8999.*

Le Tianchao Gong (palais du Royaume céleste) et le Xu Yuan (jardin parfumé) voisin furent créés par un prince Ming. Sous la dynastie Qing, le palais devint le siège du gouvernement provincial jusqu'en 1853, quand le chef de la révolte des Taiping, Hong Xiuquan, en fit son quartier général. Finalement, à la chute de l'empire Qing, le palais accueillit le gouvernement républicain, d'où Sun Yat-sen puis Chiang Kai-shek dirigèrent la Chine. À l'intérieur, une exposition est consacrée à la révolte des Taiping et à Sun Yat-sen. Le jardin Xu Yuan qui l'entoure est très fréquenté le week-end.

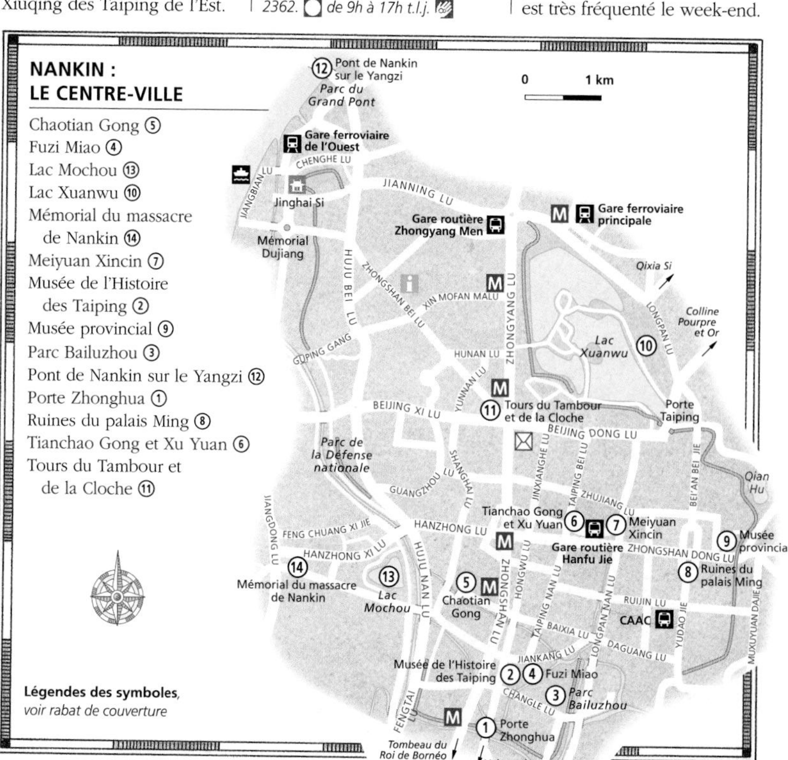

La porte Zhonghua

中华门

À l'époque de leur construction de 1368 à 1386 par le premier empereur Ming, Hongwu, les remparts de la capitale étaient les plus vastes du monde. Ses murs de 12 mètres de haut serpentaient sur 33 kilomètres autour des contours naturels de la ville, qui était protégée de toutes parts par le fleuve et la montagne, sauf au sud, où la porte Zhonghua constituait donc un élément défensif déterminant de Nankin. Ses murs étaient cimentés par un mortier superpuissant en riz gluant. Cet argument dissuasif s'avéra efficace, puisqu'aucun ennemi ne tenta de forcer la porte Zhonghua. Aujourd'hui, les impressionnants vestiges de la porte se visitent et les remparts abritent un intéressant musée.

Nankin vue des remparts près de la porte Zhonghua

★ Citadelles intérieures
Derrière la porte principale, trois cours ou citadelles permettaient, en cas d'attaque, de prendre au piège les troupes ennemies qui forçaient la porte principale. Les niches aménagées dans les murs cachaient des soldats postés en embuscade.

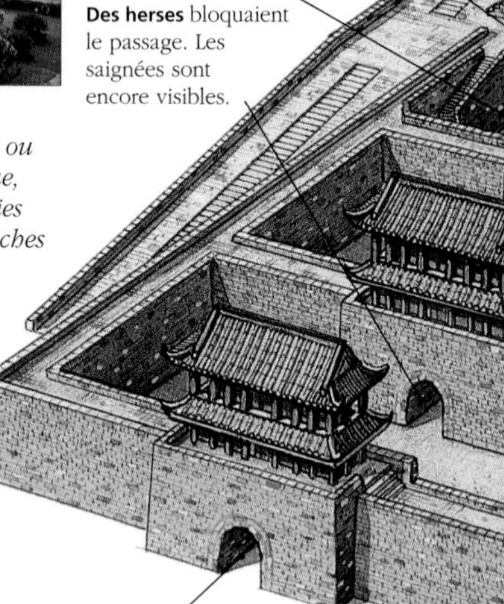

Les quatre portiques coiffant les passages voûtés servaient d'armurerie et d'entrepôt.

Des herses bloquaient le passage. Les saignées sont encore visibles.

RECONSTITUTION DE LA PORTE ZHONGHUA
La tour de la porte principale était adossée au sommet des remparts et la citadelle s'avançait dans la ville. Aujourd'hui, seuls subsistent les remparts de brique – aucun des portiques n'a survécu.

À NE PAS MANQUER

- ★ Briques signées
- ★ Citadelles intérieures
- ★ Passages voûtés

★ Passages voûtés
Quatre tunnels voûtés de 53 mètres de long traversent les remparts. Chaque porte était protégée par des doubles portes massives et une herse.

Pour les hôtels et les restaurants de la région, voir p. 561-562 et p. 588-589

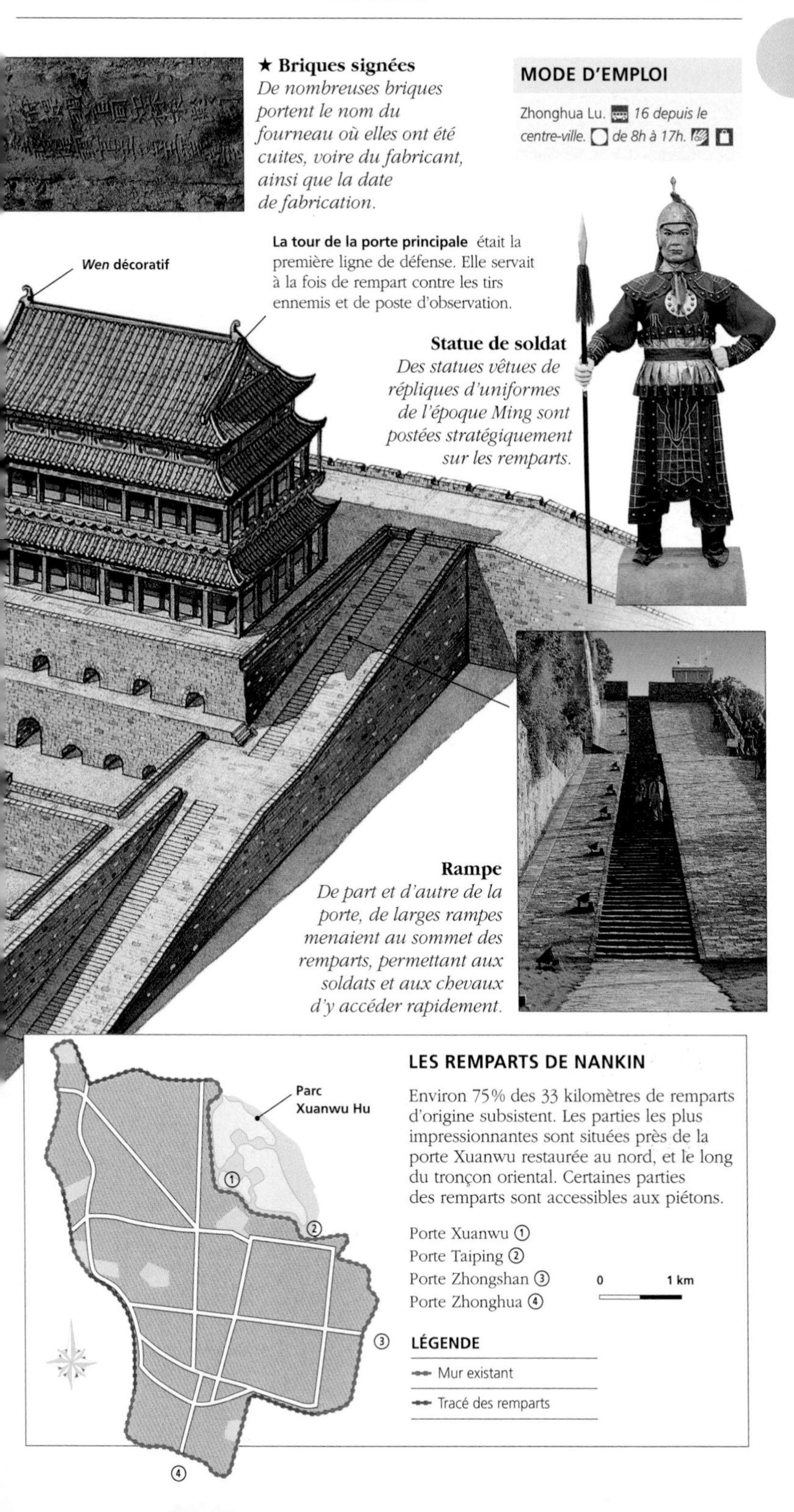

★ Briques signées
De nombreuses briques portent le nom du fourneau où elles ont été cuites, voire du fabricant, ainsi que la date de fabrication.

La tour de la porte principale était la première ligne de défense. Elle servait à la fois de rempart contre les tirs ennemis et de poste d'observation.

Statue de soldat
Des statues vêtues de répliques d'uniformes de l'époque Ming sont postées stratégiquement sur les remparts.

Rampe
De part et d'autre de la porte, de larges rampes menaient au sommet des remparts, permettant aux soldats et aux chevaux d'y accéder rapidement.

MODE D'EMPLOI

Zhonghua Lu. *16 depuis le centre-ville.* *de 8h à 17h.*

LES REMPARTS DE NANKIN

Environ 75% des 33 kilomètres de remparts d'origine subsistent. Les parties les plus impressionnantes sont situées près de la porte Xuanwu restaurée au nord, et le long du tronçon oriental. Certaines parties des remparts sont accessibles aux piétons.

Porte Xuanwu ①
Porte Taiping ②
Porte Zhongshan ③
Porte Zhonghua ④

LÉGENDE

Mur existant

Tracé des remparts

Meiyuan Xincun

de 9h à 16h30 t.l.j.

Ce palais récemment restauré fut le siège du Parti communiste chinois de 1946 à 1947 sous la direction de Zhou Enlai *(p. 250)*, qui mena les négociations avec le Guomindang après la défaite japonaise. Un musée rappelle ces événements.

Ruines du palais Ming

Zhongshan Donglu. t.l.j.

L'ancien palais Ming (Ming Gugong) fut bâti au XIVe siècle pour le premier empereur Ming, Hongwu, qui fit de Nankin sa capitale. Dans le siècle qui suivit sa construction, ce splendide palais fut lourdement endommagé par deux incendies. Ensuite, les Mandchous, puis les soldats des Taiping achevèrent de le détruire. Il n'en reste que dix ponts de marbre, l'ancienne Wu Men, ou porte Méridienne, et un grand nombre de socles de colonnes aux détails finement sculptés qui laissent imaginer l'aménagement du palais. Le long de son axe majeur, il comptait trois cours principales entourées d'énormes pavillons perchés sur des plate-formes, flanquées de part et d'autre d'autels et de temples. Le palais est une version réduite de la Cité interdite de Pékin *(p. 86-89)*. La multitude d'arbres procure une ombre salutaire en été.

Lac Xuanwu, bordé de pavillons et d'embarcadères

Musée de Nankin

4 Chaotiangong Lu. ***Tél.*** *(025) 8446 5317.* de 8h à 16h30 t.l.j.

Fondé en 1933, l'un des grands musées de Chine mérite vraiment la visite. On peut y admirer quelques chaises à porteurs magnifiquement décorées, des bronzes de la dynastie Zhou et des maquettes de navires marchands. La collection de jades et de laques comprend un linceul de jade composé de rectangles de jade cousus avec du fil d'argent de la dynastie des Han de l'Est. On y trouve également des briques des remparts de la ville, des photos de la vieille ville et des reliques de la révolte des Taiping. Les légendes sont en anglais.

Détail de sculpture, ruines du palais Ming

Colline Pourpre et Or

p. 228-229.

Lac Xuanwu

Parc Xuanwu. t.l.j.

À l'angle nord-est de la ville, une portion particulièrement belle des remparts Ming longe la rive occidentale du lac Xuanwu, dans le parc du même nom. Cet immense lac de près de 2 kilomètres de long fut pendant des siècles une importante source d'approvisionnement en eau pour la ville, ainsi qu'un lieu de villégiature très apprécié de la cour impériale. Sous la dynastie Song, il fut également le théâtre d'exercices navals. Le parc fut ouvert au public après la chute de la dynastie Qing en 1911.

Le lac accueille cinq petites îles aux noms de continents, reliées par des ponts et des chaussées. Chacune propose toutes sortes d'attractions – maisons de thé, restaurants, pavillons, bateaux, zones de baignade, plus un théâtre en plein air et même un petit zoo. La plus belle, l'île Yingzhou, arbore des nénuphars, des arbres et des fleurs. Le parc est très fréquenté, surtout le week-end, mais c'est un agréable lieu de détente. Le mieux est d'entrer par la porte Xuanwu à trois arcades, sur Zhongyang Lu. Les billets sont en vente au guichet sur Jiwusi Lu.

Tours du Tambour et de la Cloche

t.l.j.

La tour du Tambour ornée d'un portique traditionnel fut bâtie en 1382 et maintes fois restaurée. Elle possédait plusieurs tambours qui, la nuit, marquaient la relève de la garde et donnaient

Socles de colonnes en marbre de l'ancien palais Ming

l'alerte en cas de danger. Aujourd'hui, il ne reste qu'un grand tambour. La tour abrite désormais une exposition de peintres amateurs et une maison de thé. À quelques pas au nord-est, la tour de la Cloche (Dazhong Ting), construite sous la dynastie Ming et reconstruite en 1889, possède une immense cloche en bronze fondue en 1388, qui est l'une des plus grandes du pays.

Le quartier des tours était le centre administratif de la vieille ville. C'est aujourd'hui un quartier de bureaux animé où la circulation est dense.

LE MASSACRE DE NANKIN

Mémorial du massacre de Nankin

Le massacre de Nankin, ou viol de Nankin, reste une pomme de discorde entre les Chinois et les Japonais. En 1937, quand l'armée japonaise parvint à s'emparer de Nankin, un grand nombre de civils restèrent au lieu de fuir, obéissant ainsi à l'appel lancé par le gouvernement chinois. Pendant que le gouvernement fuyait, l'armée d'occupation lança une campagne d'assassinats, de pillages et de viols de la population civile qui aurait fait près de 400 000 victimes. Après la reddition du Japon en 1945, le gouvernement chinois revint à Nankin et la ville retrouva son statut de capitale de la Chine jusqu'à ce que les communistes réinstallent la capitale à Pékin en 1949.

Circulation sur le viaduc de Nankin

Viaduc de Nankin

Daqiao Nanlu. ***Tél.*** *(025) 5878 5703.*
Ascenseur ☐ *t.l.j.*

Cet ouvrage impressionnant achevé en 1968 est l'une des grandes réalisations des communistes chinois, qui reprirent le projet après le retrait des Russes en 1960. Selon la version officielle chinoise, le pont fut construit en partant de zéro, car les Russes partirent en emportant avec eux les plans d'origine. Le viaduc à double tablier – routier et ferroviaire – mesure près de 1,5 kilomètre de long. C'est l'un des plus longs de Chine. Avant sa construction, des ferries faisaient traverser la rivière à des trains entiers, un wagon après l'autre. Un ascenseur conduit les visiteurs au sommet de l'une des tours, d'où l'on voit l'autre rive du Yangzi. Ne manquez pas les sculptures de style soviétique qui décorent le pont. Le mieux est d'arriver au pont par le Daqiao Gongyuan (parc du Pont) voisin.

Lac Mochou

☐ *t.l.j.*

Juste derrière les remparts, à l'ouest de la ville, le lac Mochou (Mochou Hu) porte le nom d'une héroïne légendaire, Mochou ou « sans regret », ainsi nommée parce que sa voix était si douce qu'elle dissipait tous les regrets, et dont une statue trône au milieu d'un petit bassin du **pavillon Carré**. Autour du lac, le parc du lac Mochou est particulièrement beau à la floraison des lotus. Une scène en plein air et une maison de thé bordent le lac. Le **Pavillon où l'on gagne aux échecs** est l'endroit où le premier empereur Ming, Hongwu, fit une importante partie d'échecs avec son général.

Pavillon Carré et statue de la légendaire Mochou, parc du lac Mochou

La colline Pourpre et Or

紫金山

Poignée de porte, Ming Xiaoling

Veillant sur la ville, Zijin Shan, ou colline Pourpre et Or, devrait son nom à la couleur de ses rochers. C'est un lieu pittoresque de collines en pente douce à l'ombre des forêts et des bambouseraies, ponctuées çà et là de villas et de quelques-uns des sites les plus intéressants de Nankin, dont le mausolée de Sun Yat-sen (Ming Xiaoling) et le temple Linggu. Il faut une journée complète pour en faire le tour. On y croise des vendeurs ambulants, mais mieux vaut prévoir un pique-nique. Les plus sportifs monteront à pied jusqu'au sommet pour jouir de la vue sur la ville. Les autres prendront le téléphérique à l'extérieur des remparts, à l'est de la ville.

Statue de Sun Yat-sen, « père de la Chine moderne », dans son mausolée

Observatoire de la colline Pourpre et Or
Outre le matériel moderne, l'observatoire possède des instruments en bronze du XV*e siècle. Les Chinois utilisaient déjà des objets similaires il y a 3 000 ans.*

Le téléphérique monte au sommet en deux étapes. On le recommande pour la vue.

LÉGENDE

- Téléphérique
- Route

À NE PAS MANQUER

- ★ Mausolée de Sun Yat-sen
- ★ Ming Xiaoling
- ★ Temple Linggu et salle « sans poutres »

★ Ming Xiaoling
Le tombeau du premier empereur Ming, Hongwu, et de sa femme fut achevé en 1405. Il fut en grande partie détruit lors de la révolte des Taiping (p. 422), *mais ce qui reste suffit à imaginer la majesté de l'édifice.*

Pour les hôtels et les restaurants de la région, voir p. 561-562 et p. 588-589

Musée Sun Yat-sen
Niché dans un joli bâtiment, ce musée est souvent délaissé. Quatre étages d'exposition évoquent la vie de Sun Yat-sen au travers de peintures, de photographies et d'effets personnels.

MODE D'EMPLOI

Province du Jiangsu, 3 km à l'est de Nankin. *de la gare ferroviaire. Navette entre les principaux sites du parc.* **Colline Pourpre et Or** *avr.-nov. : de 6h30 à 18h30 t.l.j. ; déc.-mars : de 7h à 18h t.l.j.* *pour chaque site.*

La scène musicale fut construite en 1933 avec le mausolée de Sun Yat-sen.

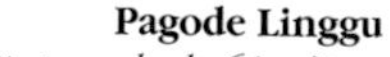

Pagode Linggu
Cette pagode de 61 mètres fut commandée en 1929 par Chiang Kai-shek à l'architecte américain Henry Murphy en mémoire des soldats morts pour la révolution de 1911 (p. 62-63).

Pavillon Guanghua

★ Temple Linggu et salle « sans poutres »
Fondé en 514, le temple fut transféré ici par l'empereur Ming, Hongwu, pour libérer de la place pour son tombeau. On remarque surtout la salle dite « sans poutres », construite en 1381 sans aucune pièce de bois.

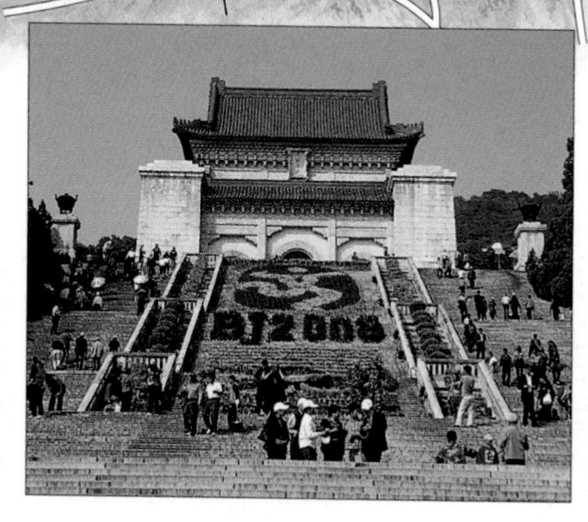

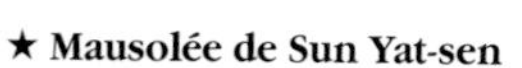

★ Mausolée de Sun Yat-sen
Malgré l'utilisation de céramiques bleues, au lieu des céramiques jaunes de l'empereur, cet imposant mausolée de 1929 a des résonances impériales. Les couleurs bleu et blanc symbolisent le Parti nationaliste.

À la découverte de la colline Pourpre et Or

La colline Pourpre et Or (Zijin Shan) est également appelée parc Zhongshan, du nom mandarin de Sun Yat-sen. Le mieux est de commencer par le site le plus à l'est, le temple Linggu, et de progresser lentement vers l'ouest en direction de la ville. La visite complète du site prend une bonne journée, mais une demi-journée suffira pour découvrir le mausolée de Sun Yat-sen, le monument le plus fréquenté du parc, et un autre site. Toutefois, il est également agréable de s'éloigner de la foule pour arpenter les sentiers ombragés qui sillonnent la colline boisée et visiter les nombreuses petites attractions touristiques.

Lac près du temple Linggu, au pied de la colline Pourpre et Or

Temple Linggu, salle « sans poutres » et pagode

À l'origine, le temple Linggu était situé là où l'empereur Ming Hongwu souhaitait voir ériger son tombeau (Ming Xiaoling). Il le fit donc déplacer ici. Le seul bâtiment d'origine est la salle « sans poutres ». Construite en 1381, c'est un édifice en brique, cintré sans aucune charpente, un type de construction qui parait au risque de manque de bois, mais qui fut rarement adopté. Un petit temple bouddhiste restauré abrite ce qui est supposé être la dépouille de Xuanzang. Ce moine de la dynastie Tang partit en Inde à la recherche de sutras *(p. 487)*.
Sur la pagode Linggu voisine, Chiang Kai-shek a gravé de sa main les mots : « redevable au pays avec une extrême loyauté ». Le bâtiment est censé allier le futur et le passé : le style (pagode) est ancien, mais les matériaux (béton renforcé), modernes. Du sommet, on a une belle vue sur l'épais feuillage vert qui recouvre la colline.

Musée Sun Yat-sen

Légèrement à l'écart des sentiers battus, ce magnifique édifice abritait jadis une bibliothèque bouddhique.

La collection de peintures, de photos noir et blanc et d'objets évoque en détail la vie du « père du peuple ». Les légendes sont en anglais et la bibliothèque de sutras se trouve désormais dans un autre bâtiment à l'arrière.

Sculpture de la Voie des Esprits de Xiaoling

Mausolée de Sun Yat-sen (Zhongshan Ling)

À la mort du chef révolutionnaire en 1929, le concours pour la création de son tombeau fut remporté par Y.C. Lu, diplômé de l'École d'architecture de l'université de Cornell, aux États-Unis. Un long escalier de 392 marches en marbre mène à une salle carrée où trône une statue grandeur nature donnant sur un bâtiment rond à coupole, où son sarcophage est inséré dans le sol. Le site comprend d'autres monuments, dont la **Scène musicale**, un auditorium où les visiteurs aiment pique-niquer, et le pavillon Guanghua.

Tombeau Xiaoling

Le site tombe en grande partie en ruine, mais c'est le plus ancien tombeau Ming. La Voie des Esprits est une allée impressionnante bordée de paires de statues d'animaux et de dignitaires, certains assis, d'autres debout. Chose rare, elle n'est pas orientée du sud au nord, mais serpente en remontant la colline. Au sud du tombeau, la **colline des Fleurs de Prunier** est particulièrement belle au printemps, quand les arbres se parent de fleurs roses. À l'ouest, le **jardin botanique** est une immense étendue de végétation colorée, de pelouses, de collines et de lacs. Non loin de là se trouve le **tombeau de Liao Zhongkai** et de sa femme He Xiangning, des dignitaires nationalistes proches de Sun Yat-sen.

Observatoire

Construit dans les années 1930, l'observatoire est aujourd'hui légèrement décati. Le principal intérêt pour le néophyte est la petite collection de copies d'instruments de mesure astronomiques en bronze des époques Ming et Qing.

Arrivée au tombeau du premier empereur Ming, Hongwu

Entrée du Mémorial du massacre de Nankin

Aux environs de Nankin

La colline Pourpre et Or n'est pas le seul site des environs de Nankin digne d'intérêt. Tous les autres se visitent facilement en taxi ou, dans le cas de Qixia Si, en bus.

Mémorial du massacre de Nankin

105 Chaping Dong Jie.
Tél. *(025) 8661 0931.*
de 8h30 à 16h30 t.l.j.

À l'ouest du parc Mochou, ce site rappelle les atrocités des Japonais, dites massacre de Nankin, lors de l'occupation de la ville pendant la Seconde Guerre mondiale.
Dans le jardin sont exposés de macabres souvenirs. Des photographies témoignent, et une salle est consacrée à la réconciliation des deux nations après la guerre.

Monument aux Martyrs, Yuhuatai

Yuhuatai

215 Yuhua Lu. **Tél.** *(025) 5241 1523.*
de 8h30 à 17h30 t.l.j.

Selon la légende, c'est là, au sud de la porte Zhonghua, qu'au Ve siècle, un moine prononça un sermon si émouvant que le ciel déversa une pluie de fleurs. Hélas ! le parc servit de cadre à un peloton d'exécution pendant la Révolution chinoise (1927-1949) et des milliers de personnes y périrent.
Le monument aux Martyrs se compose de neuf gigantesques statues de 30 mètres de haut dans le plus pur réalisme soviétique. Derrière se dresse une pagode offrant une belle vue sur la ville.

Tombeau du roi de Bornéo

Sur Ning Dan Gong Lu. Environ 2 km au nord-ouest de Yuhuatai. *t.l.j.*

Situé près du Yuhuatai, le tombeau du roi de Bornéo ne fut découvert qu'en 1958. Les dirigeants de Bornéo payèrent tribut à la Chine à partir de 977. Au milieu du XIVe siècle, le premier empereur Ming, Hongwu, élargit considérablement le système, obligeant les nations étrangères à payer tribut à la Chine sous forme de cadeaux précieux, et dépêcha des émissaires dans tous les États tributaires de la Chine, dont Bornéo, pour s'assurer de la poursuite des échanges économiques. Le roi de Bornéo arriva à Nankin en 1408, mais mourut pendant son séjour. Son tombeau est marqué d'une stèle en forme de tortue et précédé, comme souvent à l'époque, d'une Voie des Esprits bordée de statues. Le site n'est pas clairement signalé, alors mieux vaut avoir le nom du tombeau écrit en mandarin pour demander son chemin.

Qixia Si et les falaises des Mille Bouddhas

Qixia Shan. 15 km au nord-est de Nankin. *bus en face de la gare ferroviaire, 1h.* **Tél.** *(025) 8576 8152.*
de 7h à 17h30 t.l.j.

Qixia Si est l'un des plus grands séminaires bouddhiques du pays.
Il fut fondé en 483, mais le bâtiment actuel date de 1908, à la fin de la dynastie Qing. Il se compose de deux grandes salles, l'une tapissée d'apsaras (nymphes célestes) volantes, l'autre ornée d'une statue du bouddha Vairocana, ou bouddha cosmique, incarnation de la Vérité et de la Connaissance. À l'est, une pagode octogonale de pierre bâtie en 601 est gravée de scènes de la vie de Bouddha.

Derrière ces salles, les **falaises des Mille Bouddhas** sont en réalité 500 statues de Bouddha sculptées dans la paroi de la falaise, sachant que les Chinois disent souvent « mille » pour dire « beaucoup ». Les plus anciennes statues sont d'époque Qi, au Ve siècle, mais la plupart furent sculptées sous les dynasties Song et Tang. Certaines furent décapitées pendant la sanglante révolte des Taiping *(p. 422)*, puis pendant la Révolution culturelle *(p. 64-65)*, mais ce qui reste mérite la visite. Vous pourrez également passer quelques heures agréables dans les bois derrière les falaises.

Pagode octogonale ornée de sculptures de la vie de Bouddha, Qixia Si

La médecine chinoise traditionnelle

La médecine chinoise remonte à près de 4 000 ans. Elle est le fruit de la quête de l'élixir de vie poursuivie par de nombreux empereurs. Au fil des siècles, les Chinois ont adopté ce que l'on appellerait aujourd'hui une approche holistique, soulignant l'importance de l'alimentation, de l'équilibre affectif et de l'environnement. Aujourd'hui, les traitements reposent encore sur l'utilisation des herbes, de l'alimentation et de l'acupuncture. La philosophie taoïste en fait partie intégrante, en particulier le *qi* *(p. 32-33)*, la force vitale du vivant.

Symbole yin-yang

Le *qi* crée les forces opposées et interdépendantes du yin et du yang, incarnées dans l'univers et le corps par l'humide et le sec, le froid et le chaud, etc. Contrairement à la médecine occidentale, où une force extérieure, que ce soit une bactérie ou un virus, est supposée provoquer une maladie, en médecine chinoise, un problème médical est la conséquence d'un déséquilibre yin-yang chez le patient. Quand le yin et le yang sont en déséquilibre, le flux du *qi* est vide ou bloqué. Les praticiens chinois cherchent alors à rétablir l'équilibre.

DIAGRAMME DU Xe SIÈCLE
Le *qi* circule via des méridiens qui rayonnent dans tout le corps, des organes vitaux aux extrémités. Ce diagramme met en évidence un méridien allant des intestins jusqu'au bout des doigts en passant par le bras. Appuyer sur des points précis module le flux du *qi*.

Aiguilles d'époque Qing

Canaux

Aiguilles modernes

Point d'acupuncture

Les aiguilles d'acupuncture *sont insérées juste sous la peau, aux points d'acupuncture (*men *ou portes), le long des méridiens. L'acupuncture s'est révélée un anesthésique efficace.*

Le Bencao Gangmu *est une pharmacopée énumérant toutes les maladies connues et leurs traitements, élaborée par le naturaliste Li Shizhen au XIIe siècle.*

Les mélanges d'herbes, *de champignons, de racines, d'écorces, voire de substances animales séchées telles que de la poudre de ramures, sont soigneusement dosés. Au patient de les faire bouillir pour en extraire une puissante décoction.*

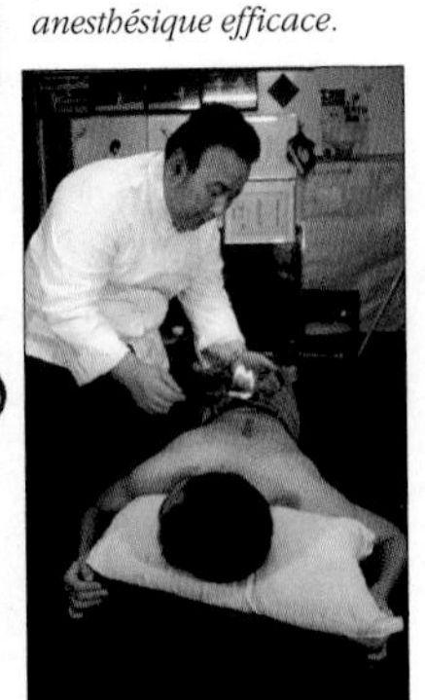

La moxibustion *est utilisée dans les cas chroniques. Elle consiste à faire brûler un moxa de feuilles d'armoise pour chauffer les points d'acupuncture. Il arrive que le moxa soit si près de la peau qu'il brûle un peu.*

Plaque magnifiquement décorée à l'entrée de Guangji Si, Wuhu

Bozhou ⓫
毫州

250 km au nord-ouest d'Hefei.

La halle du **marché médicinal** de Bozhou – le plus grand du monde – attire plus de 50 000 marchands de Chine et d'Asie du Sud-Est. On y trouve tout ce que l'on peut imaginer comme plantes, insectes et membres d'animaux, entiers ou en poudre.

Au **Théâtre des Fleurs** du XVIIe siècle, on pourra admirer des sculptures de bois et de brique ainsi que des frises peintes autour de la scène. Le musée de la ville présente un linceul de jade d'époque Han du père de Cao Cao, le seigneur de la guerre des Trois Royaumes, qui creusa un **tunnel souterrain** pour cacher son armée en cas d'attaque.

Marché médicinal
Zhongyao Shiyang. *lun.-ven.*

Tunnel souterrain
Caocao Yunbingdao. *t.l.j.*

Hefei ⓬
合肥

150 km à l'ouest de Nankin. *42 Changjiang Zhong Lu. **tél.** (0551) 267 2945.*

La capitale de la province du Anhui devint un centre industriel florissant après 1949, quand le nouveau gouvernement communiste soutint la croissance de l'industrie dans des régions jusque-là pauvres. La ville est sans grand intérêt, mais les touristes de la région y passent souvent. Le **musée provincial** présente des objets intéressants, dont des briques de tombeaux de la dynastie Han, un crâne d'*Homo erectus* découvert dans le Anhui et une exposition sur les « quatre trésors du lettré » *(p. 219)* – bâtons d'encre, pierres à encre, pinceaux et papier, ce dernier ayant fait la réputation de la province. Autour d'un bel arbre flanqué d'un lac, le **parc Baohe** abrite un monument consacré à Bao, grand administrateur de la dynastie Song. Le **temple Mingjiao Si** du XVIe siècle se dresse à 5 mètres au-dessus du sol. Non loin de là, le **parc Xiaoyaojin** est un agréable lieu de promenade avec un puits du IIIe siècle.

Musée provincial
268 Anqing Lu. *mar.-dim.*

Monument de Bao
58 Wuhu Lu. *de 8h à 17h30 t.l.j.*

Mingjiao Si
Huaihe Lu. *t.l.j.*

Wuhu ⓭
芜湖

125 km au sud-est d'Hefei.

Le principal port de commerce de la province présente peu d'intérêt, à part le **Guangji Si**, un temple fondé en 894 sur Zhe Zhan, et la **pagode Zhe** voisine, d'où l'on voit toute la ville, ainsi que les rues du centre, bordées de maisons anciennes aux toits de chaume et aux murs de boue. De là, on peut aller visiter le **tombeau de Li Bai** à Caishiji, à 7 kilomètres de Ma'an Shan, la première gare au sud de Wuhu. Li Bai (701-762), poète de la dynastie Tang, était un buveur invétéré et serait mort noyé dans le reflet de la lune. Son tombeau trône au sommet d'une longue volée de marches derrière le temple de la dynastie Qing, et domine le Yangzi. Il ne contiendrait que les vêtements de Li Bai, car l'emplacement de sa dépouille reste un sujet de controverse.

Tombeau de Li Bai, Caishiji

Tombeau de Li Bai
Caishiji. *pour Ma'an Shan, puis bus et taxi.* *t.l.j.*

Aux environs : à 60 kilomètres au sud-est de Wuhu, **Xuancheng** abrite un élevage d'alligators qui a permis d'augmenter la population de cette espèce sauvage menacée. En captivité, leur nombre s'élève aujourd'hui à plusieurs milliers, et il sera bientôt possible d'en réintroduire dans la nature.

Alligators du centre d'élevage de Xuancheng

Jiuhua Shan ⓮

九华山

160 km au sud-est d'Hefei.
135 Baima Xincun, Jiuhua Jie.
Tél. *(0566) 501 1588.*

Jiuhua Shan est l'une des quatre montagnes sacrées bouddhiques chinoises depuis que le moine coréen Jin Qiaojue y mourut en 794. C'est aussi un lieu de pèlerinage pour ceux qui viennent de perdre un proche.

Plus de 60 temples, reliés par des sentiers au départ du village de Jiuhua, émaillent la montagne. Le premier, le **Zhiyuan Si** de la dynastie Qing, est criblé de salles. Plus en amont, le plus ancien est le **Huacheng Si**, dont une partie daterait de l'époque Tang. Plus loin, une porte ornementale marque l'entrée d'un sentier montagneux d'où une première option consiste à traverser Ying Ke Song (Pin accueillant) et à prendre à gauche après une série de temples jusqu'à **Baisui Gong**, où la dépouille du moine Wuxia se tient assise en position de prière. La montée prend une heure. L'autre solution est de prendre le sentier à droite vers Yingke Song et de traverser **Feng Huang Song** (Pin Phénix) jusqu'au sommet à **Tiantai Zhengding** (Terrasse céleste), où une immense statue de Bouddha doit être construite. Quatre heures de marche jusqu'au sommet peuvent être évitées en empruntant le téléphérique au départ de Fenghuang Song et en revenant en taxi.

Boutique restaurée de la dynastie Ming, Lao Jie (Vieille Rue), Tunxi

Tunxi ⓯

屯溪

70 km au sud-est de Huang Shan.
3/4F, 99 Fushang Lu.
Tél. *(0559) 231 0616.*

Cet important nœud de communication pour les nombreux visiteurs du Huang Shan *(p. 236-237)* possède plusieurs beaux exemples d'architecture traditionnelle. Dans certains quartiers, notamment le long de Lao Jie (Vieille Rue), des maisons d'époque Ming ont été transformées en boutiques de souvenirs et d'antiquités ou en restaurants. La qualité de la restauration permet de se faire une idée d'une ville typique de l'époque Ming. De nombreuses maisons arborent un pignon en tête de cheval décoratif (voir ci-contre) destiné à l'origine à éviter les incendies.

La sereine Jiuhua Shan, ou les Neuf Montagnes glorieuses

Shexian ⓰

歙县

25 km à l'est de Tunxi.
bus pour Tunxi.

L'ancienne Huizhou est réputée pour la richesse et la conservation de ses maisons Ming, jadis propriétés de riches marchands de sel. La plupart sont situées autour de Jiefang Jie et de Doushan Jie et n'ont pas changé depuis le XIVe siècle.

Les riches commerçants d'Huizhou bâtirent également de nombreux portiques *(paifang)* commémoratifs dans le comté de Shexian, le plus célèbre étant le complexe de sept arches Ming et Qing de **Tangyue**, un village à environ 7 kilomètres à l'ouest de Shexian. Les arches témoignent de la carrière politique, de la piété filiale, de la chasteté et de la charité d'une famille locale prospère.

Yixian ⓱

黟县

35 km au nord-ouest de Tunxi.
minibus pour Tunxi. **Autorisation** *nécessaire, disponible à Tunxi.*

Les villages de **Hongcun** et **Xidi** – inscrits au patrimoine mondial de l'Unesco pour leurs maisons Ming et Qing – sont situés dans les environs de Yixian. Au nord-est, à environ 11 kilomètres, **Hongcun** date de 1131. Les montagnes picturales qui l'entourent lui ont valu le surnom de « village de peinture chinoise ». Il est aménagé en forme de buffle d'eau et irrigué par un réseau de canaux – les intestins du buffle – qui alimentent la mare de la Lune et le lac Sud – son estomac.

À 8 kilomètres au nord de Yixian, **Xidi** est un dédale d'allées flanquées de plus de 100 maisons datant essentiellement de la fin des Ming et du début des Qing. Certaines ont de charmantes cours et les intérieurs sont souvent décorés de paravents et de panneaux en bois sculpté. D'autres accueillent des spectacles d'art local.

À 5 kilomètres à l'ouest de Yixian, **Nanping** possède aussi de beaux exemples d'architecture classique.

Pour les hôtels et les restaurants de la région, voir p. 561-562 et p. 588-589

L'architecture de Huizhou

Le comté de Shexian accueille les descendants d'une corporation qui joua un rôle clé dans l'économie chinoise il y a quatre siècles. Aujourd'hui, les habitants du sud de la province du Anhui vivent surtout de l'agriculture. Mais entre le XIVe et le XVIIe siècle, leurs ancêtres étaient les riches marchands de Huizhou, célèbres dans toute la Chine pour leur sens du commerce et leur intégrité.

Portique *(paifang)* commémoratif, Huizhou

Ils employaient leur argent à bâtir de grandes maisons familiales aux façades chaulées et aux magnifiques intérieurs en bois, répondant à toutes sortes de contraintes sociales et environnementales. Elles devaient faire face aux intempéries, aux séismes et aux brigands. Beaucoup de ces maisons ont survécu et témoignent du talent des marchands de Huizhou, même si elles sont parfois un peu décrépies.

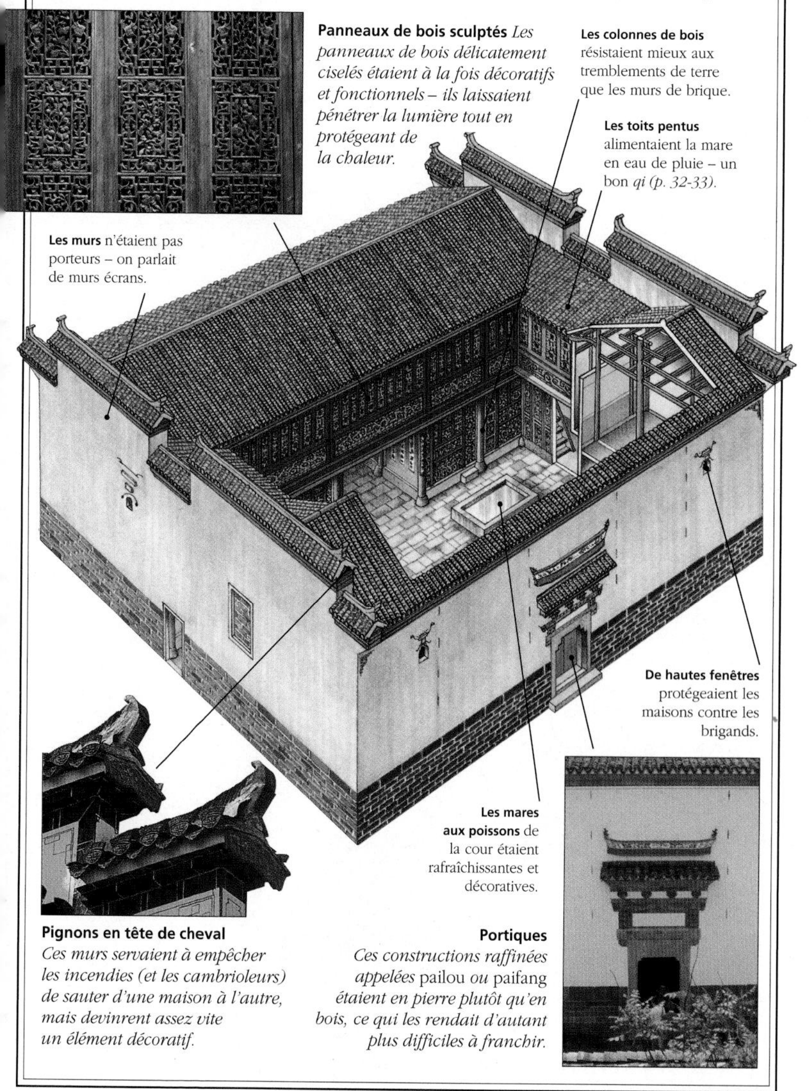

Panneaux de bois sculptés *Les panneaux de bois délicatement ciselés étaient à la fois décoratifs et fonctionnels – ils laissaient pénétrer la lumière tout en protégeant de la chaleur.*

Les colonnes de bois résistaient mieux aux tremblements de terre que les murs de brique.

Les toits pentus alimentaient la mare en eau de pluie – un bon *qi* *(p. 32-33)*.

Les murs n'étaient pas porteurs – on parlait de murs écrans.

De hautes fenêtres protégeaient les maisons contre les brigands.

Les mares aux poissons de la cour étaient rafraîchissantes et décoratives.

Pignons en tête de cheval
Ces murs servaient à empêcher les incendies (et les cambrioleurs) de sauter d'une maison à l'autre, mais devinrent assez vite un élément décoratif.

Portiques
Ces constructions raffinées appelées pailou *ou* paifang *étaient en pierre plutôt qu'en bois, ce qui les rendait d'autant plus difficiles à franchir.*

Huangshan ⓲

黄山

Détail de la porte Ouest

Le Huangshan (montagne Jaune) est célébré depuis des siècles par les poètes et les peintres. Ses saisissants sommets enveloppés de nuages lui ont valu la réputation de plus belle chaîne de montagnes du pays. Le principal sommet culmine à moins de 1 900 mètres, mais les 70 falaises rocheuses sont spectaculaires et les escaliers de ciment sinueux sont généralement très fréquentés. Ensevelis sous la brume, les paysages de pics escarpés, de bambouseraies et de pins centenaires tortueux sont d'une beauté exceptionnelle. Logez au joli village de Wenquan ou à Tangkou, ou passez une nuit au sommet pour jouir d'un coucher et d'un lever de soleil spectaculaires, mais sachez que vous ne serez pas seul.

Qingliang Tai
(Terrasse rafraîchissante) est réputé pour ses levers de soleil.

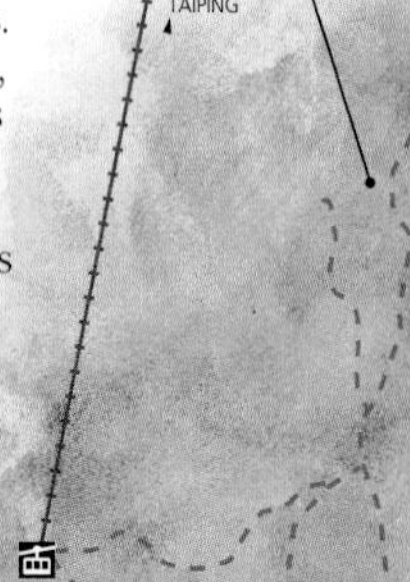

Guangming Ding (pic de la Clarté) 1 860 m

Lianhua Feng (pic de la Fleur de Lotus) 1 864 m

★ Feilai Shi
Le « Rocher Volant de Loin », un rocher massif rectangulaire en équilibre improbable, domine la mer de l'Ouest, une étendue infinie de pics et de nuages en cascade.

Sentier Ouest
Ce chemin, plus physique que la voie Est, traverse de splendides formations rocheuses en empruntant un escalier étroit et très abrupt.

Pin de Bienvenue
Huan Ke Song illustre d'innombrables timbres-p Ce pin, qui aurait plus de mille ans, accueille le visit au sommet de la montagn

À NE PAS MANQUER

★ Aoyu Bei

★ Feilai Shi

★ Shixin Feng

Pour les hôtels et les restaurants de la région, voir p. 561-562 et p. 588-589

Vue du sommet
Comptez environ 3 heures pour explorer le sommet et ses vues fantastiques. Rendez-vous à Paiyun Ting, le « pavillon où se dispersent les nuages », au sommet du téléphérique de Taiping, pour admirer le plus beau coucher de soleil.

MODE D'EMPLOI

200 km au sud d'Hefei. *Tunxi.* *pour Tunxi.* *de Nankin ou Hefei à Tangkou (5h) ; de Tunxi à Tangkou (1h30) ; bus pour l'entrée principale.* t.l.j. **www**.huangshanguide.com

LÉGENDE

- Arrêt minibus
- Téléphérique
- Temple
- Sentier
- Route

★ Shixin Feng
En forme d'obus, les « pics où l'on commence à croire » surplombent la forêt et les courants scintillants, offrant un paysage spectaculaire. Accès par le pont des Immortels à l'extrémité est du sommet.

À LA DÉCOUVERTE DU HUANGSHAN

La voie Est (8 kilomètres) prend environ 3 heures ; la voie Ouest (15 kilomètres) près du double. Certains marcheurs montent par la voie Est et redescendent par la voie Ouest. Deux téléphériques permettent d'éviter une bonne partie du trajet, mais la file d'attente est souvent très longue.

★ Aoyu Bei
À l'approche de Tiandu Feng, Aoyu Bei, l'Arête de la Carpe, est une arche vertigineuse et étroite (9 mètres) plongeant à pic de part et d'autre.

0 500 m

TANGKOU

ZHEJIANG ET JIANGXI

Au sud de Shanghai, le Zhejiang est bordé au sud-ouest par le Jiangxi. Le nord du Zhejiang est une vaste région de terres fertiles, émaillée de villes de canaux telles que la capitale provinciale de Hangzhou, et la charmante Shaoxin. Hangzhou et le grand port de Ningbo sont les principaux centres commerciaux et industriels de la région. Près de 18 000 îles se pressent au large de la côte du Zhejiang, et parmi elles le sanctuaire de Putuo Shan. Les paysages du Yandang Shan sont superbes.

La province enclavée du Jiangxi est peu peuplée en comparaison du reste de la Chine du Centre. Ses confins nord sont une plaine fertile irriguée par le plus grand lac d'eau douce de Chine, le Poyang Hu. Nanchang, la capitale provinciale, prospéra au VIIe siècle après la construction du Grand Canal, mais l'essor des comptoirs au milieu du XIXe siècle précipita le déclin économique du Jiangxi. Au début du XXe siècle, les conflits nationaux poussèrent des millions d'habitants à l'exil. La plupart des affrontements se déroulèrent dans les reliefs du Jinggang Shan, au sud du Jiangxi, aujourd'hui chargés de souvenirs révolutionnaires. Au nord-est de la province, on peut visiter Jingdezhen, la ville de la porcelaine, et la charmante station de montagne de Lushan.

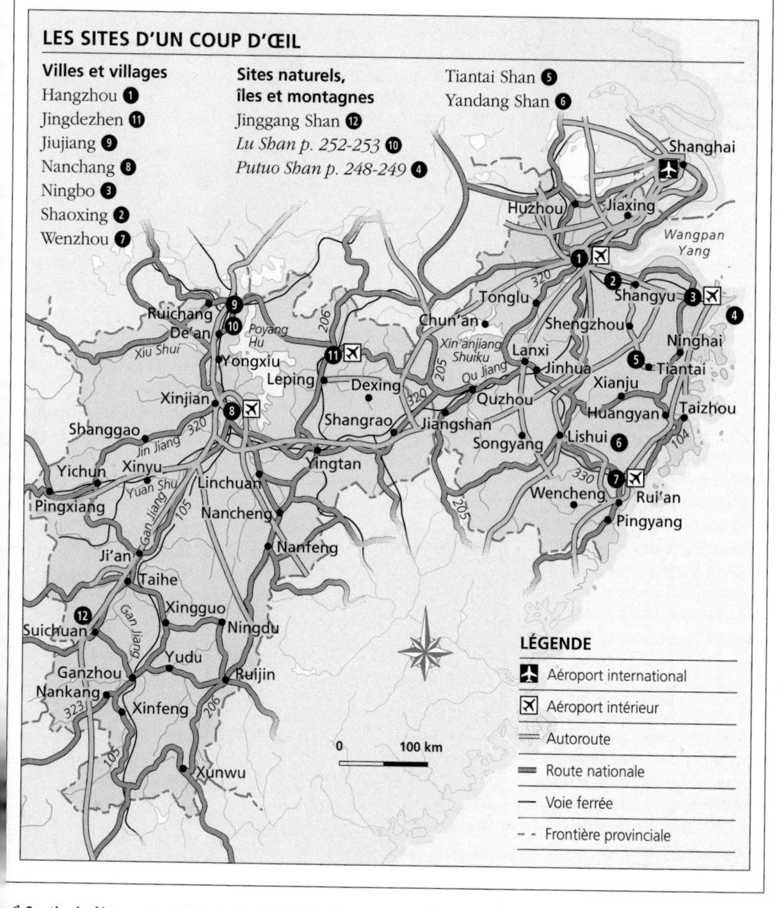

Sentier isolé montant à la pagode de la Société des graveurs de sceaux, île de Gushan, lac de l'Ouest, Hangzhou

Hangzhou ❶

杭州

Statue de Yue Fei

Considérée dans la Chine médiévale comme le paradis terrestre, Hangzhou devint la splendide capitale de la dynastie des Song du Sud entre 1138 et 1279. Par la suite, quand les conquérants mongols installèrent leur capitale dans ce qui est aujourd'hui Pékin, Hangzhou demeura une cité marchande prospère. Ses splendeurs furent exaltées par Marco Polo *(p. 153)*, qui aurait visité Hangzhou à l'apogée de sa prospérité et la décrivit comme la « cité du paradis, la plus magnifique au monde ». La plupart des édifices anciens ont été détruits sous la révolte des Taiping, mais le joli lac de l'Ouest et ses environs méritent la visite.

Portique d'entrée de Yue Fei Mu (tombeau de Yue Fei)

Yue Fei Mu

Bei Shan Lu. ***Tél.*** *(0571) 8796 6653.* *de 7h30 à 17h30 t.l.j.*

À la lisière nord du lac de l'Ouest se tient le tombeau du général Song, Yue Fei, un héros national vénéré pour son patriotisme. Ses campagnes contre l'envahisseur Jin remportèrent un tel succès que ses seigneurs Song commencèrent à craindre qu'il ne se retourne contre eux. Il fut injustement accusé de sédition et exécuté, ce qui fit de lui un martyr dont les exploits furent largement célébrés par les peintres.

Le temple Yue Fei de la fin du XIXe siècle jouxte le tombeau, auquel conduit une petite allée. Le tumulus central est celui de Yue Fei, tandis que le plus petit est celui de son fils, lui aussi exécuté. Les statues de fonte agenouillées représentent ses bourreaux – le Premier ministre, sa femme, un général jaloux et le directeur des prisons. Il était courant de leur cracher dessus, mais cette pratique n'est plus encouragée.

Parc Huanglong Dong et Qixia Shan

Au nord du lac de l'Ouest (Xihu).

Cette région vallonnée et sillonnée de sentiers présente plusieurs sites intéressants. Niché dans les collines, le parc Huanglong Dong est très agréable avec ses maisons de thé, ses étangs, ses fleurs et un pavillon où l'on peut écouter de la musique traditionnelle en été. À l'est, **Baochu Ta** est une reconstitution de pagode Song du XXe siècle. Non loin de là, à mi-chemin du sommet du Qixia Shan (montagne des Nuages persistants), le **temple taoïste Baopu** propose des offices presque quotidiens. Cette halte agréable permet d'observer les pèlerins et les moines ou d'assister à l'une des fréquentes cérémonies du culte des ancêtres.

Sculpture de bois du temple taoïste Baopu

Musée de Médecine chinoise Hu Qingyu Tang

95 Dajing Xiang. ***Tél.*** *(0571) 8702 7507.* *de 8h30 à 17h t.l.j.*

Cet intéressant musée installé dans une magnifique ancienne pharmacie, fondée par le marchand Hu Xueyan sous la dynastie Qing, retrace l'histoire de la médecine traditionnelle chinoise millénaire.

C'est aujourd'hui encore un dispensaire et une pharmacie.

Lac de l'Ouest

p. 242-243

Musée du Thé

88 Longjing Lu. ***Tél.*** *(0571) 8796 4232.* *de 8h30 à 16h30 t.l.j.*

Le musée du Thé retrace l'histoire de la production du thé et propose toutes sortes d'informations intéressantes sur les différentes variétés, leur culture, le développement des ustensiles nécessaires à leur préparation et à leur consommation. Beaucoup de légendes sont en anglais.

Village de Longjing

Au sud-ouest du musée du Thé.

Le village de Longjing (Puits du Dragon) produit l'une des plus célèbres variétés de thé vert de Chine. Les visiteurs peuvent arpenter les terrasses de théiers, observer les différentes étapes de production – coupage, tri et séchage – et acheter du thé, dont les prix varient selon la qualité.

Entrée du pavillon principal du musée de Médecine chinoise Hu Qingyu

Lingyin Si

1 Fayun Long, Lingyin Lu.
Tél. *(0571) 8796 8665.*
de 7h30 à 16h30 t.l.j.

Les environs de Feilai Feng abritent quelques-uns des principaux sites de la ville, dont Lingyin Si. Fondé en 326, ce temple accueillait jadis 3 000 moines dans plus de 70 salles. Il a beaucoup rétréci, mais reste l'un des plus grands temples de Chine. Il fut endommagé lors de la révolte des Taiping au XIXe siècle, puis incendié au XXe siècle. Il devrait sa survie à Zhou Enlai, qui empêcha sa destruction sous la Révolution culturelle. Certaines parties du temple sont anciennes, notamment les pagodes de pierre de part et d'autre du pavillon d'entrée, qui datent de 969. Derrière, le **pavillon du Grand Bouddha** abrite une impressionnante statue de 20 mètres de Bouddha, sculptée en 1956 dans du camphre.

À l'entrée, la **pagode Ligong** fut bâtie en l'honneur du moine indien Hui Li qui, frappé par la ressemblance de la montagne avec une colline d'Inde, se demanda si elle n'avait pas volé jusqu'ici et lui donna le nom excentrique de Feilai Feng (« pic venu en volant »). Parmi les dizaines de sculptures bouddhiques rupestres, beaucoup datent du Xe siècle.

Bouddha sculpté de Feilai Feng

MODE D'EMPLOI

120 km au sud-ouest de Shanghai. *6 115 000.*
Gare ferroviaire, gare Est.
Gare Est, gare Nord, gare routière Ouest, CAAC (bus de l'aéroport).
Ferry pour Suzhou et Wuxi.
1 Bei Shan Lu, (0571) 96123.

Pagode des Six Harmonies

16 Zhijiang Lu. ***Tél.*** *(0571) 8659 1401.* *de 6h30 à 17h30 t.l.j.*

Près du pont de chemin de fer, Liuhe Ta est tout ce qui reste d'un temple octogonal construit en 970 pour apaiser le mascaret, un mur d'eau massif qui dévale la rivière à marée haute. Haute de plus de 60 mètres, elle servit de phare jusqu'à une bonne partie de la dynastie Ming.

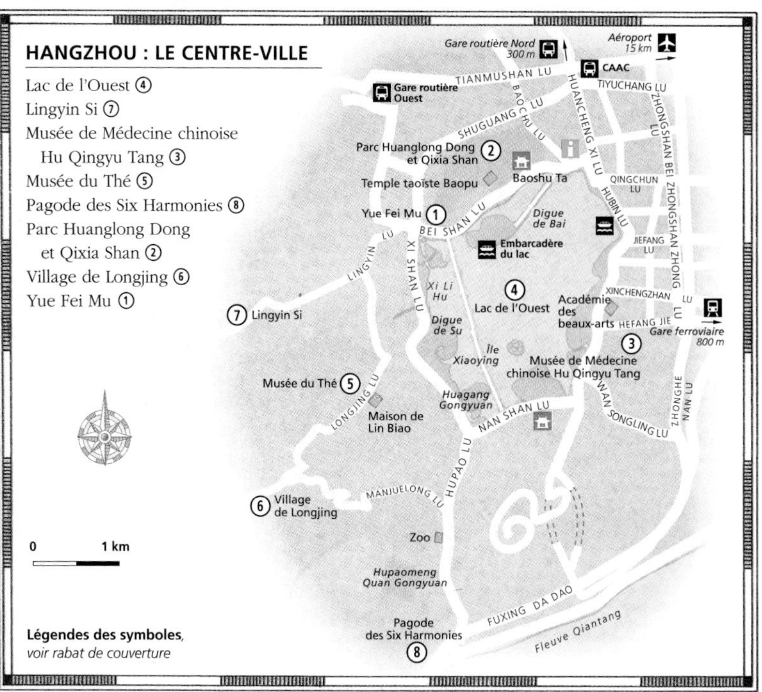

Le lac de l'Ouest
西湖

Ferronnerie, île Xiaoying

Longtemps considéré comme l'une des merveilles naturelles du pays, le lac de l'Ouest (Xihu) est un plan d'eau de plus de 8 kilomètres carrés entouré de vertes collines ondoyantes au cœur de Hangzhou. L'ombre des saules sur les digues et le parfum des fleurs de lotus ont longtemps inspiré les artistes. À l'origine, le lac était une anse de l'estuaire du Qiantang, avant que la rivière ne commence à s'envaser au IVe siècle. Le lac ayant tendance à déborder, plusieurs digues furent construites, notamment celles de Bai et de Su. L'idéal est de louer un bateau pour l'après-midi sur la rive orientale et de se promener le long des digues ombragées.

★ Trois pagodes reflétant la Lun
Trois petites pagodes de pierre surgissent de l'eau près de l'île Xiaoying. À la pleine lune, on allum des bougies à l'intérieur pour recréer les reflets de la lune.

XI LI HU

Jardin Huagang
Ce jardin a été conçu par un eunuque de la dynastie Song pour observer les poissons. Ses bassins sont remplis de poissons rouges, scintillants, dans un paisible décor de pelouses et d'arbres.

★ Île Xiaoying
Souvent appelée île San Tan Yin Yue, en référence aux trois pagodes reflétant la Lune dont elle est entourée, l'île Xiaoying se compose de quatre bassins clos, sertis de pavillons construits en 1611. Le pont en zigzag des Neuf Virages date de 1727.

À NE PAS MANQUER

- ★ Digue de Su
- ★ Île Xiaoying
- ★ Trois pagodes reflétant la Lune

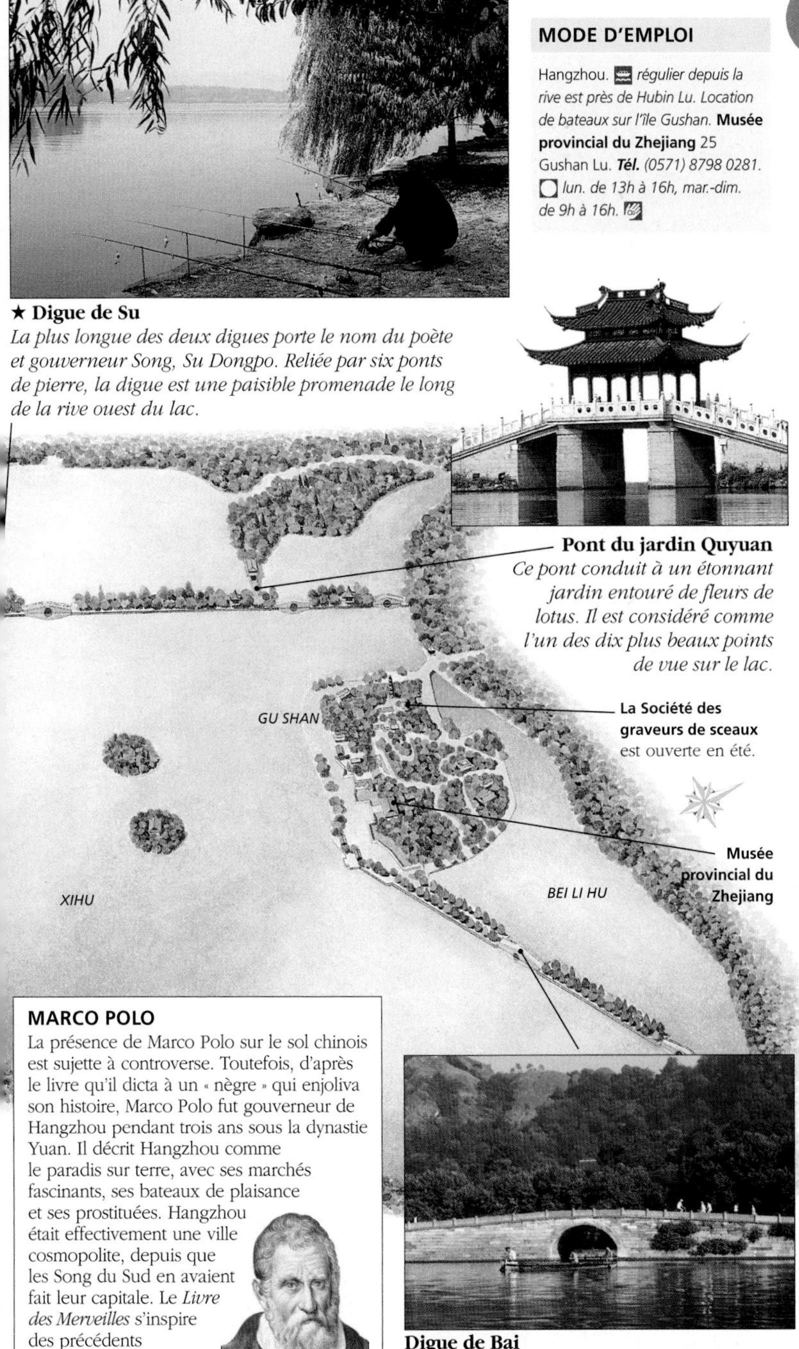

★ Digue de Su
La plus longue des deux digues porte le nom du poète et gouverneur Song, Su Dongpo. Reliée par six ponts de pierre, la digue est une paisible promenade le long de la rive ouest du lac.

Pont du jardin Quyuan
Ce pont conduit à un étonnant jardin entouré de fleurs de lotus. Il est considéré comme l'un des dix plus beaux points de vue sur le lac.

La Société des graveurs de sceaux est ouverte en été.

Musée provincial du Zhejiang

Digue de Bai
Du nom du poète et gouverneur du IXe siècle Bai Juyi, cette digue conduit à Gushan, une île aménagée sous la dynastie Tang, qui abrite désormais une maison de thé et le musée provincial.

MODE D'EMPLOI

Hangzhou. *régulier depuis la rive est près de Hubin Lu. Location de bateaux sur l'île Gushan.* **Musée provincial du Zhejiang** 25 Gushan Lu. ***Tél.*** *(0571) 8798 0281.* *lun. de 13h à 16h, mar.-dim. de 9h à 16h.*

MARCO POLO

La présence de Marco Polo sur le sol chinois est sujette à controverse. Toutefois, d'après le livre qu'il dicta à un « nègre » qui enjoliva son histoire, Marco Polo fut gouverneur de Hangzhou pendant trois ans sous la dynastie Yuan. Il décrit Hangzhou comme le paradis sur terre, avec ses marchés fascinants, ses bateaux de plaisance et ses prostituées. Hangzhou était effectivement une ville cosmopolite, depuis que les Song du Sud en avaient fait leur capitale. Le *Livre des Merveilles* s'inspire des précédents voyages du père de Marco Polo et de son oncle ainsi que des récits d'autres marchands.

Portrait de Marco Polo, 1254-1324

Maison de Lu Xun, Shaoxing

Shaoxing ❷

绍兴

67 km au sud-est de Hangzhou.
4 300 000.
3F, 288 Zhongxing Zhong Lu.
www.sx.gov.cn

Malgré la prolifération des nouvelles constructions, cette ville de canaux a conservé son charme, ses ruelles étroites, ses ponts voûtés et ses maisons chaulées. Shaoxing fut la capitale de l'empire des Yue de 770 à 221 av. J.-C. Elle conserva son importance au fil des ans, même quand Hangzhou devint la capitale Song. Aujourd'hui, on y vient pour ses canaux.

Le **Qing Teng Shu Wu** (bibliothèque de la Vigne Verte), où habita l'écrivain et artiste du XVIe siècle Su Wei, est situé sur Dacheng Long. La maison, considérée comme le meilleur exemple d'architecture traditionnelle, possède un jardin ornemental austère. L'une des pièces abrite des œuvres de l'artiste.

Plusieurs maisons évoquent Lu Xun, l'écrivain chinois moderne probablement le plus connu, né ici en 1881. La plupart d'entre elles sont situées autour de Lu Xun Lu. Le mémorial Lu Xun n'a que des légendes en chinois, tandis que la **maison de Lu Xun** est un bel exemple d'architecture privée et présente des photographies, des meubles et des effets personnels de l'écrivain. En face, Sanwei Sushi est l'école où il étudia.

Bazi Qiao, le plus célèbre pont de Shaoxing, ressemble au caractère chinois huit. Cet édifice du XIIIe siècle est situé dans un charmant quartier ancien, près de Baziqiao Zhi Jie, au nord de Lu Xun Lu.

Le pittoresque **Donghu** (lac de l'Est) n'est pas loin. Les visiteurs peuvent également prendre le bateau pour **Yuling**, le tombeau de Yu le Grand, fondateur du royaume des Xia (2200 av. J.-C.). Plus loin, **Lanting** (pavillon des Orchidées) se dresse là où le plus grand calligraphe chinois, Wang Xizhi (321-379), organisa une fête où, selon un témoin, les invités devaient boire les coupes de vin qui flottaient devant eux et composer des poèmes dont leur hôte prenait note.

Qing Teng Shu Wu
Houguan Xiang. *t.l.j.*

Maison de Lu Xun
429 Lu Xun Zhong Lu. *t.l.j.*

Ningbo ❸

宁波

145 km au sud-est de Hangzhou.
5 400 000.
61 Dashani Jie, (0574) 8731 0467.

Cette ville située sur la rivière Yong fut le plus grand port chinois entre les époques Song et Ming. Éclipsée par Shanghai, elle reprend vie depuis peu grâce à son port en eau profonde. La ville a une longue tradition marchande. Au XIXe et au début du XXe siècle, quand Shanghai et Guangzhou prospérèrent, les habitants de Ningbo furent employés comme « comprador s », agents ou médiateurs par les compagnies étrangères.

On y vient pour le Tianyi Ge, une bibliothèque privée du XVIe siècle, la plus ancienne de Chine, aux allures de jardin traditionnel avec des bambouseraies, des rocailles et des pavillons, dont l'un abrite des livres et des parchemins anciens. Au sud-est, près de Kaiming Jie, la pagode Tianfeng date du XIVe siècle. À l'extrémité nord du pont Xinjiang, l'ancienne concession étrangère abrite une église portugaise du XVIIe siècle et un hôpital construit par les Français. À l'extérieur de la ville, le pavillon Mahavira du temple **Baoguo Si** est la plus ancienne construction en bois du delta du Yangzi.

Lion de pierre, Tianye Ge

Tianyi Ge
5 Tianyi Jie. *de 8h30 à 17h t.l.j.*

Ruelles pittoresques autour de Tianye Ge, Ningbo

◁ Digue de Su sur un lac de l'Ouest brumeux, Hangzhou

Putuo Shan ❹

voir p. 248-249

Monastère Guoqing Si, au pied du Tiantai Shan

Tiantai Shan ❺

天台山

190 km au sud-est de Hangzhou.

La montagne de la Terrasse céleste – Tiantai Shan – est le siège de la secte bouddhiste Tiantai, étroitement liée au taoïsme *(p. 30-31)*. Lieu de pèlerinage depuis les Jin de l'Est, elle attire particulièrement les bouddhistes japonais, qui considèrent la Chine comme la patrie du bouddhisme. Le moine Zhiyi, fondateur de la secte, passa la majeure partie de sa vie dans la montagne, où la cour impériale l'aida à bâtir un temple. Ce paysage formidablement pittoresque de sentiers, de courants et de forêts est idéal pour la promenade. Plusieurs thés célèbres tels que le thé « nuage et brouillard » ainsi qu'un certain nombre de plantes médicinales proviennent de là.

Guoqing Si, le premier monastère du Tiantai Shan, est situé à son pied, à 3 kilomètres du village de Tiantai. De là, une route conduit au **pic Huading** (1 100 mètres). Les visiteurs peuvent ensuite se rendre à pied à Baijingtai Si (temple de la Terrasse de la Prière) au sommet, ou à la cascade Shiliang (Poutre de Pierre), près du monastère supérieur de Fangguang, où sont gravées diverses inscriptions, dont une du célèbre artiste Song, Mi Fu.

Le **Zhenjue Si** (monastère du Véritable Éveil) abrite le corps momifié de Zhiyi dans une pagode du pavillon principal.

Pic Huading
t.l.j.

Yandang Shan ❻

雁荡山

80 km au nord-est de Wenzhou.
de Wenzhou au terminus à Baixi.

C'est une magnifique région de collines abruptes, de pentes luxuriantes et de monastères. Baigang Shan, le plus haut sommet, culmine à 1 150 mètres. La **cascade de l'étang du Grand Dragon** (Dalongqiu Pubu) est l'une des plus hautes du pays (190 mètres). Le sentier qui y conduit serpente au milieu de hautes colonnes rocheuses où, toutes les heures, un cycliste réalise un exercice de haute voltige. Le plus grand, le **pic des Âmes** (Lingfeng), est un ensemble de grottes et de sommets aux formes étranges. Le **rocher de l'Inspiration** (Lingyan) vaut le détour pour ses sentiers et son pont suspendu. On peut y accéder en téléphérique.

Cascade de l'étang du Grand Dragon
t.l.j.

Pic des Âmes
t.l.j.

Wenzhou ❼

温州

200 km au sud de Ningbo.
7 120 000. *107-1 Xiaonan Lu, (0577) 8825 3137.*

Sur la côte sud-est de la province du Zhejiang, Wenzhou a toujours été une ville portuaire. C'est encore aujourd'hui un port actif et son économie prospère doit tout aux investissements massifs des Chinois d'outre-mer. La ville est bien placée pour une visite du Yandang Shan voisin, mais possède elle-même quelques sites. Le plus fréquenté, le **parc Jiangxin**, est situé sur une île de la rivière Ou, desservie par ferry au départ de Maxingseng Jie. Totalement fermé à la circulation, le parc permet de passer quelques heures agréables. On y trouve également un phare en activité. De Jiefang Lu à Xinhe Lu, au sud de la rivière Ou, s'étend ce qui reste de la vieille ville avec, ici et là, quelques édifices intéressants, notamment une église protestante construite au XVIIIe siècle par les Britanniques, une église catholique du XIXe siècle et le temple Miaoguo, dont les origines remontent à la dynastie Tang.

Parc Jiangxin
Jiangxin Dao. *de Jiangxin Matou, Wenzhou.* *de 7h30 à 22h t.l.j.*

Promenade panoramique, Yandang Shan

Pour les hôtels et les restaurants de la région, voir p. 562-563 et p. 589-590

Putuo Shan ❹

普陀山

Détail d'un brûle-parfum

Nichée au cœur du vaste archipel des Zhoushan, l'île de Putuo Shan est l'une des quatre montagnes bouddhistes sacrées. Elle est dédiée depuis le Xe siècle à Guanyin, déesse de la Compassion et de la Miséricorde. Pendant la Révolution culturelle, les temples ont beaucoup souffert entre les mains des gardes rouges, mais ils restent impressionnants et fascinants. Cette petite île séduisante, entourée d'eaux cristallines et de plages de sable, est devenue un lieu de pèlerinage très fréquenté. Les routes qui desservent les temples et les sites majeurs sont encombrées de minibus. Le mieux est donc d'explorer les collines, les grottes et les plages à pied.

Au sommet
Un téléphérique relie un arrêt de minibus au sommet de Foding Shan, d'où la vue sur l'île et la mer est magnifique.

★ Puji Si
Ce vaste temple en plein cœur touristique de l'île est entouré de magnifiques camphriers. Le premier temple fut construit ici au XIe siècle, mais l'actuel est beaucoup plus récent.

★ Guanyin géante
À la pointe sud de l'île, une statue massive de Guanyin s'élève à 33 mètres du sol près de la côte. À sa base, un pavillon présente une collection de quelque 400 statues de la déesse dans ses nombreuses incarnations.

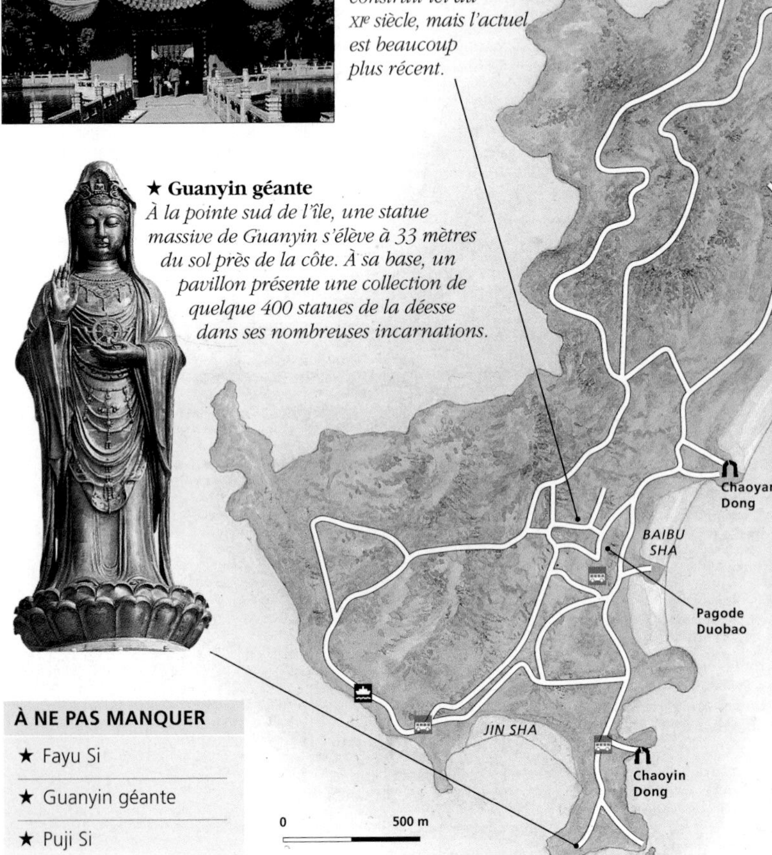

À NE PAS MANQUER

- ★ Fayu Si
- ★ Guanyin géante
- ★ Puji Si

Huiji Si
Près du sommet de Foding Shan, le temple Huiji de 1793 resplendit au milieu des buissons de thé et des bambouseraies.

MODE D'EMPLOI

80 km à l'est de Ningbo, au large de Zhejiang. à *Zhoushan.* *de Shanghai (ferry rapide : 4h ; ferry lent : 14h) ; Ningbo (ferry rapide : 2h30 ; ferry lent : 5h) et Zhoushan (30 min).* *pour l'île, plus une petite participation pour chaque site.* *Fête de Guanyin (début avr.).* **www**.putuoshan.net

LÉGENDE

- Arrêt minibus
- Ferry
- Téléphérique
- Grotte
- Sentiers
- Route

Qian Bu Sha
Sur la côte est, la plage des Mille Pas, la plus jolie de Putuo Shan, est séparée de Baibu Sha (plage des Cent Pas) par un promontoire et de la grotte Chaoyang Dong, où se niche une maison de thé.

★ Fayu Si
Les 200 pavillons de ce charmant temple s'empilent à flanc de colline en surplomb de la mer. Le pavillon Dayuan, original avec son toit à coupole et son plafond voûté sans poutres, fut déménagé de Nankin à la fin du XVIIe siècle.

LA LÉGENDE DE HUI'E

Hui'e, un moine japonais qui avait dérobé une statue de Guanyin sur la montagne bouddhiste sacrée du Wutai Shan, rentrait chez lui quand son navire fut pris dans une violente tempête. Craignant pour sa vie, il jura de bâtir un temple dédié à Guanyin s'il en réchappait. La mer se calma soudain et il navigua calmement jusqu'au rivage voisin de Putuo Shan. Pensant que Guanyin lui désignait l'île, Hui'e bâtit le temple promis et y vécut en ermite jusqu'à la fin de ses jours.

Hui'e croisant au large de Putuo Shan

Nanchang ❽

南昌

Détail de façade, Youmin Si

Cette capitale provinciale fondée à l'époque des Han prospéra grâce au commerce sous la dynastie Ming. Toutefois, on s'en souvient surtout comme du théâtre d'une importante insurrection soulevée par le leader communiste Zhou Enlai, qui prit le contrôle de la ville pendant quelques jours en 1927. Nanchang fut rapidement reprise par les nationalistes, mais l'incident déclencha une succession d'événements qui aboutit à la formation de la République populaire de Chine. Cette ville très industrialisée possède toutefois de nombreux sites, dont un intéressant musée et plusieurs lieux associés à la révolution.

Offrande de bâtons d'encens devant Youmin Si

Place Renmin

Monument des Martyrs de la Révolution 399 Bayi Dadao. ***Tél.*** *(0791) 626 2566.* *dim.-ven. de 14h30 à 17h.*

L'immense esplanade de la place Renmin est entourée d'exemples impressionnants d'architecture révolutionnaire, d'inspiration soviétique, qui font un peu froid dans le dos. À l'extrémité sud, le **monument des Martyrs** est une sculpture théâtrale de la ferveur révolutionnaire surmontée d'un fusil, tandis que le vaste **Palais des Expositions** est orné d'une étoile rouge scintillante. Au nord de la place, le **monument des Martyrs de la Révolution** présente une collection de photos d'archives des années 1920 à 1940.

Maison de Zhu De

Près de Bayi Dao Dao. *t.l.j.*

Cette jolie maison de bois date de 1927, à l'époque où les jeunes révolutionnaires Zhu De et Zhou Enlai menèrent l'insurrection qui s'empara brièvement de la ville le 1er août de cette année-là. Leur armée, qui comptait près de 30 000 rebelles, tint la ville jusqu'à ce que les troupes du Guomindang les en chassent. Malgré cet échec, l'opération est considérée comme un moment décisif de l'histoire chinoise du XXe siècle, marquant la naissance de l'armée Rouge.

Youmin Si

177 Minde Lu. ***Tél.*** *(0791) 622 2301.* *de 8h à 17h t.l.j.*

Parc Bayi *de 5h à 11h30 t.l.j.*

Ce temple bouddhique fondé au VIe siècle, à l'époque Liang, est l'un des principaux sanctuaires du Jiangxi. Il fut endommagé sous la Révolution culturelle, mais a depuis été restauré. L'un de ses trois pavillons abrite un bouddha de 10 mètres de haut debout sur un lotus. Le temple possède également une cloche de bronze Ming et une autre de 967, de l'époque Tang.

Au sud du temple, le **parc Bayi** (parc du 1er Août) est l'ancien site des salles des examens impériaux. Cette agréable étendue d'eau et de verdure comprend le potager du Vieux Su, un jardin clos du nom de son propriétaire sous la dynastie Song.

Musée révolutionnaire

380 Zhongshan Lu. *t.l.j.*

Installé dans un ancien hôtel, le musée de l'Insurrection du 1er Août était le siège des forces révolutionnaires qui s'emparèrent de la ville en 1927, sous la direction de Zhou Enlai. Ses trois étages sont remplis de mobilier et d'armes d'époque.

Pavillon Tengwang

7 Yanjiang Lu. ***Tél.*** *(0791) 670 2055.* *de 8h à 17h t.l.j.*

L'impressionnant pavillon Tengwang fut créé en 653, au début de l'époque Tang, et immortalisé par le poète Tang Bo. Depuis, il a été reconstruit environ 26 fois – la dernière fois en 1989, après sa destruction par le feu en 1926.

ZHOU ENLAI (1898-1976)

Le Premier ministre Zhou Enlai en 1973

Zhou Enlai, l'un des pionniers du Parti communiste chinois, devint Premier ministre en 1949. Son pragmatisme et son sens de la diplomatie l'aidèrent à survivre à l'état de crise permanent de la présidence de Mao Zedong. Pour l'Occident, il représentait la face raisonnable et affable du peuple chinois. Pour ses compatriotes, il était le seul membre du gouvernement à l'écoute de leurs problèmes. Il aurait d'ailleurs freiné certains des excès de la Révolution culturelle. À sa mort, les témoignages de tristesse furent spontanés et sincères.

MODE D'EMPLOI

500 km au sud-ouest de Hangzhou. *4 100 000.* *à Xiangtan.* *Gare.* *Gare routière longue distance, CAAC (bus pour l'aéroport).* *Embarcadère de ferry.* *169 Fuzhou Lu, (0791) 638 2245.*

Le majestueux pavillon Tengwang, sur les rives du Gangjiang

La structure de 60 mètres de haut est de style Song du Sud. Un ascenseur mène au sommet pour admirer la vue sur la ville et le minuscule théâtre programme de temps à autre des spectacles de danse, de musique ou d'opéra local.

Musée provincial du Jiangxi

1 Xinzhou Lu. ***Tél.** (0791) 659 5424.* *mar.-dim. de 9h à 16h30.*
La collection de ce musée situé à l'ouest de la ville est encore incomplète, mais on y trouve toutefois des objets intéressants, tels des fossiles découverts dans le Jiangxi et une collection de porcelaines de Jingdezhen entre le IVe siècle et la dynastie Qing. Sont aussi exposés des objets funéraires de l'époque des Printemps et Automnes et de la période Ming, notamment des statues, des ceintures de jade et des bijoux, dont certains proviennent du tombeau du fils de Hongwu.

Shengjin Ta

Zhishi Jie. *souvent fermée.*
Cette pagode de brique de 59 mètres de haut faisait jadis partie d'un temple. Elle fut créée à la fin de la dynastie Tang, mais entièrement reconstruite au XVIIIe siècle. Elle était censée éloigner les catastrophes, mais sa destruction précéda le déclin de la ville. Elle se dresse dans un quartier pittoresque de maisons de thé, de coiffeurs pour hommes et d'épiceries.

Qingyunpu

Dingshan Qiao. *mar.-dim.*
Le musée Ba Da Shan Ren, ou du jardin des Nuages azurés, servit de lieu de retraite à Zhu Da, l'un des grands peintres chinois de la fin des Ming et du début des Qing. À la chute de la dynastie Ming, ce descendant de la famille impériale se réfugia dans cet ancien sanctuaire taoïste. Ses peintures étonnamment sobres et éloquentes sont reproduites ici.

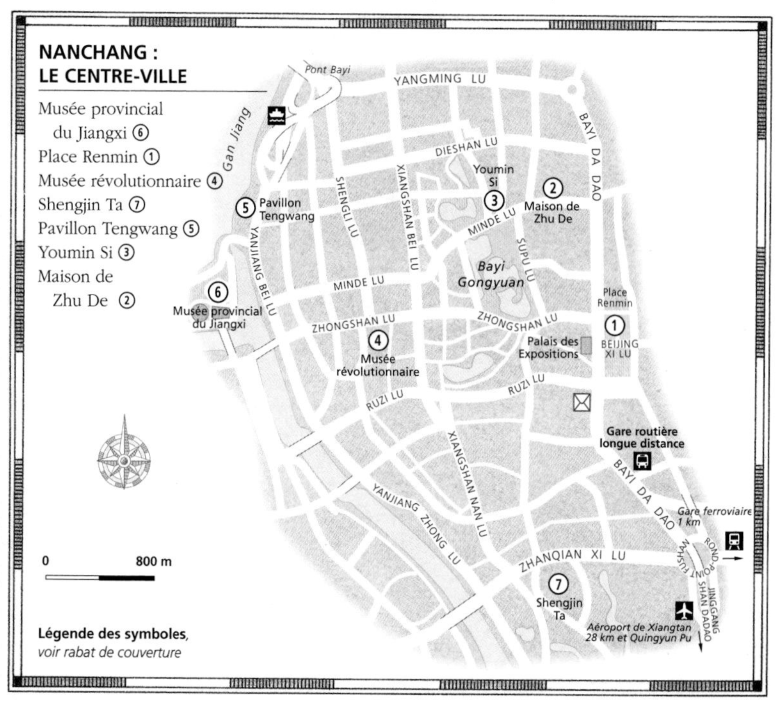

Xunyang Lou, impressionnante reconstitution d'une taverne de l'époque Tang

Jiujiang 9

九江

184 km au nord de Nanchang.
4 380 000.
6 Lufeng Lu, (0792) 856 0600.

Le port de Jiujiang, aux portes du Lushan, servit au commerce du riz, du thé et, sous la dynastie Ming, de la porcelaine de Jingdezhen. Lourdement endommagé sous la révolte des Taiping, il fut ensuite ouvert aux étrangers en 1861 et se rendit célèbre avec ses briques de thé.

La partie la plus ancienne et la plus animée de la ville, séparée du quartier industriel par deux lacs, longe la rivière. Yanshui Ting, le pavillon des Eaux brumeuses, est situé sur une petite île du lac Gantang. La dernière reconstruction date des Qing et abrite un musée de vieilles photographies de Jiujiang. **Nengren Si** fut fondé en 502. Fermé pendant la Révolution culturelle, le monastère accueille désormais une communauté religieuse florissante.

Xunyang Lou est une reconstitution de taverne en bois de la dynastie Tang qui servit de cadre à une scène d'anthologie d'un classique de la littérature chinoise, *Au bord de l'eau* (p. 28-29).

Nengren Si
168 Yuliang Nan Lu. t.l.j.

Xunyang Lou
Binjiang Lu. de 8h à 19h t.l.j.

Lu Shan 10

庐山

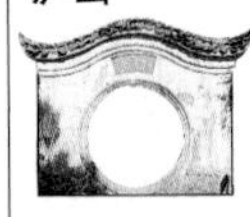

Portique du Lu Shan

Au XIXe siècle, Edward Little, un pasteur méthodiste spéculateur à ses heures, fit de ces magnifiques paysages de montagnes un lieu de villégiature pour les Européens. Plus tard, les hommes politiques chinois s'y plurent : Chiang Kai-shek y eut sa résidence d'été et, à partir de 1949, Mao et ses ministres y vinrent souvent. Aujourd'hui, malgré l'affluence estivale, le mont Shan reste un lieu de promenade agréable au milieu des lacs, des collines et des cascades.

★ **Allée fleurie**
Cette promenade longe les falaises occidentales, avec une vue fabuleuse sur la vallée de Jinxiu, et conduit à la grotte de l'Immortel, jadis habitée par un moine.

★ **Rocher en Tête de dragon**
Vues magnifiques au son du vent dans la pinède et du rugissement des cascades dans le ravin de la Porte de Pierre.

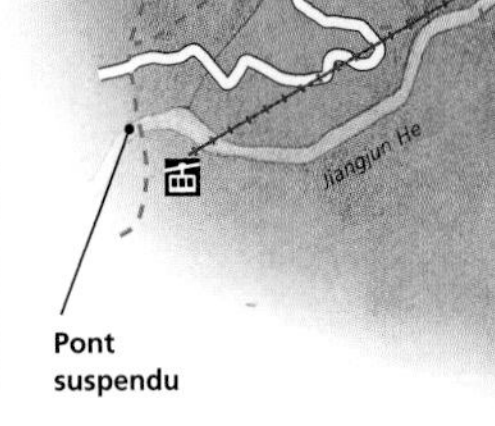

Pont suspendu

À NE PAS MANQUER

★ Allée fleurie

★ Rocher en Tête de dragon

★ Villa Meilu

Pour les hôtels et les restaurants de la région, voir p. 562-563 et p. 589-590

MODE D'EMPLOI

Guling, 35 km au sud de Jiujiang. *de la gare routière de Jiujiang ; minibus depuis le parc de stationnement des ferries.* *t.l.j.* *entrée de la zone touristique et de chaque site.*

★ Villa Meilu
L'ancienne villa de Chiang Kai-shek porte le nom de sa femme Song Meiling. C'est l'un des rares lieux du pays qui commémore sa présidence.

Hall du Peuple
Le bâtiment où se tint le congrès du Comité central de 1959, lors duquel Peng Dehui critiqua le Grand Bond en avant de Mao, est aujourd'hui un musée.

Le musée du Lu Shan, dans l'ancienne villa de Mao.

Étang du Dragon Noir
Cinq courants dévalent une immense pierre dans un bassin aux eaux limpides et claires où vivrait un dragon noir.

La porcelaine

Malgré la longue tradition de la céramique en Chine, ce n'est qu'à l'âge du bronze (entre 1500 et 400 av. J.-C.) que des argiles spéciales et des fours à très haute température permirent de créer des poteries plus dures, et parfois vernissées. La véritable porcelaine n'apparut que sous la dynastie des Sui. C'est une céramique très fine, voire si fine qu'elle en est translucide. Elle est lisse, polie au toucher, et produit un son presque cristallin. La porcelaine se répandit en Europe au XVIe siècle, quand les Portugais, puis les Hollandais et les Anglais établirent un commerce lucratif entre la Chine et le reste du monde.

Le décor bleu et blanc Ming *est considéré par certains comme la quintessence de la porcelaine chinoise. La finesse des décors et la profondeur des couleurs sont étonnantes.*

L'argile de Jingdezhen *est une des clés de la qualité de la porcelaine chinoise. C'est un mélange de kaolin (argile blanche) et de petuntse (feldspath). La poudre fine qui en résulte est lavée, pressée dans de la soie et séchée.*

Comme sur toute chaîne de production, *chaque artisan porcelainier effectue une seule et même tâche. L'argile est placée sur un tour et grossièrement moulée, puis sculptée plus finement avec des raclettes et enfin brossée à l'eau pour lisser la surface.*

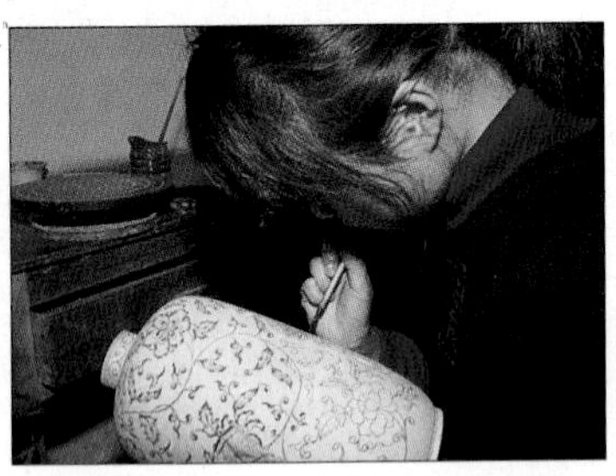

Une sous-couche bleu cobalt *précède parfois le vernis transparent de cendre de frêne, du petuntse extrêmement fin et de l'eau. Le vernis absorbe la teinte bleue et pénètre dans l'argile pour former une porcelaine translucide solide.*

La cuisson *est une étape cruciale – une variation de température peut ruiner des milliers de pièces en un instant. Les plus belles porcelaines sont cuites dans des « cazettes » en argile – des boîtes qui les protègent de la poussière et des brusques variations de température.*

La porcelaine « médaillon rose » *était destinée à l'exportation. Souvent, la forme et le décor des pièces étaient adaptés aux goûts occidentaux. Les Chinois réalisaient même des services au motif des armoiries d'une famille ou d'un royaume à partir de modèles envoyés d'Europe.*

Le cachet du règne commence ici, se lit de haut en bas et de droite à gauche.

Les cachets *indiquent le nom de l'empereur sous lequel la pièce a été réalisée. Toutefois, il est facile de les contrefaire et donc nécessaire de consulter un expert pour dater les pièces.*

CHRONOLOGIE DE LA PORCELAINE

HAN

La technique du vernis est un progrès majeur de cette période. Les simples pots de tous les jours commencent à devenir des objets d'art.

TANG

Les progrès techniques permettent la fabrication de nouveaux types de porcelaines, les plus célèbres étant les poteries *sancai* (ou trois couleurs) illustrant des personnages de la Route de la soie.

SONG

La magnifique porcelaine Song se caractérise par des formes simples recouvertes d'un vernis monochrome. On voit apparaître des formes nouvelles et la technique du vernis craquelé.

YUAN

La porcelaine de la dynastie mongole s'inspire d'influences étrangères. C'est l'apparition de la sous-couche bleu cobalt, perfectionnée sous les Ming.

MING

La dynastie Ming est l'ère de la production impériale à Jingdezhen et de l'exportation massive en Occident. Les fourneaux se développent et les artisans reviennent à des palettes de couleurs et de motifs picturaux plus riches.

QING

La dernière partie de cette dynastie se caractérise par des motifs souvent extrêmement chargés et une qualité médiocre, alors que la première partie est celle de la délicate porcelaine « famille rose ».

L'un des nombreux magasins de poterie de Jingdezhen

Jingdezhen ⓫
景德镇

145 km au nord-est de Nanchang. 1 500 000. *CITS, 8 Lianhuatang Lu, (0798) 822 2939.*

La capitale ancestrale de la céramique chinoise reste l'un des principaux centres de production de porcelaine du pays. Les fours fonctionnent ici depuis la dynastie Han, mais la ville doit sa réputation à la découverte d'une argile locale riche en feldspath, qui permit l'invention de la porcelaine à l'époque des Cinq Dynasties (907-979). Sous la dynastie Ming, la proximité de Nankin, la capitale impériale, renforça sa position. Elle devint alors célèbre pour sa porcelaine fine à sous-couche bleue. La porcelaine est de moins bonne qualité que par le passé, mais c'est surtout elle qui attire les visiteurs à Jingdezhen. La visite d'une usine ou d'un ancien four doit être organisée par le CITS, mais il est également possible de découvrir plusieurs lieux intéressants par soi-même.

Le **musée de l'Histoire de la céramique** (Taoci Lishi Bowuguan) est situé dans un cadre bucolique à la lisière ouest de la ville, dans une élégante maison Ming – l'une des rares survivantes des nombreuses demeures qui peuplaient jadis la ville. La collection d'objets provenant des anciens fours autour de Jingdezhen et le spectacle des potiers à l'œuvre en font un musée interactif. À côté, les **fours impériaux** (Guyao Cichang) proposent des démonstrations des techniques anciennes de fabrication de la porcelaine.

Le **musée de la Porcelaine** (Taoci Guan) présente de magnifiques porcelaines des dynasties Song, Ming et Qing, ainsi que quelques-unes des plus belles créations depuis la fondation de la RPC en 1949. Le grand marché de porcelaine est situé sur Jiefang Lu. On y vend des porcelaines de toutes formes et de toutes tailles, des reproductions de la période classique aux ornements de jardin, en passant par de mièvres reproductions de chiens et de chats. Pour une vue sur les toits de la ville, montez les quatre étages du **Longzhu Ge** (pavillon de la Perle du Dragon) en bois.

Détail de l'entrée du musée

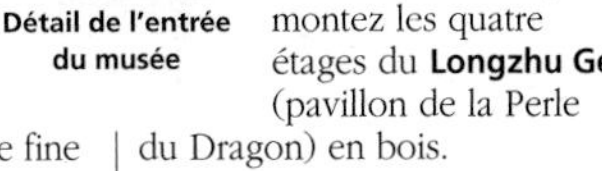

Musée de l'Histoire de la céramique
Zhonghua Bei Lu. ***Tél.*** *(0798) 822 1390. de 8h30 à 17h30 t.l.j.*

Musée de la Porcelaine
21 Lianshe Beilu Lu. ***Tél.*** *(0798) 822 9783. de 8h à 17h t.l.j.*

Le pavillon en bois de Longzhu Ge domine Jingdezhen

La Longue Marche

Dans les années 1920, les leaders communistes, déclarés hors la loi par le Parti nationaliste, le Guomindang, se replièrent dans des bases reculées, ou « soviets », dans le Sichuan, le Hunan et le Jiangxi, où Mao Zedong et Zhu De installèrent leur quartier général à Jinggang Shan. En octobre 1934, à l'approche du GMD, le Soviet du Jiangxi dut fuir et rejoindre des milliers de révolutionnaires en fuite. L'armée Rouge parcourut ainsi 9 500 kilomètres en une année, soit en moyenne 32 kilomètres par jour, surtout de nuit. La Longue Marche fut toutefois un échec stratégique dont beaucoup ne sortirent pas vivants.

L'armée Rouge – *bannie, en déroute et affamée – affronta un ennemi mieux équipé et traversa des contrées hostiles en toute saison.*

⑧ **Le Yan'an** *fut l'ultime étape de la marche le 19 octobre 1935. Mao arriva avec 5 000 hommes et créa le Soviet du Yan'an, un État communiste indépendant.*

⑦ **La traversée** des plaines lointaines, marécageuses et glaciales du territoire Aba causa d'énormes pertes. Puis la confrontation avec Zhang Guotao établit clairement la domination de Mao.

LÉGENDE

- - Longue Marche

0 300 km

⑥ **Le Daxue Shan,** *les Grandes Montagnes enneigées, fait partie des plus hauts sommets du pays. Le franchissement des cols fut l'épisode le plus difficile de la Longue Marche et signa la mort de nombreux soldats de l'armée Rouge.*

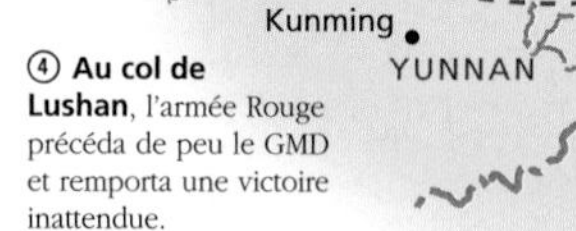

④ **Au col de Lushan**, l'armée Rouge précéda de peu le GMD et remporta une victoire inattendue.

⑤ **Le pont suspendu de Luding** *(p. 371) était le seul passage sur la rivière Dadu. Il était aux mains des troupes du GMD, qui avaient retiré la majeure partie des traverses. Mais 22 soldats de l'armée Rouge prirent le pont en rampant sur les chaînes. Sept hommes périrent dans l'opération.*

③ **Zunyi** *fut gagné au prix de lourdes pertes en janvier 1935. La conférence qui suivit désigna Mao comme chef du Parti communiste et commandant de l'armée Rouge, et destitua le général soutenu par le Soviet.*

D'éminents marcheurs *devinrent les futurs dirigeants de la Chine. Ici, de droite à gauche : Bo Gu (dirigeant communiste jusqu'en 1935), Zhou Enlai, Zhu De et Mao Zedong.*

① **Jinggang Shan**, *le siège du Soviet du Jiangxi, était de plus en plus menacé par l'avancée des troupes du GMD. C'est de là que partit la Longue Marche menée par Mao Zedong le 16 octobre 1934.*

② **La traversée** de la rivière Xiang fut la première grande bataille, et ce fut un désastre. D'immenses quantités de matériel tombèrent à l'eau.

Les versants très boisés du Jinggang Shan

Jinggang Shan ⓬
井冈山

Ciping, 320 km au sud de Nanchang. *2 Tianjie Lu, (0792) 655 6788.* *pour la plupart des sites révolutionnaires et pittoresques.* www.jgstour.com

Deux raisons justifient la visite du Jinggang Shan: ses paysages, qui illustrent les billets de banque chinois, et son passé révolutionnaire. La chaîne de montagnes dont Jinggang Shan, ou Wuzhi Feng (pic des Cinq Doigts), est le sommet, culmine à 1 586 mètres. La vue est magnifique, en particulier au lever du soleil, et on y trouve une grande variété de plantes, d'oiseaux, de papillons et autres insectes.

Le village de Ciping fut totalement détruit dans les années 1930 pendant la guerre civile, mais reconstruit après 1949 comme une sorte de sanctuaire dédié à la lutte communiste, en particulier à la Longue Marche. Des bâtiments rappellent l'histoire des révolutionnaires de la première heure, poussés ici à la fin des années 1920 par l'obsession de persécution de Chiang Kai-shek, qui atteignit son paroxysme lors du massacre d'ouvriers grévistes à Shanghai en 1927. On voit ici comment vivaient ces révolutionnaires avant d'entamer leur épopée en direction du Shaanxi. Non loin de là se trouve le poste d'observation de Huangyang Jie, où l'armée Rouge repoussa les troupes du Guomindang en 1928.

Perché à environ 1 000 mètres, Ciping était au cœur du bastion révolutionnaire du Jinggang Shan dans les années 1920 et 1930. C'est aujourd'hui le siège du gouvernement local. Sa position centrale dans la chaîne de montagnes en fait un point de départ agréable pour explorer une région dont la beauté contraste avec la dureté de l'image révolutionnaire. Les magnifiques chutes de Shuikou (100 mètres) sont nichées dans une vallée luxuriante entourée de rochers au milieu des bambous, des azalées et des pins. À quelques kilomètres au nord de Ciping, plusieurs rapides et cascades se déversent dans les bassins limpides du Wulong Tan. Un téléphérique vous conduira au sommet, d'où la vue sur toute la région est magnifique. Ceux qui s'en sentent l'envie et l'énergie pourront découvrir la région à pied.

Monument à la sortie du Wulong Tan

Bassin de la Perle, l'une des cinq cascades du Wulong Tan

HUNAN ET HUBEI

Le Hunan et le Hubei sont les provinces les plus à l'ouest de la Chine du Centre. Le Hubei est dominé par le puissant fleuve Yangzi, et sa capitale Wuhan est une grande cité fluviale industrielle. Dans l'ouest du Hubei, près de Yichang, les Trois Gorges abritent le plus grand barrage du monde, achevé en 2007. La pittoresque réserve forestière de Shennongjia, habitat du légendaire Homme sauvage, et le Wudang Shan, célèbre pour son école d'arts martiaux, sont des sites spectaculaires qui méritent le détour.

HUBEI
HUNAN

Les terres fertiles du Hunan attirèrent des millions de migrants lors des soulèvements politiques qui secouèrent la Chine du Nord entre le VIIIe et le XIe siècle. La région était un gros producteur céréalier sous les dynasties Ming et Qing. Mais au XIXe siècle, la population, devenue trop nombreuse pour cette terre, déclencha des troubles qui furent exploités par la révolte du Royaume céleste des Taiping *(p. 422)*. La pauvreté de la région eut également un lourd impact sur l'histoire de la Chine au XXe siècle. Les vestiges révolutionnaires du Hunan, terre natale de Mao Zedong, restent l'une de ses principales attractions, que ce soit à Changsha, la capitale, ou à Shaoshan, la ville natale de Mao. Dongting Hu, le deuxième lac chinois, au nord-est, les temples du pittoresque Hengshan, au sud, et le fantastique paysage montagneux de Wulingyuan, au nord-ouest, sont eux aussi très visités.

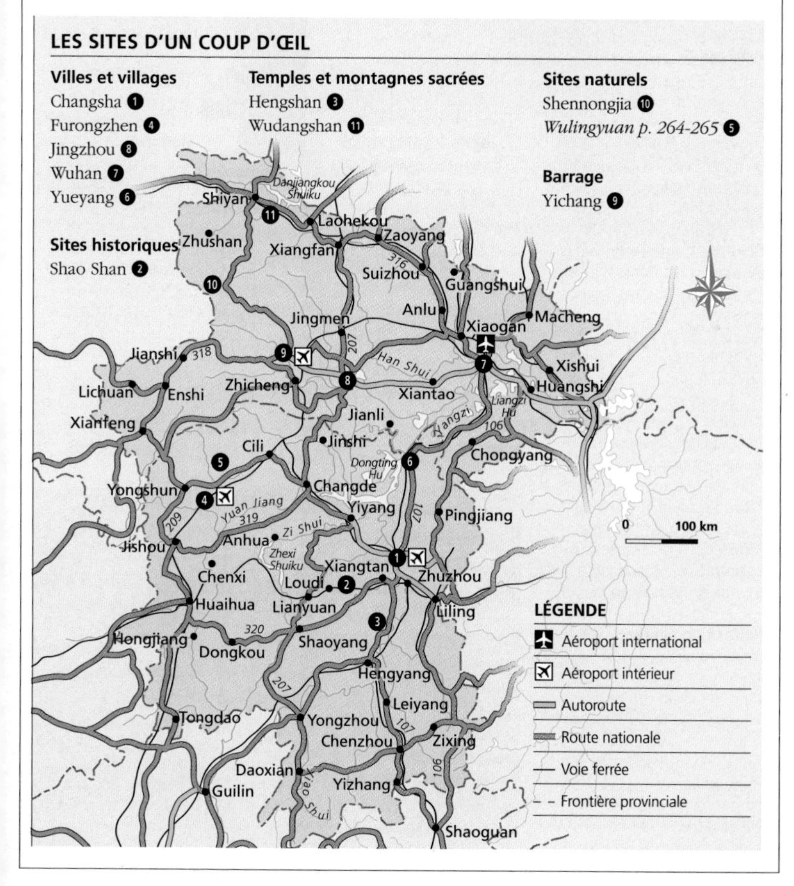

◁ **Praticien d'arts martiaux dans l'un des temples du Wudang Shan**

École normale N°1 du Hunan, Changsha

Changsha ❶
长沙

290 km au sud de Wuhan.
5 750 000.
59, 2 Duan, Furong Zhong Lu.

Cette ville d'histoire fut la capitale de la principauté de Chu jusqu'à l'unification de la Chine sous les Qin en 280 av. J.-C. Beaucoup plus tard, la ville gagna encore en importance quand, en 1903, elle s'ouvrit au commerce extérieur. En 1938, durant la guerre sino-japonaise, elle fut mise à sac par le Guomindang. La ville est également associée à Mao Zedong, qui y étudia de 1912 à 1918.

L'excellent **musée de la Province du Hunan** possède de nombreux objets intéressants, dont une collection de poteries néolithiques peintes et de bronzes Shang et Zhou, mais aussi et surtout des antiquités provenant de trois tombes de la dynastie Han, découvertes à Mawangdui, à l'est de la ville – celle de Li Cang, marquis de Dai, Premier ministre en 193 av. J.-C., mort en 186, de son épouse, et de leur fils. Les tombeaux renfermaient un sarcophage en bois recouvert d'une couche protectrice d'argile et de charbon avec quatre cercueils laqués, joliment peints. Les corps étaient vêtus de plusieurs épaisseurs de soie. Celui de la femme (aujourd'hui exposé dans un bain de formol) était si bien conservé que sa peau avait gardé une certaine élasticité. Les scientifiques ont pu déterminer qu'elle était morte à l'âge de 50 ans et qu'elle souffrait de tuberculose et d'arthrite. Selon les coutumes de l'époque, les tombes étaient remplies de nourriture et de meubles pour réconforter les âmes sensorielles restées sur terre, et d'une bannière de soie retraçant les croyances Han. Non loin se trouve le joli **parc des Martyrs**.

Parmi les nombreux sites associés à Mao Zedong, le plus intéressant est l'**École normale N°1 du Hunan**, où il entra à 19 ans et étudia de 1913 à 1918. Il échoua à son examen de dessin lorsqu'il traça un cercle, en disant que c'était un œuf, mais fut déclaré étudiant de l'année en 1917. À l'université, il consacra une bonne partie de son temps à l'organisation de sociétés étudiantes, ce qui l'aida dans son futur rôle de leader. Mao revint pour y enseigner de 1920 à 1922. Les visiteurs peuvent suivre un itinéraire à travers l'université, aujourd'hui reconstruite et toujours ouverte, et visiter les dortoirs, le puits où Mao se baignait ainsi que les salles où il tenait ses réunions politiques.

Statue de Mao, École normale N°1 du Hunan

Musée de la Province du Hunan et parc des Martyrs
3 Dongfeng Lu. ***Tél.*** *(0731) 451 4630.* de 8h30 à 17h30 t.l.j.

École normale N°1 du Hunan
207 Shuyuan Lu. ***Tél.*** *(0731) 512 6089.* t.l.j.

Shaoshan ❷
韶山

130 km au sud-ouest de Changsha.
t.l.j. au départ de Changsha.

La ville natale de Mao Zedong, qui dirigea la Chine de 1949 à sa mort en 1976, se divise en deux : d'un côté la ville nouvelle, près de la gare, de l'autre le village de Shaoshan Dong, où le « Grand Timonier » passa les premières années de sa vie, à 6 kilomètres de là. À l'apogée du culte de Mao, sous la Révolution culturelle, des trains spéciaux, bondés de gardes rouges, déversaient chaque jour près de 8 000 disciples. Shaoshan est aujourd'hui encore populaire, et tous les bâtiments liés à Mao ont été transformés en musées. La **maison natale de Mao**, où il naquit en 1893, est typiquement rurale, à l'exception de son exposition de souvenirs. À côté se trouve le **musée Mao Zedong**, et non loin de là le **temple des ancêtres de Mao**. En surplomb du village, le pic Shao est accessible en téléphérique. La **grotte de l'Eau ruisselante** se situe à environ 3 kilomètres du village. C'est là que, d'après la légende, Mao imagina la Révolution culturelle en 1966.

Maison natale de Mao et musée Mao Zedong
Shao Shan Chong. ***Tél.*** *(0732) 568 5157.* de 8h à 17h t.l.j.

Tablettes de pierre gravées de poèmes de Mao, pic Shao, Shaoshan

Pour les hôtels et les restaurants de la région, voir p. 563-564 et p. 590

Majestueux portique du monastère Zhusheng Si, Nanyue

Hengshan ❸
衡山

120 km au sud de Changsha.
Tél. *(0734) 566 2571.* *de Changsha à Nanyue.* *t.l.j.*

L'une des cinq montagnes sacrées taoïstes (1 290 mètres) est un ensemble de pics boisés émaillés de temples vieux de quelque 1 300 ans. On y entre par **Nanyue**, à cinq heures de bus de Changsha. Cette agréable petite ville possède deux grandes rues et deux temples importants. Le premier, **Nanyue Damiao**, est un lieu de culte bouddhiste et taoïste depuis le début du VIIIe siècle, mais les bâtiments actuels furent construits au XIXe siècle sur le modèle de la Cité interdite de Pékin. Le second, **Zhusheng Si**, est un monastère bouddhiste du VIIIe siècle rebâti au XVIIIe siècle.

La montagne s'explore à pied ou en minibus. À pied, il faut compter 15 kilomètres pour atteindre le sommet, mais à mi-chemin, un téléphérique prend le relais. Le paysage est luxuriant avec un certain nombre de monastères et de temples disséminés le long du sentier qui mène d'abord au **monument aux Martyrs de la révolution de 1911**, puis à **Xuandu Si** (VIIe siècle), le premier temple taoïste du Hunan, et se termine à **Shangfeng Si**, où se trouve également le terminus du bus. Juste derrière, le sommet est coiffé d'un minuscule temple de pierre, le **Zhurong Gong**. Les visiteurs qui dormiront à l'hôtel près du sommet pourront admirer la vue de la **Terrasse pour voir le lever du soleil**.

Furongzhen ❹
芙蓉镇

400 km au nord-ouest de Changsha.
pour Mengdonghe, puis en bus ou en bateau. *au départ de Mengdonghe.*

Mengdonghe est le point de départ pour Furongzhen (Wang Cun, ou Ville des Hibiscus), qui servit de décor à l'adaptation cinématographique du roman *Hibiscus* de Gu Hua – l'un des premiers livres à montrer l'impact des bouleversements politiques des années 1950 et 1960 dans les campagnes chinoises. Furongzhen est une belle ville de rues pavées et de vieux bâtiments en bois. Sur Hepan Jie, le **musée Tujia** est consacré à la minorité éponyme. Les visiteurs peuvent également faire du rafting sur la rivière Yuan Jiang.

Wulingyuan ❺

p. 264-265.

Yueyang ❻
岳阳

100 km au nord de Changsha.
5 104 000. *à Chenglingji.*
25 Yunmeng Lu, (0730) 821 8922.

Située sur les rives du Yangzi et du Dongting Hu, le deuxième lac d'eau douce du pays, Yueyang est une importante escale fluviale et ferroviaire sur la ligne Pékin-Guangzhou. Son fleuron, la **tour de Yueyang**, faisait jadis partie d'un temple Tang. La structure actuelle date de l'ère Qing. Elle est impressionnante avec ses toits de tuiles jaunes vernissées dominant le lac. Non loin se dressent deux pavillons, Xianmei Ting et Sanzui Ting. C'est dans ce dernier que Lu Dongbin, l'un des Huit Immortels taoïstes *(p. 30-31)*, s'arrêta pour s'enivrer. Au sud, **Cishi Ta** est une pagode construite en 1242 pour chasser les démons des inondations.

À 30 minutes de bateau de Yueyang, la petite île de Junshan Dao est une ancienne retraite taoïste désormais célèbre pour son thé des « aiguilles d'argent ».

Tour de Yueyang
Dongting Beilu.
Tél. *(0730) 831 5588.* *t.l.j.*

Péniche du pittoresque Junshan Dao (île Junshan)

Le culte de Mao

Badge de Mao des années 1960

Au moment où il devint président en 1949, Mao Zedong était déjà un personnage quasiment mythique à la tête des gardes rouges depuis 1934. Cet idéologue manœuvra avec tant de talent au sein du parti qu'il demeura une figure héroïque malgré des décisions souvent désastreuses, prises en réaction à la lenteur des réformes. La Révolution culturelle *(p. 64-65)* de 1966 à 1976 fut une tentative calculée d'élever Mao au rang de divinité au prix de millions de vies humaines. À sa mort, son image se ternit, mais, depuis les années 1990, sa cote de popularité remonte et Mao est à nouveau considéré par beaucoup comme *weida* – Grand.

Le portrait de Mao – *à la fois divinité et homme du peuple – participait à l'ambiguïté de son culte. Mao est toujours au centre et entouré d'admiratrices.*

L'ART DE L'AFFICHE

Dans les années 1960, l'appareil de propagande chinoise imprima des affiches de Mao par millions. Il était souvent représenté comme un être bienveillant, un dieu descendu parmi les hommes pour transformer leur vie.

« Célébrez la naissance et la vie du président Mao pendant 10 000 ans. »

Le visage de Mao était toujours rouge de santé. Les artistes avaient pour consigne d'éviter le gris et de lui insuffler une jeunesse de chérubin.

Un groupe *débat de la philosophie de Mao à la fin des années 1960. Sa pensée fut un substitut moderne à la philosophie confucéenne qui dominait la vie intellectuelle chinoise depuis des millénaires.*

Les pensées de Mao *furent compilées en 1961 dans le* Petit livre rouge *distribué à tous les gardes rouges.*

Les pèlerins de Shaoshan, *ville natale de Mao (p. 260), lui rendent hommage. À l'apogée de la Révolution culturelle, plusieurs trains déversaient chaque jour des milliers de fervents pèlerins à Shaoshan. Dans les années 1980, le trafic cessa, pour reprendre ces dernières années.*

« Le président Mao est le soleil rouge *de nos cœurs », dit cette affiche. Tout en haut, les caractères signifient « l'Orient est rouge », du nom de l'hymne de la Révolution culturelle.*

Les débuts de l'art de l'affiche *étaient légèrement différents de la propagande ultérieure. Cette affiche nous exhorte à avancer sous la bannière de Mao Zedong, mais les drapeaux célèbrent le communisme révolutionnaire soviétique, et non le maoïsme.*

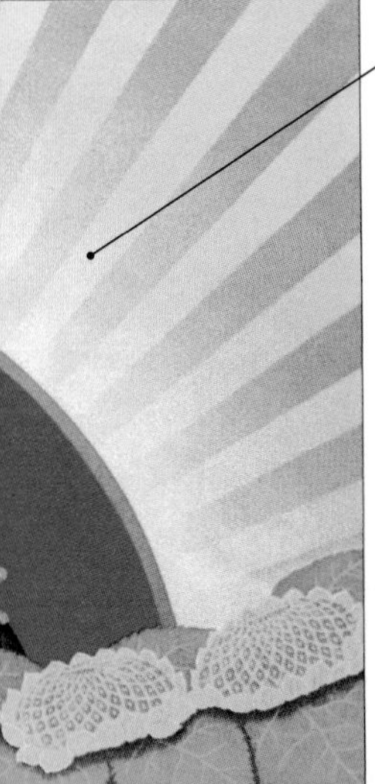

Une lumière irradie toujours derrière Mao, comme un halo derrière un dieu dans un temple.

Les souvenirs de Mao *sont très présents en Chine, mais beaucoup d'objets vendus sur les marchés ont été fabriqués spécialement pour les touristes.*

Depuis la mort de Mao, *le Parti a adopté une position délicate, entre la condamnation de ses excès et l'éloge de ses succès. Son portrait trône encore au nord de la place Tian'an men. Sa fonction posthume est peut-être d'être le symbole d'une Chine unifiée.*

Les autels privés *ornés d'un buste de Mao auquel la famille adressait ses prières révolutionnaires remplacèrent les sanctuaires taoïstes et bouddhistes dans les années 1960. Il en existe encore, mais le Parti les désapprouve.*

MAO ATTAQUÉ

En 1994, Li Zhisui, le médecin personnel de Mao, publie *La Vie privée du président Mao* dans lequel il décrit Mao comme un personnage vain, froid, indifférent à ses collègues et à la souffrance de ses concitoyens. Le livre est aussitôt interdit par le gouvernement chinois, mais Li, qui vit aux États-Unis, échappe aux représailles. Le livre donne un éclairage surprenant sur les habitudes et les idées de Mao. Toutefois, de nombreux critiques, même s'ils n'ont aucune sympathie pour la politique de Mao, prétendent que c'est avant tout un livre opportuniste.

Couverture de la biographie de Li

Wulingyuan ❺

武陵源

Chaise à porteurs pour touriste fatigué

Ce parc naturel de 40 hectares souvent appelé Zhangjiajie offre un paysage karstique *(p. 412-413)* d'une immense beauté avec ses sommets rocheux émergeant d'un tapis de végétation subtropicale dense. Wulingyuan abrite trois réserves naturelles – Zhangjiajie, Tianzi Shan et Suoxi Yu – et plus de 500 espèces d'arbres, dont le métaséquoia, que l'on croyait disparu avant de le redécouvrir en 1948. C'est également un paradis pour la faune, dont la salamandre géante, le macaque rhésus et de nombreuses espèces d'oiseaux. Le parc est souvent enveloppé d'une brume qui crée une atmosphère particulière, mais bouche la vue. Sachez que les étés sont excessivement humides.

★ Xianren Qiao

Le pont des Immortels est une bande rocheuse étroite et spectaculaire, non protégée surplombant un profond ravi

★ Huang Shi Zhai

Le plus haut sommet de Wulingyuan culmine à 1 050 mètres. L'ascension des 3 878 marches prend deux bonnes heures, un téléphérique permet d'y échapper.

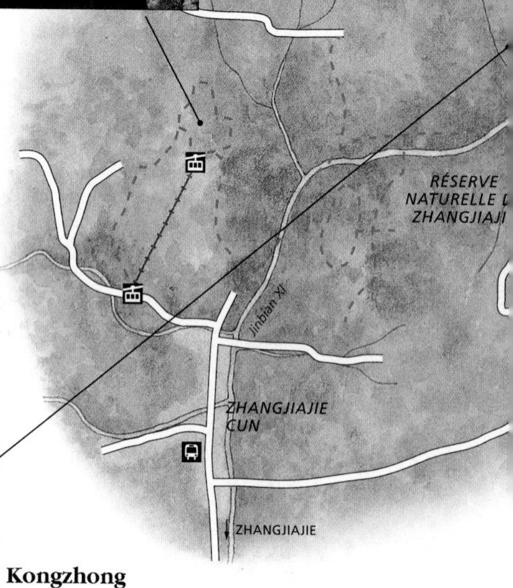

Kongzhong Tianyuan

Le Jardin céleste est un affleurement isolé, tapissé d'un manteau de verdure, entouré de sommets et de pics élancés.

À NE PAS MANQUER

- ★ Huang Shi Zhai
- ★ Huanglong Dong
- ★ Xianren Qiao

Pour les hôtels et les restaurants de la région, voir p. 563-564 et p. 590

Tianzi Ge
Dans le nord du parc, le sommet de cette colline donne sur une vallée plantée de dizaines de buttes élancées aux allures d'esquilles. La région est émaillée de grottes souterraines.

MODE D'EMPLOI

250 km au nord-ouest de Changsha. *Zhangjiajie Shi (ville de Zhangjiajie).* *pour Zhangjiajie Shi.* *pour Zhangjiajie Shi, 1h en minibus de Zhangjiajie Cun.* *t.l.j.* *26 Ziwu Zhong Lu, Zhangjiajie Shi, (0744) 822 2301.* *valable 2 jours.* **www**.zhangjiajie.com.cn

LÉGENDE

- Arrêt de bus
- Téléphérique
- Sentier
- Agglomération
- Route

Yupi Feng
Les cheminées calcaires des Pinceaux de l'Empereur illustrent les timbres chinois et ressemblent aux pinceaux traditionnels des calligraphes chinois.

Une balade en bateau sur les eaux cristallines de Baofeng Hu est comprise dans le billet d'entrée.

★ Huanglong Dong
Les illuminations tapageuses n'enlèvent rien à la beauté de la grotte du Dragon jaune (11 kilomètres). Des barques arpentent la rivière souterraine.

LA DÉCOUVERTE DE WULINGYUAN

:ntrée principale est située juste après ıangjiajie Cun. Le sentier à gauche vous ıtraîne dans une promenade de quatre heures, ıtamment à Huang Shi Zhai. Le sentier à droite fre plusieurs options et vous conduit loin de foule. Vous pourrez vous loger à Zhangjiajie ın, ou à Suoxiyu Cun, idéalement situé pour :plorer l'est et le nord du parc. Des auberges stiques sont disséminées dans toute la réserve.

Wuhan ❼

武汉

Statue taoïste, Changchun Guan

La capitale du Hubei est un important port sur le Yangzi et la réunion de trois anciennes villes : deux anciennes colonies – Wuchang, capitale du Royaume de Wu (770-221 av. J.-C.), Hanyang, fondée à l'époque Sui (581-618) – et Hankou, fondée en 1861 quand elle devint un comptoir étranger. Conséquence, Wuhan fut une pionnière de l'industrialisation chinoise avec la construction d'usines sidérurgiques au XIXe siècle. Elle fut également le théâtre du premier soulèvement de 1911, qui entraîna la chute de la dynastie Qing et la fondation de la République.

Instruments de musique anciens, musée de la Province du Hubei

Musée de la Province du Hubei

156 Donghu Lu. ***Tél.*** *(027) 8679 4127.* *de 8h30 à 16h30 t.l.j.*

L'un des meilleurs musées de Chine est situé sur les rives du lac de l'Est (Donghu). Ses fleurons sont des objets trouvés en 1978 dans le tombeau du marquis de Yi, une grande figure de la période des Royaumes combattants, qui mourut en 433 av. J.-C. et fut enterré dans un cercueil en laque aux côtés de ses concubines, de son chien et de milliers de sculptures de bronze, de pierre et de bois. Beaucoup sont exposés, mais le plus impressionnant est la collection de cloches de bronze. Les balades en ferry permettent d'explorer les paysages autour du Donghu, ses nombreux pavillons et ses jardins.

Villa de Mao

Donghu Lu. ***Tél.*** *(027) 6888 1918.* *de 8h à 17h t.l.j.*

Entre 1960 et 1974, cette agréable villa (Mao Zedong Bieshu) entourée d'un vaste jardin servit de retraite à Mao. Il y fit de longs séjours dans les premières années de la Révolution culturelle. Les visiteurs peuvent voir ses appartements, la salle de conférences, l'abri antibombes et la piscine.

Pavillon de la Grue jaune

Wuluo Lu. *t.l.j.*

Le pavillon perché sur Sheshan, la colline du Serpent, au sud du Yangzi dans le quartier de Wuchang, est une reconstitution de l'édifice du IIIe siècle qui brûla en 1884. Selon la légende, il fut bâti en hommage à l'un des Huit Immortels taoïstes qui réglait ses consommations dans les tavernes en dessinant des grues sur les murs. Le pavillon de 50 mètres de haut est un bel édifice de style Qing dont le sommet offre une belle vue sur la ville. Sur le flanc est de la colline, **Changchun Guan** est un temple taoïste assorti d'une pharmacie, où un médecin prescrit des herbes des environs. Au sud, Hong Ge est un bâtiment de brique rouge qui abritait l'**ancien quartier général du gouvernement militaire du Hubei** (Hong Lou) pendant le soulèvement de 1911 mené par Sun Yat-sen *(p. 297)*. Derrière le pavillon, une énorme cloche en bronze peut être sonnée moyennant une petite contribution. La statue de Sun Yat-sen précède le bâtiment.

Énorme cloche de bronze derrière le pavillon de la Grue jaune

Pont du Yangzi

Cet impressionnant pont de 110 mètres de long fut bâti par les communistes en 1957. Avant sa construction, tout le trafic routier et ferroviaire traversait le fleuve en ferry. Un deuxième pont fut construit légèrement en aval en 1995.

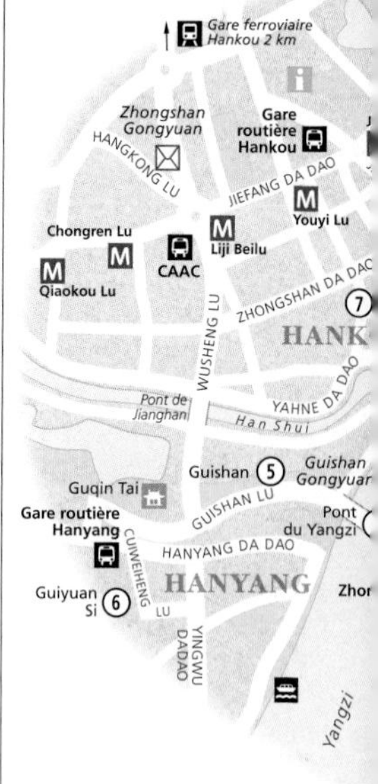

Légende des symboles, *voir rabat de couverture*

WUHAN : LE CENTRE-VILLE

Guishan ⑤
Guiyuan Si ⑥
Hankou ⑦
Musée de la Province du Hubei ①
Pavillon de la Grue jaune ③
Pont du Yangzi ④
Villa de Mao ②

Pour les hôtels et les restaurants de la région, voir p. 563-564 et p. 590

Prêtres taoïstes sur une fresque de Changchun Guan

Guishan

Le quartier industriel de Hanyang présente quelques sites intéressants, dont beaucoup sur et autour de Guishan, ou colline de la Tortue, qui porte le nom d'une tortue magique qui repoussa le démon des eaux menaçantes et empêcha les crues du Han et du Yangzi. **Guqin Tai** (terrasse de la Cithare) est l'endroit où le légendaire musicien Boya venait jouer de la cithare devant son auditeur favori, bûcheron de son état. À la mort de son ami, Boya détruisit son instrument et jura de ne plus jouer. Deux tombes occupent le versant oriental de la colline. Près de la tombe de **He Jingyu** (1895-1928), l'une des premières femmes leader de la Chine communiste, se tient celle d'un héros semi-mythique beaucoup plus ancien – Lu Su, général Wu de la période des Trois Royaumes.

MODE D'EMPLOI

750 km à l'ouest de Shanghai. *7 950 000.* *Gare de Hankou, gare de Wuchang.* *CAAC (bus pour l'aéroport), gare de Hankou, gare de Hanyang, gare de Wuchang.* *Terminal du ferry du Yangzi.* *26 Taibei Yilu, Hankou, (027) 8578 4125.*

Statue de Bouddha, Guiyuan Si

Guiyuan Si

20 Cuiweiheng Lu. ***Tél.** (027) 8484 4756.* *t.l.j.*

Ce temple bouddhique de l'ouest de Hanyang fut fondé au début des Qing (1644-1662), mais les bâtiments actuels datent de la fin des Qing et du début de la République. Il abrite quelques reliques anciennes, dont une statue de Bouddha des Wei du Nord, mais il est surtout connu pour son pavillon aux 500 statues d'*arhat* des années 1820. Le pavillon principal renferme une statue de Bouddha sculptée dans une seule pièce de jade.

Hankou

À partir de 1861, le quartier de Hankou devint une concession étrangère, ce qui explique la présence de beaux exemples d'architecture européenne, en particulier entre le fleuve et Zhongshan Dadao, et plus précisément le long de Yangjiang Dadao et de Jianghan Lu. Les anciennes **douanes** donnant sur le fleuve sont un vaste bâtiment Renaissance orné d'un étonnant portique en pierre grise et de chapiteaux corinthiens.

Cerfs-volants en vente le long du Yangzi

Musée de Jingzhou, temple taoïste de Kaiyuan

Jingzhou ❽
荆州

Municipalité de Jingzhou. 240 km à l'ouest de Wuhan. *1 600 000.* *52 Jingding Lu.*

Si vous naviguez sur le fleuve, visitez la vieille ville de Jingzhou, à environ 8 kilomètres à l'ouest de la moderne Shashi. La vieille ville est encerclée de remparts de 7 mètres de haut construits par le général Guan Yu, du royaume de Shu (221-263).

À l'intérieur se trouve le musée municipal, qui présente une grande collection de soieries et de tissus anciens, et surtout les vestiges d'un tombeau d'un dignitaire des Han de l'Ouest du nom de Sui, dont la dépouille sanglante est bien conservée.

Yichang ❾
宜昌

District de Yichang. 250 km à l'ouest de Wuhan. ***Tél.*** *0717 624 1875.* *52 Jiefang Lu, (0717) 676 0392.*

Cet ancien comptoir étranger est désormais associé au barrage de Gezhou, achevé en 1986, et à l'immense et controversé barrage des Trois Gorges, terminé en 2007.

Le barrage se visite à Sandouping, à 38 kilomètres en amont. La ville est également le point de départ d'une visite de Shennongjia.

Le barrage des Trois Gorges
长江三峡

Statue de la station d'observation

Le barrage des Trois Gorges, un édifice de plus de 180 mètres de haut et 2 kilomètres de large, est destiné à couvrir une partie des besoins énergétiques de la Chine, à éviter les crues du Yangzi et à drainer les richesses du pays, longtemps concentrées le long des côtes, vers l'intérieur des terres. Mais la construction de ce réservoir de 645 kilomètres de long s'est faite au prix du déplacement de centaines de milliers de personnes, de l'engloutissement de sites culturels majeurs et de dommages écologiques à long terme.

Le barrage des Trois Gorges vu de l'amont

RISQUES ÉCOLOGIQUES

À quelques centaines de kilomètres du barrage, la ville de Chongqing déverse ses déchets et ses produits toxiques non traités dans le Yangzi. Quand le fleuve ne pourra plus les éliminer, il est à craindre que le réservoir se transforme en un cloaque de 645 kilomètres de long. En outre, le débit réduit de l'eau pourrait aggraver considérablement l'envasement de ses affluents, avec pour conséquence de nuire à un écosystème fragile et de couper les circuits de migration de nombreuses espèces de poissons et des dauphins d'eau douce en voie d'extinction.

Les Trois Gorges avant que le niveau de l'eau ne monte de 175 mètres

Pour les hôtels et les restaurants de la région, voir p. 563-564 et p. 590

★ Plate-forme d'observation
Ce point surélevé offre une excellente vue d'ensemble du barrage et abrite un musée sur l'histoire du projet.

MODE D'EMPLOI

Sandouping, 35 km à l'ouest de Yichang. *CITS, 72 Yiling Dajie, (0717) 622 0848.* *4 de la gare de Yichang ou location de minibus ou de taxi pour quelques heures.* **Accueil des visiteurs** *t.l.j.*

La sculpture du Yangzi est un gros morceau de pierre érodée provenant du fleuve.

La tour de levage des bateaux est un vaste et puissant ascenseur pour les bateaux de moins de 25 mètres de long – plus rapide que l'écluse à cinq niveaux.

★ Écluse double à cinq niveaux
Longue de plus de 1 600 mètres, cette écluse permet de franchir un dénivelé de 113 mètres. C'est évidemment la plus grande écluse du monde. Il faut près de trois heures pour la franchir.

À NE PAS MANQUER

- ★ Écluse à cinq niveaux
- ★ Plate-forme d'observation

Forêts denses et vierges des gorges de Shennongjia

Shennongjia ⑩
神农架

200 km au nord-ouest de Yichang. *de Yichang à l'entrée à Muyu, puis location de voiture.* *18 Longkang Lu, Yichang, (0717) 868 6799.* *de l'office de tourisme de Yichang et du bureau des gardes forestiers de Muyu, (0719) 345 2303.*

Cette réserve forestière reculée et peu visitée offre d'admirable paysages. Elle est peuplée d'arbres rares et de centaines de plantes utilisées en médecine traditionnelle, dont quelques spécimens furent introduits en Occident au début du XXe siècle par le botaniste Ernest Wilson. C'est également l'habitat de quelques-uns des animaux les plus rares de Chine, dont le splendide singe doré. Dans la réserve, à **Xiaolong Tan**, un musée est consacré au légendaire Homme sauvage chinois *(ye ren)*, l'équivalent du Yéti dans l'Himalaya, vu pour la première fois en 1924. Autour de Xiaolong Tan, des sentiers mènent au cœur de la réserve. C'est l'occasion idéale de voir des espèces rares, dont le singe doré, la salamandre géante et le faisan doré. Certains sentiers empruntent des chemins forestiers, d'autres sillonnent des marécages, tandis que les plus difficiles escaladent les sommets. Les étrangers peuvent explorer la région de Muyu, qui culmine à 3 105 mètres, et visiter la ville principale de Songbai, mais seulement accompagnés d'un guide.

Wudang Shan ⑪
武当山

350 km au nord-ouest de Wuhan. *de Wuhan ou Xiangfan à la ville de Wudang Shan.* *de Shiyan, Xiangfan ou Liuliping à la ville de Wudang Shan.*

Les nombreux sommets du Wudang Shan – dont le plus haut, le **pic Tianzhu** (colonne céleste), culmine à 1 612 mètres – sont associés au taoïsme depuis l'ère Tang.

Le Wudang Shan est également connu pour les arts martiaux depuis que Zhang Sanfeng, moine de la dynastie Song, créa un style appelé boxe Wudang, d'où émana ensuite le taijiquan. Après des années d'oubli, les nombreux temples de la région ont été restaurés. On y accède par la ville de Wudang Shan, dont on retiendra surtout le musée du temple de **Taishan Miao** et les ruines du temple Yuxu Gong. Le Wudang Shan se trouve au sud de la ville. On y accède de diverses façons. Près de la gare ferroviaire, un sentier vous mènera en huit heures au sommet du pic Tianzhu. Vous pouvez également prendre un minibus jusqu'aux trois quarts du chemin, d'où il faut deux heures de marche pour atteindre le sommet. À moins que vous ne préfériez la chaise à porteurs ou le téléphérique, qui relie un endroit appelé Qiongtai au sommet. En minibus, vous passerez d'abord devant l'**École des arts martiaux**, puis le **Zixiao Gong** (palais des Nuages pourpres), un impressionnant temple Ming – le plus fréquenté de la région. Le pavillon principal abrite une magnifique coupole en spirale. Du terminus des minibus, un court embranchement mène au temple **Nanyan Gong**, à l'aplomb de la falaise. Non loin de là, surgissant à l'horizontal de l'à-pic, le **rocher de la Tête de Dragon** est couvert de gravures. Le sentier principal longe **Lang Mei Xian Ci**, un sanctuaire dédié au moine Zhang Sanfeng, puis se sépare en deux à Huanglong Dong. Le chemin le plus facile conduit directement aux temples du pic Tianzhu. Au sommet, le **Jindian Gong** (pavillon d'Or), un pavillon plaqué de cuivre et de bronze de 1416, abrite une statue de l'empereur Ming Zhen Wu, qui se retira au Wudang Shan au XVe siècle. La vue sur les falaises abruptes nappées de brume est magnifique.

Zixiao Gong (palais des Nuages pourpres) d'époque Ming, Wudang Shan

◁ Coucher de soleil sur le fleuve Yangzi au passage des Trois Gorges

Le *taijiquan* (ou tai-chi)

Pratiqué quotidiennement par des millions de Chinois, le *taijiquan*, ou « boxe du faîte suprême », est une forme de kung-fu *(p. 159)* lent et gracieux. Mis au point il y a plus de mille ans par des reclus et des moines taoïstes, le *taijiquan* s'inspire des mouvements des oiseaux et des animaux, ainsi que du concept taoïste de yin et de yang, ou de forces opposées complémentaires. Tous les mouvements, qui ont chacun un nom et un schéma précis, ont des éléments yin et yang. Ils se contractent et se dilatent, descendent et montent en allant vers l'intérieur et l'extérieur. Ils se suivent avec fluidité dans des enchaînements pouvant comprendre de 12 à 108 mouvements et durer jusqu'à une heure. Le *taijiquan* est un art martial, mais il sert surtout à améliorer le flux du *qi (p. 32-33)*, ou énergie vitale, dans l'organisme. Les exercices revitalisent et détendent celui qui les pratique.

Bagua taoïste

Zhang Sanfeng *est un dignitaire qui se retira dans le Wudang Shan par dépit de la Cour. Un combat opposant une grue à un serpent lui inspira les bases du* taijiquan, *où il mêla sa connaissance du kung-fu aux principes taoïstes de bien-être.*

L'enchaînement à l'épée *se pratique une arme pour faciliter l'équilibre et la concentration. L'épée, utilisée dans quelque 50 mouvements, est reliée à l'eau, tandis que le sabre est associé au feu.*

MOUVEMENTS DU *TAIJIQUAN*

Les enchaînements et les mouvements varient en fonction des nombreuses écoles de *taijiquan*. Le « simple fouet » est un mouvement souvent répété dans un enchaînement.

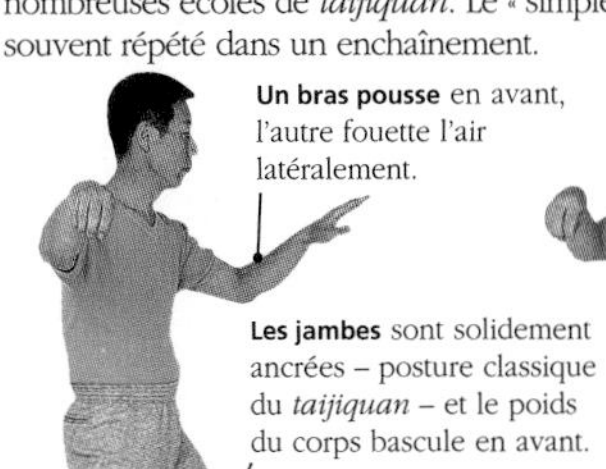

Un bras pousse en avant, l'autre fouette l'air latéralement.

Les jambes sont solidement ancrées – posture classique du *taijiquan* – et le poids du corps bascule en avant.

Quand le corps pivote à 45°, les pieds tournent et le poids bascule sur la jambe arrière.

Le buste descend, mais le dos reste droit. Les bras sont suspendus en l'air, comme pour repousser une attaque.

La jambe avant glisse en avant, le corps descend (yin) vers le sol en position solide, prêt à remonter (yang).

La pratique sur les places publiques *fait partie de la vie quotidienne en Chine. Tôt le matin, des foules de personnes, en majorité âgées, se réunissent pour pratiquer le* taijiquan *et exécuter des mouvements joliment coordonnés.*

LE SUD

Le Sud d'un coup d'œil

Grâce aux millions d'immigrants qui ont franchi les mers en emportant leurs recettes de cuisine et leurs traditions, aucune partie de la Chine n'est plus familière aux étrangers que le Sud. Néanmoins, peu l'incluent dans leur programme de visite, en dehors d'une étape à Hong Kong ou à Guangzhou. Formé des provinces du Fujian, du Guangdong et du Hainan, auxquelles s'ajoutent Macao et Hong Kong, il a pourtant beaucoup à offrir, depuis les plages tropicales de l'île de Hainan et les splendeurs naturelles des monts Wuyi jusqu'à la cité ancienne de Chaozhou et les ports historiques de Quanzhou, Xiamen et Shantou.

Pêcheurs au travail sur une plage de l'île Meizhou

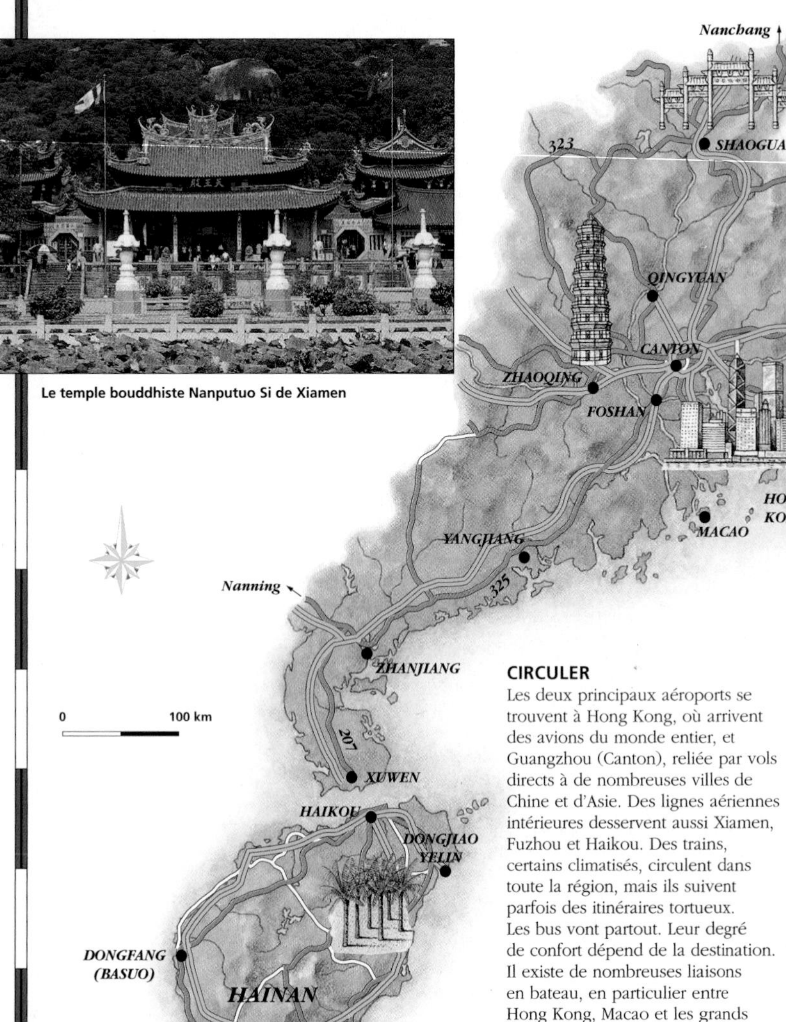

Le temple bouddhiste Nanputuo Si de Xiamen

CIRCULER

Les deux principaux aéroports se trouvent à Hong Kong, où arrivent des avions du monde entier, et Guangzhou (Canton), reliée par vols directs à de nombreuses villes de Chine et d'Asie. Des lignes aériennes intérieures desservent aussi Xiamen, Fuzhou et Haikou. Des trains, certains climatisés, circulent dans toute la région, mais ils suivent parfois des itinéraires tortueux. Les bus vont partout. Leur degré de confort dépend de la destination. Il existe de nombreuses liaisons en bateau, en particulier entre Hong Kong, Macao et les grands ports du continent.

◁ Bateaux amarrés dans le port d'Aberdeen, Hong Kong Island

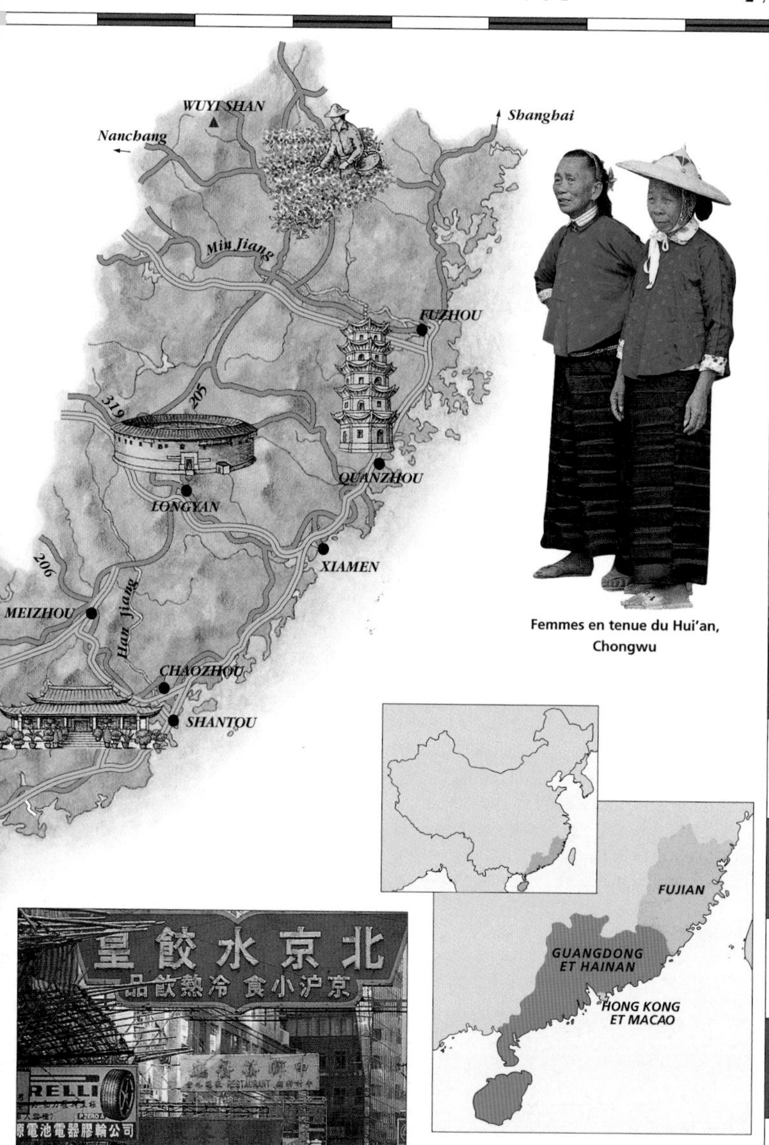

Femmes en tenue du Hui'an, Chongwu

Frénésie automobile et publicitaire sur Gloucester Road, dans le quartier Wan Chai de Hong Kong

LÉGENDE

- Autoroute
- Route nationale
- Route secondaire
- ▲ Montagne

VOIR AUSSI

• ***Hébergement*** p. 564-567

• ***Restaurants*** p. 590-593

UNE IMAGE DU SUD

Le sud de la Chine doit à sa façade maritime d'avoir suivi une évolution différente du reste du pays. Leur situation privilégiée sur la mer de Chine méridionale a ouvert aux ports du Fujian et du Guangdong des routes commerciales vers l'ouest comme vers l'est. Elle leur a aussi valu d'attirer les Portugais et les Britanniques avec pour conséquence la colonisation de Macao et de Hong Kong. L'île de Hainan n'a vraiment commencé à se développer que depuis peu.

Le Guangdong et le Fujian sont des provinces particulièrement montagneuses, et, même si ces reliefs ne sont pas très élevés, ils les ont isolées des grands courants politiques du Centre et du Nord. Depuis des siècles, le Sud a donc tendance à se tourner vers l'extérieur, à regarder de l'autre côté de l'océan. Ses habitants ont fait preuve au cours de l'histoire d'un penchant rare pour l'Empire du Milieu, en traitant avec des étrangers, à dessein ou par défaut.

Cueillette des feuilles de thé au Fujian

À partir du VIIe siècle, des marchands arabes introduisirent l'islam dans des ports comme Canton et Quanzhou, où ils venaient se procurer porcelaines, soiries et thé. C'est de ces ports que la Chine lança ses expéditions navales outre-mer, dont les missions d'exploration et de commerce menées sous les Ming par l'amiral Zheng He, un eunuque musulman qui traversa l'océan Indien de Fuzhou jusqu'à l'Afrique au début du XVe siècle. Près de 100 ans plus tard, des navires portugais remontaient la rivière des Perles jusqu'à Canton, une expédition qui eut pour conséquence la colonisation de Macao en 1557. Les Britanniques suivirent de près. Leur refus de cesser d'inonder le marché chinois avec la drogue qu'ils produisaient en Inde provoqua les deux guerres de l'Opium (1839-1842, 1856-1860). Vaincus, les empereurs de la dynastie Qing durent céder l'île de Hong Kong et la pointe de la péninsule de Kowloon.

Au cours des siècles suivants, des milliers d'habitants de la région émigrèrent

Les gratte-ciel de Hong Kong Island vus depuis Kowloon, de l'autre côté de Victoria Harbour

Vue plongeante du port de l'île Meizhou

en Asie du Sud-Est, puis jusqu'en Amérique du Nord. Leur présence sur toute la planète explique que cette partie de la Chine soit celle qui paraît la plus familière aux visiteurs. La cuisine cantonaise est ainsi connue dans le monde entier. Dans sa version locale, elle utilise toutefois certains ingrédients inconcevables à l'étranger. Il est dit, non sans raison, que les Cantonais mangeraient n'importe quoi.

Habitation traditionnelle hakka

Le Fujian produit certains des meilleurs thés de Chine, notamment des Oolong. Sa capitale, Fuzhou, abrite des « salles d'art du thé » où restent pratiqués des rituels liés à la préparation de certains des plus grands crus.

Le Sud jouit dans sa majeure partie d'un climat subtropical qui a favorisé un mode de vie où beaucoup d'échanges ont lieu dans la rue. Il se distingue aussi du Nord par la langue. Le cantonais est très différent du mandarin, le chinois officiel. Même une oreille non avertie s'en aperçoit. L'autre grand dialecte de la région est le minnanhua fujianais.

La région abrite deux principales minorités ethniques. Les Hakka sont des immigrants venus du Nord. Ils ont pour habitations traditionnelles de grands édifices collectifs et fortifiés qui comptent parmi les principales raisons, avec les monts Wuyi, de partir à la découverte de l'intérieur du Fujian. Les Li sont les premiers occupants de l'île de Hainan où ils s'installèrent il y a près de 2 000 ans. Ils conservèrent leur mode de vie primitif jusque dans les années 1930. Des aperçus de leur culture restent visibles autour de Tongshi.

Les rapports étroits entretenus avec l'outre-mer ont favorisé l'afflux de capitaux étrangers au cours des 20 dernières années. Des villes dotées du statut de zone économique spéciale comme Shenzhen ont connu un développement fulgurant. Des gratte-ciel inspirés de ceux de Hong Kong ont proliféré dans des cités historiques.

Il reste néanmoins de nombreux joyaux à découvrir parmi les immeubles modernes. Les principaux comprennent le tombeau du roi des Yue du sud de Guangzhou, le quartier ancien de Chaozhou, rarement visité malgré des fortifications de l'époque Ming demeurées intactes, et l'une des plus vieilles mosquées de Chine à Quanzhou. Macao et l'île de Gulang Yu à Xiamen conservent de beaux exemples d'architecture coloniale. L'île tropicale de Hainan possède des plages somptueuses et un centre montagneux riche en beaux paysages. Enfin, Hong Kong n'a rien perdu de sa frénésie et vibre jour et nuit d'une énergie digne de son statut de grand centre financier mondial. Port franc où se sont établies des minorités d'origines variées, la ville offre l'occasion de découvrir un large éventail de cuisines asiatiques.

Femmes du Hui'an, Chongwu

Le riz

Bouteille de vin de riz

La formule de salutations « *Chi fam le ma ?* » (« As-tu mangé du riz aujourd'hui ? »), l'une des plus répandues en Chine, témoigne du rôle central joué par cette céréale depuis des siècles dans la vie des habitants du pays. Sa culture serait apparue dans le Sud vers 10 000 av. J.-C. La technique des champs inondés mit des milliers d'années à se perfectionner. Elle permet des récoltes beaucoup plus abondantes, mais exige d'importants travaux d'irrigation. Le riz cultivé dans la majeure partie de la Chine représente aujourd'hui 35 % de la production mondiale.

Les plans de riz, *au sommet des épis, produisent des fleurs en grappes serrées qui se transforment en grains protégés par des capsules rigides.*

Une chaîne sans fin *de palettes de bois mues à l'énergie musculaire humaine hisse l'eau jusqu'au champ. Une grande part de l'irrigation est désormais mécanisée, mais des dispositifs aussi ingénieux qu'archaïques restent en service. Ils sont souvent fabriqués en bambou.*

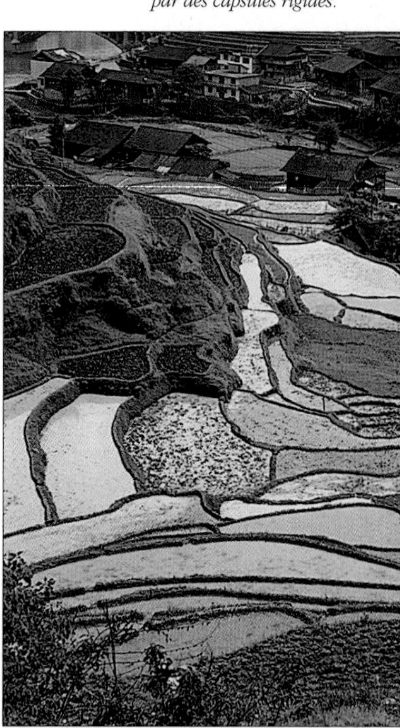

Riz japonica

Riz glutineux

Le japonica, *une sous-espèce d'*Oryza sativa, *est le riz le plus courant en Chine. Il possède des grains courts et légèrement collants. Le riz glutineux du Sud-Est forme une masse compacte à la cuisson. Il est souvent présenté dans des feuilles de bambou.*

PRODUITS DÉRIVÉS

Le riz a de nombreux usages en Chine. Pendant la dynastie Ming, l'eau de cuisson du riz glutineux entrait dans la composition d'un mortier destiné à renforcer les murs de défense. La paille sert à la fabrication d'un papier réputé pour sa blancheur et sa finesse. Il se prête aussi bien à la peinture qu'à la construction de cerfs-volants. La balle devient de l'engrais, un matériau d'emballage ou de la nourriture pour animaux. La farine permet la production de pâte de toutes formes. Parmi les vins de riz vendus dans le pays, certains ne manquent pas d'intérêt, dont le *shaoxing* moelleux tiré du riz glutineux.

Pour obtenir le *jiu* alcoolisé, on met à fermenter un jus issu de la pression du riz

Des buffles *tirent la charrue, la herse et les autres araires. Bien adaptés aux terrains marécageux, ils fournissent un fumier précieux et demandent moins d'entretien que les tracteurs.*

CULTURES EN TERRASSES

La riziculture a transformé les paysages d'immenses étendues rurales, en particulier dans le Sud subtropical où des cascades de terrasses dévalent les collines. Des murets en terre retiennent l'eau qui s'écoule le long des pentes, créant de somptueuses compositions de champs miroitants qui épousent les reliefs. Ils sont principalement travaillés à la main. Soigneusement maîtrisée, la profondeur de l'eau qui les inonde est normalement d'une quinzaine de centimètres. Certains agriculteurs profitent de ces étangs artificiels pour élever des poissons comestibles comme la carpe de roseau.

CULTURE DU RIZ

Dans la majeure partie de la Chine rurale, la riziculture reste une activité manuelle. Les méthodes traditionnelles en vigueur, notamment dans les régions de collines, exigent beaucoup de main-d'œuvre, mais permettent deux ou trois récoltes par an.

Les plants *poussent dans des pépinières. Ils sont replantés à la main dans les rizières au bout d'une quarantaine de jours.*

La transplantation *est maintenant mécanisée dans certaines régions. Sinon, les paysans préfèrent mener en équipe ce travail éreintant dans la boue de terrains inondés.*

La récolte *s'effectue dans des champs drainés. Les faucilles demeurent souvent utilisées.*

Le séchage *a généralement lieu sur place, en plein air. Les grains sont simplement étalés au soleil.*

Le vannage *consiste à isoler les grains séchés en les lançant en l'air, ou en les renversant depuis un panier, pour que le vent emporte la balle la plus légère.*

La cuisine régionale : le Sud

Dite « cantonaise », la cuisine du sud de la Chine doit sa renommée dans le monde entier grâce aux émigrés qui franchirent les océans dans l'espoir d'échapper à la misère. Née au débouché de la rivière des Perles, elle a le riz et les produits de la mer comme principaux ingrédients, mais tire parti de tout ce qui est comestible, jusqu'à des viandes aussi « exotiques » que le chien ou le serpent. Parmi les autres produits agricoles de la région figurent le thé, l'arachide, la canne à sucre, la banane, l'ananas, les agrumes et les litchis. Métropole cosmopolite, Hong Kong permet de déguster des spécialités asiatiques d'origines très diverses.

Concombre amer et ipomée aquatique

Éventaires colorés de primeurs sur un marché

CANTON (GUANGZHOU)

La capitale du Guangdong, où, selon un dicton, « il y a un restaurant tous les cinq pas », doit sa primauté dans la gastronomie chinoise à sa situation géographique et à son climat subtropical. Le delta de la rivière des Perles ne connaît pas l'hiver, et l'été y dure près de six mois. Ses terres fertiles fournissent en abondance des produits agricoles d'une grande variété. Ils viennent compléter les poissons pêchés dans le fleuve et la mer. La richesse de la cuisine a aussi des causes sociales. Une classe marchande fortunée et instruite a encouragé le développement de recettes raffinées. Dans une région très densément peuplée, les plus pauvres se sont tournés vers des « gourmandises » peu appréciées dans d'autres régions comme les cuisses de grenouille, les tortues, les chiens, les serpents et à peu près toute espèce animale comestible.

Sélection de *dim sum*

SPÉCIALITÉS RÉGIONALES

La cuisine cantonaise est particulièrement réputée pour les *dim sum*, des amuse-gueules dont le nom signifie littéralement « point sur le cœur » : raviolis aux garnitures variées, nems miniatures, petits carrés de travers de porc, crevettes en papillote, pieds de poulet ou morceaux de tarte au tofu. Dans la rue comme au restaurant, on ne peut toutefois en commander que jusqu'au déjeuner. Les autres spécialités comprennent des plats de poisson et de fruits de mer, ainsi que des viandes rôties : canard, porc et cochon de lait. Des sauces rehaussent des mets qui, souvent, cuisent rapidement à la vapeur avec un assaisonnement très simple. Les plus répandues sont les sauces aux champignons, aux haricots noirs, d'huître, *hoi sin* (sucre, fèves de soja et ail) et *chu hou* (soja, ail et gingembre).

Lard et saucisses affinés au soja

Bar à la vapeur : *sauce de soja, vin de riz et huile de sésame parfument le poisson cuit avec des ciboules et du gingembre.*

CHAOZHOU ET DONGJIANG

Moins légère que la cuisine cantonaise, la cuisine de Chaozhou accorde une place centrale aux produits de la mer, des ingrédients dont la fraîcheur doit être garantie. Au marché comme au restaurant, les Chinois ont l'habitude de les commander vivants. Sauce de poisson, piment et vinaigre de riz rouge relèvent les plats. Le mets baptisé « l'esprit céleste indique le chemin » (Xianren Zhilu) pousse la sophistication jusqu'à farcir des germes de soja à l'aileron de requin. Les spécialités de Dongjiang, comme le lard affiné au soja, les saucisses séchées ou le poulet cuit au sel, sont plus rustiques. La paternité de cette forme de cuisine est parfois attribuée aux Hakka *(p. 290)*, ces immigrants venus du Nord qui s'installèrent sur les terres les plus pauvres de la région et que la misère poussa ensuite jusqu'aux États-Unis et en Australie.

Étal de légumes secs et d'épices

Poissons séchés pendus dans une boutique de Hong Kong

HONG KONG

Malgré son intégration à la République populaire en 1997, Hong Kong reste une ville à part où, selon la légende, on peut changer chaque jour de restaurant pendant un an sans jamais manger deux fois le même plat. Dans ce port franc où se sont fixées de nombreuses minorités, d'innombrables petits établissements permettent de déguster d'authentiques recettes traditionnelles de nombreuses régions de la Chine et de l'Asie du Sud-Est. Hong Kong n'a pas de spécialité culinaire, même si certains affirment que le « tofu puant » à base de caillé de lait de soja en tient lieu. Dans les restaurants haut de gamme et les hôtels internationaux, la cuisine reste principalement cantonaise et occidentale.

À LA CARTE

Fruits de mer aux légumes
Une friture de crevettes, de calmars, de coquillages, de nouilles et de légumes de saison.

Poulet « blanc coupé »
La volaille est pochée entière dans de l'eau ou du bouillon, puis laissée à refroidir dans le liquide de 6 à 8 heures. Tendre et moelleux.

Calmar frit en sauce aux haricots noirs En fait, des crustacés comme le crabe, la langouste ou les crevettes peuvent remplacer le calmar. Il existe également une variante très pimentée.

Tofu aux huit trésors
Du tofu fourré au porc et aux crevettes. Les végétariens s'en tiendront au met au huit trésors *(p. 180-181)*.

Poulet à la vapeur aux champignons séchés
Poulet cuit en morceaux avec les champignons. Simple et savoureux.

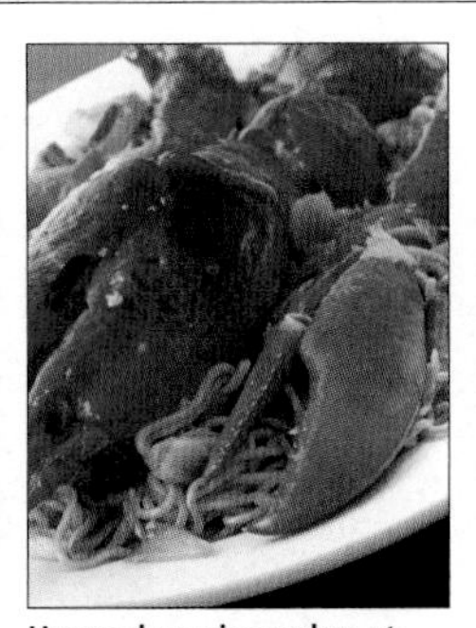

Homard au gingembre et aux ciboules : *le crustacé est servi braisé sur un lit de nouilles tendres.*

Bœuf à la sauce d'huître : *champignons et légumes coupés accompagnent les morceaux de bœuf frit.*

Viandes rôties : *des sauces rehaussent des morceaux de porc, de canard et de poulets froids.*

FUJIAN

La province du Fujian se distingue par la beauté de son littoral et de ses reliefs. L'intérieur des terres demeure peu accessible, mais les grandes villes côtières sont en pleine croissance.

L'importance de la région remonte presque à l'époque des Royaumes combattants (475-221 av. J.-C.), où le peuple Yue, vaincu par le royaume de Chu établi sur le territoire du Hubei et du Hunan actuels, émigra vers le Sud pour s'installer au Vietnam et dans cette partie de la Chine où il prit le nom de Min Yue. Encore aujourd'hui, les Fujianais restent souvent appelés Min. Dans le sud de la province, ils parlent le minnanhua. Baptisés « anciens Min », leurs prédécesseurs n'ont laissé que très peu de traces en dehors des mystérieux cercueils en forme de bateau, retrouvés, entre autres, dans des niches de la falaise dominant la rivière qui serpente à travers les splendides monts Wuyi.

Sur le littoral, les principaux centres d'intérêt comprennent les ports historiques de Xiamen et Quanzhou, et la capitale : Fuzhou. Le village de Chongwu reste enfermé dans d'imposants remparts, tandis que l'île Meizhou vit au rythme des célébrations de la déesse maritime Mazu. L'arrière-pays demeure assez sauvage pour qu'y survivent les derniers tigres de Chine méridionale. C'est aussi là que se sont fixés les Hakka, réputés pour leurs habitats traditionnels fortifiés. Ils sont nombreux autour de Yongding.

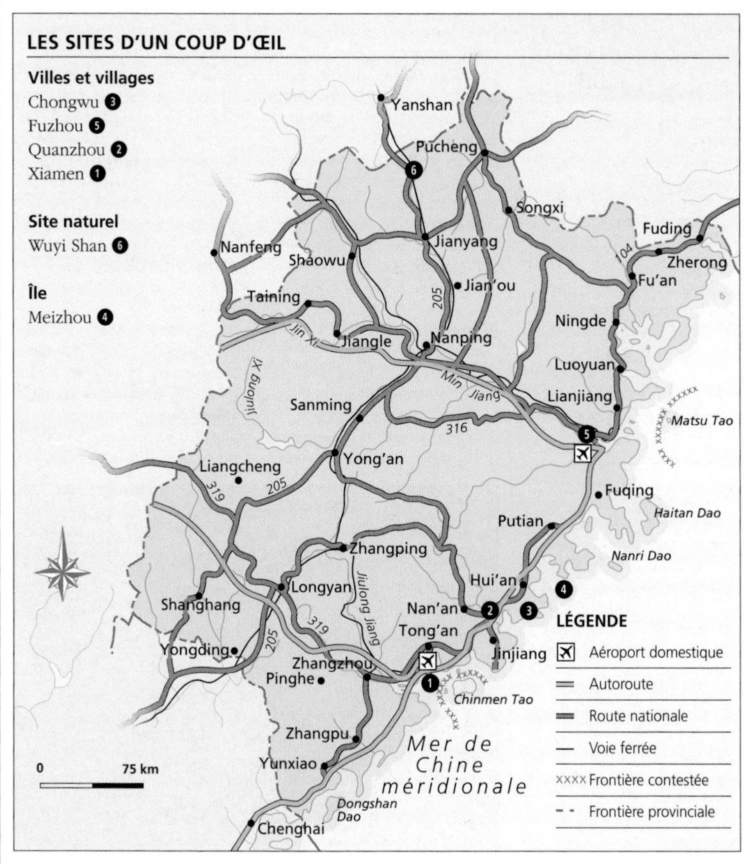

◁ **Vue de la mer au-dessus des toits à pignon de l'île Meizhou**

Xiamen ❶

厦门

La ville que les Occidentaux baptisèrent Amoy au XIXe siècle possède une atmosphère portuaire agréable. Sa fondation reste relativement récente selon les standards chinois. Son essor urbain date en effet de la construction d'une forteresse au XIVe siècle sous la dynastie Ming. Xiamen s'affirma au XVIIe siècle comme l'un des pôles de la résistance aux Mandchous sous la direction de Zheng Chenggong, héros local et pirate légendaire, connu sous le nom de Koxinga. Au début du XIXe siècle, elle devint l'une des premières concessions commerciales et une communauté étrangère s'établit sur l'île de Gulang Yu. L'obtention, en 1984, du statut de zone économique spéciale a favorisé le développement d'une industrie diversifiée.

Dragon protecteur, temple Nanputuo Si

Nanputuo Si

Siming Nan Lu. ***Tél.*** *(0592) 208 6586.* ◯ *de 4h à 18h t.l.j.*

Ce sanctuaire animé fondé à l'époque Tang dans un style méridional exubérant compte trois salles riches en statuaire bouddhiste. Dans la salle du Roi céleste, une image de Wei Tuo, protecteur de la doctrine, tient un bâton pointé vers le bas pour signifier que le temple a les moyens d'accueillir des pèlerins.

Huxiyan

Un pittoresque petit temple se dresse sur un affleurement rocheux d'Huxiyan, le Rocher de la rivière du tigre. Encore plus haut sur la colline, un autre temple, Bailu Dong (Grotte du cerf blanc), offre un beau panorama de la ville.

Jardin botanique Wanshi

Huyuan Lu. ***Tél.*** *(0592) 203 8471.* ◯ *de 6h30 à 18h t.l.j.*

Outre un séquoia planté par Richard Nixon, ce vaste espace arboré abrite des plantes appartenant à plus de 4 000 espèces originaires pour la plupart de Chine méridionale et d'Asie du Sud-Est. Un rocher marque l'emplacement où Koxinga tua son cousin.

Musée des Chinois d'outre-mer

Siming Nan Lu. ***Tél.*** *(0592) 208 4028.* ◯ *mar.-dim. 9h30-16h.*

Cette institution fondée en 1959 compte deux sections. La première illustre l'histoire des immigrants du Fujian au moyen de photographies, de peintures et de souvenirs. La seconde rassemble des objets et œuvres d'art ayant jadis appartenu à des expatriés. La collection de bronzes est remarquable. Elle couvre une période allant des Shang (XVIe siècle av. J.-C.) à l'époque de la République.

Huli Shan Paotai

Daxue Lu. ◯ *t.l.j.*

Fabriqué en 1891 par une entreprise allemande pour le gouvernement des Qing, cet énorme canon mesure près de 14 mètres de long et pèse 49 tonnes. Il a une portée de tir de 10 kilomètres. Il menace la mer depuis le fort Huli Shan. Des remparts, la vue porte par temps clair jusqu'à l'île de Taiwan. Les habitants de la région ne se lassent pas du spectacle. Le site leur est resté interdit jusqu'en 1984.

Des canons restent braqués sur la mer depuis les remparts du fort Huli

Village scolaire de Jimei

◯ *t.l.j.*

À 15 km au nord de la ville, près de la mer, cet ensemble d'établissements d'enseignement doit sa création en 1913 au philanthrope Tan Kah Kee (Chen Jiageng), un homme d'affaires de Singapour qui retourna en Chine en 1950 pour y remplir diverses fonctions gouvernementales. Son ancienne résidence est ouverte au public dans le parc agrémenté de pagodes et de pavillons qui entoure le collège construit dans le style « chinois gothique ».

Gulang Yu

Parc aquatique de Xiamen ***Tél.*** *(0592) 206 7668.* ◯ *24 h/24.* **Jardin Shuzhuang** ◯ *t.l.j.* **Pic du Soleil** ◯ *t.l.j.* **Mémorial de Zheng Chenggong** ◯ *de 8h à 16h50 t.l.j.*

L'île des Vagues tambourinantes ne se trouve qu'à dix minutes

Ruelles et maisons coloniales de l'île de Gulang Yu

Pour les hôtels et les restaurants de la région, voir p. 564-565 et p. 590-591

en bateau de Xiamen. Malgré son nom, le calme y règne, d'autant plus qu'on y roule en buggys électriques. Son essor commença en 1860 quand les représentants des puissances étrangères s'y établirent et la transformèrent rapidement en une ville de style occidental dotée d'églises, de consulats, d'édifices administratifs et de spacieuses villas. De 1903 à la Seconde Guerre mondiale, elle posséda le statut de concession internationale. Les Européens et les Japonais y disposaient de leur propre conseil municipal et de l'autorité sur une force de police sikh. L'architecture et l'atmosphère évoquent toujours l'Europe méridionale.

D'une superficie de 2,5 km², Gulang Yu se révèle particulièrement agréable à découvrir à pied avec ses ruelles pittoresques et ses résidences élégantes entourées de jardins fleuris. Près du débarcadère, le **parc aquatique de Xiamen** abrite une intéressante collection de requins, de phoques, de dauphins, de pingouins et de poissons tropicaux.

Statue du légendaire Zheng Chenggong à Gulang Yu

Au sud-est se dresse la **statue de Zheng Chenggong** (1624-1662), qui commémore le héros local également connu sous le nom de Koxinga. Après avoir longuement combattu les Mandchous à la tête de sa flotte, il chassa les Hollandais de Taiwan. Plus au sud sur le rivage, le **jardin Shuzhuang**, créé en 1913 et ouvert au public depuis 1955, offre un bel exemple d'espace paysagé à la chinoise. À côté s'étend la jolie **plage Gangzaihou**, souvent bondée. Non loin au nord, le **pic du Soleil**, le point culminant de l'île, accessible en télécabine, ménage un beau panorama. À son pied, le **mémorial de Zheng Chenggong** illustre la vie de Koxinga et conserve quelques-unes de ses possessions personnelles, dont sa ceinture de jade et des éléments de sa robe impériale.

À proximité, en direction de la côte sud-ouest, des perroquets, des aigrettes et des pigeons tropicaux peuplent une volière en plein air au sommet du **Yingxiong Shan**.

MODE D'EMPLOI

250 km au sud-ouest de Fuzhou. *1 250 000.* *gare routière Hubin Nan Lu, gare routière Xiahe Lu, gare routière Siming.* *toutes les semaines depuis Hong Kong jusqu'au débarcadère de Heping ; pour Gulang Yu, depuis l'embarcadère proche de l'hôtel Lujiang.* *Zhongshan Lu, (0592) 212 6917.*

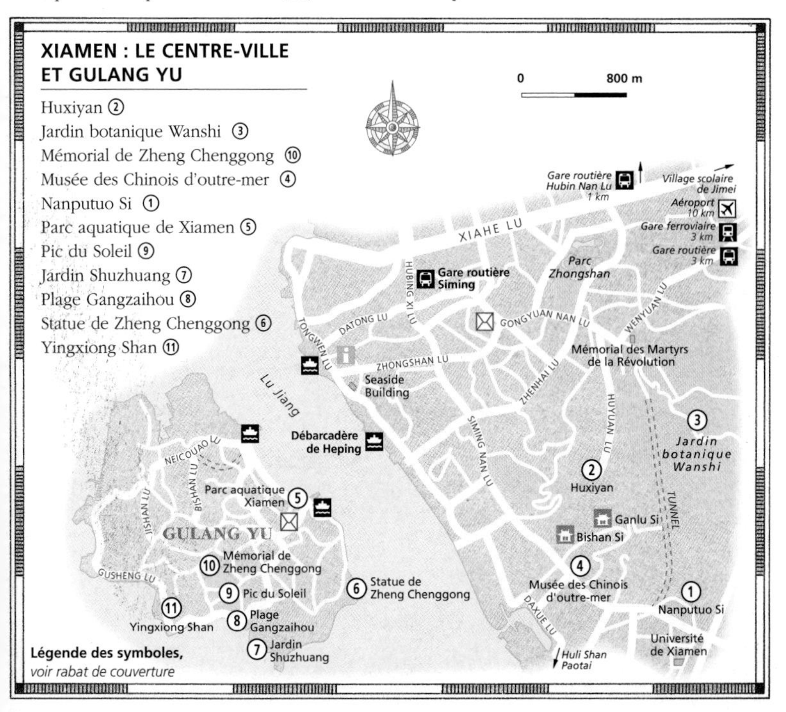

Les habitations en terre de Yongding

La communauté des Hakka descend de migrants des plaines de la Rivière, chassés par la guerre vers le Sud à la fin de la dynastie des Tang et au début de celle des Song. En réaction aux persécutions subies, ou à une situation précaire sur une terre où on les appelait *kejia* (« hôtes »), ils se mirent à bâtir des édifices fortifiés en pisé, baptisés *tulou*. De plan circulaire ou carré, ils entourent une cour centrale et renferment un dédale d'entrepôts, de salles de réunion et de logements pouvant accueillir plusieurs centaines de personnes. Hongkeng compte parmi les villes les plus accessibles de la région de Yongding où subsistent plusieurs habitations hakka. Depuis Xiamen, un premier bus conduit à Longyan (quatre heures), puis un deuxième à Hongkeng (deux heures).

Emblème porte-bonheur

De nombreux *tulou* se trouvent aux alentours *de Yongding. Les plus connus sont de plan circulaire, mais il en existe aussi de plan carré tout aussi imposants, ainsi que des résidences plus petites. Tous ces édifices sont construits en pisé et entourent une cour centrale.*

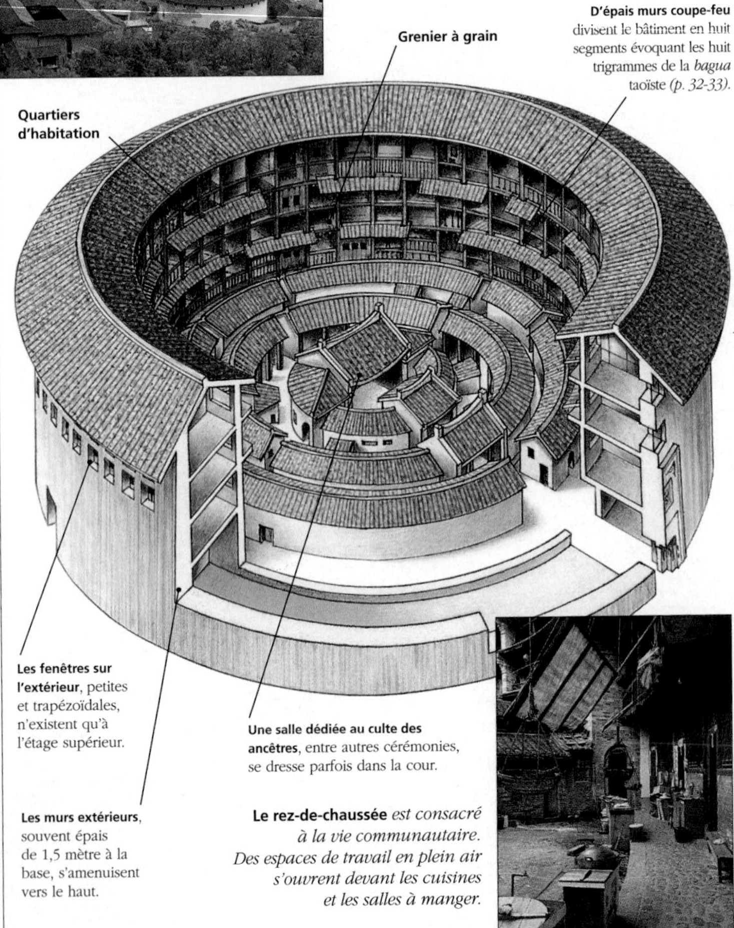

Le rez-de-chaussée *est consacré à la vie communautaire. Des espaces de travail en plein air s'ouvrent devant les cuisines et les salles à manger.*

◁ **Panorama depuis le sommet du Wuyi Shan, Fujian**

Entrée de style arabe de la mosquée Qingjing

Quanzhou ❷

泉州

72 km au nord de Xiamen.
7 500 000. *Fengze Jie, (0595) 2217 7719.*

Au bord de la rivière Jin, Quanzhou s'imposa comme le premier port de l'Empire du Milieu à la fin de la dynastie Song, puis abrita une colonie de résidents étrangers sous les Yuan. Les géographes arabes l'appelaient Zaytun, d'où dérive le mot « satin ». Elle entra en déclin du temps des Ming, mais garde quelques traces de son passé maritime.

La **mosquée Qingjing** édifiée en 1009 nécessita d'importantes réparations en 1309, 1350 et 1609. Contrairement à d'autres lieux de culte musulmans de Chine méridionale, elle ne suit pas le style architectural local, mais montre d'évidentes influences arabes. Son portail en pierre ouvre sur un espace verdoyant où les fidèles prient en plein air. Un musée évoque l'histoire de la communauté islamique de la ville.

Au nord du centre, le temple **Kaiyuan** remonte à 686. Il portait à l'origine le nom de temple du Lotus (Lianhua Si), d'après la fleur qui aurait miraculeusement poussé sur un mûrier et qui existe toujours à l'ouest de la plus importante des trois salles. Celle-ci possède une belle charpente soutenue par 86 piliers. Pendant la période Song, 1 000 moines s'y recueillaient. Au-delà, sur la Terrasse de la douce rosée, le bodhisattva Kisitigarbha, gardien du domaine de la mort, siège sur un trône sous un splendide plafond. De part et d'autre des salles se dressent deux pagodes anciennes, ornées de sculptures. La partie orientale du temple abrite le **musée d'Histoire des relations maritimes**. Il a pour fleuron l'épave d'une jonque Song datant de 1274. Ces navires, dotés de voiles en bambou et en chanvre, se rendaient jusqu'en Arabie, en Afrique et en Asie. Ils partaient chargés de porcelaines et de soieries et rapportaient des épices, de l'ivoire et de la verrerie. Le musée abrite aussi des sculptures liées au nestorianisme et à la présence arabe dans la ville.

Au nord du temple Kaiyuan s'élève la colline paysagée **Qingyuan Shan**, dominée par l'immense **Laojun Yan**, une statue du maître taoïste Laozi *(p. 31)*.

Mosquée Qingjing
113 Tumen Jie.
Tél. (0595) 2219 3553.
de 8h30 à 17h t.l.j.

Temple Kaiyuan et musée d'Histoire des relations maritimes
176 Xi Jie.
Tél. (0595) 2238 3036.
de 7h30 à 17h30 t.l.j.

Chongwu ❸

崇武

32 km à l'est de Quanzhou.
Quanzhou à Huian, puis minibus jusqu'à Chongwu.

La citadelle construite en 1387 sur la péninsule au nord de la baie de Quanzhou devint un élément clé de la lutte contre les pirates. Dans les remparts hauts de plus de 7 mètres, Chongwu est composé de maisons en granite qui paraissent elles-mêmes fortifiées avec leurs toits plats. Ses habitants entretiennent des traditions typiques du district de Hui'an. Les femmes, notamment, portent une tenue formée d'une courte tunique bleue et d'un ample pantalon noir *(p. 277)*. La pêche et la sculpture sur pierre restent les principales activités locales.

Île Meizhou ❹

梅州岛

56 km au nord-est de Quanzhou.
de Putian à Wenijia, puis bateau.

Statue de Mazu, île Meizhou

Pour les Fukiénois, cette île proche de Putian évoque avant tout Mazu, déesse de la mer et protectrice des marins *(p. 149)*, qui y vit le jour au Xe siècle sous le nom de Lin Moniang. L'anniversaire de sa naissance donne lieu à d'importantes réjouissances le 23e jour du 3e mois du calendrier lunaire. Des milliers de pèlerins affluent de toute la Chine, y compris Taiwan, dans les nombreux temples bâtis sur l'île jusqu'au sommet de la colline dominée par sa statue. Le sanctuaire principal, **Meizhou Zumiao**, est près du débarcadère. Maintes fois reconstruit, il évoque par son ampleur la Cité interdite de Pékin. Meizhou possède de nombreux hôtels où passer la nuit.

Maisons aux toits en terrasses de Chongwu

Pour les hôtels et les restaurants de la région, voir p. 564-565 et p. 590-591

Une architecture de style européen à Fuzhou

Fuzhou ❺

福州

250 km au nord de Xiamen.
6 500 000.
128 Wusi Lu, (0591) 8763 6250.

Au bord de la rivière Min (Minjang), la capitale du Fujian possède une très ancienne tradition maritime et fut au cœur d'un commerce lucratif de thé et de sucre, puis de coton, de laques et de céramiques. Quand Marco Polo s'y rendit au XIIIe siècle, il releva qu'elle abritait une garnison de troupes impériales.

La **place Wuyi** ornée d'une statue de Mao Zedong constitue le centre de la ville. Au nord, la pagode Blanche (**Baita**) date du Xe siècle. À l'ouest, la pagode du Corbeau (**Wuta**) en granite noir est encore plus ancienne. Non loin, le **temple ancestral de Lin Zexu** rend hommage au fonctionnaire de la dynastie Qing à l'origine de la première guerre de l'Opium *(p. 67)* par son opposition au commerce de cette drogue. Plus au nord, le temple **Kaiyuan** renferme un bouddha en fer datant de la dynastie Tang. À l'ouest s'étend le parc du lac de l'Ouest (Xihu Gongyuan) où le **musée de la Province du Fujian** conserve un cercueil-bateau vieux de 3 500 ans.

Cangshan, au sud de la rivière, abritait jadis la colonie des résidents étrangers. Un quartier moderne occupe l'**île Zhongzhou**. À environ 10 kilomètres à l'est de la ville, la montagne du Tambour (**Gushan**) permet de belles promenades et la visite du temple de la Source qui jaillit (**Yongquan Si**), très bien restauré, fondé en 908.

Musée de la Province du Fujian
92 Hutou Jie. ***Tél.*** *(0591) 8375 7627.*
mar.-dim. de 9h à 16h30.
Yongquan Si *t.l.j.*

Wuyi Shan ❻

武夷山

230 km au nord-ouest de Fuzhou.
puis bus 6. *jusqu'à la ville de Wuyi Shan (Wuyi Shan Shi), puis bus 6 jusqu'au parc.*
35 Guanjing Lu, (0599) 525 0380.

Dans une région réputée pour son thé Oolong, les magiques monts Wuyi offrent certains des plus beaux paysages de Chine méridionale. Explorés par l'empereur Wudi de la dynastie des Han, qui régna de 141 à 87 av. J.-C., ils servirent pendant des siècles de lieu de retraite et de méditation à des mystiques, des artistes et des lettrés. Une riche végétation couvre les flancs des « Trente-Six Pics » aux silhouettes pittoresques nimbées de brume.

Le meilleur moyen de découvrir les Wuyi Shan consiste à descendre la rivière des Neuf Méandres (**Qiuqu Xi**) en radeau de bambou. Au-dessus du quatrième méandre, haut sur la falaise, subsistent les vestiges de mystérieux cercueils vieux de 3 000 ans. Taillés dans du cèdre, ils avaient une longueur de 5 mètres et contenaient chacun une momie enroulée dans la soie et le chanvre. Plusieurs sentiers conduisent au sommet des monts. Le plus difficile gravit le **Da Wang Feng** de forme tabulaire. Il est plus aisé de monter sur le **Tianyou Shan**, réputé pour les levers de soleil. Le point culminant, le **Sanyang Feng**, atteint une hauteur de 718 mètres. Un chemin conduit aussi à la cascade de **Shuilian Dong** et à sa maison de thé.

L'ART DU LAQUE

Tiré de la sève d'un arbre, *Rhus verniciflua*, le laque est un vernis utilisé en Chine depuis plus de 3 000 ans. Il offre l'avantage de durcir même dans des conditions humides. Il a d'abord servi à protéger du bois, puis des objets comme des harnais et des armes. Le décor s'est enrichi sous la dynastie des Yuan, quand les artisans ont pris l'habitude de le graver avant son complet durcissement, puis de le parer d'incrustations d'or, d'argent ou de nacre. Une technique apparue à Fuzhou consiste à enduire de laque des couches de tissu posées sur un moule qui est ensuite retiré.

Paravent en laque

L'histoire du thé

Selon la légende, les Chinois boivent du thé *(cha)* depuis plus de 5 000 ans. Aujourd'hui devenu un élément indispensable de leur vie quotidienne, il était à l'origine consommé bouilli comme un fortifiant qui se présentait sous forme de poudre ou de galettes compactées. Sa culture s'est répandue depuis le Sichuan dans toutes les régions du pays possédant un climat chaud et humide, en particulier le Fujian, le Yunnan et le Zhejiang. Malgré leur nombre, toutes les variétés appartiennent à la même espèce végétale : *Camellia sinensis*. Ce sont des procédés de fermentation qui donnent leurs différences d'aspect et de goût aux thés verts, noirs et Oolong. Le terrain influe aussi sur les saveurs. Il existe également de nombreux thés parfumés *(huacha)*. Les Chinois n'ajoutent ni lait ni citron à l'infusion, et ils ne la sucrent que dans les régions musulmanes du Nord-Ouest. Les Tibétains la boivent salée et l'enrichissent de beurre, rance de préférence.

Réclame allemande de 1908

Shen Nong, *empereur mythique qui aurait recommandé à son peuple de toujours faire bouillir l'eau avant de la boire, serait à l'origine de la découverte des vertus du thé : quelques feuilles seraient tombées d'un arbre dans la boisson qu'il se préparait.*

Sous la dynastie Tang, *on buvait du thé dans tout l'empire. Au* VIIIe *siècle, des marchands commandèrent à Lu Yu un ouvrage expliquant les vertus du breuvage. Il écrivit le* Cha Jing, *ou* Classique du thé, *rassemblant les connaissances de l'époque sur le sujet.*

Parmi les Européens, *le thé séduisit tout d'abord des Portugais. Les Hollandais furent toutefois les premiers à en faire le commerce. Il devint un enjeu économique important quand la mode se répandit aux Pays-Bas et en Angleterre à la fin du* XVIIe *siècle. Les Britanniques prirent alors le contrôle de son négoce.*

Des magasins de thé haut de gamme *abondent dans les grandes villes. On peut y acheter, et parfois déguster, des spécialités très prisées comme le* tie guanyin, *un Oolong du Fujian.*

Des plantations de thé, *souvent en terrasses, s'étendent dans le Sud, à flanc de colline. Les arbustes permettent jusqu'à cinq cueillettes par an, que l'on continue d'effectuer principalement à la main, bien que des procédés mécaniques commencent à se répandre.*

GUANGDONG ET HAINAN

La pointe sud de la Chine continentale n'a pleinement intégré l'Empire du Milieu qu'au XIIe siècle, après que s'y furent établis un grand nombre de colons Han venus du Nord. La région devint elle-même une terre d'émigration, et les coolies partis outre-mer gagner de quoi subsister ont fait connaître au monde entier sa cuisine. Le Guangdong a pour capitale Canton (Guangzhou), immense métropole cosmopolite au cœur du delta de la rivière des Perles (Zhu Jiang), l'un des plus longs fleuves de Chine. La cité devint le principal port ouvert aux Européens au XVIIe siècle, puis l'un des grands enjeux des guerres de l'Opium (1840-1842, 1856-1858). Comme Zhuhai et Shenzhen, à la frontière avec Hong Kong, elle possède le statut de zone économique spéciale. Malgré un développement récent quelque peu anarchique, elle conserve d'intéressants témoignages de sa riche histoire. Moins fréquenté, l'intérieur des terres renferme de beaux sites naturels.

L'île de Hainan n'a acquis le statut de province autonome qu'en 1988, lorsqu'elle est devenue, elle aussi, une zone économique spéciale. Elle possède un climat et une végétation tropicaux et culmine à 1 876 mètres d'altitude au mont Wuzhi. Elle compte plus de sept millions d'habitants, dont un million de membres de l'ethnie Li, qui conserve sa langue et ses traditions. Hôtels et restaurants se sont multipliés le long des belles plages de sable du littoral méridional, près de la ville de Sanya.

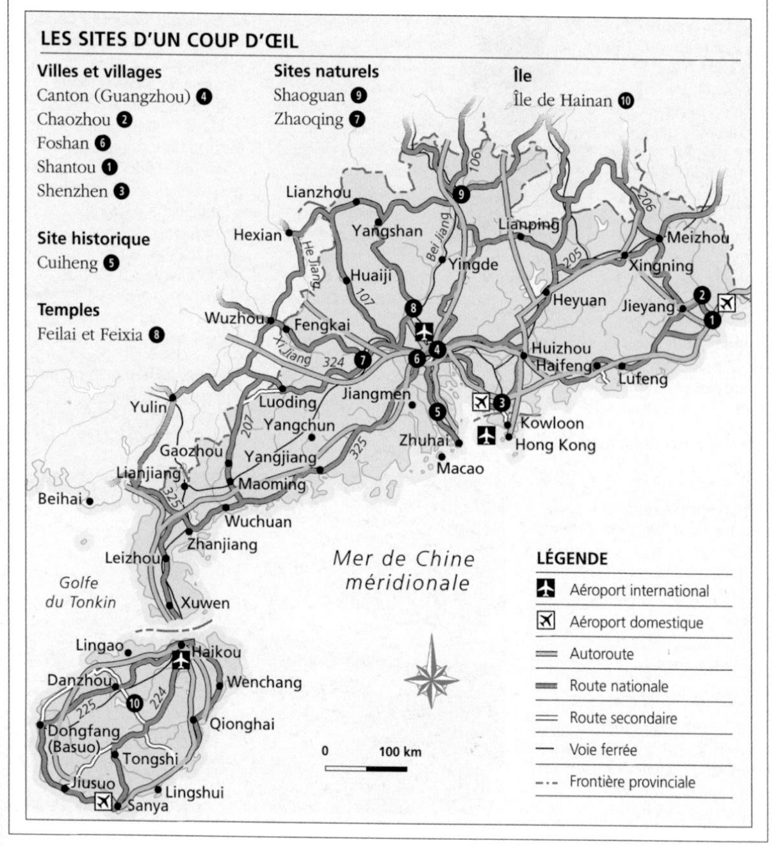

◁ **Sur la plage, raccommodage de filets de pêche, île de Hainan**

Forteresse du Shipaotai Gongyuan, Shantou

Shantou ❶

汕头

360 km à l'est de Canton.
4 130 000.
41 Shanzhang Lu, (0754) 862 6646.

Cet ancien village de pêcheurs doit à sa situation sur l'estuaire de la rivière Han d'être devenu en 1858 un port ouvert aux négociants étrangers sous le nom, pour les Européens, de Swatow. Possédant le statut de zone économique spéciale depuis 1980, Shantou offre un visage essentiellement moderne. La vieille ville conserve néanmoins quelques sites d'intérêt comme le **Tianhou Gong**.

Des sculptures expressives ornent ce temple fondé en 1879, et depuis restauré. Non loin, les vestiges de résidences et entrepôts coloniaux bordent **Anping Lu**. À l'est, sur le front de mer, le parc **Shipaotai Gongyuan** renferme une forteresse des années 1870.

Shipaotai Gongyuan
Haibin Lu. ***Tél.*** *(0754) 681 1552.*
de 7h30 à 23h t.l.j.

Tianhou Gong
Shengping Lu. ***Tél.*** *(0754) 845 3120.* *t.l.j.*

Chaozhou ❷

潮州

350 km à l'est de Canton.
2 360 000.

Cette ville historique connut une période brillante pendant la dynastie Ming, mais son opposition au régime mandchou déchaîna le massacre de près de 100 000 personnes au XVIIe siècle. Elle entra en déclin, puis misère et famines provoquèrent au XIXe siècle une émigration de masse.

Hauts de 7 mètres, les vestiges des **remparts Ming** courent le long de la rivière Han. Ils forment la limite orientale du quartier ancien qui s'étend à l'ouest jusqu'à Huangcheng Lu. L'histoire de la ville y reste vivante dans des rues comme Zhongshan Lu et Jiadi Xiang, bordées d'édifices bien conservés. Au nord de Jiadi Xiang, le **temple Kaiyuan** fondé en 738 reste un lieu de culte bouddhiste actif. Il renferme de jolies cours et plusieurs salles. L'une d'entre elles possède un splendide plafond voûté. Depuis l'imposante **tour de la porte Guangji** (Guangjimen Ta), dont les origines remontent au règne de Taizu (1368-1398), un escalier conduit à un chemin courant au sommet des fortifications. Sur l'autre rive de la Han, le **temple Hanwen** date du Xe siècle. En aval se dresse la décrépie **pagode du Phénix** (Fenghuang Ta), qui remonte, elle aussi, à la dynastie Ming.

Porte Guangji, Chaozhou

Kaiyuan Si
Kaiyuan Lu. *t.l.j.*

Shenzhen ❸

深圳

100 km au sud-est de Canton.
1 100 000.
depuis Hong Kong et Macao.
1064 Yanhe Lu, (0755) 8232 6437.

À la frontière avec Hong Kong, l'une des premières zones économiques spéciales créées dans le cadre des réformes engagées par Deng Xiaoping dans les années 1980 n'a plus rien du village qu'elle était à l'époque. C'est aujourd'hui un important centre d'affaires et une plaque tournante pour les transports. Plusieurs parcs à thème, curieux ou kitsch, ont ouvert à sa périphérie occidentale. **Splendid China** et **Window on the World** renferment des modèles réduits d'édifices célèbres comme la Grande Muraille et la tour Eiffel, ainsi que de nombreux magasins de souvenirs. **Folk Culture China** propose les reconstitutions d'habitats de minorités ethniques et présente des spectacles de danses traditionnelles. À l'est de Shenzhen, à Shatoujiao, **Minsk World** permet de visiter un ancien porte-avions soviétique.

Parcs à thème Shenzhen
Autoroute de Guangshen, Shenzhen Bay. *t.l.j.*
Minsk World *t.l.j.*

Sur le pont du porte-avions russe de Minsk World, Shenzen

Pour les hôtels et les restaurants de la région, voir p. 565-566 et p. 591

Sun Yat-sen

Considéré comme le père de la Chine moderne, Sun Yat-sen a joué un rôle essentiel dans sa transition d'un régime impérial à la république. Né au Guangdong en 1866, il étudie à Hawaii à partir de 1877 avant d'obtenir un diplôme de médecine à Hong Kong. Influencé par la rébellion des Taiping *(p. 422)*, il fomente un soulèvement à Canton en 1895. Son échec le contraint à l'exil et il passe 15 ans à l'étranger, s'employant à réunir des fonds pour sa cause. Il est aux États-Unis en 1911 quand s'effondre la dynastie des Qing. Nommé président de la République fondée en 1912, il doit très vite s'effacer au profit du chef des armées et meurt en 1925 sans avoir accompli son rêve : instaurer un gouvernement indépendant capable de donner son unité au pays.

Mariage avec Song Qingling, 1915

« Le monde appartient à tous » *est un slogan résumant les opinions de Sun qui défendait les « trois principes du peuple » : nationalisme, démocratie et bien-être du peuple.*

Sun Yat-sen *au travail dans son bureau de Canton, d'où il s'efforçait de créer les conditions ouvrant la voie à une Chine unie et démocratique.*

Chiang Kai-shek *(debout) épousa également une sœur Song (p. 198). Il s'appuya sur les théories de Sun pour justifier une dictature militaire.*

Négociations de formation *d'un nouveau gouvernement en 1911, avant que Sun Yat-sen (le deuxième à partir de la gauche) ne devienne président. Il dut céder sa place à Yuan Shikai, qui relança la guerre civile en se proclamant empereur en 1913.*

Photographié ici *en généralissime en 1922, Sun Yat-sen fonda un gouvernement militaire à Canton, base de la révolution nationaliste.*

Pour la fête nationale, *des portraits de Sun Yat-sen voisinent avec ceux de Marx et Engels sur la place Tian'an men. Ses liens avec le Guomindang et son antipathie pour la guerre des classes ne l'empêchent pas d'être vu comme un révolutionnaire qui a ouvert la voie au communisme.*

Canton (Guangzhou) ❹

广州

Luohan en bronze, Hualin Si

Une fiévreuse animation règne dans les rues, dans les temples rouverts au culte et sur le marché de la capitale du Guandong. Cette grande métropole en plein essor, dont l'infrastructure s'est beaucoup améliorée, conserve quelques sites historiques, dont un tombeau des rois Yue du Sud, vieux de plus de 2 000 ans. Canton possède une longue tradition cosmopolite. Pendant la dynastie Tang, ses liens commerciaux avec de nombreuses régions d'Asie lui valurent d'accueillir une communauté musulmane relativement importante. Elle devint ensuite le principal port d'accès à la Chine des négociants européens. Leurs demeures subsistent sur l'île de Shamian.

Épices et denrées alimentaires en vente au marché Qingping

Ancien marché Qingping

Qingping Lu. *Huang Sha.* *t.l.j.*

En face de l'île de Shamian *(p. 300-301)*, l'un des plus grands et des plus célèbres marchés de Chine a perdu un peu de son animation depuis l'épidémie de SRAS. On continue toutefois d'y trouver les exotiques ingrédients de la pharmacopée chinoise, des épices, des fruits et légumes, des fruits de mer séchés, des céréales, du poisson, de la viande et des animaux vivants. Les visiteurs les plus sensibles n'apprécient pas toujours ce qu'ils y voient.

Hualin Si

Près de Changshou Lu.
Tél. *(020) 8139 6228.*
Changshou Lu. *t.l.j.*

Fondé en 526, le temple bouddhiste le plus fréquenté de la ville compte parmi les nombreux lieux de culte visités par Bodhidharma, le fondateur indien du bouddhisme chan *(p. 159)*. La salle principale abrite 500 images de *luohan*, ou *arhat*. L'une des statues représenterait Marco Polo coiffé d'un grand chapeau.

Marques de dévotion, Hualin Si

Cathédrale du Sacré-Cœur

56 Yide Lu. *Haizhu Guangchang.*

Shishi Jiaotang, la cathédrale catholique, dresse vers le ciel deux flèches jumelles hautes de 58 mètres. Les Français l'édifièrent dans le style néogothique entre 1863 et 1888 sur un terrain accordé en « dédommagement » après la deuxième guerre de l'Opium. Le clocher renferme quatre grandes cloches en bronze fondues en France.

Institut national du mouvement paysan

42 Zhongshan Lu. **Tél.** *(020) 8387 3066.* *Nongjiang Suo.*
mar.-dim. de 9h à 16h.

Cet ancien temple confucéen de l'époque Ming devint en 1924 un centre de formation au communisme. Mao Zedong et Zhou Enlai *(p. 250)* eux-mêmes vinrent y donner des cours à des paysans. L'école ferma en 1927 après le soulèvement du Guangdong, réprimé dans le sang par le général Chiang Kai-shek *(p. 66)*. Le bâtiment abrite aujourd'hui un musée qui retrace le passé révolutionnaire de Canton.

Jardins du palais des Yue du Sud

Zhongshan Lu. *Nongjiang Suo.*
de 9h à 12h et de 14h30 à 17h30. t.l.j.

Sur ce site extraordinaire ont été mis au jour les jardins qui entouraient le palais de Zhao Tuo, le fondateur du royaume des Yue du Sud *(p. 300)*. Originaire de la province du Hebei et général au service des Qin, il établit son propre État après la chute de la dynastie et s'autoproclama empereur. Un sentier en surplomb passe devant les principaux vestiges. Au nord-est, on distingue un étang artificiel et un ruisseau ornemental ; l'angle sud-ouest abrite les traces d'un chantier naval encore plus ancien. Un petit musée expose des dalles de pierre, des piliers et des tuiles. Beaucoup portent l'inscription « Panyu », l'ancien nom de Canton.

Mosquée Huaisheng

56 Guangta Lu. *Xi Men Kou.* *seul. aux musulmans.*

Fondé par Abu Waqas *(p. 300)* sous la dynastie Tang, ce lieu de culte compte parmi les plus anciens de Chine, mais, en dehors de son minaret, il est pour l'essentiel de construction récente. Il conserve de nombreuses stèles de pierre.

Temple de la Brillante Piété filiale

109 Guangzhou Lu. ***Tél.*** *(020) 8108 8235.* *Xi Men Kou.* *t.l.j.*

Sanctuaire bouddhiste fondé au IVe siècle, l'agréable Guangxiao Si occupe l'emplacement du palais du dernier des rois Nan Yue. Il reçut vers 520 la visite de Bodhidharma, le moine indien à l'origine de l'école de méditation *chan* (appelée zen au Japon). Il ne subsiste aucun des bâtiments d'origine et les édifices actuels datent pour la plupart du XIXe siècle. La salle principale abrite plusieurs images du Bouddha ainsi qu'une collection de statuettes d'origines diverses. Trois pagodes très anciennes se dressent derrière. Celle du centre fut élevée en 676 sur un des cheveux de Huineng (638-713), le sixième patriarche *chan* qui reçut la tonsure au temple. Les deux autres, en métal, datent du Xe siècle.

Pagode du Guangxiao Si

Temple des Six Banians

Liurong Lu. ***Tél.*** *(020) 8339 2843.* *Go Ngyuan Qian.* *de 7h30 à 17h. t.l.j.*

Fondé en 537, le Liu Rong Si aurait reçu d'Inde des cendres du Bouddha que l'on aurait enchâssées dans la pagode des Fleurs (Huata). Reconstruite en 1097, elle atteint 57 mètres et donne l'impression de ne posséder que 9 niveaux, rez-de-chaussée compris. Elle en compte en réalité 17. Oiseaux, insectes et lions sculptés couvrent les avant-toits en bois. Au sommet, les reliefs de personnages en méditation décorent un immense pilier de bronze.

La salle des Six Patriarches renferme une effigie en bronze de Huineng. Fondue en 989, elle rappelle que le temple, alors dédié à la Sagesse purificatrice, était l'un des grands centres de l'école *chan*. C'est le poète Su Shi *(p. 304)* qui lui aurait donné son nom actuel. Les arbres qui l'inspirèrent ont disparu, mais les caractères signifiant *liu rong* restent gravés au-dessus de l'entrée.

MODE D'EMPLOI

150 km au nord-ouest de Hong Kong. *6 660 000.* *gare centrale et gare de l'Est.* *gare routière provinciale, gare de Liuhua et gare routière de Tianh.* *pour Hong Kong depuis le port de Nanhai.* *179 Huanshi Xi Lu, (020) 8666 6889.*

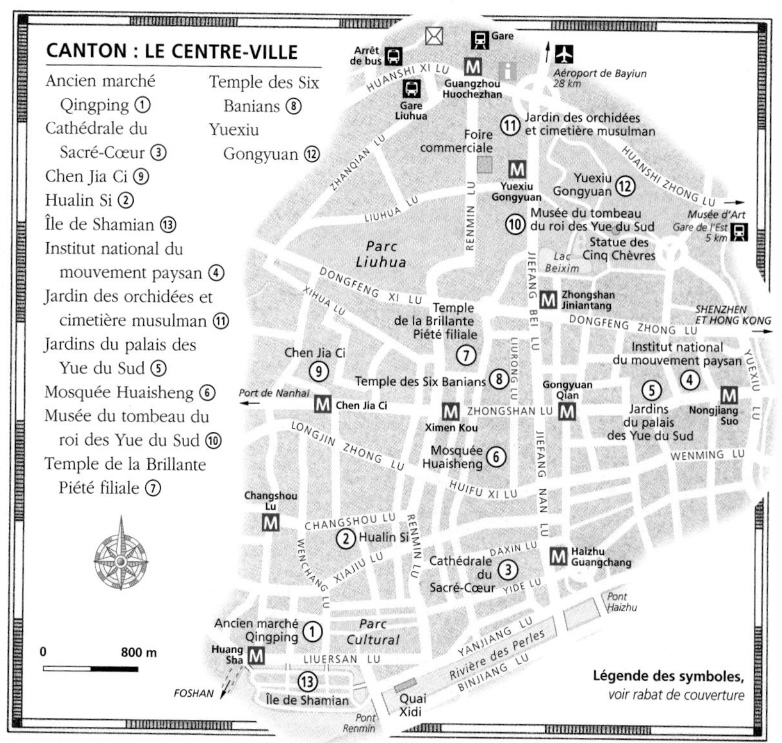

Temple des Ancêtres de la famille Chen

34 Enlongi Lu. Ⓜ *Chen Jia Ci.*
de 8h30 à 17h30 t.l.j.
Construit à la fin du XIXe siècle par une riche famille de marchands, le vaste sanctuaire du Chen Jia Ci associe des éléments architecturaux chinois, japonais et européens. Il possède une riche décoration sculptée : depuis les toits, guerriers et créatures fantastiques dominent des scènes inspirées de la mythologie ou de l'opéra. Les salles abritent les collections d'art populaire du musée du Folklore et de l'Artisanat du Guangdong.

Bas-relief, temple des Ancêtres de la famille Chen

Musée du tombeau du roi des Yue du Sud

867 Jiefang Bei Lu. ***Tél.*** *(020) 8666 4920.* Ⓜ *Yuexiu Gongyuan.* *de 9h à 17h30, dern. entrée 16h45 t.l.j.*
La mise au jour du tombeau intact de Zhao Mei, le petit-fils de Zhao Tuo *(p. 298)*, a compté parmi les découvertes archéologiques majeures des années 1980.

Un musée attenant à la sépulture, aujourd'hui vide, présente les quelque 1 000 objets retrouvés à l'intérieur, dont le linceul de jade qui enveloppait le corps du souverain, des amulettes, des bijoux, des armes, de la vaisselle de jade et des instruments de musique. Une vidéo en français retrace le déroulement des fouilles en 1983.

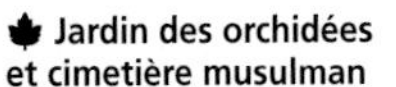

Jardin des orchidées et cimetière musulman

Jiefang Bei Lu. Ⓜ *Yuexiu Gongyuan.*
de 8h à 18h t.l.j.
Bambous, pavillons et plans d'eau agrémentent ce charmant jardin à la chinoise. Des serres abritent les orchidées, à admirer à la fin de l'hiver et au début du printemps. Le cimetière qui borde le jardin renfermerait

L'île de Shamian

沙面岛

L'ancienne concession franco-britannique de Canton n'occupe en fait guère plus qu'un banc de sable de 800 mètres de long. Le gouvernement chinois n'autorisa les négociants étrangers à sortir de leurs entrepôts qu'à compter de 1861, après sa défaite lors de la deuxième guerre de l'Opium. Les Français s'installèrent à l'est, les Britanniques à l'ouest, et les rues s'emplirent de villas et d'édifices publics de styles victorien et Second Empire. Calme et verdoyant, le quartier conserve une atmosphère très particulière. L'accès en resta très longtemps interdit aux Chinois.

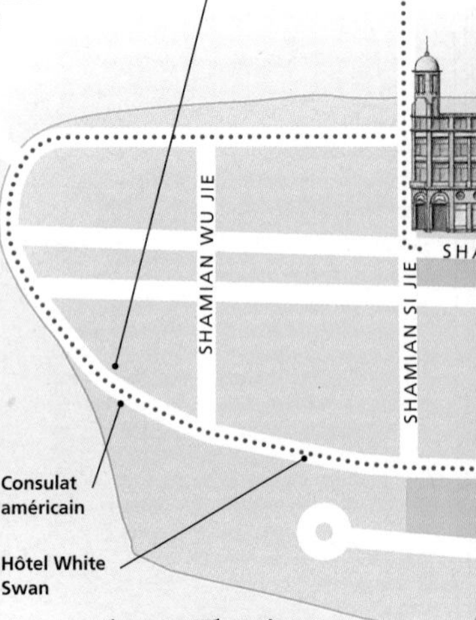

La Christ Church était l'église protestante de la communauté britannique.

Consulat américain

Hôtel White Swan

Canons du parc Shamian
Fabriqués dans la ville voisine de Foshan, les deux canons du Shamian Gongyuan servirent pendant les guerres de l'Opium (milieu du XIXe siècle).

Pour les hôtels et les restaurants de la région, voir p. 565-566 et p. 591

le tombeau d'Abu Waqas, l'oncle du Prophète à qui est attribuée l'introduction de l'islam en Chine. Fermé aux non-musulmans, il peut être vu à travers un écran.

Parc Yuexiu

Jiefang Bei Lu. M *Yuexiu Gongyuan.*
D'une superficie de 90 hectares, le Yuexiu Gongyuan compte parmi les plus vastes jardins municipaux de Chine. Huanshi Zhong Lu et Qingyuan Lu le traversent. Le bâtiment le plus remarquable se trouve au sud, près de Dongfeng Zhong Lu. Le **mémorial de Sun Yat-sen** achevé en 1931 dans le style traditionnel se distingue par un élégant toit de tuiles bleues.

Dans la partie centrale du parc, la **statue des Cinq Chèvres** illustre une légende sur la fondation de Canton. Cinq immortels descendus du ciel sur des chèvres auraient distribué du riz pour indiquer que la ville ne connaîtrait pas la famine.

Mémorial de Sun Yat-sen, parc Yuexiu

Non loin, le **musée municipal** occupe une tour de guet du XVIIe siècle, la Zhenhai Lou, dernier vestige des anciennes fortifications. Il présente sur cinq niveaux quelque 1 200 pièces couvrant une période allant de 4 000 av. J.-C. à aujourd'hui. Elles comprennent une brochure chrétienne qui inspira la rébellion des Taiping *(p. 422).*

Musée d'Art

13 Luhu Lu. ***Tél.*** *(020) 8365 9337.*
lun.-ven. de 9h à 17h, sam.-dim. de 9h30 à 16h30.
Un bâtiment contemporain abrite de riches collections de peintures et de sculptures chinoises. La collection permanente comprend des dessins du caricaturiste Liao Bingxiong, attaqué en 1958 pour ses tendances droitières.

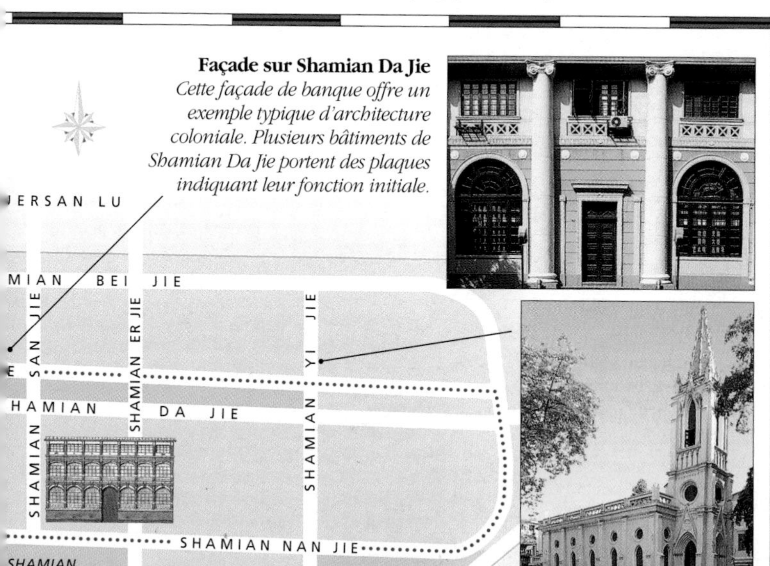

Façade sur Shamian Da Jie
Cette façade de banque offre un exemple typique d'architecture coloniale. Plusieurs bâtiments de Shamian Da Jie portent des plaques indiquant leur fonction initiale.

Notre-Dame-de-Lourdes
L'ancienne église catholique de la communauté française abrita une usine pendant la Révolution culturelle.

Chambre à coucher de la résidence de Sun Yat-sen, Cuiheng

Cuiheng ❺
翠亨

30 km à l'est de la ville de Zhongshan.
depuis Zhongshan et Zhuhai.

Le district de Zhongshan, situé à 90 kilomètres au sud de Canton, s'enorgueillit d'être le lieu où vit le jour Sun Yat-sen *(p. 297)*, né le 12 novembre 1866 dans le village de Cuiheng. L'homme politique portait d'ailleurs également pour nom « Sun Zhongshan » en mandarin. La maison de style portugais où il vécut avec ses parents entre 1892 et 1895 est désormais intégrée à un jardin mémorial consacré à sa vie. Les visiteurs peuvent aussi pénétrer non loin dans d'autres maisons, restaurées, datant de la même période.

Résidence de Sun Yat-sen
Cuiheng Dadao. ***Tél.** (0760) 550 1878.* *de 9h à 17h t.l.j.*

Foshan ❻
佛山

28 km au sud-ouest de Canton.
3 210 000. *minibus depuis Canton.* *14 Zumiao Lu, (0757) 8222 3828.*

Foshan est réputée depuis la dynastie Song pour ses céramiques, des figurines bleu pâle. Adressez-vous à l'office du tourisme si vous souhaitez visiter une fabrique. L'**Atelier d'art populaire de Foshan** offre un aperçu plus large de l'artisanat local. Il occupe un ancien temple Ming, le Renshou Si, dans les quartiers sud. Non loin, le **Zuci Miao** est un ancien sanctuaire taoïste fondé en 1080.

Son exubérante décoration en céramique provient de la ville voisine de Shiwan. Elle comprend des scènes d'opéra et de légendes. Près de la porte d'entrée, un jardin renferme des canons utilisés contre les Britanniques pendant les guerres de l'Opium.

Ornement de toit du Zuci Miao, Foshan

Atelier d'art populaire de Foshan
Zumiao Lu. *t.l.j.*

Zuci Miao
21 Zumiao Lu. *de 8h30 à 19h30 t.l.j.*

Zhaoqing ❼
肇庆

110 km à l'ouest de Canton.
3 680 000. *pour Hong Kong.* *Duanzhou Wu Lu, (0758) 222 9908.*

C'est dans cette ville séduisante que résida le missionnaire jésuite Matteo Ricci à la fin du XVIe siècle avant d'être invité à Pékin par l'empereur Ming Wanli. On s'y rend aujourd'hui pour le site naturel des **pics des Sept Étoiles** (Qixing Yan), à 2 kilomètres au nord. En bordure d'un lac, ses rochers calcaires reproduisent par leur disposition la constellation de la Grande Ourse. Un réseau de ponts et de passerelles permet de partir à leur découverte.

Zhaoqing abrite également la **Chongxi Ta**, la plus haute pagode du Guangdong. Construite sous la dynastie Ming, elle domine le cours du Xi Jiang. Les anciens **remparts** restent debout sur Jianshe Lu, tandis que, dans les faubourgs occidentaux, le **monastère de la Prune** (Meian) fondé en 996 est associé à Huineng, le sixième patriarche du bouddhisme *chan*.

Un court trajet en bus, au nord de la ville, mène à la réserve boisée du **Dinghu Shan**. De nombreux sentiers de promenade la parcourent.

Pics des Sept Étoiles
***Tél.** (0758) 227 7724.*
de 7h30 à 17h30 t.l.j.

Tour Piyun des remparts de Zhaoqing

Pour les hôtels et les restaurants de la région, voir p. 565-566 et p. 591

Entrée du Feilai Gusi au bord de la Bei Jiang

Feilai et Feixia ❽
飞来 和 飞霞

85 km au nord-ouest de Canton.
jusqu'à Qingyuan. **Temples de Feilai et Feixia** *départ t.l.j. à 8h de Qingyuan.*

Ville de marché animée, Qingyuan est le point d'accès à deux temples qui ne peuvent être rejoints qu'en bateau au bord de la Bei Jiang. Les vedettes partent tôt le matin et rentrent dans l'après-midi. En cours de route, elles croisent des sampans où des cormorans semblent trôner à la proue. Ces oiseaux sont en fait entraînés à pêcher pour leurs maîtres.

Fondé il y a environ 1400 ans, le premier temple, **Feilai Gusi**, se dresse sur la rive abrupte d'une gorge. Depuis le débarcadère, un escalier grimpe jusqu'à son portail ouvragé. Les édifices actuels remontent principalement à la dynastie Ming. Un pavillon moderne ménage un superbe panorama de la Bei Jiang, la « rivière du Nord », un affluent du Xi Jiang long de 64 kilomètres. Un peu plus loin dans la gorge, le **Feixia Gusi** réunit deux sanctuaires taoïstes de la fin du XIXe siècle : Feixia et Cangxia. Une enceinte élégante entoure les salles et édifices en pierre du premier, bien plus vaste que Feilai. En haut de la colline, Cangxia a beaucoup souffert de la Révolution culturelle. Il est en cours de restauration. Ses fresques méritent qu'on fasse l'effort de les découvrir.

Shaoguan ❾
韶关

200 km au nord de Canton.

La ville de Shaoguan elle-même a peu à offrir aux visiteurs en dehors de la Fengcai Lou, la reconstruction d'une porte de l'enceinte fortifiée, et du monastère Dajian Chan fondé en 660. Trois sites dignes d'intérêt se trouvent toutefois à proximité. À 25 kilomètres au sud-est, le **temple de la Fleur du sud** (Nanhua Si) fondé en 502 doit sa renommée à son lien avec Bodhidharma. Il y médita 36 ans. L'une des salles contient une sculpture à son image qui aurait été tirée d'un moulage de sa dépouille. Une autre renferme la statue d'un moine marchant sur des échasses. Le clocher abrite une grande cloche en bronze vieille de sept siècles.

Statue d'un moine marchant sur des échasses, Nanhua Si

À environ 50 kilomètres au nord-est de la ville, le parc du **Danxia Shan** possède une superficie de 290 km² sur les rives de la Jin. Des sentiers conduisent vers plusieurs affleurements rocheux pittoresques. Les visiteurs peuvent continuer le long de la rivière en bateau ou en bus jusqu'au mont Danxia lui-même. Il doit son nom de « Nuage rouge » à la couleur de ses falaises en grès. Des monastères à flanc de colline bordent les chemins.

À une vingtaine de kilomètres au sud de Shaoguan, on a retrouvé des vestiges d'*Homo erectus* dans la grotte **Shizi Yan**. Un musée expose des têtes de flèche et d'autres objets issus de sites préhistoriques des environs.

Nanhua Si
7h30-17h30 t.l.j.

Danxia Shan
t.l.j.

Shizi Yan
t.l.j.

L'île de Hainan ⓾

海南

La plus vaste île de Chine a fait partie de l'Empire du Milieu dès la dynastie Han et a servi de lieu de bannissement jusqu'au milieu du XXe siècle. Les Li qui la peuplent depuis 2 000 ans menaient une vie de chasseurs-cueilleurs dans les années 1930. Hainan a obtenu le statut de province autonome et de zone économique spéciale en 1988, mais une désaffection des investisseurs a laissé partout des chantiers inachevés. Les hôtels se sont toutefois multipliés dans la région de Sanya aux belles plages tropicales. L'intérieur des terres offre de splendides paysages de montagnes. La côte orientale produit un café réputé.

Poissons mis à sécher à Xincun, sur la côte est

Haikou

480 km au nord de Sanya.

515 000. bateaux pour le continent depuis le quai de Xingang.

Port animé où convergent les principaux axes routiers, la capitale de l'île possède l'atmosphère d'une ville d'Asie tropicale. Au sud-est du centre, le **temple du Mémorial des Cinq Dignitaires** (Wugong Ci) date de 1889. Il rend hommage à un groupe de mandarins condamnés à l'exil pour leurs critiques du gouvernement. Une salle est dédiée à Su Dongpo, un poète qui connut le même sort entre 1097 et 1100.

À **Xiujang** se dresse une imposante fortification construite au XIXe siècle pour résister aux Français. Elle dissimule six grands canons reliés par des passages souterrains. Au sud-ouest se trouve le **tombeau de Hai Rui**, construit en 1589 à la mémoire d'un fonctionnaire de la dynastie Ming particulièrement apprécié du peuple pour son intégrité.

Tongshi et les montagnes du centre

Tongshi 416 km au sud-ouest de Haikou. *depuis Sanya et Haikou.*

Musée de la Nationalité *t.l.j.*

Les montagnes du centre méritent une visite pour leurs somptueux paysages et les minorités ethniques qui s'efforcent d'y garder vivantes leurs cultures. Capitale des gouvernements autonomes Li et Miao, **Tongshi** abrite le **musée de la Nationalité** qui illustre tous les aspects de l'histoire de Hainan. Dans la campagne aux alentours de la ville subsistent les vestiges de maisons et de granges traditionnelles Li. Ce peuple considère comme sacré le **Wuzhi Shan**, un mont de 1 860 mètres situé à 50 kilomètres au nord-est de Tongshi. Un agréable sentier de randonnée mène au sommet. Toujours au nord-est de Tongshi, **Qiongzhong** se distingue par la beauté de ses environs. Ils ont pour fleuron la cascade haute de 300 mètres du Baihua Shan.

Côte orientale

Wenchang 109 km au sud-est de Haikou.

Ferme tropicale des Chinois d'outre-mer

***Tél.** (0898) 6362 6257. t.l.j.*

Foyer ancestral des sœurs Song *(p. 198)*, dont Qingling et Meiling qui épousèrent les leaders révolutionnaires Sun Yat-sen et Chiang Kai-shek, **Wenchang** a pour principaux attraits les plages et les plantations de cocotiers de **Dongjiao Yelin**. À une centaine de kilomètres au sud, en périphérie de la localité de Wanning, le site de Dongshan Ling recèle des formations rocheuses aux formes curieuses. En continuant encore plus au sud, la ville de Xinglong est connue dans toute la Chine pour son café. Il est entre autre cultivé à la **Ferme tropicale des Chinois d'outre-mer**, où vivent quelque 20 000 expatriés revenus du Vietnam et d'autres pays d'Asie du Sud-Est. On peut également en déguster, ainsi que du thé, au **Jardin botanique tropical de Xinglong**, à 3 kilomètres au sud de la ville. Encore plus au sud, **Lingshui** est la capitale d'un district autonome où vivent de nombreux membres de l'ethnie Li. Celle-ci peuple l'île depuis au moins le IIIe siècle av. J.-C. Le Musée

Calligraphie à Dongshan Ling

Pour les hôtels et les restaurants de la région, voir p. 565-566 et p. 591

Plage de sable fin bordée de cocotiers sur la baie de Yalong

communiste rappelle que le premier gouvernement communiste de Chine fut créé sur Hainan en 1928. Beaucoup de ruelles ont conservé leur aspect du début du XXe siècle et des maisons et des commerces pittoresques les bordent. À 10 kilomètres au sud de Lingshui, **Xincun** abrite une importante population hakka *(p.290)*. Accessible en bateau et en téléphérique, l'île aux Singes doit son nom aux macaques du Guangxi qui la peuplent. Elle se prête à une promenade d'une journée.

Sanya et la côte sud

480 km au sud de Haikou.
440 000.

Les principales destinations touristiques de Hainan sont les plages tropicales proches de Sanya. À 3 kilomètres au sud-est, hôtels, restaurants et boutiques bordent celle de **Dadonghai**. La plus agréable s'étend à l'est. Elle offre 7 kilomètres de sable fin dans la **baie de Yalong**. À 25 kilomètres au nord-ouest, le rocher représenté sur le billet de deux yuans a rendu célèbre la plage de **Tanya Haijiao**. Un trajet de deux heures en bateau conduit à l'île **Ximao Zhou**, appréciée pour la randonnée et la plongée au tuba.

MODE D'EMPLOI

25 km au sud du Guangdong.
8 250 000. *navette train-ferry depuis Canton.*
depuis Beihai, Shenzhen et Canton. *17 Datong Lu, Haikou, (0898) 6675 7455.*
fête du San Yue San du peuple Li (3e jour du 3e mois lunaire).

Réserve naturelle de Jianfeng Ling

115 km au nord-ouest de Sanya.
jusqu'à Dongfang (Basuo) depuis Sanya, puis bus local. *t.l.j.*

De splendides itinéraires de promenade et de randonnée parcourent une forêt pluviale d'altitude où oiseaux et papillons abondent parmi les arbres, les fougères et les lianes.

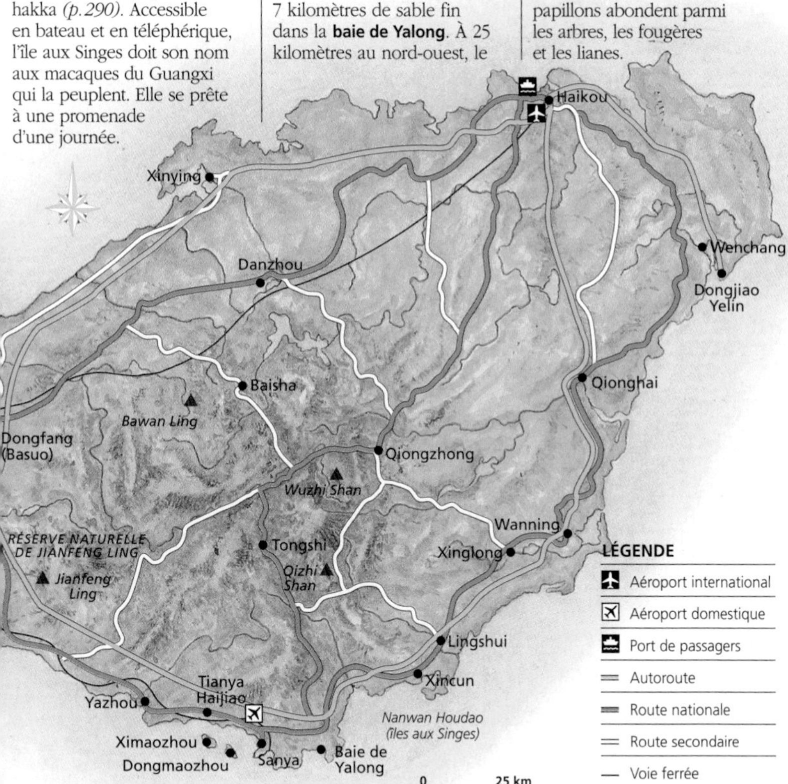

Bank of America
Bank of America

HONG KONG ET MACAO

Malgré leur petite taille et une histoire relativement courte pour la région, Hong Kong et Macao sont de riches et fascinantes curiosités. Elles doivent leurs particularités sans équivalent dans le monde au rôle pivot qu'elles jouèrent dans les échanges entre Orient et Occident, et au fait que Macao resta portugaise de 1557 à 1999, et Hong Kong britannique de 1841 à 1997.

En 1557, les Portugais qui venaient d'assainir la mer de Chine de ses pirates reçurent le droit de s'établir sur la presqu'île baptisée « A-Ma-Gao », la « baie de A-Ma », la déesse protectrice de la région. L'ancienne colonie est aujourd'hui un charmant havre où voisinent des demeures coloniales pastel et des casinos clinquants.

Au milieu du XIXe siècle, les Britanniques répondirent avec des canonnières aux tentatives chinoises de bloquer l'importation d'opium. En 1841, ils obtinrent la concession de l'île de Hong Kong pour y créer une base permanente. Jusqu'ici peuplée de quelques paysans et pêcheurs, l'enclave prospéra bientôt grâce à son port en eau profonde. Au sortir de la Seconde Guerre mondiale, et de quatre ans d'occupation par les Japonais, l'afflux de millions d'immigrants et l'élan fourni par des administrateurs coloniaux ambitieux nourrirent un formidable essor industriel. Des gratte-ciel commencèrent à s'élever. Au cours des dernières décennies du XXe siècle, la ville s'imposa comme le deuxième pôle financier d'Asie. Sa rétrocession à un état communiste ne lui a pas fait perdre ce rang et elle offre un spectacle toujours aussi saisissant. Une citation de l'auteur Pico Iyer résume bien l'impression reçue en contemplant Hong Kong Island depuis la presqu'île de Kowloon : « Un rêve de Manhattan émergeant de la mer de Chine méridionale. »

Spirales d'encens au temple taoïste Man Mo, Hong Kong

◁ Le Star Ferry écrasé par la masse des gratte-ciel modernes de Central, Hong Kong

À la découverte de Hong Kong et Macao

Le cœur de Hong Kong enserre le bras de mer de Victoria Harbour. Les grandes attractions culturelles et les principaux regroupements de commerces et de restaurants sont ainsi concentrés sur la rive nord de Hong Kong Island et autour de la pointe sud de la presqu'île de Kowloon. Entre Kowloon et la frontière avec le reste de la Chine s'étendent les cités dortoirs et les espaces naturels préservés des Nouveaux Territoires. Trois îles habitées, Lamma, Cheun Chau et Lantau, se trouvent à l'ouest de Hong Kong Island, en direction de Macao. Les deux anciennes colonies sont administrées comme des régions autonomes et un passeport reste nécessaire pour y entrer ou en sortir.

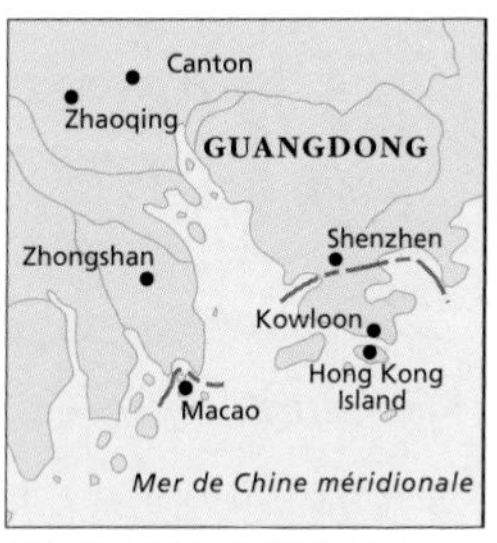

CARTE DE LOCALISATION

Voir carte p. 276-277

LES SITES D'UN COUP D'ŒIL

Sites historiques, quartiers et villes

Aberdeen 27
Causeway Bay 3
Central 1
The Escalator 8
Front de mer de Tsim Sha Tsui 13
Hollywood Road 9
Lan Kwai Fong 7
Macao p. 326-329 35
Nathan Road 15
Stanley 31
Walled Villages 24
Wan Chai 2

Musées

Hong Kong Heritage Museum 21
Hong Kong Museum of Art 14
Hong Kong Museum of History 17
Hong Kong Science Museum 16

Parcs, jardins et espaces naturels

Deep Water et Repulse Bay 29
Jardins zoologique et botanique de Hong Kong 5
Maclehose Trail 26
Marais de Mai Po 25
Ville de Sai Kung et plages de la péninsule 23
Victoria Peak p. 312-313 6

Temples et monastères

Hong Kong Life Saving Society 30
Man Mo Temple 10
Monastère des 10 000 Bouddhas 22
Wong Tai Sin Temple 20

Autres attractions

Champ de courses d'Happy Valley 4
Ocean Park 28
Star Ferry 12

Marchés

Marché aux oiseaux et aux fleurs 19
Marché de Temple Street et Jade Market 18
Marchés de Sheung Wan 11

Îles

Cheung Chau Island 33
Lamma Island 32
Lantau Island 34

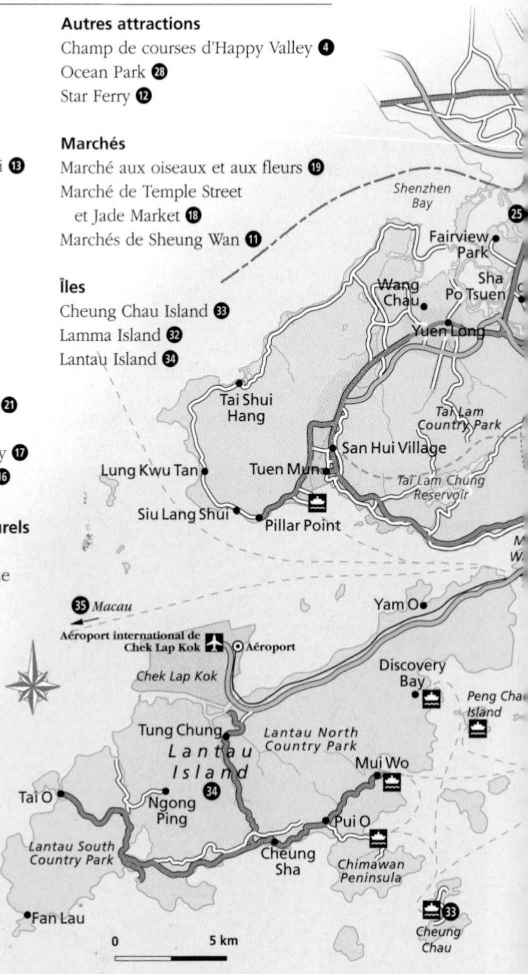

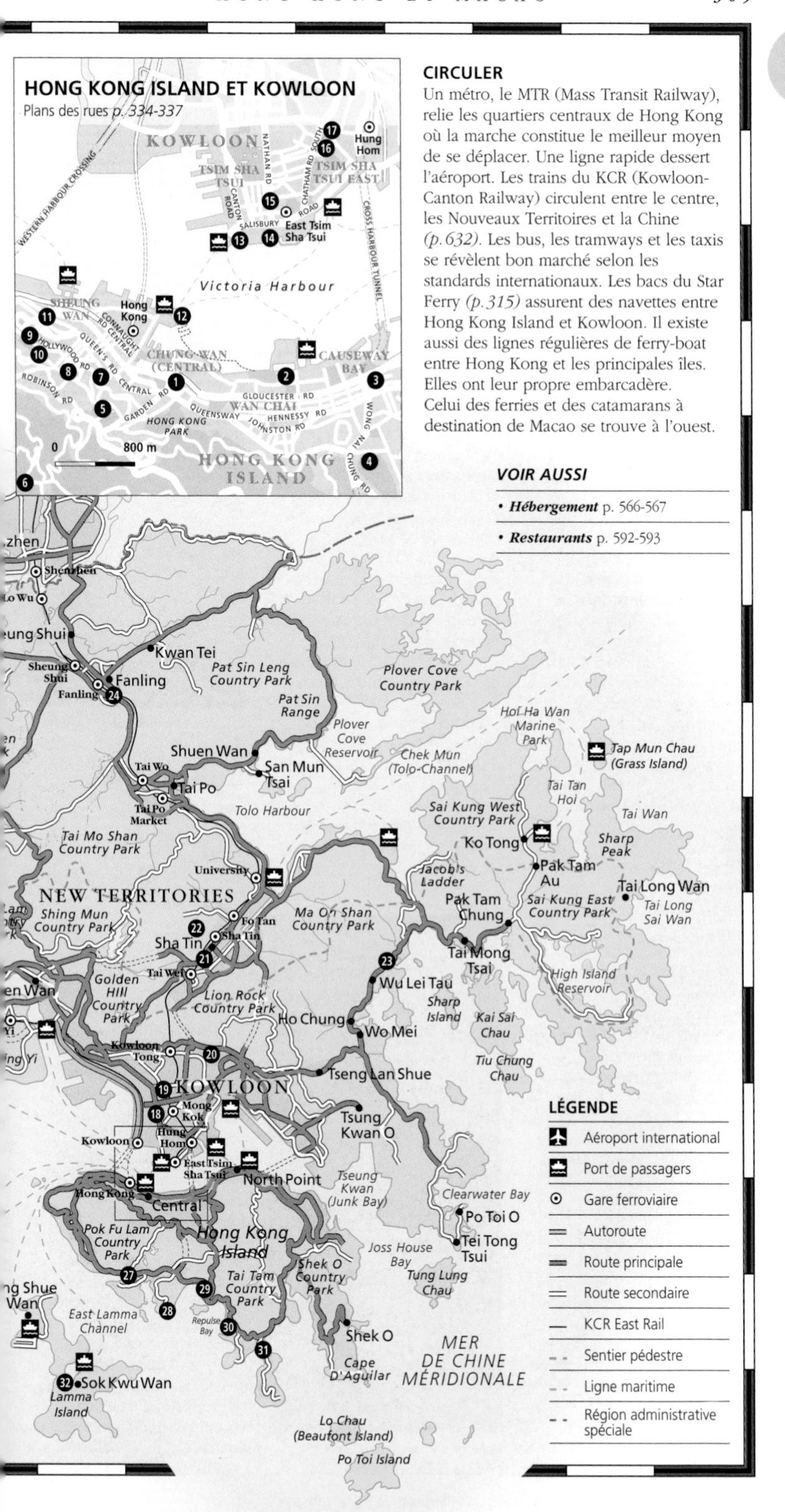

CIRCULER

Un métro, le MTR (Mass Transit Railway), relie les quartiers centraux de Hong Kong où la marche constitue le meilleur moyen de se déplacer. Une ligne rapide dessert l'aéroport. Les trains du KCR (Kowloon-Canton Railway) circulent entre le centre, les Nouveaux Territoires et la Chine *(p. 632)*. Les bus, les tramways et les taxis se révèlent bon marché selon les standards internationaux. Les bacs du Star Ferry *(p. 315)* assurent des navettes entre Hong Kong Island et Kowloon. Il existe aussi des lignes régulières de ferry-boat entre Hong Kong et les principales îles. Elles ont leur propre embarcadère. Celui des ferries et des catamarans à destination de Macao se trouve à l'ouest.

VOIR AUSSI

- ***Hébergement*** p. 566-567
- ***Restaurants*** p. 592-593

La Two IFC Tower près du Star Ferry Terminal

Central ❶

中環

Hong Kong Island. **Plan** 2 C3. Ⓜ *Central.* *Star Ferry depuis Kowloon.*

Les hautes cathédrales capitalistes de grandes banques et multinationales écrasent de leur masse l'animation perpétuelle qui règne dans les rues du centre financier et administratif de Hong Kong. En dehors de Statue Square, qui en constitue le cœur, le quartier possède peu de sites d'intérêt culturel, ses bâtiments coloniaux ayant presque tous disparu pour laisser place à des gratte-ciel. Ceux-ci se dressent aussi sur du terrain conquis sur la mer. Depuis que les Britanniques en ont pris possession en 1841, Hong Kong Island n'a plus cessé de se rapprocher de Kowloon. Une promenade à pied offre le meilleur moyen d'observer de près les édifices les plus intéressants de Central, en particulier sur **Statue Square**.

Themis, la déesse grecque de la justice aux yeux bandés, domine l'unique survivant de la période coloniale : le **Legislative Building** néoclassique achevé en 1912. L'ancienne Cour suprême abrite aujourd'hui le Conseil législatif (Legco), un important relais du pouvoir central chinois.

Les autres bâtiments bordant la place comprennent le **siège de l'HSBC (Hong Kong and Shanghai Banking Corporation)**, construit en 1985 d'après des plans de sir Norman Foster. Réputé pour la qualité de son *feng shui*, l'art d'équilibrer les énergies dans les lieux d'habitation et de travail, il est aussi entièrement démontable. La rétrocession à la Chine communiste apparaissait à l'époque comme une menace et les commanditaires avaient jugé la précaution nécessaire pour un édifice très coûteux : cinq milliards de $HK. Ne manquez pas de caresser les crinières des lions porte-bonheur postés à l'entrée avant de prendre l'un des escaliers roulants menant au grand hall du premier étage.
Pour son créateur, l'architecte sino-américain Ieoh Ming Pei, la tour de la **Bank of China** évoque la vigueur d'une jeune pousse de bambou. Néanmoins, beaucoup voient dans ses angles et ses lignes brisées une démonstration agressive qui trouble l'énergie bénéfique du siège de l'HSBC. Une plate-forme panoramique est accessible gratuitement au 43e étage.

Au nord-ouest de Statue Square, près de l'embarcadère du Star Ferry, se dresse le plus haut gratte-ciel de Hong Kong et le troisième du monde par la taille : le **Two International Finance Centre (IFC)**, construit en 2003. Haut de 415 mètres, il possède 88 étages. Il abrite à sa base l'IFC Mall, un vaste centre commercial qui est venu concurrencer les autres grands temples du luxe de Central comme **The Landmark**. L'International Commerce Centre de l'autre côté du bras de mer, à Kowloon, sera encore plus haut que l'IFC. Pendant les vacances d'hiver, un spectacle son et lumière retrace l'histoire de Hong Kong. Les images géantes projetées sur les immeubles illuminent le ciel de Victoria Harbour.

Bank of China *(gauche)* et HSBC *(droit)* sur Statue Square

Toit du Convention and Exhibition Centre

Wan Chai ❷

灣仔

Hong Kong Island. **Plan** 3 F3. Ⓜ *Wan Chai.* *Star Ferry depuis Kowloon.*

Rendu célèbre par *Le Monde de Suzy Wong*, le roman de Richard Mason publié en 1957, l'ancien quartier chaud des années 1950 et 1960 s'est depuis assagi. Il renferme désormais des cafés, des hôtels et des restaurants élégants. La station de MTR Wan Chai offre un bon point de départ à une visite à pied. Descendre Lockhart Road conduit à la poignée de go-go bars qui entretiennent le souvenir d'un passé sulfureux.

À cinq minutes de marche au nord de la station, de l'autre côté de Gloucester Road, se dresse le **Central Plaza**, le plus haut gratte-ciel d'Asie lors de sa construction en 1992. Il offre une vue magnifique depuis son 46e étage. Harbour Road le sépare du **Convention and Exhibition Centre**. Celui-ci possède à son extrémité nord une extension dont les courbes s'inspirent d'un oiseau prenant son envol. C'est dans cet agrandissement d'un coût de 4,8 milliards $HK que se sont déroulées en 1997 les cérémonies de rétrocession à la Chine. Élevé sur un terrain conquis sur la mer, et bordé par une large promenade, il ménage un beau panorama de la baie.

Tir du Noon Day Gun, Causeway Bay

Causeway Bay ❸
銅鑼灣

Hong Kong Island. Ⓜ *Causeway Bay.* *tramways vers l'est (direction Shau Kei Wan).*

Ce qui frappe en émergeant de la station de MTR de Causeway Bay, ce sont les enseignes au néon et la foule qu'attirent d'immenses centres commerciaux comme Sogo et Times Square. À l'est s'étend le **Victoria Park**, le plus vaste jardin public de Hong Kong. Il offre un cadre paisible où nager, jouer au tennis ou pratiquer le tai-chi-chuan. Près du port protégé par un abri antityphon, on continue de tirer à midi le **Noon Day Gun**. L'événement donne lieu à une petite cérémonie dont les bénéfices vont à des œuvres de bienfaisance. L'enclos renfermant le canon reste ensuite ouvert une demi-heure. Une petite plaque explique les origines d'une cérémonie qui remonte aux années 1840.

Le quartier s'étend presque entièrement sur du terrain gagné sur la baie. Le temple Tin Hau, près de la station de MTR du même nom, se trouvait jadis en bord de mer.

Champ de courses d'Happy Valley ❹
快活谷馬場 / 跑馬地馬場

Hong Kong Island. *Happy Valley.* *informations sur les courses en nocturne : 1817.* **www**.hkjc.com/english

L'hippodrome de la « Vallée heureuse » s'étend sur un ancien marais où sévissait la malaria, mais qui constituait le plus vaste terrain plat du territoire. La première course de chevaux s'y déroula en 1845. Les tribunes peuvent aujourd'hui accueillir 54 000 spectateurs. La saison dure de septembre à juin. Le petit Racing Museum retrace l'histoire du sport équestre à Hong Kong.

Rendez-vous aux nocturnes du mercredi. Les cris de dizaines de milliers de parieurs y créent une ambiance électrique. Les courses hippiques constituent l'une des rares formes de jeu d'argent légales. Le Hong Kong Jockey Club jouit d'un monopole sur cette véritable manne : les enjeux totalisent chaque année des milliards de $HK.

COURSES HIPPIQUES D'HAPPY VALLEY

Les sommes misées sur des chevaux à Hong Kong témoignent de la passion des Chinois pour le jeu. Une seule course à Happy Valley ou à Sha Tin, dans les Nouveaux Territoires, suscite souvent plus de paris que toutes celles organisées en France pendant une semaine. Le total s'est élevé à 71 milliards de $HK en 2003. Le gouvernement en tire une part importante, qu'entament les paris illégaux. Il doit compter avec Internet qui a fait chuter les recettes de près de 10 %.

Sur la ligne d'arrivée au champ de courses d'Happy Valley

Jardins zoologique et botanique de Hong Kong ❺
香港動植物公園

Albany Road. **Plan** 2 B4. ***Tél.*** *(0852) 2530 0154.* Ⓜ *Central.* *3B, 12, 12A, 12M.* **Zoo** *de 6h à 19h t.l.j.* **Jardin** *de 6h à 22h t.l.j.*

Les Zoological and Botanical Gardens fondés en 1864 s'étendent en face du Hong Kong Park, de l'autre côté de Cotton Tree Drive. Ils abritent des douzaines d'animaux exotiques tels que lémurs et orang-outans, des volières peuplées de nombreux oiseaux et la plus riche collection au monde de gibbons à favoris roux. Des arbres vénérables offrent une ombre bienvenue dans ce havre de calme qu'agrémentent des sculptures et des fontaines. Les enfants disposent d'une aire de jeux.

Victoria Peak ❻
維多利亞公園

Des promenades ombragées, la fraîcheur apportée par la brise marine et des panoramas spectaculaires de la ville, du port et des îles au large rendent incontournable une montée au Peak lors d'une visite de Hong Kong. Les gouverneurs et les marchands les plus fortunés du XIXe siècle y construisirent leurs demeures pour échapper à la chaleur et à l'humidité de l'été. Ils regagnaient leurs domiciles en chaise à porteurs et l'approvisionnement de la maisonnée employait de nombreux coolies. En 1888, la construction du Peak Tram (en fait un funiculaire) réduisit considérablement le temps de trajet. Le Victoria Peak reste aujourd'hui un lieu de résidence extrêmement prisé.
Il n'est toutefois plus obligatoire, comme jadis, d'être occidental pour y devenir propriétaire. Il faut néanmoins toujours être très riche : les prix comptent parmi les plus élevés de la planète.

★ Le tour du Peak
Ce chemin plat de 3 kilomètres offre des vues à couper le souffle de Victoria Harbour au nord et d'Aberdeen et Lamma Island au sud.

Victoria Peak Garden
Une rude montée vers le sommet planté d'antennes conduit à ce jardin bien entretenu qui faisait jadis partie de la Governor's Lodge, détruite après la Seconde Guerre mondiale.

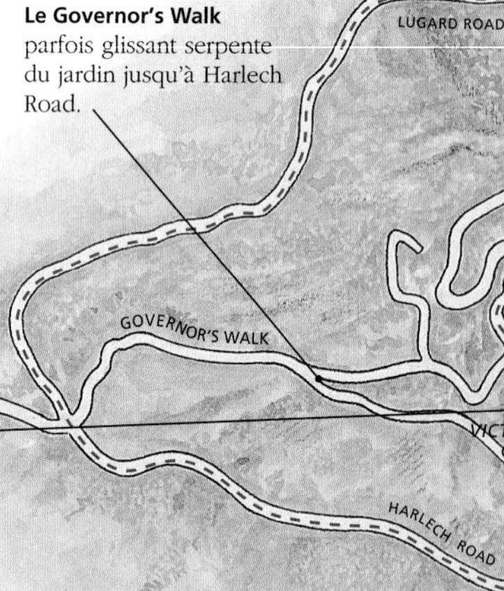

Le Governor's Walk
parfois glissant serpente du jardin jusqu'à Harlech Road.

Pok Fu Lam Reservoir
Un sentier de 5 kilomètres descend à travers bois dans le Country Park jusqu'à ce lac artificiel. Il débouche sur Pok Fu Lam Road où passent fréquemment des bus pour le centre.

À NE PAS MANQUER

- ★ Le Peak Tram
- ★ Le tour du Peak
- ★ La vue

Pour les hôtels et les restaurants de la région, voir p. 566-567 et p. 592-593

MODE D'EMPLOI

The Peak Tower, 128 Peak Road. **Plan** 2 A5. ***Tél.*** *(0852) 2849 0668.* *Lower Peak Tram Terminal, Garden Road.* *15 depuis Exchange Square ; minibus 1 depuis PLA Central Barracks sur Harcourt Road.* **www**.thepeak.com.hk

★ La vue
Le panorama offert par l'activité du port et les gratte-ciel se révèle aussi fascinant de nuit que de jour. Cependant, nuages et brume le voilent souvent. Les matins sont en général plus dégagés.

LÉGENDE

- - Jusqu'au Victoria Peak Garden
- - Tour du Peak
- - Jusqu'au Pok Fu Lam Reservoir
- - Old Peak Road jusqu'à Central
— Peak Tram

0 300 m

Yuping Feng

OLD PEAK ROAD

MOUNT AUSTIN ROAD

VICTORIA GAP

POK FU LAM RESERVOIR ROAD

Cette vieille route, pentue mais ombragée, descend jusqu'à Central. En arrivant en bas, prendre Tregunter Path vous évitera la circulation.

Peak Tower
Au terminus du funiculaire, une imposante galerie marchande renferme un musée de cire, le monde virtuel EA Experience et de nombreux cafés ménageant une belle vue.

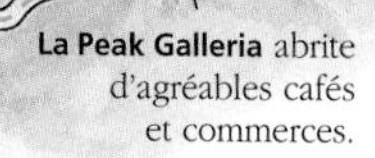

La Peak Galleria abrite d'agréables cafés et commerces.

★ Le Peak Tram
Ce funiculaire gravit une pente de 27° entre St. Johns Cathedral et Victoria Gap. Il a fait la preuve de sa sûreté, l'une des plus élevées du monde pour un transport en commun, depuis plus d'un siècle.

Lan Kwai Fong ❼
蘭桂坊

Central. **Plan** 2 B3. M *Central.*

Il faut attendre le soir pour que s'anime vraiment le quartier de la « place de l'Orchidée ». Les employés de bureau emplissent alors ses dizaines de bars, clubs et restaurants. Certains comptent parmi les lieux de distraction les plus en vogue de Hong Kong. L'affluence est à son comble les vendredi et samedi soir, mais la plupart des établissements n'en restent pas moins ouverts tard les nuits de semaine également. De l'autre côté d'Aguilar Street, la minuscule Wing Wah Lane abrite les terrasses de bons restaurants thaïlandais, malais et indiens.

Affluence devant les bars et restaurants de Lan Kwai Fong

The Escalator ❽
中環半山自動扶手電梯

Central. **Plan** 2 B3. M *Central.*
de 6h à 24h.

792 mètres d'escaliers roulants couverts, le plus long dispositif de ce type jamais réalisé en plein air, relient toutes les rues se trouvant entre Queen's Road et Conduit Road. La construction de l'Escalator a coûté plus de 200 millions de $HK, mais il offre aujourd'hui un moyen particulièrement pratique de circuler entre les quartiers de Central, Mid-Levels et SoHo (sud d'Hollywood Road). Bars, restaurants et éventaires de

Entrée de l'Escalator, le plus long tapis roulant du monde

marché se pressent autour. Juste en dessous, sur Cochrane Street, Good Spring Company vend des infusions médicinales au gobelet. À l'intérieur, ses herboristes, dont certains parlent anglais, se tiennent prêts à proposer une décoction sur mesure.

Depuis quelques années, et notamment depuis l'achèvement de l'Escalator, le quartier jadis assoupi de SoHo connaît une véritable transformation. Les rues Elgin, Shelley et Staunton abritent ainsi d'excellents bars et restaurants. Sur Staunton, une plaque signale l'emplacement de la maison où Sun Yat-sen *(p. 297)* réunissait les membres de la « société pour le redressement de la Chine » qu'il avait fondée en 1894. Un parcours historique relie treize sites en rapport avec cette personnalité.

Hollywood Road ❾
荷李活道

Central. **Plan** 2 B3. M *Central, puis Escalator.*

On ne fait plus dans Hollywood Road les bonnes affaires qui fondèrent la réputation de ses magasins d'antiquités, mais ils permettent toujours d'admirer flacons à priser, céramiques, ivoires et laques. Les étals d'Upper Lascar Row proposent un bric-à-brac plus accessible. À l'extrémité est de la rue, des boutiques de décoration vendent des articles traditionnels tels des abat-jour en soie en forme de larme.

Man Mo Temple ❿
文武廟

126 Hollywood Rd. **Plan** 2 A2. ***Tél.*** *(0852) 2540 0350.* M *Central, puis Escalator.*

Le plus vieux temple taoïste de la colonie, construit en 1847, se dresse à l'angle de Ladder Street. À l'intérieur, tout de rouge et d'or, de la fumée s'échappe d'énormes encensoirs accrochés au plafond et des flammes dévorent dans des urnes les billets de banque de la « banque des enfers » destinés aux trépassés. Le sanctuaire est dédié à deux divinités qui auraient d'abord eu forme humaine : Cheung Ah Tse, administrateur du IIIe siècle devenu le dieu Man de la littérature, et Kwan Wan Chung, soldat du IIe siècle

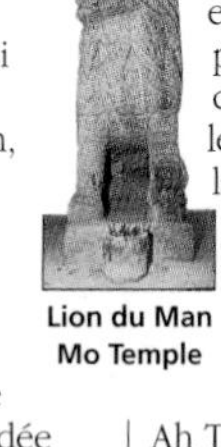

Lion du Man Mo Temple

Fidèle effectuant un vœu dans le Man Mo Temple

Pour les hôtels et les restaurants de la région, voir p. 566-567 et p. 592-593

Le service de bac du Star Ferry est devenu un des symboles de Hong Kong

promu maître de la guerre sous le nom de Mo. Leurs statues se dressent au fond de la salle principale. Le temple remplit un temps la fonction de tribunal et de centre communautaire pour la population chinoise à qui les règles britanniques restaient étrangères.

Marchés de Sheung Wan ⓫
上環街市

Hong Kong Island. **Plan** 2 A1.
M *Sheung Wan.*

La courte promenade entre Central à la lisse modernité et le quartier de Sheung Wan, à l'ouest, donne l'impression de changer de ville. Les alentours de Queen's Road West et Wing Lok Street grouillent de grossistes en remèdes traditionnels et en poissons séchés installés au bas d'immeubles miteux des années 1950. Les tas d'ailerons de requin, une friandise hors de prix, pourraient expliquer à eux seuls la disparition de ces prédateurs partout dans le monde.

Les éventaires éparpillés entre l'Escalator et Morrison Street proposent un large choix de légumes et de fruits frais. Dans les « marchés mouillés » *(wet markets)*, le sol reste arrosé en permanence pour apporter de la fraîcheur. Les habitants de la ville viennent s'y procurer tout ce qui porte plumes, poils ou écailles. Les âmes sensibles n'apprécieront toutefois pas d'y voir des poulets abattus sous leurs yeux ou de s'apercevoir que des poissons au ventre ouvert ont encore le cœur qui bat. Les spécialités culinaires à découvrir comprennent le tofu frais et les « œufs de 100 ans » vieillis 100 jours dans un mélange de chaux et de cendre.

Éventaires de fruits frais sur un marché de Sheung Wan

Star Ferry ⓬
天星小輪

Embarcadères du Star Ferry : Central, Wan Chai et Kowloon. **Plan** 2 C2, 3 F3, 3 E1. ***Tél.*** *(0852) 2367 7065.*

De jour comme de nuit, il n'existe pas de moyen plus facile et meilleur marché de contempler le spectacle offert par les gratte-ciel du centre-ville que de prendre les vénérables bacs vert et blanc qui circulent entre Kowloon et Hong Kong Island. L'itinéraire principal relie l'embarcadère proche de la tour de l'Horloge, sur la péninsule, au Star Ferry Terminal de Central, mais il est également possible de rejoindre le Convention Centre et Wan Chai. Créé par un entrepreneur parsi, Mr. Dorabjee Nowrojee, le service existe depuis 1888. À l'époque, il fallait être européen et porter col et cravate pour pouvoir prendre place sur le pont des premières classes. En 1966, le mode de transport était devenu si populaire qu'un projet d'augmentation du prix de la traversée provoqua quatre jours d'émeutes.

Parvis du Hong Kong Cultural Centre

Front de mer de Tsim Sha Tsui ⓭

尖沙咀沿岸

Kowloon. **Plan** 1 B5. *Tsim Sha Tsui. Star Ferry. Star Ferry Concourse.* **Hong Kong Cultural Centre** 10 Salisbury Rd, *(0852) 2734 2009.*

Très appréciée des touristes, la promenade de Tsim Sha Tsui abrite certains des centres commerciaux les plus chic de l'ancienne colonie.
À l'est du quai du Star Ferry *(p. 315)*, le **Hong Kong Cultural Centre** renferme des salles de spectacles et d'exposition.
À côté, sous une coupole évoquant une balle de golf, le Space Museum propose des démonstrations interactives appréciées des enfants. Parmi les attractions du quartier, une grande roue, l'Observation Wheel, et l'Avenue of Stars, qui rend hommage à des vedettes de l'écran.

Hong Kong Museum of Art ⓮

香港藝術館

10 Salisbury Road, Tsim Sha Tsui. **Plan** 1 B5. ***Tél.*** *(0852) 2721 0116. Tsim Sha Tsui. Star Ferry. ven.-mer. de 10h à 18h (20h sam.). EG mer.* **www.**lcsd.gov.hk/hkma

Réputé pour ses collections d'aquarelles et de calligraphies traditionnelles, le musée des Beaux-Arts de Hong Kong possède également des peintures du Guangdong du début du XXe siècle, du mobilier, des porcelaines et plus de 3 000 objets anciens en or, jade, bronze, laque, émail, verre et ivoire.

Nathan Road ⓯

彌敦道

Kowloon. **Plan** 1 B4. *Tsim Sha Tsui.*

La grande artère qui traverse du sud au nord la péninsule de Kowloon porte dans sa partie inférieure le surnom de « Golden Mile » tant il se dépense d'argent dans ses innombrables magasins aux criardes enseignes au néon. Se mêler à la foule d'employés, de badauds, de commerçants et d'étrangers qui s'y pressent de jour comme de nuit compte parmi les expériences sans lesquelles une visite de Hong Kong ne saurait être complète. Des hôtels haut de gamme y côtoient des restaurants populaires, des boutiques de confection, des commerces de tout ordre et de lugubres pensions. Nathan Road s'achève au nord à la rectiligne Boundary Street. Celle-ci marque la frontière qui resta en vigueur de 1860, où la Grande-Bretagne reçut la concession de Kowloon à perpétuité, jusqu'en 1898, où lui furent cédés les Nouveaux Territoires.

Enseigne, Nathan Road

Hong Kong Science Museum ⓰

科學館

2 Science Museum Rd, Tsim Sha Tsui East. **Plan** 1 C3. ***Tél.*** *(0852) 2732 3232. Tsim Sha Tsui. lun.-mer. et ven.-sam. de 13h à 21h, dim. et j.f. de 10h à 21h. gratuit le mer.* **www.**lcsd.gov.hk/CE/Museum/Science

Les enfants apprécient les visites du musée de la Science pour ses dispositifs interactifs illustrant sur quatre étages des principes scientifiques fondamentaux, dont les lois qui régissent l'électricité et la gravité, ou la formation de phénomènes météorologiques comme les tornades.
Du fonctionnement du moteur à combustion aux microprocesseurs, et de la robotique à la réalité virtuelle, la technologie n'est bien entendu pas oubliée.

Maquette d'une molécule d'ADN au Hong Kong Science Museum

Hong Kong Museum of History ⓱

香港歷史博物館

100 Chatham Road South, Tsim Sha Tsui East. **Plan** 1 C3. ***Tél.*** *(0852) 2724 9042. Tsim Sha Tsui. lun. et mer.-sam. de 10h à 18h, dim. et majorité des j.f. de 10h à 19h. gratuit le mer.* **www.**lcsd.gov.hk/hkmh

La course au profit et les changements qu'elle a entraînés ont effacé une grande part du patrimoine historique et culturel de la ville. Cet excellent musée montre la région avant l'essor des gratte-ciel. On s'y promène parmi les reconstitutions de villages et de boutiques d'antan. Des photographies anciennes font revivre le passé. Des vitrines contiennent des armes, des têtes de flèche et des poteries de l'âge du bronze découvertes sur les îles de Lamma et Lantau *(p. 324-325)*. Il y a même des jouets.

Marché de Temple Street et Jade Market ⓲

廟街及玉石市場

Yau Ma Tei. **Plan** 1 B2. Ⓜ *Jordan ou Yau Ma Tei.*

Marchandez au marché de nuit qui s'anime à partir de 20 heures sur Temple Street entre Ning Po Street et Man Ming Lane. L'atmosphère et la profusion d'articles disponibles, des contrefaçons de vêtements aux souvenirs à l'effigie de Mao, justifient le déplacement. Vous pourrez aussi vous y faire prédire l'avenir ou manger dans la rue. Le Jade Market a lieu dans la journée. C'est un bon endroit où acquérir de petits objets, mais l'on trouve des jades moins chers à Canton *(p. 298-299)* et dans d'autres villes de Chine.

Oiseaux chanteurs en vente au Bird Garden de Mong Kok

Marchés aux oiseaux et aux fleurs ⓳

雀仔街及花園街

Flower Market Road, Mong Kok, Kowloon. Ⓜ *Prince Edward.*

Si vous aspirez à plus de calme que sur Temple Street, Flower Market Road se pare au nord de Prince Edward Road West d'éventaires colorés où abondent fleurs exotiques et ingénieuses créations en bambou. Au bout de la rue, le Bird Garden abrite le pittoresque marché aux oiseaux... et aux sauterelles vivantes destinées à les nourrir. Quelques étals proposent de belles cages.

Wong Tai Sin Temple ⓴

黃大仙祠

Wong Tai Sin, Kowloon. ***Tél.*** *(0852) 2328 0270.* Ⓜ *Wong Tai Sin.* ◯ *de 7h à 17h30 t.l.j.*

Ce temple compte parmi les plus vastes et les plus animés des lieux de culte de Hong Kong. L'enceinte renferme des autels dédiés à des divinités bouddhistes, confucéennes et taoïstes, mais le sanctuaire est principalement consacré au dieu Wong Tai Sin, un berger qui aurait accompli des guérisons miraculeuses. Près du bâtiment principal officient des diseurs de bonne aventure. Pour l'essentiel, ils interprètent les lignes de la main et du visage. Certains fidèles s'efforcent de découvrir ce qui les attend en secouant des bâtonnets de bambou jusqu'à ce qu'il en émerge un du lot. À chacun correspondent un nombre et une signification. On utilise également les *bui*, ou « lèvres du Bouddha », deux morceaux de bois en forme de quartier d'orange qui répondent « oui » ou « non » selon la position dans laquelle ils tombent.

Le temple Wong Tai Sin est l'un des lieux de culte les plus animés de Hong Kong

SANYO
Bank of America

Escalier menant au monastère des 10 000 Bouddhas

Hong Kong Heritage Museum ㉑
香港文化博物館

1 Man Lam Rd, Sha Tin, New Territories. *Sha Tin KCR, , puis navette gratuite ou bus 68A.* ***Tél.*** *(0852) 2180 8188.* *mar.-sam. de 10h à 18h, dim. et j.f. de 10h à 19h.* **www**.heritagemuseum.gov.hk

L'excellent et moderne musée du Patrimoine propose six expositions permanentes et accueille de nombreuses expositions temporaires, dont les thèmes vont des civilisations anciennes aux dernières créations des stylistes de Hong Kong. Huit « tunnels temporels » retracent 6 000 ans d'occupation humaine des Nouveaux Territoires. La galerie des enfants leur propose huit aires de jeux éducatives. La galerie consacrée à l'opéra cantonais en explique le rituel élaboré et le symbolisme des couleurs. Elle offre l'occasion d'admirer de splendides costumes. Les collections d'art comprennent des céramiques et des bronzes anciens, ainsi qu'une rétrospective de l'œuvre du grand peintre Chao Shao-an (1905-1998).

Monastère des 10 000 Bouddhas ㉒
萬佛寺

Sha Tin, New Territories. *Sha Tin KCR.* *de 9h à 17h t.l.j.*

Des images dorées et grandeur nature du Bouddha jalonnent le chemin abrupt qui mène à ce sanctuaire de plus de 8 hectares, situé à quinze minutes de marche de la sortie nord de la gare du KCR de Sha Tin. Une fois la rue traversée, des panneaux indiquent clairement en anglais la voie à suivre jusqu'au sommet d'une colline boisée. Le temple principal abrite des centaines de statuettes couvrant des étagères qui s'élèvent jusqu'au toit. Dans une petite annexe, au-dessus, une vitrine renferme le corps embaumé et couvert de feuilles d'or du fondateur du monastère, dont la construction commença en 1949. Sous des pavillons, des sculptures représentent deux assistants du Bouddha, l'un sur un éléphant blanc, l'autre sur un lion bleu.

Pagode, 10 000 Bouddhas

Ville de Sai Kung et plages de la péninsule ㉓
西貢海灘

New Territories. *jusqu'à Choi Hung puis taxi ou bus 92 jusqu'à Sai Kung.*

Aussi incroyable que cela paraisse, à quelques kilomètres seulement des rues grouillantes de Kowloon, une mer limpide baigne des plages désertes dans la réserve naturelle qui protège la péninsule montagneuse de Sai Kung. La ville de Sai Kung offre un agréable cadre de promenade et constitue le meilleur moyen d'y accéder. Elle possède de nombreux restaurants de poisson.

Certaines des plus belles plages se trouvent à **Tai Long Wan**, où un petit village abrite quelques boutiques et cafés. On le rejoint depuis Sai Kung en prenant le bus 94 jusqu'à Pak Tam Au, puis en finissant à pied sur une partie du Maclehose Trail *(p. 321)*. Pensez à prendre une bonne carte et de l'eau pour cette randonnée de 6 kilomètres. Des promenades en forêt beaucoup plus courtes partent

Plage de la péninsule de Sai Kung

◁ Wan Chai et Causeway Bay en arrière-plan des gratte-ciel de Central du **Pak Tam Chung Visitor Centre**. Les itinéraires disponibles comprennent un sentier de découverte de la nature. Prenez un taxi ou le bus 94. À Sai Kung, vous pouvez aussi louer un *kaido*, une petite vedette, pour partir à la découverte des îles des alentours. Vous trouverez de nombreux marins prêts à offrir ce service près de la jetée. La plupart ne parlent que le cantonais, pensez à vous munir d'une carte pour montrer où vous voulez aller.

Villages fortifiés ㉔
圍村

Fanling, New Territories. *de Fanling, puis minibus 54K.*

Près de Fanling, suivre le Lung Yuek Tau Heritage Trail permet d'avoir un aperçu de l'atmosphère qui régnait dans la région avant son intégration à la colonie de Hong Kong. Cette « piste du patrimoine » part du **Tang Chung Ling Ancestral Hall**, un sanctuaire familial construit en 1525 et toujours bien entretenu. Il appartient aux Tang, l'un des cinq grands clans des Nouveaux Territoires. Ses membres continuent d'y rendre hommage à leurs ancêtres et d'y organiser des cérémonies.

Le chemin passe par les cinq *wai* (villages fortifiés) et les six *tsuen* (villages) fondés par les membres du clan à moins de 2 kilomètres les uns des autres. Leur état allant de la ruine délabrée à l'enceinte en parfait état, ils ne forment pas un ensemble homogène. En y entrant, gardez à l'esprit que certains restent habités. **Lo Wai Far** compte parmi les villages fortifiés les mieux conservés. À courte distance au nord de l'Ancestral Hall, **Tong Kok**, un autre *wai* intéressant, renferme des douzaines de maisons, certaines de construction moderne. Il suffit d'une à deux heures pour suivre la piste en totalité. Une carte détaillée, devant le sanctuaire familial, compense une signalétique en pointillé.

À quelques pas à l'ouest de la gare du KCR de Fanling, le temple taoïste moderne **Fung**

Sanctuaire intérieur du temple Fung Ying Sin Koon

Ying Sin Koon est dédié aux divinités représentant les signes du zodiaque chinois. Une salle contient les cendres de défunts conservées dans des niches de la taille d'une boîte aux lettres. Mieux vaut laisser les appareils photo dans leurs étuis.

Fung Ying Sin Koon
Fanling, New Territories. *KCR de Fanling. de 9h à 17h t.l.j.*

Marais de Mai Po ㉕
米埔自然保護區

New Territories. ***Tél.*** *(0852) 2471 6306. KCR de Sheung Shui, puis bus 76K ou taxi.* **Permis** *caution et réservation obligatoires. le week-end.*

Une zone humide protégée par une réserve naturelle de 1 500 hectares offre entre Hong Kong et Shenzhen un refuge à de nombreux oiseaux. Ce havre est d'autant plus important que la pollution a beaucoup frappé le delta de la rivière des Perles. Des affûts permettent d'observer une faune qui comprend des hérons, des aigrettes, des loutres et la très rare petite spatule. Le site peut aussi être découvert lors de visites organisées le week-end. Contactez l'HKTB *(p. 333)* pour plus de renseignements. En 2006 a été créé un autre parc naturel de 64 hectares, le **Hong Kong Wetland Park**.

Maclehose Trail ㉖
麥理浩徑

New Territories. **Tai Mo Shan** *taxi depuis le MTR Tsuen Wan.* **Government Publications Centre** ***Tél.*** *(0852) 2537 1910.*

Long de 100 kilomètres, le sentier de Maclehose parcourt d'ouest en est le centre des Nouveaux Territoires. Entre Tuen Mun et la splendide péninsule de Sai Kung, il traverse des zones sauvages et pour certaines montagneuses. Il a été divisé en dix étapes aisées. L'une des plus belles passe par le **Tai Mo Shan**, le point culminant de Hong Kong. Par temps clair, la vue porte jusqu'à la ville. L'itinéraire le plus oriental, qui s'achève aux plages de Tai Long Wan *(p. 320)*, est très agréable. Munissez-vous de bonnes chaussures, d'eau et de cartes (publiées par le Government Publications Centre). Le record établi lors de l'Annual Trailwalker Charity Race est de moins de treize heures pour la totalité du sentier.

Dans les marais de Mai Po

Bateau de pêche amarré dans le port d'Aberdeen

Aberdeen ㉗
香港仔

Hong Kong Island. 🚌 *7 ou 70 depuis Central.*

Ancien village de pêcheurs rebaptisé en 1845 d'après le secrétaire d'État aux Affaires étrangères britanniques de l'époque, Aberdeen abrita le premier chantier naval de la colonie, construit dans les années 1860. C'est aujourd'hui une localité autonome de plus de 60 000 habitants, la plus importante de Hong Kong Island.

Un court trajet en bus sépare Central *(p. 310)* de son centre-ville d'un abord peu engageant avec ses hauts immeubles d'appartements, ses tours commerciales et ses usines. C'est pour son port que l'on visite Aberdeen. Protégé des typhons au fond du chenal fermé par la presqu'île d'Ap Lei Chau, il abrite depuis des siècles des jonques et des sampans qui servent de foyer à des milliers de personnes. Malgré les immeubles qui se dressent autour, cet enchevêtrement d'embarcations conserve l'atmosphère d'un village flottant traditionnel. Sur la promenade du front de mer, les touristes se voient proposer avec insistance des balades en sampan parmi les bateaux de pêche et d'habitation, et le long des petits chantiers navals du rivage. N'hésitez pas à marchander le prix, surtout à plusieurs.

Les navettes des restaurants flottants permettent d'effectuer une traversée du port plus rapide, mais gratuite. Le plus célèbre de ces établissements, le **Jumbo Floating Restaurant**, évoque le croisement entre un clinquant casino de Las Vegas et un temple chinois. Le restaurant de poisson qui occupe son pont supérieur accueille de temps en temps des musiciens de jazz.

L'un des grands restaurants flottants du port d'Aberdeen

Ocean Park ㉘
海洋公園

180 Wong Chuk Road, Aberdeen. ***Tél.*** *(0852) 2552 0291.* 🚌 *Ocean Park City Bus depuis le Star Ferry Pier de Central ou bus 6A, 6X, 70, 75, 90, 97 ou 260.* *de 10h à 18h t.l.j.* **www**.oceanpark.com.hk

La concurrence exercée par le Disneyland de l'île de Lantau *(p. 325)* a conduit le plus vieux parc d'attractions de Hong Kong à réagir en proposant de nouveaux divertissements. Il offre désormais un choix encore plus vaste d'activités pour adultes comme pour enfants. Profiter de ses six zones à thème occupera facilement une journée. Celle des Lowland Gardens compte parmi les plus agréables. Elle accueille une serre de papillons et les deux pandas géants An An et Jia Jia, titres de gloire d'Ocean Park. Une télécabine offrant un panorama spectaculaire frôle Deep Water Bay pour déposer ses passagers à Marine Land.

Pour les hôtels et les restaurants de la région, voir p. 566-567 et p. 592-593

La section abrite un somptueux aquarium où plus de 2 000 poissons peuplent un récif de corail. Un tunnel sous-marin permet de traverser un bassin rempli de requins. Les volières de Bird Paradise contiennent plus de 1 000 oiseaux, dont des groupes de flamants. Dans tout le parc, des attractions foraines, entre autres des montagnes russes, s'adressent aux amateurs de sensations fortes. Les jeunes enfants ont les leurs à Kids World.

Sur la plage à Stanley

Deep Water et Repulse Bay ㉙
深水灣及淺水灣

Hong Kong Island. 🚌 *6, 6A, 61, 260, ou 262 depuis la gare routière d'Exchange Square.*

Plusieurs belles plages s'étendent dans ces deux baies longées par la route entre Aberdeen et Stanley. Bordée d'arbres ressemblant à des cyprès, Deep Water Bay évoque la Côte d'Azur avec ses nombreuses villas de luxe construites par les grandes fortunes de Hong Kong. Destinés à l'élite du monde des affaires, des immeubles d'appartements haut de gamme entourent la plage soigneusement entretenue de Repulse Bay. Celle-ci attire la foule en période de vacances et pendant les week-ends. Du prestigieux Repulse Bay Hotel démoli dans les années 1980 ne subsiste que le Verandah Restaurant. Il offre un cadre recherché, mais coûteux, où prendre un verre ou un thé. Vous trouverez derrière quelques cafés et un supermarché où faire des emplettes pour un pique-nique.

Statue colossale de Guanyin, Repulse Bay

Hong Kong Life Saving Society ㉚
香港拯溺協會

Repulse Bay, Hong Kong Island.
🕒 *de 7h à 19h t.l.j.*

À l'extrémité sud de Repulse Bay, le siège des sauveteurs en mer de Hong Kong fait aussi office de temple. Le complexe ravira les enfants. L'équipement de sauvetage s'y trouve éparpillé au milieu d'une légion d'images de divinités et d'animaux plus ou moins fantastiques. Une grande statue représente Guanyin, boddhisattva de la Miséricorde à qui le sanctuaire est consacré. Plusieurs bronzes montrent un bouddha souriant. Caresser leurs têtes chauves est supposé porter chance. Vous pouvez aussi emprunter le Bridge of Longevity, en face du temple, et prolonger ainsi votre existence de trois jours.

Stanley ㉛
赤柱

Hong Kong Island. 🚌 *6, 6A, 6X, ou 260 depuis la gare routière d'Exchange Square.* 🕒 *de 10h à 18h30 t.l.j.*

Cet ancien village de pêcheurs ressemble aujourd'hui à une station balnéaire britannique à laquelle ne manquent même pas les pubs. Les éventaires du marché proposent vêtements, tenues de plage, soieries, jades, bibelots et mobiliers. Ils attirent la foule les week-ends. Le quartier propose de bons restaurants thaïlandais, italiens, espagnols et vietnamiens.

Près de la place, d'autres restaurants occupent le premier étage de la **Murray House**. Certains ont vue sur la baie. Le bâtiment se dressait à l'origine à Central sur le site de la tour de la Bank of China. Son déménagement date de 1998. Le temple de **Tin Hau** voisin, l'un des plus vieux et des plus évocateurs de l'île, remonte à 1767. Il est dédié à la déesse de la Mer fêtée fin avril et début mai par des danses et des régates *(p. 45)*.

De l'autre côté de la ville s'étend le **Stanley Cemetery** magnifiquement entretenu. Il date des tout débuts de la colonie et conserve les tombes de soldats des Première et Seconde Guerres mondiales. Certains périrent dans le camp de concentration japonais construit non loin. La longue plage de sable de Stanley Beach, de l'autre côté de la péninsule, sert de cadre à des régates de bateaux-dragons.

Hong Kong Island vue depuis une colline de Lamma Island

Lamma Island ❸②

南丫島

depuis Central (quai 4).

De bons restaurants de poisson, une atmosphère paisible et détendue, d'agréables sentiers de promenade et l'absence de voitures font de l'île habitée la plus proche de Hong Kong Island une destination idéale pour se reposer de la pression urbaine. Sur la côte ouest, le principal village, **Yung Shue Wan**, est un repaire d'expatriés à quelques minutes de Central. Un chemin abrupt grimpe dans les collines qui le dominent. Elles offrent de superbes panoramas. Un deuxième sentier, bétonné, conduit à l'autre localité de l'île : **Sok Kwu Wan**. Il est possible de faire le trajet de retour en bateau, mais mieux vaut se renseigner soigneusement sur les horaires. Le village est réputé pour ses restaurants de fruits de mer. Son port abrite le **Lamma Fisherfolk's Village**, une exposition flottante consacrée à la vie et aux techniques traditionnelles des pêcheurs de la région.

Cheung Chau Island ❸③

長洲

depuis Central (quai 5).
Bun Festival (mai).

Cette charmante île à une demi-heure en bateau de Hong Kong Island offre de nombreuses possibilités aux visiteurs, depuis une balade en pédalo au large de ses plages, jusqu'à la découverte des boutiques et des sanctuaires traditionnels de ses ruelles. En bordure du port, Pak She Praya Road abrite de nombreux restaurants de poisson. Le calmar à la pâte de crevette compte parmi les spécialités locales. La côte sud recèle les plus belles promenades, avec des allées en bord de mer jalonnées de demeures coloniales.

Les premiers habitants des lieux, il y a quelque 2 500 ans, n'ont pas laissé d'autres traces que les gravures géométriques ornant les rochers en dessous du Warwick Hotel. L'île devint au XIXᵉ siècle un repaire de pirates où le célèbre Cheung Po-Tsai aurait dissimulé un butin. Près du port, le **temple de Pak Tai** construit en 1783 est dédié à l'esprit du Nord, protecteur des marins et de l'île qu'il aurait sauvée de la peste en 1777. Pour le Bun Festival *(p. 333)*, de jeunes hommes escaladent des tours entièrement recouvertes de petits pains jusqu'à une hauteur de 8 mètres.

Sampans et bateaux de pêcheurs dans le port de Cheung Chau

Lantau Island ❸④

大嶼山

depuis Central (quai 6) jusqu'à Mui Wo (Silvermine Bay).

Deux fois plus étendue que Hong Kong Island, l'île de Lantau fut cédée aux Britanniques en 1898, en même temps que les Nouveaux Territoires. Malgré la construction récente d'un pont la reliant au continent et de l'immense aéroport Chek Lap Kok, de vastes zones restent inhabitées. Des parcs régionaux protègent les deux sommets qui forment l'épine dorsale de l'île et comptent de nombreux sentiers. Cette terre isolée par un bras de mer constitue depuis longtemps un lieu de retraite religieuse. Le sanctuaire le plus spectaculaire, le **monastère de**

Village de Tai O
Des maisons sur pilotis se serrent sur les rives boueuses d'un petit estuaire.

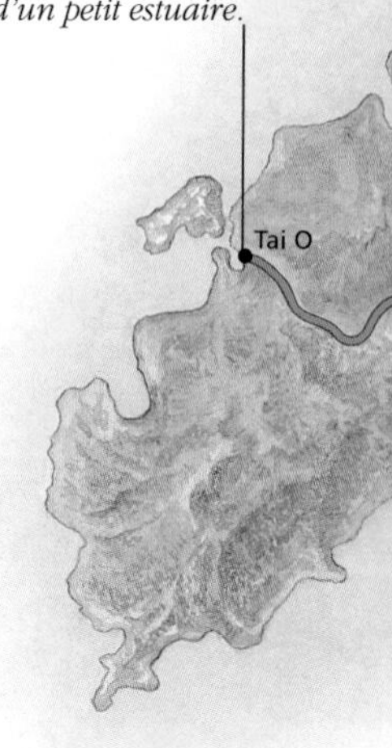

Pour les hôtels et les restaurants de la région, voir p. 566-567 et p. 592-593

Po Lin, coiffe une colline sur le plateau de Ngong Pin. La vaste enceinte mérite une visite, notamment pour la décoration exubérante de la salle principale. Le **Grand Bouddha**, une statue haute de 26 mètres, assise au sommet d'une volée de 268 marches, attire de nombreux pèlerins. Depuis la consécration du monument en 1993, le monastère est devenu une destination touristique très prisée.

Les alentours de Ngong Ping se prêtent à la marche et aux pique-niques. Les randonneurs avertis dorment à la SG Davis Youth Hostel pour gravir avant l'aube le **Lantau Peak** et atteindre sa cime à temps pour le lever de soleil.

À l'extrémité occidentale de l'île, le village de pêcheurs de **Tai O** conserve des ruelles étroites et des maisonnettes évoquant la Chine rurale. Ses anciens marais salants servent aujourd'hui à l'élevage de poissons. Tai O abrite aussi quelques temples.

Grand Bouddha du monastère de Po Lin

À l'est de l'île, **Discovery Bay** est le point de départ d'une promenade aisée jusqu'à un monastère trappiste. Sa chapelle est ouverte aux visiteurs prêts à observer le vœu de silence de l'ordre. L'attraction la plus récente de Lantau a coûté des milliards de dollars. **Hong Kong Disneyland** s'inspire du premier parc créé par Walt Disney. Sur 126 hectares, il contient des attractions qui lui sont propres, des hôtels à thème ainsi qu'un centre commercial et de restauration.

Ngong Ping et le Grand Bouddha
Bus 2, taxi ou téléphérique depuis la station MTR de Tung Chung.

Disneyland
MTR Yam O jusqu'à la station de Penny's Bay.

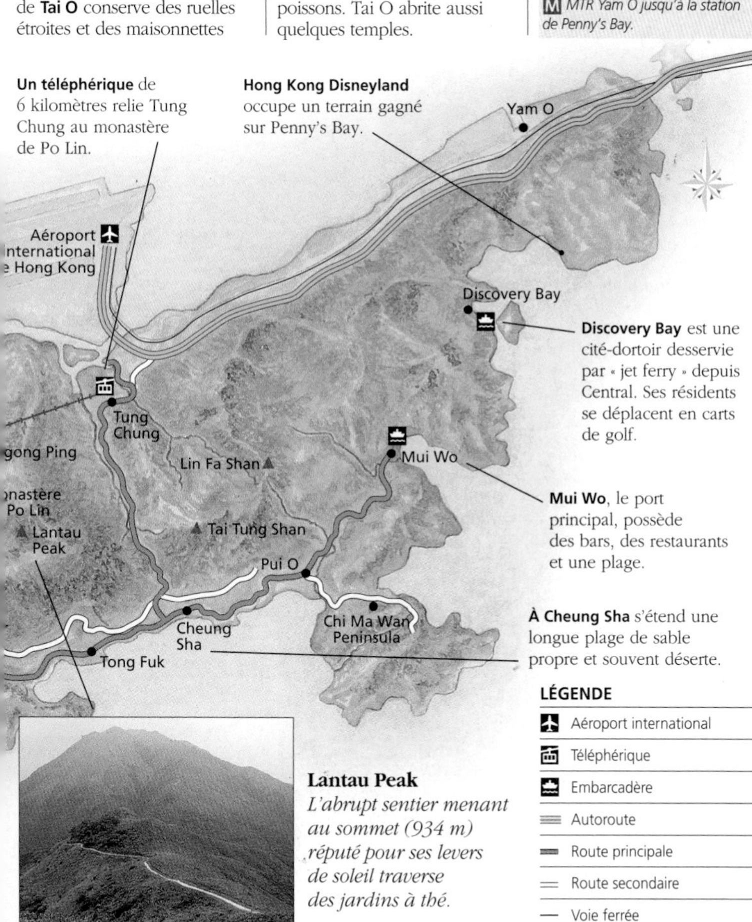

Un téléphérique de 6 kilomètres relie Tung Chung au monastère de Po Lin.

Hong Kong Disneyland occupe un terrain gagné sur Penny's Bay.

Discovery Bay est une cité-dortoir desservie par « jet ferry » depuis Central. Ses résidents se déplacent en carts de golf.

Mui Wo, le port principal, possède des bars, des restaurants et une plage.

À Cheung Sha s'étend une longue plage de sable propre et souvent déserte.

Lantau Peak
L'abrupt sentier menant au sommet (934 m) réputé pour ses levers de soleil traverse des jardins à thé.

LÉGENDE

- Aéroport international
- Téléphérique
- Embarcadère
- Autoroute
- Route principale
- Route secondaire
- Voie ferrée

Macao 35

澳门

À une heure de bateau de Hong Kong, l'ancienne colonie portugaise de Macao était jadis perçue par les voyageurs comme une destination secondaire, un lieu assoupi où se reposer de l'agitation de l'enclave britannique. Dépourvue de dynamisme économique, elle vivait du jeu et de l'attrait touristique de ses bâtiments de l'ère coloniale. Une complète restructuration, commencée avant même son retour dans le giron chinois en 1999, l'a profondément transformée. La construction d'un aéroport et de nouveaux ponts en a facilité l'accès. La zone urbaine s'est étendue sur des terrains pris sur la mer. Baptisé le Cotai Strip, l'espace créé lors de la réunion des îles de Taipa et Coloane s'est empli de somptueux hôtels-casinos autour d'une copie du Venetian de Las Vegas. Macao fait aujourd'hui plus d'étincelles que Hong Kong.

Canons centenaires sur les remparts de la Fortaleza do Monte

Fortaleza do Monte

Rua de Monte. *mai-sept. t.l.j. 6h-19h ; oct.-avr. t.l.j. 7h-18h.*
Museum de Macau Praceta do Museu de Macao, nº 112. ***Tél.*** *(0853) 357 911.* *de 10h à 18h du mar. au dim.*

Ce fort, construit en 1616, à l'instigation des jésuites pour protéger le comptoir commercial portugais à l'origine de la ville, offre un splendide panorama depuis ses épais remparts. En 1622, ses canons contraignirent la flotte hollandaise à renoncer à ses projets d'invasion.

Au cœur de la colline, l'escalator et l'escalier du musée de Macao offrent une voie climatisée jusqu'au sommet des murailles. L'exposition évoque les civilisations portugaise et chinoise au début du XVIe siècle, puis leur métissage ainsi que les coutumes et l'art populaire qui en sont nés et, enfin, le Macao contemporain et sa conversion au modernisme.

Ruinas de São Paulo

Rua de São Paulo. ***Tél.*** *(0853) 358 444.* *de 9h à 18h t.l.j.*

De l'imposante collégiale entreprise par les jésuites au tournant du XVIIe siècle ne subsiste qu'une splendide façade baroque dominant une raide volée de marches. Elle possède un décor sculpté comprenant un « sermon de pierre » qui retrace certains des principaux passages des Écritures. On y remarque aussi des symboles chinois. Elle eut pour constructeur des convertis japonais chassés de leur pays par les persécutions religieuses. Les autorités macanaises expulsèrent à leur tour les jésuites en 1762 et le sanctuaire devint une caserne qu'un incendie ravagea en 1835. D'importants travaux effectués dans les années 1990 ont évité aux derniers vestiges de s'écrouler. Un musée expose des peintures, des sculptures et des reliques provenant d'églises de Macao.

Splendide façade des Ruinas de São Paulo

Ancien cimetière protestant

Praca Luis de Camões.
de 9h à 18h t.l.j.

À l'angle du jardin Camões s'étend le cimetière fondé en 1821 à l'intention des membres de la communauté protestante qui se voyaient interdits d'inhumation en terre consacrée catholique. Il s'agissait principalement de Britanniques qui commerçaient ou guerroyaient dans la région avant la session de l'île de Hong Kong. Les personnalités les plus marquantes sont le peintre George Chinnery et Robert Morrison, le premier missionnaire protestant à se risquer en Chine. Sa stèle lui attribue les premières versions en chinois des Ancien et Nouveau Testament. Les pierres tombales évoquent aussi de brèves existences héroïques, telle celle du lieutenant Fitzgerald, tué après avoir « vaillamment pris d'assaut » une batterie d'artillerie à Canton. Le jardin, nommé d'après le poète du XVIe siècle Luis Vaz de Camões, offre un cadre serein où regarder les habitants du quartier se livrer à leurs activités de détente.

Pierre tombale, ancien cimetière protestant

Fort et phare de Guia

Estrada de Cacilhas.
de 9h à 17h30.

Accessible en téléphérique, le fort de 1637 au point culminant de la péninsule ménage un large panorama. Son phare date de 1865. Il projette un rayon visible à 25 kilomètres au large, un point de repère précieux pour les marins. Une petite chapelle datant de 1590 s'élève à côté. Plusieurs sentiers de promenade parcourent la colline.

Pour les hôtels et les restaurants de la région, voir p. 566-567 et p. 592-593

Façade coloniale sur le Largo do Senado

The Venetian

Cotai Strip. ***Tél.*** *(0853) 2882 8888.*
www.venetianmacau.com

Copié sur son homonyme de Las Vegas, le plus spectaculaire des hôtels-casinos de Macao reproduit une Venise miniature où ne manquent ni le campanile, ni le pont du Rialto, ni les gondoliers. Le complexe comprend des boutiques à thème et un théâtre de 1 800 places. Les joueurs y disposent de machines à sous et de tables de black-jack, de baccara, de roulette et de keno. Ils peuvent aussi tenter leur chance au *dai sui*, un jeu de dés chinois, et au *pai kao* évoquant le mah-jong. Les parieurs ne sont pas oubliés à Macao. Ils peuvent miser sur des courses de chevaux (deux fois par semaine) ou de lévriers (quatre fois par semaine) *(p. 332)*.

Largo do Senado

Cœur symbolique de Macao, la place du Sénat conserve des édifices coloniaux, dont la poste centrale, le leal Senado (Sénat Loyal) qui abrite aujourd'hui l'hôtel de ville et la Santa Casa de Misericordia, maison de bienfaisance fondée en 1569 pour accueillir les nécessiteux, orphelins et prostituées. La place accueille de nombreux restaurants et l'office du tourisme. Au sol, les pavés dessinent de longues ondulations noires et blanches, constituant une forme d'ornementation urbaine typiquement portugaise.

MODE D'EMPLOI

448 000. Taipa Island, à environ 2 km au sud. Macau Ferry Terminal, avenida Amizade (bateaux pour Hong Kong et les aéroports de Hong Kong et Shenzhen). 9 Largo de Senado, (0853) 315 566. Festival des arts de Macao (mars).
www.macautourism.gov.mo

Praia Grande

Bien que les espaces gagnés sur la baie aient ôté du cachet à cette grande avenue en bord de mer, la Praia Grande offre toujours un reflet de la Macao coloniale. Elle conserve en effet d'élégants édifices anciens, dont l'ancien palais du gouverneur malheureusement fermé au public. Un peu plus loin au nord, un monument consacré à Jorge Alvares, le premier explorateur portugais en Chine, se dresse à l'angle de l'avenida do Dr. Mario Soares. En descendant vers le sud, la rua da Praia do Bom Parto prolonge l'avenue. La rua da Boa Vista en part à droite. Elle renferme l'ancien l'hôtel Bela Vista, devenu la résidence du consul du Portugal.

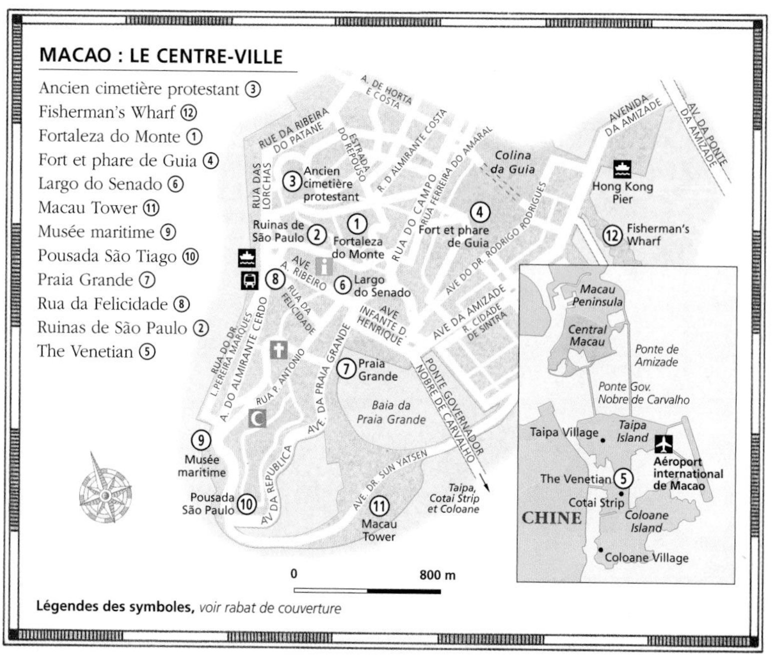

Légendes des symboles, *voir rabat de couverture*

Rua da Felicidade

La rue du Bonheur doit son nom quelque peu ironique aux maisons de passe qui s'y serraient jadis. Elle a conservé son pavage et possède un charme indéniable. De petits établissements de restauration permettent d'y prendre un déjeuner rapide ou de déguster d'odorants et colorés biscuits ainsi que des gâteaux macanais.

Maritime Museum

Largo do Pagode da Barra 1. **Tél.** *(0853) 595.* *de 10h à 17h30 du mer. au lun.*

Ce musée propose une exposition sur l'histoire navale de la région. Elle comprend la reconstitution d'un village hakka *(p. 290)*, un bateau-dragon, des instruments de navigation et des maquettes de jonques, de navires portugais et de bateaux de pêche. Un aquarium conclut la visite. On peut aussi prendre place dans une jonque à moteur pour un tour du port.

Maquette d'une jonque, Musée maritime

Pousada São Tiago

Avenida da Republica Fortaleza de São Tiago da Barra. **Tél.** *(0853) 378 111.* **www**.saotiago.com.mo

Cet hôtel de charme *(p. 567)* mérite le coup d'œil, qu'on y vienne passer la nuit, dîner dans son bon restaurant, Os Gatos, ou simplement boire un verre sur la terrasse. L'établissement occupe une ancienne forteresse du XVIIe siècle en partie taillée dans le rocher où elle se dresse. Bâtie en 1740, la chapelle de São Tiago, dédiée à saint Jacques, le saint patron de l'armée portugaise, contient une statue le représentant en uniforme militaire. Une source naturelle court à travers la réception et les couloirs possèdent des sols dallés. Les chambres abritent du mobilier en bois sombre et de beaux carrelages.

Macau Tower

Largo da Torre de Macau. **Tél.** *(0853) 933 339.* *lun.-ven. 10h-21h, sam. 9h-21h.* **www**.macautower.mo

L'attraction la plus visible de la péninsule mesure 338 mètres de hauteur et ses plates-formes panoramiques des 58e et 61e étages, ainsi que son restaurant tournant, offrent un superbe panorama. Par temps clair, la vue porte jusqu'aux îles entourant Hong Kong. Il est toutefois conseillé de ne pas souffrir du vertige : l'ascenseur ultrarapide a des parois vitrées et le sol des plates-formes est par endroits transparent. Les amateurs de sensations fortes peuvent aussi enfiler une combinaison et un harnais pour se risquer à l'extérieur. L'entreprise A.J. Hackett propose en effet un certain nombre d'activités exploitant les possibilités offertes par l'édifice. L'éventail va du saut à l'élastique jusqu'à une promenade autour de la couronne extérieure, à 233 mètres de hauteur.

Macau Tower, haute de 338 m

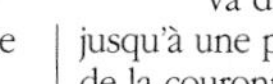

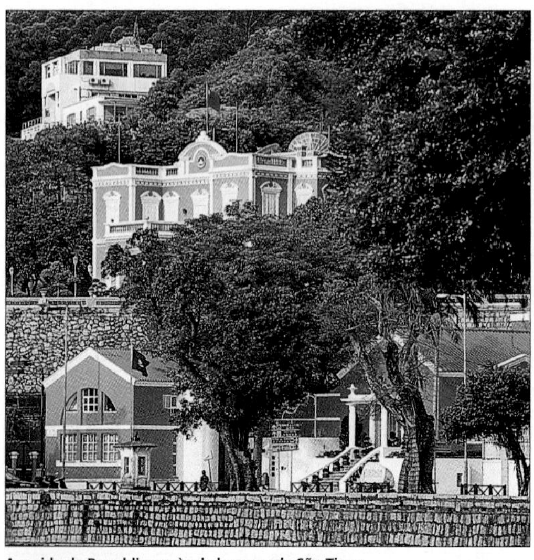

Avenida da Republica, près de la pousada São Tiago

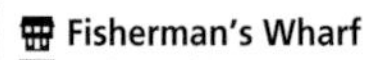

Fisherman's Wharf

24 h/24 t.l.j.

Le complexe à thème le plus récent, le plus vaste et le plus clinquant de la région occupe une superficie totale de près de 100 000 m² sur des terres gagnées sur le port extérieur. Il est divisé en trois zones. **Dynasty Wharf** réunit de très nombreux restaurants dans la reconstitution d'une ville fortifiée de l'époque Tang. **East Meets West** abrite un volcan artificiel en activité. À l'intérieur, des chariots dévalent les rails d'une mine. Les plus jeunes préféreront les attractions du Children's Fort. **Legend Wharf** juxtapose des répliques de quartiers et d'édifices d'origines variées, d'Amsterdam à La Nouvelle-Orléans. Un port de plaisance accueille des yachts.

La cuisine régionale : Macao

À l'arrivée des Portugais il y a 450 ans, la péninsule de Macao était pratiquement inhabitée. Ils conservèrent leurs habitudes culinaires, mais utilisèrent des produits chinois, des épices et des aromates provenant de leurs comptoirs situés en Afrique, en Inde, en Malaisie, en Indonésie et au Japon. Une double évolution se produisit. Les familles les moins aisées mangèrent de plus en plus cantonais, tandis que l'établissement de liaisons régulières avec la mère patrie permettait aux plus riches de revenir aux ingrédients d'origine. Avec le temps, les deux cuisines fusionnèrent en une gastronomie distinctement macanaise.

***Choi sum* en fleur**

Choix de friandises cantonaises dans une boutique à Macao

METS PORTUGAIS

La morue *(bacalhau)* est l'ingrédient lusitanien le plus répandu à Macao. Comme au Portugal, des recettes l'apprêtent selon des modes très divers. S'il est difficile de distinguer d'autres influences strictement portugaises, la place réservée à l'huile d'olive, aux amandes, au chorizo, au lapin et au safran évoque fortement la péninsule Ibérique. Café, pain, gâteaux et fromage comptent parmi les autres mets étrangers à la Chine. Les vins, qui proviennent pour la plupart du Portugal, sont en général de meilleure qualité que sur le continent et d'un rapport qualité-prix encore plus intéressant.

AUTRES INFLUENCES

La cuisine macanaise se distingue de la cantonaise par les apports d'autres pays et continents : coriandre et piment des plats péri-péri d'Afrique, sauce de poisson de l'Asie du Sud-Est, tamarin de Malacca, curries de Goa, *feijoada* et patates douces du Brésil...

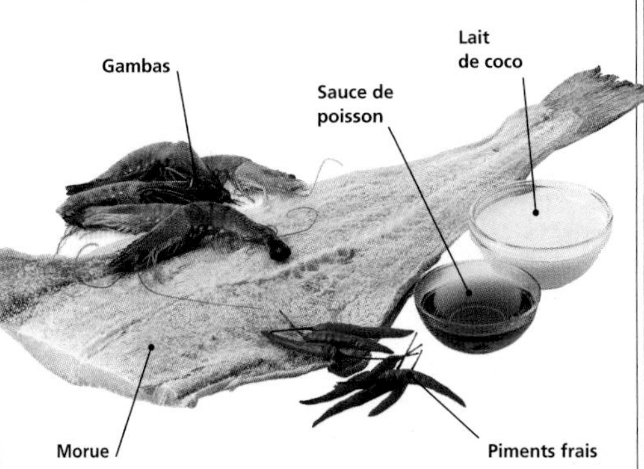

Sélection d'ingrédients typiques de la cuisine macanaise

SPÉCIALITÉS RÉGIONALES

Fils de safran

La cuisine macanaise compte peu de recettes directement inspirées de la gastronomie cantonaise. Le *tacho*, un ragoût de bœuf, de porc, de poulet et de saucisse chinoise, est sans doute ce qui s'en rapproche le plus. La morue apparaît sous de nombreuses formes : *bacalhau guisado* (en cocotte), *bacalhau à Gomes de Sa* (avec des pommes de terre et des œufs) et *pasteis de bacalhau* (beignets de morue), pour n'en citer que quelques-unes. Le *caril de camarao* (curry de crevettes) compte parmi les autres plats populaires, à l'instar de mets portugais traditionnels comme le *caldo verde* à base de chou et le *porco à algarvia* qui associe porc et palourdes. Même s'ils ne semblent pas se distinguer de leurs équivalents de Hong Kong, les petits flans appelés *pasteis de nata* ont un goût différent.

Galinha Africana *Le « poulet africain » marine dans une sauce à base de lait de coco, d'arachide, d'ail et de piment avant de cuire dans un four très chaud.*

Faire des achats à Hong Kong et Macao

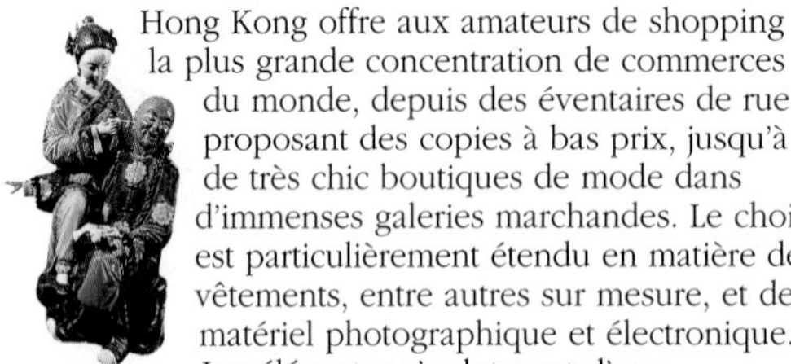

Céramique, Tsim Sha Tsui

Hong Kong offre aux amateurs de shopping la plus grande concentration de commerces du monde, depuis des éventaires de rue proposant des copies à bas prix, jusqu'à de très chic boutiques de mode dans d'immenses galeries marchandes. Le choix est particulièrement étendu en matière de vêtements, entre autres sur mesure, et de matériel photographique et électronique. Les élégantes s'y doteront d'une *cheongsam*, longue robe moulante en soie fendue haut sur la cuisse. Il ne faut toutefois pas s'attendre à faire d'excellentes affaires, en particulier si l'on compare les prix avec ceux de la Chine voisine. Le marchandage reste pratiqué sur les marchés et dans les petites boutiques.

MARCHÉS

Les marchés en plein air offrent de bonnes occasions de faire des affaires à Hong Kong, à condition d'avoir la patience de fouiller parmi les omniprésentes contrefaçons. Le **marché de nuit de Temple Street** *(p. 317)*, à Yau Ma Tei, est sans doute le plus réputé pour l'atmosphère, les prix et l'immense choix d'accessoires de mode, de vêtements, de babioles et autres souvenirs. À côté, le **Jade Market** se prête à l'acquisition de bijoux. Le trajet sur les routes sinueuses de Hong Kong Island justifie presque à lui seul de se rendre au marché de **Stanley** *(p. 323)*. C'est aussi un bon endroit où acheter de l'artisanat, des vêtements et des accessoires de mode.

Dans le quartier de Sheung Wan, à l'ouest de Central, le **Western Market** est moins animé. Un élégant bâtiment de l'époque coloniale abrite des douzaines de petits éventaires d'articles tels qu'antiquités, montres et jouets. Des rouleaux de tissu de toutes les couleurs emplissent le premier étage. Au dernier, un bon café sert d'excellents *dim sum*.

CENTRES COMMERCIAUX ET GRANDS MAGASINS

Même les accros au shopping les plus endurcis risquent la surdose devant le foisonnement exposé en vitrine dans les centres commerciaux de Hong Kong. À Tsim Sha Tsui, à Kowloon, même les grands paquebots qui s'amarrent près du Star Ferry paraissent petits à côté d'**Harbour City**, dont les galeries récemment étendues contiennent des centaines de boutiques. De l'autre côté de Victoria Harbour, sur Hong Kong Island, **The Landmark** de Central et **Pacific Place** d'Admiralty sont les lieux où se rendre pour s'habiller en Prada, en Versace ou en Zegna, et s'équiper d'accessoires signés Vuitton, Bulgari ou Tiffany. **Sogo**, un autre gigantesque temple de la consommation, se trouve à Causeway Bay *(p. 311)*. Non loin, **Island Beverley** accueille des centaines de petits commerces sur une douzaine d'étages.

ANTIQUITÉS ET BIJOUX

Dans Central, de vastes magasins d'antiquités offrant un choix allant de la vaisselle à de grands gardiens de tombeaux en terre cuite bordent Hollywood Road *(p. 314)*. Les plus établis comprennent **Honeychurch Antiques** spécialisé dans les sculptures sur bois, les bracelets et les colliers, **Gorgeous Arts and Crafts** dont le mobilier reste abordable et **Dragon Culture** qui propose une intéressante sélection de poteries, d'objets en bambou et de flacons à priser. Les amateurs de bijoux anciens visiteront aussi **Gallery One**. Macao possède également de bons magasins d'antiquités, immédiatement au sud des Ruinas de São Paulo *(p. 326)*.

MATÉRIEL PHOTOGRAPHIQUE, ÉLECTRONIQUE ET INFORMATIQUE

Kowloon, et surtout le quartier de Tsim Sha Tsui restent la grande destination touristique pour acheter du matériel électronique. **Nathan Road** concentre des marchands d'appareils photo, vidéo et d'électronique, mais les prix ne sont plus aussi compétitifs. Méfiez-vous, les victimes de vendeurs peu scrupuleux sont légion. Si vous vous décidez, prenez au préalable tous les renseignements techniques, posez des questions et vérifiez que des problèmes de compatibilité ne risquent pas de se poser à votre retour.

Facile à trouver en face de la gare routière et de l'embarcadère du Star Ferry, **Star House** contient au premier étage une vingtaine de boutiques d'informatique. Plus au nord, le **Mongkok Computer Centre** abrite d'autres détaillants. Les prix y sont en général modérés. Si vous préférez rester sur un sentier plus balisé, les succursales de la chaîne **Fortress** pratiquent des tarifs raisonnables sur le matériel photo et vidéo ainsi que sur les appareils portatifs. Les articles sont garantis et les vendeurs offrent une information fiable.

ARTISANAT CHINOIS

Les objets vendus par **Chinese Arts and Crafts** peuvent être trouvés à bien meilleur prix de l'autre côté de la frontière, mais ce magasin de Tsim Sha Tsui bourré de soieries, de sculptures, de céramiques, de jades et de théières se révèle bien pratique pour acquérir des cadeaux de dernière minute. Dans Central, la **Lok Cha Tea Shop** offre un cadre chaleureux où déguster et acheter de raffinés thés verts ou parfumés. On y vend également des théières, comme au **Culture Club** de Macao. La chaîne haut de gamme **G.O.D.** (Goods of Desire) propose du mobilier à la fois moderne et conçu pour un mode de vie à l'orientale.

VÊTEMENTS

Si les galeries marchandes et les grands magasins offrent le plus large choix pour s'habiller, **Joyce** a aussi ses adeptes pour la riche sélection de grandes marques réunies sous un même toit. **Giordano** possède en ville nombre de succursales où trouver à bon prix des vêtements de style Gap. **Shanghai Tang**, dans Central, propose des vêtements et objets de décoration d'intérieur inspirés de la tradition chinoise. Les Européens en quête d'articles de base à leur taille sont assurés de trouver leur bonheur dans les antennes de la célèbre chaîne britannique **Marks and Spencer**.

Pour sortir, les noctambules iront se composer une tenue tendance dans les magasins indépendants du **King Wah Building**. Hong Kong reste aussi l'endroit où se faire tailler un costume ou une chemise sur mesure. Malgré les promesses affichées par les petites boutiques de Tsim Sha Tsui, n'espérez pas un résultat de qualité en 24 heures. Si vous en avez les moyens, préférez des établissements reconnus comme **David's Shirts** dans le Mandarin Oriental et **Sam's Tailor** à l'illustre clientèle. Les petites boutiques des derniers étages du **Pedder Building** proposent parfois d'excellentes affaires en matière de fins de série. Les contrefaçons proposées sur les marchés de Hong Kong sont en général d'une qualité très inférieure aux originaux. Sachez qu'il est illégal de les rapporter en France.

ADRESSES

MARCHÉS

Jade Market
Kansu et Shanghai Sts, Yau Ma Tei. **Plan** 1 B1.
de 10h à 15h30 t.l.j.

Marché de nuit de Temple Street
Temple St, Yau Ma Tei. **Plan** 1 B2.
de 18h à 24h t.l.j.

Stanley Market
Stanley, Hong Kong Island.
de 9h à 18h t.l.j.

Western Market
Des Voeux Rd Central, Sheung Wan. **Plan** 2 A2.
de 10h à 19h t.l.j.

CENTRES COMMERCIAUX

Harbour City
3 Canton Rd, Tsim Sha Tsui. **Plan** 1 A4.
***Tél.** (0852) 2118 8666.*

Island Beverley
1 Great George St, Causeway Bay.
M *Causeway Bay.*

The Landmark
12-16 Des Voeux Rd Central. **Plan** 2 C3.
***Tél.** (0852) 2526 4416.*

Pacific Place
88 Queensway. **Plan** 3 D4.
***Tél.** (0852) 2844 8988.*

Sogo
555 Hennessy Rd, Causeway Bay.
***Tél.** (0852) 2833 8338.*
M *Causeway Bay.*

ANTIQUITÉS ET BIJOUX

Dragon Culture
231 Hollywood Rd, Central.
Plan 2 A2.
***Tél.** (0852) 2545 8098.*

Gallery One
31-33 Hollywood Rd, Central. **Plan** 2 B3.
***Tél.** (0852) 2545 6436.*

Gorgeous Arts & Crafts
Upper Ground Floor, 30 Hollywood Rd, Central.
Plan 2 B3. ***Tél.** (0852) 2973 0034.*

Honeychurch Antiques
29 Hollywood Rd, Central.
Plan 2 B3.
***Tél.** (0852) 2543 2433.*

MATÉRIEL PHOTO, ÉLECTRONIQUE ET INFORMATIQUE

Fortress
Shop 3320, The Gateway, Harbour City, Canton Rd, Tsim Sha Tsui.
Plan 1 A4.
***Tél.** (0852) 2116 1022.*

Mongkok Computer Centre
8a Nelson St, Mongkok.
M *Mongkok.*
***Tél.** (0852) 2384 6823.*

Star House
3 Salisbury Rd. **Plan** 1 A5.

ARTISANAT CHINOIS

Chinese Arts & Crafts
Star House, 3 Salisbury Rd, Tsim Sha Tsui. **Plan** 1 A5.
***Tél.** (0852) 2735 4061.*

Culture Club
390 et 398 Avenida Almeida Ribeiro, Macau.
***Tél.** (0853) 921 811.*

G.O.D.
Sharp St, Leighton Centre, Causeway Bay.
***Tél.** (0852) 2890 5555.*
M *Causeway Bay.*
Hong Kong Hotel, Harbour City, Canton Rd.
Plan 1 A4.
***Tél.** (0852) 2784 5555.*

Lok Cha Tea Shop
290b Queen's Rd Central, Sheung Wan. **Plan** 2 A2.
***Tél.** (0852) 2805 1360.*

VÊTEMENTS

David's Shirts
M17, Mandarin Oriental, Queen's Rd Central.
Plan 2 C3.
***Tél.** (0852) 2524 2979.*

Giordano
Shop 4, Grd Floor, China Building, 29 Queen's Rd Central.
Plan 2 C3.
***Tél.** (0852) 2921 2028.*

Joyce
18 Queen's Rd Central.
Plan 2 C3.
***Tél.** (0852) 2810 1120.*

King Wah Building
628 Nathan Rd, Mongkok.
M *Mongkok.*

Marks & Spencer
Ocean Terminal, Canton Rd. **Plan** 1 A4.
***Tél.** (0852) 2926 3331.*
Central Tower, 24-28 Queen's Rd Central.
Plan 2 C3.
***Tél.** (0852) 2921 8365.*

Pedder Building
12 Pedder St, Central.
Plan 2 C3.

Sam's Tailor
Burlington Arcade, Shop K, 94 Nathan Rd, Tsim Sha Tsui.
Plan 1 B4.
***Tél.** (0852) 2367 9423.*

Shanghai Tang
Pedder Building, 12 Pedder St, Central.
Plan 2 C3.
***Tél.** (0852) 2525 7333.*

Se distraire à Hong Kong et Macao

Cocktail de fruits

Hong Kong n'offre que l'embarras du choix en matière de sorties. Plusieurs grandes salles proposent une riche programmation de musique, d'opéra et de théâtre, en particulier pendant le Festival des arts en février et mars. La vie nocturne s'est beaucoup développée au cours des dernières années et les bars et les lieux permettant d'écouter de la musique ou de danser ne manquent pas. La house et la techno gagnent du terrain auprès des jeunes, mais la pop locale, la cantopop, conserve de nombreux adeptes. Les Hongkongais aiment aussi le karaoké. Beaucoup plus calme, Macao abrite d'excellents restaurants. Les distractions demeurent centrées sur le jeu.

MAGAZINES DE PROGRAMMES

Les visiteurs anglophones n'ont que l'embarras du choix pour savoir ce qui se passe à Hong Kong. La meilleure source d'information est peut-être l'*HK Magazine*, un hebdomadaire gratuit disponible dans la plupart des cafés et des bars. Vous pouvez aussi consulter l'édition du vendredi du *South China Morning Post*. *Magazine*, un bimensuel gratuit en papier glacé, séduira les jeunes noctambules en quête d'adresses.

BARS ET PUBS

Les hauts lieux de la vie nocturne à Hong Kong sont Lan Kwai Fong *(p. 314)*, près de Central, les rues autour de l'Escalator et le quartier de SoHo. L'élite de la jeunesse aisée de la ville se presse au **Goccia**, dans Wyndham Street. À l'angle de la rue, il règne assez de calme au **Jardin** pour qu'on puisse y tenir une conversation, ce qui change de la frénésie de la proche Lan Kwai Fong. Le **Felix**, au-dessus du Peninsula Hotel, offre une vue superbe du port. Avec le **C Bar** de Central et le **Drop** de SoHo, qui se transforme en club au cours de la nuit, il compte parmi les bars hyperchic fréquentés par la jet-set. Il règne une atmosphère plus détendue au **Life**, un agréable café bio situé à la sortie de l'Escalator dans SoHo.

BOÎTES DE NUIT

Les établissements destinés aux noctambules varient énormément, depuis des clubs miteux ouverts gratuitement à tous jusqu'à des lieux hyperbranchés réservés aux plus riches. En moyenne, le droit d'entrée s'élève à 100 $HK. Sur Lan Kwai Fong, le petit et chic **Club 97** ne badine pas avec la tenue vestimentaire. Ses DJ passent de bons morceaux de jazz, de funk et de house. À l'angle de la rue, les amateurs d'électro apprécieront le **C Club**, sous le C Bar.
Le **Drop**, le **Home** et le sélect **Dragon I** comptent parmi les autres clubs réputés.

SALLES DE SPECTACLE ET D'EXPOSITION

Hong Kong ne manque pas de grandes salles où assister à d'ambitieuses productions musicales, lyriques ou théâtrales. Elles comprennent le **Cultural Centre**, qui accueille parfois des concerts gratuits, le **Hong Kong Convention and Exhibition Centre** de Wan Chai et le **Hong Kong Coliseum** de Hung Hom. Près du Coliseum, le **Ko Shan Theatre** a pour spécialité le répertoire de l'opéra cantonais. Le **Hong Kong Arts Centre**, le **Fringe Club** et la **Hong Kong Academy of the Performing Arts** offrent des cadres plus intimes à des spectacles vivants, allant de la danse au one-man-show comique. **The Wanch** accueille des groupes de folk local et de rock indé.
À Macao, le **Macau Cultural Centre** présente des expositions d'art, d'histoire et d'architecture. Il propose aussi une riche programmation de musique, de théâtre, d'opéra et de danse, en particulier en mars pendant le Festival des arts.

SPORTS

Avec le printemps commence la saison des régates de bateaux-dragons. L'office du tourisme, l'HKTB, en fournit le détail. En mars, le Hong Kong Sevens, un tournoi de rugby à sept, attire un public enthousiaste d'expatriés qui y voient souvent l'occasion d'ingurgiter de vastes quantités de bière.
Les équipes internationales réunies n'en jouent pas moins 50 matchs en 72 heures. D'octobre à décembre, Hong Kong accueille également plusieurs tournois de tennis professionnel.

JEUX ET PARIS

Les rencontres hippiques organisées à Sha Tin et Happy Valley *(p. 311)* sont la seule forme de sport où il est possible de parier légalement à Hong Kong. Les courses ont lieu de nuit comme de jour et l'atmosphère justifie à elle seule le déplacement. Il règne une ambiance moins fiévreuse aux rendez-vous hippiques proposés également en nocturne à Macao. L'ancienne colonie portugaise permet aussi d'assister à des courses de lévriers au **Canidrome**, mais elle reste plus connue pour ses casinos ouverts en permanence. Le plus spectaculaire est **The Venetian** *(p. 327)*, un pastiche luxueux mais très kitsch de Venise.

AVEC DES ENFANTS

Hong Kong possède deux grands parcs à thème. **Ocean Park** *(p. 322)* propose, entre autres, des spectacles de dauphins. De construction plus récente, **Disneyland** *(p. 325)* rassemble de nombreuses attractions inspirées de l'univers du dessin animé et du cinéma.

Au sommet du Victoria Peak *(p. 312-313)*, **EA Experience** s'adresse aux amateurs de jeux vidéo et d'expériences virtuelles, avec notamment des simulateurs de voitures de course. Le Hong Kong Park abrite l'enchanteresse **Edward** aménagée pour ressembler à une forêt tropicale.

FÊTES TRADITIONNELLES

Au **nouvel an chinois** à Hong Kong, Victoria Park se transforme en un immense marché en plein air et des feux d'artifice illuminent le port. Pour l'**anniversaire de Tin Hau**, la déesse de la mer, processions et danses du lion se déroulent dans les plus grands temples, dont celui de Joss House Bay dans les Nouveaux Territoires. Dans tout Hong Kong, sanctuaires et bateaux de pêche se parent de décorations. Le **Cheung Chau Bun Festival** organisé en mai sur l'île de Cheung Chau *(p. 324)* donne lieu à une semaine de réjouissances dont les temps forts comprennent une procession d'enfants « flottant » au bout de perches dissimulées, et l'escalade de tours couvertes de centaines de petits pains. L'une des manifestations les plus animées de la région est **la fête du bateau du dragon**, rythmé en juin par des régates de bateaux-dragons. En août, **la fête des fantômes affamés** fournit l'occasion de nourrir les esprits. La lune est à l'honneur lors **de la fête de la mi-automne**, célébrée fin septembre début octobre. Chacun apporte sa lanterne au Victoria Park.

ADRESSES

HONG KONG TOURISM BOARD (HKTB)

Hong Kong Island : The Centre, 99 Queen's Road Central. **Plan** 2 C3.
Kowloon : Star Ferry Concourse. **Plan** 1 5A.
Tél. *(0852) 2508 1234.*
www.discover hongkong.com

BARS ET PUBS

C Bar
30-32 D'Aguilar St, Central. **Plan** 2 B3.
Tél. *(0852) 2530 3695.*

Drop
Basement, On Lok Mansion, 39-43 Hollywood Rd, Central (entrée par Cochrane St).
Plan 3 B3.
Tél. *(0852) 2543 8856.*

Felix
Peninsula Hotel, Salisbury Road.
Plan 1 B4.
Tél. *(0852) 2315 3188.*

Goccia
Shop 1 et 2, G/F 73 Wyndham St. **Plan** 2 B3.
Tél. *(0852) 2167 8181.*

Life
10 Shelley Street, SoHo.
Plan 2 B3.
Tél. *(0852) 2810 9777.*

Le Jardin
10 Wing Wah Lane, Central. **Plan** 2 B3.
Tél. *(0852) 2526 2717.*

BOÎTES DE NUIT

C Club
30-32 D'Aiguilar St, California Tower.
Plan 2 B3.
Tél. *(0852) 2526 1139.*

Club 97
9 Lan Kwai Fong.
Plan 2 B3.
Tél. *(0852) 2810 9333.*

Dragon I
The Centrium, 60 Wyndham St. **Plan** 2 B3.
Tél. *(0852) 3110 1222.*

Home
2nd Floor, 23 Hollywood Rd, Central. **Plan** 2 B3.
Tél. *(0852) 2545 0023.*

SALLES DE SPECTACLE ET D'EXPOSITION

Hong Kong Cultural Centre
L5, Auditoria Building, 10 Salisbury Rd. **Plan** 1 B5.
Tél. *(0852) 2734 2009.*
www.lcsd.gov.hk/ en/cs.php

The Fringe Club
2 Lower Albert Rd, Central.
Plan 2 C3.
Tél. *(0852) 2521 7251.*
www.hkfringe.com.hk

Hong Kong Academy for Performing Arts
1 Gloucester Rd, Wan Chai.
Plan 3 E3.
Tél. *(0852) 2584 8500.*
www.hkapa.edu

Hong Kong Arts Centre
2 Harbour Rd, Wan Chai.
Plan 3 E3.
Tél. *(0852) 2582 0200.*
www.hkac.org.hk

Hong Kong Coliseum
9 Cheong Wan Rd, Hung Hom, Kowloon.
Tél. *(0852) 2355 7233.*
Hung Hom KCR.
www.lcsd.gov.hk/CE/Entertainment/Stadia/HKC

Hong Kong Convention et Exhibition Centre
1 Expo Drive.
Plan 3 F3.
Tél. *(0852) 2582 8888.*
www.hkcec.com.hk

Ko Shan Theatre
77 Ko Shan Road, Hung Hom.
Tél. *(0852) 2740 9212.*
www.lcsd.gov.hk/CE/CulturalService/KST/

Macau Cultural Centre
Av. Xian Xing Hai S/N NAPE, Macau.
Tél. *(0853) 700 699.*
www.ccm.gov.mo/

The Wanch
54 Jaffe Road, Wan Chai.
Plan 3 F4.
Tél. *(0852) 2861 1621.*

JEUX ET PARIS

The Canidrome
Avenida General Castelo Branco, Macau.
Tél. *(0853) 333 399.*
www.macaudog.com

Happy Valley Racecourse
Happy Valley, Hong Kong Island.
Tél. *1817.*
www.hkjc.com/english

Sha Tin Racecourse
Tél. *1817.*
www.hkjc.com/english

AVEC DES ENFANTS

Disneyland
Penny's Bay, Lantau Island.
Tél. *(0852) 2203 2000.*
M Penny's Bay.
www.hongkong disneyland.com/english

EA Experience
Shop 101, Level 1, The Peak Tower.
Plan 2 A5.
Tél. *(0852) 2849 7710.*
www.ea.com

Edward Youde Aviary
Hong Kong Park, Cotton Tree Drive, Central.
Plan 2 C4.
Tél. *(0852) 2521 5041.*
www.lcsd.gov.hk/parks

ATLAS DES RUES DE HONG KONG

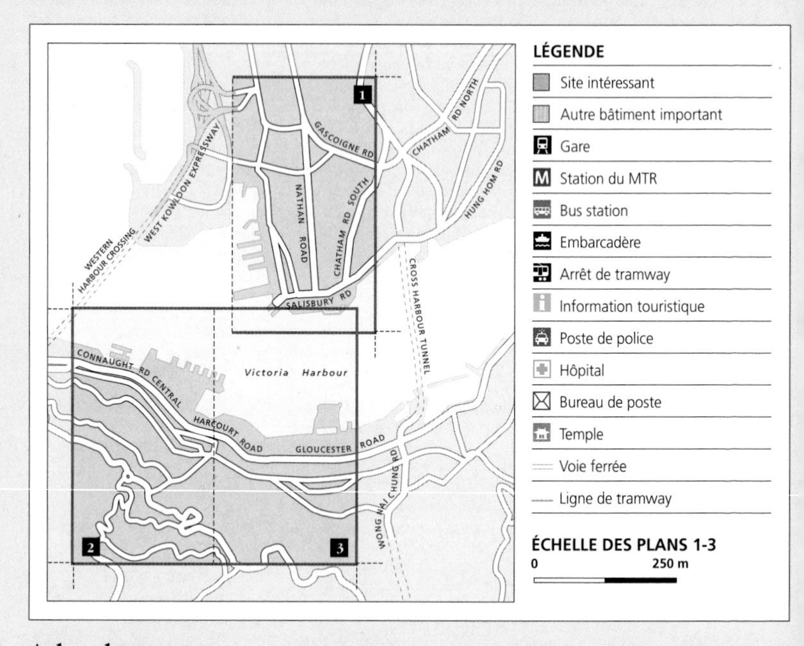

Atlas des rues

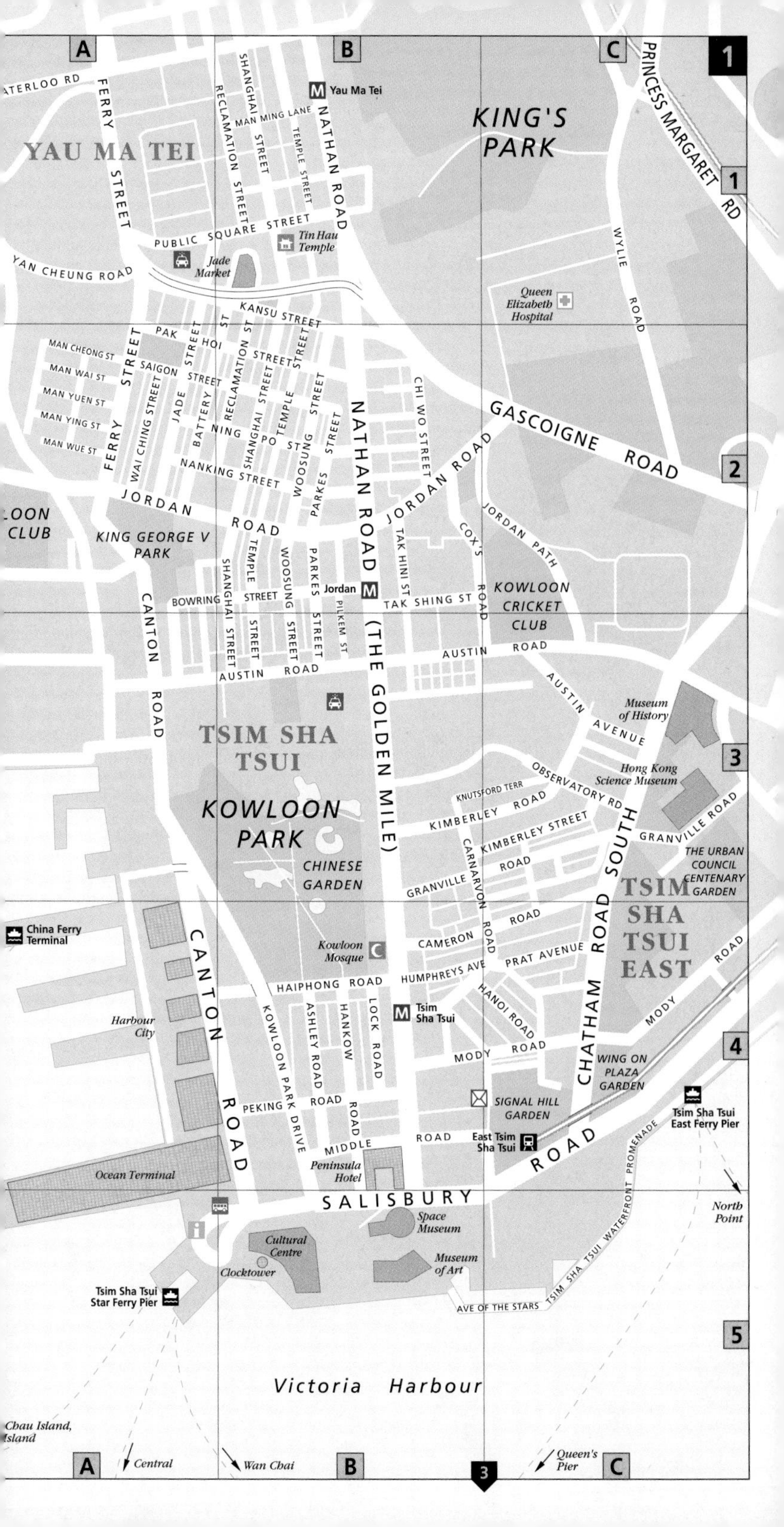

A
B
C
1
YAU MA TEI
KING'S PARK
Yau Ma Tei
Waterloo Rd
Ferry Street
Shanghai Street
Reclamation Street
Man Ming Lane
Temple Street
Nathan Road
Princess Margaret Rd
Public Square Street
Tin Hau Temple
Jade Market
Yan Cheung Road
Kansu Street
Wylie Road
Queen Elizabeth Hospital
Pak Hoi Street
Man Cheong St
Man Wai St
Man Yuen St
Man Ying St
Man Wue St
Saigon Street
Wai Ching Street
Jade
Battery
Ning Po St
Woosung
Parkes
Chi Wo Street
Gascoigne Road
2
Jordan Road
Nanking Street
Kowloon Club
King George V Park
Jordan Path
Cox's Road
Tak Hing St
Jordan
Bowring Street
Tak Shing St
Kowloon Cricket Club
Canton Road
Pilkem St
Nathan Road (The Golden Mile)
Austin Road
Austin Avenue
Museum of History
TSIM SHA TSUI
3
Observatory Rd
Hong Kong Science Museum
Knutsford Terr
Kowloon Park
Kimberley Road
Kimberley Street
Granville Road
Chatham Road South
The Urban Council Centenary Garden
Chinese Garden
Carnarvon Road
TSIM SHA TSUI EAST
China Ferry Terminal
Cameron Road
Kowloon Mosque
Prat Avenue
Humphreys Ave
Haiphong Road
Hanoi Road
Mody Road
Harbour City
Ashley Road
Hankow Road
Lock Road
Tsim Sha Tsui
Kowloon Park Drive
4
Wing On Plaza Garden
Peking Road
Signal Hill Garden
Tsim Sha Tsui East Ferry Pier
Middle Road
East Tsim Sha Tsui
Ocean Terminal
Peninsula Hotel
Salisbury Road
Tsim Sha Tsui Waterfront Promenade
North Point
Space Museum
Cultural Centre
Museum of Art
Clocktower
Tsim Sha Tsui Star Ferry Pier
Ave of the Stars
5
Victoria Harbour
Chau Island,
Island
Central
Wan Chai
Queen's Pier
3

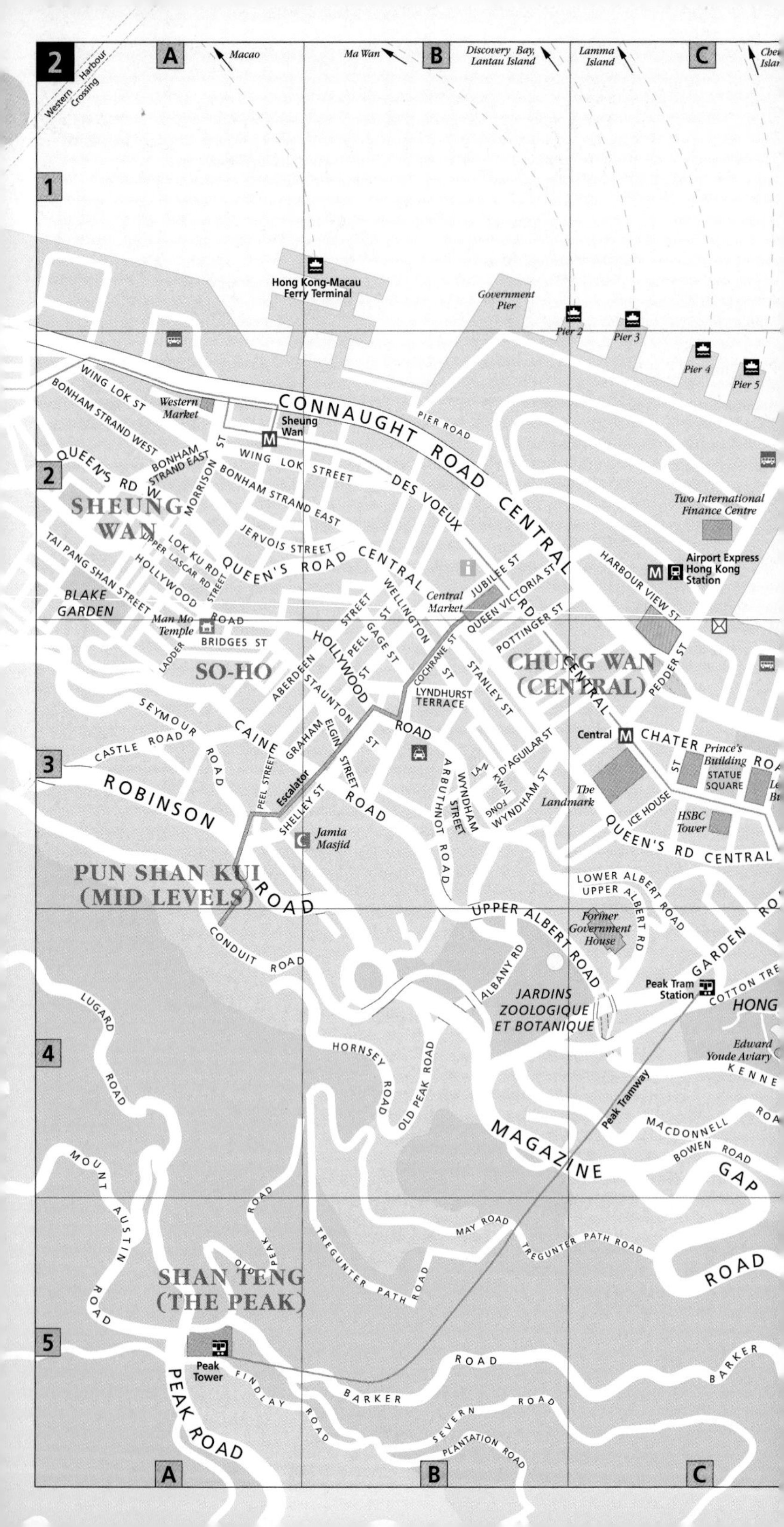
2
A
B
C
Macao
Ma Wan
Discovery Bay, Lantau Island
Lamma Island
Western Harbour Crossing
1
2
3
4
5
Hong Kong-Macau Ferry Terminal
Government Pier
Pier 2
Pier 3
Pier 4
Pier 5
WING LOK ST
BONHAM STRAND WEST
Western Market
Sheung Wan
CONNAUGHT ROAD CENTRAL
PIER ROAD
QUEEN'S RD W
BONHAM STRAND EAST
MORRISON ST
WING LOK STREET
DES VOEUX
SHEUNG WAN
Two International Finance Centre
JERVOIS STREET
LOK KU RD
UPPER LASCAR RD
TAI PANG SHAN STREET
HOLLYWOOD ROAD
QUEEN'S ROAD CENTRAL
JUBILEE ST
QUEEN VICTORIA ST
HARBOUR VIEW ST
Airport Express Hong Kong Station
BLAKE GARDEN
Central Market
WELLINGTON
Man Mo Temple
BRIDGES ST
POTTINGER ST
LADDER
SO-HO
ABERDEEN
PEEL ST
GAGE ST
COCHRANE ST
STANLEY ST
CHUNG WAN (CENTRAL)
PEDDER ST
STAUNTON
LYNDHURST TERRACE
SEYMOUR
CAINE
GRAHAM
ELGIN
Central
CHATER ROAD
Prince's Building
STATUE SQUARE
CASTLE ROAD
D'AGUILAR ST
WYNDHAM ST
LAN KWAI FONG
The Landmark
ROBINSON
PEEL STREET
Escalator
SHELLEY ST
ARBUTHNOT ROAD
WYNDHAM STREET
ICE HOUSE ST
HSBC Tower
Jamia Masjid
QUEEN'S RD CENTRAL
PUN SHAN KUI (MID LEVELS)
LOWER ALBERT ROAD
UPPER ALBERT RD
UPPER ALBERT ROAD
Former Government House
CONDUIT ROAD
GARDEN ROAD
ALBANY RD
Peak Tram Station
COTTON TREE
JARDINS ZOOLOGIQUE ET BOTANIQUE
HONG
Edward Youde Aviary
LUGARD ROAD
HORNSEY ROAD
OLD PEAK ROAD
KENNEDY
Peak Tramway
MACDONNELL ROAD
MAGAZINE GAP
BOWEN ROAD
MOUNT AUSTIN ROAD
OLD PEAK ROAD
MAY ROAD
TREGUNTER PATH ROAD
SHAN TENG (THE PEAK)
ROAD
Peak Tower
FINDLAY ROAD
BARKER ROAD
SEVERN ROAD
PLANTATION ROAD
PEAK ROAD

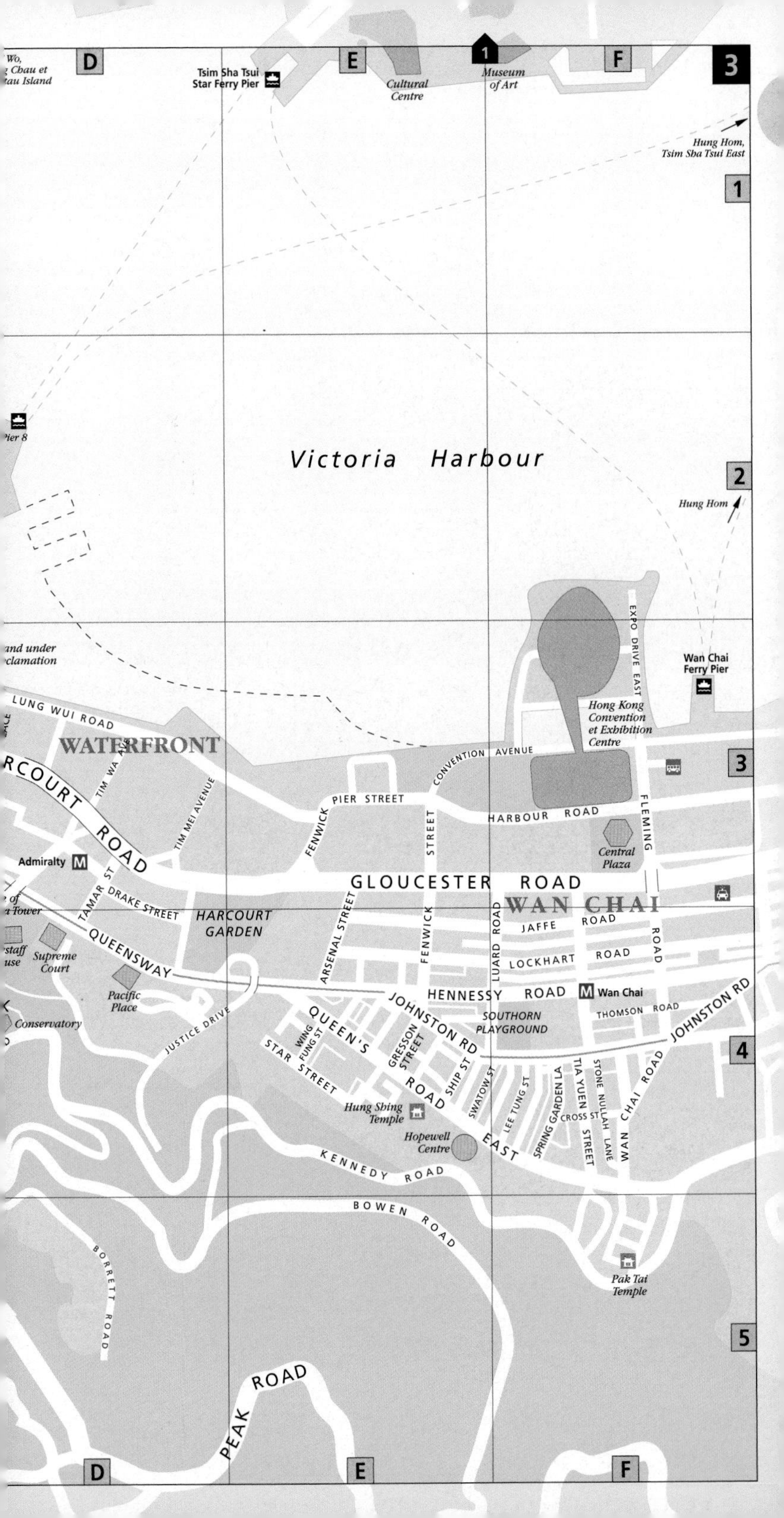
3
D
E
F
1
2
3
4
5
Tsim Sha Tsui Star Ferry Pier
Cultural Centre
Museum of Art
Hung Hom, Tsim Sha Tsui East
Victoria Harbour
Hung Hom
Wan Chai Ferry Pier
Hong Kong Convention et Exhibition Centre
EXPO DRIVE EAST
CONVENTION AVENUE
LUNG WUI ROAD
WATERFRONT
HARCOURT ROAD
TIM WA AVE
TIM MEI AVENUE
PIER STREET
FENWICK
STREET
HARBOUR ROAD
FLEMING ROAD
Central Plaza
Admiralty
GLOUCESTER ROAD
WAN CHAI
TAMAR ST
DRAKE STREET
HARCOURT GARDEN
ARSENAL STREET
FENWICK
LUARD ROAD
JAFFE ROAD
LOCKHART ROAD
QUEENSWAY
Supreme Court
Pacific Place
HENNESSY ROAD
Wan Chai
JOHNSTON RD
SOUTHERN PLAYGROUND
THOMSON ROAD
JOHNSTON RD
Conservatory
JUSTICE DRIVE
QUEEN'S ROAD EAST
WING FUNG ST
STAR STREET
GRESSON STREET
SHIP ST
SWATOW ST
LEE TUNG ST
SPRING GARDEN LA
TIA YUEN STREET
STONE NULLAH LANE
CROSS ST
WAN CHAI ROAD
Hung Shing Temple
Hopewell Centre
KENNEDY ROAD
BOWEN ROAD
BORRETT ROAD
Pak Tai Temple
PEAK ROAD
Pier 8

LE SUD-OUEST

Le Sud-Ouest d'un coup d'œil

La région déploie des paysages particulièrement évocateurs : le fertile Bassin rouge de l'est du Sichuan, les profondes gorges sur le cours du Yangzi, les confins du plateau tibétain, les forêts tropicales du Xishuangbanna et les collines karstiques du Guizhou et du Guangxi. Les richesses culturelles comprennent les sculptures bouddhiques de Leshan et Dazu, et les vestiges des remparts Ming de Dali et Songpan. Les minorités ethniques sont nombreuses : Tibétains de l'Ouest, Miao et Dong du Guizhou et du Guangxi, Bai de Dali, Naxi de Lijiang et Dai du Xishuangbanna. Des réserves naturelles protègent des pandas géants près de Chengdu, des échassiers à la Caohai et des éléphants près de Jinghong. De la gorge du Saut du tigre à l'Emei Shan, les randonneurs ont un large choix.

Bassins des Miroirs du parc de Huanglong, Sichuan

Village miao de Xijiang au milieu de ses cultures en terrasses près de Kaili, Guizhou

CIRCULER

L'avion dessert toutes les principales destinations comme Chengdu, Chongqing, Kunming, Guiyang, Guilin, Lijiang et Jinghong. Le train relie les capitales provinciales à la plupart des grandes villes. Les liaisons sont relativement directes. Des bus circulent dans toute la région. Si les trajets longue distance en autocar express sur des routes bitumées ne posent pas de problème, circuler avec les transports locaux dans des zones reculées peut se révéler lent et pénible, en particulier au Guizhou et au Guangxi. Des bateaux proposent des croisières de plusieurs jours sur le Yangzi au départ de Chongqing. Il suffit d'une journée pour suivre la Li entre Guilin et Yangshuo dans la province du Guangxi.

◁ Étrange paysage karstique près de Yangshuo, Guangxi

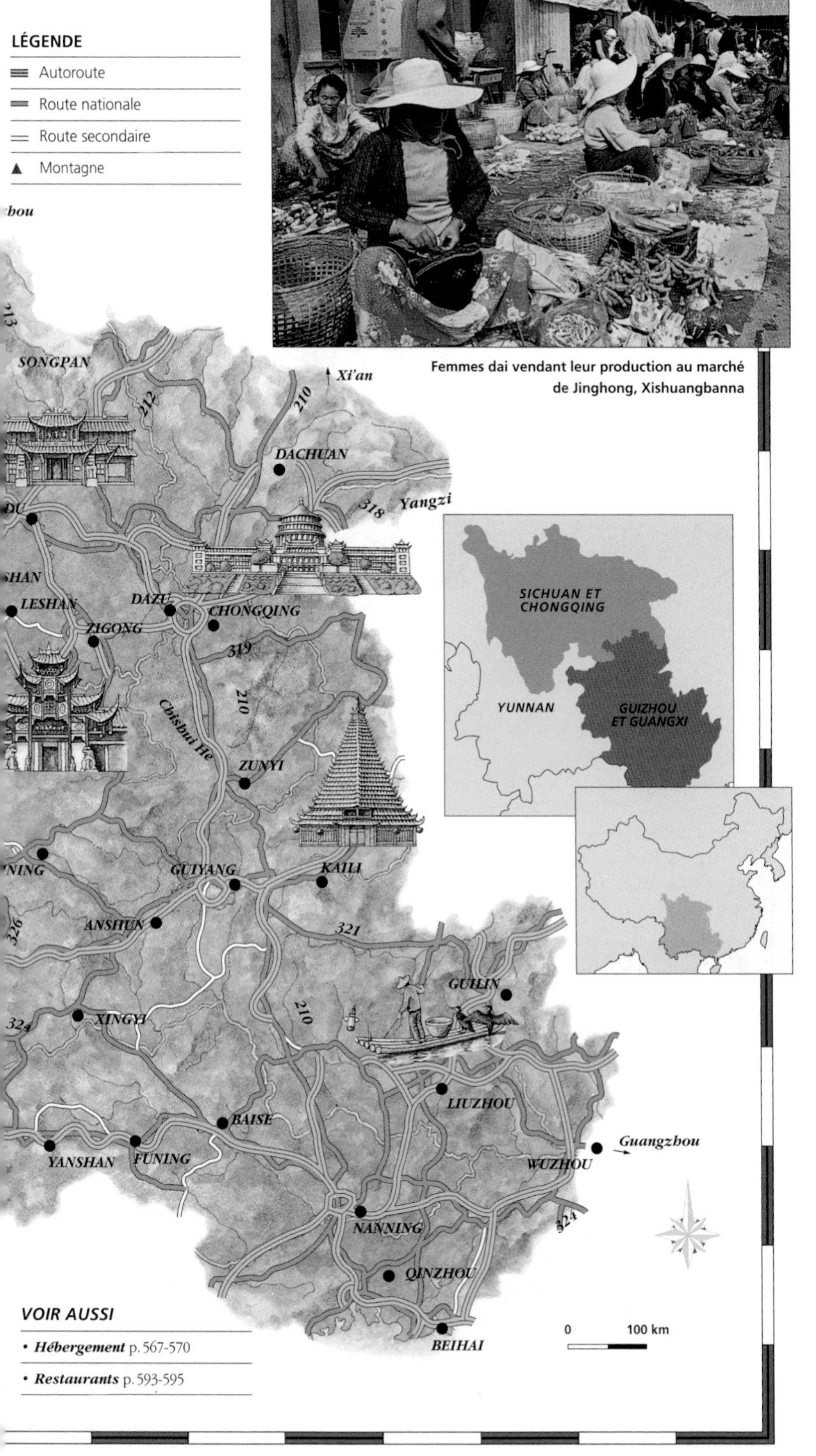

Femmes dai vendant leur production au marché de Jinghong, Xishuangbanna

UNE IMAGE DU SUD-OUEST

Depuis les vertigineux éperons rocheux bordant la Li jusqu'aux gorges encaissées creusées par le Yangzi et la jungle tropicale du Xishuangbanna, le Sud-Ouest aux multiples visages recèle des sites naturels exceptionnels. Sa diversité humaine, rendue manifeste par les costumes et les coutumes de ses nombreuses minorités ethniques, contribue à en faire une destination touristique exotique.

L'isolement du Sud-Ouest lui a valu de suivre son propre chemin au cours de la majeure partie de son histoire. Le territoire correspondant à peu près au Yunnan actuel a toujours entretenu des rapports plus étroits avec les États voisins du sud et de l'ouest qu'avec les centres dynastiques de la Chine. Pendant la période des Royaumes combattants, un général chu, Zhuang Qiao, envoyé dans la région de l'actuelle Kunming soumettre des tribus locales, fonda vers 300 av. J.-C. le royaume de Dian. Pendant 500 ans, celui-ci gardera une large autonomie sous la forme d'une alliance plus ou moins lâche de princes payant tribut.

Le panda géant ne vit qu'au Sichuan

Au VIIIe siècle, l'État du Nanzhao fédéra les tribus de la région de Dali et étendit son influence au Vietnam et en Birmanie. Ses souverains s'enrichirent grâce au commerce sur la Route sud de la soie. Le fondateur mongol de la dynastie des Yuan, Qubilaï Khan, se chargea personnellement de les soumettre au XIIIe siècle. Pendant la majeure partie des époques Ming et Qing, la région correspondant aujourd'hui au Yunnan, au Guizhou et au Guangxi fut administrée comme un avant-poste colonisé et dominé par des chefs tribaux.

Au XIXe siècle, la souffrance des dépossédés, écrasés par les impôts impériaux et les exigences des seigneurs de la guerre, alimenta deux soulèvements : la révolte des musulmans du Yunnan de 1856 et la rébellion des Taiping née dans le Guangxi *(p. 422)*. La féroce répression exercée par les Qing et les Occidentaux plongea la région dans une pauvreté abjecte. La

Bateaux de pêche au bord du lac Erhai près de Dali

Dévots dans un nuage d'encens au principal temple taoïste de Chengdu, le Qingyang Dong

minorité miao se révolta à son tour en 1870. L'armée Rouge engagée dans sa Longue Marche trouva là en 1934 une population prête à la révolution et qui fournit au Parti communiste de nombreuses recrues.

Le Sichuan, la plus vaste province du Sud-Ouest, a davantage participé à l'histoire de l'Empire du Milieu. La culture Ba qui s'y épanouit vers l'an 1000 av. J.-C. avait sa capitale à Sanxingdui, au nord de la moderne Chengdu. Après la chute de la dynastie Han, le royaume de Shu (221-263) s'établit dans sa partie orientale. La richesse tirée de terres fertiles finança sous les dynasties Tang et Song de grands travaux religieux, comme l'immense Bouddha de Leshan. Le gouvernement communiste a récemment voué à l'industrie sa plus grande ville, Chongqing. Il lui a donné en 1997 le statut de cité-province pour contrôler directement son développement. Elle est le point de départ des croisières sur le Yangzi à travers les Trois Gorges *(p. 352-354)*.

Tenue traditionnelle des femmes Bai à Shaping

Les plaines orientales densément peuplées du Sichuan cèdent la place au nord aux contreforts du plateau de la réserve Aba, principalement peuplé de Tibétains. Entre les deux, les dernières bambouseraies de la province abritent les quelques pandas géants vivant encore dans la nature. Pour une métropole en vogue, Chengdu, la capitale, conserve une atmosphère étonnamment détendue, notamment dans les nombreuses maisons de thé ouvertes dans des parcs, des temples ou des cours intérieures.

Le Yunnan s'étend des contreforts du plateau tibétain, au Nord, où le Yangzi prend sa force, jusqu'au Xishuangbanna tropical traversé par le cours languide du Mékong. La province est en train de se transformer rapidement en l'une des premières destinations touristiques du pays. Au nord de Kunming, les villes anciennes de Dali et Lijiang ont gardé beaucoup de cachet. Des villages peuplés de Bai et de Naxi les entourent. Le Xishuangbanna évoque par ses paysages et sa culture les pays voisins de l'Asie du Sud-Est : le Vietnam, le Laos et la Birmanie.

Partout, la vie locale a pour temps forts les marchés colorés fréquentés par des minorités.

La plupart des visiteurs se rendent au Guangxi pour les paysages karstiques des alentours de Guilin et de Yangshuo. Son charme, comme celui du Guizhou, apparaît toutefois davantage dans des zones rurales moins fréquentées, où des communautés ethniques continuent de vivre dans des villages en bois. Les Miao, sont réputés pour la convivialité qui règne dans leurs fêtes. La faible densité de population de la région a permis à des sites naturels comme la cascade de Detian et les gorges de la Maling de conserver une beauté presque vierge.

Pitons karstiques dans la région de la Li

La flore du Sud-Ouest

Éclatantes bractées de bougainvillée

Nulle part en Chine, la flore n'est plus variée que dans le Sud-Ouest. La province du Yunnan, en particulier, peut s'enorgueillir d'abriter quelque 15 000 espèces végétales, sur environ 30 000 pour l'ensemble du pays. Beaucoup de plantes de jardin proviennent de cette région, dont les rhododendrons et les magnolias. La géographie explique cette richesse : de courtes distances séparent les environnements très contrastés de plateaux de haute altitude et de forêts tropicales humides. Les vallées encaissées qui les espacent favorisent le développement d'espèces indigènes en faisant obstacle aux pollinisations croisées.

Le jardin botanique de Menglun, *ouvert à la visite, est au Xishuangbanna un centre de recherche sur la préservation de la forêt tropicale.*

MONTAGNES ET VALLÉES

Les paysages de la région semblent se résumer à une succession sans fin de massifs montagneux et de profondes vallées. Le nord du Yunnan, l'ouest du Sichuan et le sud-ouest du Tibet renferment les cours supérieurs de trois très grands fleuves : d'ouest en est, le Nu Jiang (Salween), le Lancang Jiang (Mékong) et le Jiansha Jiang (Yangzi). Tous prennent leur source dans les hauteurs du Tibet et du Qinghai.

Le magnolia (Magnolia campbellii), *originaire d'Himalaya et de Chine, doit à sa découverte en 1904 par le chasseur de plantes écossais George Forrest, et à ses éclatantes fleurs roses, d'être cultivé depuis 1924.*

De superbes plantes comme les rhododendrons et les magnolias couvrent les pentes.

Les rhododendrons sauvages *de cette région propice à la diversification des espèces sont à l'origine de la plupart des variétés hybrides de nos jardins.*

Le pavot jaune (Meconopsis integrifolia), *utilisé dans la médecine traditionnelle, pousse dans le sud-ouest de la Chine entre 2 700 et 5 100 mètres d'altitude. Un duvet soyeux protège son feuillage. Le botaniste E. H. Wilson le fit connaître en Occident.*

Cypripedium tibeticum *compte parmi les plus belles orchidées rustiques qui poussent dans les prairies alpines du Sichuan à partir de 2 400 mètres d'altitude.*

Les camélias *sont surtout connus pour les fleurs des variétés ornementales.* Camellia sinensis *n'en fournit pas moins aux Chinois plus de 200 sortes de thé* (p. 293).

FORÊT TROPICALE

Les forêts tropicales n'occupent que 0,5 % de la superficie de la Chine, mais elles contiennent 25 % des espèces végétales. Le Sud-Ouest abrite l'une des plus vastes, dans la préfecture du Xishuangbanna de la province du Yunnan. La saison des pluies y dure d'avril à octobre, avec une pluviosité moyenne annuelle de 1 500 mm. La chaleur y rend encore plus éprouvant le taux d'humidité. L'île de Hainan et le sud du Guangxi conservent également des étendues de jungle.

Dense sous-bois typique d'une forêt tropicale naturelle à Jinghong, dans le sud du Yunnan

Le pamplemousse (Citrus maxima), *qu'il ne faut pas confondre avec le pomelo commun sur nos étals, est cultivé en Chine méridionale depuis des milliers d'années. Les fleurs donnent de très gros fruits à peau verte.*

Le dragonnier (Dracaena cochinchinensis) *joue un rôle important dans la médecine traditionnelle chinoise. Sa résine rouge, ou sang-dragon, entre dans diverses préparations destinées à améliorer la circulation sanguine. Menacé de disparition, il est désormais cultivé.*

Le lotus d'or (Musella lasiocarpa), *un proche parent du bananier, est une plante basse et peu répandue qui pousse dans les provinces du Yunnan et du Guizhou. Elle possède un capitule jaune et serré qui évoque un artichaut.*

Le sol de la jungle *disparaît sous les fougères et les buissons au pied des arbres envahis par des lianes. Les épiphytes, qui poussent sur d'autres végétaux sans s'en nourrir, profitent d'une humidité de l'air élevée.*

Le bananier rouge, (Musa coccinea), *apprécié en décoration, compte parmi les plus belles variétés de l'espèce. Haut d'environ 2 mètres, il produit des fleurs rouge vif qui durent jusqu'à deux mois. La destruction de son habitat l'a rendu rare.*

CÉLÈBRES CHASSEURS DE PLANTES

Au début du XXe siècle, un certain nombre d'intrépides et aventureux botanistes partirent dans le monde entier à la recherche de plantes encore inconnues de l'Occident. Les plus célèbres comprenaient George Forrest (1873-1932), E. H. Wilson (1876-1930), Joseph Rock (1884-1962) et Frank Kingdon Ward (1885-1958). Ce dernier, bien qu'il n'ait pas compté parmi les pionniers, accéda à la renommée grâce aux spécimens botaniques qu'il réunit dans le Yunnan, juste avant et après la Première Guerre mondiale, puis au Tibet. Plusieurs rhododendrons figurent parmi ses célèbres découvertes. Dans les années 1920, il rapporta des graines du splendide pavot bleu, *Meconopsis betonicifolia*, qui lui inspira le titre d'un de ses livres : *The Land of the Blue Poppy*.

Frank Kingdon Ward, explorateur et botaniste

La cuisine régionale : le Sud-Ouest

Des étés chauds et des hivers doux très arrosés permettent des récoltes tout au long de l'année, faisant du Sud-Ouest l'un des « bols de riz » de la Chine. Le bassin du Sichuan fournit aussi en abondance des produits tropicaux comme des fruits et du thé. Sa cuisine épicée s'est imposée au reste de la région. Celle du Yunnan est au contraire sous-estimée, malgré l'utilisation d'excellents ingrédients. Les spécialités du Guizhou et du Guanxi se situent entre les recettes pimentées du Sichuan et les mets raffinés de la gastronomie cantonaise.

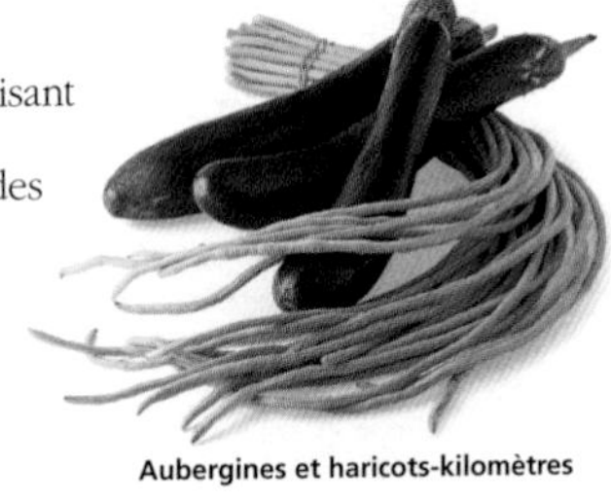

Aubergines et haricots-kilomètres

Fruits et en-cas frits en brochette typiques du Sud-Ouest

SICHUAN

La cuisine du Sichuan a la réputation d'être richement aromatisée et très relevée, mais de nombreux plats se révèlent à l'expérience tout à fait doux. La culture du piment, une plante originaire d'Amérique, ne s'est pas répandue avant le XIXe siècle. Selon les chefs locaux, son usage n'engourdit pas les papilles, mais stimule le palais. Chaque recette doit viser à un équilibre entre le sucré, l'acide, l'amer, le poivré, le salé, l'aromatique et le parfumé, et la brûlure du piment rend d'après eux sensible à une plus large gamme de ces saveurs. La région a pour épice la plus célèbre le poivre du Sichuan *(hua jiao)*, des boutons floraux séchés. Leur piquant citronné taquine assez la bouche pour réussir à amortir le feu du piment. Les spécialités locales profitent également de la pureté du sel raffiné des mines de Zigong.

Piments frais verts et rouges (très forts)

Grands piments séchés (assez forts)

Pâte de piment (épicée)

« Huile rouge » (assez épicée)

Piments « vers le ciel » (très épicés)

Poivre du Sichuan (piquant et parfumé)

Petits piments séchés (très forts)

Sélection d'épices du Sichuan

SPÉCIALITÉS RÉGIONALES

Il est difficile, lors d'une visite de la Chine, de ne pas croiser une version du poulet Kung-Po ou du *mapo doufu*. Hors du Sichuan, ces plats n'ont pas la richesse de saveur ni l'équilibre de texture des originaux. Les spécialités de la province comprennent une délicieuse conserve : une racine de moutarde marinée en sauce pimentée. Au Yunnan, les légumes et les herbes médicinales mis à cuire à la vapeur avec le poulet à l'étouffée *(qiguoji)* parfument son bouillon. L'épouse d'un érudit de la dynastie Qing aurait inventé les « nouilles par-dessus le pont » *(guoquiao mixian)*. Son mari étudiait dans un pavillon sur une île et elle ne voulait pas qu'il mange froid. Elle recouvrit d'une couche d'huile isolante une soupe de poulet bouillante qu'accompagnent des nouilles de riz, des tranches de jambon et des légumes.

Châtaignes d'eau

Poulet Kung-Po : *plat du Sichuan, d'où venait le cuisinier de Kung Po, un fonctionnaire du Guizhou.*

YUNNAN

Son climat tropical fait du Yunnan une terre d'élection pour les amateurs de légumes qu'enchanteront des mets à base d'ingrédients exotiques comme le haricot-kilomètre, les pousses de lotus, de bambou et d'ail. La province est également connue par son thé *pu'er* vendu sous forme de briques. Il donne un breuvage noir et fort souvent bu en tant que remède. Le jambon du Yunnan rivalise avec celui de Jinhua et du Zhejiang. On le sert souvent avec du fromage de brebis, la région est en effet réputée pour ses produits laitiers. Quand la pluie cesse enfin, des champignons poussent

Légumes en vente dans un marché en plein air du Ghuizou

à profusion, pour la plus grande joie des cueilleurs qui se précipitent dans les forêts. Enfin, de nombreuses recettes tirent parti de fruits exotiques de toutes sortes.

Étal de *zongzi*, cônes de riz gluant enveloppés dans des feuilles de bambou

GUIZHOU ET GUANGXI

Les aliments de survie adoptés dans ces contrées relativement pauvres, notamment par les minorités, ont suscité bien des anecdotes, mais le visiteur a très peu de chances de réussir à dénicher des chrysalides de guêpes frites et autres friandises de ce genre.
Le Guizhou a pour spécialité des ragoûts épicés. Éviter ceux au chien n'a rien de difficile *(p. 399)*. La province produit l'alcool le plus connu de Chine, le maotai, une eau-de-vie de sorgho et de blé mise à vieillir au moins cinq ans dans des jarres au frais.
La cuisine du Guangxi associe des plats aigres-doux à la cantonaise et des recettes plus rustiques de la minorité zhuang. Sont également très appréciés les cônes de riz gluant, salé ou sucré, appelés *zongzi*.

À LA CARTE

Canard parfumé et croustillant Très différent du canard laqué, ce canard mariné, cuit à la vapeur puis frit, existe aussi « fumé au thé ». Il est alors exposé à la fumée de copeaux de théier, de cyprès et de camphrier.

Porc cuit deux fois Cette autre spécialité traditionnelle du Sichuan jouit d'une grande popularité. La viande est d'abord ébouillantée, avant d'être frite.

Bœuf vapeur en panier La viande épicée est servie dans le panier en bambou où elle a cuit à la vapeur, enveloppée de riz moulu.

Poisson Toban Un poisson d'abord frit mijote ensuite avec du piment, du gingembre, du sucre, du vinaigre et de la pâte de soja pimentée *(toban jian)*.

Fourmis grimpant aux arbres Du porc haché forme les « fourmis » qui escaladent des vermicelles de riz.

Mapo doufu : *association de porc haché, de tofu et de piments dans un bouillon au gingembre.*

Soupe aigre-piquante : *préparé dans les règles, ce potage n'est relevé qu'au poivre blanc moulu.*

Aubergines parfum poisson : *la recette servait à l'origine à cuisiner du poisson, d'où son nom* (yu xiang).

SICHUAN ET CHONGQING

Le Sichuan et la ville-province voisine de Chongqing possèdent une superficie totale de 570 000 km² et une population de plus de 110 millions d'habitants. L'ensemble peut être divisé en trois zones géographiques distinctes. À l'est, la Chongqing Shi a pour cœur la ville industrielle qui lui a donné son nom et une bande cultivée le long du Yangzi, fleuve célèbre pour ses Trois Gorges *(p. 352-354)*. Au centre, le bassin Rouge est d'une prodigieuse fertilité. Des plaines bien irriguées et des champs en damier entourent sa capitale : Chengdu. La richesse générée par ces terres agricoles a financé la construction des temples qui jalonnent les pentes boisées de l'Emei Shan et la réalisation des étonnantes sculptures bouddhistes de Dazu et Leshan. Sur les contreforts de l'Himalaya, le nord et l'ouest du Sichuan présentent un visage très différent avec leurs sommets enneigés à plus de 5 000 mètres. La culture tibétaine domine dans cette région peu habitée. Au nord-ouest de Chengdu s'étend la réserve naturelle de Wolong, principal habitat du panda géant. Au nord, les environs de Songpan et du Jiuzhai Gou recèlent de beaux paysages alpins.

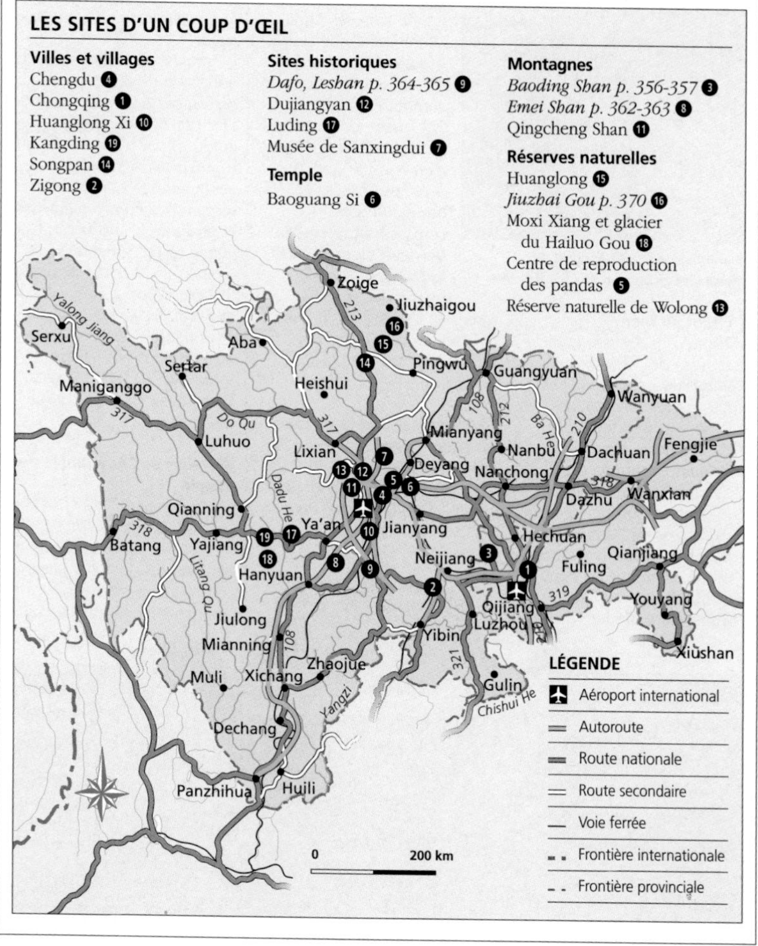

◁ **Au bord d'un des nombreux lacs du Jiuzhai Gou**

Chongqing ❶

重庆

Calligraphie, Luohan Si

Située sur une péninsule au confluent du Yangzi et du Jianling, l'ancienne capitale du royaume de Ba, vers 1000 av. J.-C., porte un nom qui signifie « double bonheur », mais elle est également baptisée Shan Cheng (ville montagne) à cause des collines qu'escaladent ses immeubles. Ses étés étouffants, rendus encore plus éprouvants par la pollution, lui valent de compter parmi les « trois fournaises » de la vallée du Yangzi. Depuis 1997, elle est le centre administratif de la nouvelle ville-province de Chongqing Shi qui s'étend sur 500 kilomètres à l'est du Hubei. La principale raison de visiter cette métropole en pleine modernisation est d'y prendre un bateau pour les Trois Gorges *(p. 352-354)*.

Débarquement de passagers et de marchandises à un quai de Chaotian Men

Chaotian Men

La « Porte qui regarde le ciel » est le nom donné aux quais à la pointe de la péninsule où s'amarrent les bateaux de croisière en attente pour la Chine orientale. Une plate-forme panoramique construite en 2000 au confluent des deux cours d'eau ménage une vue splendide quand le vent souffle, mais, le plus souvent, il faut se contenter du peu de visibilité laissée par la brume de pollution.

Temple des Arhat

Sud de Cangbai Lu. ◯ *t.l.j.*

Fondé sous les Ming, le Luohan Si abrite dans sa salle principale les statues en terre cuite grandeur nature de 524 *arhat*. Le panthéon du bouddhisme indien n'en compte que 18, mais les Chinois en ont ajouté des centaines, au nombre desquels figurent des héros populaires et même des taoïstes. Le plus aisé à identifier, Ji Gong, le « moine fou » aimé des paysans, se trouve près de la sortie.

Monument de la Victoire

Au cœur du centre-ville et d'un quartier commerçant animé, une banale tour de l'horloge commémore la victoire des troupes communistes sur le Guomindang en 1949. Elle contraignit Chiang Kai-shek à se replier sur l'île de Taiwan.

Monument de la Victoire (Jiefangbei) dans le centre de Chongqing

Musée municipal

En face du palais de l'Assemblée du peuple. ◯ *t.l.j.*

Ce musée possède une belle collection de dalles provenant de tombes datant des Han de l'Est (25-220) et retrouvées autour du Sichuan. Les briques funéraires longues de 50 centimètres sont propres à la région. Des scènes religieuses et profanes les décorent. Une image récurrente montre le dieu solaire à corps de dragon Rishen associé à Fuxi, l'ancêtre des Chinois. La collection a pour fleuron une frise longue de 12 mètres où défilent soldats et chariots. L'étage abrite des cercueils-barques de l'époque Ba (500 av. J.-C.).

Palais de l'Assemblée du peuple

173 Renmin Lu. ◯ *t.l.j.*

Une rotonde haute de 65 mètres couvre une salle de conférences de 4 200 places, construite en 1954 pour commémorer le rôle crucial de

Le palais de l'Assemblée du peuple fait désormais partie de l'hôtel Renmin

Chongqing pendant la guerre. Inspiré du temple du Ciel de Pékin *(p. 96-97)*, le bâtiment fait parti de l'hôtel Renmin et accueille à l'occasion des concerts. Son architecture tranche sur les gratte-ciel modernes qui l'encerclent peu à peu.

Musée Stilwell

5 km au sud-est du centre.

Ce musée occupe l'ancienne résidence du général Stilwell (1883-1946). Celui-ci y résida de 1942 à 1944 en tant que commandant des forces américaines et chef d'état-major de Chiang Kai-shek à une époque où les États-Unis apportèrent à la Chine une aide cruciale pour se libérer de l'occupation japonaise. L'exposition comprend des cartes et des photographies, ainsi qu'une section consacrée aux légendaires Flying Tigers, un groupe de pilotes de chasse volontaires qui contint les Japonais à la frontière birmane entre 1941 et 1942. Des T-shirts ornés de leur emblème sont en vente.

Hongyan Cun

52 Hongyan Cun. 5 km à l'ouest de Chongqing. *de 8h30 à 17h t.l.j.*

Ce groupe d'édifices peints en blanc servit de base au gouvernement d'« union » entre nationalistes et communistes pendant la Seconde Guerre mondiale. Mao Zedong passa brièvement à Hongyan Cun (« village du pic rouge ») après la reddition du Japon en 1945 pour participer à des discussions avec le Guomindang, organisées à l'initiative des États-Unis et qui n'aboutirent pas. Les bâtiments abritent une collection de photographies de guerre maigrement légendées. Le parc vallonné qui entoure le site présente davantage d'intérêt.

Kiosque de restauration rapide en ville

MODE D'EMPLOI

260 km au sud-est de Chengdu. *7 500 000. aéroport de Jiangbei. gare routière de Caiyuanba, gare routière de Hongyan, CAAC (pour l'aéroport). quais de Chaotian Men. 7e étage, Zourong Plaza, 69 Linjiang Lu (023) 6389 4055.*

Ciqi Kou

14 km à l'ouest de Chongqing.
Depuis l'hôtel Chongqing

Fondé il y a 1 700 ans sur les rives du Jialing Jiang, le « port de porcelaine » doit son nom aux céramiques réputées qu'on y fabriquait à l'époque Ming. Le cadre n'est pas sans évoquer une pièce de musée : sur le rivage, les ruelles ont conservé leur dallage au pied de vieux bâtiments en bois, en pisé et en pierre taillée arborant des ornements sculptés, des fenêtres à croisillons et des toits de tuiles grises. Le visiteur dispose de près de 100 maisons de thé parmi lesquelles choisir. Deux des plus typiques dominent la rivière et accueillent de temps à autre des représentations d'opéra. Ciqi Kou est devenu le lieu de résidence de peintres travaillant dans des styles aussi bien modernes que traditionnels.

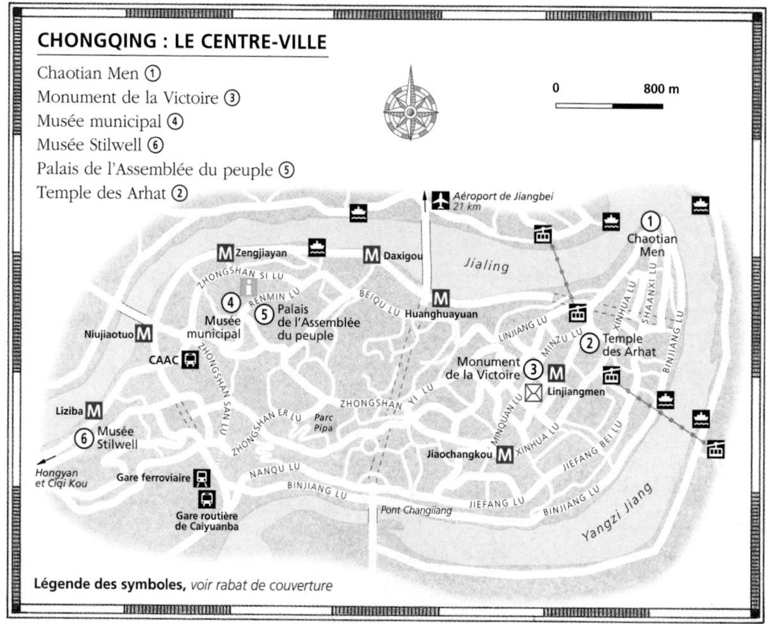

Croisière sur le Yangzi

长江

Isolé par des montagnes, le Sichuan serait pratiquement resté coupé de la Chine orientale jusqu'à l'époque moderne s'il n'y avait eu le cours du Yangzi pour relier Chongqing à Yichang dans la province du Hubei. Le trajet de 650 kilomètres était périlleux car le fleuve se glissait entre les pentes abruptes des Trois Gorges. Aujourd'hui, un cours apaisé et dégagé des obstacles permet une descente paisible, ponctuée d'étapes, dans un cadre spectaculaire. La construction du barrage des Trois Gorges a irrévocablement transformé le paysage. Le niveau de la retenue d'eau va continuer de monter jusqu'en 2009, ce qui étendra encore la saison propice aux croisières.

CARTE DE SITUATION

Zone représentée ci-dessous

Paysage près de Chongqing

Reflets d'un mode de vie séculaire, les espaces cultivés autour de la ville ne préparent pas au paysage sauvage des gorges en aval.

★ Le Shibaozhai

Ce monastère (p. 354) occupe désormais une île. Il a pour fleuron le haut Lanruo Dian (temple de l'Orchidée).

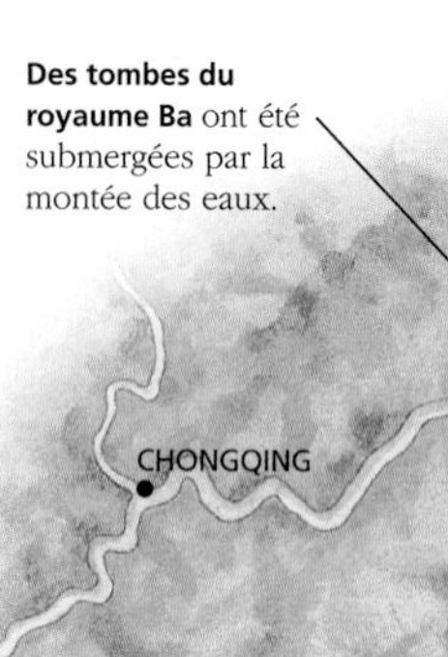

Des tombes du royaume Ba ont été submergées par la montée des eaux.

Fengdu se trouvait à l'origine sur l'autre rive.

LÉGENDE

- - - Frontière provinciale

À NE PAS MANQUER

- ★ La Qutang Xia
- ★ Les « mini Trois Gorges »
- ★ Le Shibaozhai

Cité des fantômes

Ming Shan, une colline dédiée à l'au-delà et à son maître, Tianzi, renferme de nombreux temples et autels. Des sculptures y représentent les aspects les plus noirs et les plus effrayants de l'enfer.

Pour les hôtels et les restaurants de la région, voir p. 567-568 et p. 593-594

Trois Gorges
Même si le fleuve n'est plus le torrent tempétueux décrit par d'innombrables voyageurs, les étroites Qutang Xia, Wu Xia et Xiling Xia offrent toujours un spectacle impressionnant.

MODE D'EMPLOI

De Chongqing à Yichang ou Wuhan. *120 Zaozi Lanya Zheng Jie, Chongqing, (023) 6385 0693 (réservations CITS). suppléments pour les excursions* **www**.travelchinaguide.com/river/index.htm

Le Zhang Fei Miao *(p. 354)* est dédié à un guerrier Shu né au IIe siècle.

★ Les « mini Trois Gorges »
Des troupes de singes peuplent les falaises de la Longmen Xia.

Le Shennong Xi *(p. 354)* se prête à un agréable détour.

★ Qutang Xia
Le poète Li Bai de la dynastie Tang a un jour décrit le cours du Yangzi dans la première et la plus courte des Trois Gorges comme « mille mers déversées dans une tasse ».

Barrage des Trois Gorges
On atteint l'un des plus ambitieux ouvrages d'art du monde (p. 268-269) *peu avant Yichang. La plupart des croisières s'arrêtent désormais au-dessus du barrage.*

Au fil du Yangzi

Aujourd'hui achevé, le barrage des Trois Gorges élèvera le niveau du fleuve de 175 mètres d'ici 2009. Le lac artificiel reste en cours de remplissage, ce qui rend chaque croisière unique. L'entreprise a entraîné le déracinement de millions de personnes, la reconstruction de plusieurs villes et la submersion de nombreux sites archéologiques. Certains édifices historiques ont été déplacés ou protégés par des digues. Le paysage perdra indéniablement de sa puissance, mais la retenue d'eau est si longue que la sensation de naviguer sur un fleuve restera l'un des éléments clés d'un environnement exceptionnel.

Excursion de groupe en sampan sur le Shennong

Shennong Xi

La remontée du cours du Shennong compte parmi les temps forts d'une croisière sur le Yangzi. Les falaises conservent les trous creusés lors de la construction d'un chemin de rondins sous la dynastie des Han. La vallée renferme également trois cercueils scellés il y a plus de 1 000 ans par les Bai dans la paroi de la gorge. Les offrandes funéraires et les peintures rupestres de ce peuple aujourd'hui disparu révèlent des liens à la fois avec l'ethnie actuelle des Tujia *(p. 24-25)* et avec la plus ancienne civilisation connue du Sichuan, les Ba. Si des eaux trop basses interdisent la promenade, une visite de la Daning He *(p. 353)* la remplace en général.

Zhang Fei Miao

Ce sanctuaire sera déplacé avant la montée des eaux. Il est dédié à un général de Liu Bei, chef de l'état des Shu à l'époque des Trois Royaumes. Des statues colorées illustrent la vie de Zhang Fei. Violent, grossier, courageux et enclin à la boisson, il n'hésita pas à défendre seul un pont d'importance stratégique, défiant les troupes ennemies en poussant des rugissements d'une telle férocité qu'un des commandants en tomba raide mort. Plongé dans la morosité par la mort de son « frère » Guan Yu, un autre général de Liu Bei, il se montra trop sévère avec ses soldats qui finirent par l'assassiner dans son sommeil.

CHOISIR UNE CROISIÈRE

Itinéraire *: réservez de Chongqing à Yichang ou Wuhan (un jour de plus) ; au-delà (on peut aller jusqu'à Shanghai), le paysage est terne.*
Croisières *: l'anglais n'est pas parlé partout. Le confort varie du dortoir au grand luxe. Les bateaux privés sont moins chers que le CITS. Vérifiez les excursions prévues.*
Lignes régulières *: pas d'anglais parlé, confort rudimentaire, nourriture à éviter, pas d'excursions, billets à prendre au Chaotian Men Dock, Chongqing.*
Quand *: sept.-oct. de préférence. Mai et nov. sont plus risqués. L'été est la saison des pluies.*

Shibaozhai

Le petit temple baptisé « forteresse du Trésor de pierre » a pour fleuron le splendide Lanruo Dian dont les avant-toits recourbés sont supposés ressembler à des pétales d'orchidée. Entrepris en 1750, il possède 12 étages et mesure 56 mètres. Le « Trésor de pierre » est un rocher de l'enceinte du monastère. Selon la légende, un trou du rocher laissait couler chaque jour assez de riz pour nourrir tous les moines. Par avidité, l'un d'eux voulut agrandir l'orifice et le riz cessa de couler. Une grande digue protégera Shibaozhai de la montée des eaux. Malheureusement, le village médiéval qui s'étend à sa base a été englouti.

HALEURS

Avant l'aménagement des rapides dans les années 1950, les bateaux ne pouvaient remonter à contre-courant qu'avec l'aide de haleurs, des équipes d'hommes payés une misère qui les tiraient pas à pas dans les torrents des Trois Gorges. Sur les rives, des sentiers construits pour rendre leur travail moins pénible et un peu moins dangereux (ou leurs copies au-dessus du futur niveau de l'eau) restent visibles.

Haleurs modernes sur le Shennong, un affluent du Yangzi

Pour les hôtels et les restaurants de la région, voir p. 567-568 et p. 593-594

Palais de guilde transformé en maison de thé

Zigong ❷

自贡

170 km au sud-ouest de Chongqing. 477 000. 3 *Tanmu Binguan, (0813) 220 7313.*

On extrait du sel au Sichuan depuis au moins 2 500 ans et, pendant la majeure partie de ce temps, Zigong a été au centre de cette production, attirant des marchands de toute la Chine. Dans des puits artésiens situés au-dessous de la ville, la saumure remonte accompagnée de gaz naturel. Ce dernier alimentait les réchauds utilisés pour affiner le sel par évaporation. Les Occidentaux copièrent dans les années 1850 les techniques de forage mises au point par les Chinois à partir de câbles de bambou et de lourds trépans en fer, puis ils les adaptèrent à l'exploitation des réserves pétrolifères. Jusque dans les années 1960, de hauts derricks en bois et des canalisations en bambou restèrent en service à Zigong. Un ancien puits et les édifices bâtis par les guildes pour afficher leur richesse entretiennent le souvenir de cette époque.

Le **musée du Sel de Zigong** occupe le palais des corporations Xiqing, bâti en 1736 pour les marchands de sel de la province du Shaanxi. De délicates sculptures parent l'intérieur. L'exposition retrace toute l'histoire de l'extraction du sel depuis la dynastie des Han. Des coupes montrent les procédés de forage. Les autres édifices anciens comprennent deux maisons de thé aux charmants décors d'époque. La plus séduisante, la Wangye Miao de Binjiang Lu, reproduit en plus petit le palais des corporations Xiqing et domine le Fuxi Jiang depuis un affleurement rocheux. L'autre est l'ancien palais de la corporation des commerçants, sur Zonghua Road. Son entrée sculptée ouvre sur une cour dallée qu'entourent des alcôves privées.

Le **puits de Xinhai**, à l'est du centre, n'avait pas d'égal dans le monde quand il atteignit la profondeur de 1 001 mètres en 1835. Sa production journalière s'élevait à 14 m^3 de saumure et 8 500 m^3 de gaz naturel. On peut y découvrir le derrick en bois haut de 18 mètres, les canalisations en bambou, les câbles et les treuils à énergie animale qui servirent à son creusement et à son exploitation. L'exposition comprend aussi des cuves d'évaporation chauffées au gaz naturel. Du sel reste affiné et conditionné sur le site. Le sous-sol de Zigong recèle d'autres richesses : les fossiles du Jurassique découverts dans la banlieue nord-est de Dashanpu. Les fouilles à voir ont mis au jour des centaines de squelettes, notamment de *Gigantspinosaurus sichuanensis*, classé parmi les stégosaures, et de *Yangchuanosaurus hepingensis*, un carnivore long de 9 mètres. Le site est devenu le **musée des Dinosaures**.

La salle principale renferme des squelettes reconstitués à côté de fossiles partiellement dégagés.

Musée du Sel de Zigong
Jiefang Lu. ***Tél.*** *(0813) 230 1247.*
de 8h à 18h t.l.j.

Xinhai Well
Da'an Jie. *de 8h à 18h t.l.j.*

Dinosaur Museum
Dashanpu. ***Tél.*** *(0813) 580 1234.*
de 9h à 14h30 t.l.j.

Entrée principale du musée du Sel de Zigong

LES MINES DE SEL DU SICHUAN

Le sel a joué un rôle crucial en Chine dans le financement de l'empire, dès l'époque des Han de l'Ouest. Sur le littoral, on l'obtenait par évaporation de l'eau de mer. Au Sichuan, séparé de la côte par des reliefs difficiles à franchir, il se révéla plus avantageux de l'extraire de terrains saumâtres grâce à des dispositifs très en avance sur les techniques occidentales de l'époque. Forages et canalisations en bambou permirent à la production de prendre son essor dès le XIe siècle. Les puits se multiplièrent, attirant une main-d'œuvre importante. Les Sichuanais ont mis au point dès le XVIIe siècle des techniques de captage du gaz naturel présent dans les gisements de sel afin de s'en servir pour alimenter leurs réchauds.

Maquette de mine, musée du Sel

Les sculptures de Dazu

Personnage en méditation

Associant des éléments du confucianisme, du taoïsme et du bouddhisme tantrique indien, les sculptures de Baoding Shan, à Dazu, constituent un exemple unique de syncrétisme entre ces trois philosophies. Elles ont pour la plupart des motifs religieux, mais varient beaucoup dans leurs styles. Quelques-unes offrent des représentations réalistes de la vie quotidienne. Beaucoup sont monumentales et même surréelles : des illustrations imagées de paraboles mystiques entourent des bouddhas sereins ou des démons protecteurs aux crocs acérés.

Roue de la loi ③ *Un gigantesque démon denté tient le disque montrant les six états possibles de réincarnation, depuis le céleste deva jusqu'à la créature de l'enfer.*

Guanyin aux 1 000 mains et aux 1 000 yeux ⑧ *Ce sont en fait 1 007 bras dorés qui semblent scintiller comme des flammes depuis la figure centrale du bodhisattva de la Compassion.*

Bouddha couché ⑪ *Longue de 31 mètres, cette image du Bouddha accédant au parinirvana donne par sa stylisation un aspect encore plus évocateur aux bustes de dignitaires disposés devant. À côté, la Fontaine aux neuf dragons fait référence à une légende liée à la naissance du Bouddha.*

Piété filiale ⑰ *Ce thème central du confucianisme est ici illustré par des anecdotes prenant pour personnage principal le Bouddha, dont la statue occupe le centre de la composition.*

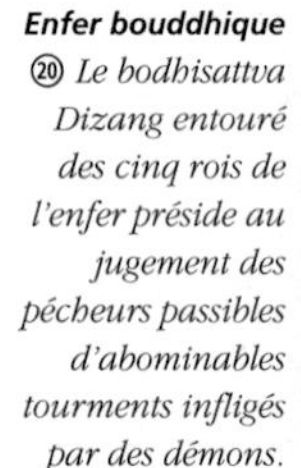

Enfer bouddhique ⑳ *Le bodhisattva Dizang entouré des cinq rois de l'enfer préside au jugement des pécheurs passibles d'abominables tourments infligés par des démons.*

Vénérables taoïstes ㉔ *Le taoïsme représente sous les traits de vieillards les plus hautes manifestations du tao.*

Lion de pierre ㉘ *Monture de Wenshu, bodhisattva de la Sagesse transcendante, le lion symbolise le pouvoir sur les forces de la vie et de la mort. Sa statue garde l'entrée de la grotte de l'Éveil parfait.*

Les trois sages ④ *Trois personnages plongés dans la contemplation représentent le fondateur à des âges différents. Les caractères chinois nomment le site Baoding Shan.*

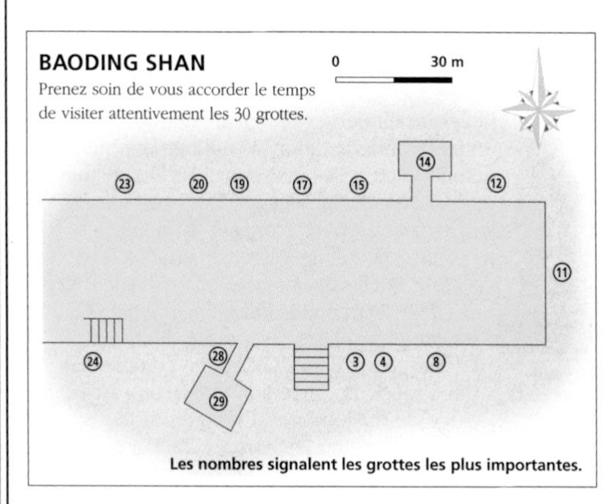

Amour parental ⑮ *Cette déclinaison d'un thème confucéen sur un site avant tout bouddhiste montre que les philosophies religieuses coexistaient harmonieusement à l'époque des Tang.*

Baoding Shan, Dazu ❸

宝顶山

15 km au nord-est de Dazu. *depuis la gare de Caiyuanba, Chongqing, jusqu'à Dazu (2 h) ; minibus jusqu'au site (1/2 h).* *de 8h30 à 17h.* *comprend Bei Shan.* *usage d'un Caméscope payant.*

Dans les collines entourant Dazu, creux et grottes recèlent plus de 50 000 sculptures remontant pour les plus anciennes au VIIe siècle. Elles se distinguent d'autres exemples de la statuaire bouddhique par leur dimension profane.
La place accordée au quotidien de gens ordinaires sert à illustrer la doctrine mystique. Les personnages en effigie ne sont pas simplement des bouddhas et des bodhisattvas, mais aussi des monarques, des officiers, des fonctionnaires, des moines et des donateurs. Le plus bel ensemble décore Baoding Shan. Le moine Zhao Zhifeng supervisa le travail entre 1179 et 1245. Les œuvres parent 30 niches creusées dans les parois calcaires hautes de 8 mètres d'une gorge en fer à cheval appelée le Grand Arc du Bouddha (Dafo Wan), d'après le monumental bouddha couché qui en occupe le fond.

Les groupes sculptés les plus remarquables comprennent également les scènes pastorales de la grotte 5 montrant des gardiens de buffles, une splendide allégorie de la recherche de l'éveil. Entre les grottes 3 et 4, un chat merveilleusement réaliste regarde une souris grimper le long d'une tige de bambou. L'Unesco a inscrit en 1999 le site de Baoding Shan au patrimoine mondial de l'humanité.

Aux environs : Bei Shan, la « colline du Nord » située à 2 kilomètres de Dazu, abritait un camp militaire et c'est un général qui commanda les premières sculptures en 892. L'ensemble le plus remarquable occupe la grotte 136. Face à la roue de la Loi posée au-dessus d'un grand dragon, le bouddha Sakyamuni est encadré de deux images de Guanyin, bodhisattva de la Compassion, l'une avec Puxian, gardien du mont Emei porté par un éléphant, l'autre avec Wenshu et son lion.

Bouddha de l'éveil ㉙ *Au centre de la seule véritable grotte de Baoding Shan, il montre la récompense d'un cycle de réincarnations passé à se perfectionner.*

Sculpture d'une des grottes de Bei Shan, au nord de Dazu

Pour les hôtels et les restaurants de la région, voir p. 567-568 et p. 593-594

Chengdu ❹

成都

Statue, Wuhou Ci

Bien que moderne, la capitale du Sichuan entretient une tradition de raffinement qui se manifeste dans ses maisons et jardins de thé, parfois avec seulement quelques chaises et tables dans un parc. L'origine de la ville remonte à la culture des énigmatiques Ba-Shu *(p. 360)* et elle devint en 221 la capitale de l'un des Trois Royaumes. On y émit au XIe siècle les premiers billets de banque du monde, conséquence d'un dynamisme commercial qui a fondé la réputation de ses brocarts. Large de 6 kilomètres, Chengdu reste relativement compacte selon les normes chinoises. Le centre-ville contient la majorité des sites de visite.

Moment de détente à la maison de thé du monastère de Wenshu

Monastère de Wenshu

Wenshu Yuan Jie. t.l.j.

Dédié au bodhisattva de la Sagesse transcendante, le siège du bouddhisme *chan* au Sichuan borde une ruelle pittoresque. La fondation du Wenshu Yuan remonte au VIIIe siècle, mais la disposition actuelle des cinq salles date des Ming. Des statues emplissent les bâtiments austères au sol dallé et de la fumée s'élève des brûle-encens. L'activité qui y règne et la litanie des prières psalmodiées témoignent de l'importance du temple. Sa maison de thé et son restaurant végétarien jouissent d'une popularité justifiée.

Encens en vente au Wenshu Yuan

Musée de Yong Ling

Yong Ling Lu. 42, 48, 54. t.l.j.

Les fouilles au nord-ouest de la ville en 1942 ont mis au jour Yong Ling, le tombeau de Wang Jian (847-918), fondateur d'un nouveau royaume des Shu en 907. Les vestiges comprennent une plate-forme de 6 mètres, socle d'un sarcophage multicouche en bois. Elle repose sur les cuisses de guerriers grandeur nature dont seuls les bustes dépassent du sol. Des bas-reliefs représentent deux danseuses et 22 musiciens. Une statue dépouillée de Wang Jian et les traces de fresques florales renforcent l'idée qu'il s'agissait d'un homme modeste et cultivé. Son fils perdit le trône par présomption.

Chaumière de Du Fu

38 Qinghua Lu. t.l.j.

Poète le plus renommé de la dynastie Tang, Du Fu arriva à Chengdu en 759 alors qu'un soulèvement secouait la Chine. Il passa les cinq années suivantes à vivre modestement dans une chaumière en périphérie de la ville. Il y écrivit quelque 240 poèmes en comparant les forces de la nature, telle la tempête qui souffla son toit, à la tourmente qui frappait son époque. Des admirateurs aménagèrent le site en jardin dès le Xe siècle. Le parc actuel date de 1811. Des salles aux murs blanchis abritent une collection de ses poèmes, et un musée offre un aperçu de son parcours grâce à des maquettes et à des peintures.

Temple des Chèvres en bronze

9 Xi Er Duan. t.l.j.

Fondé au IXe siècle, le Qingyang Gong doit son nom à la légende selon laquelle Laozi y serait apparu sous la forme d'un jeune berger accompagné de deux chèvres. Une statue représente le fondateur mythique du taoïsme assis sur son buffle dans le pavillon des Huit Trigrammes (Bagua Ting) aux piliers sculptés de 81 dragons. Le palais des Trois Clartés (Sanqing Dian) abrite des représentations barbues des déités de la Nature originelle, de la Vertu et de la Sagesse. Elles dominent les statues des deux chèvres. Celle de droite est en fait une chimère formée d'attributs des animaux du zodiaque chinois, comme des griffes de tigre, une queue de serpent ou des oreilles de rat. Caresser le flanc de l'autre porterait chance. Il est également recommandé de toucher l'un des trois caractères peints à l'extérieur du mur du fond de la salle suivante. Le temple possède une maison de thé.

Fidèles devant le Qingyang Gong, un temple taoïste

Pour les hôtels et les restaurants de la région, voir p. 567-568 et p. 593-594

Détail du monument du parc du Peuple

Parc du Peuple

12 Xiao Cheng Lu. de 7h à 21h t.l.j.

L'espace vert le plus agréable de Chengdu, avec ses expositions florales, ses plans d'eau et ses terrasses drapées de glycine, accueille le week-end un théâtre d'ombres. Le monument des Martyrs commémore un soulèvement populaire provoqué en 1911 par le détournement de fonds destinés à la construction d'une ligne de chemin de fer.

Temple du Marquis de Wu

231 Wuhou Ci Dajie. t.l.j.

Ce mémorial officiellement consacré à Zhuge Liang (181-234), un brillant stratège militaire et homme d'État de la période des Trois Royaumes, occupe l'emplacement où fut enterré Liu Bei, son souverain, en 223. Le sanctuaire prit son visage actuel en 1672 et a connu une restauration récente. Le pavillon des Trois Royaumes renferme les statues de Liu Bei, vêtu d'or, et de ses généraux Guan Yu et Zhang Fei *(p. 354)*. L'effigie de Zhuge Liang se trouve dans la salle de la cour suivante. Le dernier bâtiment accueille des représentations d'opéra de Sichuan.

Musée de l'Université du Sichuan

Bâtiment des arts libéraux, près de l'entrée est de l'université sur Wangjiang Lu. t.l.j.

Fondé en 1914 par l'érudit américain D. S. Dye, ce musée ethnographique vient d'être rénové. Il possède une belle collection de pièces archéologiques et d'objets tels que costumes et armes, entre autres fabriqués par des minorités ethniques. Non loin, en bordure de rivière, le **parc Wangjiang Lou** abrite une haute pagode dédiée à la poétesse du IXe siècle Xue Tao.

MODE D'EMPLOI

260 km au nord-ouest de Chongqing. *3 620 000.* *aéroport de Shangliu.* *gare du Nord, gare du Sud.* *gare routière du Nord, gare routière de Xi Men, CAAC (pour l'aéroport), gare routière de Xin Nan Men.* *salle 320, 65 Renmin Nan Lu, (028) 8665 9708.*

Porte de la Lune au Wuhou Ci

Surprenant masque de Sanxingdui

Centre d'élevage de pandas ❺
熊猫繁殖中心

10 km au nord-est de Chengdu. 🚌 *ou taxi.* 🕐 *de 8h30 à 17h t.l.j.* 🎫

Cette réserve de recherche fondée en 1987 a permis la naissance d'au moins 27 jeunes pandas géants viables, un résultat très au-dessus de la moyenne pour des animaux en captivité. Ils sont pour la plupart destinés à des zoos, mais l'établissement souhaite en réintroduire dans la nature. Des enclos permettent de contempler quelque 20 pandas rouges et 20 pandas géants. C'est le matin qu'ils se montrent le plus actifs.

Monastère de la Lumière divine ❻
宝光寺

19 km au nord-est de Chengdu. 🚌 *ou taxi.* 🕐 *de 8h à 17h t.l.j.* 🎫

Lieu de culte depuis la dynastie des Han, le Baoguang Si doit son nom et sa renommée à l'empereur Tang Xizong, qui s'y réfugia en 881 lors d'une rébellion. Il y aurait découvert 13 reliques du Bouddha grâce à une lueur filtrant sous une pagode en bois dont il ordonna la reconstruction en pierre. Baptisé Sheli Ta (pagode des Reliques), le bâtiment se dresse à l'entrée du sanctuaire. Un tremblement de terre en a toutefois détruit le sommet. Une stèle gravée d'images du Bouddha date de 540. Les édifices comprennent une salle dédiée à l'école du lamaïsme tibétain fondé par Djé Tsongkhapa.

Le monastère de la Lumière divine a toutefois pour principal intérêt la salle des 500 Arhat aménagée à l'époque Qing.

Elle contient la statue d'un immense phénix, 59 sculptures du Bouddha et de Bodhidharma, le fondateur indien de l'école *chan*, et les effigies de 518 *arhat* (ou *lohuan*), des saints bouddhiques ayant atteint l'illumination au moment de leur mort. Leurs barbes, leurs capes et leurs bottes permettent d'identifier deux intrus : les empereurs Kangxi et Qianlong.

Musée de Sanxingdui ❼
三星堆博物馆

4 km au nord de Chengdu à Guangshan. ***Tél.*** *(0838) 550 0349.* 🚌 *depuis Chengdu jusqu'à Guangshan.* 🕐 *de 9h à 17h t.l.j.* 🎫

En 1986, quand des archéologues travaillèrent sur le site de Sanxingdui où des agriculteurs trouvaient des débris antiques depuis 1929, ils eurent la surprise de mettre au jour les vestiges d'une cité vieille de plus de 3 000 ans dont on crut un temps qu'il s'agissait de la capitale des Ba-Shu. Des fosses sacrificielles contenaient un extraordinaire trésor d'objets en bronze, en or et en jade. Parmi les pièces les plus remarquables, la statue d'un homme haut de plus de 2 mètres, un arbre sacré de plus de 4 mètres et plusieurs larges masques aux yeux saillants. L'exposition comprend aussi de petits objets et une description des fouilles. Les découvertes de Sanxingdui possèdent un style singulier et une haute sophistication, même si elles évoquent les bronzes Shang produits à la même époque en Chine orientale. Elles jettent un doute sur la théorie selon laquelle la civilisation chinoise a évolué à partir d'une unique culture apparue près du fleuve Jaune.

OPÉRA DU SICHUAN

Acteurs richement costumés pendant une représentation d'opéra

Vieille de 300 ans, cette forme d'art lyrique en dialecte sichuanais reste très populaire. Elle se distingue de l'opéra de Pékin par son manque de formalisme, son humour et son dynamisme. Des percussions et des instruments à vent accompagnent des voix haut perchées. Les acrobaties tiennent une grande place. Les acteurs incarnent plusieurs personnages grâce au bianlian : un rapide mouvement de la main modifie le maquillage ou enlève un masque, transformant le visage. Les représentations ont lieu dans de petites salles et même des maisons de thé. À Chengdu, on peut prendre des places aux théâtres Jinjiang de Xianliong Jie et Shudu de Yushuang Lu. Beaucoup de voyagistes proposent aussi des sorties avec une explication de l'intrigue et un coup d'œil dans les coulisses.

Pour les hôtels et les restaurants de la région, voir p. 567-568 et p. 593-594

Pandas géants

Le panda géant, devenu un symbole planétaire des espèces menacées, ne vit qu'en Chine. Selon des études génétiques, il s'agirait d'un lointain cousin de l'ours. La population à l'état sauvage, estimée à 1 200 individus, semble en augmentation, mais, même en tenant compte des quelque 120 pensionnaires des zoos de par le monde, et des succès de programmes de reproduction, le risque d'une disparition reste loin d'être écarté. Le panda se nourrit en effet presque exclusivement des tiges et des feuilles d'une vingtaine d'espèces de bambous. Ce nombre ne suffit plus à le prémunir de la floraison de l'une d'elles, ni de la perte de feuillage qui l'accompagne, depuis que l'expansion démographique a morcelé ses territoires. Son salut semble aujourd'hui dépendre entièrement de l'homme. Une douzaine de réserves, dont celle de Wolong près de Chengdu *(p. 369)*, sont dédiées à sa protection dans le Shaanxi, le Guizhou et le Sichuan.

Logo du Hard Rock Café

Les pandas mangent *entre 15 et 30 kg de bambou par jour. Descendants de carnivores, ils n'assimilent toutefois que 20 % des substances nutritives. Ils dorment beaucoup pour conserver leur énergie.*

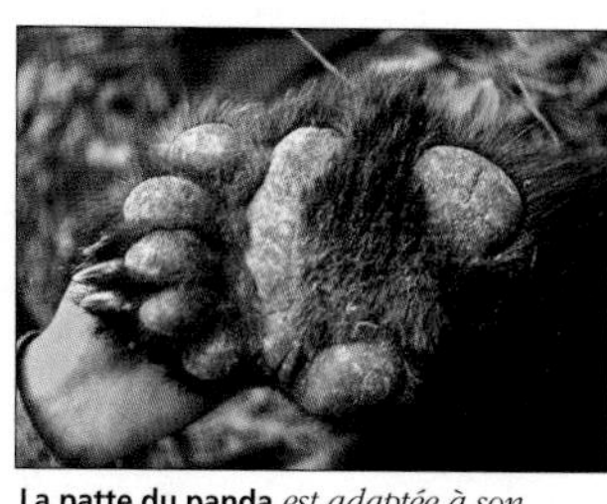

La patte du panda *est adaptée à son alimentation. Un os du carpe s'est transformé en une sorte de « pouce » opposable pour saisir les tiges de bambou.*

Les pandas ne sont pas prolifiques, *même dans les zoos les mieux équipés, car ils n'ont qu'une brève période de reproduction au printemps et se montrent difficiles dans le choix de leur partenaire.*

Dans la nature, *il arrive qu'on voit des pandas en groupes familiaux, mais ils passent la majeure partie de leurs 25 ans d'existence en solitaire dans un territoire clairement délimité par des odeurs. Leur pelage caractéristique les aiderait à se reconnaître en forêt.*

Les programmes de reproduction *menés au Sichuan ont permis le nombre record de 10 naissances en 2004. Insémination artificielle et couveuses ont contribué à ce résultat.*

Un bébé panda *pèse 100 g à la naissance. Sa mère le porte pendant 90 jours, puis il reste avec elle jusqu'à trois ans. Il atteindra adulte un poids de 200 kg.*

Emei Shan 8

峨眉山

Les taoïstes et les bouddhistes considèrent comme sacré le mont Emei, haut de 3 099 mètres, depuis la dynastie des Han de l'Est. Nombre des temples qui jalonnent ses pentes verdoyantes sont dédiés à Puxian, bodhisattva de la Bienveillance universelle qui aurait gravi la montagne au VIe siècle sur un éléphant à six défenses. L'Emei Shan est aussi un réservoir de biodiversité botanique avec plus de 3 200 espèces végétales, environ le dixième de toute la flore chinoise. Les jardins des monastères permettent d'en découvrir beaucoup, dont l'arbre aux 40 écus, le ginkgo vieux de 270 millions d'années, et le nanmu au tronc rectiligne apprécié pour la construction des temples. Les membres les plus visibles de la faune sont les singes qui harcèlent les randonneurs. Mieux vaut garder la nourriture hors de leur portée.

Puxian sur son éléphant

★ Le sommet
Les trois sommets correspondent aux points culminants des ondulations de la crête. Elle domine un abîme de plus de 1 000 mètres.

Randonneurs
Des porteurs proposent leurs services aux personnes épuisées par l'ascension. Pour raccourcir le chemin, prenez un bus depuis Baoguo jusqu'au télésiège menant au Wannian Si, ou, encore plus simple, celui qui rejoint le sommet au départ de Jjieyin Dian.

Temple de la Proclamation du royaume
Le Baoguo Si compte parmi les sanctuaires les plus importants du mont. Il renferme une massive cloche de bronze fondue sous la dynastie Ming. Le son porterait jusqu'à 15 kilomètres.

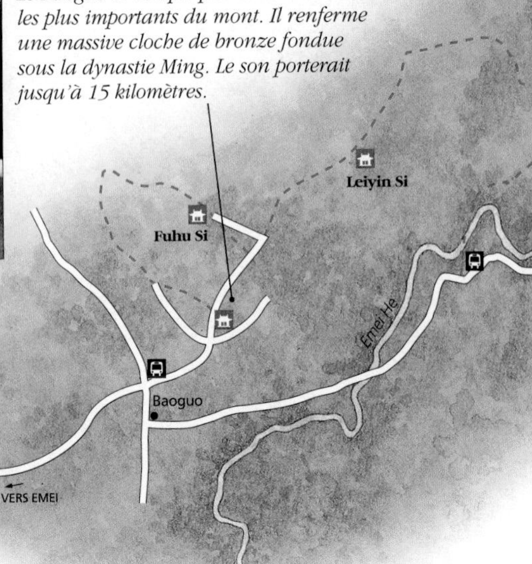

0 3 km

À NE PAS MANQUER

- ★ Le pavillon au Son clair
- ★ Le sommet
- ★ Le temple des 10 000 années

Pour les hôtels et les restaurants de la région, voir p. 567-568 et p. 593-594

Ding

fo Ding
9 m

Jin Ding
3 076 m

Temple du Sommet d'or
La terrasse du Jing Ding Si se prête à la contemplation du lever du soleil ou de la mer de nuages cachant le bas de la montagne.

Jieyin Dian

MODE D'EMPLOI

145 km au sud-ouest de Chengdu. *près du Baoguo Si, (0833) 552 0444. jusqu'à Emei. Depuis Chengdu ou Leshan jusqu'à Emei ou Baoguo ; d'Emei à Baoguo (20 m). t.l.j.*

LÉGENDE

- Arrêt de bus
- Téléphérique
- Temple
- Chemin
- Route

Au Bain de l'éléphant (Xixiang Chi), Puxian aurait fait halte pour laisser sa monture se laver.

★ Le temple des 10 000 années
Le Wannian Si, fondé au IVe siècle, abrite un grand bronze de 960 qui représente Puxian sur son éléphant.

ianfeng Si

LE SOMMET

À LA DÉCOUVERTE D'EMEI SHAN

Il faut compter trois jours pour l'ascension à pied et la descente. De nombreux temples proposent un hébergement et une cuisine simples. Prévoyez des vêtements de pluie et de bonnes chaussures, les chemins dallés se révélant parfois glissants, en particulier d'octobre à avril où des vendeurs à la sauvette proposent semelles et crampons.
Il fait froid au sommet en toutes saisons.

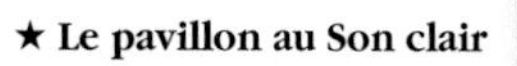

★ Le pavillon au Son clair
Accessible par deux ponts en arc, le Qingyin Ge doit son nom au chant de l'eau émis au confluent de deux rivières. Le temple voisin offre le cadre le plus romantique pour passer une nuit sur l'Emei Shan.

Le Grand Bouddha (Dafo) de Leshan ❾ 乐山

Roi céleste, Dafo Si

L'immense Dafo haut de 71 mètres taillé dans la colline Lingyun domine le confluent de la Min, de la Dadu et du Qingyi, où se formaient jadis de meurtriers tourbillons. Haitong, le moine à l'origine de la sculpture commencée en 713, espérait qu'elle apaiserait la colère des eaux. Son entreprise atteignit son but : les déblais du chantier comblèrent les cavités responsables des dangereux courants. L'initiative suscita la construction de temples autour de la statue et sur la colline Wuyou voisine. Un réseau de sentiers les relie. Le site est inscrit au patrimoine de l'Unesco.

Jiazhou Huayuan
Ce musée installé dans un joli temple retrace l'histoire et la construction du Dafo, illustrées par d'intéressantes maquettes.

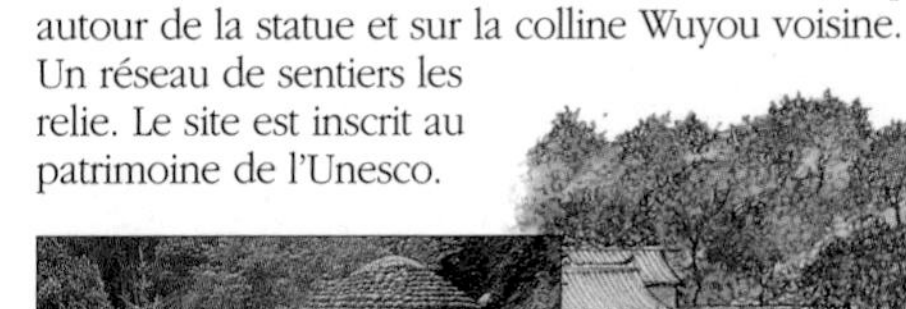

★ Le Grand Bouddha (Dafo)
Un système de drainage est visible de près. La statue a besoin d'une restauration tous les dix ans pour résister à la végétation et à la pollution.

L'« escalier aux neuf virages » descend en pente raide jusqu'aux orteils.

À NE PAS MANQUER

- ★ Le Grand Bouddha (Dafo)
- ★ Les pieds du Bouddha
- ★ Le pont Haoshang

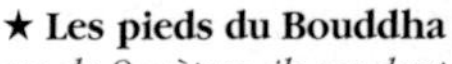

★ Les pieds du Bouddha
Longs de 8 mètres, ils rendent particulièrement sensible aux dimensions colossales de l'ouvrage : les épaules ont 28 mètres de largeur et les oreilles et le nez mesurent respectivement 7 et 5,60 mètres.

Pour les hôtels et les restaurants de la région, voir p. 567-568 et p. 593-594

HAITONG, SCULPTEUR ET MOINE

Haitong finança son projet grâce à des souscriptions publiques et à des contributions du gouvernement régional, alimentées par les revenus du sel *(p. 355)*. Le moine habitait dans une grotte derrière la tête du Bouddha. Quand un fonctionnaire véreux menaça de l'aveugler s'il ne lui remettait pas une part des fonds, il s'énucléa lui-même pour prouver sa détermination. Il mourut avant la fin de l'entreprise, rendue possible en 803 par le gouverneur Wei Gao, qui fit don de son salaire pour finir les jambes et les pieds.

Haitong, moine entièrement voué à son projet

MODE D'EMPLOI

Leshan, 150 km au sud-ouest de Chengdu. *depuis la gare routière de Chengdu jusqu'à Leshan, puis bus n° 3 jusqu'au Dafo.* *depuis Leshan jusqu'au Wuyou Si, puis à pied jusqu'au Dafo.* *mai-sept. de 7h30 à 19h30 ; oct.-avr. de 8h à 18h.*

Sanctuaires et temples proches

★ Le pont Haoshang
De style « antique », cet ouvrage d'art en partie couvert relie le Grand Bouddha à des temples bâtis sur d'autres collines.

Des esprits gardiens encadrent le Bouddha

Un temple bouddhiste fondé en 742 se dresse sur la colline Wuyou, isolée de Lingyun par des travaux effectués par Li Bin *(p. 368-369)* vers 250 av. J.-C.

Tombes rupestres de Mahao
Les sépultures creusées dans la falaise à l'époque des Han de l'Est (25-220) conservent des sculptures de scènes de cavalerie et quelques images primitives du Bouddha.

Une promenade en bateau depuis Leshan offre le meilleur point de vue sur le Dafo

Portail d'entrée du Qingcheng Shan

Huang Long Xi 10

黄龙溪

50 km au sud-ouest de Chengdu.

Formé de sept ruelles entourées de champs en bord de rivière, le village de Huang Long Xi possède un charme délicieusement suranné et servit de décor au célèbre film d'Ang Lee *Tigre et Dragon*. La plupart de ses bâtiments à colombages datent des époques Ming et Qing. Le plus vaste de ses trois temples, le **Gulong Si**, compte plusieurs salles un peu décrépies. Deux lions de pierre gardent l'entrée surmontée d'une scène de théâtre utilisée lors des fêtes. À l'autre bout du village, le **Nanwu Chaoxi Si** est un minuscule couvent. Une sculpture en pierre peinte représente l'esprit-dragon Nanwu sous forme humaine, avec des cheveux roux et une moustache. Le **Zhenjiang Si** en majeure partie fermé au public possède une agréable maison de thé au bord de l'eau.

Qingcheng Shan 11

青城山

70 km au nord-ouest de Chengdu.
jusqu'à Dujiangyan, puis taxi.

Comme le suggère son nom, « montagne de la Cité verte », de splendides forêts couvrent cette célèbre retraite taoïste. Elle possède deux sections distinctes où des chemins empierrés relient des temples. Le sanctuaire le mieux conservé, le **Jianfu Gong**, précède l'entrée de la partie frontale, en ville. À mi-chemin du sommet, le temple rupestre de la **grotte du Maître céleste** (Tianshi Dong), où Zhang Daoling enseigna au IIe siècle, conserve des panneaux de l'époque Ming dans la salle principale. Il faut compter deux heures pour atteindre à pied le sommet (1 260 mètres), également desservi par un télésiège, où le **temple Shangqing**, fondé au IVe siècle abrite une maison de thé. De là, une brève ascension mène au **pavillon Laojun**. L'accès de la partie arrière de la montagne, ou Quingshen Houshan, se trouve à 15 kilomètres à l'ouest. Plus sauvage et plus pentu, le parc est sillonné de sentiers plus étroits. Au bas, de hauts murs entourent l'immense **temple Tai'an**.

Dujiangyan 12

都江堰

60 km au nord-ouest de Chengdu.
depuis la gare de Xi Men, Chengdu. *de 8h à 17h t.l.j.* *pour le système d'irrigation.*

La ville de Dujiangyan doit sa renommée au système d'irrigation construit en 256 av. J.-C. par le gouverneur Li Bing. Pour prévenir les crues de la rivière Min, il divisa son cours en deux bras que des barrages flottants régulaient pour alimenter des canaux qui arrosaient plus de 1 000 km^2 de terres agricoles. Plus de 2 000 ans plus tard, le réseau, largement étendu entre-temps, reste parfaitement fonctionnel. Il devrait toutefois perdre son intérêt pratique avec la construction du barrage de Zipingpu, 15 kilomètres plus au nord. Dans le parc Lidui,

Promenade en bateau sur le lac du Mur de la Lune (Yuechang Hu) du Qingcheng Shan

◁ Le Grand Bouddha (Dafo) de Leshan attire de nombreux visiteurs

Enceinte fortifiée et porte est de Songpan

des plates-formes panoramiques dominent les éléments clés du dispositif. Le **temple des Deux Rois** (Erwang Miao), fondé en 494, abrite les statues de Li Bing et de son fils Er Lang.

Réserve naturelle de Wolong ⓭

卧龙自然保护区

150 km au nord-ouest de Chengdu.
pour le centre de reproduction des pandas.

Créée en 1975 dans la région montagneuse de la chaîne de Qionglai, qui culmine à 2 000 mètres d'altitude, cette réserve naturelle de 2 000 km² fut la première tentative chinoise sérieuse de protéger le panda géant et son habitat. La petite localité de Wolong renferme le siège administratif ainsi qu'un centre de recherche et de reproduction. On peut aussi s'y loger. Des enclos abritent une soixantaine d'animaux captifs, certains nés sur place, d'autres apportés parce qu'ils étaient malades. Réservés aux marcheurs aguerris, deux sentiers de randonnée empruntent le **ravin du Héros** (Yingxiong Gou) et le **ravin de la Mine d'argent** (Yinchang Gou). Ils offrent très peu de chances d'apercevoir des pandas, mais la réserve abrite aussi quelque 4 000 plantes différentes et 40 espèces d'oiseaux sédentaires. Ne vous lancez pas sans vous renseigner sur les prévisions météorologiques. Le plus sûr consiste encore à engager un guide au centre administratif.

Songpan ⓮

松潘

220 km au nord de Chengdu.
depuis la gare Xi Men, Chengdu.

Cet ancien poste de garnison fondé sous la dynastie Ming pour garder un col situé à 2 500 mètres est aujourd'hui un pôle administratif et une ville de marché fréquentée par les minorités tibétaines Quiang et Hui des environs. Ravagé par un incendie en 1998, il a conservé son plan en damier, ses remparts et trois portes fortifiées. Devant la porte sud, des cours fermées servaient jadis de « zones de douane » où étaient fouillées les caravanes. La rivière Min traverse le centre de Songpan. Le **pont du Vieux Pin** (Gusong Qiao), dont des sculptures animalières décorent le toit à deux étages, l'enjambe. La bourgade possède deux grandes mosquées. Si elles n'étaient pas peintes de vert et de jaune et ne portaient pas d'inscriptions arabes au-dessus des portes, rien ne les distinguerait de temples chinois traditionnels. Des échoppes vendent des pots en cuivre battu, des bijoux en turquoise, des peaux de mouton, du beurre et de la viande séchée de yack. À l'extérieur de la porte nord, deux agences proposent des randonnées à cheval jusqu'aux villages voisins. Le forfait inclut l'équipement, le bivouac sous la tente et un ravitaillement simple. Mieux vaut s'entendre par écrit sur l'itinéraire et le prix.

Huanglong ⓯

黄龙

65 km à l'ouest de Songpan.
depuis Chengdu. *Fête du Huanglong Si (juil.-août).*

Lanterne de la porte est, Songpan

Longue de 8 kilomètres, la vallée du Dragon jaune s'étend à 3 000 mètres d'altitude sur les contreforts des montagnes Min. Une rivière y alimente 12 bassins en terrasses et des cascades calcifiées. Son nom vient de la teinte (jaune) prise par les rochers exposés aux sels minéraux. Un sentier la remonte jusqu'au Huanglong Si fondé à l'époque Ming. Tous les ans, au milieu du 6ᵉ mois lunaire, une grande fête marquée par une course de chevaux réunit marchands et pèlerins des minorités ethniques de la région.

Terrasses calcifiées à Huanglong

Pour les hôtels et les restaurants de la région, voir p. 567-568 et p. 593-594

La randonnée du Jiuzhai Gou ⑯

九寨沟

Canard mandarin

Inscrite au patrimoine de l'Unesco, la réserve naturelle du « ravin des Neuf Villages » compte parmi les plus belles de Chine. Au pied de montagnes enneigées, elle protège trois vallées qui renferment neuf communautés tibétaines et un chapelet naturel formé par près de cent lacs d'un bleu extraordinaire, reliés par des torrents et des cascades. Une faune abondante peuple les forêts de résineux et d'arbres à feuilles caduques qui les entourent. Les oiseaux, dont le canard mandarin, en sont les membres les plus visibles en dehors des troupeaux

MODE D'EMPLOI

Circuler *: le prix d'admission inclut les bus dans le parc. Nuorilang constitue une bonne base.*
Quand y aller ? *Évitez les week-ends d'été. Les couleurs sont splendides en sept.-oct., une période plus calme. Froid mordant et neige règnent en hiver.*

Zharu Si ①
Deux moines veillent sur ce petit temple qui abrite des peintures murales.

Cascade de Nuorilang ③
C'est à la fin du printemps que cette cataracte de 100 mètres de large offre le spectacle le plus impressionnant, quand l'eau effectue de multiples rebonds sur les affleurements rocheux.

Shuzheng Zhai ②
Bannières votives et moulins à prières typiques de la secte bön parent de couleurs vives ce village tibétain entouré d'une palissade.

Rapides des Perles ④
En rebondissant sur une pente calcifiée, l'eau jaillit en gouttelettes nacrées.

Forêt primitive ⑤
À l'extrémité de la réserve, une forêt de conifères est préservée de la foule.

0 4 km

LÉGENDE

Itinéraire

Autre route

Grand lac ⑦
Long de 5 kilomètres, le plus vaste et le plus haut plan d'eau du parc s'étend à 3 103 mètres d'altitude.

Étang aux Cinq Couleurs ⑥
Dans un écrin d'épaisse forêt, les rochers et les algues se teintent de vert près du bord d'une eau d'un bleu intense. Après la pluie, le ruissellement y crée des tourbillons laiteux.

Une couche de débris recouvre le glacier du Hailuo Gou sur le flanc sud-est du Gongga Shan

Luding 17

泸定

230 km à l'ouest de Chengdu.

Au pied de montagnes enneigées, cette petite ville de marché animée borde la rivière Dadu. Le **pont de Chaînes de Luding**, long de 100 mètres et formé de treize chaînes soutenant des planches, enjambe son cours impétueux. Sa construction, en 1705, permit le développement des échanges entre le Sichuan et le Tibet. Il est entré dans l'Histoire en mai 1935 pendant la Longue Marche *(p. 256)*. Des troupes nationalistes y avaient précédé les forces de Mao Zedong et en avaient ôté le revêtement. Vingt-deux « héros » communistes réussirent néanmoins à traverser en s'accrochant aux chaînes sous le feu de leurs ennemis qu'ils mirent en déroute. Deux portes gardent l'accès au pont. Un musée, sur la rive extérieure, expose des photos de l'époque.

Le pont historique de Luding et ses deux portes

Moxi Xiang et glacier du Hailuo Gou 18

磨西和海螺沟

45 km au sud-ouest de Luding. *randonnées organisées par des hôtels.*

Le village de Moxi Xiang est un relais d'étape pour les marcheurs attirés par le ravin de la Conque (Hailuo Gou) et son glacier, le plus accessible d'Asie avec une langue située à 3 720 mètres d'altitude. L'église abrita l'armée Rouge en 1935, avant qu'elle ne tente de franchir les cols de la Daxue Shan, la montagne de la Grande Neige, où périrent un tiers de ses membres *(p. 256)*. Le glacier dévale le flanc sud-est du Gongga Shan (7 556 mètres). Une randonnée de trois jours, retour compris, permet d'atteindre le front glaciaire noirci par des débris. Plus haut se détachent des blocs de glace bleu-vert et une source chaude se mêle à des ruisseaux de fonte pour fournir des bassins où se baigner.

Église (XXe siècle) de Moxi

Kangding 19

康定

50 km à l'ouest de Luding. *depuis la gare de Xin Nan Men, Chengdu.*

Occupant le fond de l'étroite vallée où se rejoignent les rivières Zheduo et Yala, ce bourg s'anime le matin pour un marché fréquenté par les habitants des villages des environs. Aux portes du Tibet, il devint sous la dynastie Qing un lieu d'échange où les porteurs venaient se charger de produits tels que briques de thé, objets en cuivre et ballots de laine. La région a pour habitants les Khampa, une ethnie tibétaine dont les lourds bijoux en turquoise, les manières sans détour et l'habitude de porter un poignard confirment la réputation de rudesse. Ils se retrouvent à la **lamaserie Anjue**, au centre de Kangding. Au sud-est, la montagne de la Course de Chevaux (Paoma Shan) sert de cadre au printemps, pour le 18e jour du 4e mois lunaire, à une grande fête qui attire des Tibétains de toute la région. Il faut franchir 500 kilomètres à l'ouest de Kangding pour atteindre le Tibet. Dege permet de faire étape en route. La ville est réputée pour sa lamaserie-imprimerie.

YUNNAN

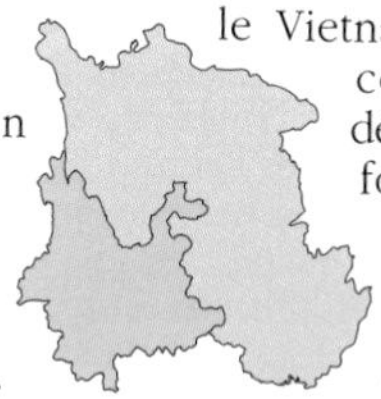

À la frontière sud-ouest de la Chine, la vaste province du Yunnan présente une exceptionnelle diversité de paysages, de climats et de populations. Les hautes montagnes du Tibet dominent le Nord-Ouest. Des forêts tropicales et des plaines volcaniques s'étendent au Sud. Trois grands cours d'eau, le Yangzi, le Salween et le Mékong, traversent le plateau vallonné du Centre.

Cette région isolée où prospéra le royaume de Dian, fondé au IIIe siècle av. J.-C., a résisté à l'influence des Han et préservé son patchwork d'identités culturelles. Elle abrite un tiers des minorités ethniques et possède de nombreux points communs avec les pays voisins : la Birmanie, le Laos et le Vietnam. Sa capitale, Kunming, conserve une atmosphère détendue près des étonnantes formations rocheuses de la Forêt de pierres. Les jungles tropicales du Xishuangbanna abritent les villages de multiples minorités, tandis qu'au nord, les Bai dominent aux alentours de Dali. Encore plus au nord, Lijiang est entrée au patrimoine de l'humanité de l'Unesco. La gorge du Saut du tigre permet une randonnée de trois jours sur un sentier balisé, dans un cadre époustouflant.

Kunming est bien desservie, par l'avion et le train depuis le reste de la Chine. Dans la majeure partie de la région, les transports en commun se réduisent toutefois aux bus.

LES SITES D'UN COUP D'ŒIL

Villes et villages

Dali et lac Erhai 5
Jinghong 3
Kunming 1
Lijiang p. 390-391 9
Ruili 8
Zhongdian 11

Sites naturels

Baoshan 6
Forêt de pierres p. 378-379 2
Gorge du Saut du tigre p. 394-395 10
Tengchong 7
Xishuangbanna 4

LÉGENDE

- Aéroport international
- Aéroport domestique
- Route nationale
- Route principale
- Voie ferrée
- Frontière internationale
- Frontière provinciale

0 100 km

◁ **La pagode des Mille Éveils *(à droite)*, la plus ancienne des trois pagodes de Dali, date du IXe siècle**

Kunming ❶

昆明

Pilier, musée municipal

La capitale de la province du Yunnan jouit, à 2 000 mètres d'altitude, d'un climat clément qui la pare de nombreuses fleurs et lui vaut le surnom de « Cité de l'éternel printemps ». Vieille de plus de deux millénaires, elle prit son essor au sein du royaume du Nanzhao *(p. 388)* puis sous la dynastie des Yuan mongols. Les gratte-ciel qui ont remplacé les vieilles maisons du centre-ville tendent à la faire ressembler à toutes les autres métropoles du pays, en pleine modernisation. Bordée au sud par un vaste lac, elle reste cependant plus aérée.

Des gratte-ciel dominent désormais le centre de Kunming

Parc du lac d'Émeraude

67 Cui Hu Nan Lu. *t.l.j.*

Au nord-ouest du centre, des lotus couvrent en été le lac du Cui Hu Gongyuan. Il attire en hiver des nuées de mouettes migratrices. À l'ouest, l'ancienne **Légation française** accueille des expositions temporaires. Au nord-ouest s'étend le quartier étudiant riche en cafés.

Temple de la Compréhension de toutes choses

30 Yuantong Jie. ***Tél.*** *(0871) 519 3762.*

de 8h à 17h t.l.j.

Le Yuantong Si, le plus vaste sanctuaire bouddhiste du Yunnan, s'étend au pied d'une colline. Souvent reconstruit, son portail monumental date de 1666. Un pont, au-dessus du bassin central, traverse un pavillon de l'époque Qing où se dresse une statue de Maitreya. Au-delà, la grande salle possède des sculptures datant des Ming. Sur les piliers principaux, deux dragons en bois évoquent la légende selon laquelle un de leurs semblables vivait dans le bassin. Le temple aurait été fondé pour l'apaiser. Au fond de l'enceinte, un pavillon de style thaï abrite un bouddha Sakyamuni en marbre offert par le roi de Thaïlande. À l'arrière, des marches mènent à des poèmes gravés sur la falaise.

Marché aux oiseaux et aux fleurs

Les éventaires qui emplissent les ruelles entre Jingxing Jie et Guanghua Jie vendent bien davantage que des fleurs et des oiseaux. On y trouve aussi des poissons et des animaux domestiques, des vêtements, des antiquités et des articles allant des bijoux aux épées de tai-chi et aux souvenirs de la Révolution culturelle.

Musée de la Province du Yunnan

Angle de Dongfeng Xi Lu et Wuyi Lu. ***Tél.*** *(0871) 361 1548.*

de 9h30 à 17h t.l.j.

Le premier étage d'un bâtiment évoquant la Russie soviétique abrite une splendide collection de tambours en bronze *(p. 423)* retrouvés sur les rives du lac Dian, où prospéra une culture propre à la région entre le IVe et le IIe siècle av. J.-C. Les instruments possèdent de riches décors en relief. La vie rurale en inspire la majorité, mais on remarque aussi des scènes de combat, un buffle attaqué par un tigre et l'étrange image d'une maison de bambou transformée en cercueil. Les plus ouvragés servaient à entreposer des coquillages utilisés comme monnaie. Des tambours de bronze jouent toujours un rôle important aux mariages, aux fêtes et aux funérailles de certaines minorités ethniques du Yunnan. Une autre salle contient des statues bouddhiques en bronze et en bois de diverses époques. Au deuxième étage, une exposition sur la préhistoire comprend des restes humains et des maquettes en plâtre de poissons cuirassés.

Pavillons sur le lac d'Émeraude du Cui Hu Gongyuan

Pour les hôtels et les restaurants de la région, voir p. 568-569 et p. 594-595

Quartier musulman

Du quartier musulman ne subsiste que Shuncheng Jie, la dernière des vieilles rues de Kunming riche en commerces vendant des raisins secs, du pain pita et du bœuf séché. La mosquée Nanchang Qingzhen Si, qui se dressait sur Zhengyi Lu depuis quatre siècles, a laissé la place à un sanctuaire moderne à la façade carrelée de blanc sous des coupoles d'un vert vif. Si le bâtiment en lui-même ne présente pas d'intérêt, les ruelles qui l'entourent sont pittoresques avec leurs boutiques d'articles religieux tels que calottes, chapelets et images de La Mecque. Les fabricants de nouilles des cafés musulmans sont fascinants à regarder réduire des boules de pâte en un nombre toujours croissant de filaments. De nombreux étals vendent des brochettes d'agneau au cumin.

Non loin, une autre mosquée se trouve entre Huguo Lu et Chongyun Jie.

Pilier, musée municipal

Pagode de l'Ouest

Dong Si Jie. *de 8h à 17h30.*

Dans une rue commerçante, des statues décorent les treize étages de la Xi Si Ta, dont la fondation remonte à l'époque Tang. Un modeste droit d'entrée permet de visiter son enceinte où les habitants du quartier jouent au mah-jong et aux cartes. La pagode de l'Est (Dong Si Ta), reconstruite au XIXe siècle, s'élève au milieu d'un jardin.

Musée municipal

71 Tuodong Lu. ***Tél.*** *(0871) 315 3256.* *mar.-dim. de 10h à 17h.*

Même si les collections n'ont pas la richesse de celles du musée provincial, quelques pièces justifient la visite, dont un pilier d'incantation datant de la dynastie Song. Un roi de Dali, Yuan Douguang, commanda en l'honneur du général Gao Ming cette sculpture haute de 7 mètres, taillée dans du grès rose. Esprits gardiens et démons captifs décorent sept niveaux. Au-dessus, un anneau de bouddhas porte l'univers. Les étages supérieurs du bâtiment abritent des tambours de bronze, une exposition sur Kunming et cinq squelettes de dinosaures, dont un allosaure et un *Yunnanosaurus robustus*.

MODE D'EMPLOI

335 km au sud-est de Dali. *3 900 000.* *aéroport de Kunming Wujiaba.* *gare de Kunming, gare du Nord.* *gare routière de Kunming, gare routière de l'Ouest.* *285 Huancheng Nan Lu, (0871) 356 6666.*

Squelette de *Dilophosaurus*, musée municipal

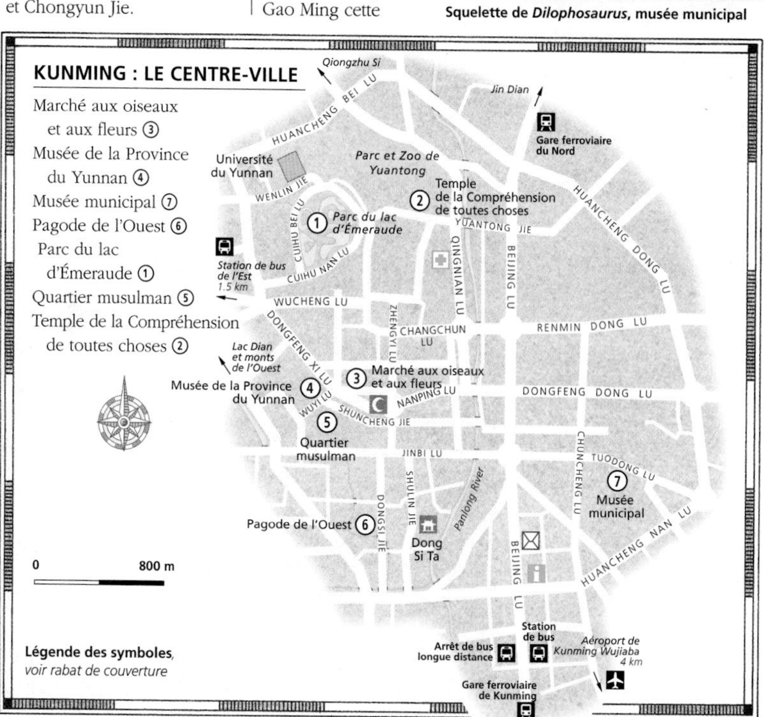

Le Temple d'or, entièrement construit en bronze

Jin Dian

12 km au nord-est de Kunming.
nos 6, 71, 76 depuis la gare du Nord de Kunming. t.l.j.

La banlieue nord-est de Kunming possède un espace vert aisément accessible en bus ou à vélo. Ses jardins fleuris ainsi que sa forêt de pins et de cyprès justifient à eux seuls la promenade, mais on y vient surtout pour le Temple d'or (Jin Dian) bâti au sommet de la colline du milieu. Le bâtiment actuel est la reproduction, en 1671, du pavillon originel déplacé en 1637 sur le Jizu Shan, une montagne sacrée de la région de Dali. Le général rebelle Wu Sangui commanda cette réplique pour y établir sa résidence d'été. Entièrement fait de bronze, jusqu'aux tuiles, le bâtiment pèse près de 300 tonnes. Il repose sur un socle en marbre de Dali. Une patine presque noire a remplacé les feuilles d'or qui le couvraient jadis. La salle principale abrite des sculptures et deux épées magiques de guerriers taoïstes. Dans la cour, où l'un des camélias a plus de six siècles, un petit bâtiment protège une statue de la divinité de l'Étoile polaire.

Continuer vers la colline située à l'arrière conduit à un jardin de thé ombragé, puis à un autre sanctuaire taoïste dont la tour renferme une cloche de 14 tonnes fondue en 1423. Elle provient de la porte sud de l'ancienne enceinte fortifiée. Le site offre une large vue du parc. Au loin, dans la vallée, les gratte-ciel du centre se détachent contre le ciel.

Qiongzhu Si

12 km au nord-ouest de Kunming.
depuis la gare routière de l'Ouest de 10h à 22h t.l.j.

Fondé sous les Tang au VIIe siècle et lié à ses débuts à l'école du bouddhisme *chan*, le Qiongzhu Si fut reconstruit au XVe siècle après un incendie. Le sanctuaire prit son aspect actuel lors d'une restauration qui dura de 1883 à 1890. Au sommet d'une colline boisée, ses élégants bâtiments entourent trois cours plantées d'arbres centenaires et de magnolias. La salle principale abrite trois grandes images du Bouddha, mais le temple des Bambous doit sa renommée aux 500 *arhat* (ou *lohuan*) représentés grandeur nature. Ces effigies en argile furent commandées lors de la rénovation du XIXe siècle à un talentueux sculpteur du Sichuan : Li Guangxiu. L'artiste et ses cinq assistants ont rendu particulièrement vivantes ces sculptures censées montrer des sages qui se sont libérés du cycle des réincarnations au moment de leur mort. Ici, l'un des personnages mange une pêche, là, un autre tend la main vers la lune, ou joue avec un animal monstrueux, ou bâille, ou argumente. Contre un mur, des figures surréalistes, dotées par exemple de bras plus longs que le corps ou de sourcils tombant jusqu'aux genoux, chevauchent des vagues écumantes où grouillent des créatures marines. Sur trois étagères sont représentés les vertus et les vices bouddhiques. Les statues reçurent un très mauvais accueil à leur achèvement et leur auteur disparut des annales. Il semblerait qu'il se soit inspiré de fidèles qui n'auraient pas apprécié la caricature.

Dans la grande salle, une tablette de pierre porte des inscriptions en écritures chinoise et mongole. Elles datent du XIVe siècle et relatent les relations de l'époque entre l'Empire du Milieu et le Yunnan. Les visiteurs disposent d'un bon restaurant végétarien.

Vue aérienne du vaste temple des Bambous

Le parc Haigeng en bordure du lac Dian

Lac Dian et monts de l'Ouest

depuis Kunming. *t.l.j.*

Le Dian Ci s'étend sur 40 kilomètres à la sortie sud de Kunming. Des villages de pêcheurs jalonnent son littoral et des *fachuan*, des bateaux traditionnels à la voile carrée gréée sur un mât de bambou, courent sur ses eaux. Le **pavillon Daguan**, sur la côte nord, offre un bon aperçu des alentours. Quelques kilomètres plus au sud, saules et eucalyptus ombragent le **parc Haigeng**.

Les monts de l'Ouest (Xi Shan), à 15 kilomètres au sud-ouest de Kunming, ménagent le meilleur point de vue du lac. Ils portent le surnom de « monts de la Beauté endormie » car leurs courbes évoquent une femme allongée dont les tresses flottent sur l'eau. Plusieurs temples accessibles à pied ou en minibus bordent la route qui monte au sommet. À 2 kilomètres de l'entrée, le temple du **Pavillon majestueux** (Huating Si) servait à l'origine de résidence de villégiature à Gao Zhishen, souverain de Kunming au XIe siècle. Des bassins rafraîchissent ses jardins. Les sculptures comprennent de farouches gardiens des Quatre Directions, des bouddhas dorés aux cheveux bleus et 500 *arhat*.

Montez ensuite à travers bois pendant 2 kilomètres pour atteindre le **temple de la Splendeur suprême** (Taihua Si), à l'entrée duquel s'élève un ginkgo centenaire. Fondé en 1306 par Xuan Jian, un moine errant d'obédience *chan*, le sanctuaire est dédié à Guanyin, la déesse de la compassion. Il est réputé pour son jardin de camélias et de magnolias. Marcher 20 minutes de plus mène au **pavillon des Trois Purs** (Sanqing Ge). Ses temples, salles et pavillons occupent l'emplacement du palais d'été d'un prince mongol du XIVe siècle. La transformation du site en sanctuaire taoïste date du XVIIIe siècle.

Pavillon rafraîchi par un bassin au Taihua Si

Plus loin, la **grotte de la Porte du Dragon** est un ensemble de chambres rupestres, d'escaliers et de tunnels creusés dans la montagne. L'entreprise, commencée à la fin du XVIIIe siècle par le moine Wu Laiqing, demanda 70 ans de travail périlleux. Ne manquez pas les niches contenant plusieurs statues fantastiques, dont une image de Guanyin et les effigies des dieux de l'Étude et de la Vertu. Un téléphérique rejoint la cime à la **porte du Grand Dragon**, un balcon perché à 2 500 mètres d'où s'ouvre une superbe vue du lac. La station de départ se trouve près du Sanqing Ge.

LA ROUTE DE BIRMANIE

Pendant 1500 ans, la Route sud de la soie passa par le Yunnan et la Birmanie pour rejoindre l'Inde, traversant d'épaisses jungles et des montagnes infestées de bandits. Dans les années 1930, le gouvernement chinois, repoussé vers l'ouest par l'envahisseur japonais, la rouvrit pour s'assurer une ligne d'approvisionnement depuis la Birmanie. Longue de 1 100 kilomètres, la chaussée, construite par 300000 ouvriers dotés d'outils rudimentaires, reliait Kunming à Lashio et au réseau ferré britannique. Pendant la Seconde Guerre mondiale, elle devint vitale pour les Alliés. Provisions, armes et médicaments arrivaient en train de Rangoon et poursuivaient en camion jusqu'en Chine. Après que les Japonais eurent pris Lashio en 1942, le général Stilwell *(p. 351)* fit ouvrir une autre voie. De Bhamo, sur la route de Birmanie, elle rejoignait Ledo, en Inde.

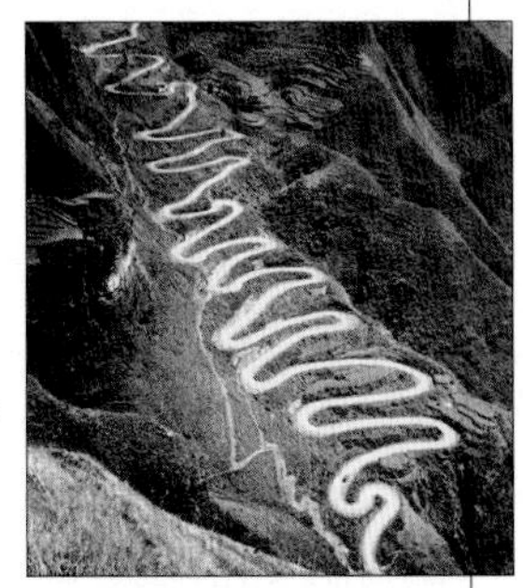

Les lacets de la route de Birmanie dans les années 1930

La Forêt de pierres ❷

石林

Les pitons de calcaire sculptés par l'érosion de la Forêt de pierres (Shilin) sont une merveille naturelle, et aussi la destination touristique la plus fréquentée du Yunnan. Les rochers aux formes étranges, dont certains atteignent 30 mètres, ont reçu des noms imagés comme « Rhinocéros contemplant la Lune » et « Champignon éternel ». Quatre-vingts hectares sont aménagés. Des sentiers parcourent cette forêt pétrifiée et mènent à ses bassins et à ses points de vue. S'éloigner du centre permet d'échapper à la cohue, mais gardez à l'esprit qu'il est facile de se perdre. Le site, dans sa totalité, couvre une superficie de 2 600 hectares. Il est encore plus magique de nuit.

★ Wangfeng Ting ③
De nombreux sentiers mènent au pavillon panoramique. Il constitue un bon point de rendez-vous et ménage une vue générale du site.

Xiao Shi Lin ①
La Petite Forêt de pierres, un groupe de rochers au nord de la partie aménagée, attire un peu moins de monde. Des Sani y dansent tous les soirs dans un amphithéâtre.

Forme cannelée créée par le ruissellement

Ode à la fleur de prunier ②
L'une des calligraphies gravées dans la pierre est l'un des poèmes préférés de Mao Zedong, reproduit dans son écriture fluide.

LES SANI

La région de la Forêt de pierres est le foyer des Sani, réputés pour leurs broderies, l'un des nombreux sous-groupes de la minorité Yi. Répandus dans tout le Sud-Ouest, les Yi parlent six dialectes et possèdent leur propre écriture dans laquelle sont rédigés de nombreux documents sur la médecine, l'histoire et la généalogie des familles régnantes. Leur société resta féodale jusqu'au XXe siècle et certains pratiquent encore le chamanisme. Les Sani sont souvent guides et danseurs à Shilin.

Guide sani posant à Shilin

FORMATION DE SHILIN

Les fossiles découverts dans la région montrent qu'elle se trouvait sous l'eau il y a 270 millions d'années. Soulevé par les mouvements de l'écorce terrestre, le fond marin calcaire s'est retrouvé soumis à l'érosion due au vent et à la pluie.

À NE PAS MANQUER

- ★ Jianfeng Chi
- ★ Wangfeng Ting

Pour les hôtels et les restaurants de la région, voir p. 568-569 et p. 594-595

★ Jianfeng Chi ④
Depuis ce bassin ornemental bordé de falaises découpées, une étroite passerelle grimpe jusqu'au sommet de la forêt.

MODE D'EMPLOI

120 km au sud-est de Kunming. **Tél.** (0871) 771 9006. *24 h/24.* *Fête des torches (fin du 6e mois lunaire).*

Femme attendant son époux ⑤
Il n'est pas toujours aisé de discerner le lien entre la forme et le nom d'un rocher. Celui-ci se dresse dans une zone paisible en direction du sentier en surplomb.

Arête tranchante ou *karren*

Les formes découpées résultent de l'infiltration d'une eau acide qui a dissous le calcaire.

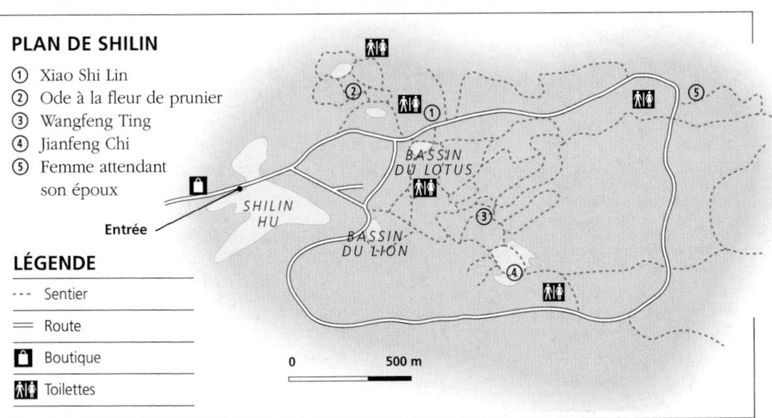

Vente de légumes sur un marché de Jinghong

Jinghong ❸

景洪

690 km au sud-ouest de Kunming. 363,000. Luandian Lu, (0691) 212 4479.

La région tropicale du Xishuangbanna, à l'extrême sud du Yunnan, ressemble davantage aux pays voisins, la Birmanie et le Laos, qu'à la Chine moderne. Elle a pour capitale Jinghong. Cette ville fondée au XIIe siècle par un seigneur de la guerre dai, Payazhen, apparaît comme un assemblage incongru d'édifices en béton et de rues plantées de palmiers. Son rythme de vie placide en fait une introduction idéale à la région et à la culture dai *(p. 383)*.

Le plus grand temple bouddhiste du Xishuangbanna, le **Manting Wat**, se trouve au sud-est du centre. En bois, sur pilotis, il possède un intérieur simple orné de fresques. Peuplé de paons, le **parc Manting**, l'ancien parc Chunhuan, s'étend derrière. Les esclaves royaux y avaient jadis leurs quartiers. Plusieurs sentiers conduisent à des répliques de temples et de pagodes. Une boutique propose à la vente des poissons vivants à relâcher dans le ruisseau. Cette bonne action permet au fidèle d'acquérir des mérites dont bénéficieront ses vies présente et future. Sur Jinghong Xi Lu, le **Jardin des plantes et des fleurs tropicales** abrite plus de 1 000 espèces végétales. Il est recommandé de s'y rendre en début d'après-midi : des danses traditionnelles dai rendent les visites plus vivantes. Une statue de Zhou Enlai *(p. 250)* commémore le sommet auquel il assista ici en 1961 avec le Birman U Nu pour désamorcer des tensions frontalières. Le Premier ministre chinois encouragea également l'acclimatation de l'hévéa au Yunnan.

Lotus d'or, Jardin des plantes et des fleurs tropicales

Manting Wat
Manting Lu. de 8h à 19h t.l.j.

Jardin des plantes et des fleurs tropicales
28 Jinghong Xi Lu. t.l.j.

Aux environs : à 30 kilomètres au sud-est de Jinghong, le bourg de **Ganlanba** constitue une bonne base d'où explorer la superbe région alentour. Au sud-est, le **parc de la Minorité dai** regroupe des villages traditionnels restaurés. Leurs maisons de bambou et de bois reposent sur des pilotis. Près du centre se dresse la silhouette dorée de la **pagode du Wat Ben**, vieille de 7 siècles. Ganlanba a toutefois pour principal attrait son cadre luxuriant au bord du Mékong. Plusieurs cafés louent des bicyclettes et fournissent des renseignements sur les randonnées à pied.

À 50 kilomètres au nord de Jinghong, la **réserve naturelle de Sanchahe** est connue pour sa vallée des éléphants sauvages où vivent une cinquantaine d'entre eux. Une passerelle et un téléphérique permettent de les observer de haut. Dans toute la réserve, les visiteurs n'ont pas le droit de sortir des sentiers sans un guide. Près de l'entrée sud, des serres abritent des oiseaux et des papillons. On peut aussi assister à des numéros de dressage d'éléphants.

Une visite du village de **Banla**, à 40 kilomètres à l'ouest de Jinghong, permet d'avoir un aperçu de la culture des Hani, l'un des quatre sous-groupes des Dai du Xishuangbanna. Les maisons dominent des rizières en terrasses et des plantations de théiers. Des spectacles de danse ont lieu dans la salle communautaire. Les femmes portent des tuniques brodées, des plastrons en argent et des coiffes ouvragées.

Jardin des plantes et des fleurs tropicales, Jinghong

◁ Pavillons bordant l'étang du Dragon noir au pied de la montagne du Dragon de jade

Les Dai

Broche d'argent en forme d'éléphant

Le territoire peuplé par l'ethnie dai s'étendait jadis jusqu'à la vallée du Yangzi, mais l'expansion mongole les repoussa vers le sud au XIIIe siècle. En Chine, ils vivent principalement au Yunnan, en particulier au Xishuangbanna. Comme leurs cousins de Thaïlande, du Laos, de Birmanie et du Vietnam, ils pratiquent le bouddhisme théravada, dont les rituels diffèrent de ceux de l'école mahayana répandue dans le reste du pays. Ils ont aussi leur propre langue et leur propre écriture. Agriculteurs habiles à tirer le meilleur de bassins fluviaux fertiles, ils cultivent le riz, la canne à sucre, l'hévéa et les bananes. Ils possèdent une cuisine raffinée et originale, avec des plats de riz cuit à la vapeur dans du bambou ou de l'ananas. Les spécialités les plus exotiques comprennent les œufs de fourmi et la mousse frite.

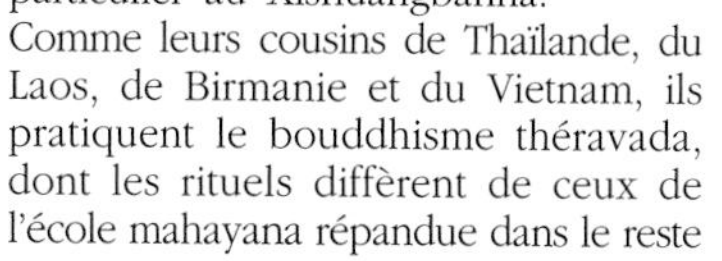

Les maisons traditionnelles, *construites en bambou ou en bois, reposent sur des pilotis. L'espace au-dessous sert d'abri aux animaux de la basse-cour. L'eau étant sacrée pour les Dai, un autel domine en général le puits.*

La tenue féminine *se compose d'un sarong, d'un corsage ajusté et d'une veste. Des fleurs parent souvent les cheveux tenus en chignon par un peigne. Arborer une dent en or est un signe d'élégance. Les femmes mariées portent des bracelets en argent.*

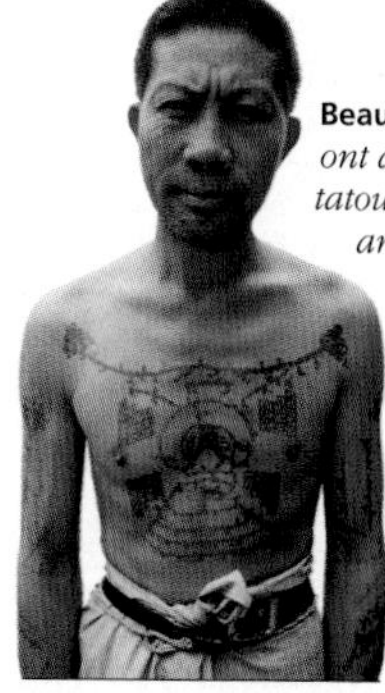

Beaucoup d'hommes *ont d'impressionnants tatouages représentant des animaux, des fleurs, des motifs géométriques ou des lettres. Le rite de passage consistant à parer ainsi le torse et les membres d'un garçon à l'âge de 12 ans est toutefois tombé en désuétude, sauf dans des zones très rurales.*

Les marchés *offrent à certains paysans l'unique occasion de se procurer les produits qu'ils ne peuvent obtenir eux-mêmes. Ils se tiennent le plus souvent le lundi et attirent des villageois de très loin aux alentours. Marchandage, ragots et flirts vont bon train.*

FÊTE DE L'EAU

Le nouvel an dai donne lieu à des aspersions rituelles qui dégénèrent en une fête joyeuse où tout le monde se retrouve en train de jeter de l'eau à tout le monde, ami proche ou parfait inconnu. Finir trempé est un signe de bon augure. Au premier jour des réjouissances a lieu un grand marché. Des régates de bateaux-dragons, le tir de feux d'artifice et des expositions d'éléphants et de paons rythment le deuxième. Des chants, des danses et la plus importante des batailles d'eau concluent la fête.

Au Yunnan, la fête de l'eau a généralement lieu à la mi-avril, entre le 13 et le 16

Pour les hôtels et les restaurants de la région, voir p. 568-569 et p. 594-595

Xishuangbanna ❹

西双版纳

Femme bai au marché

D'un point de vue climatique et culturel, l'extrême sud subtropical du Yunnan appartient à l'Asie du Sud-Est. La dernière vaste étendue de forêt primaire de Chine couvre une grande partie de son territoire, avec une faune et une flore très riches et un tiers des oiseaux de la Chine. La population est composée d'un tiers de Dai *(p. 383)* et pour le reste d'autres minorités. Elle vit surtout dans de petits villages, et un séjour dans le Xishuangbanna vaut pour le plaisir de sauter d'un hameau à l'autre, de se promener à vélo et dans la jungle.

Hauts palmiers au Jardin botanique de Menglun

À L'EST JUSQU'AU LAOS

Cet itinéraire traverse de plates terres cultivées avant de s'élever dans des montagnes boisées jusqu'à la frontière du Laos. Un visa, qu'il est possible d'acquérir sur place, est nécessaire pour la franchir.

Le petit village de **Manting**, à quelques kilomètres à l'est de Ganlanba *(p. 382)*, conserve de nombreuses maisons de bois traditionnelles dai. Le **Fo Si** et le **Du Ta** sont les reconstructions de temples du XIIe siècle démolis pendant la Révolution culturelle.

À trois heures de bus vers l'est, **Menglun** se résume à quelques rues poussiéreuses au bord du Luoso. Un pont suspendu mène sur l'autre rive au splendide **Jardin botanique**, un centre de recherche sur l'utilisation médicale des plantes locales.
Plus de 3 000 espèces poussent sur 900 hectares. Elles comprennent des cycadées, « fossiles vivants » ressemblant à des palmiers, et des dragonniers dont la sève rouge sert à cicatriser les plaies. Un petit hôtel permet de passer la nuit sur place.

La route de **Mengla** s'enfonce dans une profonde forêt tropicale, la plus vaste des cinq réserves naturelles de la province, puis traverse des plantations d'hévéas.

Un court trajet en taxi au nord de Mengla conduit à la **passerelle aérienne de Bupan**. À 40 mètres de hauteur dans le couvert végétal, elle ménage une vue exceptionnelle de la jungle au-dessous. 15 kilomètres plus loin, **Yaoqu**, un village de la minorité yao, abrite une pension. Elle offre une base à des randonnées dans des régions très isolées : mieux vaut engager un guide. **Shangyong**, le dernier village avant la frontière, est le point de ralliement de la communauté miao du Xishuangbanna *(p. 406-407)*.

Jardin botanique
Menglun. ◻ *de 8h30 à 18h t.l.j.*

Passerelle aérienne de Bupan
30 km au nord de Mengla.
◻ *de 8h30 à 18h t.l.j.*

À L'OUEST JUSQU'EN BIRMANIE

Dans l'ouest du Xishuangbanna, les routes secouent davantage et les transports publics sont plus rares. Les nombreux villages entièrement peuplés par des minorités justifient cependant les rigueurs du voyage.

Vaste et moderne, **Menghai**, renommée pour son thé *pu'er*, accueille un marché animé le dimanche. Elle se révèle aussi pratique pour explorer les alentours, notamment à vélo.

Le monastère de **Jingzhen** a pour fleuron son pavillon octogonal, un *busu* destiné aux réunions des moines. De splendides peintures murales décorent le temple principal. Un peu plus loin, à **Mengzhe**, le **Manlei Si** perché sur une colline est également de facture octogonale. Il abrite une importante collection de sutras écrits sur de la fibre de palmier. Un grand marché se tient le jeudi à **Xiding**, un joli village hani.

Cueillette du thé *pu'er*, Menghai

Peintures murales illustrant la vie du Bouddha au monastère de Jingzhen

Pour les hôtels et les restaurants de la région, voir p. 568-569 et p. 594-595

Manfeilong Ta, pagode inspirée des pousses de bambou

Les Hani dominent aussi à **Gelanghe** et il existe une communauté akha, un sous-groupe des Hani, au nord de la ville en direction du lac. Les femmes se distinguent par leurs tresses.

Vers le sud, en direction de la frontière, un immense marché tire **Menghun** de sa torpeur le dimanche. Il commence à l'aube et finit à midi. Des Hani et des Bulang s'y mêlent aux Dai majoritaires.

Marchands birmans et tribus montagnardes se retrouvent au marché transfrontalier de **Daluo**. Les Occidentaux s'arrêtent là : ils ne peuvent entrer en Birmanie que dans le cadre d'un voyage organisé officiel.

DE DAMENGLONG À BULANGSHAN

À 70 kilomètres au sud de Jinghong, **Damenglong** s'anime les jours de marché. En chemin, Gasa mérite qu'on fasse étape pour visiter le **Manguanglong Si**, un monastère avec un escalier en forme de dragon.

À une demi-heure de marche au nord de Damenglong, la **pagode de la Pousse de bambou** (Manfeilong Ta) dresse neuf flèches élégantes vers le ciel. Construite en 1204, elle protégerait une empreinte de pied du Bouddha. Des centaines de personnes s'y rassemblent pour célébrer la fête de Tan Ta, fin octobre ou début novembre. La **Pagode noire** (Hei Ta) n'est pas aussi bien entretenue, mais elle occupe un site très agréable.

La **randonnée jusqu'à Bulangshan** constitue une marche de trois jours à l'itinéraire bien établi le long du Nana Jiang et de ses affluents. Elle fait traverser une jungle épaisse et passer par des villages des minorités dai, hani, bulang et lahu. Engagez un guide et ne vous écartez pas du sentier au risque de passer en Birmanie. Depuis Damenglong, une première étape de 10 kilomètres mène au village dai de **Manguanghan**, puis une deuxième de 13 kilomètres au village bulang de **Manpo** où il est possible de loger chez l'habitant.

Le lendemain, 22 kilomètres de sentiers sinueux conduisent à **Weidong**. Suivez alors la route jusqu'à Bulangshan, à 10 kilomètres. Des bus quotidiens partent pour Menghai.

MODE D'EMPLOI

Circuler: *des voitures avec chauffeur sont disponibles à Jinghong. Les bus sont fréquents sur les grandes routes. Des cafés louent des vélos dans les zones touristiques.*
Randonnée: *Jinghong abrite de nombreuses agences. Mieux vaut avoir un guide pour se rendre dans la jungle. Veillez à ne pas franchir la frontière birmane et à vous munir d'eau, d'écran solaire, d'un imperméable, d'un chapeau et d'une trousse de premiers soins.*
Hébergement: *on trouve à se loger dans la plupart des villages, souvent chez l'habitant.*

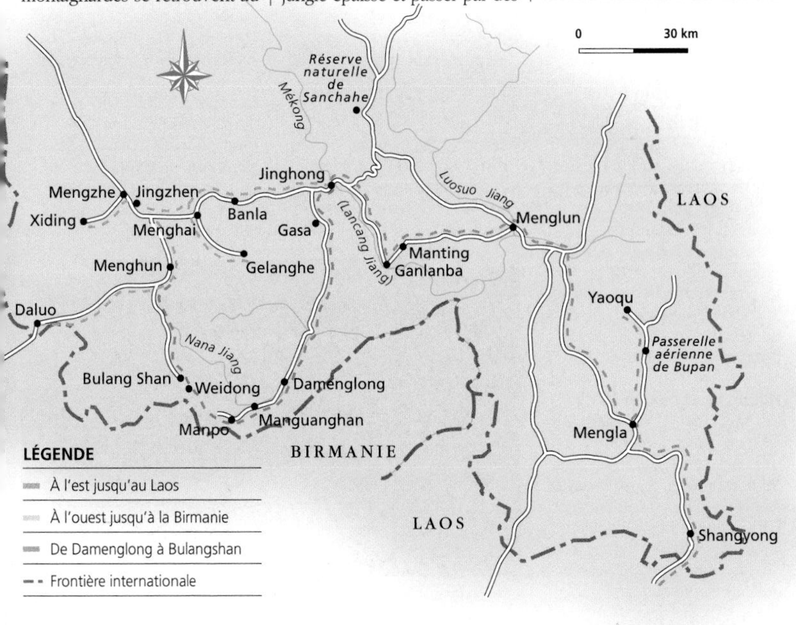

Dali et Erhai ❺

大理 和 洱海湖

« Dali » inscrit sur la porte Sud

Dans un site exceptionnel entre le lac Erhai et le massif montagneux des Cangshan, la jolie petite ville de Dali attire de très nombreux voyageurs. Ses ruelles pavées, bordées de maisons de pierre, ont conservé leur plan en damier entre les vestiges de remparts du XIVe siècle. Les nombreux villages bai des alentours offrent des buts de visite particulièrement intéressants les jours de marché. Les autres activités disponibles comprennent la randonnée en montagne et le spectacle de la pêche au cormoran sur le lac. La fête de printemps réunit des centaines de Bai pour cinq jours de cavalcades à cru, de luttes, de chants et de danses.

Vue des toits de la ville depuis la porte Sud (Nancheng Men)

À la découverte de Dali

Explorer la vieille ville, d'une superficie de 4 km², ne demande qu'une demi-journée. Il faut environ une demi-heure pour la traverser à pied de la porte Sud à la porte Nord. Le dédale des petites rues se prête à la flânerie. Les habitations traditionnelles y restent organisées autour d'une cour dont certaines abritent des restaurants. Acheteurs et fermiers des environs affluent pour le marché du vendredi. La porte Sud (Nancheng Meng) ménage un beau point de vue du lac Erhai et des Cangshan.

Huguo Lu et Fuxing Lu

Courant d'est en ouest, Huguo Lu a été surnommée la « rue des étrangers ». Elle renferme de nombreuses *guesthouses* et des cafés. Elle coupe Fuxing Lu, l'artère principale reliant les portes Sud et Nord. La tour du Tambour, près du musée de Dali, avertissait jadis de la fermeture des portes le soir. Dans la rue, des joueurs de cartes et de mah-jong se retrouvent sur la place qui s'étend devant la bibliothèque. En continuant encore, on arrive au paisible jardin Yu Eryan, planté d'arbres fruitiers. Bâtie en 1938, l'église catholique borde une rue au nord. Sa toiture de style chinois repose sur des murs de pierre.

Pavillon du musée de Dali

Musée de Dali

125 Erhe Nan Lu. *t.l.j.*

Près de la porte Sud, ce musée occupe l'ancienne résidence du gouverneur au temps des Qing. Elle servit de quartier général à Du Wen Xiu, le chef du soulèvement musulman de 1856. Les bâtiments bordant les cours fleuries ont connu une restauration réussie. Devant un pavillon est suspendue l'énorme cloche en bronze de l'ancien beffroi. À l'intérieur, des figurines bouddhistes du royaume du Nanzhao *(p. 388)* comptent parmi les pièces les plus intéressantes avec des statuettes en terre d'une sépulture de la dynastie Ming. Elles montrent des personnages censés accompagner le mort dans l'au-delà. Une salle abrite des copies de peintures sur tissu.

Trois Pagodes

2 km au nord-ouest de Dali.

Symbole de Dali, les élégantes San Ta s'élevaient jadis à l'intérieur du monastère Chongsheng détruit à l'époque des Qing. À 20 minutes à pied (ou un court trajet en bus) de la porte Nord, mieux vaut les découvrir tôt le matin, avant les visites organisées. La plus grande, la **pagode des Mille Éveils** (Quianxun Ta), mesure 69 mètres. De délicates sculptures en marbre ornent ses 16 étages. Sa construction remonte au début du IXe siècle. Elle porte en inscription des caractères signifiant « souveraineté et paix éternelles ». Un musée expose les reliques, sutras, miroirs en cuivre

Les Trois Pagodes au nord de la ville

et ornements en or, retrouvés lors de travaux de rénovation de 1979. Les deux pagodes plus petites datent du XIe siècle. Octogonales, elles possèdent 10 étages et mesurent 43 mètres. Sur chacun de leurs huit côtés, des niches abritent des images du Bouddha. Un parc agréable entoure les trois tours.

Zhonghe Si

À l'ouest de Dali.

En prenant le petit pont au nord de Dali pour pénétrer dans la forêt de cèdres et d'eucalyptus poussant sur les contreforts du Zhonghe Feng, puis en suivant les sentiers qui zigzaguent sur son flanc, on atteint au bout d'une heure de marche le temple Zhonghe depuis lequel s'ouvre un superbe panorama de la ville et du lac. Un télésiège y conduit aussi depuis la route. Le sanctuaire remonte à la dynastie Ming, mais les bâtiments actuels sont une reconstruction. Des loueurs de chevaux proposent des promenades. Les plus courageux suivront à pied le sentier empierré de 9 km menant au **Wuwei Si** dont les moines étudient le tai chi. Il est possible de dormir sur place.

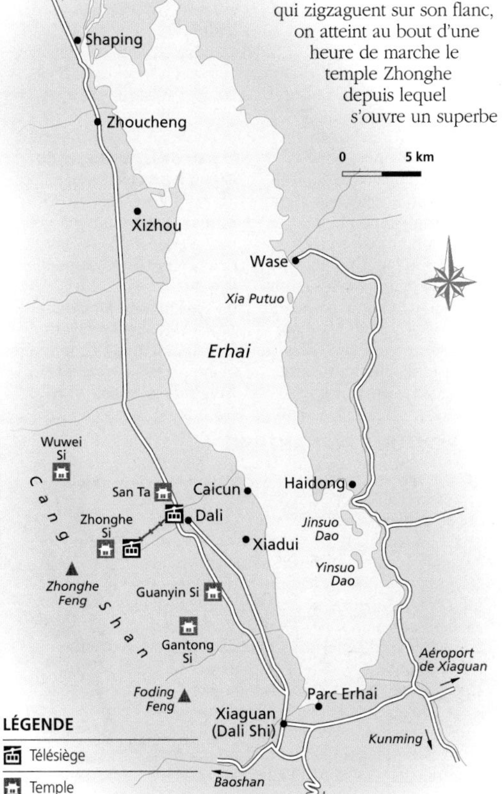

MODE D'EMPLOI

420 km au nord-ouest de Kunming. *500 000.* *Aéroport de Xiaguan à 30 km de Dali.* *jusqu'à Xiaguan, puis 30 min de bus jusqu'à Dali.* *48 Cangshan Lu, (0872) 213 3197.* *fête de printemps (15e jour du 3e mois lunaire – avr. ou mai).*

Guanyin Tang et Gantong Si

Environ 5 km au sud de Dali.

L'oratoire dédié à Guanyin, bodhisattva de la Compassion, s'étend au pied du Foding Shan. L'enceinte abrite de belles sculptures en bois et en pierre. Derrière, un sentier de 3 kilomètres grimpe jusqu'au temple Gantong, fondé sous les Tang et reconstruit à l'époque Ming. Il reste imposant même s'il n'en subsiste que deux salles partiellement restaurées. Les amateurs de randonnée préféreront peut-être l'atteindre depuis le Zhonghe Si en empruntant la « ceinture de jade », un spectaculaire sentier de 11 kilomètres.

Marché coloré dans un village proche de Dali

Pêcheur et ses cormorans sur le lac Erhai

Lac Erhai

t.l.j.

Long de 40 kilomètres, le plan d'eau situé à 3 kilomètres à l'est de Dali doit à sa forme et à son ampleur son nom chinois qui signifie « mer intérieure de l'oreille ». Symbole de fécondité naturelle pour les Bai, il abrite une cinquantaine d'espèces de poissons. Tous les cafés de la ville permettent de s'inscrire à une promenade en bateau qui inclut la visite de petits temples ou des excursions sur la rive orientale. Il est aussi possible d'accompagner un pêcheur au cormoran *(p. 418)*. Des embarcations de toutes tailles partent de Caicun, sur la rive ouest. Les plus grosses, destinées aux excursions de groupe, ressemblent presque à des pagodes flottantes.

La balade comprend en général un arrêt à l'**île de la Navette d'or** (Jinsuo Dao), qui abrite un village de pêcheurs et un temple dédié à la richesse, au bonheur et à la longévité. Plus au nord, un sanctuaire bouddhiste se dresse sur le petit îlot rocheux de **Xia Putuo**. À la pointe sud du lac, dans le **parc Erhai**, un sentier verdoyant conduit à un pic qui offre une vue splendide.

Villages des alentours

Plusieurs villages dignes d'une visite, en particulier les jours de marché, jalonnent la rive du lac Erhai. Les nombreux minibus qui se rassemblent à l'extérieur de la porte Nord de Dali permettent de passer de l'un à l'autre.

À 20 kilomètres au nord de la ville, **Xizhou**, un ancien avant-poste militaire de la période du Nanzhao, conserve près de 90 demeures bai organisées autour d'une cour. Certaines appartenaient à de riches familles de marchands. La plupart se trouvent au nord-est de la place centrale. L'hôtel Tianzhuang occupe l'une d'elles.

Femme bai de Shaping

À quelques kilomètres au nord-est, **Zhoucheng** abrite la plus importante communauté bai des bords du lac. Un atelier de teinture y reste en activité. En continuant vers Lijiang, **Shaping** est un village assoupi qu'un immense marché transforme chaque lundi en métropole locale. Les produits en vente comprennent du bétail, du miel sauvage, des condiments et des vêtements traditionnels. Son ampleur et son animation en font l'une des grandes attractions de la région.

Sur la rive orientale, une pension d'État offre un hébergement simple dans le dédale de ruelles de **Wase**. Le village accueille le lundi un marché moins touristique que celui de Shaping. Il est possible de rentrer en bateau à Dali depuis **Haidong**, à 10 kilomètres au sud de Wase.

Baoshan ❻
保山

120 km au sud-ouest de Dali.
depuis Kunming. *depuis Kunming, Tengchong et Ruili.*

Cette ville de garnison était déjà au Ve siècle un important relais d'étape sur la Route sud de la soie. Elle n'a pas résisté au modernisme, mais conserve d'intéressants exemples d'architecture traditionnelle. Les spécialités locales comprennent des soieries, des bottes, du canard salé, du café et du thé. À l'ouest du centre, le **parc de la montagne du Grand Protecteur impérial** (Taibao Shan Gongyuan) offre un cadre raffiné à une promenade. Près de l'entrée, des piliers élancés soutiennent la petite coupole octogonale du **pavillon de l'Empereur de Jade** (Yuhuang Ge), bâti sous les Ming. Il abrite de belles peintures murales taoïstes. Non loin, le **temple Yufo**

LE ROYAUME DU NANZHAO

Au VIIIe siècle, les Bai s'unifièrent sous la direction d'un prince impitoyable, Pileguo, qui se débarrassa de ses rivaux en mettant le feu à la tente où il les avait invités à un banquet. Il reçut le titre de Nanzhao, «prince du Sud», et fonda un État qui avait Dali pour capitale. La situation de la ville, dans une vallée protégée par des montagnes, permit de repousser deux armées envoyées par les Tang et de contrôler le commerce sur la Route sud de la soie. À son apogée, le royaume s'étendait jusqu'en Birmanie et au Vietnam. Il survécut jusqu'au XIIIe siècle, où le chef mongol Qubilaï Khan dirigea personnellement sa conquête.

Figurine du Nanzhao

Pour les hôtels et les restaurants de la région, voir p. 568-569 et p. 594-595

Feuillus caractéristiques des forêts tropicales, Taibao Shan Gongyuan

renferme plusieurs bouddhas de jade. Au sommet de la colline, d'où s'ouvre une belle vue, le **temple du Marquis militaire** (Wuhou Si) rend hommage à Zhuge Liang (181-234), un sage taoïste et l'un des grands stratèges des Trois Royaumes. Il est représenté assis entre ses ministres.

Taibao Shan Gongyuan
Baoxiu Lu. *t.l.j.*

Statue de Zhuge Liang, Wuhou Si

Tengchong ❼

腾冲

170 km à l'ouest de Baoshan.

Cette petite ville prospéra longtemps grâce au commerce, puis tomba dans un déclin qui lui a permis de conserver davantage de maisons traditionnelles en bois que sa voisine Baoshan. Les volcans et les sources chaudes des environs témoignent de l'activité tellurique d'une région qu'ont secouée 70 tremblements de terre depuis le début de leur recensement au XVIe siècle.

Au nord du centre, sur Guanghua Lu, l'ancien consulat britannique ouvert en 1899 marie les architectures victorienne et chinoise. Sur la même rue se tient tous les matins le grand marché. À l'ouest de **Xinjiang Xi Lu**, les ruelles les plus pittoresques de Tengchong abritent des maisons de thé fréquentées par des marchands birmans impliqués dans le commerce des pierres précieuses et du jade. À moins d'être un expert, mieux vaut résister à la tentation. À la sortie ouest de la ville s'étend le **parc des monts Laifeng** (Laifeng Shan Gongyuan). Ses sentiers serpentent parmi les pins et les ginkgos. Près du sommet, le **Laifeng Si** aménagé en musée propose une exposition sur l'histoire locale.

Laifeng Shan Gongyuan
de 8h à 19h t.l.j.

Aux environs : une visite organisée offre le meilleur moyen de découvrir les alentours de la ville. **Heshun**, à 4 kilomètres à l'ouest, évoque une carte postale. Les fonds envoyés par des milliers d'expatriés ont conservé en excellent état ses maisons traditionnelles, ses pavillons ouvragés et ses jardins. La bibliothèque en bois construite en 1928 compte parmi les plus beaux édifices.

La région doit une partie de ses reliefs à près de 100 volcans endormis. Les deux plus remarquables sont à 20 kilomètres au nord de la ville. Haut de 250 mètres, le **Dakong Shan** domine le **Heikong Shan** (80 mètres), mais celui-ci a une profondeur de plus de 100 mètres. Des marches taillées dans le rocher mènent dans le cratère. Des lignes de faille ont donné naissance à de très nombreux geysers et sources chaudes.

À 12 kilomètres au sud-ouest de Tongcheng, la **mer de Chaleur** (Rehai) jouit d'une grande popularité auprès des Chinois qui viennent s'y baigner dans une eau riche en sels minéraux.

Dans la Grande Marmite, elle atteint une température de près de 100 °C.

Dakong et Heikong Shan
t.l.j.
Rehai *24 h/24 t.l.j.*

Ruili ❽

瑞丽

125 km au sud-ouest de Tengchong.
depuis Kunming.

À la frontière avec la Birmanie, Ruili a longtemps abrité des trafics en tout genre, d'héroïne en particulier. Le jeu et la prostitution y tenaient le haut du pavé. Elle s'est assagie, mais demeure un des lieux les plus intrigants de la Chine du Sud-Ouest. Le nord du bourg propose un marché au jade et aux pierres précieuses parallèle à **Nanmao Jie**. Le marché de nuit, sur Mengmao Jie, est particulièrement animé. Pour se rendre en Birmanie, ayez un visa à jour (le consulat est à Kunming) ; passez par une agence qui fournira le permis spécial et le guide officiel obligatoires pour entrer dans le pays.

Campagne verdoyante près de Tengchong

Lijiang pas à pas ❾

丽江

Épis de maïs

Dans une superbe vallée d'altitude au pied d'imposantes montagnes, la vieille ville de Lijiang compte parmi les plus agréables de Chine. Elle doit son surnom de Dayan, « gros encrier », aux canaux qui la parcourent. Dédale de ruelles pavées bordées de maisons en bois, de cafés et d'ateliers d'artisans, elle est la capitale de l'ethnie naxi. Ses édifices traditionnels ont résisté au séisme qui tua 300 personnes en 1996, mais une ville moderne se développe à sa porte. L'ouverture de son aéroport a provoqué un afflux de touristes. L'Unesco a inscrit Lijiang au patrimoine mondial de l'humanité en 1999.

Ruelle typique au centre de la vieille ville

Heilong Tan Gongyuan

DONG DAJIE

YU HE

XINHUA JIE

Roues à aubes

Lijiang abritait jadis de nombreux moulins. Ces roues à l'entrée de la vieille ville n'ont plus qu'une fonction décorative.

Des concerts ont lieu le soir à l'académie de musique naxi.

Kegong Fang

Cette tour est au cœur des célébrations de la fête de Sanduo, la divinité protectrice des Naxi.

JOSEPH ROCK

Ce botaniste autrichien excentrique vécut à Lijiang entre 1922 et 1949 et y recueillit plus de 80 000 spécimens de plantes. Il fut un pionnier de l'usage de la photographie couleur en botanique et écrivit des articles pour *National Geographic*. Défenseur de la culture des Naxi, il rédigea le premier dictionnaire de leur langue. Une immense suite formée de cuisiniers, de serviteurs et de mercenaires l'accompagnait dans ses déplacements et il emportait son Gramophone, un service de table en or et une baignoire pliable.

Joseph Rock *(à droite)* avec le prince de Choni, 1925

LÉGENDE

– – – Itinéraire conseillé

À NE PAS MANQUER

★ Mishi Xiang

★ Sifang Jie

Pour les hôtels et les restaurants de la région, voir p. 568-569 et p. 594-595

Vue des toits de Dayan depuis Wangu Lou

MODE D'EMPLOI

520 km au nord-ouest de Kunming. *1 100 000.* *gares routières du Nord et du Sud.* *Bangbang (15e jour du 1er mois lunaire), fête de Sanduo (8e jour du 2e et du 8e mois lunaire), foire aux chevaux (7e mois lunaire)* *CITS, Xianggeli Dadao, Lifang Plaza, 2e étage, (0888) 516 0371.* *pour Dayan.*

Les canaux peuvent servir de guide. Remonter le courant mène aux roues à aubes.

★ Mishi Xiang

Bordée par un canal, l'une des plus charmantes rues de Dayan abrite un puits où viennent boire ses habitants devant le restaurant Blue Page Vegetarian.

CENTRE DE LA VIEILLE VILLE

Fermé aux voitures, son réseau de ruelles pavées et de canaux possède beaucoup de cachet et attire de très nombreux visiteurs. Afin d'échapper à la foule, éloignez-vous des pôles touristiques pour vous promener dans les quartiers où la population locale continue d'habiter.

★ Sifang Jie

Malgré les touristes, la place du marché reste au cœur de la vie sociale. Les Naxi s'y retrouvent pour jouer aux cartes et bavarder. Des fauconniers y viennent avec leurs oiseaux.

Le Yu He coule au sud depuis l'étang du Dragon noir (Heilong Tan).

À la découverte de Lijiang et des environs

La colline du Lion (Shizi Shan) sépare l'ancien quartier de la ville moderne qui renferme la majorité des hôtels. Quelques sites de visite se trouvent au sud de Dayan sur le Shizi Shan et, au nord, autour de l'étang du Dragon noir (Heilong Tan). Les hameaux naxi disséminés dans la campagne possèdent souvent des temples intéressants. Ils sont pour certains accessibles à vélo. Les autres ne demandent qu'un court trajet en bus.

Le pavillon du Souvenir ménage une vue plongeante de Dayan

Pavillon du Souvenir

Shizi Shan. *de 7h30 à 19h t.l.j.*

Édifice récent de quatre étages et de 33 mètres de hauteur aux colossaux piliers de bois, le Wangu Lou se dresse au point culminant de Lijiang. Accessible depuis Dayan comme du côté ouest de la colline, par Minzu Lu, il offre une superbe vue de la vieille ville et de ses alentours.

Palais des Mu

Au sud-ouest de la vieille ville. *t.l.j.*

Détruit par les Qing, le vaste corps de bâtiments du Mu Fu, d'où la famille des Mu exerça son pouvoir sur les Naxi jusqu'en 1723, a été reconstitué contre la colline du Lion après le tremblement de terre de 1996. Ses pavillons abritent une exposition sur la culture naxi. L'enceinte abrite aussi une maison de thé.

Parc de l'Étang du Dragon noir

Xin Dajie. *de 7h30 à 18h t.l.j.*

Le Heilong Tan Gongyuan s'étend à la limite nord de la ville. Le Pavillon pour attraper la lune (Duyue Lou) s'y dresse au centre d'un étang peuplé de carpes devant la montagne du Dragon de jade *(p.380-381)*. L'**Institut de recherche de la tradition dongba**, dans l'angle sud-ouest du parc, s'efforce de préserver la tradition chamanique *dongba* propre aux Naxi. L'établissement s'emploie notamment à traduire les textes religieux. Plusieurs salles du **Fuguo Si**, qui fut le plus grand monastère de Lijiang, ont été transportées dans le nord du parc au cours des années 1970. La plus majestueuse, le **pavillon aux Cinq Phénix** (Wufeng Lou), date de 1601. Le **musée de la Culture naxi et dongba**, près de la porte nord, présente une exposition intéressante et bien légendée en anglais.

Aux environs :

à 10 km au nord de Lijiang, le village assoupi de **Baisha** était la capitale du royaume naxi au moment de l'invasion par Qubilaï Khan. De ce glorieux passé, il n'a conservé que deux grands temples. Le premier, à l'entrée du village, tombe en décrépitude. Le second, un peu plus loin, le **temple des Tuiles vernissées** (Liuli Gong), conserve des peintures murales allant du XIVe au XVIIe siècle. Baisha est aussi le lieu de résidence du Dr Ho, qui propose ses décoctions thérapeutiques, contre une petite donation, dans la rue principale.

Plus loin au nord, dans le village de Yulong, la même famille entretient depuis près de 1 000 ans le **temple Beiyue** dédié à Sanduo, guerrier mythique protecteur des Naxi.

La petite lamaserie du **temple du Sommet de jade** (Yufeng Si), construite en 1756 à 13 kilomètres au nord-ouest de Lijiang, abrite un célèbre camélia centenaire qui se couvre de milliers de fleurs au printemps. Un orchestre naxi vient souvent répéter l'après-midi. Il faut se joindre à une visite organisée ou louer un taxi pour accéder au massif de la **montagne du Dragon de jade** (Yulong Xue Shan), dont le sommet resta inviolé jusqu'en 1963. Depuis l'entrée de la zone la plus spectaculaire, deux télésièges conduisent au-dessus de la ligne de neige.

Bouquet de piments

Le premier rejoint un point surnommé la « colline du suicide par amour », le second, le plus haut d'Asie, grimpe jusqu'à 4 506 mètres pour offrir une vue étonnante de glaciers. Habillez-vous chaudement et méfiez-vous du mal des montagnes.

Sommet découpé de la montagne du Dragon de jade (Yulon Xue Shan)

Les Naxi

La minorité naxi, dont Lijiang est la capitale spirituelle, compte environ 300 000 membres vivant au Sichuan et au Yunnan. Descendants de nomades tibétains, ils ont perdu leurs coutumes matriarcales, mais celles-ci restent vivantes chez les Na, leurs cousins de l'Est. Cette tradition continue néanmoins de marquer leur langue où les suffixes masculins ont une valeur diminutive. Leur religion a assimilé de nombreuses influences, notamment bouddhistes et taoïstes, mais elle reste fondamentalement animiste.

Pictogramme dongba

Comme les chamans qui en transmettent le savoir de génération en génération, elle porte le nom de *dongba*. Les textes sacrés sont conservés grâce à une écriture hiéroglyphique, la dernière encore en usage dans le monde. Elle compte environ 1 400 signes. Deux fois par an, les Naxi organisent une grande fête sur la montagne du Dragon de jade pour rendre hommage à Enpu Sanduo, le guerrier mythique qui se tient prêt à en descendre sur un cheval blanc pour leur porter secours en cas de menace.

Les femmes, *selon les anciennes règles matriarcales, dirigeaient les affaires, mais avaient aussi la charge de la majeure partie du travail. L'héritage revenait à la fille aînée. Les hommes se consacraient à des activités comme le jardinage ou la musique.*

Les chamans *dongba* *président aux cérémonies comme les mariages, les funérailles ou le nouvel an. Les rares à avoir survécu aux purges de la Révolution culturelle s'efforcent de transmettre leur savoir.*

Les capes traditionnelles *comptent une partie supérieure sombre, symbolisant la nuit, au-dessus d'une bande claire en peau de mouton représentant le jour. Les rondelles métalliques correspondent aux sept étoiles de la Grande Ourse.*

La musique naxi *s'inspire d'une tradition taoïste millénaire tombée dans l'oubli partout ailleurs. Les interprètes utilisent des instruments à cordes et à vent eux aussi très anciens.*

Cette page de pictogrammes *dongba est tirée du texte «Sacrifices à la haute divinité», l'un des nombreux documents traduits par Joseph Rock* (p. 390).

La gorge du Saut du tigre ⑩

虎跳峡

Flèches marquant le sentier du haut

Un chemin de randonnée longe le cours supérieur du Yangzi, le Jinsha Jiang, qui traverse l'une des plus profondes gorges du monde, si encaissée qu'à son point le plus étroit un tigre aurait franchi le fleuve d'un bond. Des montagnes d'une altitude moyenne de 4 000 mètres composent un paysage d'une beauté époustouflante. Bien signalé, le sentier de crête long de 30 kilomètres se révèle éprouvant par endroits. Il passe par des hameaux rustiques où faire étape. Deux jours suffisent pour effectuer le trajet, mais beaucoup de marcheurs préfèrent s'en accorder un de plus. Des visites en bus d'une journée au départ de Lijiang permettent également de découvrir la gorge depuis la route du bas.

Bendiwan
À 16 kilomètres de Qiaotou, ce hameau contient plusieurs guesthouses *où passer la nuit. La vue est superbe.*

★ Vue de la gorge
Partir du côté de Qiaotou ménage de splendides panoramas dès le départ. Le Jinsha Jiang, le « fleuve aux sables d'or », passe au pied des crêtes enneigées de la montagne du Dragon de jade.

Un court détour au bas d'un sentier raide et sinueux mène à la cascade de Longdong.

Les 24 tournants
En venant de Qiaotou, ce passage au nom optimiste (il compte plus de 24 lacets) est la partie la plus rude du trajet. On peut louer des chevaux à Nuoyou pour l'effectuer.

Jinsha Jiang

Yongsheng

Qiaotou

Route basse relativement récente

Fermes à Nuoyu
Deux heures de marche séparent ce ravissant village de Qiaotou. On peut y loger, se restaurer et louer des chevaux.

À NE PAS MANQUER

★ Vue de la gorge

★ Walnut Grove

Pour les hôtels et les restaurants de la région, voir p. 568-569 et p. 594-595

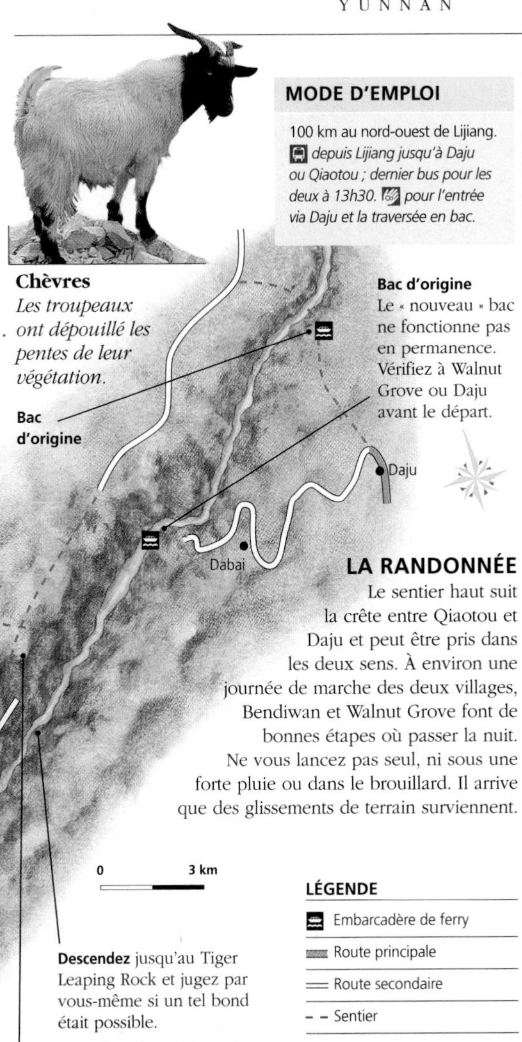

Chèvres
Les troupeaux ont dépouillé les pentes de leur végétation.

MODE D'EMPLOI

100 km au nord-ouest de Lijiang. *depuis Lijiang jusqu'à Daju ou Qiaotou ; dernier bus pour les deux à 13h30.* *pour l'entrée via Daju et la traversée en bac.*

Bac d'origine
Le « nouveau » bac ne fonctionne pas en permanence. Vérifiez à Walnut Grove ou Daju avant le départ.

LA RANDONNÉE

Le sentier haut suit la crête entre Qiaotou et Daju et peut être pris dans les deux sens. À environ une journée de marche des deux villages, Bendiwan et Walnut Grove font de bonnes étapes où passer la nuit. Ne vous lancez pas seul, ni sous une forte pluie ou dans le brouillard. Il arrive que des glissements de terrain surviennent.

LÉGENDE

- Embarcadère de ferry
- Route principale
- Route secondaire
- Sentier

Descendez jusqu'au Tiger Leaping Rock et jugez par vous-même si un tel bond était possible.

★ Walnut Grove
À 23 km de Qiaotou, ce village paisible aux cultures en terrasses et aux maisons de pierre et de bois offre un cadre agréable pour faire étape. Il domine la section la plus étroite de la gorge.

Habitation tibétaine traditionnelle, lamasserie Songzalin

Zhongdian ⓫
中甸

200 km au nord-ouest de Lijiang.
3 à 5 h depuis Lijiang.
Changzheng Lu, (0887) 822 5657.

Les autorités chinoises ont officiellement décidé que la capitale de la préfecture autonome tibétaine de Diqing était aussi celle de la mythique région de Shangri La. Elles l'ont donc rebaptisée Xianggelila en 2002. La ville, où se sont multipliés les blocs de béton, n'offre pas vraiment une image du paradis, mais elle conserve de belles maisons tibétaines dans sa partie sud.
À 3 kilomètres au nord, la lamaserie Songzalin, ou Ganden Sumtseling Gompa, est le plus grand monastère tibétain du Sud-Ouest. Plus de 600 moines y vivent. Fondé par le 5e dalaï-lama il y a près de 400 ans et détruit pendant la Révolution culturelle, il a rouvert en 1981. La terrasse supérieure offre une vue exceptionnelle de Zhongdian.

Aux environs : cette région fait géographiquement partie du plateau tibétain et offre de nombreux buts d'excursion, dont les terrasses calcaires de **Bashuitai** creusées de cuvettes remplies d'eau et le **Bita Hai**, un lac aux eaux d'émeraude. Les agences locales peuvent aussi organiser un voyage jusqu'au Tibet : atteindre Lhassa en véhicule tout-terrain prend environ une semaine.

GUIZHOU ET GUANGXI

Ces deux provinces partagent un vaste territoire karstique dont les pics déchiquetés composent des paysages spectaculaires. Le sous-sol abrite certaines des plus vastes grottes de Chine. Malgré des pluies abondantes, le sol produit peu, ce qui a retardé la colonisation han jusqu'à la fin de la période Ming. Ce délai dans la sinisation de la région a permis à de nombreuses ethnies indigènes, en particulier les Miao et les Dong, de conserver leurs coutumes et célébrations traditionnels. Quatre-vingt-dix pour cent des Zhuang, la plus importante minorité de Chine, vivent au Guangxi, qui a pris le statut de Région autonome zhuang en 1958.

La vague de modernisation qui métamorphose la Chine a encore peu atteint le Guizhou et le Guangxi. Quelques sites touristiques y sont aisément accessibles. La ville de Guilin est le point de départ d'une croisière sur la rivière Li, menant, à travers un somptueux décor karstique, jusqu'au bourg de Yangshuo apprécié des routards. Kaili offre une bonne base d'où partir à la découverte de villages miao. Les voyageurs disposant de temps verront de longs trajets en bus récompensés par la superbe cascade de Detian, les extraordinaires constructions en bois élevées par les Dong autour de Zhaoxing et la beauté des échassiers qui viennent hiverner par milliers au bord de la Caohai.

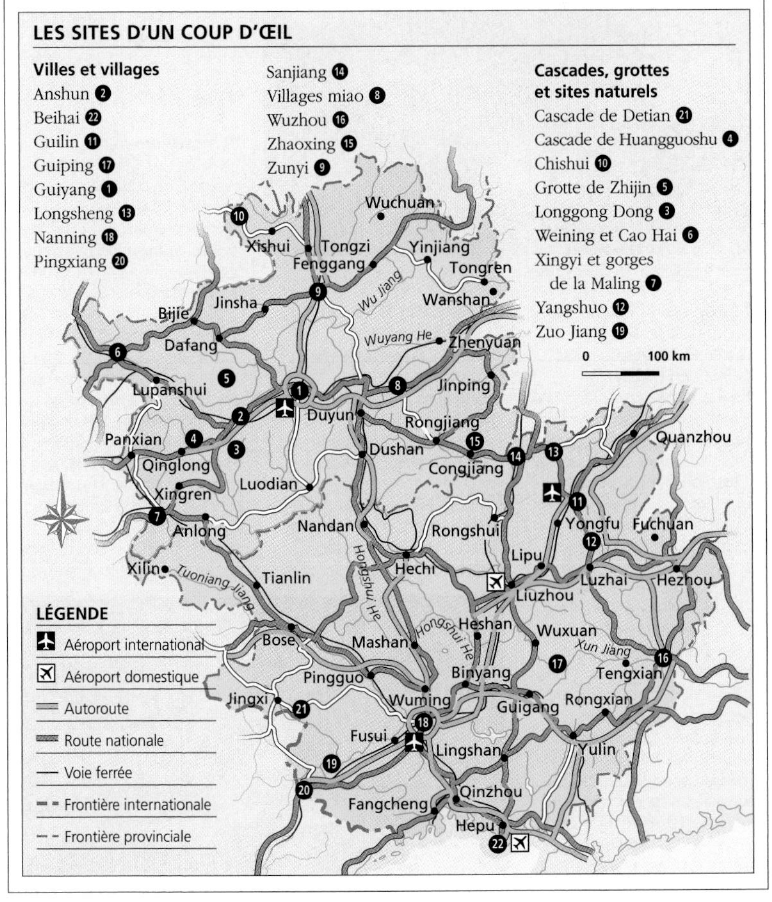

◁ **Femmes de la minorité bunu et piments mis à sécher, Guizhou**

Guiyang ❶

贵阳

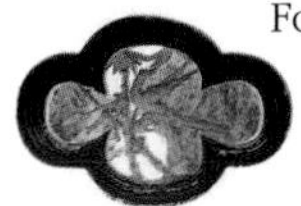
Fenêtre ornementale au Cuiwei Yuan

Fondée sous les Han, Guiyang resta un petit chef-lieu provincial jusqu'au début du XXe siècle, où elle devint la capitale du Guizhou. Elle s'étend le long de la rivière Nanming. Son nom signifie « sud des montagnes », une référence aux collines qui la protègent du nord. On peut aussi le traduire par « précieux soleil », un reflet de l'opinion qu'ont les Chinois du climat local humide. En pleine modernisation, Guiyang n'en reste pas moins accueillante. Des parcs l'entourent et quelques bâtiments historiques ont survécu. Au sud, l'arrondissement de Huaxi renferme quelques villages de la minorité bouyi *(p. 400)* et une ville fortifiée bien conservée.

Le Jiaxiu Lou relié aux rives de la Nanming par le pont de Jade flottant

Temple traditionnel au Cuiwei Yuan

Jiaxiu Lou et Cuiwei Yuan

2 Cuiwei Xian Nanming Lu. *t.l.j.*

Haut de 29 mètres, le petit pavillon de l'Éminence littéraire, construit en 1598 sur un rocher en forme de tortue au milieu de la Nanming, servait de lieu de réunion pour les lettrés qui se préparaient aux examens d'entrée dans l'administration impériale. Il abrite une maison de thé décorée d'anciennes poésies sur papier. Le dernier étage offre une belle vue du centre-ville moderne. Un pont de pierre, le Fuyi Qiao (pont de Jade flottant), relie le Jiaxiu Lou aux rives du cours d'eau. Il mène au sud au jardin Cuiwei, qui jadis appartenait à un temple dédié à Guanyin, la déesse bouddhique de la compassion. La fondation du sanctuaire remonte au tournant du XVIe siècle, mais il n'en subsiste que des édifices de la fin de l'époque Qing.

Qianming Si, Jue Yuan et Wenchang Ge

Centre-ville, au nord de la rivière. *t.l.j.*

Des exemples d'architecture classique ont survécu autour du centre-ville. Le temple Qianming borde Yangming Lu sur la rive nord de la Nanming. Il a pour principal intérêt les éventaires qui proposent des bonsaïs, des oiseaux, des poissons, de la brocante et des souvenirs de la Révolution culturelle. Le Jue Yuan, sur Fushui Nan Lu, possède un excellent restaurant végétarien. Les plats sont généreusement pimentés. À quelques pas de Wengchang Bei Lu se dresse l'élégante tour Wenchang, construite entre 1609 et 1669. De plan octogonal, elle possède deux étages et faisait à l'origine partie des remparts orientaux de l'enceinte fortifiée.

Musée provincial

168 Beijing Lu. *de 9h à 17h t.l.j.*

L'étage d'un bâtiment poussiéreux abrite une intéressante collection d'objets locaux, malheureusement peu légendée. Elle a pour fleurons des figurines en argile vernissée provenant d'une sépulture Ming proche de Zunyi, ainsi qu'un bronze haut de 1 mètre, fondu à l'époque Han qui représente un cheval tirant un chariot. Un document sur un mur évoque les soulèvements des Miao provoqués au XIXe siècle par la pression fiscale. Les pièces ethnologiques comprennent de l'argenterie, des batiks et des broderies confectionnés par les minorités du Guizhou.

Bâtonnets d'encens et articles religieux en vente devant le Qianming Si

Pour les hôtels et les restaurants de la région, voir p. 569-570 et p. 595

Escalier de pierre grimpant à flanc de colline dans le parc Qianling

Parc Qianling

187 Zhaoshan Lu. *t.l.j.*

Un vaste espace vert au nord de la ville invite à la promenade. Des sanctuaires, ainsi que des arbres décorés de rubans rouges et peuplés de singes, bordent le sentier dallé qui mène au **Hongfu Si**, le temple de la Générosité et du Bonheur. À l'entrée, où se dresse un stupa en marbre haut de 10 mètres, un écran carrelé montre le Bouddha lavé à la naissance par neuf dragons. Une salle abrite des centaines de statues polychromes d'*arhat*, ou *luohan*, des sages libérés du cycle des réincarnations. Au sommet de la colline, le pavillon Kanzhu offre une belle vue.

Huaxi

17 km au sud de Guiyang.

16, 25, 47.

La petite ville de Huaxi accueille l'université du Guizhou et le joli parc Huaxi (parc du Ruisseau fleuri), une bande boisée longue de 6 kilomètres en bord de rivière. À proximité de Huaxi, les villages bouyi proches abritent **Zhenshan**, construit en pierre et réputé pour son « théâtre local », dérivé de rituels animistes. Les interprètes portent des masques en bois stylisés. À 12 kilomètres au sud, **Qingyangzhen**, un poste de garnison fondé en 1373, a conservé son enceinte fortifiée du XVIIIe siècle haute de 10 mètres, des tours de guet et des portes en pierre sculptée. Le bourg possède 17 temples.

MODE D'EMPLOI

1 400 km au nord-ouest de Guangzhou. *1 600 000.* *aéroport de Longdong Bao.* *gare routière de Guiyang, CAAC (pour l'aéroport), gare routière de Tiyu Guan.* *20 Yan'an Zhong Lu, (0851) 581 6348.*

VIANDE DE CHIEN

Au Guizhou, comme au Guangxi et dans plusieurs pays d'Asie du Sud-Est, la viande de chien est un mets de choix. La médecine chinoise la considère comme « chaude », un peu comme le piment, et la recommande pour le traitement de l'impuissance masculine. Elle est généralement préparée en ragoût. Les visiteurs étrangers n'ont toutefois pas à s'inquiéter d'en retrouver dans leur assiette par accident, les restaurants qui l'ont pour spécialité le revendiquent clairement en exhibant les carcasses devant leur établissement.

Caractères signifiant « viande de chien » sur une enseigne de restaurant

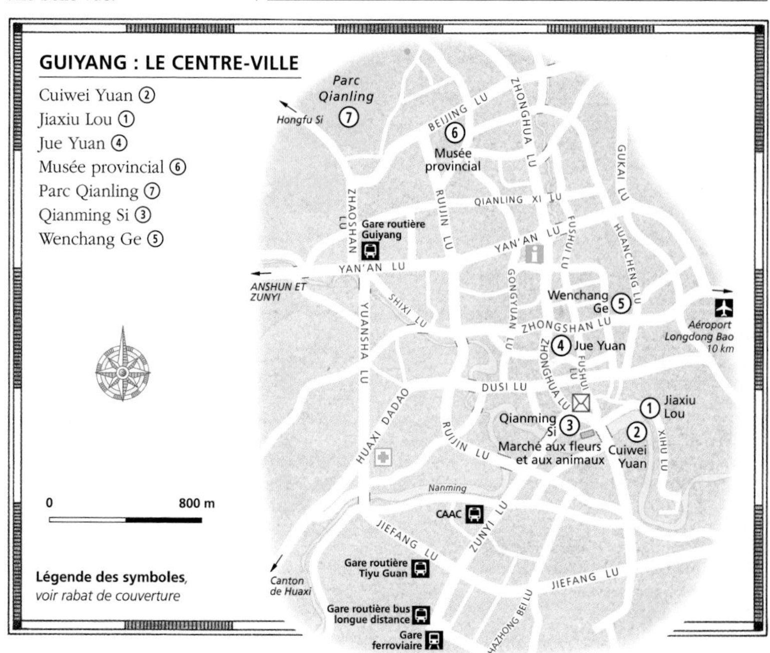

Maisons traditionnelles de la communauté buyi près d'Anshun

Anshun ❷
安顺

100 km au sud-ouest de Guiyang.
🚉 🚌 ℹ *Tashan Donglu, (0853) 322 3173.*

Cette petite ville a pour origine un poste de garnison fondé au XIIIe siècle pour favoriser la colonisation han. Sa situation stratégique sur la voie d'échange entre le centre et le sud-ouest de la Chine lui permit de devenir un comptoir commercial prospère. Elle survit aujourd'hui grâce au tourisme, à une agriculture de subsistance et à son industrie traditionnelle du batik, qui repose sur les talents de la minorité des Buyi. Cette ethnie compte environ 3 millions de membres installés dans l'ouest du Guizhou. Elle possède sa propre langue et, depuis les années 1950, un système d'écriture dans lequel enregistrer ses riches traditions populaires.

Les collines karstiques qui entourent Anshun composent l'un des plus beaux paysages du Guizhou. Les minorités des environs fréquentent ses nombreux marchés animés.

Elle a conservé deux monuments datant des Ming. La **Pagode blanche** (Bai Ta) se dresse sur le mont Xixiu, d'où elle domine le centre-ville. Celui-ci a pour cœur l'intersection de Nanhua Lu et de Tashan Lu. Le **temple de la Littérature** (Wen Miao), fondé en 1368, se trouve au nord dans un réseau de ruelles en direction du lac de Hongsham. On y vénérait Confucius. Il n'a conservé que les piliers de l'entrée où s'enroulent des dragons.

Les petits commerces abondent dans le centre. Sur Nanhua Lu, une douzaine de boutiques vendent des tentures murales et des bannières de couleurs vives devant l'usine de batik ouverte en 1953.

Vente de fruits au marché du dimanche, Anshun

Aux environs : à un peu plus de 15 kilomètres à l'est d'Anshun, le village fortifié de **Yunshan** doit sa fondation à des troupes envoyées sous les Ming. Il conserve des bâtiments anciens, dont l'élégant Qiyan Qiao, un pont composé de sept arches. À 26 kilomètres au nord-est d'Anshun, un temple bouddhiste et taoïste du tournant du XVIIe siècle couronne le **Tiantai Shan**, une colline haute de 400 mètres. Le **canton de Zhenning**, à 25 kilomètres au sud-ouest d'Anshun, renferme des villages traditionnels buyi. Leurs maisons de pierres sèches possèdent des toitures d'ardoises en écailles de poisson. Le village de **Shishao**, presque entièrement construit en pierre, est réputé pour son « théâtre local », la survivance d'une forme ancienne de spectacle rituel importée dans la région par des soldats de Nanjing.

Longgong Dong ❸
龙宫洞

27 km au sud-ouest d'Anshun.
🚌 *depuis Anshun.* 🕒 *de 8h à 18h t.l.j.* 🎟

Les « grottes du palais du Dragon » forment un réseau d'une centaine de salles reliées par une rivière souterraine sur une longueur de

Batik moderne au décor figuratif et polychrome

BATIK D'ANSHUN

Plusieurs minorités ethniques du sud-ouest de la Chine utilisent traditionnellement la technique du batik. Depuis près de 1 000 ans, les Buyi de la région d'Anshun s'en servent de fond de broderie pour leurs vêtements. Depuis l'ouverture d'une usine à Anshun en 1953, ils ont peu à peu monopolisé le marché du textile indigène. Les motifs, qui étaient à l'origine des abstractions de formes végétales ou animales, sont dessinés avec de la cire. Elle disparaît quand le tissu est mis à bouillir, après teinture à l'indigo, pour révéler le décor en négatif. Les cotonnades unies d'antan ont cédé la place à une production de masse polychrome dont les motifs comprennent des représentations stylisées d'animaux du zodiaque, des scènes tirées de légendes buyi et des créatures mythologiques. Le batik d'Anshun est aujourd'hui très prisé dans tout le pays.

Pour les hôtels et les restaurants de la région, voir p. 569-570 et p. 595

Barques servant à la visite de la Longgong Dong

15 kilomètres. On ne peut en découvrir que six. Elles forment une enfilade de 854 mètres, accessible en barque depuis l'étang du Ciel (Tian Chi), en partie dissimulé par le voile d'eau d'une cascade haute de 40 mètres. La caverne la plus vaste possède une voûte s'élevant jusqu'à 80 mètres. Des projecteurs colorés éclairent les stalactites, les stalagmites et les formations rocheuses aux formes étranges créées par l'érosion et les dépôts de calcite. En saison des pluies, la promenade s'achève à la **Tanière du Tigre**, une large plate-forme d'où les visiteurs retournent à l'entrée à pied en traversant une forêt de pitons karstiques.

Cascade de Huangguoshu ❹
黄果树瀑布

50 km au sud-ouest d'Anshun. *de 7h à 18h t.l.j.*

Très populaire auprès des Chinois, la Huangguoshu Da Pubu (cascade du Fruitier jaune), alimentée par la Baishui, mesure plus de 70 mètres. Pendant la saison des pluies, en juin et juillet, la rivière se transforme en torrent et la chute d'eau, large de 80 mètres, offre un formidable spectacle en se jetant dans l'étang du Rhinocéros. Au cours des mois les plus secs, au début du printemps, le courant se réduit à un gracieux réseau de ruisseaux tombant du sommet de la falaise. Le niveau est si bas qu'il devient possible de traverser à pied. Des escaliers et des passerelles relient des points de vue face à la cascade. La **grotte du Rideau d'eau** (Shuilian Dong), un tunnel long de 134 mètres, percé de « fenêtres » naturelles, court derrière les chutes. Il faut s'attendre à en sortir mouillé.

Une douzaine d'autres sites dignes d'intérêt jalonnent la Baishui. En amont, ils ont pour fleuron la **cascade de Doupotang**. Elle ne mesure qu'une vingtaine de mètres de hauteur, mais s'étend sur une largeur de 105 mètres. À environ 5 kilomètres en aval, à **Tianxing**, un parc abrite une série de petites grottes, des pitons karstiques s'élevant jusqu'à 20 mètres et la Yinlianzhuitan (cascade de la Chaîne d'Argent), une splendide succession de petites chutes d'eau d'un dénivelé total de 40 mètres.

Grotte de Zhijin ❺
织金洞

130 km au nord d'Anshun.
***Tél.** (0857) 781 2015. depuis Anshun, via Zhijin. taxis disponibles. obligatoire. t.l.j.*

S'enfonçant sur plus de 12 kilomètres dans des collines calcaires, ces cavernes dont la voûte la plus haute s'élève à 150 mètres sont considérées comme les plus grandes de Chine et comptent parmi les plus vastes du monde. Elles se trouvent à 25 kilomètres au nord-est de la ville de Zhijin. Sans charme malgré son caractère ancien, celle-ci renferme quelques hôtels. Des passages nivelés et des escaliers bordés de cascades fossilisées ainsi que de gigantesques stalactites et stalagmites relient les salles souterraines. Les imposantes formations rocheuses ont reçu des noms évocateurs comme « Puxian montant son éléphant », « La déesse et le serpent » et « La vieille femme et sa bru ».

La **Guanghan Dong**, longue de 400 mètres, contient une stalagmite d'une suprême élégance baptisée « L'arbre de la pluie d'argent ». Obligatoire, la visite guidée (en chinois) dure plus de deux heures. Elle n'a lieu que pour des groupes d'au moins dix personnes.

La cascade de Huangguoshu reste spectaculaire même en saison sèche

En barque sur la Caohai bordée de collines basses

Weining et Caohai ❻

威宁 / 草海湖

275 km à l'ouest de Guiyang.
jusqu'à Weining ou Liupanshui, puis bus. *fête des torches yi (juin-juil.).*

Région déshéritée ayant pour principale activité l'extraction du charbon, l'ouest du Guizhou présente un visage accidenté de collines karstiques et de forêts. Le plateau du Yungui d'une altitude de 2 230 mètres forme sa partie la plus occidentale, à la frontière avec le Yunnan. La ville principale, Weining, ne se distingue pas par sa beauté, mais des Hui, des Yi et des Dahua Miao l'habitent et fréquentent ses marchés. Musulmans, les Hui, éparpillés dans toute la Chine, sont les descendants de marchands arabes et perses qui empruntèrent la Route de la soie aux époques Tang et Yuan. Réputée pour ses éleveurs de chevaux, la minorité yi compte environ 6,6 millions de membres installés dans le sud-ouest du pays. Leur grande célébration annuelle, la fête des torches, donne lieu à des cavalcades, des compétitions de lutte, des concours de tir à l'arc et des feux de joie. Les Dahua Miao *(p. 406-407)* diffèrent des Miao des environs de Kaili à la fois par leur langue et par les motifs de leur cape traditionnelle, dont les grands losanges rouges leur ont valu l'appellation de « grandes fleurs » (Dahua).

À la bordure sud-ouest de la ville s'étend la **Mer herbue** (Caohai), un vaste lac d'eau douce aux eaux peu profondes. Une réserve naturelle de 45 km² créée en 1992 protège ses berges couvertes de roseaux où viennent hiverner des dizaines de milliers d'oiseaux migrateurs entre novembre et mars. Ils comprennent un groupe de 400 grues à cou noir, une espèce menacée de disparition, ainsi que des grues cendrées, des oies à tête barrée et plusieurs sortes de canards.

On peut les approcher à pied, des sentiers sillonnent la rive, ou depuis le lac en louant une barque à Weining.

Xingyi et gorges de la Maling ❼

兴义 和 马岭河峡谷

300 km au sud-ouest de Guiyang.
jusqu'à Xingyi. **Gorges de la Maling** *rafting par l'intermédiaire des hôtels.*

Dans l'angle sud-ouest du Guizhou, la petite ville de marché de Xingyi manque de charme et présente surtout de l'intérêt pour ses alentours, une région de collines calcaires et de rizières.
À la sortie de sa banlieue nord-est s'ouvrent les gorges de la Maling, longues de 15 kilomètres. Creusées par un torrent, elles ont une profondeur de près de 100 mètres par endroits. Les eaux dévalent plusieurs petites chutes aux rochers moussus. Leur partie supérieure peut être descendue en rafting.
Le point de départ se trouve à 25 kilomètres au nord-est de Xingyi. Des sentiers aménagés dans la partie inférieure du ravin permettent de descendre jusqu'à la rivière afin d'en suivre le cours. Ils passent par des tunnels. Mieux vaut se munir de bonnes chaussures et d'une lampe de poche.

Dans la section inférieure des gorges de la Maling

Pour les hôtels et les restaurants de la région, voir p. 569-570 et p. 595

Les grues chinoises

Grue antigone

Les lacs et les marais chinois revêtent une importance cruciale pour la survie de huit des quinze espèces de grues existant au monde. Beaucoup sont en grand danger d'extinction. La plupart se reproduisent dans le Nord, surtout dans la réserve naturelle de Zhalong, dans la province du Heilongjiang. Toutes sont migratrices, mais plusieurs, dont la grue antigone tropicale et la grue à cou noir, spécifiquement chinoise, ne vivent que dans le centre et le sud-ouest du pays. Ces échassiers élégants ont des parades nuptiales spectaculaires qui les font sauter et battre des ailes avec énergie pour attirer le partenaire avec qui ils passeront leur vie. Les Chinois en ont fait un symbole de fidélité et de longue vie. Le dieu taoïste de longévité, Shou Lao (aussi appelé Shao Xing), est souvent représenté monté sur une grue.

Les grues s'unissent *pour la vie. Elles cimentent le lien par une parade nuptiale élaborée où le couple courbe le cou, rejette la tête en arrière, jette des brindilles et des graviers, puis saute en l'air pour retomber ailes déployées.*

Symbole de chance, *de sagesse, de fidélité et de quête d'amélioration spirituelle, la grue apparaît souvent sur la tenue des fonctionnaires impériaux.*

Les migrations *imposent le franchissement de grandes distances, jusqu'à 4 000 kilomètres pour certaines espèces. Les jeunes mémorisent les parcours en volant en formation en V derrière leurs aînés.*

Pattes en extension

La vitesse de croisière peut atteindre 70 km/h.

Les grues demoiselles *se déplacent en groupes constitués de plusieurs milliers de membres. Elles se nourrissent principalement de grenouilles, de poissons et d'insectes.*

La grue cendrée *possède une trachée spécialement adaptée à l'émission d'une gamme surprenante de mugissements, de glapissements et de croassements.*

Les fêtes et l'artisanat miao

Broderies géométriques

Les Miao pensent venir du plateau himalayen et avoir atteint leurs foyers actuels en Chine du Sud-Ouest, au Laos, au Cambodge, au Vietnam et en Birmanie au terme d'une très longue migration. Ils vivent souvent en communautés isolées dans des régions montagneuses et chaque tribu a développé ses propres coutumes. Ils sont réputés pour la variété et la beauté de leurs tenues vestimentaires, notamment les parures en argent ainsi que les broderies exécutées et portées par les jeunes filles célibataires. Elles les arborent lors des nombreuses fêtes marquées par des danses collectives.

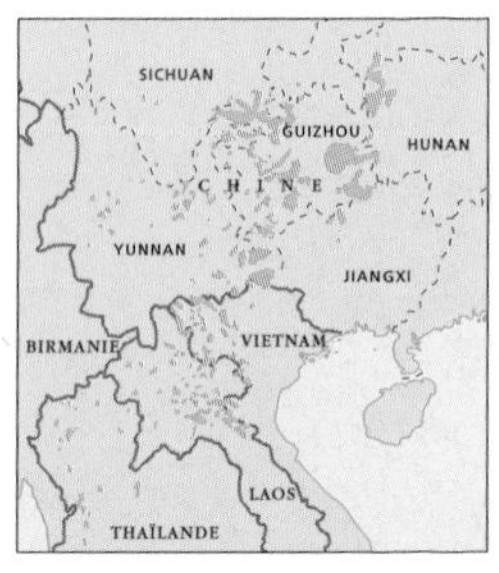

COMMUNAUTÉS MIAO D'ASIE

Population miao

Les Hmu, *ou Miao noirs, de la région de Kaili portent des costumes qui précisent leur origine. Cette jeune femme vient des environs du Leigong Shan.*

D'immenses cornes ornent les coiffes.

FÊTE DES SŒURS

Au cours de ces trois jours passés à boire et à danser, les adolescentes choisissent leur mari. Leurs prétendants leur offrent un paquet de riz gluant. En cas d'accord, elles le rendent avec des baguettes. Sinon, c'est du piment.

Les Dahua Miao, *ou Miao grandes fleurs, de l'ouest du Guizhou, portent des blouses et des jupes en batik et, pour les fêtes, des coiffes d'un rouge éclatant.*

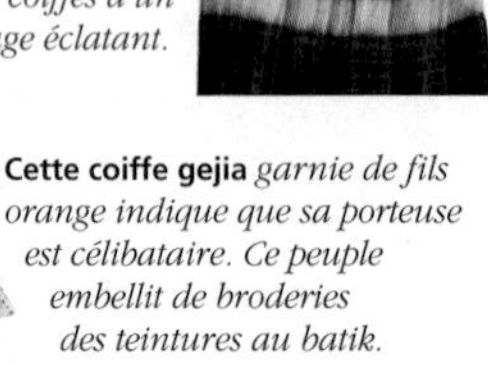

Cette coiffe gejia *garnie de fils orange indique que sa porteuse est célibataire. Ce peuple embellit de broderies des teintures au batik.*

Les Changjiao *de l'ouest du Guizhou sont dits « Miao à longues cornes » à cause du support de leur coiffe remplie de cheveux, entre autres ceux d'ancêtres.*

◁ **Les étonnantes rizières des Longji Titian (terrasses de l'Épine dorsale du Dragon), près de Ping An au Guangxi**

La broderie *est un art appris très tôt par les jeunes filles miao. La qualité des panneaux dont elles décorent leurs vêtements influe sur leurs chances de trouver un mari.*

Cette cape *ornée de broderies sophistiquées et de représentations abstraites de buffles et de plantes est typique des tenues gejia.*

Les parures en argent *vont de simples boucles d'oreilles jusqu'à de lourdes chaînes et d'impressionnantes tiares richement ornées.*

Coiffes, plastrons et colliers en argent sont réunis par les familles des Miao noirs dès la naissance d'une fille.

Longue jupe plissée traditionnelle

Les régates de bateaux-dragons *organisées au moins deux fois par an dans la région de Kaili célèbrent une victoire locale sur des troupes chinoises. Chaque village envoie une barque sculptée de têtes de dragons et une équipe de pagayeurs.*

Les combats de buffles *des fêtes miao s'achèvent rarement dans le sang. Leurs propriétaires leur accordent trop de valeur.*

Seuls les hommes *jouent du* lusheng, *un instrument formé d'une gourde munie d'une hanche et de six tubes de bambou. Ils l'inclinent pour faire varier le son.*

Les villages miao ❽

凯里苗寨

Fenêtre de pagode, Kaili

Les Miao de Chine *(p. 406-407)* considèrent les alentours de Kaili et la vieille ville de Zhenyuan comme leur patrie. Entre les deux villes s'élèvent des collines escarpées séparées par des vallées fluviales. Des villages ont conservé leurs maisons traditionnelles en bois et leurs rues pavées. D'autres accueillent de grandes fêtes. Les marchés, très animés, suivent un cycle de cinq jours. De nombreux bus partent de Kaili, mais prenez un taxi, ou marchez, pour atteindre les endroits les plus isolés.

Langde, un village ancien niché dans une vallée encaissée

Kaili

170 km à l'est de Guiyang.

hôtel Yingpanpo, 53 Yinpan Dong Lu (0855) 822 2506.

Kaili est une ville étendue et sans intérêt architectural. Les marchés qui se tiennent dans les petites rues apportent un peu de couleur. On peut aussi découvrir les maigres collections du **musée des Minorités**.

Le parc Dage renferme une pagode en bois à l'iconographie taoïste inhabituelle et des statues barbouillées de plumes de poulet ensanglantées.

Musée des Minorités

5 Guangchang Lu. *t.l.j.*

LANGDE ET XIJIANG

Cet itinéraire passe par les plus accessibles des villages traditionnels desservis par des bus depuis Kaili. L'excursion prend une journée en taxi ; sinon, passez la nuit à Xijiang.

Vingt minutes de marche aisée séparent **Langde** de la grand-route. Admirez le spectacle offert par ses maisons en bois, nichées dans une courbe de la colline. Elles enserrent un étang et une aire de danse au pavage en anneaux autour d'un mât orné de cornes de buffles et de dragons.

Au pied du **Legong Shan** (2 178 mètres), **Lei Shan** constitue une base d'où partir en randonnée dans des hameaux isolés de la région. Trente kilomètres de pistes mènent à **Xijiang**, le plus important des villages miao avec environ 1 200 maisons en bois. Sa visite est très agréable pendant la fête de la dégustation du riz nouveau, en automne, et les célébrations du nouvel an miao.

ROUTE DE L'EST

Plusieurs bus partent tous les jours de Kaili à destination de Zhenyuan *via* Taijiang et Shidong. Ces deux localités accueillent de grandes fêtes, et les dessertes sont alors plus nombreuses. Taijiang possède plusieurs hôtels et il existe une *guesthouse* au confort rudimentaire à Shidong.

À 55 kilomètres de Kaili, **Taijiang** se métamorphose pour la fête des sœurs, où des milliers de villageois viennent voir les jeunes filles choisir leurs époux. Le reste du temps, le village de **Fanpai** et ses rizières offrent une plus jolie destination pour une excursion d'une journée.

Hameau d'une demi-douzaine de ruelles en partie bordées de maisons en bois, **Shidong** permet d'acheter des parures en argent et des broderies les jours de marché, ou de les voir portées pour les régates de bateaux-dragons organisées au moins deux fois par an. Les réjouissances se concluent par une danse à laquelle tout le monde se joint avec parfois 10 000 personnes.

Terrasses cultivées sur le Leigong Shan

Pour les hôtels et les restaurants de la région, voir p. 569-570 et p. 595

ROUTE DE L'OUEST

Des bus fréquents relient Kaili à Shibing, d'où il existe des correspondances pour Zhenyuan. Shibing possède des hôtels et vous trouverez des hébergements basiques à Chong'an. **Matang**, au charme agréablement rural, abrite la majorité des Gejia, un sous-groupe des Miao. La route passe à proximité, mais il vous faudra prendre un taxi à Kaili si vous ne voulez pas faire à pied les cinq derniers kilomètres. C'est sur le **Xianglu Shan** (1 300 mètres), à environ 10 kilomètres à l'ouest de Matang, que les troupes impériales vainquirent en 1873 Zhang Xiumei, l'un des chefs de la rébellion miao. Une fête lui rend hommage tous les ans.

Un marché animé se tient dans les vieilles échoppes en bois de **Chong'an**, un village en bord de rivière où les marchandages sont âpres. Sur la grand-rue, le **Feiyun Dong**, un curieux sanctuaire taoïste fondé en 1443, abrite un musée d'objets miao dans l'une de ses salles couvertes de mousse. En aval du village, de vieux moulins restent en service au milieu du cours d'eau. Depuis **Shibing**, sur la rive sud du Wuyang He, il est possible de participer à des descentes en radeau du Shanmu Jiang ou d'effectuer des randonnées sur le Yuntai Shan, où subsistent les ruines d'un temple datant de la dynastie Ming.

Femme miao et son bébé

Vieux moulins à eau en aval de Chong'an

Zhenyuan

100 km au nord-est de Kaili.

26 Ximen Jie, Wuyangzhen.

Ancien poste de garnison enserré par deux falaises, Zhenyuan s'étire en deux longues rues de part et d'autre du Wuyang He. Dans la vieille ville, sur la rive nord, des bâtiments de la dynastie Qing aux avant-toits recourbés et au décor de pierre élaboré ont été soigneusement restaurés. À l'est, un pont de pierre de l'époque Ming conduit à la grotte du Dragon noir, un sanctuaire taoïste construit dans la falaise. De l'eau y suinte sur les autels dédiés à de nombreuses divinités. À l'est de Zhenyuan, le Wuyang He traverse des gorges à découvrir en bateau.

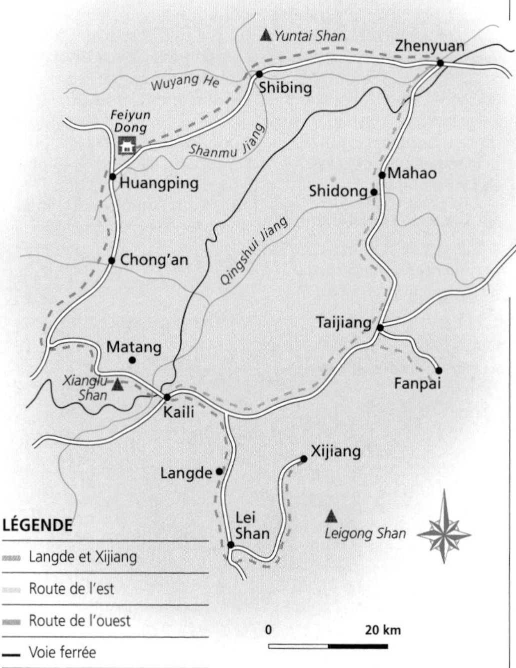

FÊTES

Janv. : *fête des tambours, Gaowu, près de Taijiang*
Fév.-mars : *fêtes du lusheng dans toute la région*
Avr.-mai : *fête des sœurs, Taijiang et Shidong*
Juin-juil. : *courses de bateaux-dragons dans maintes localités*
Juil.-août : *fête au Xianglu Shan*
Août-sept. : *fête de la dégustation du riz nouveau autour de Kaili et Lei Shan ; fête du lusheng, Chong'an*
Oct.-nov. : *fête du lusheng et courses de chevaux, Yongxi, près de Zhenyuan*
Déc. *: nouvel an miao, Xijiang et villages autour de Kaili*

Escalier menant au monument aux Martyrs de l'armée Rouge, Zunyi

Zunyi 9
遵义

150 km au nord de Guiyang.

Une masse grise de cimenteries, de gares routières et ferroviaires encercle la plus grande ville du nord du Guizhou. Elle conserve néanmoins un ancien quartier propre et paisible sur la rive nord de la rivière. Zunyi tient une place particulière dans l'histoire du Parti communiste chinois (PCC). L'armée Rouge la conquit par surprise en janvier 1935 au cours de la Longue Marche *(p. 256)*. Ses responsables s'y réunirent sous la direction de Zhou Enlai et du conseiller militaire du Komintern, Otto Braun. Au cours de cette « conférence de Zunyi », Mao Zedong imposa ses vues très critiques sur la stratégie suivie auparavant, une étape cruciale dans le conflit avec le Guomindang et dans sa conquête personnelle du Parti. Le **site de la Conférence** expose des souvenirs du PCC. Un bâtiment similaire, dans la rue derrière, abritait la Banque nationale de la République soviétique de Chine, chargée de frapper la monnaie, et le Comité d'expropriation qui redistribuait aux paysans des biens réquisitionnés. À côté, le **musée de la Longue Marche** en retrace l'histoire dans une ancienne église catholique. En remontant la rivière, le parc du Fenghuang Shan abrite le **monument aux Martyrs de l'armée Rouge**.

Détail du monument aux Martyrs de l'armée Rouge

Site de la Conférence
Ziyin Lu. *de 8h30 à 17h t.l.j.*

Aux environs : le **tombeau de Yang Can** (Yang Can Mu), un responsable militaire local décédé vers 1250, se trouve à environ 10 kilomètres au sud de Zunyi. Le mausolée date de l'époque Song. Des reliefs représentent des végétaux, des esprits protecteurs et Yang Can en robe de cour. Des dragons s'enroulent autour d'un portail ornemental.

Chishui 10
赤水

180 km au nord-ouest de Zunyi.

Dans le nord-ouest du Guizhou, à la frontière avec le Sichuan, Chishui s'étend au bord de la rivière qui lui a donné son nom. Des réserves naturelles, accessibles en minibus, protègent les forêts tropicales qui couvrent les collines calcaires des alentours. Située à 37 kilomètres au sud de la ville, la plus belle, **Shizhang Dong**, abrite une chute d'eau de 72 mètres. À 16 kilomètres au sud-ouest, dans la vallée de **Sidong Gou**, le Chishui Jiang forme quatre cascades. Il doit son nom d'« Eau rouge » à des particules minérales en suspension. Son cours traverse une bambouseraie. Les locaux récoltent les pousses pour se nourrir et les tiges pour fabriquer des nattes. À 80 kilomètres au sud-ouest, dans le canton de Xishui, Maotai produit le *baijiu*, une eau-de-vie réputée *(p. 581)*.

Réserves naturelles
minibus depuis Chishui. t.l.j.

Façade de l'élégant Yang Can Mu, un mausolée datant de la dynastie Song

Pour les hôtels et les restaurants de la région, voir p. 569-570 et p. 595

Le bambou

Graminée géante à croissance rapide et à grande longévité, le bambou pousse dans toute la Chine centrale et méridionale, où il remplit de très nombreux usages. Les pousses de certaines variétés sont comestibles, tandis que les tiges deviennent des pipes, des chapeaux, des meubles, et des ustensiles de cuisine. Un rhizome forme sous terre le corps de la plante. Selon les espèces, il reste groupé ou s'étend. Les pousses qu'il produit peuvent grandir de 60 centimètres par jour pour atteindre leur taille définitive. La floraison ne survient parfois qu'au bout de dizaines d'années, ou même d'un siècle. La graminée meurt ensuite. Le bambou fait partie intégrante de la religion, de la philosophie et de la culture des Chinois. Il représente les valeurs confucéennes de la dévotion et de la droiture. Ses segments symbolisent les étapes sur le chemin de l'éveil. Sa résistance, sa grâce et sa longévité ont inspiré de nombreux poèmes et peintures.

Cueillette de tiges de bambou

Dans la nature, *les bambouseraies s'étendent en hautes et denses forêts offrant dans le vent un spectacle souvent appelé « mer de bambous ». Des variétés plus courtes servent pour les jardins* (p. 179).

La peinture de bambous – *ou* mozhu – *est une forme d'art tenue en aussi haute estime que la calligraphie* (p. 219). *Avec une encre monochrome et quelques coups de pinceau presque abstraits, l'artiste s'efforce de saisir l'esprit du bambou plutôt que sa forme exacte.*

Les lamelles *de bambou tressées servent à la fabrication de nombreux objets tels qu'écrans et volets pour les maisons. On en fait même, comme ici, des cages à volaille.*

Les tiges *gardent assez de solidité après avoir été percées, pliées ou fendues pour permettre la fabrication de meubles. Un artisan expérimenté peut réaliser en quelques minutes des chaises de jardin comme celles-ci.*

La résistance *du bambou est telle que dans le sud du pays, où il est aisément disponible, les constructeurs le préfèrent à l'acier pour les échafaudages, et ce, même pour les gratte-ciel. La Chine bâtit ses villes sur les tiges d'une herbe géante.*

Le karst

De vastes zones de la Chine du Sud-Ouest doivent leur aspect spectaculaire à l'érosion d'un terrain calcaire dit « karstique ». Il a pour origine les sédiments fossilisés d'un fond marin qu'ont soulevé les mouvements de la croûte terrestre. Le calcaire basique se retrouve alors soumis à la dissolution provoquée par des pluies naturellement acides. En surface, cette érosion crée une large gamme de paysages allant des pitons de quelques mètres de hauteur des « forêts de pierres » jusqu'aux massives collines coniques couvrant la moitié du Guizhou, en passant par les pics élancés des environs de Guilin. Sous terre, les eaux de ruissellement creusent de vastes réseaux de cavernes aux formes étranges.

Les forêts de pierres *comme Shilin près de Kunming* (p. 378-379) *forment des dédales de pitons rocheux sculptés par le vent et le ruissellement.*

FORMATION DU KARST

Les pluies acides et les produits chimiques issus de la décomposition des végétaux ont soumis à une intense érosion, accélérée par un climat chaud et humide, l'épais socle calcaire fracturé de la Chine du Sud-Ouest.

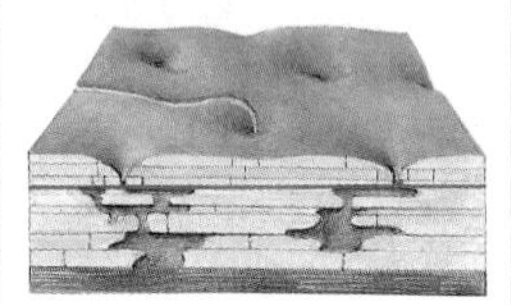

1. Les cours d'eau *se vident dans les grottes creusées dans le calcaire. Par des gouffres, le drainage de surface s'écoule jusqu'au-dessous de la nappe phréatique.*

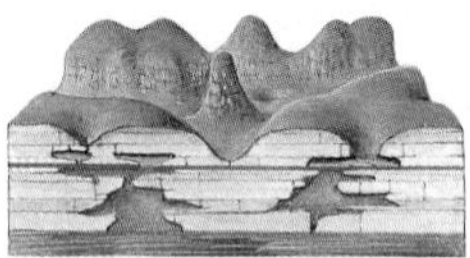

2. Des pitons apparaissent *quand le ruissellement creuse le socle rocheux. Des torrents souterrains agrandissent le réseau de grottes. La nappe phréatique s'enfonce.*

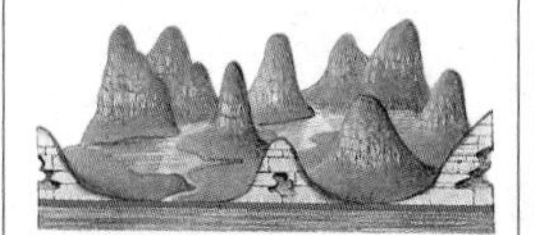

3. L'érosion *a usé le calcaire jusqu'à une couche schisteuse sous le réseau de cavernes. Des reliefs souvent creusés de grottes sèches subsistent.*

Les gouffres, ou *tiankeng* *(puits célestes), apparaissent après l'effondrement de couches de plus en plus fines de calcaires. Celui-ci, à Xiaozhai, Chongqing, est presque aussi large que profond (666 mètres).*

Le socle calcaire du sud de la Chine est d'une épaisseur et d'une étendue exceptionnelles.

PAYSAGE KARSTIQUE

Cette coupe montre une vue idéale regroupant tous les traits typiques des terrains karstiques. Ceux-ci ont en commun une épaisse couche de calcaire creusée de grottes. Les autres caractéristiques dépendent de l'âge de la formation et des circonstances locales.

La rivière Li (p. 416-417) *passe entre des collines très variées. Au départ de la croisière, le karst est de type* fenglin. *Il cède progressivement la place à du karst* fengcong.

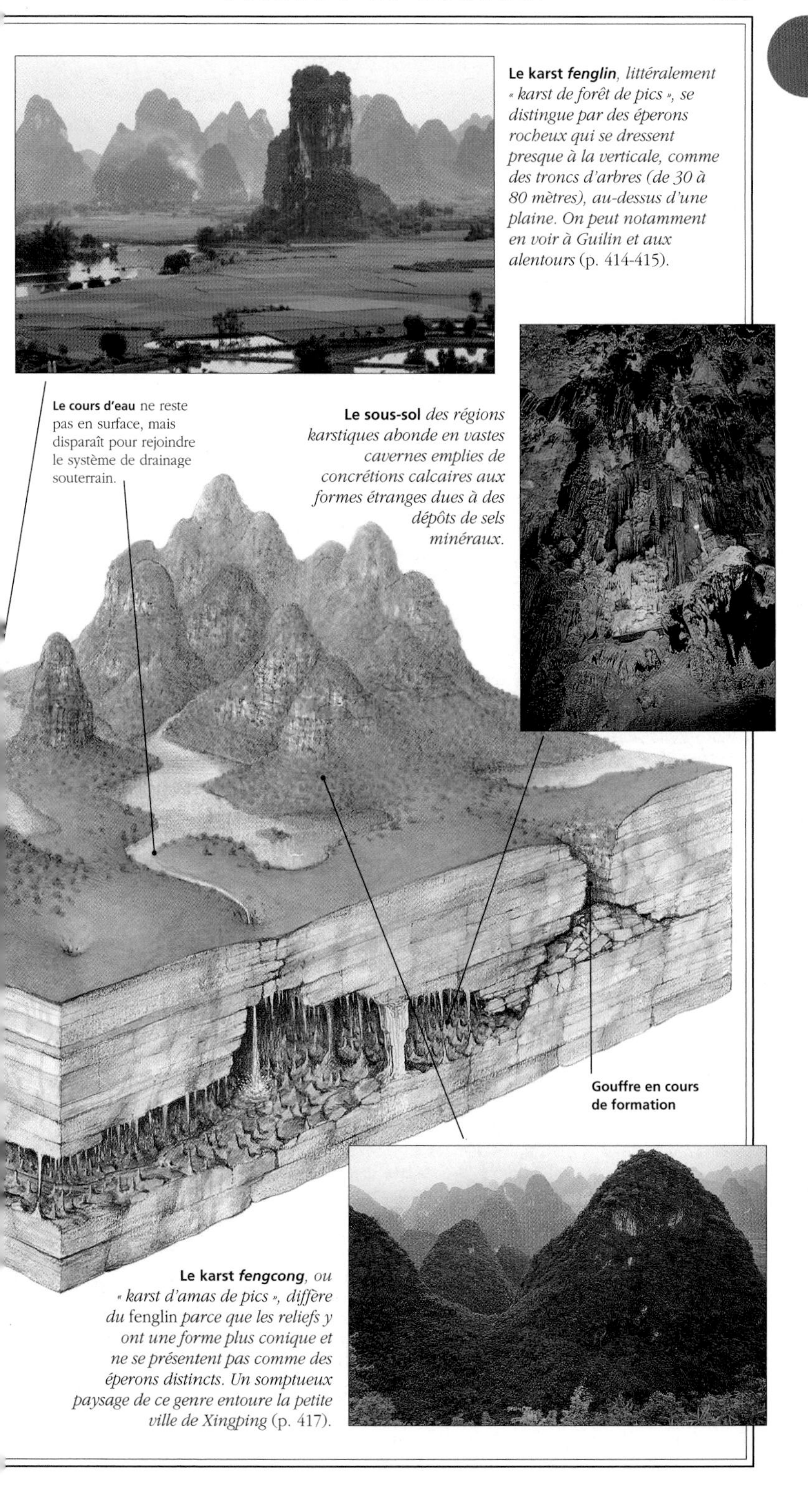

Le karst *fenglin*, *littéralement « karst de forêt de pics », se distingue par des éperons rocheux qui se dressent presque à la verticale, comme des troncs d'arbres (de 30 à 80 mètres), au-dessus d'une plaine. On peut notamment en voir à Guilin et aux alentours* (p. 414-415).

Le sous-sol *des régions karstiques abonde en vastes cavernes emplies de concrétions calcaires aux formes étranges dues à des dépôts de sels minéraux.*

Le karst *fengcong*, *ou « karst d'amas de pics », diffère du* fenglin *parce que les reliefs y ont une forme plus conique et ne se présentent pas comme des éperons distincts. Un somptueux paysage de ce genre entoure la petite ville de Xingping* (p. 417).

Guilin ⓫

桂林

Cette cité en pleine croissance doit depuis des siècles à ses reliefs karstiques une réputation de beauté qui lui vaut d'accueillir de nombreux visiteurs. Ces pics calcaires sont particulièrement nombreux plus au sud, au bord de la rivière Li Jiang *(p. 416-417)*. Guilin signifie « forêt d'oliviers odorants », et ces arbres parfumés ombragent la Binliang Lu en bord de rivière. La fondation de la ville remonte à l'époque Qin, et ses collines inspiraient déjà des poètes au VIe siècle. Elle acquit sous les Ming le rang de capitale provinciale, un statut qu'elle perdit en 1914 au profit de Nanning. Une dizaine de parcs l'aèrent.

***Tai-chi* dans un parc**

Des collines karstiques se dressent en centre-ville

Rong Hu et Shan Hu

Rong Hu Bei Lu et Shan Hu Bei Lu. **Pagodes** *t.l.j.*

Le lac des Banians et le lac des Cryptomères s'étendent de part et d'autre de Zhongshan Lu, l'artère principale de Guilin qui traverse le cœur de la ville. Jadis intégrées aux défenses des remparts Ming, leurs rives pavées se prêtent à une agréable promenade à l'ombre des arbres. Au bord du Rong Hu, à l'ouest, se dresse le banian vieux de huit siècles qui a donné son nom au lac. Au nord de celui-ci, l'ancienne porte Sud, **Gu Nan Men**, est l'unique vestige des fortifications. Plusieurs ponts aux arches de style classique relient les deux rives. Du côté est de Zhongshan Lu, les tours jumelles de la **Riming Shuang Ta**, bâtie dans le style ancien, se reflètent dans un lac.

Une des tours de la pagode Riming Shuang Ta

Xiangbi Shan

Par Minzhu Lu. *2, 58.* *depuis Nanhuan Lu.* *de 7h à 18h t.l.j.*

Le rocher le plus célèbre de la ville, la Colline en trompe d'éléphant, haute de 100 mètres, évoque clairement un pachyderme se désaltérant dans la Li. Selon la légende, il appartenait à la suite d'un empereur indifférent aux ravages causés par son passage. L'animal tomba malade et fut abandonné. Un vieil homme le sauva et son protégé l'aida à reconstruire son village dévasté par le convoi impérial. Mis en rage par ce qu'il considérait comme un affront, l'empereur envoya des soldats tuer le généreux éléphant. Ils n'y parvinrent qu'en l'attaquant par surprise pendant qu'il buvait. Ils lui plantèrent dans le dos une épée dont dépasse toujours le pommeau, en fait un stupa dédié à Puxian.

Depuis Nanhuan Lu, des vedettes conduisent au pied de la colline. Un chemin mène au sommet.

Qixing Gongyuan

Qixing Lu. *de 7h à 20h t.l.j.*

L'agréable parc des Sept Étoiles possède une superficie de deux km2 en bordure du Li Jiang. Il doit son nom à quatre pics qui se détachent de la colline du Putuo, et trois autres appartenant à la colline du Croissant. Ensemble, ils reproduisent la disposition des étoiles de la constellation de la Grande Ourse qui gouverne la destinée dans la mythologie chinoise. Couverts d'épaisses broussailles, ils offrent un refuge à une centaine de singes qui ne sont plus qu'à demi sauvages. Plusieurs sentiers et passerelles mènent à des pavillons panoramiques. La colline du Croissant est réputée pour les quelque 200 poèmes et commentaires gravés sur ses parois et ses surplombs. Certains remonteraient à la dynastie des Tang. Sous la colline du Putuo, où se dresse le Putuo Si de 22 étages, la vaste grotte des Sept Étoiles (Qixing Yan) abrite une petite cascade souterraine avec quelques stalactites et stalagmites éclairées. La colline du Chameau, haute de 75 mètres, s'élève à l'écart au nord du parc. Elle ressemble à un dromadaire assis. Son sommet domine la Colline avec une taupe (Chuan Shan) et sa voisine, la colline de la Pagode (Ta Shan), baptisée d'après un sanctuaire fondé à l'époque Ming.

L'agréable parc des Sept Étoiles, le long du Li Jiang

Pour les hôtels et les restaurants de la région, voir p. 569-570 et p. 595

Concrétions calcaires illuminées dans les grottes des Flûtes de roseau

MODE D'EMPLOI

420 km au nord-est de Nanning. *600 000.* *aéroport international de Liangjiang.* *gare de Guilin.* *gare routière de Guilin, CAAC (pour l'aéroport), gare des minibus (pour Yangshuo).* *41 Binjiang Lu, (0773) 286 1623.*

Palais des princes de Jinjiang et Duxiu Feng

Sur Xihua Lu. *t.l.j.*

Son enceinte fortifiée et ses quatre portes donnent au Wangcheng l'apparence d'une Cité interdite miniature. Le prince Ming Zhou Shouqian entreprit toutefois sa construction en 1372, 34 ans avant celle du palais de Pékin. Quatorze princes successifs y vécurent. Il servit dans les années 1920 de quartier général à Sun Yat-sen. Le parc abrite aujourd'hui une École normale. La dalle de marbre inclinée et gravée de nuages à l'entrée signale par l'absence des dragons habituels qu'il ne s'agit que de la demeure d'un prince.

À l'intérieur des murs, le **pic de l'Élégance solitaire** (Duxiu Feng), haut de 216 mètres, protège le palais des influences néfastes venant du Nord. Au pied, une inscription gravée par le gouverneur du Ve siècle Yan Yanzhi vante les charmes de Guilin. Des marches conduisent au sommet, d'où s'ouvre une magnifique vue.

Fubo Shan

Binjiang Lu. *t.l.j.*

Le haut rocher gris jaune de la colline Briseuse de vagues domine la rivière. Il ne subsiste qu'une grande marmite et une cloche. La grotte de la Perle restituée (Huanzhu Dong) abrite des reliefs bouddhiques datant des Song et des Tang.

Ludi Yan

5 km au nord-ouest du centre-ville. *3, 58.* *t.l.j.*

Les grottes des Flûtes de roseau, longues de 500 mètres, servirent d'abri antiaérien pendant l'invasion japonaise de 1940. Mille personnes tenaient dans le palais de Cristal du Roi-Dragon. Un éclairage met en valeur de somptueuses concrétions.

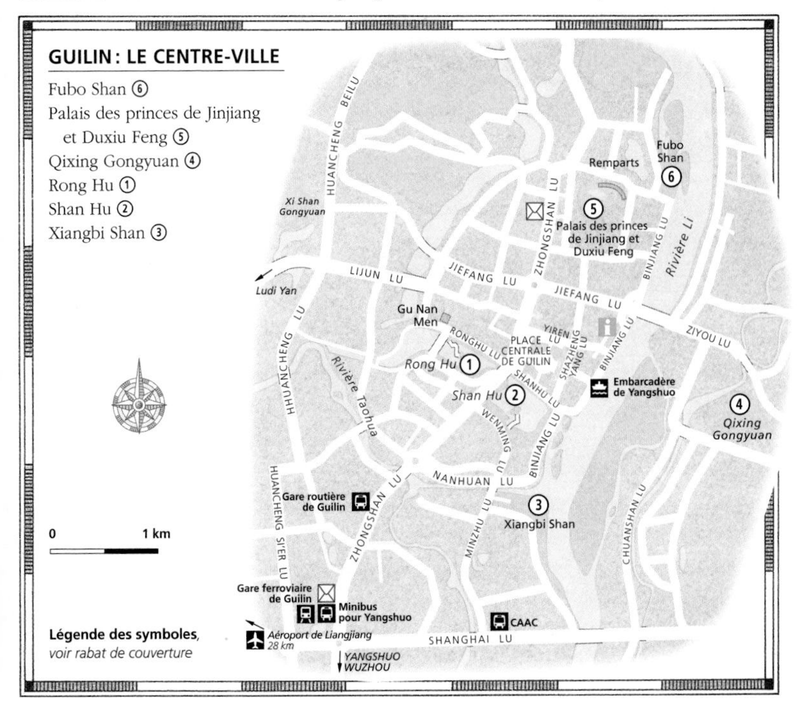

Au fil du Li Jiang

漓江

Entre Guilin et Yanshuo, au sud, la rivière Li (Li Jiang) traverse des paysages qui semblent sortir tout droit de peintures chinoises. Elle serpente entre d'abrupts éperons karstiques sculptés par l'érosion en silhouettes étranges. À leur pied, se nichent, au sein de bambouseraies, des villages typiques des campagnes de la Chine méridionale. Leurs habitants circulent toujours sur le cours d'eau en radeaux de bambou et continuent d'élever des cormorans pour la pêche *(p. 418)*. La croisière dure environ six heures et comprend un déjeuner sous forme de buffet. Les visiteurs étrangers paient plus cher que les Chinois et ne prennent pas les mêmes bateaux.

Pêcheur et cormoran

Radeaux en bambou adaptés aux périodes de basses eaux

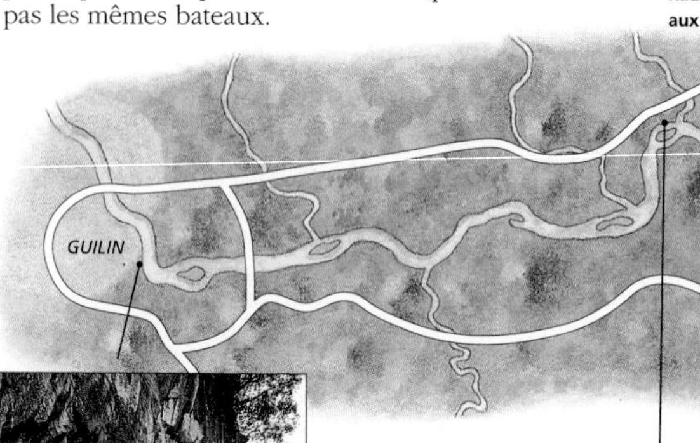

★ Xiangbi Shan

La Colline en trompe d'éléphant à la forme si évocatrice se dresse dans le centre de Guilin (p. 414) *dont elle est devenue un symbole.*

L'embarcadère de Zhu Jiang sert souvent de point de départ.

0 3 km

LÉGENDE

Route secondaire

Zone urbaine

Daxu

Fondé à l'époque Song, ce bourg de marché, en aval de Guilin, conserve une grand-rue pavée, bordée de maisons en pierre et en bois vieilles de plus d'un siècle. Un joli pont datant des Qing se trouve à la sortie de la ville.

À NE PAS MANQUER

★ Xiangbi Shan

★ Pic du Porte-plume

★ Xingping

Pour les hôtels et les restaurants de la région, voir p. 569-570 et p. 595

Monts coniques de karst *fengcong* près de Yangdi

MODE D'EMPLOI

85 km (6 h) entre Guilin et Yangshuo. 41 Binjiang Lu, Guilin, (0773) 286 1623 1623 (CITS pour réserver). compris jusqu'au point de départ et depuis Yangshuo.

★ Pic du Porte-plume

Juste après Yangdi, et face à la « colline du Pinceau d'écriture », cet éperon rocheux ressemble bien à un porte-plume chinois traditionnel. Il marque le début du passage aux reliefs les plus remarquables.

★ Xingping

Ce port fluvial aux vieilles maisons en bois précède les spectaculaires collines (sur 20 kilomètres) des Cinq Doigts et de l'Escargot. Au-delà, les paysages deviennent plus ruraux.

Pic en queue de poisson

La montagne des Neuf Chevaux est une falaise dont les taches dessineraient des chevaux au galop.

Colline des Cinq Doigts

La Plage jaune, une bande claire constituée de rochers submergés, reste visible en période de hautes eaux.

Colline de l'Escargot

ping

Yangdi

Xingping

YANGSHUO

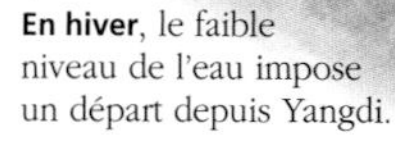

En hiver, le faible niveau de l'eau impose un départ depuis Yangdi.

Mont de la Tête du dragon

Cette colline penchée sur la rivière comme une mâchoire prête à se refermer accueille les visiteurs à l'arrivée à Yangshuo.

Yangshuo ⓬

阳朔

Cette petite ville où aboutissent les croisières sur le Li Jiang *(p. 416-417)* n'était rien de plus qu'un marché rural à la fin des années 1980, quand elle devint une escale appréciée des voyageurs à petit budget. Elle alterne collines karstiques spectaculaires et grandes étendues de rizières. Même si elle a perdu de sa tranquillité, elle reste une bonne base pour visiter une région de rizières, de bambouseraies et de cultures. Des routes plates rendent une campagne traditionnelle agréable à découvrir à bicyclette. Les spécialités locales comprennent le pamplemousse et le «poisson à la bière» *(pijiuyu)* servi dans la majorité des restaurants. Depuis peu, Yangshuo attire aussi des adeptes de l'escalade avec plus de 200 courtes voies au tracé relevé.

Une dense végétation couvre le pic du Lotus vert

Collines karstiques en arrière-plan de vedettes amarrées au bord du Li Jiang

Xi Jie

Entre la route nationale et la rivière, des bâtiments de l'époque Qing restaurés bordent sur 250 mètres la rue de l'Ouest (Xi Jie) pavée. Elle accueille aujourd'hui de nombreux restaurants, cafés, hôtels et magasins de souvenirs destinés à des visiteurs étrangers. Les restaurants servent des plats occidentaux comme la pizza et le steak à côté de spécialités locales, à base de poisson notamment. Les boutiques proposent une large gamme d'articles bon marché tels que bimbeloterie à l'image de Mao, masques de théâtre en bois, panneaux de bois anciens, batiks, T-shirts en soie, peintures sur papier, CD piratés et vêtements modernes et traditionnels. Il y a aussi quelques vendeurs de prêt-à-porter dégriffé. L'Hongfu Palace Hotel, vers le milieu de la rue, occupe une ancienne maison patricienne du XVIIIe siècle. Un pavage ornemental agrémente la zone des quais, où accostent les vedettes en provenance de Guilin. Le site offre une belle vue des collines karstiques qui se dressent en amont. Le quartier au nord de la route abrite de jolies ruelles et un marché animé où viennent s'approvisionner les autochtones.

Bilian Feng et Yangshuo Gongyuan

t.l.j.

Près du centre, deux collines hautes de 100 mètres se prêtent à une promenade jusqu'à leur cime. La première, le pic du Lotus vert (Bilian Feng), domine la rivière à l'est de Xi Jie. Un sentier pentu conduit au sommet. Un escalier moins fatigant rejoint un pavillon d'observation sur la seconde, le mont de l'Homme de l'Ouest (Xilang Shan). Il se dresse à l'ouest de la ville au sein du parc de Yangshuo, propice à la flânerie. Des Chinois viennent le matin y pratiquer le tai-chi.

Jianshan Si et grottes

5 km au sud de Yangshuo. *ou vélo.* *de 8h30 à 17h t.l.j.*

Seul sanctuaire de la région, le temple de la Montagne pointue (Jianshan Si) est d'un style sobre de la fin de la dynastie Qing. Non loin s'ouvre une série de salles souterraines

PÊCHE AU CORMORAN

Depuis des millénaires, les Chinois dressent les cormorans à travailler pour eux. Cette forme de pêche inhabituelle ne reste pratiquée que dans le Sud. Les pêcheurs partent à la nuit tombée sur des radeaux en bambou. Les cormorans, qu'un collier ou un lacet empêche d'avaler leur proie, nagent à côté, juste sous la surface, en suivant la lueur d'une lampe accrochée à la proue. Lorsqu'ils ont une prise, le pêcheur les sort de l'eau pour qu'ils la régurgitent. En été, des hôtels permettent d'assister à des démonstrations d'une heure.

Pêche au cormoran, la nuit, à la lumière des lanternes

Pour les hôtels et les restaurants de la région, voir p. 569-570 et p. 595

découvertes dans les années 1990 : les grottes du Bouddha noir, des Dragons assemblés et de l'Eau neuve. Des habitants de Yangshuo les font visiter à la lampe de poche. Même s'il faut emprunter de hautes échelles de bambou et escalader des rochers pour pallier le manque de passages aménagés, l'absence d'éclairage, qui donne habituellement des couleurs criardes aux concrétions calcaires, aux rivières et cascades souterraines, rend l'expérience rafraîchissante.

Vendeur de pamplemousses sur un marché

Yueliang Shan

7 km au sud de Yangshuo.
ou vélo. t.l.j.

La colline de la Lune compte parmi les éperons rocheux les plus connus de Yangshuo. Elle le doit à l'ouverture en croissant de son sommet. Un escalier en pierre, raide par endroits, y conduit au terme d'une demi-heure de marche au milieu des broussailles et des bouquets de bambous. D'en haut s'ouvre une vue splendide de la vallée du Li Jiang, avec ses monts karstiques déchiquetés et cernés par des champs. Le spectacle est particulièrement beau quand les pluies d'été rendent la végétation d'un vert éclatant. Pour rejoindre le site à bicyclette, il faut prendre la route principale en direction du sud, tourner à droite environ 200 mètres avant le pont, puis rouler encore une heure. Non loin, le **village de Longtan** conserve plusieurs anciens bâtiments non restaurés aux murs de briques blanchies et aux portes en bois.

Fuli Village

8 km à l'est de Yangshuo.
ou vélo.

Ce havre de paix rural sort de sa torpeur les jours dont la date finit par 1, 4 ou 7 quand s'y tient l'un des meilleurs marchés de la région. Des nuées d'agriculteurs s'y retrouvent pour marchander bétail, fruits de saison, seaux en plastique, tuyaux en bois, légumes de toutes sortes et éventails en bambou, une spécialité locale. Au nord s'élève le Donglang Shan (mont de l'Homme de l'Est), une colline étroite souvent liée au Xilang Shan de Yangshuo dans les légendes locales.

MODE D'EMPLOI

70 km au sud de Guilin.
60 000. depuis Guilin.
7e ét. 362 Zhongshan Zhong Lu, Da Shijie. visites et croisières possibles. Pour l'escalade, voir les cafés de Xian Qian Jie, notamment le Lizard Lounge et le Karst Café.

Paysage rural près de la grotte des Dragons assemblés, Yangshuo

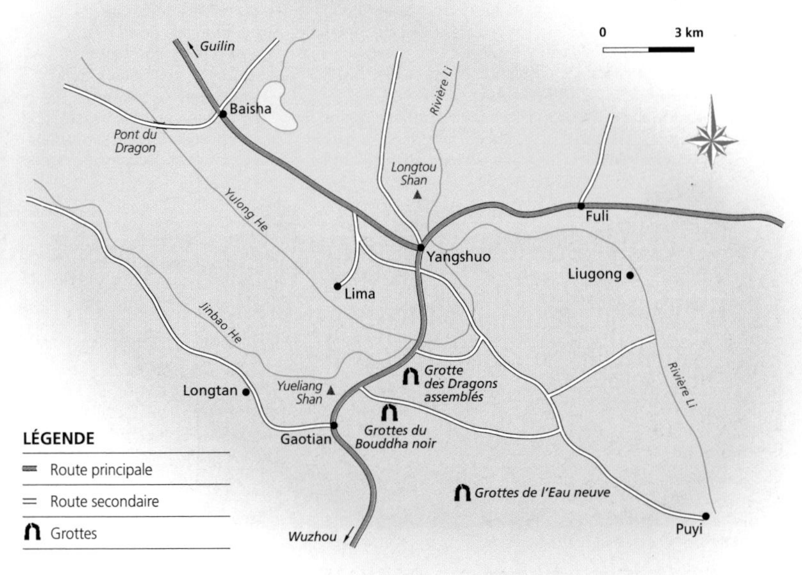

Rizières en terrasses de Longji Titian, Longsheng

Longsheng ⓭
龙胜

90 km au nord-ouest de Guilin. *170 000.* *minibus de Longsheng à Ping An.*

Les hautes crêtes de la vallée du Rongshui entourent la petite ville de Longsheng. Elle constitue une bonne base d'où partir à la découverte des villages zhuang et yao éparpillés dans la campagne alentour. Au sud-ouest se dresse une enfilade de collines hautes de 1 000 mètres baptisée l'**Épine dorsale du Dragon**. De spectaculaires rizières en terrasses (Longji Titian) en couvrent toute la partie inférieure. Elles sont le fruit du travail des Zhuang *(p. 424)*, une minorité aux belles maisons traditionnelles en bois. Quelques villages, sur les cimes, ont une population yao, une ethnie réputée pour ses broderies, ses tissages et ses teintures.

Sur l'arête centrale, le village zhuang de **Ping An** permet de se loger, sans grand confort, dans d'anciens bâtiments en bois. Cet hébergement rustique offre la possibilité d'établir un camp de base d'où partir en promenade jusqu'à de beaux points de vue ou d'autres hameaux des environs.

Sanjiang ⓮
三江 程杨

175 km au nord-ouest de Guilin. *330 000.* *desserte du pont du Vent et de la Pluie (0772) 861 7088.*

Cette ville sans charme, arrosée par le Rongshui, devint pendant la Seconde Guerre mondiale le siège de la résistance aux Japonais après que ceux-ci eurent pris Danzhou, l'ancienne capitale régionale située 35 kilomètres au sud. Sanjiang est aujourd'hui le chef-lieu d'un canton dont la population compte une majorité de Dong, une ethnie d'environ 2,5 millions de personnes, réputée pour ses constructions en bois entièrement ajustées et chevillées, tours et ponts notamment. Plusieurs villages dans les collines au nord permettent de découvrir cette remarquable architecture. Parmi les mets dong les plus courants, le *douxie cha* est une soupe amère au riz et aux feuilles de thé frites.

Une **tour du Tambour** édifiée en 2003 dans le respect scrupuleux des techniques traditionnelles s'élève au sud de la rivière. Ses onze étages en font la plus haute de la région. Des piliers en bois de 47 mètres la soutiennent. Le tambour se trouve au troisième étage. La colline qui se dresse derrière abrite la petite **nonnerie bouddhique Fulu**. Les Dong étant principalement taoïstes, la statuaire des trois salles appartient aux deux religions. À côté de la Government Guesthouse, au nord de la rivière, le musée cantonal présente plusieurs maquettes de bâtiments traditionnels dong.

Pousses de bambou comestibles, Sanjiang

Des photographies et des cartes illustrent l'importance stratégique de Sanjiang pendant la guerre. L'exposition comprend aussi des costumes aux couleurs éclatantes, portés

Le pont du Vent et de la Pluie de Chengyang

L'ARCHITECTURE DONG

Dans un territoire de collines couvertes de forêts, les Dong bâtissent en bois en observant cinq grands principes : pas de fondations, pas d'échafaudage, pas de clous, pas de liens, pas de mortier. Ils possèdent deux types d'édifices collectifs particulièrement remarquables. Les ponts couverts dits « du Vent et de la Pluie » ne servent pas uniquement à franchir un cours d'eau, ce sont aussi d'importants lieux de réunion. Les tours du Tambour ont perdu leur fonction de tours de guet, mais elles restent un symbole de prestige. Elles abritent souvent une petite scène de théâtre. L'amélioration du niveau de vie dans la région a permis le financement de nouvelles constructions.

Tour du Tambour traditionnelle de l'un des hameaux de Chengyang

lors des fêtes par les Dong, les Zhuang et les Yao.

Aux environs : accessible en bus ou en taxi collectif à 18 kilomètres au nord de Sanjiang, le plus accessible des villages dong, **Chengyang**, se compose d'un groupe de hameaux sur la rive opposée de la Linxi. Son pont du Vent et de la Pluie *(fengyu quiao)*, considéré comme l'un des plus beaux jamais construits, mesure plus de 70 mètres. Bâti entre 1911 et 1924, il ne contient aucun clou. Sa toiture est particulièrement élaborée. Cinq pavillons représentatifs de styles régionaux différents la rythment. Les ponts du Vent et de la Pluie servent aussi à rendre un culte à certains esprits de la nature. Ils ont toutefois perdu nombre de leurs autels, déménagés sur la rive pour éviter les risques d'incendie créés par les bâtonnets d'encens, allumés en signe de dévotion.

Chaque hameau abrite sa propre tour du Tambour. Dans les champs qui les entourent, de grandes roues d'aspect fragile alimentent des canalisations d'irrigation en bambou.

Depuis Sanjiang, il faut emprunter une autre route pour rejoindre au nord, à deux heures de bus, la ville de marché de **Dutong**, qui offre uniquement des hébergements rustiques. Un chemin empierré gravit la colline jusqu'à **Gaoding**, où les toitures à plusieurs étages de six tours du Tambour s'élèvent au-dessus des toits sombres d'une centaine de maisons de bois.

Zhaoxing ⓯
肇兴

120 km au nord-ouest de Sanjiang.
depui Sanjiang.

L'un des plus agréables villages dong s'étend de part et d'autre d'un petit cours d'eau au fond d'une large vallée. Malgré quelques édifices modernes en périphérie, il a conservé un visage presque exclusivement traditionnel et les visiteurs peuvent y dormir dans des auberges en bois. Il est divisé en cinq sections habitées par des clans différents et possédant chacune sa tour du Tambour, sa scène de théâtre et son pont du Vent et de la Pluie. Malgré leur aspect patiné, il s'agit de reconstructions, les bâtiments d'origine n'ayant pas survécu à la Révolution culturelle. Des moulures et des fragments de miroir décorent les ponts et les scènes de théâtre. La population dong de Zhaoxing continue de fabriquer et de porter les vêtements traditionnels bleu foncé, au tissu assoupli au maillet et enduit de blanc d'œuf pour tenir les moustiques à l'écart.

Un sentier de 7 kilomètres conduit, au sommet de la montagne, au petit village de **Tang An** à l'architecture protégée. Il offre un somptueux panorama de la vallée. À 3 kilomètres au sud de Zhaoxing, **Jitang** justifie aussi l'effort imposé par une rude montée. Ses tours du Tambour ont échappé au vandalisme du début des années 1970.

Maisons en bois de Zhaoxing au fond d'un vallon verdoyant

Wuzhou ⓰

梧州

220 km au sud-est de Guilin.
330 000.

Cette vaste ville à la frontière avec le Guangdong s'étend au confluent du Xi et de deux de ses affluents. Les Britanniques y établirent un comptoir au XIXe siècle, le Xi offrant une voie navigable jusqu'à Canton et le delta de la rivière des Perles. Le quartier ancien, à l'est du centre, conserve de nombreux édifices coloniaux, en particulier le long de la **Dadong Shang Lu** piétonnière où ils contrastent avec les magasins chinois modernes.

La **réserve de serpents,** située au nord-est du centre, à Shigu Chong, est la plus grande de Chine. Elle élève jusqu'à un demi million de reptiles en même temps, entre autres des cobras, des bongares, des crotales et des couleuvres, pour alimenter les restaurants et le marché de la médecine traditionnelle. Celle-ci les utilise principalement pour le traitement de l'arthrite et des maladies de peau, les serpents étant révérés en Chine pour leur souplesse et leur capacité à changer d'enveloppe extérieure. C'est en été que la visite est la plus intéressante, les stocks tendant à baisser en hiver.

Réserve de serpents
Yugai Lu, Shigu Chong. t.l.j.

Plantation de théiers en pleine forêt sur le mont de l'Ouest, Guiping

Guiping ⓱

桂平

220 km au sud de Guilin.

Au confluent du Yu et du Xun, Guiping est une ville entourée de vertes montagnes. Depuis l'interruption du trafic fluvial dans les années 1990, elle vit surtout de la canne à sucre.

Elle reste néanmoins réputée pour le thé cultivé sur le **mont de l'Ouest** (Xi Shan), qui s'élève à sa périphérie. Les longues feuilles du *xi shan cha* sont roulées en ce qui ressemble à des cigarillos miniatures. Mises à macérer individuellement, elles produisent une infusion rafraîchissante malgré une légère amertume.

Depuis le centre, marchez environ deux heures pour atteindre le sommet du Xi Shan. Le chemin longe des plantations de théiers et traverse des bambouseraies. Il passe par plusieurs sanctuaires bouddhistes de l'époque Tang. Au cœur de la forêt, dans les hauteurs, le **Longhua Si**, construit sous la dynastie Song, a connu une importante rénovation dans les années 1980. Il abrite de nombreuses sculptures. Le thé vendu par les temples serait meilleur que celui des boutiques

Statue de lion du Longhua Si, Guiping

Illustration de la reconquête de Nankin par les forces impériales en 1864

LA RÉBELLION DES TAIPING

Après avoir perdu les guerres de l'Opium, la Chine paya une très lourde indemnité à la Grande-Bretagne. La pression fiscale augmenta à un moment où l'essor démographique réduisait les terres disponibles. Un lettré qui se prenait pour le frère du Christ, Hong Xiuquan, profita de l'affaiblissement des empereurs Qing et du mécontentement régnant dans des régions pauvres comme le sud du Guangxi pour créer une milice à sa dévotion. Elle comptait 30 000 membres à Jintian en 1950, et 500 000 en 1953 quand elle s'empara de Nankin. La création d'une société égalitaire au sein du Royaume céleste de la Grande Paix *(Taiping tianguo)* rêvé par leur chef paraissait alors possible. Le gouvernement réussit à reprendre le dessus avec le soutien des Occidentaux. En juillet 1864, après un siège fatal à Hong Xiuquan, elles investirent Nankin. La répression fut féroce. On estime à 20 millions le nombre de victimes qu'aurait causé la rébellion des Taiping.

Pour les hôtels et les restaurants de la région, voir p. 569-570 et p. 595

de la ville. Le sommet ménage une vue splendide des plaines et de leurs rivières.

Aux environs : le hameau de **Jintian** se trouve à 25 kilomètres au nord de Guiping, un trajet de 40 minutes en autobus. Depuis l'arrêt, 5 kilomètres à travers champs conduisent à ce qui fut le premier quartier général de l'armée de déshérités levée par Hong Xiuquan. Un musée abrite des armes, des peintures et des cartes retraçant les principaux événements de la rébellion des Taiping.

TAMBOURS *DONG SON*

Tambour de bronze, Nanning

Nommés d'après le site où des archéologues en découvrirent pour la première fois, les tambours en bronze dits *dong son* semblent être apparus en Thaïlande ou au Vietnam, d'où leur usage se répandit dans toute l'Asie du Sud-Est. Leur ornementation varie selon les régions et les époques. Elle a évolué dans le sens d'une simplification des motifs. Au Guangxi, le plateau arbore en son centre une étoile à douze branches qu'entourent souvent les représentations stylisées de bateaux chargés de guerriers portant des coiffes parées de plumes. Des grenouilles en relief décorent parfois le bord. Ces tambours restent utilisés lors des fêtes dans certains villages des minorités miao, yao et shui. Les plus grands doivent être suspendus à un portique pour en jouer. Les Buyi pensent que les hommes les ont reçus des esprits des cieux et ils ne les sortent qu'au nouvel an et aux funérailles.

Cascade dévalant une paroi rocheuse du Xi Shan, Guiping

Nanning ⓲

南宁

350 km au sud-est de Guilin.
1 300 000.
40 Xinmin Lu, (0771) 280 4960.

À 200 kilomètres du Vietnam, Nanning occupe au sud une position relativement excentrée par rapport au reste de la province. Fondée sous les Song, elle acquit son statut de centre administratif en 1912 et le conserva jusqu'à son occupation par l'armée japonaise pendant la Seconde Guerre mondiale. Elle le reprit en 1949, puis devint dans les années 1960 un important relais sur la ligne d'approvisionnement du Nord-Vietnam que la Chine soutenait dans sa guerre. Quand les relations avec ce pays s'aigrirent en 1979, jusqu'à conduire à un conflit armé, Nanning retrouva un temps sa vocation militaire. C'est aujourd'hui une métropole en pleine modernisation. Elle profite du trafic transfrontalier qui a repris dans les années 1990.

Avec son atmosphère détendue et ses nombreux marchés animés, elle offre une étape agréable sur la route du Vietnam (on peut y obtenir un visa) ou des destinations proches de la frontière, comme les chutes de Detian ou le Zuo Jiang *(p. 424)*. C'est aussi la capitale de la Région autonome zhuang *(p. 424)*, et sa population est formée à 60 % de membres de cette minorité.

Dans le quartier commerçant très fréquenté de **Xingning Lu**, des bâtiments de style européen bien restaurés rappellent que Nanning fut ouverte aux négociants étrangers en 1907. Sur Minzu Dadao, le **musée provincial** possède une collection de plus de 50 tambours de bronze « dong-son ». Les plus anciens ont environ 2 000 ans. Les spécialistes les ont divisés en huit styles selon leurs formes, ornementations et lieux de provenance.

Sur Renmin Dong Lu, le **parc du Peuple** abrite des plantes exotiques. À l'est de la ville, sur Chahua Yuan Lu, le **jardin du Jinhua Cha** expose le rare camélia à fleurs d'or, une espèce qui ne pousse que dans les montagnes du Guangxi. Elle se distingue par de grands pétales résistants.

Marchands de légumes sur un marché de Nanning

Musée provincial
Minzu Dadao. *de 9h à 17h30 t.l.j.*

Parc du Peuple
1 Renmin Dong Lu. *t.l.j.*

Peintures rupestres sur la Montagne fleurie (Hua Shan) bordant le Zuo Jiang

Zuo Jiang ⓳
左江

100 km au sud-ouest de Nanning. *pour Ningming.* *pour Ningming.* *sampan pour la Hua Shan depuis Ningming.* *s'adresser à l'office du tourisme de Nanning pour la promenade en bateau.* **Réserve de Longrui**

Suivre le cours paisible de la rivière Zuo dans un sampan loué à Ningming, une petite localité sur la ligne de chemin de fer entre Nanning et Pingxiang, permet de traverser de beaux paysages karstiques et de découvrir des peintures préhistoriques. D'après les datations, elles auraient entre 3 000 et 2 000 ans. Plus de 2 600 personnages humains se répartissent sur 70 sites. Dessinées avec un mélange d'oxyde de fer et de sang de bœuf, les silhouettes représentent principalement des cérémonies chamaniques de masse. Leur style montre des similitudes marquées avec l'ornementation des tambours en bronze *dong son (p. 423)* retrouvés au Vietnam et en Chine méridionale. On attribue ces fresques rupestres aux Luo Yue, les ancêtres des Zhuang.

Les premières peintures se trouvent à environ 20 kilomètres de Ningming, mais il faut compter à peu près trois heures de navigation pour atteindre l'ensemble le plus riche. Sur la Montagne fleurie (Hua Shan), plus de 1 000 personnages couvrent une falaise d'une quarantaine de mètres. Bras levés comme pour invoquer des dieux, tous semblent participer à une danse rituelle qui a pour pôle un chaman identifiable à sa coiffe. Deux portent des cheveux longs indiquant qu'ils sont de sexe féminin. Quelques-uns, accompagnés de chiens, ont une épée à la ceinture. Des cercles entourant une étoile pourraient symboliser des tambours de bronze. On peut également distinguer un cheval, des paysans et une embarcation.

Entre Ninming et la Montagne fleurie, le hameau de **Panlong** occupe un site splendide et permet de loger dans quelques jolis édifices en bois. Des sentiers en partent pour la **réserve naturelle de Longrui** peuplée d'entelles à tête blanche, des singes extrêmement rares. Mieux vaut ne pas s'attendre à en rencontrer. La végétation compterait certains des derniers camélias à fleurs d'or poussant à l'état sauvage.

Porte restaurée à la frontière vietnamienne, Pingxiang

Pingxiang ⓴
萍乡

150 km au sud-ouest de Nanning.

Ce bourg de marché abrite la dernière gare ferroviaire avant la **passe de l'Amitié** (Youyi Guan), point de

Femmes zhuang en tenues traditionnelles

LES ZHUANG

Environ 18 millions, les Zhuang forment la plus importante minorité ethnique de Chine. Ils vivent dans la Région autonome zhuang du Guangxi, bien que quelques communautés existent aussi dans les provinces voisines et au Vietnam. Ils parlent leur propre langue, dont l'écriture utilise l'alphabet romain. Les panneaux de signalisation de la région, en particulier à Guilin et à Nanning, affichent souvent une double inscription en chinois et en zhuang. En ville, les Zhuang se distinguent peu des Han. À la campagne, ils se reconnaissent parfois à leur tenue noire et au foulard qui couvre leurs cheveux. Les femmes portent une tunique ornée de broderies bleues. Ils sont principalement animistes, d'où la rareté des temples taoïstes et bouddhistes au Guangxi. L'une des fêtes les plus importantes célèbre l'anniversaire de la naissance du Roi Buffle le 8e jour du 4e mois lunaire (avril-mai). Pour cette occasion, tous les buffles, lavés et parés, sont nourris d'un plat de riz spécial.

Pour les hôtels et les restaurants de la région, voir p. 569-570 et p. 595

Des collines karstiques entourent la cascade de Detian

passage pour le Vietnam situé à 15 kilomètres de la ville. Il faut un visa valide pour franchir la frontière. Son tracé était déjà fixé à l'époque Ming et une section des anciens remparts en pierre hauts de 10 mètres a survécu. La porte sous laquelle passent les personnes en transit a été reconstruite après la normalisation des rapports entre les deux pays. Son deuxième étage renferme un diorama des environs et offre une vue du Vietnam. Côté chinois, un bâtiment de style européen du début du XXe siècle rappelle que la région fit un temps partie de l'Indochine française. Au Vietnam, il faut rejoindre Dong Dang, 5 kilomètres plus loin, pour pouvoir prendre un train jusqu'à Hanoi.

Cascade de Detian ㉑
德天

150 km à l'ouest de Nanning. 🚌 via *Daxin jusqu'à Shuolong, minibus de Shuolong aux chutes, 16 km.*

La deuxième plus grande cascade transnationale du monde, après les chutes du Niagara, ne possède pas leur puissance, mais offre un spectacle d'une beauté plus apaisée avec ses mares émeraude liées par des rideaux d'écume, au sein d'un paysage verdoyant de cultures en terrasses et de collines karstiques. Elle dévale en trois paliers un dénivelé de 40 mètres et possède une largeur de 100 mètres. Au pied des chutes, un étang poissonneux permet de se baigner. On peut aussi se rendre en radeau de bambou jusqu'au voile d'eau qui s'y déverse. N'oubliez toutefois pas que la limite entre la Chine et le Vietnam court au milieu de la rivière. Une route longeant le sommet des chutes mène à une stèle des années 1950 marquant la frontière. Elle est rédigée en français et en chinois.

Beihai ㉒
北海

150 km au sud de Nanning.
✈ 🚆 🚌 ⛴ *pour l'île de Hainan.*

Ville tropicale et portuaire, Beihai compte parmi les points de départ en ferry-boat pour l'île de Hainan *(p. 304-305)*. Elle abrite environ 400 000 habitants, dont de nombreux réfugiés sino-vietnamiens, chassés par le conflit qui opposa la Chine au Vietnam en 1979.

Fondée il y a plus de 2 000 ans, la ville prospéra sous les Han grâce à son port. Elle conserve un ancien quartier colonial, sur le front de mer nord, le long de Zhongshan Lu. Ses édifices, dont une église et plusieurs devantures à colonnade abritant souvent un marché aux poissons, tombent lentement en décrépitude. En poursuivant sur Zhongshan Lu, on atteint l'**embarcadère des ferries pour Hainan**. Au-delà, des jonques motorisées, des cargos rouillés et des chalutiers cabossés emplissent un petit port.

L'autre attraction de Beihai, la **plage d'Argent** (Yin Tan), s'étend à 10 kilomètres au sud de la ville. Des restaurants et des hôtels la bordent, mais elle reste peu fréquentée et ne possède pas la beauté des plages du sud de Hainan *(p. 305)*.

Façade d'une vieille église coloniale sur Zhongshan Lu, Beihai

LE NORD-EST

Le Nord-Est d'un coup d'œil

À la frontière de la Sibérie et de la Corée-du-Nord, le Nord-Est (Dongbei) conserve de vastes espaces à la beauté sauvage. Les tribus farouches qui le peuplèrent pendant des siècles comprenaient les Khitan, les Mongols et les Jurchen. Plus connus sous le nom de Mandchous, ces derniers gouvernèrent la Chine de 1644 à 1912. La région doit à ses richesses minières de former le cœur industriel du pays. De nombreux lacs et des montagnes offrent néanmoins de splendides domaines naturels où s'évader. Dans la province du Liaoning, le palais impérial de Shenyang rappelle le rôle prééminent joué par la ville à l'époque mandchoue, tandis que Dalian séduit par son dynamisme et son architecture. À Jilin, un temps capitale de l'État fantoche du Mandchoukouo (1933-1945), l'hiver crée des spectacles féeriques. C'est aussi la saison où Harbin, au Heilongjiang, organise sa célèbre fête de glace et de neige.

L'imposant *paifang*, ou portail, à l'entrée de la vallée de Bingyu, Liaoning

LES SITES D'UN COUP D'ŒIL

Villes et villages

Changchun 6
Dalian 5
Dandong 3
Harbin 9
Jilin 7
Jinzhou 2
Shenyang 1

Réserves et sites naturels

Changbai Shan p. 448-449 8
Jingpo Hu 10
Réserve naturelle de Zhalong 11
Vallée de Bingyu 4
Wu Da Lian Chi et frontière fluviale 12

MOHE
TAHE
BISHUI
NENJIANG
QIQIHA'ER
RÉSERVE NATURELLE DE ZHALONG
DAQING
BAICHENG
JILIN
CHANGCHUN
Chifeng
FUXIN
SHENYANG
LIAONING
JINZHOU
JIANCHANG
DANDONG
Pékin
VALLÉE DE BINGYU
DALIAN

◁ **Le Nen Jiang, un affluent de l'Amour, serpentant dans un paysage glacé du Heilongjiang**

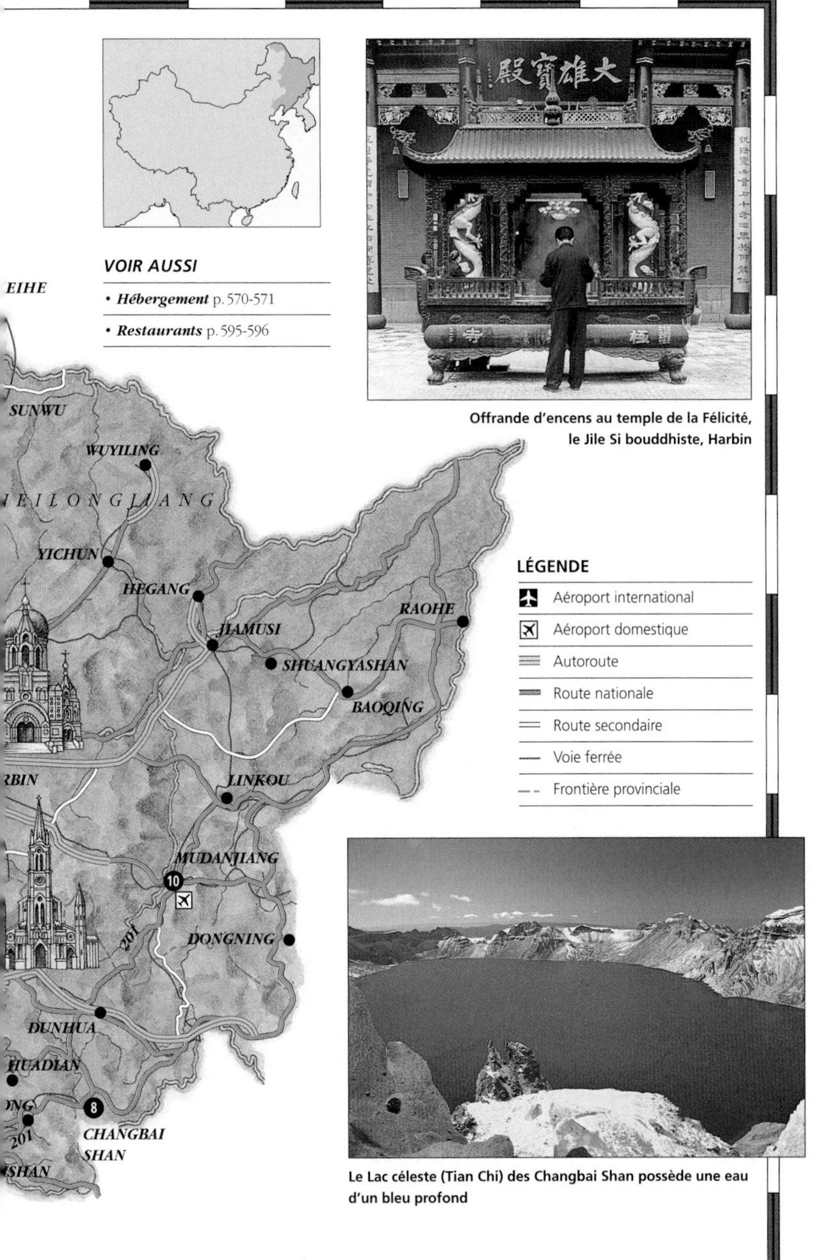

VOIR AUSSI

- ***Hébergement*** p. 570-571
- ***Restaurants*** p. 595-596

Offrande d'encens au temple de la Félicité, le Jile Si bouddhiste, Harbin

Le Lac céleste (Tian Chi) des Changbai Shan possède une eau d'un bleu profond

CIRCULER

Depuis Pékin, il existe des liaisons en avion et en train avec Shenyang, Dalian, Changchun, Harbin et Jilin, et en autocar avec Shenyang, Dalian et Changchun. Bus et trains circulent également au sein de la région, qui possède quelques lignes aériennes intérieures, notamment entre Harbin et Dialan. En hiver, les sites isolés se révèlent d'un accès parfois difficile, comme le Jingpo Hu, ou impossible, comme les Changbai Shan. Les taxis offrent le moyen de déplacement le plus pratique dans les villes.

UNE IMAGE DU NORD-EST

Enserrées entre la Corée-du-Nord, la Russie et la Mongolie intérieure, les trois provinces du Nord-Est forment l'extension la plus orientale de la Chine. Même si la culture dominante est han, la géographie et l'histoire ont donné à la région une identité propre. Elle offre aux visiteurs de sublimes et âpres paysages, l'animation de grandes cités où l'hiver devient une fête et le métissage culturel issu de ses villes frontières.

Le Nord-Est (Dongbei) échappe aux classifications faciles. Il y fait chaud en été, mais les hivers sont glacés et, si certaines villes présentent un visage marqué par l'industrie lourde et la planification socialiste, d'autres conservent d'élégantes poches d'architecture coloniale. En outre, tandis qu'une partie de la région profite du récent boom économique chinois, ailleurs sévit un chômage chronique.

Bouddha et sa parèdre, pagode du Nord,

Formé des trois provinces du Liaoning, du Jilin et du Heilongjiang, le Nord-Est n'a intégré que tardivement l'Empire du Milieu, et il reste encore parfois considéré comme un simple appendice du pays. Au sein de la Mandchourie, il fut pourtant le berceau de la dynastie qui régna sur la Chine du milieu du XVIIe siècle jusqu'à l'effondrement du pouvoir impérial en 1912. Shenyang, l'actuelle capitale du Liaoning, conserve le palais des premiers Qing. Sa construction commença en 1625. C'est là qu'ils perfectionnèrent le système d'organisation en « huit bannières » héréditaires, sociales et administratives qui se distinguent par leurs couleurs *(p. 432-433)*. La population mandchoue de la région continue aujourd'hui de revendiquer et de tirer fierté de cet héritage. Après avoir renversé les Ming, les Qing s'installèrent dans la Cité interdite de Pékin en 1644.

Exemple d'architecture coloniale russe dans le quartier de Daliqu, Harbin

Façade du palais de l'Empereur fantoche, Changchun

À des époques plus récentes, le Nord-Est a attiré l'attention de la Russie et du Japon qui ont contribué à façonner son destin. À la fin du XIXe siècle, les Russes, intéressés par le port libre de glace de Lüshun, tentèrent d'annexer des parties de la Mandchourie, où ils firent passer une ligne du Transsibérien, avant de subir une défaite humiliante devant les Japonais. Ceux-ci annexèrent la région de 1932 à 1945 sous le nom de Mandchoukouo et placèrent à sa tête l'empereur fantoche Puyi. L'occupation fut particulièrement brutale, comme en témoigne près de Harbin la Base expérimentale japonaise de guerre bactériologique.

Poignée de porte, temple de Confucius

Après la Seconde Guerre mondiale, le Parti communiste chinois développa l'industrie lourde, favorisée par d'importantes richesses minières, en s'inspirant du modèle soviétique. La bonne entente qui régnait avec la Russie ne tarda toutefois pas à laisser place à des tensions, et même à des incidents frontaliers. Les récentes réformes de l'appareil de production étatique ont entraîné des licenciements massifs dont ont résulté un chômage chronique et des manifestations sporadiques.

La dureté de leurs conditions de vie a façonné le caractère des Dongbeiren. Décidés, simples, francs et hospitaliers, ils sont considérés par leurs compatriotes comme des gens vigoureux, solides et enclins à boire sec. Plus grands et plus larges d'épaules que leurs cousins du Sud, ils parlent le mandarin avec un accent âpre mais compréhensible. Ce tempérament reflète la puissance des paysages qui vont de hautes montagnes volcaniques jusqu'à de vastes espaces densément boisés, notamment le long des frontières russe et nord-coréenne. Ils se prêtent à de nombreuses activités de plein air, dont la randonnée et l'observation des oiseaux. Ces derniers sont particulièrement nombreux à faire étape dans la réserve naturelle de Zhalong. Des spécialités culinaires locales comme les *fiaozi* (boulettes de pâte), les *dun* (ragoûts) et les *tudou* (plats de pommes de terre) n'ont pas le raffinement des gastronomies de Canton et de Shanghai, mais elles tiennent au corps. Les nombreux Nord-Coréens qui s'y rendent donnent une atmosphère particulière à la ville frontière de Dandong. Les grands centres urbains ne possèdent pas uniquement un aspect industriel. Harbin conserve des édifices dont les dômes en bulbe et les ornementations byzantines trahissent l'origine russe. Dynamique et progressiste, Dalian, sur la mer Jaune, a connu le même succès économique que Shanghai. Ce bel essor lui a valu le surnom de « Hong Kong du Nord ».

Crique isolée baignée par l'eau limpide du Jingpo Hu, un lac volcanique, Heilongjiang

La dynastie mandchoue

Sculpture du palais mandchou

Originaires des steppes du Nord-Est, les derniers maîtres de l'Empire du Milieu profitèrent de l'affaiblissement du pouvoir causé par des révoltes paysannes pour s'emparer de Pékin en 1644 et y établir la dynastie Qing, ou « pure ». Bien qu'étrangers, ils conservèrent une grande part de l'appareil gouvernemental en place et, avec le temps, s'imprégnèrent des modes de pensée chinois. Ils fournirent au pays certains de ses plus grands souverains, dont Kangxi *(p. 122)* et Qianlong, mais ne surent pas faire face aux problèmes posés par les ambitions des Occidentaux et par une vague de soulèvements populaires. Leur impuissance à moderniser la Chine entraîna leur chute en 1912.

La natte, *considérée comme un signe distinctif des Chinois, était en fait une tradition des steppes imposée aux Han.*

LA COUR DE LA CITÉ INTERDITE

Comme les Ming avant eux, les Qing mandchous établirent leur cour à Pékin. Ils furent les derniers occupants impériaux de la Cité interdite où ils eurent jusqu'à 3 000 eunuques à leur service. Un rituel complexe continua à régler le fonctionnement du siège du gouvernement jusqu'à l'instauration de la République en 1912.

Nurhachi (1559-1626), *le premier empereur mandchou, fédéra au début du XVIIe siècle en « huit bannières » les tribus éparpillées du Nord-Est. Il installa sa capitale à Shenyang. Son fils Abahai fonda la dynastie Qing en 1636 et son petit-fils Shunzi s'empara du trône de l'Empire du Milieu en 1644.*

Le palais impérial mandchou *de Shenyang, entrepris sous le règne de Nurhachi et achevé par Abahai, devint en 1644, après le renversement des Ming, un « palais de voyage » utilisé par l'empereur pendant ses tournées d'inspection.*

Des voyages d'agrément *en Mongolie intérieure permettaient aux premiers Qing d'échapper un temps à la vie de cour confucéenne. Ils chassaient, tiraient à l'arc et dormaient sous des yourtes afin de préserver leur vigueur mandchoue.*

Qianlong (r. 1735-1796), *le quatrième empereur Qing, se montra un mécène généreux. Son règne fut aussi une période de prospérité agricole et d'expansion territoriale, avec notamment l'absorption du Xinjiang.*

Le Yuanming Yuan, *le jardin de la Perfection et de la Clarté parfaite* (p. 103), *abritait des palais dessinés par des jésuites pour l'empereur Qianlong. Les troupes franco-britanniques le dévastèrent en 1860.*

Le missionnaire *Adam Schall von Bell (1591-1666)) impressionna la cour par sa connaissance de l'astronomie. Pour avoir de l'influence, les jésuites comprirent qu' ils devaient maîtriser les classiques confucéens et le mandarin.*

Lord Macartney arriva en 1793 *avec de somptueux cadeaux du roi George III d'Angleterre dans l'espoir d'établir des liens commerciaux. Il refusa de s'incliner et Qianlong n'accorda pas une seule concession à la Grande-Bretagne.*

LA RÉVOLTE DES BOXEURS

Une société secrète donna naissance dans le nord de la Chine à un mouvement xénophobe qui avait pour ambition de débarrasser le pays de ses « diables étrangers ». Ses membres se croyaient invulnérables grâce à des rituels superstitieux, dont une forme de boxe. En 1900, Cixi leur apporta son soutien. Les rebelles dévastèrent le quartier des légations de Pékin et encerclèrent sa population étrangère. Une coalition des huit grandes puissances mit fin au siège et imposa le protocole des Boxeurs, qui autorisait, entre autres, le stationnement de troupes étrangères dans la capitale chinoise.

Massacre de chrétiens chinois par des Boxeurs

L'impératrice douairière, *Cixi* (voir p. 101), *sut se maintenir au pouvoir par ses talents de manipulatrice. Elle se montra profondément conservatrice et hostile aux relations avec les Occidentaux.*

Le Transsibérien

Le même terme désigne en fait trois lignes : le Transsibérien lui-même, le Transmongolien et le Transmandchourien. La Russie décida en 1891 de poser une voie de chemin de fer traversant tout son empire. Elle fut achevée en 1903, après avoir négocié avec la Chine la création d'un raccourci par la Mandchourie. La conquête de cette région par le Japon en 1905 contraignit les Russes à ouvrir une nouvelle ligne strictement transsibérienne. La construction du Transmongolien date des années 1940 et 1950. À notre époque de trajets éclair en avion, ce voyage d'une semaine est une expérience à ne pas manquer.

Contrôleur devant une voiture du Transsibérien

Un prêtre orthodoxe *itinérant assurait une présence religieuse en Mandchourie au tournant du XXe siècle. Les Russes ont laissé leur empreinte à Harbin, à Lüshun et dans des villes frontières comme Manzhouli.*

Des locomotives à vapeur *servirent jusqu'en 2002, mais l'électrification débuta en 1939. À la frontière, une différence d'écartement des rails chinois et russes impose de soulever les voitures à l'aide de grues pour les poser sur des boggies de la bonne largeur.*

Le train traverse un paysage de steppe dans le nord de la Mandchourie.

Cette affiche de 1907 *vante le charme d'un voyage en hiver. Son graphisme rappelle qu'à l'époque, le Japon occupait la Mandchourie et la Corée.*

Le niveau de confort *est raisonnable (la voiture de luxe chinoise inclut des douches). Les vendeurs qui se pressent sur les quais à chaque arrêt permettent d'éviter le wagon-restaurant.*

La plus longue ligne de chemin de fer *du monde mesure près de 9 500 kilomètres et demande sept jours de voyage.*

LÉGENDE

- Transsibérien
- Transmongolien
- Transmandchourien

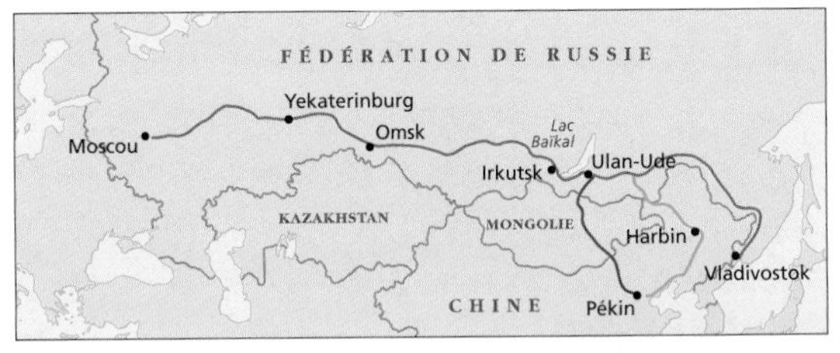

LE TRANSMANDCHOURIEN

Le *Vostok* part une fois par semaine de Pékin pour un voyage de six jours. Il passe par Shanhaiguan et Harbin avant de franchir la spectaculaire plaine mandchourienne, puis les immensités russes.

Le Transmongolien *offre probablement le voyage le plus intéressant : il passe en Chine par la Grande Muraille et Datong, site des grottes de Yungang, puis s'enfonce dans la steppe mongole avant de rejoindre la Russie. Il demande toutefois trois visas.*

Regarder par la fenêtre occupe une grande partie du temps où l'on ne parle pas à d'autres voyageurs.

Les falaises du lac Baïkal *imposèrent le percement de tunnels et la construction de ponts. La pointe sud du plan d'eau compte parmi les plus beaux sites traversés par les trois lignes.*

MODE D'EMPLOI

- Seat 61 offre (en anglais) une information complète sur les possibilités de réservation : www.seat61.com
- L'automne attire moins de monde que l'été. Il peut faire très froid dehors en hiver.
- De l'eau bouillante permet de se préparer un bol de soupe déshydratée ou une boisson chaude.
- Il faut prendre des billets séparés pour s'arrêter en route.
- Attendez-vous à boire de la vodka.

Moscou *est le terminus des trois lignes. Riche en musées, en églises et en monuments, la capitale russe mérite plusieurs jours de visite. On peut aussi poursuivre en train jusqu'à Saint-Pétersbourg et la mer Baltique.*

LIAONING, JILIN ET HEILONGJIANG

Entre la frontière sibérienne et Shanhaiguan, au sud, où la Grande Muraille s'arrête à la mer Jaune, le territoire des provinces du Liaoning, du Jilin et du Heilongjiang possède une superficie de 800 000 km^2, plus que la totalité de la péninsule Ibérique, et une population de plus de 100 millions d'habitants. Il renferme de grandes villes portuaires comme de vastes espaces déserts.

La région s'étend sur le territoire de l'ancienne Mandchourie, dont les maîtres bâtirent à Shenyang, au cœur du Liaoning, un palais qui témoigne de leur puissance, peu de temps avant qu'ils ne s'emparent de la Chine. Sur la côte méridionale de la province, le port libre de glace de Dalian a suscité la convoitise du Japon et de la Russie et il est resté occupé par l'un ou l'autre de ces pays de 1895 à 1955.

L'empire du Soleil-Levant a aussi laissé son empreinte à Changchun, la capitale du Jilin, où il plaça le dernier empereur de Chine, Puyi, à la tête de l'État fantoche du Mandchoukouo. Au Heilongjiang, la ville de Harbin a subi une forte influence russe qui reste visible dans ses édifices et ses restaurants. Le métissage prend une forme plus prosaïque à Dandong, ville frontière avec la Corée-du-Nord. La réserve naturelle du Changbai Shan s'étend également en bordure de ce pays. À plus de 2 000 mètres d'altitude, un cratère volcanique renferme le lac le plus profond de Chine, le Tian Chi.

Les autres beautés naturelles du Nord-Est comprennent au Liaoning la vallée de Bingyu bordée de collines karstiques, et au Heilongjiang les lacs de Wu Da Lian Chi et du Jingpo Hu, formés par des coulées de lave. La vaste réserve naturelle de Zhalong protège une zone humide où viennent se reproduire en été des milliers d'oiseaux migrateurs.

Anse sablonneuse de la zone touristique Bangchuidao de Dalian

◁ **Canotage sur la Songhua près de Jilin**

Shenyang ❶

沈阳

Colossale statue de Mao

Centre urbain et industriel majeur du Nord-Est, la capitale de la province du Liaoning manque peut-être du panache de Dalian, mais elle joue un rôle crucial de plaque tournante des transports. Elle fut d'une grande importance stratégique pour l'État des Yan pendant la période des Royaumes combattants (475-221 av. J.-C.) et prit son nom actuel, Shenyang, sous la dynastie mongole des Yuan. Elle devint en 1625 la première capitale des Mandchous, qui l'appelaient Mukden. Son palais impérial évoque, en plus petit, la Cité interdite de Pékin.

Visiteurs devant l'entrée du Dazheng Dian du palais impérial

Palais impérial

171 Shenyang Lu. ***Tél.*** *(024) 2484 4192.* *de 9h à 16h30 t.l.j.* *intérieurs.*

D'une dimension qu'excède seulement celle de la Cité interdite de Pékin, le palais impérial, entrepris en 1625 à la fin du règne de Nurhachi (1559-1626), souverain des Mandchous, occupe le centre de ce qui était la vieille ville. Son huitième fils et héritier, Abahai (1592-1643), acheva sa construction en 1636. Le corps de bâtiment contient 300 pièces. S'il possède un style aux caractères mandchou et mongol clairement affirmés, il témoigne aussi d'un désir manifeste d'imiter le siège du pouvoir des Ming chinois. Il est divisé en trois sections. La partie centrale a pour pôle le **Chongzheng Dian**, la salle de l'Administration suprême d'où Abahai supervisait les affaires politiques et militaires, et où il recevait les envoyés des pays vassaux et des territoires frontaliers. Le souverain avait sa chambre à coucher derrière, dans le **Qingning Dong**, le palais de la Pure Tranquillité, bordant la cour où se dresse aussi la tour du Phénix.

Dans la section ouest, ajoutée en 1782 par Qianlong, le **Wenshuo Ge**, le pavillon de la Source littéraire, abritait à l'origine l'un des sept exemplaires du « Siku Quanshu », la Bibliothèque complète des Quatre Trésors, une compilation de la littérature chinoise en 36 078 volumes, établie sous les Qing. La section est a pour fleuron le **Dazheng Dian**, la salle des Grandes Affaires, dont deux dragons encadrent l'entrée. C'est là que Shunzi (Aisin-Gioro Fulin), fils d'Abahai, se fit couronner empereur peu avant que ses troupes ne franchissent la Grande Muraille à Shanaiguan *(p. 128)*, lui ouvrant en 1644 la voie vers le trône de l'Empire du Milieu. Les pavillons des Dix Rois qui se trouvent devant la salle servaient jadis de bureaux aux chefs des « huit bannières », le mode d'organisation sociale et militaire des Mandchous. L'Unesco a intégré le palais impérial de Shenyang au patrimoine mondial de l'humanité en 2004. Une importante restauration est en cours, ce qui peut entraîner la fermeture de certaines salles normalement ouvertes.

Statue de Mao

Place Zhongshan.

Vestiges d'une ère que l'on voudrait croire révolue, des statues du Grand Timonier continuent de dominer des places publiques partout en Chine, y compris dans des villes aussi excentrées que Lijiang *(p. 390-391)* au Yunnan et Kachgar *(p. 510-511)* au Xinjiang. Ces monuments n'ont jamais péché par excès de subtilité, mais le groupe sculpté du centre de Shenyang détient probablement la palme de la grandiloquence.

Pagode du Nord

27 Beita Jie. *de 8h à 16h t.l.j.*

Des quatre sanctuaires élevés jadis aux limites de la ville pour lui apporter une protection spirituelle, seule la Bei Ta de 1643 ne présente pas un aspect dégradé. Des constructions originelles subsistent : la grande salle décorée de peintures murales et le temple Falun.

Bouddha Wei Tuo, pagode du Nord

Musée du 18 Septembre

46 Wanghua Nanjie. *de 9h à 16h t.l.j.*

Baptisé d'après le jour où les Japonais entrèrent dans Shenyang en 1931, le Jiuyiba Lishi Bowuguan offre la chronique la plus complète à ce jour de l'occupation nipponne de la Mandchourie. Quelques légendes en anglais facilitent la compréhension de l'exposition, qui compte de nombreuses photos.

Pour les hôtels et les restaurants de la région, voir p. 570-571 et p. 595-596

Porte et mur ouest du tombeau du Nord

Tombeau du Nord

12 Taishan Lu, Beiling Gongyuan, Shenyang Nord. *de 8h30 à 16h30 t.l.j.* *intérieurs.*

Le parc Beiling d'une superficie de 330 hectares doit son nom à la sépulture d'Abahai (1592-1643) et de son épouse Borjijit. La construction du Bei Ling, qui porte officiellement le nom de Tombeau lumineux (Zhao Ling), commença en 1643, année de la mort du souverain mandchou, et il compte parmi les plus vastes et les mieux conservés des mausolées de la Chine impériale. Il respecte le plan traditionnel de ces monuments *(p. 104-105).*

L'entrée de l'enceinte, la porte Zhengong, encadrée de pavillons, se trouve au sud. Le plus à l'est servait de vestiaire aux empereurs en visite. Des sacrifices d'animaux avaient lieu dans le plus à l'ouest. Une voie des esprits *(shendao)* bordée de statues d'animaux conduit à la salle des Faveurs éminentes (Ling'en Dian), qui précède les tumulus funéraires plantés d'arbres et un écran orné de dragons.

Animal mythique, tombeau du Nord

MODE D'EMPLOI

700 km au nord-est de Pékin. *4 000 000.* *aéroport de Shenyang.* *gare du Sud ou du Nord.* *gare routière du Sud, gare routière express, CAAC (pour l'aéroport).* *salle 217, bâtiment 1, 189 Shifu Lu.*

Tombeau de l'Est

5 km à l'est de Shenyang. *de 8h à 16h t.l.j.* *intérieurs*

Dernière demeure de Nurhachi et de son épouse Yehenala, le Dong Ling domine la rivière Hun depuis le flanc du mont Tianzhu. Un escalier de 108 marches mène au portail principal du mausolée de trois étages achevé en 1651. Le nombre 108 a une valeur sacrée pour les Chinois et affirme ici que l'empereur régnait sur l'univers : dans l'ordre céleste taoïste, 108 correspond aux 36 immortels du paradis et aux 72 démons de l'enfer. Les rosaires bouddhistes comptent 108 perles, ce qui est aussi le nombre d'*arhat* recensés par certaines sectes.

Un isthme découvert à marée basse relie le continent au Bijia Shan

Jinzhou ❷

锦州

200 km au sud-ouest de Shenyang.

Cité industrielle sur la rive orientale du golfe du Liaoning, Jinzhou ne présente pas de véritable intérêt touristique en dehors de sa richesse en fossiles de la période jurassique. Un musée privé, le **musée Wenya** (Bowuguan), en possède plus de 300. Créé par un collectionneur amateur, Du Wenya, il occupe un bâtiment anodin sur Heping Lu, mais il est question de le déplacer dans un avenir proche. Reptiles, amphibiens, insectes et végétaux sont représentés sur trois niveaux. L'exposition a pour fleuron le *dushi kongzi niao (Confuciusornis dui)*, nommé d'après Du Wenya lui-même, car il en découvrit le premier spécimen en 1998. Ce dinosaure ailé ressemblait fort à un oiseau et vivait dans l'ouest de l'actuel Liaoning. Il possédait un bec sans dents, contrairement au *Sinosauropteryx* déterré en 1996 dans la même région. Celui-ci portait également des plumes, mais ne volait pas, chassant ses proies au sol. Un arbre fossilisé vieux de 120 millions d'années mesure 9 mètres de haut.

Dans la baie de Jinzhou, à 34 kilomètres au sud de la ville, un isthme recouvert à marée haute relie le continent à l'île **Bijia Shan** (mont du Porte-Pinceaux). Plusieurs temples bouddhistes l'occupent et elle offre une vue splendide. Vous pouvez la rejoindre en bateau de pêche.

Musée Wenya
33-13 Erduan, Heping Lu.

Bijia Shan
de 6h à 18h t.l.j.

Dandong ❸

丹东

280 km au sud-est de Shenyang. *600 000.* *20 Shiwei Lu, (0415) 213 7493.*

Une statue de Mao Zedong domine toujours le centre de Dandong. Ce bourg au bord du Yalu Jiang (Rivière vert canard), dans la partie orientale du Liaoning, ne serait guère plus qu'un petit avant-poste oublié de tous sans sa proximité avec la Corée-du-Nord. Il est devenu la plus importante ville frontière chinoise et les boutiques, les parfums dégagés par les plats *shaokao* (au gril), les panneaux en *hangul* (écriture coréenne) et les souvenirs mis en vente lui donnent une atmosphère métissée. Il offre également une base d'où découvrir les sites des environs et constitue une étape sur la route de la réserve naturelle du Changbai Shan *(p. 448-449)*, où le splendide Lac céleste s'étend entre les crêtes d'un cratère volcanique.

Un pont ferroviaire franchit le Yalu Jiang. La ligne relie Pékin à Pyongyang. À côté, le **Yalu Jiang Duan Qiao** (Tronçon de pont du Yalu) constitue la principale curiosité de Dandong. Les Coréens ont démonté la moitié du tablier qui se trouvait de leur côté. L'autre moitié, accessible à pied, porte les traces d'un

Le Yalu Jiang Duan Qiao, ancienne voie de communication entre la Chine et la Corée-du-Nord

Pour les hôtels et les restaurants de la région, voir p. 570-571 et p. 595-596

Collines karstiques dans la vallée de Bingyu

bombardement exécuté par des avions américains en 1950, pendant la guerre de Corée. La ruine fait office de monument à la **Kang Mei Yuan Chao Zhanzheng** (guerre de résistance à l'agression américaine et d'aide à la Corée) selon l'appellation que donnent les Chinois à leur rôle dans le conflit. Des bateaux de croisière et des hors-bord proposent des promenades jusqu'au bord de l'autre rive. Les passagers peuvent prendre des photos, mais il n'y a pas grand-chose à photographier.

Le **Musée commémoratif de l'aide à la Corée et de la résistance à l'Amérique** porte sur la guerre de Corée un point de vue que l'on devine très partial, même en l'absence de légendes rédigées dans une langue déchiffrable. L'exposition n'en est pas moins fort riche.

À 50 kilomètres au nord-ouest de Dandong, près de la ville de Fengcheng, d'excellents sentiers de randonnée parcourent le **Fenghuang Shan** (mont du Phœnix), haut de 840 mètres. Il abrite de nombreux sanctuaires, monastères et grottes remontant pour certains à l'époque des Tang. Des milliers de personnes s'y rassemblent en avril pour la fête du temple *(miaohui)*. L'**Hushan Changcheng** (Grande Muraille de la montagne du Tigre) se trouve à 20 kilomètres au nord-est de Dandong, près de Jiuliancheng. C'est la section la plus orientale du célèbre ouvrage de défense. Elle date du règne de l'empereur Ming Wanli et domine le Yalu Jiang et la frontière coréenne. Malgré sa restauration, elle reste relativement peu visitée. Un **musée de la Grande Muraille** a ouvert en 2003. Dans la mesure où une signalisation claire n'indique pas partout la frontière entre la Chine et la Corée-du-Nord, il est déconseillé de partir en randonnée dans la région.

Policière réglant la circulation

Yalu Jiang Duan Qiao
Tél. *(0415) 212 2145.* *t.l.j.*

Fenghuang Shan
Fengchen. *t.l.j.*

Vallée de Bingyu ❹

冰峪谷

240 km au nord-est de Dalian.
de Dalian à Zhuanghe, puis bus.
de Dalian à Zhuanghe, puis bus pour Bingyu Fengjingqu.

Accessible par la ville de Zhuanghe, au nord-est de Dalian, la Bingyu Gou possède une superficie de 110 km^2. Cette jolie vallée offre de longues promenades au bord de sa rivière, des randonnées au cœur de formations rocheuses karstiques et de falaises creusées de nombreuses grottes. Possibilité de rafting, de pêche et d'escalade. Les visiteurs désireux de dormir sur place ont le choix entre l'hôtel du parc et un hébergement beaucoup plus rustique chez l'habitant. Mieux vaut éviter l'affluence des périodes de vacances et des week-ends d'été.

Escalier menant à un temple taoïste sur le Fenghuang Shan

Dalian ❺

大连

Ballon du parc du Travail

La ville la plus dynamique et la plus attirante de la Chine du Nord-Est possède une atmosphère détendue qui témoigne de sa confiance dans l'avenir. Elle est vantée dans tout le pays pour ses hôtels haut de gamme, son économie en plein essor, ses bâtiments coloniaux et modernes, son équipe de football et sa propreté. Elle évoque Shanghai par bien des points : son activité portuaire, son cosmopolitisme, son statut de zone économique spéciale et une histoire marquée par une présence étrangère. Elle possède comme atout supplémentaire un littoral jalonné de jolies plages, embelli de pelouses, et jouit, pour la région, d'un climat clément.

Bâtiments coloniaux et gratte-ciel autour de la place Zhongshan

À la découverte de Dalian

La ville possède peu de temples ou de monuments remarquables, mais l'on y vient surtout pour ses plages, ses fruits de mer, ses boutiques et sa saisissante modernité. Ses principales artères rayonnent de la **place Zhongshan** (Zhongshan Guangchang), vaste rond-point agrémenté de pelouses qu'entourent un cercle de bâtiments datant des occupations russe et japonaise. Le soir, les habitants de la ville s'y retrouvent pour danser et écouter de la musique. Les édifices les plus intéressants comprennent l'hôtel Dalian (Dalian Binguan), qui occupe au sud le n° 4, et la banque de Chine (Zhongguo Yinhang), installée au nord au n° 9.

Au nord-ouest, le quartier commerçant de **Tianjin Jie**, rue piétonnière, est en cours de réhabilitation. À l'ouest, un immense centre commercial souterrain s'étend sous la place Shengli. L'ancien Friendship Store, plus à l'est sur Renmin Lu, s'est transformé en une galerie marchande de six étages.

Des rues plantées d'arbres et de spacieux espaces verts aèrent Dalian. Au sud-ouest de la place Zhongshan, un gigantesque ballon de football se dresse au centre du **parc du Travail** (Laodong Gongyuan). Il accueille au printemps la fête de la fleur du robinier. Continuer au sud-ouest mène à l'autre grande place de la ville, la **place du Peuple** (Renmin Guangchang), jadis dédiée à Staline. La place sert aussi de lieu de rencontre le soir.

Bus et taxis desservent les plages qui contribuent à la renommée de la ville. Dans la partie nord-est de la péninsule, sur Binhai Lu, près des Dix-huit Virages, le **parc de la Mer de l'Est** (Donghai Gongyuan) possède une superficie de 450 hectares et une frange littorale longue de 1 200 mètres. Fondé pour célébrer le centenaire de Dalian, il accueille les sculptures de grandes créatures marines, une pieuvre s'attaquant à un requin notamment. Une tortue géante offre un perchoir d'où contempler la mer. L'eau est propre, mais reste jusqu'à mi-juillet d'une température un peu fraîche pour se baigner.

Plus au sud, en suivant la voie côtière de la Binhai Lu, la **zone touristique Bangchuidao** (Bangchuidao Jingqu) offre les plus belles plages de la côte orientale de la Chine. Naguère réservées aux cadres du parti, elles sont aujourd'hui ouvertes à tous. Binhai Lu propose une vue splendide de la mer Jaune et se prête à une belle promenade. Elle mène ensuite à la **zone touristique de la Plage du Tigre** (Laohutan Jingqu), qui abrite un parc de loisirs et un aquarium. Plusieurs kilomètres plus à l'ouest, la plage de sable et de galets de la **zone touristique de Fujiazhuang** (Fujiazhuang Jingqu) est souvent bondée. Plus loin encore, le **Sun Asia Ocean World** de la zone touristique de la plage de Xinghai attire des nuées

Sculpture ornant la place de Xinghai

◁ **Impressionnantes sculptures de glace en vue de la fête de la glace et de la neige de Harbin**

d'enfants. Cet aquarium possède un tunnel sous-marin de 116 mètres.

À quelques pas de la mer, la place de Xinghai commémore la restitution de Hong Kong à la Chine en 1997.

Parc de la Mer de l'Est
Binhai Lu. *de 8h à 17h t.l.j.*

Zone touristique Bangchuidao
t.l.j.

Sun Asia Ocean World
de 9h à 17h t.l.j.

Aux environs : À 35 kilomètres au sud-ouest de Dalian, **Lüshun** occupe une position stratégique, renforcée par l'avantage d'avoir un port que ne prennent jamais les glaces. Elle resta longtemps connue sous le nom de Port Arthur. Principale base navale de la flotte Beiyang à partir du milieu du XIXe siècle, elle tomba aux mains des Japonais pendant la guerre sino-japonaise (1894-1895). Les Russes s'en emparèrent en 1897, et ils développèrent les installations pour leur flotte du Pacifique.

Chez un coiffeur à l'ancienne

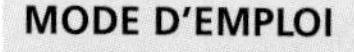

MODE D'EMPLOI

300 km au sud de Shenyang. *2 100 000.* *aéroport de Dalian.* *gare routière de Dalian, CAAC (pour l'aéroport), gare routière Heishijia.* *depuis Yantai et Weiha.* *fête de la fleur de robinier (printemps).*

Le Japon s'en empara à nouveau en 1905, puis en conserva le contrôle jusqu'à la fin de la Seconde Guerre mondiale. Les bâtiments russes qui ont survécu comprennent la **gare** construite en 1898 pour abriter le terminus du Transmandchourien *(p. 434-435)*. Elle est toujours en fonction. La **prison nippo-russe** où furent détenus des Russes, des Japonais et des Chinois occupe une superficie de 26 000 m² et contient une salle de torture. Au nord de la baie, près de la gare, le **mont Baiyu** offre une vue plongeante de la ville. Lüshun étant une zone militaire fermée, sa visite est soumise à une autorisation du bureau de la Sécurité publique, proche de la place Zhongshan.

Prison nippo-russe
139 Xiangyong Jie. *t.l.j.*

Paquebot amarré près de la place de Xinghai

DALIAN : LE CENTRE-VILLE

Parc de la Mer de l'Est ⑤
Parc du Peuple ④
Parc du Travail ③
Place Zhongshan ①
Sun Asia Ocean World ⑨
Tianjin Jie ②
Zone touristique Bangchuidao ⑥
Zone touristique de Fujiazhuang ⑧
Zone touristique de la Plage du Tigre ⑦

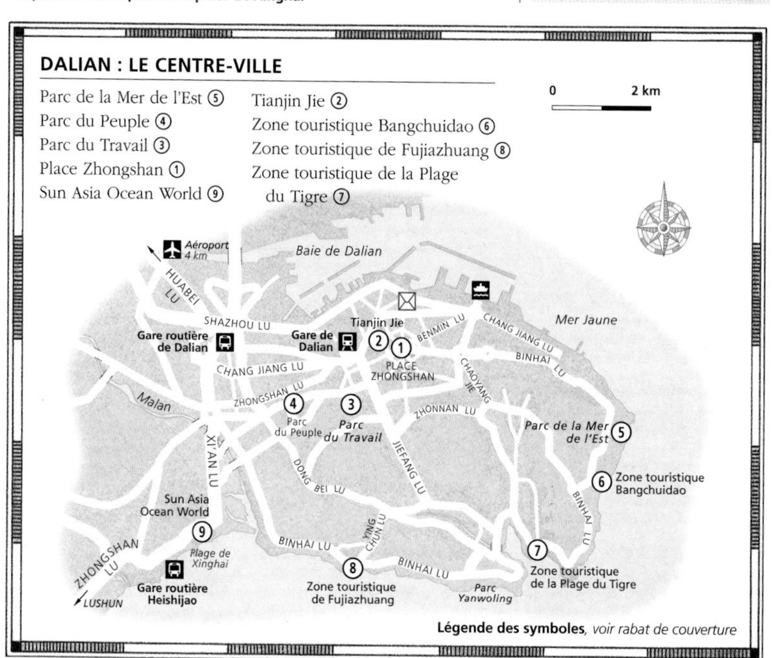

Légende des symboles, *voir rabat de couverture*

Quartiers d'habitation du palais de l'Empereur fantoche du Mandchoukouo, Changchun

Changchun ❻
长春

300 km au nord-est de Shenyang. *2 200 000.* *pour Dalian, Shanghai et Tianjin.* *salle 701, Guoji Dasha, Xi'an Da Lu (0431) 892 8055.*

La vaste capitale moderne de la province du Jilin porte le nom optimiste d'« Éternel Printemps » malgré la rudesse de ses hivers. Sous le nom de Hsin-Ching, elle devint en 1932 la capitale de l'État du Mandchoukouo sous contrôle japonais. Occupée par l'armée soviétique, puis par les troupes du Guomindang, elle sortit dévastée de la Seconde Guerre mondiale. Les communistes s'en emparèrent en 1948. En 1950, la première usine automobile du pays commençait à y produire des camions. La ville demeure l'un des grands centres de fabrication de voitures du pays, mais elle a l'avantage de présenter aussi un visage agréablement vert au sein de la ceinture industrielle du nord-est.

Bâtiments officiels du palais de l'Empereur fantoche

Changchun a pour seule attraction vraiment touristique le **palais de l'Empereur fantoche**, résidence du « dernier empereur », Puyi, dont les Japonais firent un simulacre de souverain. Situé au nord-est du centre, le palais ne possède pas la majesté de la Cité interdite. Les quartiers d'habitation où l'exilé passa près de quatorze ans avec son épouse et ses concubines ont été restaurés. Les meubles, les objets et les photographies exposés offrent un aperçu de l'existence de l'ultime représentant de la dynastie Qing. Les autres bâtiments de cette époque comprennent le siège du conseil d'État du Mandchoukouo, sur Xinmin Dajie. Ouvert au public, il a conservé son ascenseur Otis d'origine, aux laitons polis.

La place du Peuple borde l'artère principale de Changchun, Renmin Dajie. Elle possède dans son angle nord-est le **Banruo Si**, un temple bouddhiste datant de 1921. Son enceinte occupe une superficie de 15 000 m². La salle principale abrite une image du Bouddha historique (Sakyamuni).

La visite des studios de cinéma fondés en 1946 n'intéressera que des passionnés.

Palais de l'Empereur fantoche
5 Guangfu Lu. *t.l.j.*

LE DERNIER EMPEREUR

Aisin Gioro, ou Puyi, monta sur le trône des Qing à l'âge de trois ans après la mort de son oncle, l'empereur Guangxu, en 1908. Son bref règne, sous le nom de Xuantong, arriva à son terme le 12 février 1912 quand il abdiqua pour céder le pouvoir au nouveau gouvernement républicain. Il conserva son train de vie fastueux dans la Cité interdite jusqu'à son expulsion en 1924, puis se réfugia à Tianjin, la ville des concessions étrangères où les Japonais l'approchèrent. Il accepta de jouer pour eux le rôle d'empereur fantoche du Mandchoukouo et résida dans le palais de Changchun de 1932 à 1945. Déporté en Sibérie à la fin de la Seconde Guerre mondiale, il fut remis aux Chinois en 1949 et resta interné jusqu'à son amnistie en 1959 par le président Mao. Il mena alors l'existence d'un petit employé du Jardin botanique de Pékin et mourut en 1967 d'un cancer, dans l'anonymat et sans avoir conçu de descendance.

Puyi (1905-1967), le « dernier empereur » de Chine

Pour les hôtels et les restaurants de la région, voir p. 570-571 et p. 595-596

Jilin ❼
吉林

100 km à l'est de Changchun. 👥 *1 300 000.* ✈ 🚉 🚌 ⛴ *pour Shanghai, Dalian et Tanjin.* ℹ *2288 Chongqing Lu, (0432) 244 3451.*

Rebaptisée Kirin pendant l'occupation japonaise, entre 1931 et 1945, Jilin se révèle d'un séjour agréable. Comme beaucoup d'autres centres urbains du Nord-Est, elle ne possède pas une longue histoire. Elle resta en fait un simple village jusqu'à sa fortification en 1673. Elle doit sa vocation industrielle aux Japonais qui édifièrent le barrage de Fengman sur le cours du Songhua Jian. Sa centrale hydroélectrique, démantelée par les Russes après la guerre et reconstruite par les Chinois, génère la principale attraction de la cité. L'eau chaude qui en sort empêche en effet la rivière de geler au cours des mois les plus froids de l'hiver. Même quand les températures baissent très en dessous de zéro, elle continue d'émettre de la vapeur qui se dépose sous forme de givre, le *shugua*, sur les branches des pins et des saules poussant sur les rives. Ces fines aiguilles de glace étincelant dans la lumière offrent un spectacle particulièrement féerique le matin. Comme à Harbin, l'hiver est la principale saison touristique et Jiliin organise, elle aussi, une fête de la glace et de la neige qui dure de janvier à fin février.

À l'ouest de la ville, le **parc Beishan** occupe un terrain vallonné. Il renferme plusieurs sanctuaires bouddhistes et taoïstes, dont le temple Guandi (Guandi Miao), le temple des Trois Rois (Sanwang Miao) et le pavillon de l'Empereur de Jade (Yuhuang Ge), au parvis encombré de diseurs de bonne aventure.

L'église catholique édifiée par les Français au début du XIXe siècle compte parmi les sujets de fierté locaux. Elle s'élève à l'ouest du principal pont de Jilin et borde Songjiang Lu, la rue qui longe la rive nord de la Songhua. Vandalisée pendant la Révolution culturelle, elle est devenue un des emblèmes de la ville depuis sa réouverture en 1980. À l'est, le **temple de Confucius** (Wen Miao), où venaient prier les candidats aux examens d'entrée dans l'administration impériale, abrite une exposition, malheureusement légendée en chinois, consacrée à ces épreuves. Il permet d'échapper un moment au rythme de la ville moderne.

Église catholique de Jilin

Au sud du centre, le **musée de la Pluie de météorites** contient une partie des pierres tombées du ciel sur Jilin en 1976. La plus lourde pèse 1 770 kilogrammes.

Arbres couverts de givre sur les rives de la Songhua, Jilin

Statues de l'autel des lettrés, temple de Confucius, Jilin

Parc Beishan
t.l.j.

Église catholique
3 Songjiang Lu. t.l.j. pendant la messe.

Temple de Confucius
2 Nanchang Lu. t.l.j.

Aux environs : à courte distance de Jilin, le **Zhuque Shan** (mont du Roselin), jadis apprécié pour ses sentiers de randonnée et ses temples, est désormais équipé de deux pistes de ski et de luge. Son restaurant repose sur une plate-forme chauffée et ménage une vue panoramique des collines.

À environ 25 kilomètres au sud-ouest de Jilin, le vaste **lac Songhua** (Songhua Hu) couvre une zone densément boisée en un chapelet long de 200 kilomètres pour une superficie de 500 km². Un immense parc permet de se promener dans la forêt ou de faire du canotage. Les pistes de descente de sa coûteuse station de sports d'hiver risquent de décevoir les skieurs confirmés, mais on peut également y pratiquer le ski de fond.

À la pointe sud du lac, le barrage hydroélectrique, qui en contient les eaux, compte quatre écluses ouvertes quand le Songhua Jian menace de submerger la ville qu'il alimente en électricité.

Zhuque Shan
Taxi depuis la gare de Jilin. t.l.j. équipement de ski disponible.

Lac Songhua
n° 338 de Jilin à Fengman, puis taxi jusqu'aux pistes.

Changbai Shan ❽

长白山

Tenues de minorités ethniques coréennes

Le plus vaste parc naturel de Chine possède une superficie de 1 965 km² et compte parmi les réserves de la biosphère de l'Unesco. Il protège les monts des Neiges éternelles, dont les flancs couverts d'épaisses forêts de résineux et de feuillus abritent une faune et une flore d'une grande richesse. Il offre entre autres un asile à des espèces animales menacées, comme le tigre de Sibérie. Au-dessus de la ligne des arbres s'étend l'unique toundra alpine d'Asie de l'Est. Le Tian Chi (Lac céleste) constitue le principal but de visite. À 2 194 mètres d'altitude, ce lac volcanique entouré d'arêtes rocheuses déchiquetées mesure 13 kilomètres de circonférence. Il s'étend pour partie en territoire nord-coréen et n'est accessible qu'en été et au début de l'automne.

Bouleau blanc

Malgré la déforestation, plus de 80 espèces d'arbres poussent entre 700 et 2 000 mètres d'altitude.

★ Cascade de Changbai

Alimenté par la fonte des neiges qui couvrent les montagnes d'octobre à juin, le Tian Chi se déverse par cette spectaculaire chute d'eau haute de 68 mètres.

0 1 km

LÉGENDE

- Frontière internationale
- Sentier

À NE PAS MANQUER

- ★ Cascade de Changbai
- ★ Tian Chi – Lac céleste

GINSENG

Les Chinois apprécient depuis des milliers d'années le ginseng *(Panax ginseng)* pour les propriétés toniques et thérapeutiques de son rhizome. Native de Corée et de Chine du Nord-Est, cette plante herbacée vivace est aujourd'hui cultivée, mais les spécimens sauvages restent les plus prisés. Un édit impérial en réglementait jadis la cueillette pour éviter les excès. Le caractère chinois qui la désigne signifie « comme l'homme », en référence à la forme que prend sa racine. Celle-ci n'acquiert son efficacité qu'au bout de six ans d'âge. Le ginseng sauvage de première qualité est extrêmement coûteux. Il convient de se montrer très prudent, les faux abondent.

Racines et feuilles du ginseng

Pour les hôtels et les restaurants de la région, voir p. 570-571 et p. 595-596

MODE D'EMPLOI

25 km au sud de Baihe ;
560 km à l'est de Jilin.
ou *jusqu'à Baihe, puis bus ou taxi.* *juin-sept. (enneigé le reste de l'année). Dernier bus pour Baihe 16h.*
depuis Jilin (CITS).

★ Tian Chi – Lac céleste
La dernière éruption du volcan date de 1702. Selon la légende, le lac le plus profond de Chine abriterait une créature aquatique comparable au monstre du Loch Ness.

Sources chaudes près du Tian Chi
Des marchands ambulants vendent des œufs cuits dans une eau atteignant naturellement plus de 80 °C. Des bassins aménagés permettent de prendre des bains.

Randonnée
Même en période de pointe, il reste possible de profiter du site à l'écart de la foule. Il faut toutefois prendre garde à ne pas passer en Corée-du-Nord.

GRAVIR LES CHANGBAI SHAN

La neige barre l'accès au parc en dehors d'une période allant de juin à octobre. L'interdiction d'entrée en Corée-du-Nord rend impossible un circuit complet autour du Lac céleste. Équipez-vous de manière à pouvoir faire face à de très basses températures et emportez une grande réserve d'eau et de nourriture. Il faut compter deux heures à pied pour rejoindre le Tian Chi. On peut aussi prendre un 4x4. Il existe des hôtels dans le parc, où le camping est officiellement interdit. Les visites organisées comprennent en général deux nuits à l'hôtel.

Harbin ❾

哈尔滨

À l'extrême nord de la Chine, sous l'immense plaine sibérienne, l'accueillante capitale de la province du Heilongjiang n'était qu'un modeste hameau de pêcheurs sur le Songhua Jian à la fin du XIXe siècle quand la voie ferrée construite par les Russes la relia à Vladivostok et à Dalian *(p. 444-445)*. La révolution bolchevique et les réfugiés qui arrivèrent par le train bouleversèrent son destin. Un temps surnommée « Petite Moscou » pour ses édifices parés de coupoles, de flèches et de tourelles, Harbin n'a pas entièrement perdu son allure d'avant-poste de la Russie impériale. Alors qu'elle jouit d'un climat tout à fait plaisant en été, la température descend en hiver en dessous de - 30 °C, le temps idéal pour sa fête de glace et de neige.

Moment de détente au bord de la Songhua

À la découverte de Harbin

La ville présente son visage le plus agréable dans le quartier de Daoli (Daoli Qu), qui s'étend entre la gare principale et la Songhua. La zone des gratte-ciel renferme de grands magasins et plusieurs boutiques haut de gamme, notamment des fourreurs.

Zhongyang Dajie est une rue commerçante et piétonnière avec de bons bars et restaurants. Plusieurs bâtiments historiques à l'architecture caractéristique ont été restaurés et des plaques retracent à l'extérieur leur histoire en anglais. Les ruelles qui partent de Zhongyang Dajie invitent à la flânerie. Leurs terrasses de café cèdent la place en hiver à des sculptures en glace.

À l'est de Zhongyang Dajie, son grand dôme en bulbe vert confère à l'**église Sainte-Sophie** (Sheng Sufeiya Jiaotang) une silhouette aisément reconnaissable. Construite en brique rouge dans le style byzantin en 1907, la plus grande église orthodoxe russe d'Extrême-Orient abrite aujourd'hui le Centre de l'architecture et des arts. Il propose une intéressante collection de photographies consacrées à l'influence russe sur la ville.

Triporteur-taxi à Harbin

Au nord, le **parc Zhaolin** (Zhaolin Gongyuan) abrite en hiver nombre des sculptures éphémères *(p. 442-443)* qui ont fondé la réputation de la fête de glace et de neige (Bingdeng Jie) organisée chaque année du 5 janvier au 25 février. Il se transforme alors en un pays de conte de fées dont les personnages, bâtiments et monuments transparents se parent la nuit de couleurs chatoyantes.

Non loin, à l'extrémité nord de Zhongyang Dajie, le **monument au Contrôle des crues** érigé en 1958 au bord de la Songhua commémore à la fois la fin des inondations et les milliers de victimes qu'elles causèrent. Le long d'une digue de 42 kilomètres, le **parc Staline** (Sidalin Gongyuan) est le dernier grand espace public à entretenir en Chine le souvenir du « petit père des peuples ». En été, des bateaux conduisent au **parc de l'Île du soleil** (Taiyangdao Gongyuan), également accessible en téléphérique. Diverses attractions y sont proposées à la belle saison. L'île contient le parc du Tigre de Sibérie (Dongbei Hu Linuyan), officiellement créé pour contribuer à sauver de l'extinction cette espèce qui compte parmi les plus menacées de la planète. Le centre de reproduction de Harbin est censé donner naissance à des animaux qui pourront être réintroduits dans la nature. Les enclos trop exigus, et les touristes qui viennent par bus entiers narguer les félins avec des poulets vivants, incitent à douter de l'efficacité de la démarche. En hiver, la rivière se couvre d'une épaisse couche de glace, offrant la possibilité de traverser à pied pour visiter l'exposition de sculptures installée sur l'Île du soleil.

Au sud-est de la gare principale, le **musée provincial**

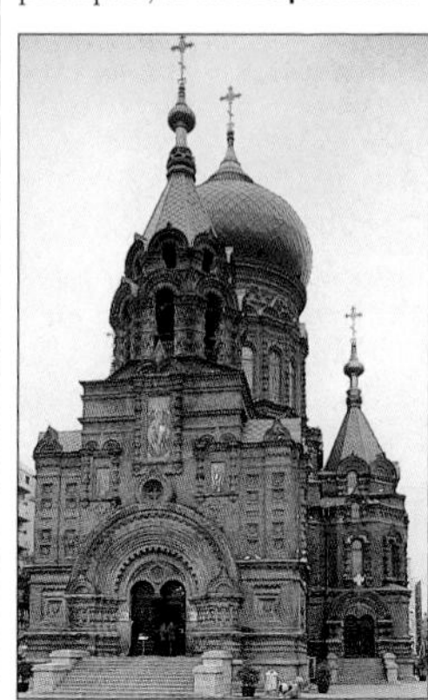

L'élégante église Sainte-Sophie de style byzantin

Pour les hôtels et les restaurants de la région, voir p. 570-571 et p. 595-596

Pensionnaire du parc du Tigre de Sibérie

Église Sainte-Sophie
Diduan Jie. t.l.j.

Parc de l'Île du soleil
3 Jingbei Lu. t.l.j.

Temple de la Félicité
9 Dong Dazhi Jie. t.l.j.

Zoo de la forêt septentrionale de Harbin
Gezidong. t.l.j.

MODE D'EMPLOI

550 km au nord de Shenyang. *2 700 000. gare routière de Harbin, CAAC (pour l'aéroport). 14 Songhuajiang Jie, (0451) 5360 1717. fête de glace et de neige (5 janv.-25 fév.), festival de musique (juil.).*

expose une collection insipide. Plus à l'est sur Zhongyang Dajie, le paisible **temple de la Félicité** (Jile Si) abrite une communauté active. Il obéit au plan traditionnel des sanctuaires bouddhistes avec des tours du Tambour et de la Cloche, une salle des Rois célestes et une salle principale accueillant des statues de Sakyamuni (le Bouddha historique) et de divers bodhisattvas. À côté, la **pagode Qiji Futu** de sept étages se dresse au sein de la plus vaste enceinte religieuse de la province. Non loin, sur Wenmiao Jie, le temple de Confucius mérite aussi une visite. Le zoo de la ville a été déménagé à 40 kilomètres du centre et rebaptisé le **zoo de la forêt septentrionale de Harbin**. C'est l'un des plus grands parcs zoologiques de Chine.

Aux environs : le petit village de Pingfang, à 20 kilomètres au sud-ouest de Harbin, abrite les vestiges de la **Base expérimentale japonaise de guerre bactériologique**, où la 731e division soumit pendant la Seconde Guerre mondiale des milliers de prisonniers chinois, coréens, britanniques, mongols et russes à des expériences atroces. Les Japonais en effacèrent les traces à l'approche de l'armée soviétique et les Américains accordèrent l'impunité au responsable du centre, Shiro Ishii, ainsi qu'à ses subordonnés, en échange des données qu'ils avaient recueillies. Sans la découverte d'un charnier et les efforts obstinés d'un journaliste japonais dans les années 1980, l'existence de ce monstrueux centre de recherches aurait pu rester inconnue. Une exposition photographique et des documents vidéo en évoquent l'histoire.

La Qiji Futu Ta de sept étages dans le nord-est de la ville

Base expérimentale japonaise de guerre bactériologique
Pingfang. t.l.j.

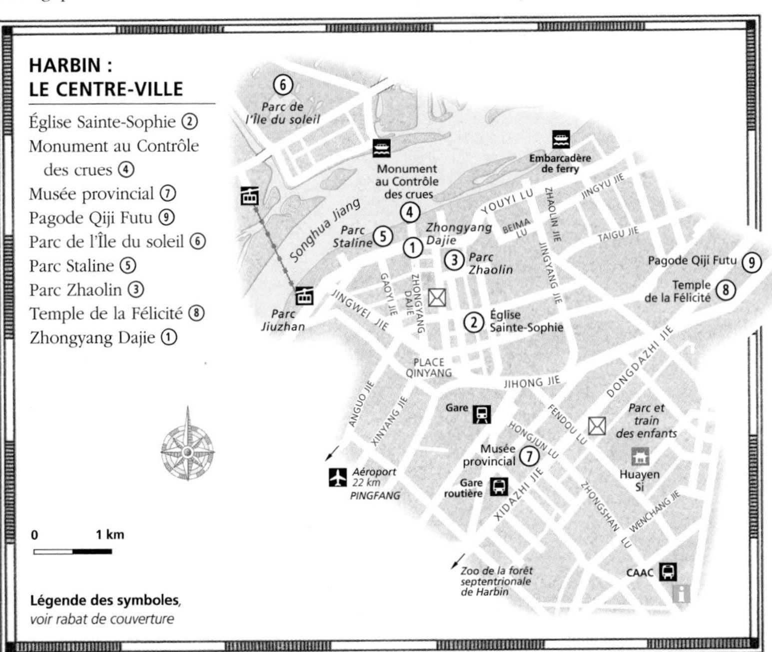

Démonstration d'audace à la cascade Diaoshuilou, sur le Jingpo Hu

Jingpo Hu ⑩
镜泊湖

100 km au sud-ouest de Mudanjiang. *de Mudanjiang à Dongjing, puis minibus en été (taxi en hiver) jusqu'au lac. depuis Harbin et Mudanjiang. 34 Jingfu Lu, Mudanjiang, (0453) 695 0061. t.l.j.*

Le lac du Miroir s'étend en une bande longue de 50 kilomètres alimentée par la rivière Mundan. Il doit sa formation à plusieurs explosions volcaniques survenues il y a des milliers d'années et tire son nom des reflets des collines boisées du rivage qui jouent à sa surface. Selon une tradition plus poétique, il serait né de la chute d'un miroir magique dont l'Impératrice céleste avait cherché à s'emparer. Pendant les mois d'été, des vacanciers chinois et russes arrivent par cars entiers à Jingpo Shanzhuang, qui propose une large gamme d'activités nautiques. Le parc est également apprécié pour la pêche et la randonnée. L'essor du tourisme a fait perdre de sa beauté naturelle au site, mais de vastes espaces de forêt profonde permettent toujours d'échapper à la foule.

La **cascade Diaoshuilou** (Diaoshuilou Pubu), large de 40 mètres, se déverse au nord du plan d'eau. La chute est particulièrement spectaculaire en été, pendant la saison des pluies, ainsi qu'en hiver où elle se transforme en un rideau de glace. Une visite en cette saison offre l'assurance du plus grand calme, mais les températures descendent très au-dessous de zéro jusqu'en avril. Beaucoup d'hôtels et de restaurants ferment. En juillet et en août, mieux vaut réserver son hébergement au bord du lac. Il est aussi possible de loger à Mudanjiang, d'où partent des bus pour le Jingpo Hu. Les alentours abritent des grottes volcaniques. À 50 kilomètres au nord-ouest du lac, la **Forêt souterraine** (Dixia Senlin) n'a pas réellement poussé dans des cavernes, mais dans les cratères de volcans endormis. Elle forme un écosystème luxuriant où des ours noirs et des léopards vivent parmi les sapins, les pins rouges et les épinettes de Chine. Des taxis et des bus partent régulièrement de l'entrée principale du parc du Jingpo Hu jusqu'à la Dixia Senlin. Des voyages organisés ménagent aussi un moyen aisé de découvrir à la fois le lac et la Forêt souterraine.

Balade en jet-ski sur le lac du Miroir

Dixia Senlin
50 km au nord-ouest du lac. *t.l.j.*

Réserve naturelle de Zhalong ⑪
扎龙自然保护区

27 km au sud-est de Qiqiha'er. *jusqu'à Qiqiha'er, puis bus. t.l.j.*

La plus vaste zone humide protégée de Chine possède une superficie de 210 000 hectares dans la vallée de la Songhua et de la Nen. Situés sur une très importante route de migration entre l'Arctique et l'Asie du Sud-Est, ses champs de roseaux, ses étangs et ses marais fournissent un site de reproduction idéal à près de 300 espèces d'oiseaux, entre autres des cygnes, des cigognes, des canards, des oies, des aigrettes et des ibis. La réserve fondée en 1979 compte parmi les rares endroits d'Extrême-Orient où nidifie le mégalure du Japon *(Megalurus pryeri)*. Six des quinze espèces de grues du monde la fréquentent également, dont la grue du Japon (ou de Mandchourie) *(Grus japonensis)* menacée d'extinction. Ce grand oiseau, au plumage noir et blanc et à la tête marquée d'une tache rouge, est le symbole de la longévité en Chine. On y trouve aussi des grues à cou blanc *(Grus vipio)*. Les autres oiseaux rares qui font étape comprennent l'oie cygnoïde *(Anser cygnoides)* et la grue de Sibérie *(Grus leucogeranus)*. Les migrateurs arrivent au printemps et leurs œufs éclosent en été. La meilleure période d'observation va d'avril à juin.

Champ de roseaux de la réserve naturelle de Zhalong

Pour les hôtels et les restaurants de la région, voir p. 570-571 et p. 595-596

Les fossiles de la Chine du Nord-Est

La Chine est depuis longtemps un excellent terrain de chasse pour les collectionneurs de fossiles. Il y a plus de 130 millions d'années, dans une grande partie du nord de son territoire, des forêts grouillant de vie couvraient un sol volcanique. La poussière, les cendres ardentes et les coulées de boue émises par les volcans ont bien préservé les cadavres des animaux qu'elles ont surpris. L'éventail des découvertes effectuées va de la simple coquille d'ammonite jusqu'à des squelettes entiers de grands dinosaures. Le nord-est du pays a récemment fait l'actualité parce qu'on y a trouvé les vestiges d'au moins cinq espèces de dinosaures à plumes. L'engouement et l'afflux d'argent provoqués par la nouvelle ont transformé dans la région la recherche de fossiles en une véritable industrie, avec quelques dérives comme la vente illégale. Des faussaires ont même produit des imitations capables de tromper des scientifiques.

Coquille d'ammonite

La paléontologie *a pris un grand essor en Chine et placé le pays au cœur d'importants débats sur l'évolution, ce qui a encouragé le gouvernement à subventionner recherche et musées.*

Des fossiles de libellule *comme celui-ci révèlent jusqu'aux nervures des ailes. Un dépôt de fine cendre volcanique a préservé ces détails, puis une épaisse couche de boue a empêché l'oxydation et la décomposition.*

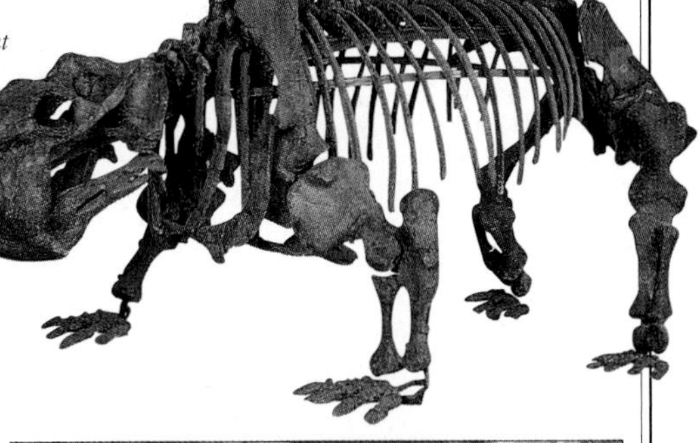

Les Dicynodontes, *dont le nom signifie « chiens à deux dents », étaient des reptiles herbivores dotés de courtes défenses. Présents dans le monde entier, ils comptent parmi les fossiles de dinosaures les plus répandus.*

Les œufs de dinosaures *sont classés par taille et type de coquille parce qu'il est très difficile de dire quelle espèce les a pondus. Certains ressemblent beaucoup aux œufs des oiseaux. Selon une théorie, ceux-ci descendraient d'un groupe précis de dinosaures.*

Microraptor gui *possédait quatre ailes (avec ses pattes emplumées) et planait d'arbre en arbre. La pierre a gardé le dessin de ses plumes. Certains experts pensent qu'il constitue un stade intermédiaire entre les dinosaures et les oiseaux.*

L'un des cinq lacs volcaniques de Wu Da Lian Chi

Wu Da Lian Chi et région frontalière ⓬
五大连池

375 km au nord de Harbin. *depuis Harbin ou Qiqiha'er jusqu'à Beian, puis bus pour Wu Da Lian Chi.* *depuis Harbin.*

Dans une région de la partie occidentale du Heilongjiang qui compte parmi les zones d'implantation de la minorité daur, des agriculteurs sédentaires, la réserve naturelle de Wu Da Lian Chi porte un nom qui signifie « Cinq grands lacs reliés ». Elle le doit aux plans d'eau créés par une succession d'éruptions volcaniques dont les plus récentes remontent au début du XVIIIe siècle. Les coulées de lave ont formé des barrages sur le cours du fleuve du Nord (Bei He). Le site renferme aussi des sources géothermiques. La réputation des vertus curatives de leurs eaux sulfureuses s'est répandue dans toute la Chine.

Quatorze volcans créent des reliefs bienvenus dans une région de vastes étendues plates. Les deux principaux se trouvent à l'ouest du lac numéro 3. Le **Lao Hei Shan** (Vieille colline noire) et le **Huoshao Shan** (Mont brûlé au feu) sont à l'origine des dernières éruptions, en 1719-1721. Ils comptent parmi les buts de visite les plus appréciés. On peut les gravir tous les deux et ils ménagent une vue panoramique des alentours. Le premier domine un impressionnant champ de lave. Comme tous les volcans de Wu Da Lian Chi, il est aujourd'hui endormi.

On vient de très loin profiter dans plusieurs sanatoriums de traitements qui tirent parti des eaux minérales de la réserve naturelle. Des touristes russes arrivent aussi par cars entiers pour bénéficier des vertus des eaux, en s'y baignant ou en les buvant. Chaque année en mai, elles sont au cœur de la fête de l'eau de la minorité daur, qui occasionne trois jours de danse et de musique.

Deux salles souterraines, le **palais de Cristal** (Shui Jing Dong) et la **grotte du Dragon blanc** (Bai Long Dong), renferment à l'année des sculptures de glace aux éclairages multicolores. Il y règne une température sibérienne. La localité la plus proche de la réserve naturelle porte aussi le nom de Wu Da Lian Chi. Les visites organisées disponibles comprennent souvent des détours coûteux et inutiles. Il est en général plus efficace de rester autonome en prenant un taxi, une voiture ou un tricycle.

Grotte du Dragon blanc
t.l.j.

Aux environs : le **Heilong Jiang** (fleuve du Dragon noir), qui a donné son nom à la province, porte celui de fleuve Amour en Russie. Il matérialise la frontière entre la Sibérie et la Chine sur plus de 1 500 kilomètres. Les minorités ethniques qui vivent près de ses rives en tirent une partie de leur subsistance. Elles sont en cours d'assimilation par la population han, plus nombreuse, et leurs modes de vie tendent à disparaître. Quelques communautés subsistent près de la frontière, une zone pour une grande part interdite d'accès sans permis. Renseignez-vous auprès du bureau de la Sécurité publique de Harbin.

Desservie par le train depuis Harbin, la ville frontière de **Hiehe** permet de rejoindre le port russe de Blagoveshchensk... si vous avez un visa russe pour l'aller et un chinois pour le retour (ils ne peuvent être pris qu'à Pékin). Des bateaux proposent des croisières d'une heure sur le fleuve. **Mohe** occupe une situation suffisamment septentrionale pour donner l'occasion d'y contempler des aurores boréales.

Gelé, le Heilong Jiang offre une voie de circulation dans une région très boisée

Pour les hôtels et les restaurants de la région, voir p. 570-571 et p. 595-596

Les minorités de la frontière

La province du Heilongjiang possède une population très majoritairement han, mais les abords du fleuve restent le territoire de plusieurs minorités nomades qui ont su pendant des siècles tirer leur subsistance de cet environnement inhospitalier, s'habil-lant des peaux des proies dont elles se nourrissaient et dépendant des plantes locales pour se soigner. Les Oroqen sont des chasseurs descendant des Khitan. Ils parlent une langue altaïque et possèdent des coutumes animistes et chamaniques. Les femmes sont réputées pour leurs broderies et leur travail sur l'écorce de bouleau. Les Hezhen ne sont que quelques milliers, mais leur adresse à la pêche les a rendus légendaires. Les Ewenki complètent le produit de la pêche et de la chasse en élevant des rennes. Ces modes de vie sont en voie de disparition. Dans les réserves naturelles où la chasse a été interdite, les nomades doivent se convertir à l'agriculture et à la sédentarité. D'autres partent pour les villes en quête d'une existence plus facile.

Baies médicinales de l'arbre Huaqiu

Les Ewenki *se déplacent avec leurs troupeaux de rennes, un animal particulièrement bien adapté à la rigueur du climat. Ils apprennent à monter à cheval dès l'âge de six ou sept ans.*

Les tentes ewenki *possèdent une armature formée de troncs de petits bouleaux. La couverture est en écorce de bouleau en été et en peaux d'animaux en hiver. L'ouverture se trouve au sud, à l'opposé du vent du nord.*

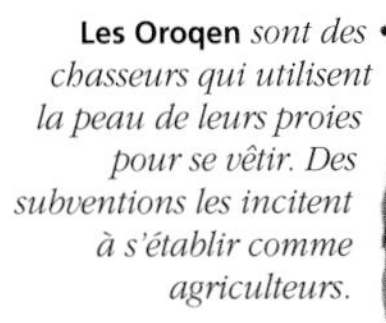

Les Oroqen *sont des chasseurs qui utilisent la peau de leurs proies pour se vêtir. Des subventions les incitent à s'établir comme agriculteurs.*

Les Hezhen *s'habillent de tuniques, pantalons et même chaussures en cuir de poisson. Les peaux séchées de carpe, de brochet et de saumon permettent la confection de tenues étanches et très prisées.*

Les terrains de chasse traditionnels des Oroqen *ont subi les assauts de l'industrie et de la déforestation. C'est maintenant l'enthousiasme manifesté par les Chinois pour les réserves naturelles qui en réduit considérablement l'étendue.*

LA MONGOLIE INTÉRIEURE ET LES ROUTES DE LA SOIE

La Mongolie intérieure et les Routes de la soie d'un coup d'œil

L'immense arc qui relie la Sibérie à l'Asie centrale au nord de la Chine représente le tiers de son territoire. Montagnes, forêts, herbages et déserts en occupent la presque totalité de la superficie. De nombreuses minorités y vivent, principalement des Mongols, des Ouïgours et des Hui, mais aussi, entre autres, des Russes, des Tibétains, des Kazakhs et les Kirghizes. Trois de ces provinces ont officiellement le statut de région autonome. Le Xinjiang et le Gansu possèdent pour principales attractions les villes oasis de la Route de la soie, riches en grottes bouddhistes, en ruines romantiques et en marchés turbulents. Peu urbanisée, la région renferme les derniers grands espaces sauvages du pays.

Moine à l'étude au Gao Miao, Zhongwei

Image du Bouddha conservant des traces de ses peintures d'origine au Bingling Si, Gansu

CIRCULER

Les grandes villes possèdent des aéroports et le réseau ferroviaire se limite à quelques lignes entre les principaux centres. Les voyageurs indépendants doivent avoir recours aux bus, nombreux mais bondés et inconfortables. Les distances rendent presque indispensable de se concentrer sur une région à la fois, la Route de la soie ou la steppe mongole, par exemple.

◁ Chameaux de Bactriane près de la route du Karakorum, Kachgar

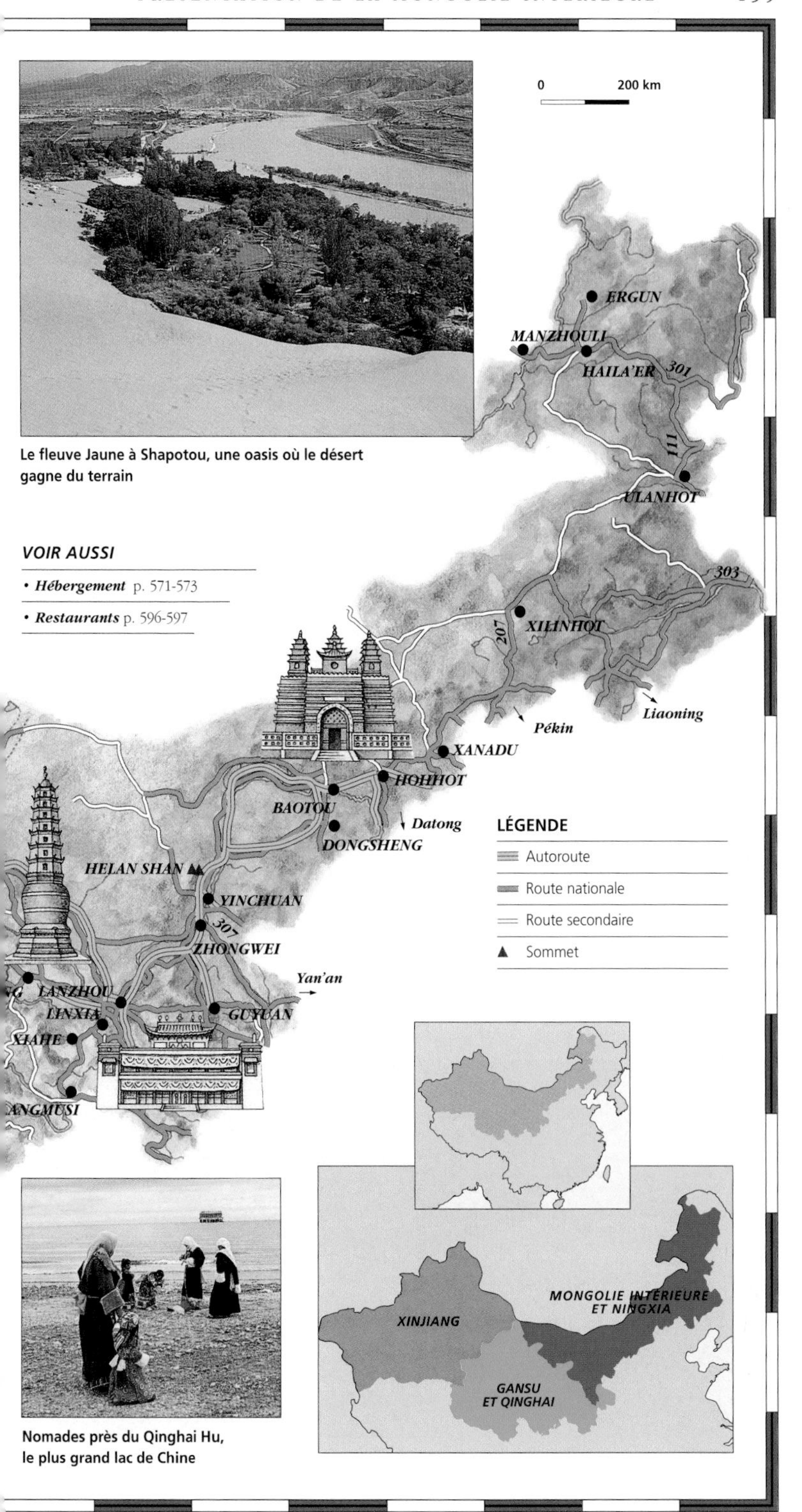

Le fleuve Jaune à Shapotou, une oasis où le désert gagne du terrain

VOIR AUSSI

- ***Hébergement*** p. 571-573
- ***Restaurants*** p. 596-597

Nomades près du Qinghai Hu, le plus grand lac de Chine

UNE IMAGE DE LA MONGOLIE INTÉRIEURE ET DES ROUTES DE LA SOIE

Cette immense région inhospitalière et peu peuplée possède de splendides paysages sauvages, des peuples aux traditions préservées et des traces historiques laissées par les caravanes de la Route de la soie.

Bordée par la république de Mongolie et la Russie au nord, les États d'Asie centrale à l'ouest et le sous-continent indien au sud, cette région doit à une politique de conquête et d'hégémonie menée depuis des siècles d'être indissolublement attachée à la Chine. Les Han devenus majoritaires ont peu en commun avec les habitants d'origine. Seul l'est du Gansu semble naturellement faire partie de l'ancien Empire du Milieu. Les habitants de la partie à l'ouest de Lanzhou et des autres provinces considèrent au mieux le gouvernement de Pékin avec indifférence et, au pire, ressentent son autorité comme un assujettissement. Les Chinois, de leur côté, conservent une méfiance de longue date des Barbares qui trop souvent les envahirent comme le Mongol Gengis Khan.

Décor carrelé de la salle de prière du Ta'er Si

Les particularités géographiques des vastes territoires aux maigres ressources, et des communautés nombreuses ayant conservé leurs identités historiques et culturelles valent à trois des provinces, le Ningxia, le Xinjiang et la Mongolie intérieure, d'être officiellement des régions autonomes. Les Hui, les Ouïgours et les Mongols y jouissent théoriquement d'une certaine autonomie gouvernementale. En pratique, elle n'est que virtuelle, même s'ils sont relativement libres de parler leurs langues et de pratiquer leurs religions.

S'ils ont le même statut de minorité ethnique, ces peuples ne forment en rien une entité organique. Sans leur inclusion à l'intérieur des frontières politiques de la Chine, les Mongols, dont le mode de vie traditionnel consiste à parcourir la steppe avec leurs trou-

Hautes dunes près du lac du Croissant de lune, Dunhuang

Brûle-encens dans la cour intérieure du Gao Miao, un temple œcuménique de Zhongwei

peaux de moutons et de chevaux, et les Ouïgours, qui peuplent un désert aride où ils dépendent d'oasis alimentées en eau par des conduits souterrains, n'auraient rien en commun. Cernées par certaines des plus hautes montagnes du monde, dont le Pamir et le Tian Shan, les plaines arides du Xinjiang ont pour cœur le désert du Taklamakan, dont le nom signifie « qui entre ne ressort pas ». Ses dunes occupent une cuvette longue de 1 000 kilomètres et large de 500.

Statue à l'intérieur du Fuxi Miao, Tianshui

À des étés brûlants succèdent des hivers glacés et très secs. Le Qinghai occupe un plateau montagneux, tandis que le Ningxia et le Gansu ne sont rendus habitables que par la présence du fleuve Jaune. La Mongolie intérieure, où plaines pelées, steppe et désert s'étendent à perte de vue, jouit de courts étés agréables, mais ses hivers sont froids et venteux.

Le reste de la région a joué un rôle historique essentiel à la grande époque de la Route de la soie, du IIe siècle av. J.-C. au XVe siècle, quand les caravanes qui l'empruntaient alimentaient des échanges tout le long du trajet, allant de la capitale de l'Empire du Milieu à la Méditerranée. C'est par elle que pénétrèrent en Chine des religions comme le bouddhisme et l'islam, et des cultures telles que la vigne, le coton, la noix et le concombre. Très peu de marchands effectuaient le voyage entier, comme le fit Marco Polo, et les villes et oasis où les biens changeaient de mains devinrent d'opulents comptoirs commerciaux dont les riches négociants finançaient la création de sites religieux, comme les grottes de Mogao qui témoignent de sept siècles de peinture bouddhique.

En 1965, la région de culture tibétaine de l'Amdo a été intégrée au Gansu et au Qinghai, et ces provinces accueillent deux des plus importantes lamaseries de la secte des Bonnets jaunes à laquelle appartient le dalaï-lama : le monastère de Labrang et le Ta'er Si. Si la région conserve de splendides sites naturels, de somptueux lacs de montagne en particulier, elle possède peu de grandes villes en dehors des capitales du Gansu et du Xinjiang : Lanzhou et Ürümqi. La prospérité matérielle née des récentes réformes économiques commence lentement à se propager vers l'ouest, mais elle mettra encore longtemps à effacer des identités culturelles séculaires.

Nonnes tibétaines assemblées à l'entrée de leur couvent à Xiahe, Qinghai

Mongols de la steppe

Au XIIIe siècle, Gengis Khan *(p. 471)* unit les tribus des steppes en une confédération qui gouverna brièvement le monde civilisé. La nation mongole est aujourd'hui divisée en deux parties : la république de Mongolie au nord, et la région autonome de Mongolie intérieure en Chine. Les Mongols sont traditionnellement des pasteurs nomades qui se déplacent et travaillent à cheval sur de vastes plaines herbeuses. Ils se nourrissent principalement de viande et de produits laitiers, dont une boisson alcoolisée, l'*airaq*, tirée de lait de jument fermenté. En Chine, ils mènent aujourd'hui pour la plupart une vie d'agriculteurs sédentaires. Ils s'efforcent toutefois d'entretenir leurs traditions, notamment grâce à la fête du Nadaam.

La moto *remplace de plus en plus souvent le cheval, et il n'est pas rare d'en trouver une garée à l'entrée d'un* ger, *ni de voir une famille entière montée sur un seul engin.*

TALENT ÉQUESTRE

Les Yuan durent leurs succès militaires à leurs armées de cavaliers aux robustes poneys. Les Mongols accordent toujours une grande valeur à la maîtrise de l'équitation. Il arrive encore que des enfants montent en selle avant de savoir marcher.

Le nom « Mongols », *apparu pendant la dynastie Tang, désignait plusieurs tribus. Cette enluminure de 1350 montre que le mode de vie a peu changé jusqu'au XXe siècle.*

Des *gers* (yourtes), *les foyers traditionnels en feutre des nomades, restent visibles dans les zones de pâturage. Il existe des campements permanents près de Hohhot.*

L'ossature démontable *compte entre 10 et 15 perches* (uni), *peintes en orange comme le soleil, pour chaque* khana, *la section de mur servant d'unité pour définir la taille d'un* ger.

Des cordes *nouées avec art consolident les parois formées d'une épaisseur isolante de feutre prise entre deux toiles.*

Le *dee*, *porté par les hommes comme par les femmes, est une longue robe serrée à la taille par une ceinture colorée. Il existe en version doublée de peau de mouton pour l'hiver, matelassée pour le printemps et en tissu léger pour l'été.*

La lutte mongole, *pratiquée à la fête du Nadaam à côté de l'équitation et du tir à l'arc, ne compte ni catégories de poids ni limite de temps. Le vainqueur est celui qui fait chuter son adversaire de façon que certaines parties de son corps entrent en contact avec le sol.*

Des bannières de couleur distinguent les concurrents des épreuves de la fête du Nadaam.

Des selles en cuir ont remplacé les versions en bois d'antan.

Robuste poney mongol

Le bouddhisme tibétain *s'implanta tout d'abord à la cour de Qubilaï Khan, puis conquit l'ensemble de la Mongolie à partir du XVIe siècle. Des images lamaïstes trouvèrent une place dans chaque* ger.

Chaleur et confort *règnent à l'intérieur. Un poêle occupe le centre de la tente. Le fond est réservé à l'autel familial. C'est là que prennent place les anciens et les hôtes de marque.*

DÉSERTIFICATION

Le désert gagne du terrain sur la steppe partout en Mongolie, et les tempêtes de sable qui y prennent naissance frappent de plus en plus souvent Pékin. Cette évolution a plusieurs causes. L'une des principales est la cueillette par les paysans pauvres d'une herbe appréciée des Chinois parce qu'elle est appelée *facai*, « faire fortune ». Ce sont pourtant ses racines qui fixent le sol. L'abandon du mode de vie pastoral au profit d'une activité agricole sédentaire contribue également à épuiser la terre.

Ancienne zone de pacage réduite à la stérilité

La Route de la soie

Inventée au XIXe siècle par le baron von Richthofen, l'expression « Route de la soie » recouvre en fait plusieurs itinéraires empruntés par des marchands à partir de la dynastie Han. Ces échanges exposèrent la capitale, Cang'an (Xi'an), puis finalement tout le pays, aux influences d'un monde étranger. Avec son avance technologique, son monopole sur certains produits de grande valeur et une main-d'œuvre nombreuse, la Chine était bien placée pour profiter de ce commerce « international ».

Un étranger ou « long nez »

Caravane de chameaux dans les dunes de la Route de la soie

LE COMMERCE DE LA ROUTE DE LA SOIE

Les échanges ne concernaient pas uniquement les épices, la soie, la porcelaine et le jade, mais aussi de nombreux autres biens comme l'or, l'argent, la laine et les pur-sang arabes. Ce fut toutefois la soie *(p. 208-209)*, mystérieuse invention chinoise, qui captiva l'Occident.

Ce coupon *de soie datant de 1500 av. J.-C. a été retrouvé sur le site de Bactria en Afghanistan. Il révèle que des circuits commerciaux existaient bien avant l'âge d'or de la Route de la soie sous les Tang.*

***Rome**, grand importateur, donnait à la Chine le nom de Seres, le pays de la soie. Cette pièce d'or romaine a été découverte dans le Xinjiang.*

L'or et l'argent *ne devinrent prisés en Chine qu'après les contacts avec l'Ouest. La vogue de l'orfèvrerie commença sous les Tang, comme le montre cette tasse à thé de style moyen-oriental.*

L'EMPEREUR WU ET LE GÉNÉRAL ZHANG QIAN

Au IIe siècle av. J.-C., l'empereur Han Wudi s'aperçut que les chevaux rapides de ses ennemis, les Xiongnu, mettaient en difficulté les montures de sa propre cavalerie, mieux adaptées au trait. Il envoya donc un général, Zhang Qian, se procurer les destriers réputés de la Sogdiane et de la Ferghana. L'émissaire échoua à en rapporter, mais sa description des richesses qu'il avait vues stimula le commerce sur la Route de la soie. Les montures légendaires de la Ferghana finirent par atteindre la Chine.

Statue d'un « cheval céleste » de la Ferghana

Ce brûle-encens *chinois révèle que les techniques de l'argenterie pénétrèrent en Chine en même temps que l'attrait pour les métaux précieux.*

La Route de la soie *était une série d'itinéraires entre la Chine et l'Empire romain. Les principaux contournaient le désert du Taklamakan au nord et au sud pour rejoindre des voies commerciales, venant de la Sibérie et de l'Inde, qui traversaient l'Asie centrale jusqu'à la Méditerranée. La paix favorisait les échanges qui diminuaient en temps de guerre.*

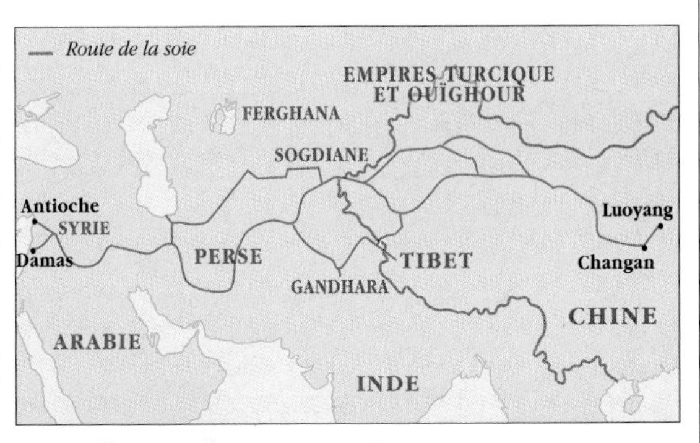

IDÉES ET RELIGIONS ÉTRANGÈRES

Les marchands ne rapportèrent pas que des objets de leurs voyages, mais aussi des modes de pensée, des styles artistiques et des religions, comme le bouddhisme, adopté dans tout le pays.

La principale influence artistique, *manifeste dans ce gracieux buste chinois, fut celle de l'art bouddhique du Gandhara, né de la fusion des esthétiques indienne et grecque après la conquête de la région par Alexandre le Grand au IVe siècle av. J.-C.*

Cette croix *prouve une présence nestorienne en Chine vers le VIIIe siècle. L'islam et le judaïsme eurent aussi des adeptes dans le pays, à l'instar du manichéisme, une religion mésopotamienne opposant les principes de la lumière et des ténèbres.*

DÉTAIL DE LA CARTE CATALANE

Établie au XIVe siècle pour le roi Charles V de France, cette carte donne une indication des connaissances géographiques au Moyen Âge. Le récit de Marco Polo favorisa l'inclusion de la Chine.

La période de troubles *qui suivit la chute des Tang entraîna un déclin du commerce. Les échanges reprirent sous les Yuan, quand la région passa sous contrôle de l'Empire mongol. Les Chinois n'avaient plus le monopole de la soie, mais leur porcelaine restait la céramique la plus raffinée du monde.*

L'ultime déclin *arriva avec les navires du XVe siècle qui permettaient des voyages moins coûteux, moins pénibles et moins dangereux. Les caravansérails qui avaient servi de refuge aux marchands tombèrent peu à peu à l'abandon.*

MONGOLIE INTÉRIEURE ET NINGXIA

La région autonome de Mongolie intérieure forme au nord-est de la Chine un immense arc de plus de 2 000 kilomètres de long. Le Ningxia est la plus petite province du pays après l'île de Hainan. La région a pour attraction ses paysages.

Les steppes couvrent une grande partie de la Mongolie intérieure. Même si elles ne cessent de reculer devant le désert, elles offrent encore de vastes espaces à parcourir aux nomades mongols qui continuent de vivre dans leurs *ger* (yourtes) traditionnels. Les Han forment toutefois la majeure partie de la population. Hohhot, la capitale, constitue le point de départ le plus pratique pour un voyage organisé dans ces étendues herbeuses. Au nord, les villes de Xilinhot et de Haila'er permettent de vivre des expériences un peu plus authentiques. Le Ningxia eut pour la première fois un statut légal en 1928, puis il fut intégré au Gansu dans les années 1950. Il est devenu en 1958 la région autonome Hui, alors qu'un cinquième seulement des membres de cette minorité l'habite. Musulmans descendant de marchands arabes et perses de la Route de la soie, les Hui se distinguent aujourd'hui très peu des Han. Le Ningxia reste pour une grande part sous-développé. Il renferme quelques sites intéressants. Près de sa capitale, Yinchuan, les monts Helan dominent les tumulus délabrés des souverains du royaume des Xia de l'Ouest (1038-1227). Au sud, près de Guyuan, les grottes de la Xumi Shan abritent des centaines de sculptures bouddhistes.

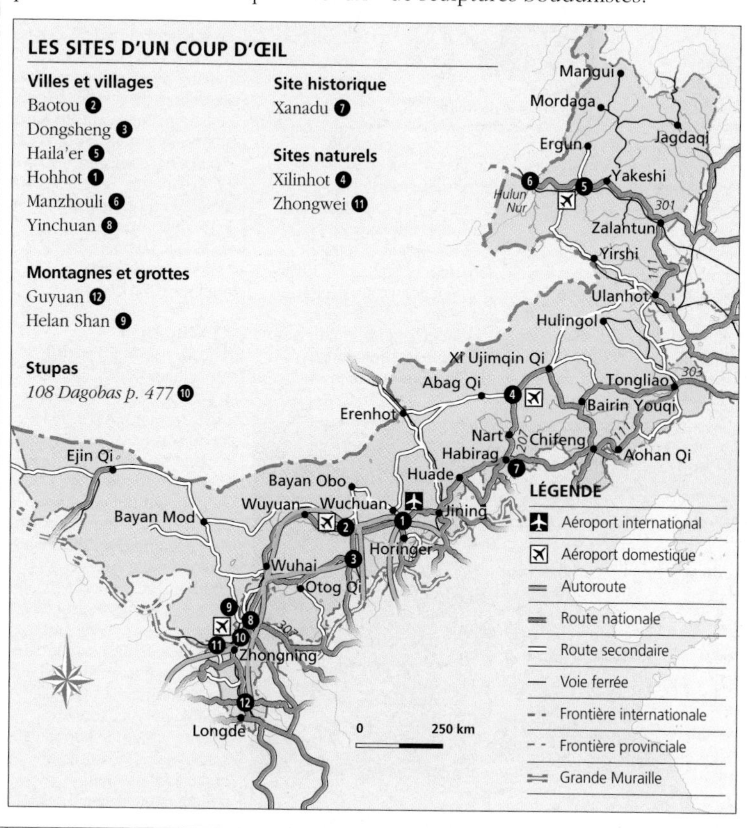

◁ **Un *ger*, la tente traditionnelle, dans les steppes de Mongolie intérieure**

Hohhot ❶
呼和浩特

410 km à l'ouest de Pékin.
2 000 000. *16 km à l'est de la ville.* *CITS, hôtel Tongda, Chezhan Dong Jie, (0471) 696 5978.*

Squelettes de dinosaures exposés au musée de la Mongolie intérieure

Petite localité bouddhiste fondée à l'époque Ming, Hohhot devint la capitale de la Mongolie intérieure en 1952. Elle possède une population formée principalement de Han et de petites communautés mongole et hui. Son développement récent ne lui a pas ôté tout son charme. Elle conserve au sud des maisons traditionnelles en brique d'adobe, abrite plusieurs temples et un excellent musée. La steppe qui l'entoure constitue cependant le principal intérêt d'une visite. C'est en été, où elle est la plus verte, qu'elle offre le plus beau spectacle. C'est aussi la période où se tient la fête du Naadam.

Musée de la Mongolie intérieure

Hulunbei'er Lu.
de 9h à 17h t.l.j.

Au cœur de la ville nouvelle, le Neimenggu Bowuguan possède un fond de 44 000 pièces, dont de nombreux objets des tribus du Nord. Des légendes en anglais, proches parfois de la propagande, les placent dans leur contexte. L'aile nord du rez-de-chaussée abrite une riche collection d'équipements utilisés par les Mongols nomades, notamment des selles, des costumes et des arcs, des flèches et des carquois. Elle comprend une yourte, ou *ger,* la tente servant d'habitat en Asie centrale. Les fossiles sont à l'honneur dans l'aile sud. Ils ont pour fleurons un impressionnant mammouth découvert dans une mine de charbon de Manzhouli *(p. 474)* et plusieurs squelettes de dinosaures. Le 1er étage renferme une exposition archéologique et retrace le parcours de Gengis Khan, qui fédéra au XIIIe siècle les tribus mongoles pour fonder ce qui fut le plus vaste empire terrestre contigu de l'histoire humaine.

Marchand de fruits à bicyclette

Principale salle de prière du Xilitu Zhao, un temple bouddhiste tibétain

Grande Mosquée

Tongdao Nan Jie. *t.l.j.*

Dans le quartier ancien, au sud-ouest du centre, la Qingzhen Da Si se distingue par son mélange pittoresque d'éléments architecturaux chinois et arabes. Le bâtiment principal en brique noire date du règne de l'empereur Kangxi (1662-1722). Un toit aux arêtes en queue d'hirondelle donne une silhouette curieuse au minaret de 15 mètres de haut. En dehors de la salle de prière, ce lieu de culte actif est ouvert aux non-musulmans, surtout s'ils sont accompagnés d'un pratiquant hui. Les ruelles aux alentours du sanctuaire forment le quartier musulman de la ville. Leurs restaurants vendent de délicieuses nouilles et brochettes.

Xilitu Zhao

Tongdao Nan Jie. *t.l.j.*

À quelques pas au sud de la Grande Mosquée, dans la même rue, le temple Xilitu fondé sous la dynastie Ming compte parmi les plus vieux sanctuaires de Hohhot. Dédié au culte bouddhiste tibétain, il devint en 1735 le foyer spirituel du 11e grand Bouddha vivant, l'autorité religieuse de la communauté bouddhique de la ville. Il est resté celui de ses réincarnations postérieures. Les bâtiments actuels datent d'une reconstruction au XIXe siècle. Très endommagés pendant la Révolution culturelle, ils ont connu une importante restauration. Le sanctuaire abrite toujours une communauté active. Les moines se montrent accueillants avec les visiteurs et heureux de les guider. Un dagoba (stupa de style tibétain) de marbre blanc se dresse dans l'angle sud-est de l'enceinte. Il arbore des décorations inhabituelles pour ce genre de monument, dragons et inscriptions en sanskrit notamment. Des peintures murales tantriques y dépeignent en détail les tourments de l'enfer.

Da Zhao

Tongdao Nan Jie. *t.l.j.*

Le plus grand temple bouddhiste de la ville borde une étroite ruelle à quelques pas à l'ouest de Tongdao Nan Jie, dans un quartier de vieilles maisons en adobe. Il possède un style et une disposition proches de ceux du Xilitu Zhao. Fondé en 1579, il prit son aspect actuel lors d'une reconstruction en 1640. Il a connu une restauration dans les années 1990. Une salle en bois bien conservée, de l'époque Ming, abrite un bouddha Sakyamuni en argent haut de 3 mètres, et des peintures murales commémorant la visite de l'empereur Kangxi à la fin du XVIIe siècle.

Le Da Zhao conserve aussi une riche collection d'instruments de musique.

Le temple de style mongol Wusutu Zhao

Temple des Cinq Pagodes

de 9h à 19h t.l.j.

Au sud du parc Qingcheng, parmi les vestiges de la vieille ville, le Wu Ta Si de style indien compte parmi les plus jolis édifices de Hohhot. Construit en 1727, il faisait partie d'une lamaserie. Il doit son nom aux cinq tours qui le couronnent. Sur ses murs, 1 563 images du Bouddha diffèrent toutes légèrement les unes des autres. Une carte cosmologique mongole gravée sur une grande pierre illustre le zodiaque et montre la position de nombreuses étoiles. Il n'en existe aucune autre semblable au monde.

Gardien, Wusutu Zhao

Wusutu Zhao

12 km au nord-ouest de Hohhot. *de 9h30 à 16h30 t.l.j.*

Fondé en 1606, ce temple porte un nom qui signifie « près de l'eau ». De style mongol, il incorpore des éléments chinois et tibétains. Il abrite des peintures murales datant de l'époque Ming et des sculptures sur bois ayant pour motif le dragon impérial. Aux alentours, des pâturages naturels et les monts Daqing culminant à 2 187 mètres se prêtent à d'agréables excursions d'une journée.

La steppe où galopaient jadis les nomades mongols

LA STEPPE

Dans l'imaginaire collectif, la Mongolie présente le visage d'une mer d'herbe s'étendant dans toutes les directions jusqu'à l'horizon. Même s'il ne faut plus espérer y voir se déplacer à cheval des nomades accompagnant leurs troupeaux, trois vastes pâturages naturels sont accessibles depuis Hohhot : Xilamuren, à 80 kilomètres au nord, Huitengxile, à 120 kilomètres à l'ouest, et Gegentela, à 150 kilomètres au nord. Les voyages organisés constituent le moyen le plus simple de les découvrir. Ils incluent en général un séjour dans un village de yourtes où les visiteurs participent à un banquet et assistent à des démonstrations de sports traditionnels. Malgré leur dimension artificielle, ils offrent un aperçu de la culture mongole. Il est aussi possible de partir seul à l'aventure en louant un cheval et en dormant chez l'habitant.

Bai Ta

15 km à l'est de Hohhot.

de 8h à 17h30 t.l.j.

Le taxi offre le meilleur moyen de rejoindre la Pagode blanche qui dresse ses sept étages à l'est de la ville. Haute de plus 50 mètres, cette tour de plan hexagonal, en bois et en brique, arbore des sculptures aux motifs inspirés de la nature et de la mythologie chinoise, notamment des fleurs, des oiseaux et des dragons. Fondée au Xe siècle, elle abritait à l'origine des écrits bouddhistes datant de la dynastie Liao *(p. 50-51)*. Un escalier en colimaçon mène au sommet, d'où s'ouvre un vaste panorama.

Peinture murale à l'extérieur d'une salle du Wudang Zhao, Baotou

Baotou ❷
包头

170 km à l'ouest de Hohhot. *1 225 000.* *depuis Pékin.* *hôtel Baotou, (0472) 515 4615.*

Le plus important centre urbain de Mongolie intérieure s'étire au nord du fleuve Jaune dans une région aride, jadis seulement peuplée de nomades. C'est aujourd'hui une ville industrielle où dominent les Han. Elle est divisée en trois grandes zones d'une longueur totale d'une vingtaine de kilomètres. Donghe, le quartier le plus ancien, se trouve à l'est. L'ouest de l'agglomération a pour pôles Qingshan, le principal quartier commerçant, et Kundulun, dévolu à l'industrie. Au pied de ses tours, Qingshan ressemble à n'importe quelle cité chinoise moderne. Kundulun est un vestige déprimant de l'ère communiste avec ses vastes places sinistres où ne pousse pas un arbre. Donghe offre un visage plus souriant avec ses rues bordées de maisons en brique d'adobe aux cours intérieures encombrées.

Aux environs : À 70 kilomètres au nord-est de Baotou, une vallée paisible abrite le **Wudang Zhao**, la lamaserie la mieux conservée de la région. Construite en 1749 dans le style tibétain, elle devint rapidement un important lieu de pèlerinage et compta jusqu'à plusieurs centaines de moines appartenant à la secte des Bonnets jaunes, les Gelugpa. Elle contient des peintures murales datant de l'époque Qing.

À 10 kilomètres au sud de Baotou, le **fleuve Jaune** enserre une région baptisée les Ordos. Les Chinois échouèrent à la conquérir avant le XVIIe siècle. Les projets d'irrigation l'ont transformée en une oasis fertile. Au nord de Baotou commence le désert de Gobi, l'un des plus vastes du monde (1 300 000 km^2). À 60 kilomètres au sud de la ville, la **gorge du Sable chantant** (Xiang Sha Wan) appartient au désert de Kubuqi (la « corde d'arc » en mongol), une bande de 400 kilomètres, parallèle au fleuve Jaune. Les dunes y atteignent une hauteur de 90 mètres. Elle doit son nom au bruit que produit le sable sous les pas. Le parapente et les promenades en chameau font partie des activités possibles. Un télésiège permet d'atteindre le site depuis la route principale.

Plaque en quatre écritures, Wudang Zhao

Wudang Zhao
t.l.j.
Gorge du Sable chantant
t.l.j.

Dongsheng ❸
东胜

100 km au sud de Baotou. *95 000.*

Cette petite ville constitue essentiellement une base d'où partir visiter le **mausolée de Gengis Khan** (Ejin Horo Qi) au terme d'un voyage en bus de 50 kilomètres, assez éprouvant. Il est presque certain que l'empereur ne repose pas ici. L'emplacement de son véritable tombeau reste inconnu, mais il se trouverait dans les montagnes de la région de Hentei près d'Oulan-Bator, en république de Mongolie. Selon les érudits, le cénotaphe, qui a la forme de trois yourtes reliées par des galeries couvertes, contiendrait quelques reliques. Il est devenu une destination de pèlerinage. La salle centrale renferme une statue en marbre blanc du khan et une carte de son empire sous les Yuan. Dans la salle de l'ouest sont exposées ses armes. Dans les corridors, des peintures murales illustrent des épisodes de sa vie et de celle de Qubilaï Khan.

Les cérémonies organisées à chaque saison rassemblent des milliers de Mongols.

Mausolée de Gengis Khan
de 8h à 19h30 t.l.j.

Le mausolée de Gengis Khan est devenu un lieu de pèlerinage

Pour les hôtels et les restaurants de la région, voir p. 571 et p. 596

Genghis Khan

Le père de la nation mongole naquit en 1162. Fils du chef du clan des Qiyat de la tribu Bordijigin, il reçut le nom de Temüjin. Après une jeunesse mouvementée, il réussit à fédérer les tribus de la steppe et prit en 1206 le titre de Tchingis Qaghan (Chef suprême), déformé en Gengis Khan. En 1215, il s'empara de Pékin, alors capitale du royaume jürchen des Jin. L'armée mongole compta jusqu'à 200 000 hommes. Son succès reposa d'abord sur la cavalerie, puis sur la qualité de ses armes de siège. Gengis Khan mourut des conséquences d'une chute de cheval en 1227, l'année où ses hommes dévastèrent le royaume des Xia de l'Ouest. Ses successeurs envahirent le reste de la Chine et la majeure partie de l'Asie pour créer le plus vaste empire contigu de l'histoire. Ils devaient l'efficacité de leurs troupes au sens de l'organisation et à la détermination de leur ancêtre.

Statue de Gengis Khan ornant son mausolée

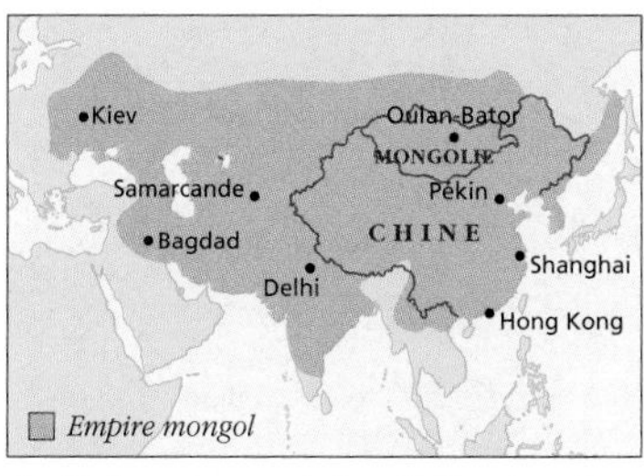

Empire des successeurs de Genghis Khan à sa plus grande étendue sur une carte moderne

Genghis Khan *était un grand organisateur et tacticien. Auteur du premier corps de lois mongol, le* yasak, *il favorisa l'essor du commerce entre la Chine et l'Europe.*

L'arc mongol avait une courbe qui le rendait très précis et maniable.

Lance pour le combat rapproché

Les petits chevaux mongols étaient endurants.

Les cavaliers étaient d'une très grande adresse à cheval.

LE GUERRIER MONGOL

Cette peinture persane exécutée 100 ans après la mort de Gengis Khan le montre combattant des Tartares. Disciplinés, mobiles et lourdement armés, ses cavaliers lui valurent ses premiers succès. Leur supériorité s'arrêtait toutefois au pied des murailles des villes.

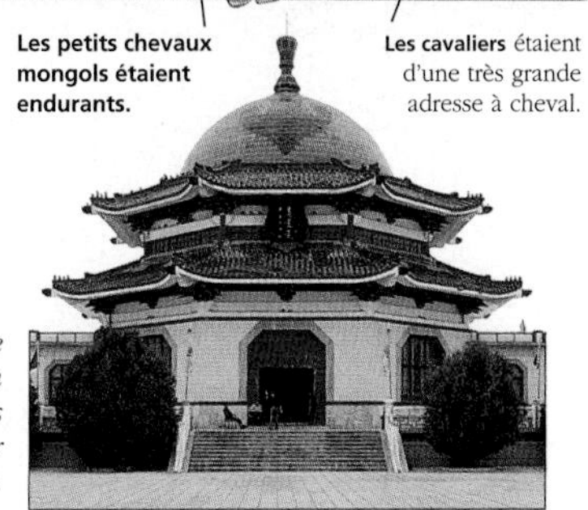

Le mausolée de Gengis Khan *s'inspire de la tente traditionnelle, le* ger. *Selon la légende, l'escorte qui rapporta son corps en Mongolie tua tous les témoins pour que son lieu de sépulture reste secret.*

Steppe de Hulunbuir autour de Haila'er

Xilinhot ❹
锡林浩特

500 km au nord-est de Hohhot. *depuis Pékin.* *jusqu'à Erlianhot, puis bus.* *depuis Hohhot, vérifier si un* ***permis*** *est nécessaire au B. S. P.* *Baima Fandian, (0479) 822 3592.*

Au cœur des steppes, Xilinhot offre un point de départ à une excursion dans les étendues sauvages où les pasteurs nomades passent l'été dans leur *muchang jia* (foyer de pâture). Les visites organisées sont plus tranquilles et moins chères que celles qui sont proposées à Hohhot. On peut aussi passer par les agences pour mettre sur pied un voyage individuel.

Haila'er ❺
海拉尔

350 km au nord-est de Xilinhot. *depuis Pékin et Hohhot.* *depuis Harbin, Qiqihar et Pékin.* *hôtel Beiyuan, Shengli Jie, (0470) 822 4017.*

Proche de la frontière avec la Russie, la ville la plus septentrionale de Mongolie intérieure borde le Heilong Jiang, aussi appelé fleuve Amour. Elle a conservé un réseau de tunnels utilisés par l'armée nipponne pendant la Seconde Guerre mondiale. Construits par des prisonniers chinois, ils servirent de casemates à la limite occidentale des territoires conquis en Chine par les Japonais. Au-delà de Haila'er s'étend la **steppe de Hulunbuir**, une région de vastes plaines herbeuses parcourues par des rivières. L'office du tourisme et des agences indépendantes proposent des visites organisées dans des sites de campement mongols.

Manzhouli ❻
满洲里

186 km à l'ouest de Haila'er. *depuis Haila'er et Harbin.* *depuis Haila'er.* *35 Erdao Jie, (0470) 622 8114.*

À la frontière avec la Russie, Manzhouli est longtemps restée un lieu d'étape de nomades, avant de devenir une ville à part entière en 1901 quand y passèrent les lignes de chemin de fer du Transmandchourien et du Transsibérien. Les garages de Zalainuo'er abritent toujours des locomotives à vapeur. De petites maisons en bois aux volets peints et des bâtiments en stuc, de style prérévolutionnaire, témoignent d'une longue présence russe. Au sud de la ville, le Dalai Hu (Hulun Nur en mongol), compte parmi les plus grands lacs de Chine. Des oies, des grues et des cygnes migrateurs viennent se reproduire dans les marais qui l'entourent. L'office du tourisme organise des excursions dans la steppe.

Xanadu ❼
夏那都

450 km au nord-est de Hohhot. *organisées par l'office du tourisme de Xilinhot, Baima Fandian, (0479) 822 4448.*

Près de Duolun et de la frontière provinciale, au nord-est de Hohhot, subsistent les maigres vestiges du Yuanshangdu, ou Xanadu. Un poème de Samuel Taylor Coleridge a rendu légendaire ce palais de Qubilaï Khan, le petit-fils de Gengis Khan *(p. 471)*. Il commence ainsi : « *In Xanadu did Kubla Khan a stately pleasure-dome decree* » (« À Xanadu, Kubla Khan fit ériger un majestueux dôme de plaisir »). Le fondateur de la dynastie des Yuan abandonna cette résidence d'été de son vivant et elle finit par s'écrouler. On peut cependant visiter le site en passant par l'office du tourisme de Xilinhot.

Manzhouli, le dernier arrêt en Chine du Transmandchourien

◁ **Séries d'images du Bouddha, temple des Cinq Pagodes, Hohhot**

Yinchuan ❽

银川

525 km au sud-ouest de Hohhot. 929 000. *25 km au sud-est de Yinchuan.* *(0951) 672 7898.*

Tour du tambour (Gulou) de la vieille ville de Yinchuan

Enseigne d'un diseur de bonne aventure, Haibao Ta

Au nord du Ningxia, Yinchuan s'étend au pied des monts Helan qui la protègent de la dureté du climat du désert. Irriguée par le fleuve Jaune, elle offre une base agréable d'où partir à la découverte des environs. Elle fut au XIIe siècle la capitale du royaume des Xia de l'Ouest, qui a laissé peu de traces de sa courte existence en dehors d'une poignée de tombeaux impériaux situés à 20 kilomètres de la ville *(p. 476)* et, sans doute, des 108 Dagobas érigés plus au sud *(p. 477)*. Fondé en 982 au nord de la Chine han par des nomades en provenance du Tibet, les Tangoutes, cet État connut une période d'expansion et, à son apogée, il contrôlait tout le Ningxia actuel, ainsi que des parties du Shaanxi, du Gansu, du Qinghai et de la Mongolie intérieure. Considérés comme des barbares par les Chinois, ses souverains accédèrent à une sophistication élevée, notamment grâce à l'assimilation de la culture Tang, avant que les Mongols n'exécutent la dernière famille régnante et ne dévastent le royaume. Yinchuan est aujourd'hui une cité animée, riche d'une poignée d'attractions touristiques.

Elle est divisée en deux parties : la ville nouvelle (Xin Cheng) à l'ouest, près de la gare, et la vieille ville (Lao Cheng), à 7 kilomètres à l'est, qui abrite la principale gare routière et la majeure partie des sites de visite. Jiefang Jie, sa grand-rue, conserve deux tours bien conservées : le **Yuhuang Ge**, un pavillon qui remonte à la dynastie Ming, et la **Gulou** (tour du Tambour), située un peu à l'ouest. Au cœur du quartier commerçant, de grands magasins bordent la Gulou Jie qui en part vers le sud. À l'ouest de cette rue, la **pagode de l'Ouest** (Xi Ta) dresse ses 13 étages dans l'enceinte du temple Chengtian. Ce sanctuaire fondé au XIe siècle renferme le **musée provincial du Ningxia** qui possède une riche collection d'objets des Xia de l'Ouest. Elle comprend notamment des textes en tangoute. Cette écriture dont la création fut décidée par décret impérial en 1038 et confiée à un érudit de la cour compte environ 6 000 signes. Elle est considérée comme la plus complexe du monde. Le musée présente aussi de belles pièces liées à la Route de la soie. Une section présente la culture des Hui, une minorité de musulmans issus de marchands arabes et perses immigrés en Chine sous les dynasties Tang et Huan. Au sud-est du musée, près de la gare routière, la **porte Sud** (Nan Men) ressemble à une version miniature de la Tian'an men de Pékin. À quelques pas au sud-ouest, la **mosquée Nanguan** est un édifice moderne de 1981 qui a remplacé le sanctuaire originel bâti en 1915. Contrairement à beaucoup de lieux de culte musulmans du pays, elle possède un style distinctement moyen-oriental, sans rien de chinois. Au nord-est de la vieille ville, à environ 3 kilomètres du centre, la **pagode du Trésor de la mer** (Haibao Ta) domine le jardin d'un monastère en activité. Selon les annales, cette tour haute de 54 mètres, également connue sous le nom de pagode du Nord (Bei Ta), date du Ve siècle. Reconstruite à l'identique au XVIIIe siècle après sa destruction par un tremblement de terre en 1739, elle possède un plan en croix inhabituel. Un splendide panorama de la ville, du fleuve Jaune et des monts Helan récompense l'effort exigé pour atteindre le sommet de ses 9 étages.

Yuhuang Ge et Gulou
Jiefang Jie. de 8h30 à 17h t.l.j.

Musée provincial du Ningxia et pagode de l'Ouest
Jinning Nan Jie. de 9h à 17h t.l.j. billets différents pour le temple, la pagode et le musée.

Mosquée Nanguan
Yuhuangge Nan Jie. t.l.j.

Pagode du Trésor de la mer (Haibao Ta), Yinchuan

Pour les hôtels et les restaurants de la région, voir p. 571 et p. 596

Xi Xia Wang Ling (nécropole des Xia de l'Ouest), au pied des Helan Shan

Helan Shan ❾
贺兰山

20 km à l'ouest de Yinchuan. ▣ *ou taxi.* ℹ *office du tourisme de Yinchuan, 116 Jiefang Xijie, (0951) 504 800.*

Dominant Yinchuan à environ 20 kilomètres à l'ouest, le massif montagneux des Helan Shan culmine à 3 556 mètres. Il recèle quelques lieux historiques intéressants à visiter. Au pied de son flanc oriental s'étend la **Xi Xia Wang Ling**, la nécropole de la dynastie des Xia de l'Ouest (1038-1227). Éparpillés dans la vallée, de hauts monticules entretiennent le souvenir des douze souverains de ce royaume éphémère. Le col de Gunzhong, plus à l'ouest, est le point de départ d'agréables promenades. À 8 kilomètres au nord du col se dressent les **pagodes jumelles de Baisikou** (Baisikou Shuang Ta) décorées d'images du Bouddha. Non loin, à **Suyu Kou**, des centaines de gravures rupestres vieilles de milliers d'années représentent des animaux et des figures humaines. En taxi ou en minibus, une journée suffit pour visiter tous ces sites.

Xi Xia Wang Ling
35 km à l'ouest de Yinchuan.
◯ *de 8h à 19h.*

108 Dagobas ❿

Voir p. 477.

Zhongwei ⓫
中卫

170 km au sud-ouest de Yinchuan. ▣ ▣ ℹ *Service des transports de Zhongwei, Yixing Dajiudian, (0953) 701 2620.*

La paisible ville de Zhongwei s'étend entre les dunes du désert de Tengger, au nord, et le fleuve Jaune. Sa faible étendue la rend aisée à découvrir à pied ou en cyclo-pousse. La traditionnelle tour du Tambour (Gulou) qui se dresse au centre date de l'époque Ming. **Le temple Gao** (Gao Miao), fondé au XVe siècle, possédait dès l'origine une vocation œcuménique puisqu'il accueillait des fidèles bouddhistes, taoïstes et confucéens. Il s'est depuis ouvert au culte chrétien. Ses quelque 250 salles offrent un intéressant mélange de styles architecturaux. Au sous-sol, un ancien abri antiaérien renferme une spectaculaire représentation des tourments qui guettent ceux qui s'écartent du droit chemin.

Peinture du pavillon supérieur, Gao Miao

Portail sculpté du Gao Miao, un temple œcuménique de Zhongwei

Aux environs : accessible en minibus à une dizaine de kilomètres à l'ouest de Zhongwei, le parc de loisirs de **Shapotou** s'est développé autour d'un centre de recherche sur le désert, fondé en 1956 en bordure du fleuve Jaune pour étudier un moyen de fixer les dunes. Ses travaux en matière de lutte contre la désertification ont porté leurs fruits, à en juger par les bosquets d'arbres et les espaces cultivés. On vient aujourd'hui y faire des promenades à dos de chameau, s'adonner aux joies de la luge sur sable ou descendre la rivière sur des radeaux traditionnels, soutenus par des peaux de mouton remplies d'air. Une pension permet de séjourner sur place plutôt qu'en ville.

Temple Gao
Gulou Bei Jie. ◯ *t.l.j.*

Shapotou
◯ *de 8h30 à 17h t.l.j.*

Guyuan ⓬
固原

460 km au nord-ouest de Yinchuan.
▣ ▣ **grottes de la Xumi Shan**
▣ *de Guyuan à Sanying, puis taxi.*

Au sud du Ningxia, Guyuan sert de base à une visite des grottes de la Montagne du Trésor (Xumi Shan), à 50 kilomètres au nord-ouest. Creusées dans cinq collines en grès, 132 cavernes abritent plus de 300 images du Bouddha, en bon état. Certaines gardent même leurs peintures. Les plus anciennes datent de l'âge d'or de la Route de la soie sous les dynasties des Wei du Nord, des Sui et des Tang, entre le IVe et le Xe siècle. Dans la grotte n° 5, une statue de 19 mètres représente Maitreya, le bouddha du futur censé naître dans un âge d'harmonie.

Pour les hôtels et les restaurants de la région, voir p. 571 et p. 596

108 Dagobas ⓾

108塔

En plein désert, près de la ville de Qingtongxia Zhen, 108 monuments bouddhistes forment douze rangées disposées en triangle au-dessus du fleuve Jaune. Les raisons de leur érection sont inconnues. Les historiens ont longtemps pensé qu'elles dataient de la dynastie des Yuan (1279-1368), mais des théories plus récentes leur attribuent un lien avec le royaume des Xia de l'Ouest. La numérologie chinoise accorde une place particulière au nombre 108. Le chapelet bouddhiste compte aussi 108 perles, le nombre des passions humaines qui se dressent sur la route de l'illumination.

MODE D'EMPLOI

85 km au sud de Yinchuan.
ou de Yinchuan jusqu'à Qingtongxia Zhen, puis minibus ou taxi. t.l.j.

★ Les collines
De paisibles hauteurs entourent les dagobas. Des escaliers mènent à des temples. Des calligraphies, sur les rochers, invitent à la sagesse.

Ombrelle protégeant du mal

La plus haute réalité

Les treize stades jusqu'à l'éveil

Tumulus originel

Des reliques se trouvent parfois à l'intérieur

Le socle représente la terre

★ Les dagobas
Comme le stupa indien, le dagoba commémore la mort du Bouddha et en offre un symbole : il n'était jamais représenté sous forme humaine au début du bouddhisme.

VUE DES DAGOBAS

Si le niveau d'eau est assez haut, c'est depuis un bateau sur la rivière que l'on a le meilleur point de vue. Le site a connu une restauration en 1987.

À NE PAS MANQUER

★ Les collines

★ Les dagobas

DYNASTIE DES XIA DE L'OUEST

Pièce des Xia de l'Ouest

Le peuple nomade des Tangoutes fonda au XIe siècle, au nord et à l'ouest des territoires tenus par les dynasties Song et Jin, un empire qui fut un temps assez puissant pour imposer aux Chinois de verser tribut. Il avait le bouddhisme comme religion officielle et sa propre écriture. Les Mongols de Gengis Khan *(p. 471)* s'en emparèrent en 1227 et causèrent de tels ravages que cette culture n'a laissé que peu de traces de sa brève existence en dehors de pièces de monnaie, de textes et d'une stèle qui se trouve aujourd'hui à Xi'an.

GANSU ET QINGHAI

Cette zone frontalière reste marquée par le rôle de confins qu'elle joua pendant des siècles à la limite extrême de l'Empire du Milieu. L'âpre Gansu relie le centre de la Chine aux vastes territoires désertiques de l'Asie centrale. Il a pour cœur l'aride corridor du Hexi, un étroit couloir long de 1 200 kilomètres entre deux massifs montagneux. La Grande Muraille protégeait ce précieux passage vers l'ouest, jalonné d'oasis. La Route de la soie l'empruntait, comme le fait aujourd'hui l'unique voie ferrée de la province. À son point de départ, Lanzhou, la capitale, s'est développée au bord du fleuve Jaune. Au sud-ouest, la ville tibétaine de Xiahe accueille la vaste lamaserie de Labrang. Les étendues désertiques du nord-ouest recèlent deux joyaux historiques : le fort de Jiayuguan bâti sous les Ming et les grottes peintes de Dunhuang.

Entre le Gansu et le Tibet, le Qinghai ne possède qu'une population de 5 millions d'habitants. Sous tous les aspects, culturels, historiques et géographiques, il appartient au plateau tibétain. Il a d'ailleurs fait partie jusqu'au XVIIIe siècle de la province tibétaine de l'Amdo. Le régime communiste a profité de son isolement pour y établir plusieurs camps d'internement de dissidents politiques. La province ne manque pourtant pas de beautés naturelles, avec de fertiles vallées autour de la capitale, Xining, et de vastes espaces sauvages autour du Qinghai Hu, le plus grand lac du pays. Elle abrite aussi la grande lamaserie du Ta'er Si et permet d'accéder au Tibet depuis Golmud et Xining, un voyage à travers certaines des plus hautes montagnes du monde.

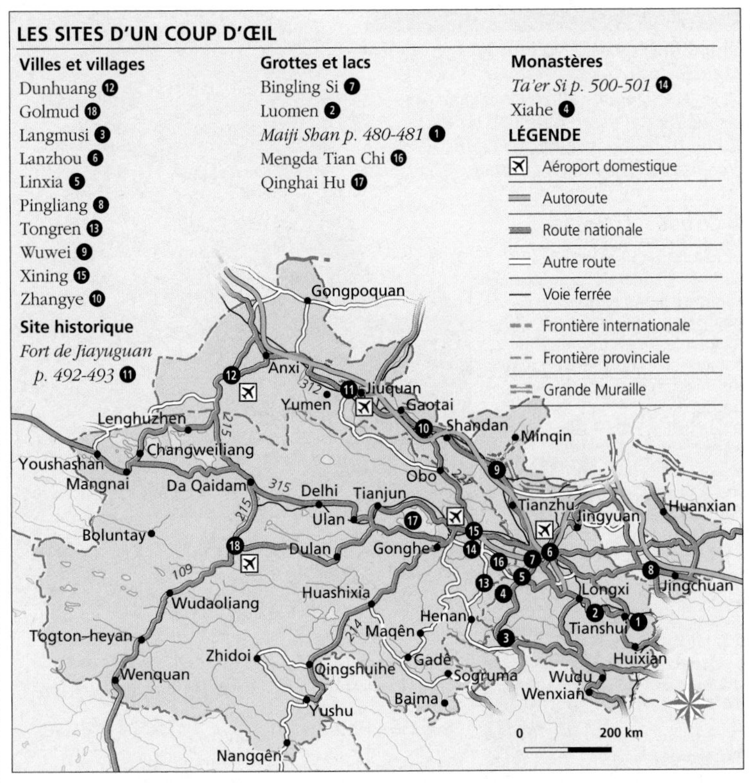

Statue colossale du bouddha Maitreya, ou Jampa, au Ta'er Si, Qinghai

Maiji Shan ❶

麦积山

Disciple du Bouddha

La « montagne en forme de meule de paille » se détache au milieu des collines comme le mont Meru, l'axe du monde des mythes indiens. Ses grottes abritent l'un des plus riches ensembles de sculptures bouddhiques de Chine. Les plus anciennes datent probablement de la fin du IVe siècle et le travail se poursuivit jusqu'à la dynastie Qing. Les œuvres offrent donc un précieux aperçu de l'évolution d'une forme d'art sur plus d'un millénaire. Près de 200 cavernes desservies par des escaliers et des passerelles survivent. Beaucoup sont toutefois fermées au public par des grilles. Prévoyez une lampe torche pour en voir l'intérieur.

La silhouette du Maiji Shan le rend reconnaissable de loin

★ Bouddha colossal : grotte 98

Entouré de deux représentations plus petites du bodhisattva Avalokitesvara, ce bouddha Amitabha (Lumière infinie), haut de 16 mètres, s'écarte déjà dans sa facture du style indien classique.

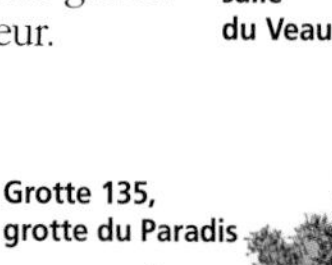

Grotte 5, salle du Veau

Grotte 135, grotte du Paradis

La grotte 133, un tombeau orné de sculptures et de gravures, compte parmi les plus belles.

RECOURS À L'ARGILE

La nature friable de la roche du Maiji Shan et de ses alentours a imposé l'importation d'un matériau plus résistant pour les sculptures. Beaucoup de statues ont aussi été modelées en argile sur une armature en bois. Leur état de conservation en a souffert, mais le résultat est plus vivant et plus riche en détails que des représentations équivalentes dans d'autres grottes bouddhiques, comme à Dunhuang par exemple.

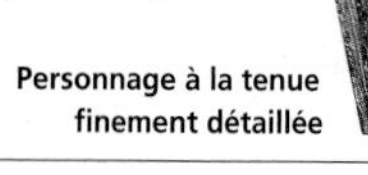

Personnage à la tenue finement détaillée

À NE PAS MANQUER

★ Bouddhas colossaux

★ Panoramas

Pour les hôtels et les restaurants de la région, voir p. 571-572 et p. 596-597

Sept bouddhas supérieurs : grotte 4
Ce superbe gardien datant de la dynastie Song fait partie des ulptures de la galerie supérieure. Un gouverneur local, Li Yunxin, aurait commandé cet ensemble dès le VIe siècle.

MODE D'EMPLOI

45 km au sud-est de Tianshui.
Tél. (0938) 223 1075. depuis Beidao, Tianshuii. de 8h30 à 17h30. Un gros supplément donne droit à l'ouverture des grottes fermées. compris dans le droit d'entrée.

Grotte 3, corridor des Mille Bouddhas

★ Bouddhas colossaux : grotte 1
Ces immenses sculptures remontent à la dynastie Sui, mais ont été restaurées sous les Ming. Les trous qui les entourent servaient sans doute aux supports d'une armature protectrice.

Sept bouddhas intermédiaires : grotte 9 *Les personnages aux corps sveltes et bien proportionnés montrent une transition entre l'influence indienne et le style qui se développera sous les Song, donnant aux visages des traits purement chinois. Les vêtements ont un drapé naturaliste.*

La grotte 43 est la tombe d'une impératrice Wei.

★ Panoramas
Les passerelles courant sur la falaise ménagent une vue superbe des environs. Si vous en avez le temps, le jardin botanique se prête à une promenade en forêt au pied du mont.

Sculpture sur pierre d'un bouddha Sakyamuni au Lashao Si, Luomen

Luomen ❷
洛门

250 km au sud-est de Lanzhou. 🚉 🚌 **Grottes du Rideau d'eau** 🚌 *minibus depuis Luomen.*

Accessible en train ou en autobus depuis Tianshui ou Lanzhou, cette petite ville accueillante sert de point de départ à une visite des **grottes du Rideau d'eau** (Shuilian Dong), situées à 17 kilomètres. La seule voie d'accès, une mauvaise piste dans le lit d'une rivière, devient inutilisable par mauvais temps. Elle mène à une gorge spectaculaire où des sanctuaires bouddhistes et taoïstes se nichent parmi des collines de grès en forme d'ogive. Sur une paroi se détache une représentation du bouddha historique (Sakyamuni) haute de 30 mètres. Le Lashao Si, un temple rupestre, abrite des peintures et des sculptures datant de la dynastie des Wei du Nord (386-534).

Langmusi ❸
郎木寺

270 km au sud de Lanzhou. 🚌 *depuis Lanzhou, Linxia ou Xiahe jusqu'à Hezuo, puis bus direct jusqu'à Langmusi.*

Ce village de montagne où la vie suit un rythme placide possède une population mélangée de Tibétains, de Hui et de Han. Les collines qui l'entourent se prêtent à de très nombreuses randonnées à pied ou à cheval au sein d'une nature vierge. Plusieurs centaines de moines de la secte des Bonnets jaunes étudient la théologie, la médecine et l'astrologie dans la lamaserie **Dacheng Lamo Kerti Gompa**, construite en 1413. On y pratique encore des funérailles célestes selon la tradition tibétaine : livré aux vautours, le corps vidé de son âme entretient le cycle de la vie.

Dacheng Lamo Kerti Gompa
t.l.j.

Xiahe ❹
夏河

280 km au sud-ouest de Lanzhou. 🚌 *fête de Monlam (Grande Prière) (fév.-mars).*

Perchée à 2 090 mètres dans une somptueuse vallée de montagne désormais rattachée au Gansu, mais qui borde le plateau tibétain, Xiahe possède une population formée pour moitié de Tibétains et pour l'autre de Han et de Hui. C'est un grand centre de pèlerinage pour les adeptes suivant l'enseignement des Gelugpa, et le **monastère de Labrang** attire chaque année de très nombreux fidèles. Les pacages des environs séduiront les amateurs de grands espaces. Les possibilités de randonnée équestre sont nombreuses et l'on peut même effectuer certains parcours à bicyclette. Le bourg lui-même s'étire le long d'une unique rue bordant la rivière Daxia. Les commerces se trouvent à son extrémité orientale. Le monastère de Labrang occupe la partie centrale. À l'ouest s'étend le quartier où les Tibétains conservent leurs coutumes.

Aux environs : près du village de Sangke, à 10 kilomètres à l'ouest de Xiahe, des prairies utilisées par les nomades pour leurs troupeaux de yacks entourent un lac. Parsemée de fleurs en été, cette vaste étendue d'herbe est accessible par la route (avec péage). Trente kilomètres plus au nord, les **alpages de Gancha** sont encore plus beaux et plus sauvages.

Splendide paysage montagneux près de Langmusi

Pour les hôtels et les restaurants de la région, voir p. 571-572 et p. 596-597

Monastère de Labrang

拉卜楞寺

Moine de Labrang

L'établissement d'enseignement de la secte des Bonnets jaunes (Gelugpa) le plus important hors du Tibet rassemble des milliers de pèlerins lors de la fête de la Grande Prière. La lamaserie abrita jusqu'à 4 000 moines, mais elle dut fermer pendant la Révolution culturelle. Elle a rouvert en 1980, mais les moines sont aujourd'hui moins de 1 200. Ses bâtiments s'étendent entre les monts du Dragon, au nord, et la rivière Daxia sans que les frontières avec la ville soient toujours nettement définies. Le dédale des ruelles qui les relie offre un cadre magique où flâner.

MODE D'EMPLOI

Xiahe, 260 km au sud-ouest de Lanzhou. *Linxia, Lanzhou ou Tongren.* *de 8h à 12h et de 14h à 16h t.l.j.* *nov.-fév.* *requis pour le principal temple.* *fête de Montam 4e-16e jour du 1er mois lunaire (p. 44-45).*

Principale salle de prière

À la découverte du monastère de Labrang

Le Labuleng Si, ou Labrang Tashi Khyil, fut inauguré en 1709, pendant la 48e année du règne de l'empereur Qing Kangxi. Son fondateur, un moine de la région, E'ang Zongzhe, devint la première incarnation du bouddha vivant, ou Jiemuyang, qui occupe le troisième rang dans la hiérarchie tibétaine après le dalaï-lama et le panchen-lama. De style tibétain, les bâtiments du monastère ont traversé la Révolution culturelle pratiquement indemnes, mais, en 1985, un incendie a provoqué d'importants dégâts à la Grande salle des sutras (Zhacang Tieshangnangwa). Elle a depuis été restaurée. Consacrée à l'enseignement de la doctrine, elle occupe le centre des six salles dédiées à l'étude. Les moines apprennent aussi le bouddhisme ésotérique au Zhacang Jumaiba, l'astronomie et le calendrier au Zhacang de Dingkeer, la médecine au Zhacang Manba et divers sujets liés au culte au Zhacang Jiduo. Outre de nombreux lieux de prière, le reste de la lamaserie comprend les 18 bureaux des bouddhas vivants et les 18 salles des bouddhas, ainsi que des bibliothèques de sutras, des imprimeries et des dortoirs pour les moines. Nombre de ces édifices s'entremêlent avec les constructions de la ville de Xiahe.

La grande salle des sutras est de loin le bâtiment le plus impressionnant du complexe. Elle peut accueillir jusqu'à 4 000 personnes. Le matin, les moines qui attendent d'y pénétrer en psalmodiant offrent un spectacle étonnant. Une longue file de moulins à prières entoure le monastère. Ils permettent aux illettrés d'exprimer leur dévotion.

La **pagode Gongtang** s'élève au sud de la grand-rue. Haute de 30 mètres, elle compte cinq niveaux. Au sommet, un stupa doré contient des milliers de sutras et d'images du Bouddha. Le dernier étage ménage un splendide panorama du monastère de Labrang et de Xiahe. Certaines parties de la lamaserie ne sont pas accessibles au public, sauf dans le cadre d'une visite de groupe. Deux sont commentées en anglais tous les jours. La fête de Lonslam débute fin février ou début mars. Elle rassemble des milliers de pèlerins. Le 13e jour, un immense *thangka* (peinture sur toile) représentant le Bouddha est déployé sur un flanc de colline au sud de la Daxia. Les jours suivants donnent lieu à des danses et à du théâtre, à des expositions de sculptures et de lanternes en beurre de yack et à des processions.

Dignitaire des Bonnets jaunes

Monastère de Labrang au pied des monts du Dragon

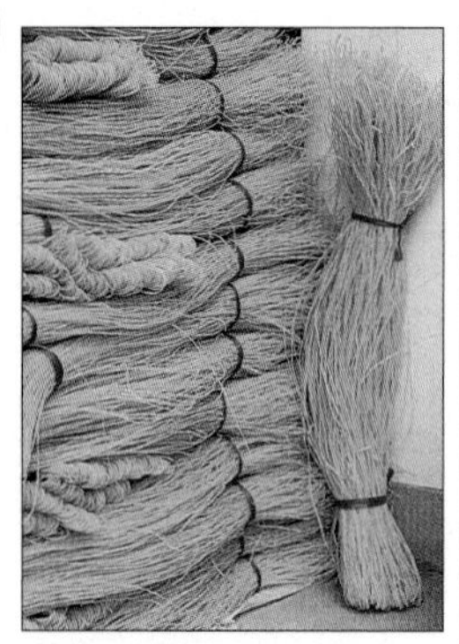

Empilement de gerbes de nouilles prêtes à la vente, Linxia

Linxia ❺
临夏

100 km au sud-ouest de Lanzhou.
140 000. depuis Lanzhou.

Cette ville moyenne, dont le nom signifie « au bord de la Daxia », sans véritable attraction touristique, offre un cadre chaleureux à une promenade dans des rues animées. Ancienne étape entre Lanzhou et la Passe du Sud sur la Route de la soie, réputée depuis le Xe siècle pour sa sculpture sur brique, elle permet de faire une pause agréable sur le trajet entre la capitale du Gansu et Xiahe. Elle possède une population majoritairement Hui et renferme une trentaine de mosquées. La plus importante, la **mosquée Nanguan**, se dresse à côté de la grand-place.

De nombreuses maisons de thé bordent les rues, où des boutiques vendent des articles très divers, des gourdes gravées à la sellerie, et des objets religieux aux tapis. Parmi les plus pittoresques figurent des lunettes artisanales aux lentilles en cristal de roche portées par beaucoup de personnes âgées. Le marché de nuit se tient au bout de Jiefang Nan Lu au sud de la ville.

Ses étals proposent des pains parfumés au curry *(bing)* et des nouilles fraîches et sèches. Linxia a pour spécialité des plats de mouton que l'on mange avec les doigts.

Dans les villages des alentours vivent des membres de la minorité Dongxiang au langage altaïque. L'ethnie serait originaire d'Asie centrale.

Lanzhou ❻
兰州

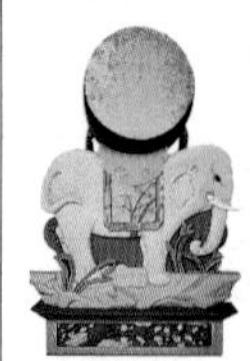

Tambour éléphant

Grand centre industriel d'abord peu engageant, la capitale du Gansu était une étape importante sur la Route de la soie à l'entrée du corridor de Hexi, et elle joue depuis des siècles un rôle clé dans les échanges entre le cœur de la Chine et le Nord-Ouest. C'est avec cette région qu'elle possède les liens culturels les plus étroits, comme en témoignent les spécialités culinaires locales. Elle s'étire au fond d'une vallée sur les rives du fleuve Jaune dont elle est restée longtemps le principal point de franchissement. Au XIXe siècle, le passage s'effectuait encore sur un pont flottant formé de bateaux enchaînés. Le premier pont métallique date de 1907. La plupart des sites de visite, dont un excellent musée, se trouvent loin du centre.

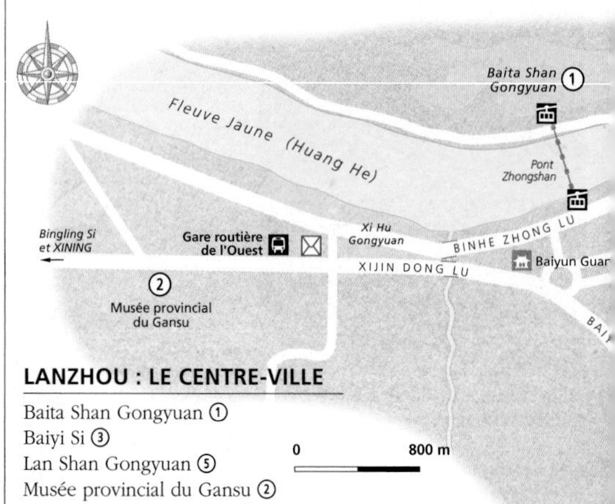

LANZHOU : LE CENTRE-VILLE

Baita Shan Gongyuan ①
Baiyi Si ③
Lan Shan Gongyuan ⑤
Musée provincial du Gansu ②
Wuquan Shan Gongyuan ④

Vue du fleuve Jaune et de la ville depuis le Baita Shan Gongyuan

Baita Shan Gongyuan

de 6h à 18h t.l.j.

Au nord du fleuve Jaune, près du pont Zhongshan, le parc de la Colline de la Pagode blanche doit son nom au Baita Si, un temple fondé au XIIIe siècle à son sommet. Des marches taillées dans le rocher facilitent la montée. Des maisons de thé, des mosquées, une pépinière et des pavillons assortis bordent les allées. Deux télésièges permettent d'éviter l'effort de l'ascension. L'un part de l'intérieur du parc, l'autre de Bihne Zhong Lu, côté ville, sur la rive opposée.

Pour les hôtels et les restaurants de la région, voir p. 571-572 et p. 596-597

Musée provincial du Gansu

Xijin Xi Lu. *lun.-sam.*

Un vieux bâtiment de style soviétique abrite dans la partie ouest de la ville une superbe collection. Au rez-de-chaussée, la section d'histoire naturelle a pour fleuron un squelette de mammouth trouvé dans le fleuve Jaune en 1973. Le département d'histoire, à l'étage, renferme le célèbre Cheval volant au sabot posé sur le dos d'une hirondelle. Ce bronze vieux de 2 000 ans provient d'une tombe Han de Wuwei. L'exposition, légendée en anglais, comprend aussi des chariots en bronze provenant d'une sépulture de la même région, et un bel ensemble de poteries peintes de la culture Yangshao remontant à la fin du Néolithique. Les autres pièces comptent des sculptures de la Route de la soie, de la statuaire et des tablettes d'écriture. Dans le jardin se trouve la reconstitution d'une sépulture de la région de Jiayuguan qui datait du tournant du IVe siècle.

Copie du Cheval volant, gare de Lanzhou

Baiyi Si

À quelques centaines de mètres à l'est de Jinchang Lu, une artère très animée au nord de Qingyang Lu, ce petit temple dont la pagode date de la dynastie Ming (1368-1644) a tout d'un survivant. Il offre un spectacle si étrange au milieu des immeubles clinquants des grands magasins du principal quartier commerçant de Lanzhou que le contraste justifie à lui seul d'aller y jeter un coup d'œil.

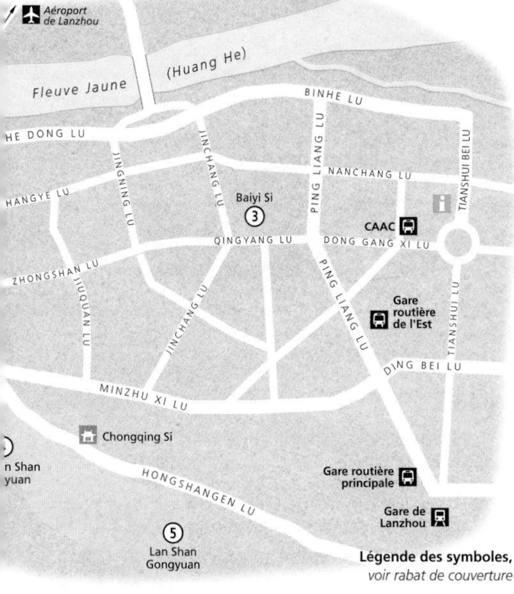

Légende des symboles, *voir rabat de couverture*

Lan Shan Gongyuan

de 8h30 à 17h t.l.j.

Accessibles en télésiège depuis le parc du Wuquan Shan, les hauteurs du Lan Shan permettent de jouir d'un peu de fraîcheur en été et de contempler le coucher de soleil et les lumières de la capitale du Gansu. Le trajet dure 20 min. Au sommet, les promeneurs disposent d'attractions et de restaurants. Un sentier rejoint le Wuquan Shan Gongyuan.

Poignée de porte décorative, Rui Yuan Si, Wuquan Shan

MODE D'EMPLOI

680 km à l'ouest de Xi'an. *3 000 000.* *aéroport de Lanzhou, 90 km au nord de la ville.* *gare de Lanzhou.* *(bus pour l'aéroport), gare routière de l'Est, dépôts des bus privés, gare routière principale, gare routière de l'Ouest.* *1er étage, immeuble du tourisme, Nongmin Xiang, (0931) 881 3222.*

Wuquan Shan Gongyuan

de 6h à 17h t.l.j.

Également situé dans le sud de la ville, le parc du mont des Cinq Sources suit le modèle des jardins traditionnels. Ses rochers patinés par le temps, ses ruisseaux qui cascadent, ses portails décoratifs et ses nombreux pavillons créent un cadre propice à une belle promenade. Selon la légende, un général Han, Huo Qubin, aurait fait stationner sa cavalerie sur la colline pendant qu'il organisait une expédition dans le Nord-Ouest. Il aurait tailladé les rochers jusqu'à ce que jaillisse l'eau dont il avait besoin pour ses hommes et leurs montures. Le parc renferme quelques bâtiments anciens. Le **palais Jingang** protège un bouddha en bronze de 5 mètres de haut qui daterait de 1370. Le **temple Chongqing** remonte à 1372 et abrite une cloche en fer, fondue en 1202. Au cours de son histoire récente, ses vénérables origines ne l'ont pas protégé d'ajouts en matériaux modernes comme le béton et il présente aujourd'hui un aspect marqué par les conceptions artistiques soviétiques.

Porte de la Lune quadrilobée au Wuquan Shan Gongyuan

Grand bouddha Maitreya assis de la grotte n° 172, Bingling Si

Bingling Si ❼
炳灵寺

90 km au sud-ouest de Lanzhou.
jusqu'au lac de Liujiaxia, puis bateau jusqu'aux grottes. *quand le niveau de l'eau est haut.* *depuis Lanzhou.*

Le temple de l'Esprit éclatant, également connu sous le nom de grottes aux Mille Bouddhas (Qian Fo Dong), compte parmi les sites les plus surprenants du Gansu. Le bouddhisme pénétra en Chine en suivant la Route de la soie et les sculptures du Bingling Si font partie des plus anciens monuments d'importance témoignant de l'essor de cette religion dans le pays. Elles s'étendent sur 1 500 mètres de paroi dans une gorge haute de 60 mètres. Les artistes ont travaillé suspendus à des cordes pour tailler directement dans la falaise les plus spectaculaires, dont une image colossale du bouddha des temps futurs (Maitreya) en position assise. Elle mesure 27 mètres de haut. Les statues doivent leur état de conservation remarquable à l'obstacle formé par le lac de retenue de Liujiaxia alimenté par le fleuve Jaune. Il les a protégées des déprédations de la Révolution culturelle. Elles occupent 183 grottes, dont 149 sont en réalité des niches. Leur création, financée par de riches mécènes, commença il y a environ 1 600 ans sous les dynasties des Wei du Nord et des Jin de l'Ouest, comme à Yungang *(p. 132-133)* et Longmen *(p. 154-155).*

Les cavernes renferment des effigies taillées dans la pierre et modelées dans l'argile, ainsi que des fresques. L'une des plus anciennes salles rupestres, la grotte n° 169, remonte à l'an 420. Elle contient un bouddha et deux bodhisattvas, une association classique. Il en existe peu de cet âge ayant aussi bien résisté au temps sur l'ensemble du territoire chinois. L'achèvement de la plupart des autres excavations eut lieu sous les Tang, mais le travail se poursuivit jusqu'à l'époque Qing. Sur les cinq pagodes, quatre sont en argile. La qualité des peintures murales atteignit son apogée sous les dynasties Song et Ming. Les fresques antérieures, exécutées sous les Tang, n'ont pas leur raffinement. La possibilité d'accéder au Bingling Si dépend du niveau de l'eau. L'automne est normalement la saison la plus favorable, mais la prudence recommande de se renseigner auprès d'autres voyageurs avant de se lancer à l'aventure. Depuis Lanzhou, il faut compter deux heures de bus pour rejoindre le plan d'eau et son barrage. La promenade en bateau jusqu'au Bingling Si dure ensuite trois heures. Les champs de blé et les rizières qui s'étendent sur les rives du fleuve composent de beaux paysages ruraux.

Pingliang ❽
平凉

250 km au sud-est de Lanzhou.

Dans une région montagneuse qui compte parmi les moins visitées de la province, près de la frontière entre le Gansu et le Ningxia, la petite ville assoupie de Pingliang possède une atmosphère typique du nord de la Chine. Elle offre une base d'où partir à la découverte du monastère taoïste du **Kongtong Shan**, un mont culminant à 2 100 mètres, situé à 10 kilomètres à l'ouest. De fondation très ancienne, le monastère occupe le sommet d'une falaise près d'un lac. Des sentiers desservent les nombreux sanctuaires éparpillés aux alentours. Les collines verdoyantes se prêtent à de longues promenades.

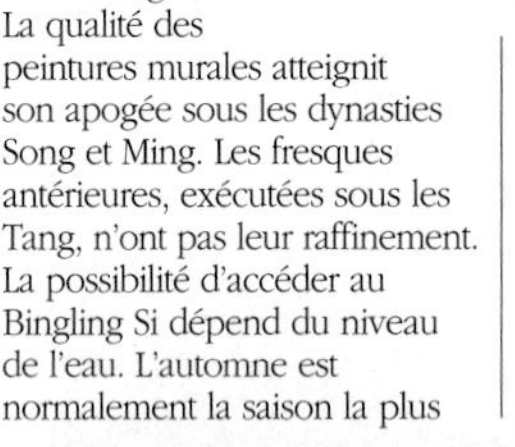

Stèle sculptée, Kongtong Shan, Pingliang

Verdoyant pic nord du Kongtong Shan

Pour les hôtels et les restaurants de la région, voir p. 571-572 et p. 596-597

L'essor du bouddhisme

L'époque à laquelle la pensée bouddhique a commencé à se répandre en Chine demeure incertaine. La légende attribue à un empereur Han la venue des premiers moines et la fondation du premier Si : le temple du Cheval blanc *(p. 152)*. En réalité, la doctrine du Bouddha, qui vécut dans le nord de l'Inde au VIe siècle av. J.-C., s'est probablement diffusée le long de la Route de la soie avec l'implantation d'immigrants venus d'Asie centrale à partir du Ier siècle. Elle a connu sa plus grande audience pendant les périodes d'instabilité, où la population rejetait le respect de l'autorité, défendu par le confucianisme *(p. 30)*. Ce sont les enseignements du Mahayana, ou Grand Véhicule *(p. 31)*, qui ont séduit les Chinois. Ils les ont adaptés à leur propre mode de pensée, ce qui a engendré de nouvelles approches spirituelles, telle l'école *chan* à l'origine du zen japonais.

Bouddha rieur chinois

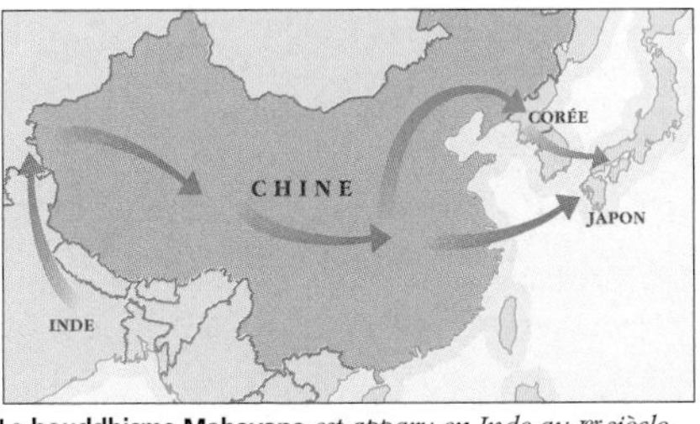

Le bouddhisme Mahayana *est apparu en Inde au Ier siècle. Il s'est répandu en Chine, puis a atteint le Japon vers l'an 600.*

La grande pagode de l'Oie sauvage, *construite à Xi'an en 652, abrita les travaux de Xuanzang qui consacra la fin de sa vie à la traduction des sutras qu'il avait rapportés d'Inde, un pèlerinage immortalisé dans le* Voyage en Occident (p. 29).

Les grottes *de Dunhuang* (p. 496-497) *constituaient pour les pèlerins se rendant en Inde la dernière étape sur la Route de la soie. Des fresques et des sculptures y célèbrent l'essor du bouddhisme. Elles s'étendent du IVe au XIe siècle et comptent parmi les plus importants témoignages des débuts de cette religion en Chine.*

Guanyin, *divinité féminine de la Compassion, est une déclinaison typiquement chinoise d'un bodhisattva masculin : Avalokitesvara. Elle est devenue la protectrice de la maternité.*

Au début de la dynastie des Tang, *le bouddhisme prospéra car il bénéficiait des faveurs des empereurs. Au IXe siècle, cependant, des révoltes provoquèrent une période de répression.*

Wuwei 9
武威

225 km au nord-ouest de Lanzhou.

Située entre Lanzhou et Zhangye, cette petite ville doit ses lettres de noblesse au Cheval volant *(p. 485)* découvert en 1969 au **Leitai Si**, à quelques kilomètres au nord du centre, dans un tombeau des Han de l'Est. Le bronze original se trouve aujourd'hui au musée provincial de Lanzhou. La sépulture est ouverte au public. Vidés, ses souterrains renferment au fond des répliques des objets funéraires qu'elle contenait. Les autres monuments comprennent la **Luoshi Ta**, près de Bei Dajie, et, plus à l'est, la vieille **tour du Tambour** dont le jardin est apprécié des joueurs de cartes et de mah-jong. Au sud, le vaste temple confucéen **Wen Miao** date de 1439. La reconstruction de la porte Sud (Nan Men) a rendu un peu de cachet historique à une ville en rapide évolution.

Wen Miao
de 8h30 à 18h t.l.j.

Zhangye 10
张掖

450 km au nord-ouest de Lanzhou.

Ancienne étape sur la Route de la soie, la souriante Zhangye conserve en son centre une **tour du Tambour** (Gulou) datant de la dynastie Ming. À l'est, au sein d'un dédale de ruelles, le **Daode Guan** fondé à la même époque reste un monastère taoïste actif.

Brûle-encens traditionnel dans l'enceinte du Dafo Si, Zhangye

Au sud, le grand stupa de la pagode de la Terre (**Tu Ta**) borde Nan Jie. Non loin, le **Dafo Si** renferme le plus grand bouddha couché de Chine. Il mesure 35 mètres.

À 60 kilomètres au sud de la ville, les grottes bouddhiques de **Mati Si** ont été creusées dans une falaise de grès. Le site se prête à de belles promenades.

Stupa du Dafo Si, Zhangye

Jiayuguan 11
嘉峪关

765 km au nord-ouest de Lanzhou.
depuis Dunhuang.

Traditionnellement considérée comme le confin occidental de l'Empire du Milieu, cette ville sans grand intérêt attire surtout des visiteurs pour sa forteresse de l'époque Ming *(p. 492-493)*. Elle possède un **musée de la Grande Muraille** qui retrace l'histoire de l'ouvrage de défense. L'exposition comprend les photographies de sections peu accessibles, ainsi que des maquettes.

À environ 6 kilomètres à vol d'oiseau au nord du fort de Jiayuguan, le **Xuanbi Changcheng** (Surplomb de la Grande Muraille) est un pan de rempart restauré. Non loin, les peintures rupestres du Hei Shan décrivent des scènes de la vie quotidienne à l'époque des Royaumes combattants. À 6 kilomètres au sud de la ville se dresse la **première tour de guet**, avant-poste lugubre qui marque le début de la partie occidentale de la Grande Muraille des Ming. À une vingtaine de kilomètres à l'est de Jiayuguan, des tombes datant des périodes des Wei et des Jin (220-420) abritent des briques peintes de scènes de travail et de réjouissances. À 120 kilomètres au sud-ouest de la ville, le Qiyi Bingchuan (Glacier du 1er juillet) s'étend à 4 300 mètres d'altitude dans le massif du **Qilian Shan**. Pour l'atteindre, il faut prendre un train, puis un taxi, et enfin finir à pied.

Musée de la Grande Muraille
Xinhua Nanlu. *t.l.j.*

Le Xuanbi Changcheng, section de rempart du XVIe siècle restaurée, Jiayuguan

◁ Le fort de Jiayuguan, dernier avant-poste chinois avant le désert

Le Grand Jeu

Rudyard Kipling, dans son roman intitulé *Kim*, a popularisé l'expression « Grand Jeu » pour désigner les rivalités entre le Royaume-Uni et la Russie en Asie centrale au XIXe siècle. Le territoire de l'actuel Afghanistan en fut un des premiers enjeux quand la frontière sud de l'Empire russe s'approcha dangereusement de celle de l'Empire britannique. Ce dernier réussit à en faire un état tampon à partir de 1880. Au Turkestan chinois (Xinjiang), des séparatistes musulmans avaient fondé en 1863 la Kachgarie dirigée par Yakub Beg. Les Russes envahirent la vallée de l'Ili et, quand la Chine reprit le Xinjiang en 1877, ils obtinrent d'y établir des consulats. Leurs adversaires réagirent en créant une mission commerciale à Kachgar et en se montrant plus agressifs au Tibet. La Convention anglo-russe de 1907 régla le contentieux en fixant des limites territoriales.

Rudyard Kipling

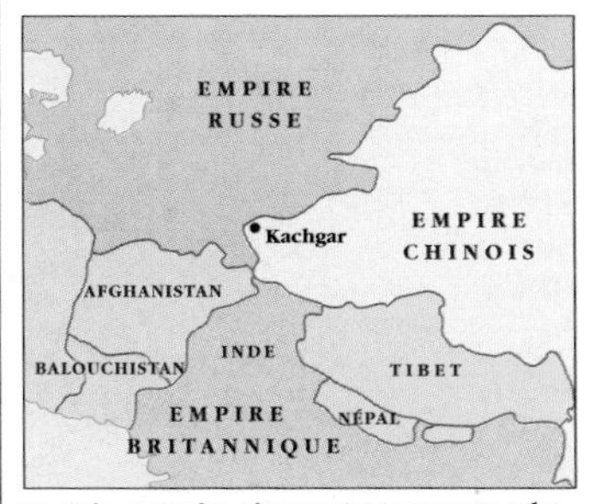

En Asie centrale, *où entraient en contact les trois empires, les Britanniques souhaitaient protéger l'Inde de la menace russe en créant une zone neutre formée par le Tibet, la Kachgarie et l'Afghanistan.*

Sher Ali *(1825-1879), fils du khan afghan qui mena la première guerre anglo-afghane, ne put s'opposer à la venue d'une mission diplomatique russe. Les Britanniques réagirent en déclenchant la deuxième guerre anglo-afghane. En 1880, ils plaçaient Abdur Rahman sur le trône.*

La Bouche ouverte (1899), *une satire du Punch, montre le lion britannique et l'ours russe menaçant un mandarin effrayé. Affaiblie par des luttes internes, la Chine se voyait contrainte d'accepter des traités déséquilibrés et d'autoriser l'établissement de missions commerciales dont la vraie vocation était l'espionnage.*

Les montagnes du Pamir *renfermaient les cols empruntés par Alexandre le Grand et Tamerlan pour envahir l'Inde. Quand la Russie s'y étendit en 1885 et 1896, les Britanniques mobilisèrent des troupes. Des traités frontaliers évitèrent à chaque fois la guerre.*

Le Tibet *se retrouva impliqué quand le général Younghusband y pénétra à la tête d'une mission de « négociation » qui se livra à un massacre à Gyantse en 1903* (p. 543). *Les Britanniques placèrent le pays dans la sphère d'influence chinoise.*

Pour les hôtels et les restaurants de la région, voir p. 571-572 et p. 596-597

Le fort de Jiayuguan ⓫

嘉峪关

Tour d'angle

À l'extrémité occidentale de la Grande Muraille, le fort de Jiayuguan domine une plaine rocailleuse séparant deux massifs montagneux. Construit en terre tassée en 1372 dans un style typique de l'architecture militaire Ming, il prit le nom de « passe imprenable sous le ciel ». Il possédait une importance stratégique cruciale car il contrôlait la seule voie entre la Chine et les déserts d'Asie centrale. La frontière passait plus à l'ouest, mais, pour les Chinois, Jiayuguan était le dernier avant-poste de la civilisation. Au-delà s'étendaient des terres barbares, un lieu de perdition où ne méritaient d'aller que des fonctionnaires en disgrâce et des criminels bannis.

Décor d'une tour
Comme le montrent ces portes, de gracieuses peintures ornaient l'intérieur des bâtiments.

Première cour
Elle servait à l'accueil des caravanes et imposait à un assaillant de passer par un lieu cerné de remparts, garnis de défenseurs.

La Jiayuguan Men de trois étages a une toiture typiquement Ming.

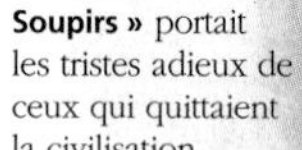

La « porte des Soupirs » portait les tristes adieux de ceux qui quittaient la civilisation.

Porte de la Conciliation (Rou Yuan Men)

Les tours d'angle protégeaient les archers lorsqu'ils tiraient sur les attaquants.

★ Les remparts
D'une longueur totale d'environ 750 mètres, les murailles de terre tassée renforcée par des briques mesurent 10 mètres de haut. Depuis les portes, des rampes permettaient de rejoindre le chemin de ronde à cheval.

À NE PAS MANQUER

★ Les remparts

★ Porte de l'Éveil

★ Porte de l'Éveil
Haute de 17 mètres, la Ganghua Men fut achevée en 1506. Comme le reste des édifices, elle a connu une importante restauration.

MODE D'EMPLOI

5 km à l'ouest de Jiayuguan. **Tél.** *(0937) 639 6058. juil.-oct : t.l.j. de 7h à 22h ; nov.-juin : t.l.j. de 8h à 20h. inclut l'entrée au* **musée de la Grande Muraille**.

Temple Guandi
Dans le lieu de culte des soldats se déroulaient des cérémonies répondant aux attentes rituelles des bouddhistes, des taoïstes et des confucéens.

Quartiers des généraux et de leurs familles.

La salle Wenchang servait à l'accueil officiel des dignitaires venant de l'intérieur de la Chine.

Mur extérieur

Le mur intérieur couronné d'un parapet de 1,80 mètre comptait des tours à meurtrières.

Ancien théâtre
Destinée également au divertissement d'autres garnisons en poste le long de la Grande Muraille, cette scène en plein air est un ajout datant des Qing.

Fin de la Grande Muraille
Le mur en pierre crue part de chaque côté du fort pour fermer la passe entre les massifs du Qilian et du Mazong.

Promenade en chameau près des dunes du Mingsha Shan, Dunhuang

Dunhuang ⓬
敦煌

Liuyuan, 130 km au nord, puis bus. John's Information Café, 22 Ming Shan Lu, (0937) 882 7000.

Cette petite ville d'oasis dominée par des dunes offre une image réconfortante au voyageur qui vient de traverser le désert pour l'atteindre. Elle doit son développement à sa position de dernière étape sur la Route de la soie avant que celle-ci ne se divise pour contourner le désert du Taklamakan par le nord et par le sud. Sa prospérité actuelle repose beaucoup sur le tourisme et les visiteurs venus découvrir les célèbres grottes de Mogao *(p. 496-497)*. Elle abrite des cafés occidentaux et des hébergements allant de la *guesthouse* à l'hôtel de charme. Le **musée du Canton de Dunhuang** (Xian Bowuguan) renferme quelques manuscrits chinois et tibétains de la célèbre grotte n° 17 de Mogao.

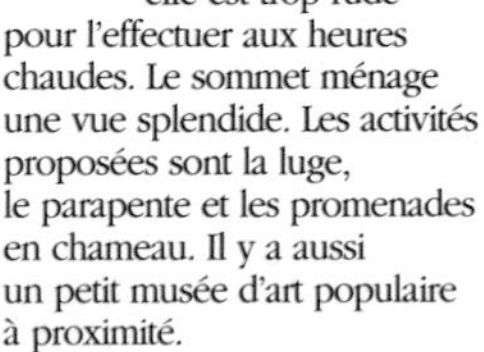

Imprimé, marché de Dunhuang

Ils ont échappé au pillage des explorateurs. Il présente aussi des soieries et des objets retrouvés près des tours de guet de la Passe du Sud et de la Passe de la Porte de jade. Un marché de souvenirs se tient tous les soirs en été sur la grand-rue : Dong Dajie. Les objets en vente comprennent des marionnettes de théâtre d'ombres en cuir, des rouleaux peints, des jades, des pièces de monnaie, des trompes tibétaines et des bouddhas.

À 5 kilomètres au sud de Dunhuang, le petit **lac du Croissant de lune** (Yueya Quan) s'étend au pied des dunes qui forment la montagne des Sables chantants (Mingsha Shan), haute de plusieurs centaines de mètres. Son ascension permet de comprendre, au bruit des pas, d'où elle tient son nom, mais elle est trop rude pour l'effectuer aux heures chaudes. Le sommet ménage une vue splendide. Les activités proposées sont la luge, le parapente et les promenades en chameau. Il y a aussi un petit musée d'art populaire à proximité.

À environ 4 kilomètres à l'ouest de Dunhuang, la **pagode du Cheval blanc** (Baima Ta) se dresse au milieu des champs à l'emplacement où succomba en 384 la monture du moine Kumarajiva venu du royaume de Kucha *(p. 509)*.

Musée du Canton de Dunhuang
Yangguan Dong Lu.
***Tél.** (0937) 882 2981.*
de 9h à 17h t.l.j. (fermé l'hiver).

Yueya Quan
de 8h à 17h30 t.l.j.

Aux environs : à environ 20 kilomètres au sud-ouest de la ville, la Cité ancienne de Dunhuang (Dunhuang Gucheng) est un décor de cinéma des années 1990. Elle jouit d'une situation exceptionnelle et offre un beau panorama, mais elle se révèle assez délabrée vu de près. Elle n'en est pas moins devenue une attraction touristique où des boutiques de souvenirs attendent les visiteurs. Ceux-ci peuvent même dormir dans des yourtes.

À 80 kilomètres à l'ouest de Dunhuang, les tours de guet de la Passe de la Porte de jade (Yu Men Guan) et de la Passe du Sud (Yang Guan), abandonnées il y a plus de 1 000 ans, ne présentent qu'un intérêt limité même si elles ont mieux résisté au temps que la portion de la Grande Muraille, longue de 5 kilomètres, qui les reliait. Elles commandaient l'accès aux routes caravanières passant au nord et au sud du Taklamakan.

Yueya Quan et Mingsha Shan, Dunhuang

La course aux oasis de la Route de la soie

Prolongeant dans le domaine de l'érudition les rivalités politiques des grandes puissances à la fin du XIXe siècle, des groupes d'explorateurs et d'archéologues s'engagèrent dans une véritable course de vitesse pour découvrir (et piller) les anciennes étapes des pistes caravanières d'Asie centrale. Ils réussirent, à eux tous, à retrouver un très grand nombre de villes oubliées et abandonnées au désert, et approfondirent ainsi les connaissances sur l'histoire de la Route de la soie. S'ils sauvèrent de nombreux objets de futures dégradations, ils privèrent aussi les Chinois d'irremplaçables œuvres d'art appartenant à leur patrimoine culturel. Elles sont aujourd'hui éparpillées dans des musées du monde entier. L'intérêt des Britanniques pour la région reposait à l'origine sur des considérations stratégiques *(p. 491)*, mais, quand se répandirent des rumeurs de fabuleuses cités perdues, les imaginations s'enflammèrent.

Musicien Tang, Dunhuang

Des récits de cités enfouies *dégagées par des tempêtes de sable se répandirent à la fin du XIXe siècle. Von Le Coq retrouva ainsi les ruines de Gaochang, qui fut un grand centre bouddhique et nestorien* (p. 465).

Sven Hedin *(1865-1952), un Suédois, dirigea la première expédition d'exploration de ces régions isolées, financée par un gouvernement, précédant l'Allemand Albert von Le Coq, le comte Otani du Japon, le Français Paul Pelliot, le Britannique sir Aurel Stein et l'Américain Langdon Warner.*

Cette tête de bouddha *se trouvait dans les grottes de Bezeklik découvertes par von Le Coq en 1904. Elles renfermaient de splendides peintures murales qu'avait protégées l'accumulation de sable. L'explorateur n'hésita pas à les déposer pour les envoyer en Allemagne, où elles ne survécurent pas aux bombardements de la Seconde Guerre mondiale.*

Cette peinture sur soie *provient des grottes de Mogao atteintes par Aurel Stein en 1907. Wang, leur gardien, lui donna accès aux peintures et manuscrits qu'il venait de découvrir dans la grotte n° 17.*

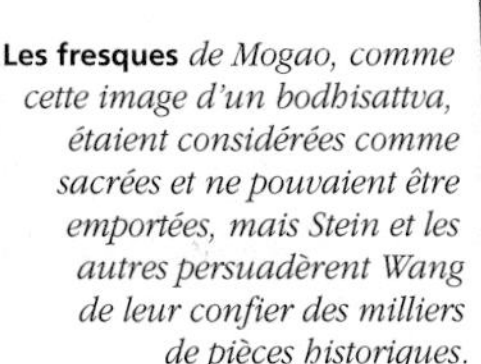

Les fresques *de Mogao, comme cette image d'un bodhisattva, étaient considérées comme sacrées et ne pouvaient être emportées, mais Stein et les autres persuadèrent Wang de leur confier des milliers de pièces historiques.*

Les peintures rupestres de Dunhuang

Protégées par leur relatif isolement, les fresques des grottes proches de Dunhuang forment la plus riche pinacothèque d'art bouddhique ancien en Chine. Elles sont le fruit d'un travail qui s'étendit sur 700 ans, entre les IVe et XIe siècles, jusqu'à ce qu'une invasion et l'implantation de l'islam y mettent un terme. Ce grand centre de culte et d'enseignement sombra dans l'oubli jusqu'en 1907, où l'explorateur Aurel Stein fit connaissance de Wang Yuanlu, le prêtre taoïste qui s'en était proclamé gardien. Stein emporta des milliers de manuscrits et d'œuvres d'art, dont *Le Sutra du Diamant*, le plus ancien livre imprimé (sur rouleaux) du monde, et la plupart des modèles utilisés pour les peintures.

Grotte n° 275 : Seize Royaumes 366-439 *Ce sanctuaire remontant aux Liang antérieurs est dédié à Maitreya, le bouddha de l'Avenir, représenté également en sculpture.*

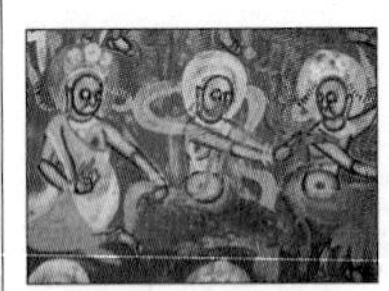

Grotte n° 272 : Seize Royaumes 366-439 *Ces Devas (divinités bouddhiques) sont captivés par l'enseignement du Bouddha.*

Grotte n° 254 : Wei du Nord 439-534 *Cette fresque illustre un conte moral : le sacrifice du prince. Le contenu des peintures, comme leur style, s'est enrichi par rapport aux grottes plus anciennes.*

Grotte n° 249 : Wei de l'Ouest 535-556 *Dans une scène de chasse très animée, un archer se retourne pour tirer, une prouesse rendue possible par l'invention de l'étrier.*

Grotte n° 428 : Zhou du Nord 557-580 *Dans cet épisode d'un jataka, une incarnation antérieure du Bouddha offre son corps pour nourrir une tigresse et ses petits.*

Grotte n° 419 : Sui 581-618 *Les Sui parvinrent à réunifier la Chine, et le Sud comme le Nord adoptèrent le bouddhisme comme religion. Cette harmonie permit l'apparition d'un style artistique plus distinctement chinois. Les peintures de la caverne montrent le bon prince partant à la chasse avec ses frères.*

Grotte n° 420 : Sui 581-618 *Sur cette représentation d'un voyage sur la Route de la soie figurent des bâtiments d'un style dont ne subsiste aucun exemple.*

Grotte n° 220 : début des Tang 618-704 *Dix générations de la famille Zhai, de riches donateurs, apparaissent sur les parois.*

Grotte n° 217 : début et apogée des Tang 618-780 *Détail du paradis occidental d'Amitabha. La grotte abrite de somptueux bodhisattvas inachevés.*

Grotte n° 17 : fin des Tang 846-906 *C'est ici que Wang Yuanlu retrouva une prodigieuse bibliothèque.*

Grotte n° 263 : Xia de l'Ouest 1036-1226 *Au cours de cette période, plusieurs grottes reçurent une nouvelle décoration, telle la n° 263 datant des Wei du Nord.*

Falaise de Dunhuang, dépositaire de 1 000 ans d'histoire bouddhique

Grottes de Mogao
敦煌石窟

Mogao, 15 km au sud-est de Dunhuang, province du Gansu.
8h-18h.

Les Mogao Ku ont été creusées dans des falaises qui se détachent dans un paysage désertique sans autre relief. Les atteindre ne pose pas de problème aux voyageurs indépendants car Dunhuang grouille de minibus. Comme d'habitude, ils attendent d'avoir tous leurs sièges remplis pour partir, mais le trajet d'une demi-heure est bon marché. N'oubliez pas que le site ferme entre 11 h 30 et 14 h 30.

Des quelque 600 cavernes ayant survécu, 30 seulement sont ouvertes au public.

Le prix d'entrée comprend un guide parlant chinois. Payer le supplément pour une visite guidée en anglais permet, avec un peu de chance, de se retrouver dans un groupe plus réduit et de bénéficier d'un peu plus de marge dans le choix des salles souterraines. En outre, il est parfois possible, contre une forte somme, d'obtenir l'ouverture de la grotte n° 465 où des images tantriques représentent sous forme d'union sexuelle l'ultime stade de l'éveil.

Les guides se montrent relativement bien informés de l'histoire du site, des peintures et des sculptures. Mieux vaut emporter sa propre lampe torche et ne pas négliger l'interdiction de photographier (sans un permis extrêmement coûteux), une règle strictement appliquée.

La visite standard dure une demi-journée, inclut une quinzaine de grottes ainsi que l'exposition de fragments de manuscrits du musée.

Statue de la pagode des grottes de Mogao

Ne manquez pas le Centre de recherche qui accueille les reconstitutions grandeur nature de huit salles souterraines. Elles ne parviennent pas à restituer l'atmosphère de leurs modèles, mais permettent d'étudier les peintures beaucoup plus tranquillement. Le dernier minibus pour revenir à Dunhuang part vers 18 h. Une *guesthouse* offre sur place un hébergement simple.

Façade de la grotte n° 96 abritant une statue de bouddha de 30 mètres

Pour les hôtels et les restaurants de la région, voir p. 571-572 et p. 596-597

Entrée de la salle de prière du Longwu Si, Tongren

Tongren ⓭
同仁

107 km à l'ouest de Xiahe. *fête de Lurol (6e mois lunaire), fête bouddhiste (1er mois lunaire).*

Cette petite ville de transit entre Xiahe et Xining possède une importante population tibétaine qui lui donne dans sa langue le nom de Repkong. À la périphérie, une lamaserie peinte de couleurs vives, le **Longwu Si**, abrite de belles œuvres anciennes dans ses nombreuses salles. Sa fondation remonte à 1301, sous la dynastie Yuan, mais les bâtiments actuels sont des reconstructions modernes. L'établissement appartient à la secte des Bonnets jaunes *(p. 522-523)* et il contient trois collèges. Au crépuscule, il est possible d'assister aux débats des moines. Ils utilisent un langage corporel élaboré pour défendre leurs arguments. Avec de la chance, on peut même assister à la réalisation d'un mandala avec des sables de couleur. Derrière le monastère, un ruisseau court à travers prés jusqu'à un joli village situé à environ 1,5 kilomètre.

À 7 kilomètres du centre de Tongren, les monastères du **Wutun supérieur** (Sengeshong Yago) et du **Wutun inférieur** (Sengeshong Mago) abritent une communauté renommée de peintres de thangka. Il est possible d'en acquérir. Dans les deux sanctuaires, une somptueuse décoration couvre toutes les parois des salles. De l'autre côté de la rivière, les lamaseries de Gomar et Nyentog méritent également une visite.

Ta'er Si ⓮

(Voir p. 500-501)

Xining ⓯
西宁

230 km à l'ouest de Lanzhou. *1 115 000.* *Xining Dasha, (0971) 812 9842.*

Ville étape sur la route du Tibet, la capitale du Qinghai a peu d'attractions touristiques à offrir, mais elle possède une population métissée où se côtoient des Hui, des Tibétains et quelques Kazakhs et Mongols. Elle s'étend dans une vallée située à 2 200 mètres d'altitude et connaît des étés frais et des hivers glacés. Elle devint au XVIe siècle un centre marchand sur la Route sud de la soie, la moins fréquentée, et offre une base de départ à une excursion au lac Qinghai.

La **Grande Mosquée** (Qingzhen Dasi) compte parmi les lieux de culte musulmans les plus importants de la Chine du Nord-Ouest. Elle borde Dongguan Dajie près du centre. Récemment restaurée, elle remonte au XIVe siècle et présente un aspect peu marqué d'influences moyen-orientales. Une foule animée de croyants se presse d'habitude sur son parvis.

Croyant à la Grande Mosquée

Il faut compter une heure pour atteindre en flânant le **temple de la Montagne du Nord** (Bei Shan Si) taoïste, situé sur une colline de l'autre côté de la rivière. Plusieurs sanctuaires rupestres jalonnent les marches de pierre et les chemins de planches qui facilitent le trajet. Le temple ménage une belle vue.

Au **marché de Shuijing Xiang**, près de Xi Dajie et de la porte Ouest, plus de 3 000 éventaires proposent toutes sortes d'ingrédients et de préparations culinaires, entre autres des petits pains chauds, des plats de mouton et des brochettes. C'est un bon endroit où faire des provisions avant une excursion hors de la ville.

Grande Mosquée de Xining, fondée au XIVe siècle

Pour les hôtels et les restaurants de la région, voir p. 571-572 et p. 596-597

Réserve naturelle de Mengda le long du fleuve Jaune

Mengda Tian Chi ⓰
孟达天池

200 km au sud-est de Xining. *jusqu'à Guanting ou Xunhua, puis taxi.*

Dans les montagnes dominant le fleuve Jaune, la réserve naturelle de Mengda protège une zone étonnamment verdoyante pour la région.

Elle a pour cœur le lac Céleste (Tian Chi), d'une grande beauté dans son écrin d'abruptes pentes boisées. Rien ne le signale en bas, mais gravir à pied l'escalier qui y mène est une épreuve épuisante. On peut aussi faire l'ascension à dos d'âne. Pour loger dans le parc, les voyageurs disposent de tentes et d'un hôtel. L'office du tourisme de Xining permet de s'inscrire à une visite organisée. Spectaculaire, la route depuis Xunhua frôle des précipices, traverse des villages paisibles et longe des champs de blé, d'orge et de maïs.

Qinghai Hu ⓱
青海湖

150 km à l'ouest de Xining. **Île aux Oiseaux** *nov.-fév.*

Le lac Qinghai, le plus vaste plan d'eau de Chine, dont le nom signifie « mer bleue », possède une superficie de 4 500 km². Son isolement à 3 200 mètres d'altitude sur le plateau tibétain ne le rend accessible qu'avec l'aide d'une agence de voyages. Les espaces grandioses traversés pendant le trajet offrent une excellente raison de s'y rendre. En été, de nombreux troupeaux de yacks y paissent. Les poissons abondent dans l'eau froide et salée, nourrissant les milliers de migrateurs qui viennent se reproduire au printemps sur l'**Île aux Oiseaux** (Niao Dao), un éperon rocheux proche de la rive ouest. De mars à juin s'y côtoient notamment des colonies de cygnes, de cormorans, d'oies à tête barrée et de grues à cou noir. Sur la rive sud, le Centre touristique du lac Qinghai permet d'effectuer des promenades en bateau, de pêcher, et de partir en randonnée, pédestre ou à cheval. On peut également loger sur place.

Calligraphie tibétaine sur un médaillon

Golmud ⓲
格尔木

76 km à l'ouest de Xining. *hôtel Golmud, Geermu Binguan, (0919) 413 003.*

À l'extrémité occidentale du Qinghai, Golmud s'étend à 3 000 mètres d'altitude sur le plateau tibétain désolé. Seule localité d'importance à des centaines de kilomètres, c'est la deuxième ville de la province après Xining. Elle possède une population principalement Han et ne présente pas d'autre intérêt que de servir d'étape entre Xining, Dunhuang et Lhassa.

L'office du tourisme jouit d'un monopole sur la vente aux étrangers des billets d'autobus à destination de la capitale du Tibet et pratique des tarifs élevés. Le trajet dure environ 25 heures sur une route difficile qui passe par des cols de haute altitude. Il est fortement recommandé d'emporter des vêtements chauds et des provisions en cas de panne. La température descend très en dessous de zéro même en été. Longue de 1 142 kilomètres, la ligne de chemin de fer achevée en juillet 2006 entre Golmud et Lhassa a multiplié les records d'altitude. Elle possède des voitures pressurisées dotées de réserves d'oxygène. Son succès auprès des Chinois rend pratiquement impossible pour un voyageur individuel de réserver une place, même au départ de Pékin, d'où tous les trains semblent partir complets. Golmud permet aussi de visiter en 4 x 4 certaines des parties les plus isolées du Xinjiang.

Drapeaux à prières tibétains sur la rive du Qinghai Hu

Ta'er Si ⓮

塔尔寺

Moulin à prières contenant chacun un mantra

Accroché à flanc de colline, ce vaste complexe monastique baptisé Kumbum en tibétain compte parmi les principaux établissements de la secte des Bonnets jaunes (Gelugpa). Il occupe le site où naquit son fondateur, Tsongkhapa *(p. 522)*. Sa construction commença en 1560. Le régime communiste ferma le monastère, mais en assura la protection pendant la Révolution culturelle. Il a rouvert en 1979. Un tremblement de terre en 1990 a rendu nécessaire un grand programme de restauration. Aisément accessible depuis Xining, le Ta'er Si connaît une grande popularité aussi bien auprès des touristes que des pèlerins.

★ Grande salle au toit d'or

Élevée sur le lieu de naissance de Tsongkhapa, où aurait poussé un arbre aux feuilles ornées d'une image du Bouddha, elle renferme un stupa d'argent portant son effigie.

Salle des Neuf Chambres

Salle Dinkejing

Pèlerine

Un moulin à prières dans une main et un chapelet dans l'autre, les pénitents tournent dans le sens des aiguilles d'une montre.

Salle de prière

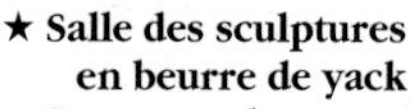

★ Salle des sculptures en beurre de yack

Ces œuvres d'art aussi odorantes que colorées illustrent des épisodes de la tradition bouddhique tibétaine.

Cuisine d'apparat

À NE PAS MANQUER

- ★ Grande salle au toit d'or
- ★ Grande salle de méditation
- ★ Salle des sculptures en beurre de yack

★ Grande salle de méditation

Son toit plat repose sur des piliers massifs enveloppés de tapis raffinés. Des thangka *soyeux ornent ses murs. Jusqu'à 2 000 moines pouvaient s'y réunir pour psalmodier des sutras.*

Pour les hôtels et les restaurants de la région, voir p. 571-572 et p. 596-597

Moine
Le Ta'er Si reste en activité et plus de 600 moines y consacrent leur vie à l'étude des enseignements bouddhiques. Il y en eut jadis jusqu'à 3 000.

MODE D'EMPLOI

Huangzhong, 28 km au sud de Xining. *depuis Xining (départ près de la Xi Men).* de 8h30 à 17h30. *Monlam : 8e-15e jour du 1er mois lunaire ; Saka Dawa : 8e-15e jour du 4e mois ; fête de Tsongkhapa : 20e-26e jour du 9e mois.*

Salle Dafangzhang

Le haut de l'escalier offre une belle vue de la vallée.

Chorten
Un stupa tibétain de 13 mètres s'élève à l'entrée. La base carrée, le dôme, les degrés et l'ombrelle symbolisent respectivement la terre, l'eau, le feu et le vent. La couronne, au sommet, représente l'éther.

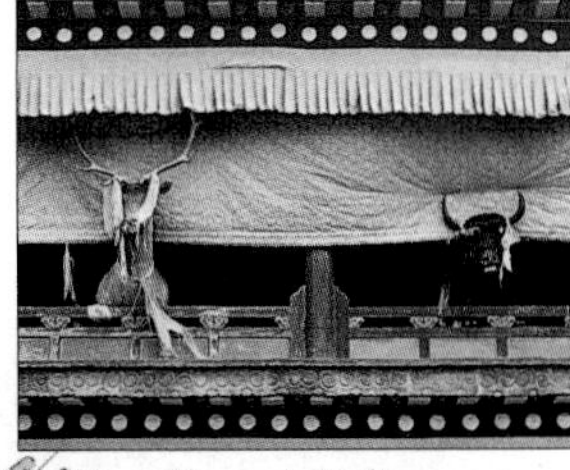

Petite salle au toit d'or
Des animaux empaillés et parés d'écharpes cérémonielles y rappellent la nature animale de certaines divinités.

Salle de prière
Ce temple patiné sert toujours à l'enseignement religieux. Récentes, les peintures de l'extérieur mêlent influences chinoises et tibétaines.

XINJIANG

La deuxième province de Chine par la superficie possède une population de seulement 20 millions d'habitants. Ils appartiennent à des minorités musulmanes pour plus de la moitié et le Xinjiang possède depuis 1955 le statut de Région autonome ouïgoure. Il a pour capitale Ürümqi et borde huit pays, de la Mongolie au nord-est à l'Inde au sud-ouest. Déserts et maigres, les pâturages couvrent la majeure partie de son territoire au pied de certaines des plus hautes montagnes du monde.

Il y a 2 000 ans, l'établissement d'un chapelet d'oasis au nord et au sud du désert du Taklamakan ouvrit une voie d'échange avec l'Inde et l'Europe le long de ce qui prit le nom de Route de la soie. Le Xinjiang devint un point de rencontre de l'Orient et de l'Occident, les mêmes cités abritant des églises chrétiennes et des temples bouddhistes. À la fin de l'époque Tang, la région subit les invasions répétées de tribus turques et, au XVe siècle, l'islam s'était imposé comme la principale religion. Au XVIIIe siècle, les Chinois s'emparèrent de ce qui était alors la Kachgarie et, malgré plusieurs révoltes, ils n'en ont plus perdu le contrôle. Entre les zones de montagnes, où des pasteurs nomades continuent de venir faire paître leurs troupeaux au bord de lacs limpides, et les oasis de la Route de la soie aux bazars et aux marchés animés comme Turpan et Kachgar, la région offre l'occasion de vivre des expériences très contrastées. Les plus aventureux se risqueront sur la route du Karakorum qui traverse le Pamir jusqu'au Pakistan.

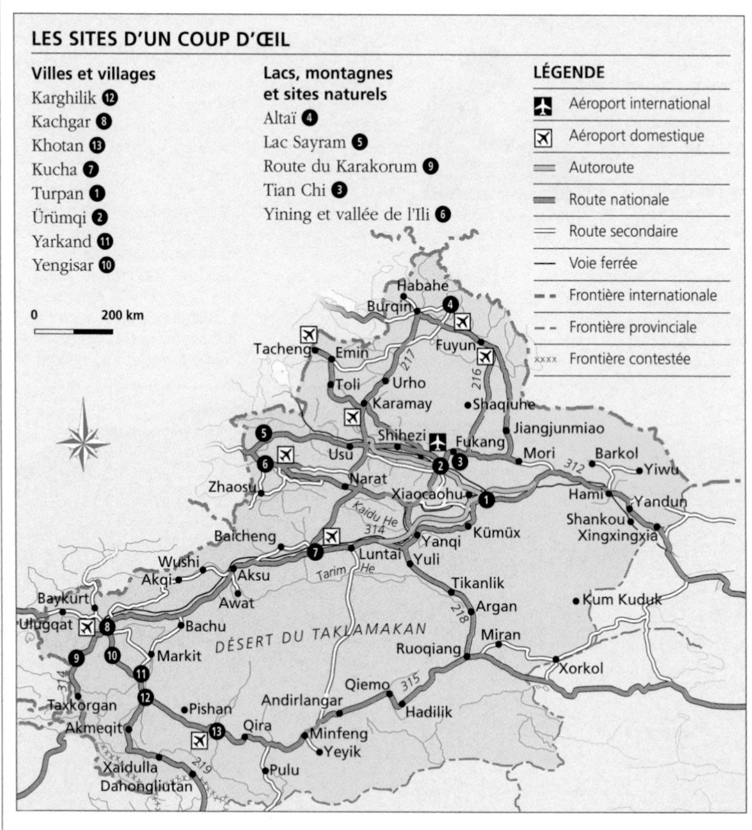

◁ **Vallée du massif du Pamir à l'extrême ouest de la Chine**

Le gracieux minaret Emin de style afghan

Turpan ❶
吐鲁番

190 km au sud-est d'Ürümqi. *200 000.* *Daheyan, 54 km au nord de Turpan, puis minibus.* *hôtel Oasis, (0995) 852 1352.*

Cette oasis sur l'ancienne Route nord de la soie s'étend dans la dépression de Turpan où le lac salé Aydingkol a une altitude de -154 mètres. Elle possède une population composée en majorité d'Ouïgours, les descendants de nomades sibériens qui se sédentarisèrent dans la région au IXe siècle et se convertirent à l'islam quand il se répandit en Asie centrale. C'est un lieu reposant, réputé pour son raisin, où des maisons en adobe bordent des rues poussiéreuses ombragées par des treilles de vigne. On s'y déplace en charrette à âne. Les alentours renferment plusieurs sites de visite, dont les ruines des villes de Jiaohe et Gaochang. Il y règne une chaleur écrasante en été.

Imin Ta

2,5 km à l'est de la ville. *lever-coucher du soleil.*

Construite en 1778 par le prince Suleiman en l'honneur de son père, Emin Hoja, la plus intéressante des mosquées de Turpan, se distingue par son gracieux minaret en brique. De pur style afghan, avec sa base évasée et son sommet étroit, il mesure 44 mètres de haut. Depuis 1989, on ne peut plus emprunter son escalier pour profiter de la vue, mais il reste possible de monter sur le toit de la mosquée.

Vendeur de fruits secs, bazar de Turpan

Bazar

Laocheng Lu. *t.l.j.*

Un petit marché permet de se procurer des produits locaux comme des potions médicinales, des couteaux ouvragés, des vêtements et des tissus. Des stands proposent des spécialités culinaires ouïgoures.

Musée de Turpan

Gaochang Lu. *de 9h à 20h t.l.j.*

Les pièces les plus intéressantes d'une modeste collection proviennent des tombes d'Astana datant de la dynastie Tang. Elles comprennent des soieries, des vêtements, des denrées alimentaires et même des dépouilles momifiées.

Ruines de Jiaohe

10 km à l'ouest de Turpan. *minibus ou vélo.* *de 9h à 18h.*

Ces vestiges n'ont pas l'étendue ni l'importance historique de Gaochang, mais ils occupent un site spectaculaire au bord d'un plateau et le tracé des rues reste clairement visible. Ancienne ville de garnison, Jiaohe passa sous contrôle ouïgour au VIe siècle et fut abandonnée à l'époque des Yuan, peut-être par manque d'eau.

Elle entourait un monastère bouddhiste dont les fondations mesurent 50 mètres de côté. Il est possible au retour de s'arrêter à un *karez* transformé en une espèce d'attraction touristique.

Ce système d'irrigation a des origines très anciennes. L'eau captée très haut en montagne emprunte des conduits souterrains, jusqu'à des puits où elle remonte par gravitation, pour couler dans les canaux qui la distribuent aux cultures et aux habitations.

Ruines de la ville de Jiaohe, perchée sur un plateau

Pour les hôtels et les restaurants de la région, voir p. 572-573 et p. 597

Les montagnes de Feu en grès rouge près de Turpan

Vallée du Raisin

minibus depuis la ville. t.l.j.

À 13 kilomètres au nord de Turpan, la Puota Gou est une jolie oasis au pied des montagnes de Feu. Elle mérite surtout une visite en été, et mieux encore aux vendanges. On peut y déguster la production locale, du raisin bien sûr, mais aussi des pêches, des abricots ou des melons, ou prendre un repas arrosé du vin issu des vignes de la vallée.

Montagnes de Feu

minibus depuis la ville t.l.j.

La route vers l'est en direction de Bezeklik longe les Huoyan Shan, rendues célèbres par le *Voyage en Occident (p. 29)*, une fiction inspirée du périple du moine Xuanzang qui rapporta d'Inde des écrits bouddhiques. À certains moments de la journée, les jeux d'ombre et de lumière donnent en effet l'impression que le grès nu s'embrase. Dans le récit, le singe qui accompagne le voyageur l'éteint avec un éventail.

Grottes de Bezeklik

50 km au nord-est de la ville. *minibus depuis la ville.* *lever-coucher du soleil.*

Dans une gorge pittoresque, haut au-dessus de la rivière Sengim, les Bozikelike Qianfo Dong faisaient jadis partie d'un monastère bouddhiste actif du VIe au XIVe siècle. Il ne reste presque rien de leurs peintures murales dont le style indo-perse montrait des influences occidentales inhabituellement marquées. Les explorateurs von Le Coq et Grundewel en déposèrent la majorité au début du XXe siècle et des bombardements alliés les détruisirent dans un musée de Berlin pendant la Seconde Guerre mondiale. Les autres ont subi la vindicte des gardes rouges.

Bouddha des grottes de Bezeklik

Astana

40 km au sud-est de Turpan.

minibus depuis la ville.

lever-coucher du soleil.

L'ancienne nécropole de Gaochang se trouve à quelques kilomètres au nord-ouest de ses ruines. Les sépultures datent du IIIe au VIIIe siècle. Les fouilles systématiques entreprises à partir de 1959 révélèrent plusieurs corps momifiés par l'air du désert. Enveloppés dans des soieries, ils reposaient parmi de nombreux objets de la vie quotidienne, notamment des poteries, des sculptures sur bois, des pièces de monnaie et des documents concernant des transactions militaires et civiles. Ces pièces archéologiques sont exposées aux musées de Turpan et d'Ürümqi. Les trois tombes ouvertes au public renferment des peintures de l'époque Tang et quelques dépouilles desséchées.

Ruines de Gaochang

46 km au sud-est de Turpan.

minibus depuis la ville.

lever-coucher du soleil.

Fondée au Ier siècle pour accueillir une garnison, Gaochang devint un comptoir commercial prospère sur la Route de la soie. Le moine Xuanzang y séjourna en 630 lors de son voyage en Inde en quête de sutras. Elle resta la capitale des Ouïgours du IXe au XIIIe siècle.

Il reste peu de chose de son enceinte fortifiée en terre crue longue de 6 kilomètres. Les fouilles archéologiques ont révélé son caractère cosmopolite. Les textes retrouvés montrent que de nombreux peuples s'y croisaient.

De surcroît, elle renfermait un lieu de culte chrétien et une communauté manichéenne. Les vestiges les plus importants appartenaient à un monastère bouddhiste situé au sud-ouest à l'extérieur des murs.

Grottes de Bezeklik creusées dans la paroi d'une superbe gorge

Ürümqi ❷
乌鲁木齐

1 470 km au nord-est de Kachgar.

Capitale du Xinjiang depuis la fin du XIXe siècle, Ürümqi porte un nom qui signifie « beaux pâturages ». Elle occupe un cadre superbe au pied du massif du Tian Chan, mais son développement récent lui a fait perdre toute dimension champêtre. Des seigneurs de la guerre se disputèrent la région pendant la première moitié du XXe siècle, dont Yang Zengxin, qui fit décapiter tous ses ennemis au cours d'un banquet où ils les avaient invités en 1916. Aujourd'hui, Ürümqi est une métropole chinoise moderne de plus d'un million d'habitants que son essor a hérissée de gratte-ciel. La population se compose pour une moitié de Han, et pour l'autre, de membres de minorités, notamment des Ouïgours, des Mandchous, des Kazakhs, des Mongols et des Tadjiks. L'ouverture en 1991 de la ligne de chemin de fer jusqu'à Almaty, au Kazakhstan, l'a reliée à l'Asie centrale et à l'Europe.

Le **musée provincial du Xinjiang** (Xinjiang Zizhiqu Bowuguan) possède une section archéologique. Les pièces retrouvées lors des fouilles, autour de Turpan, comprennent des corps momifiés, des peintures sur soie, des figurines Tang et de ravissants brocarts. Le département consacré aux ethnies locales présente des yourtes, des bijoux et des costumes. Sur une colline au nord de la ville, le **parc Hong Shan** dominé par une petite pagode du XVIIIe siècle ménage une vue superbe.

Le Tian Chi aux eaux d'un bleu profond au pied du massif du Tian Shan

Pagode du parc Hong Shan, Ürümqi

Musée provincial de Xinjiang
Xibei Lu. de 8h30 à 17h t.l.j.

Tian Chi ❸
天池

100 km à l'est d'Ürümqi. (0994) 323 1238. depuis Ürümqi. en hiver. possibilité de promenades à cheval.

Destination rafraîchissante au sortir des déserts du Nord-Ouest, le lac Céleste s'étend à 1 980 mètres d'altitude dans un fastueux écrin de prairies, de pentes boisées et de sommets enneigés, dont le majestueux Bogda Feng, le «pic de Dieu», culminant à 5 445 mètres. Ce cadre magnifique se prête à un court séjour de repos et de promenades dans une région où les Kazakhs viennent dresser leurs *ger* (yourtes). Ils continuent de mener une vie principalement nomade, vivant de l'élevage de moutons et, plus récemment, du tourisme. Chaleureux et hospitaliers, ils proposent un hébergement dans leurs tentes traditionnelles, ainsi que des promenades à cheval et des randonnées guidées. Le trajet en bus depuis Ürümqi dure environ trois heures. Depuis la billetterie, un télésiège monte au lac. On peut aussi le rejoindre à pied en une heure de marche. Les conditions climatiques ne permettent pas l'accès au Tian Chi hors des mois de mai à septembre. Même en cette période, il faut prévoir des vêtements chauds. Les visites organisées d'une journée ne sont pas toujours du meilleur goût.

RAISIN ET VIN

La culture du raisin et son traitement comptent parmi les activités économiques importantes au Xinjiang, où de nombreux séchoirs sont visibles dans les campagnes, notamment dans la dépression de Turpan. Un émissaire chinois dans la région rapporta en 138 av. J.-C. qu'on y utilisait les grappes pour fabriquer du vin. À l'époque des Yuan, la production était déjà substantielle. Les cépages connus sous les Ming comprenaient les raisins dits «de cristal» et «violets». L'«œil-de-lapin» se distinguait par ses grains verts sans pépins. Les deux dernières décennies ont été marquées par l'implantation de variétés comme le cabernet sauvignon et le grenache.

Pesée à un éventaire de raisin sur un marché d'Ürümqi

Pour les hôtels et les restaurants de la région, voir p. 572-573 et p. 597

L'islam en Chine

La foi musulmane a probablement pénétré au Xinjiang par la Route de la soie au IXe siècle, quelque 200 ans après que des marins arabes ont accosté en Chine méridionale. Sous les Ming, les musulmans s'étaient multipliés et pleinement intégrés à la société Han sans renoncer à leurs coutumes vestimentaires et alimentaires. Malgré des périodes de persécution et de révolte, ils forment aujourd'hui une population d'environ 13 millions d'habitants. Elle comprend les minorités ouïgoure, kazakhe, kirghize, tadjike, tartare et ouzbèque du Nord-Ouest, ainsi que les Hui sinophones, éparpillés dans tout le pays. Tous sunnites, ils suivent dans une immense majorité la doctrine hanafi, la plus ancienne et la plus tolérante des quatre « écoles islamiques de la loi ».

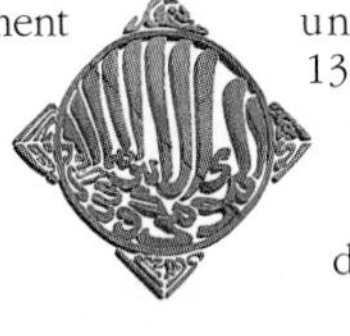

Calligraphie en arabe sur une mosquée chinoise

Les mosquées chinoises *sont souvent d'un style très éloigné des architectures traditionnelles musulmanes.*

Le muezzin *lance l'appel à la prière au moins cinq fois par jour. Désormais, il s'agit presque toujours d'un enregistrement diffusé par haut-parleur.*

Dans la mosquée, *les membres de la congrégation, généralement des hommes, se prosternent devant le* mihrab, *une niche indiquant la direction de La Mecque. La salle principale est réservée aux prières du vendredi.*

Les Donxiang, *des musulmans originaires du Gansu, parlent le mongol. Ils ont renoncé au nomadisme pastoral pour une vie sédentaire d'agriculteurs.*

Les Hui *forment la plus importante des communautés islamiques. Ils descendent de marchands arabes et perses arrivés sous la dynastie Tang.*

Le Coran *n'a pas été traduit en chinois avant 1927. Les interprétations par des érudits de ce texte fondateur règlent la vie des fidèles.*

Dans la réserve naturelle du lac Kanas, dans le massif de l'Altaï

Altaï ❹
阿勒泰

650 km au nord d'Urümqi.
Altaï, puis bus. d'Ürumqi à Burqin, puis 150 km au nord. En bus ou en voiture jusqu'au parc. *(0906) 212 2882.*

Couvert de forêts au pied de hautes montagnes dont les neiges alimentent des lacs et des cours d'eau, l'extrême nord du Xinjiang offre un contraste frappant avec les déserts du Sud-Ouest. La richesse naturelle de la région de l'Altaï lui a valu d'être inscrite au patrimoine de l'Unesco pour sa partie sibérienne. En Chine, la **réserve naturelle du lac Kanas**, accessible depuis Burqin, protège une flore et une faune exceptionnelles autour d'un plan d'eau situé à 1 370 mètres d'altitude. De juin à septembre, le site permet de splendides promenades à pied, à cheval ou en bateau. Des agences proposent des visites organisées depuis Ürümqi.

Lac Sayram ❺
塞里木湖

120 km au nord de Yining.

D'une superficie de 458 km², le lac Sayram porte un nom qui signifie « bienfait » en kazakh. Également baptisé Sailimi Hu, il s'étend à 2 070 mètres d'altitude et il n'y règne une température clémente qu'en été, quand les prairies se couvrent de fleurs. Accessible en bus depuis Yining, cet endroit superbe a échappé jusqu'ici à un développement touristique trop marqué. On peut cependant y loger dans des hôtels simples ou sous une tente de nomades kazakhs.

Yining ❻
伊宁

390 km à l'ouest d'Ürümqi. *216 600. depuis Ürümqi.*
Vallée de l'Ili *depuis Yining.*

Près de la frontière du Kazakhstan, cet ancien point de transit sur la branche septentrionale de la Route de la soie est devenu la capitale de la préfecture autonome kazakhe d'Ili. Les Russes l'occupèrent en 1872 à une époque où Yakub Beg (1820-1877) avait fondé dans la région l'État de Kachgarie *(p. 491)*. Pendant la période d'amitié sino-soviétique, dans les années 1950, de nombreux Russes y résidaient. Après la rupture entre la Chine et l'URSS, en 1960, de sévères affrontements opposèrent les armées des deux pays sur le cours de l'Ili. Plus récemment, de violentes émeutes séparatistes ouïgoures se sont déroulées à Yining en 1997. La répression a été impitoyable.

Bergère sur les pâturages fleuris des rives du lac Sayram

Pour les hôtels et les restaurants de la région, voir p. 572-573 et p. 597

Échoppe d'un bazar ouïgour de Yining

Réputée pour sa bière de miel et ses petits fromages secs, les *kurut*, cette ville accueillante aux rues bordées d'arbres n'a guère plus à offrir au visiteur que l'animation des bazars ouïgours, situés dans la vieille ville, au sud du parc Qingnian.

À l'instar des éventaires des marchés de nuit qui se tiennent en été, ils permettent de découvrir les spécialités culinaires locales.

Raisin en vente dans la rue, Yining

À environ 5 kilomètres au sud, ses champs et ses pâturages, où paissent des vaches laitières, donnent un aspect bucolique à la **vallée de l'Ili** (Ili Gu), où Chapucha'er est la capitale de la communauté Xibe. Cette petite ethnie descend de soldats envoyés par les Qing mandchous pour contrôler la région. Ils se sont tenus à l'écart des Han, même s'ils leur ressemblent beaucoup, et conservent de nombreux aspects de leur culture originelle, en particulier leur langue et leur écriture.

Kucha 7

库车

300 km au sud-ouest d'Ürümqi. *63 500.* *hôtel Qiuci, (0997) 712 2524.* *chaque ven.*

Cette petite ville d'oasis permet de faire étape sur la route de Kachgar en venant d'Ürümqi ou de Turpan. Elle possède une histoire intéressante. Elle constitua en effet un État indépendant jusqu'à sa conquête par les Chinois au VIIIe siècle. Ce petit royaume possédait même sa propre langue indo-européenne. Au IVe siècle, une princesse locale mariée à un brahmane indien y donna le jour à Kumarajiva, qu'elle emmena avec elle au Cachemire à l'âge de sept ans. À son retour, converti au bouddhisme mahayana, il entreprit la première traduction en chinois d'importants sutras. Kucha devint l'un des principaux foyers d'où la doctrine du Grand Véhicule se répandit dans tout le pays pour atteindre son apogée sous les Tang. La richesse générée par le commerce caravanier sur la Route de la soie permit la construction de plusieurs grands monastères. Au VIIe siècle, le moine Xuanzang rapporta que deux bouddhas colossaux encadraient la porte Ouest. L'islam s'implanta au IXe siècle et il ne reste plus trace de cette grandeur passée.

Kucha se divise aujourd'hui en deux bourgs. À l'est s'étendent les quartiers modernes, à forte population de Han. À l'ouest, la vieille ville principalement ouïgoure conserve une atmosphère de bazar avec son labyrinthe de ruelles bordées de maisons en brique d'adobe. Un marché pittoresque se tient le vendredi près de la **Grande Mosquée** (Qingzhen Dasi). Construite en 1923, elle est d'un style purement arabe avec sa coupole carrelée de vert. Beaucoup de visiteurs s'arrêtent en fait à Kucha pour les **grottes des Mille Bouddhas de Kizil** (Kezier Qianfo Dong), situées à 70 kilomètres à l'ouest. Ces cavernes, sans doute creusées à partir du IIIe siècle, abritaient des fresques qui mariaient les styles indo-perse et hellénistique, mais ne montraient pas d'influence chinoise. Elles ont été pour la plupart déposées par des archéologues, comme von Le Coq et Paul Pelliot, au début du XXe siècle. Quelques-unes ont toutefois survécu, notamment les musiciens de la grotte n° 38 ainsi que les scènes domestiques et agricoles de la grotte n° 175.

À une trentaine de kilomètres au nord de Kucha, il ne reste que de maigres vestiges de la ville de Subashi, abandonnée au XIIe siècle. Xuanzang vanta l'importance de son temple. On distingue encore le tracé des rues entre quelques pans délabrés des anciens remparts hauts de 6 mètres.

Grottes des Mille Bouddhas
en voiture ou taxi. *t.l.j.* *voir l'office du tourisme.*

Grottes des Mille Bouddhas de Kizil, près de Kucha

Kachgar 8

喀什

Calottes au marché de la vieille ville

À l'extrême-ouest du Xinjiang, l'oasis de Kachgar s'étend au pied du massif du Pamir, au débouché occidental du désert du Taklamakan. Les Routes nord et sud de la soie y convergeaient. Les Chinois y établirent une garnison en 78, mais la ville resta pour l'essentiel aux mains de divers khans musulmans du IXe siècle jusqu'à son intégration à l'Empire du Milieu en 1759. En 1863, le chef de guerre Yakub Beg fonda dans la région, avec la bénédiction des Russes et des Britanniques *(p. 491)*, l'État de Kachgarie, qui ne survécut pas à son décès en 1877. Kachgar entretient aujourd'hui une vocation marchande vieille de plus de 2 000 ans. Elle garde encore beaucoup de son charme, même si ses quartiers anciens ne cessent de perdre du terrain.

Tractations au marché aux bestiaux

Marché du dimanche

Près d'Ayziret Lu. *t.l.j.* **marché aux bestiaux** *dim.*

Le dimanche, où il attire des milliers de vendeurs, d'acheteurs et de simples badauds, le marché de Kachgar prend une ampleur qui en fait sans doute le plus fréquenté d'Asie centrale. À quelques kilomètres au sud-est de la ville, c'est par centaines qu'attendent dès l'aube agneaux, moutons, chèvres, vaches, mulets et ânes, mis en vente au marché des bestiaux. Jusqu'au soir, dans une ambiance poussiéreuse et bruyante, les discussions vont bon train. Les chevaux sont testés au galop. Des charrettes à âne assurent des navettes avec le « marché du dimanche » proprement dit, dans les quartiers nord-est juste après la rivière. Les marchandises étalées vont des fruits à la quincaillerie, et de tissus aux couleurs criardes jusqu'à de beaux tapis.

Mosquée Id Kah

Place Id Kah. *de 8h50 à 22h t.l.j. (fermée pendant la prière).*

Plus vaste lieu de culte musulman de Chine, l'Aitika Qingzhen Si possède une superficie de 16 800 m². Sa fondation, sur un ancien cimetière, remonte à 1442. Agrandie en 1538, elle a connu de nombreux remaniements au cours de sa longue histoire. Les bâtiments actuels datent du milieu du XIXe siècle. Les déprédations subies pendant la Révolution culturelle *(p.64-65)* ont imposé une importante restauration. Le portail principal, encadré par deux minarets, donne sur un pavillon octogonal et le bassin, où les fidèles pratiquent leurs ablutions avant d'effectuer leurs dévotions. La cour intérieure peut accueillir jusqu'à 7 000 croyants. Hors des heures de prière, les visites sont permises, y compris pour les femmes si elles cachent leurs cheveux sous un foulard. Hommes et femmes doivent avoir les bras et les jambes couverts et ne pas oublier d'enlever leurs chaussures avant de marcher sur des tapis. Mieux vaut également rester discret en prenant des photographies.

Vieille ville

Au nord-est de la mosquée Id Kah.

Près de la mosquée s'étend le quartier du bazar ouïgour. Les échoppes y sont regroupées par spécialités. Les articles les plus intéressants comprennent les *kilims* (tapis tissés) et les calottes colorées typiques de l'Asie centrale. Les ruelles étroites bordées de maisons en adobe évoquent un film d'aventures exotiques. Elles abritent des maisons de thé et de minuscules restaurants vendant des galettes de blé, des nouilles, des plats de mouton et des brochettes. Des pans des anciens remparts se dressent à l'extrémité de Seman Lu, à l'est de la mosquée, et sur Yunmulakxia Lu, au sud-ouest.

Mosquée Id Kah et montagnes du Pamir en arrière-plan

Pour les hôtels et les restaurants de la région, voir p. 572-573 et p. 597

Vieille rue bordée de maisons en brique d'adobe

Tombeau de Yusup Hazi Hajup

t.l.j.

Penseur et écrivain ouïgour du XIe siècle réputé pour son poème épique *La Connaissance du bonheur*, Yusup Hazi Hajup avait à l'origine son tombeau à l'extérieur de la ville, mais il fut déplacé près de la grand-place de Kachgar quand une crue le menaça. Au sein d'une roseraie, c'est un splendide exemple d'architecture d'Asie centrale avec sa coupole et ses tourelles parées de carrelages de différentes teintes de bleu. L'intérieur ne présente pas

Mausolée d'Abakh Hoja

Voir p. 512-513.

Grottes des Trois Immortels

18 km au nord de Kachgar.

Les Sanxian Dong font partie des premières grottes bouddhistes creusées en Chine et elles remonteraient au IIe siècle. Haut perchées sur une falaise de grès, elles ne sont pas toujours accessibles.

Des tentatives malheureuses de restauration et d'embellissement ont détruit la majeure partie des peintures et des statues. Cependant, une poignée de petites figurines du Bouddha survivent. Pour les découvrir, il faut obtenir l'autorisation de l'office du tourisme de Kachgar et, si elle est accordée, suivre la visite guidée officielle.

MODE D'EMPLOI

1 470 km au sud-ouest d'Ürümqi. *200 000.* *aéroport de Kachgar.* *gare de Kachgar.* *gare routière internationale, CAAC (pour l'aéroport).* *dim.*

Ruines de Ha Noi

35 km au nord-est de Kachgar.

Les vestiges de cette cité, fondée au VIIe siècle et abandonnée au XIIe siècle, se dressent en plein désert sur un socle rocheux qui leur fait un piédestal. Ils se résument à peu de chose en dehors de la pagode Mor, ancien stupa d'un temple visité par le moine Xuanzang lors de son voyage historique en Inde.

Opal

30 km à l'ouest de Kachgar.

L'oasis d'Opal, ou Wupoer, renferme le mausolée en marbre, rénové, de Mahmoud de Kachgar. Cet éminent linguiste ouïgour rédigea en 1075 à Bagdad un *Recueil des langues turques* qui reste une référence. Un musée retrace sa vie et son œuvre.

Le lundi, un marché ajoute au plaisir de la visite.

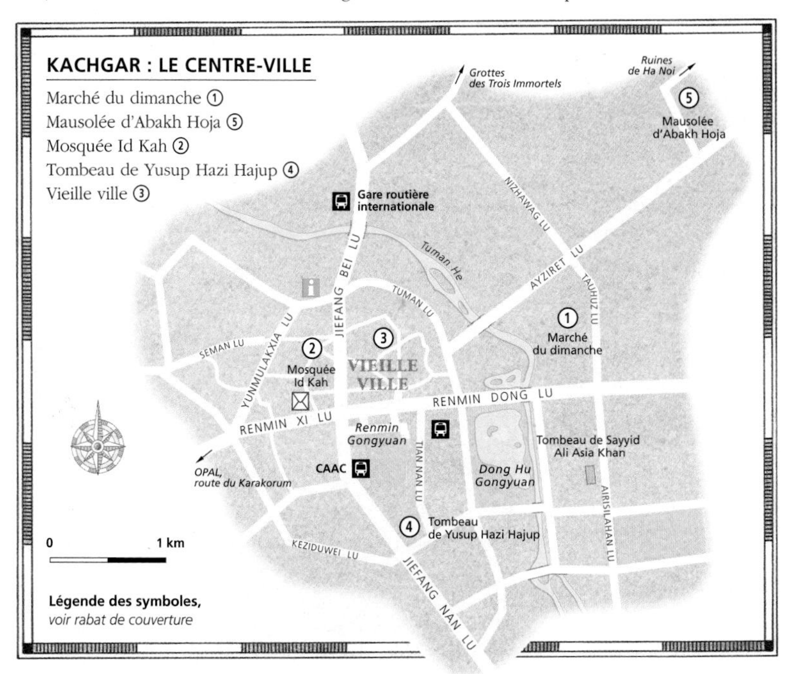

Le mausolée d'Abakh Hoja

阿帕克和卓 - 香妃墓

Construit au milieu du XVIIe siècle, l'Abakh Hoja Maziri compte parmi les plus beaux exemples d'architecture islamique en Chine. Lieu de sépulture des descendants d'un prestigieux missionnaire musulman, Yusuf Hoja, il a pris le nom du membre le plus éminent de la famille, son fils aîné Abakh Hoja qui régna un temps sur Kachgar. Le tombeau est aussi appelé le Xiangfei Mu. Une légende aux multiples variantes prétend en effet qu'une princesse locale, Ikparhan, y reposerait. Après avoir dirigé une révolte ouïgoure contre les Qing, elle aurait été emmenée à Pékin pour entrer de force au harem de l'empereur Qianlong, où on l'aurait surnommée la « concubine parfumée » (Xiang Fei). L'impératrice douairière l'aurait contrainte au suicide.

Entrée de l'enceinte du tombeau bordée de peupliers

La coupole mesure 17 mètres de diamètre

Le cercueil d'Iparkhan porte un écriteau. La voiture qui aurait rapporté son corps de Pékin est également exposée.

★ Décors géométriques
La création d'êtres animés appartenant au domaine de Dieu, l'art islamique privilégie les motifs géométriques et végétaux (les plantes étant considérées inanimées).

Minarets
Les quatre tours d'angle trapues possèdent une harmonieuse ornementation de carreaux polychromes. Ils sont pour certains ornés de gracieux entrelacs.

★ Tombeaux
Des draps de couleur recouvrent les cénotaphes carrelés de bleu des membres de la famille d'Abakh Hoja.

À NE PAS MANQUER

- ★ Décors géométriques
- ★ Tombeaux

Pour les hôtels et les restaurants de la région, voir p. 572-573 et p. 597

Cimetière
Les tombes en adobe et en brique de la population ouïgoure se serrent par centaines dans le cimetière toujours en activité. La préparation des corps à l'inhumation a lieu dans la mosquée voisine.

MODE D'EMPLOI

4 km au nord-est de la vieille ville. ou *depuis la place du Peuple. accessible aussi à vélo ou à pied.* **mausolée** *de 8h à 17h30 t.l.j.* **mosquée** *t.l.j. (jour de prière, ven.).*

Sommet des minarets
Entre deux bandeaux sculptés de fines arabesques, chaque fenêtre possède un écran au dessin géométrique différent. Au-dessus d'une corniche en nid d'abeille, la toiture a la forme d'une fleur de lotus renversée.

Les arabesques empruntent leurs courbes au monde végétal. Par leur répétition, elles symbolisent la nature infinie, et dépourvue de centre, de l'univers.

Entrée du mausolée
La façade a pour centre un iwan, *haut portail voûté qui s'est répandu en Asie centrale depuis la Perse.*

COMPLEXE RELIGIEUX

L'islam s'est répandu au Xinjiang aux IXe et Xe siècles dans le sillage de marchands arabes de la Route de la soie, mais il n'est véritablement devenu la religion dominante de la région qu'à compter du XVe siècle. Kachgar devint alors un grand centre musulman. Le mausolée d'Abakh Hoja offre un exemple caractéristique de complexe religieux. Derrière un grand *iwan*, il renferme non seulement la salle des tombeaux, mais aussi des salles de prière et une salle d'enseignement de la doctrine. Les croyants disposent d'un bassin où effectuer leurs ablutions. Des peintures raffinées ornent les poutres en bois soutenues par des colonnes aux chapiteaux embellis de *muqarnas*, des sculptures en pendentif, creusées de niches.

Chapiteau à *muqarnas*, ou stalactites

Passage d'un poste de contrôle sur la route du Karakorum au pied des montagnes du Pamir

Route du Karakorum ❾
中巴友谊公路

Au sud-ouest de Kachgar jusqu'au Pakistan.

La Zhongba Gonglu jadis empruntée par les caravanes de la Route de la soie pour rejoindre l'Inde relie aujourd'hui la Chine au Pakistan. Initiée dans les années 1970, la construction de la chaussée entre Kachgar et Islamabad, longue de 1 300 kilomètres, a duré près de 20 ans. La route franchit le massif du Pamir d'une beauté à couper le souffle avec ses sommets atteignant près de 8 000 mètres d'altitude. Elle s'y faufile dans des gorges, traverse des alpages où broutent les chameaux et les yacks de pasteurs tadjiks, passe devant quelques caravansérails délabrés et longe le lac Karakul, où se reflètent des montagnes enneigées. Il règne une atmosphère d'avant-poste morose à **Tashkurgan**, la dernière ville chinoise, où subsistent les vestiges d'une forteresse vieille de 600 ans. Les voyageurs y effectuent les formalités avant de partir pour le **col de Khunjerab** (4 800 mètres), porte du Pakistan. Le deuxième poste-frontière se trouve un peu plus loin, à Sost. Les conditions climatiques rendent le passage impossible en hiver, et les visas nécessaires ne peuvent pas être obtenus sur place, mais seulement à Pékin ou à Hong Kong. Le voyage dure environ quatre jours dans des conditions qui restent difficiles, même si elles s'améliorent. Il est fortement recommandé de garder avec soi des vêtements chauds et d'amples provisions de nourriture et de boisson.

Yengisar ❿
英吉沙

60 km au sud de Kachgar.

Ce petit bourg assoupi sur la voie méridionale de la Route de la soie est réputé pour ses couteaux qui, pour les Ouïgours, font intrinsèquement partie de la tenue vestimentaire masculine. Des douzaines de boutiques en vendent de toutes tailles et formes, mais la plupart sortent d'usine. Dans le centre, près du bazar, les ouvriers de la **Petite coutellerie du pays Yengisar** (Xiaodaochang ou Pichak chilik karakhama) continuent cependant d'en fabriquer artisanalement, depuis la lame jusqu'à la poignée en bois incrustée de corne ou de filigrane d'argent. Malgré le grand panneau à l'extérieur affirmant que l'entrée est interdite, une visite devrait être possible. Ces couteaux font des souvenirs et des cadeaux pittoresques, mais délicats à transporter. Mieux vaut les conserver emballés et dans ses bagages.

Étal de couteaux au marché du dimanche, Yengisar

LE JADE

Les Chinois accordent depuis des millénaires une grande importance symbolique à cette pierre semi-précieuse, associée à la longévité et au pouvoir impérial, et ils la portent en amulettes pour repousser la maladie. Ils distinguent la jadéite, la stéatite et la calcédoine, appelées *yu* (jade), de la néphrite, ou *zhen yu* (véritable jade). Celle-ci n'est extraite en Chine qu'au Xinjiang, et en particulier autour de Khotan. Son utilisation bien au-delà de cette région, tout d'abord pour la confection d'outils, puis, à partir des Han, pour la fabrication de bijoux et de petits objets décoratifs, indique que des systèmes d'échanges sophistiqués devaient déjà s'être mis en place au Néolithique. Réputé vert, le jade peut aussi être brun, noir ou d'un blanc laiteux, la variété la plus prisée.

Morceau de néphrite brute

Yarkand ⓫
莎车

170 km au sud-est de Kachgar.

Grand pôle commercial sur la voie méridionale de la Route de la soie, Yarkand, comme Kachgar, compta parmi les enjeux et les terrains du Grand Jeu, le conflit feutré entre la Grande-Bretagne et la Russie en Asie centrale *(p. 491)*. La vieille ville a gardé son cachet avec ses ruelles bordées de murs en adobe. Elle renferme la **mosquée Altyn** aux beaux plafonds peints. Sa cour abrite le récent **tombeau d'Aman Isa Khan** (1526-1560), l'épouse poète d'un des chefs locaux. Le vaste cimetière qui s'étend derrière le sanctuaire abrite les sépultures des khans de Yarkand. Un marché animé se tient le dimanche.

Transport de radis à Yarkand

Karghilik ⓬
椰城

230 km au sud-est de Kachgar.

Baptisée Yecheng en chinois, cette ville d'étape entre Khotan et Kachgar conserve un quartier ancien ouïgour qui mérite qu'on s'y promène. Il s'étend derrière la **Jama Masjid**, mosquée du XVe siècle qu'entourent les arcades d'un bazar couvert.

Khotan ⓭
和田

400 km au sud-est de Kachgar. 1 400 000. 23 Tamubage Lu, (0903) 202 6090.

L'oasis également baptisée Hetian fut l'un des premiers centres de diffusion du bouddhisme en Chine avant l'implantation de l'islam à partir du IXe siècle. Ancienne capitale du royaume de Yutian, elle a connu tout au long de son histoire, comme les autres comptoirs de la Route de la soie, l'alternance de périodes d'intégration à l'Empire chinois et d'autres où elle était sous le contrôle de pouvoirs locaux. Réputée pour son jade blanc depuis des millénaires, elle produit des soieries depuis le Ve siècle où, selon la légende, une princesse chinoise fiancée à un prince de la cité en révéla le secret en 440, cachant dans ses cheveux les œufs de bombyx du mûrier qui faisaient partie de sa dot. Les tapis de Khotan attirèrent l'attention du moine Xuanzang lors de son passage en 644. Les visiteurs peuvent voir des artisans au travail et, éventuellement, acheter leur production, à la fabrique de jade de Tanai Lu et à celle de tapis, située de l'autre côté de la rivière. Il règne dans cette dernière une atmosphère accueillante. La **fabrique de soie de Hetian**, au nord-ouest de la ville, permet de suivre tout le processus du traitement du cocon à la teinture. Des pans des anciens remparts dominent toujours Nuerwake Lu. Le marché qui se tient au nord-est du centre les vendredi et dimanche, s'il n'a pas l'importance de celui de Kachgar, en possède l'atmosphère. Les produits en vente vont des fruits aux bestiaux, en passant par les soieries et les tapis.

Le petit **Musée culturel d'Hetian** expose une carte détaillée des cités oubliées qui enflammèrent les imaginations au tournant du XXe siècle. Les fouilles qui y ont été effectuées ont mis au jour les corps momifiés, vieux de 1 500 ans, d'une petite fille de dix ans et d'un homme de trente-cinq ans ayant tous deux des traits indo-européens. Les ruines de la ville de **Melikawat** se trouvent à une trentaine de kilomètres au sud de la ville. Elles se résument à quelques pans de mur et à des éclats de verre et de poterie.

Musée culturel d'Hetian
Tanai Lu. *t.l.j.*

Artisans au marché de Khotan

LE TIBET

Le Tibet d'un coup d'œil

Bordé sur trois côtés par quelques-unes des plus hautes chaînes de montagnes du globe – Himalaya, Karakoram et Kun-lun –, le Tibet est encore aujourd'hui relativement isolé. Difficile d'accès jusqu'à l'ère de l'aviation, puis occupé par la Chine, le « Toit du monde » ne s'est ouvert aux visiteurs étrangers que récemment. À Lhassa, ville principale de la région, se trouvent le Jokhang, son pôle spirituel, ainsi que le Potala, palais des dalaï-lamas, et de grands monastères comme ceux de Drépung et de Sera. Les hauts plateaux désertiques entourés de sommets sont majestueux, mais les paysages du lac Namtso avec son eau turquoise et le mont Everest sont aussi d'une grande beauté.

Thangka à l'une des portes du Jokhang à Lhassa

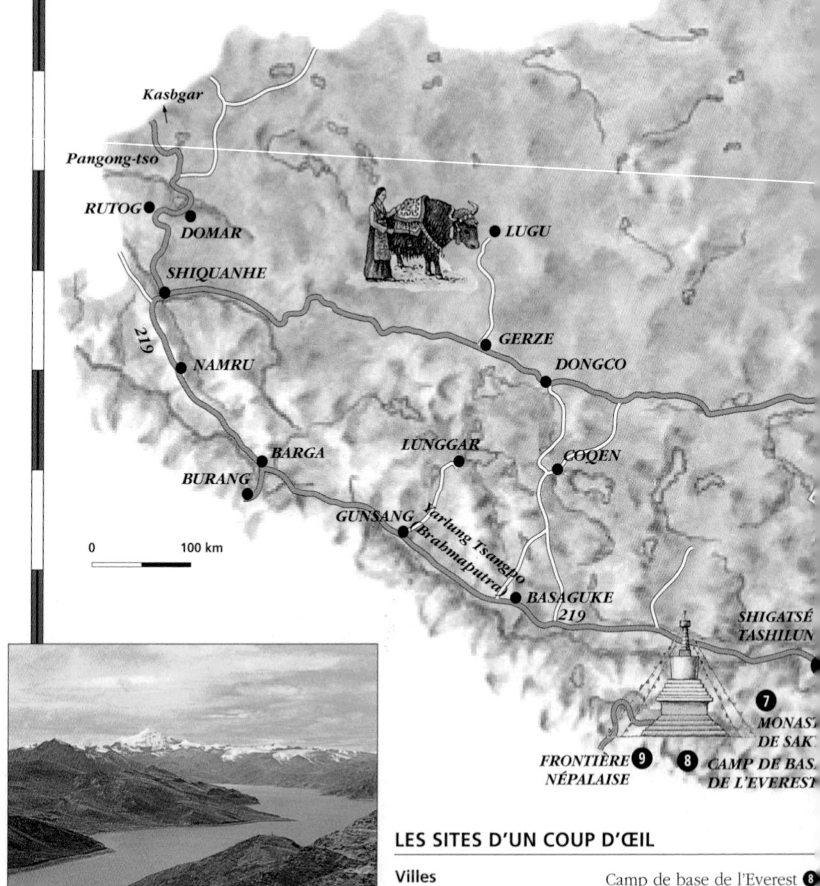

Le lac Yamdrok, le plus grand du sud du Tibet, depuis le col de Kamba-la

LES SITES D'UN COUP D'ŒIL

Villes
Gyantsé 5
Lhassa 1
Frontière népalaise 9

Sites naturels
Lac Namtso 4
Camp de base de l'Everest 8

Temples et monastères
Monastère de Sakya 7
Monastère de Samyé (p. 540-
Shigatsé et Tashilunpo 6
Monastère de Tsurphu 3

◁ Pentes enneigées du mont Everest, ou Chomolungma pour les Tibétains

Le palais du Potala vu du toit du Jokhang, le temple le plus sacré de Lhassa

VOIR AUSSI

- ***Hébergement*** p. 573
- ***Restaurants*** p. 573

LÉGENDE

- Aéroport international
- Route nationale
- Route secondaire
- Ligne ferroviaire

CIRCULER

L'aéroport de Lhassa est bien desservi depuis Chengdu ou Katmandou au Népal. Une route relie aussi Lhassa et Katmandou mais, pour entrer au Tibet, seuls les groupes en voyage organisé peuvent l'emprunter, les individus ne pouvant la prendre que pour sortir du Tibet. La route au départ de Golmud a été doublée par une ligne ferroviaire à grande vitesse. Quel que soit votre moyen de transport, vous devrez demander un permis au Tibet Tourism Bureau (TTB) (0086) 0891 633 1174. Une fois sur place, vos déplacements risquent d'être limités sans un permis complémentaire – obligatoire pour la plupart des régions. Le mieux est de vous adresser à une agence à Lhassa.

UNE IMAGE DU TIBET

Le Tibet est réputé être un pays mystérieux en raison de son isolement géographique et de sa tradition théocratique fondée sur le bouddhisme, où se retrouve aussi l'influence de l'ancienne tradition chamanique du bön. En 1950, le pays fut envahi et annexé par la Chine. Malgré cela, la culture tibétaine garde toute sa vigueur et continue de fasciner les visiteurs.

Introduit au VIIe siècle, le bouddhisme imprègne la vie des Tibétains, les monastères faisant office à la fois de palais, de centres administratifs et d'écoles. Le Tibet était un pays féodal qui résistait à la modernisation. C'est ainsi qu'il est entré dans le monde moderne sans armée, sans école laïque, sans route et avec des techniques guère plus élaborées en général que celle du moulin à prières.

Peinture murale du Bouddha au temple de Jokhang

Le bouddhisme fut introduit au Tibet par Songtsen Gampo (608-650). Ce souverain remarquable qui réalisa l'unification de son pays avait lui-même été converti au bouddhisme par ses deux épouses chinoise et népalaise. Le roi Trisong Detsen (742-803) consolida le bouddhisme en invitant au Tibet le maître indien Padmasambhava et en fondant le monastère de Samyé. La renaissance au VIIIe siècle du culte indigène du chamanisme bön conduisit à la persécution des bouddhistes et le royaume se morcela en plusieurs principautés.

Au XIIIe siècle, le Tibet se soumit aux conquérants mongols et, en 1247, le chef lama du monastère de Sakya se rendit à la cour du grand khan qui le désigna comme chef temporel du Tibet. Plus tard, Tsongkhapa (1317-1419) fonda la secte des Gelugpa ou secte des Bonnets jaunes. Ses disciples deviendront les dalaï-lamas, qui régneront sur le Tibet durant cinq siècles. En 1950, le Tibet est envahi

Monastère de Ganden construit au début du XVe siècle

Les yeux du Bouddha « qui voient tout » du Kumlun au monastère de Gyantsé

par l'Armée populaire de libération chinoise. Lors de la révolte du peuple de Lhassa en 1959, le 14e dalaï-lama s'enfuit en Inde, d'où il continue de diriger le gouvernement tibétain en exil. En 1970, on comptait plus d'un million de morts au Tibet à la suite des exterminations perpétrées par les gardes rouges et des famines causées par une mauvaise politique agricole. Le patrimoine culturel tibétain fut ruiné et plus de 6 000 monastères détruits pendant la Révolution culturelle.

Quelques-uns sont en cours de restauration et ont repris leur fonction initiale, mais aucun n'a le droit de posséder une image du dalaï-lama.

Mandala tibétain, diagramme symbolique du rituel tantrique

Lhassa, située en plein cœur du Tibet, compte plus d'immigrés chinois Han que de Tibétains. Et avec la nouvelle ligne ferroviaire qui la relie à Golmud, le nombre d'immigrants va continuer d'augmenter. Mais le vieux quartier qui abrite le Potala et le Jokhang montre avec quelle détermination les Tibétains ont maintenu leurs traditions culturelles. Il est courant de voir des pèlerins à l'air joyeux en train d'actionner les moulins à prières et de se prosterner en accomplissant la *kora* (circambulation rituelle) autour du temple de Jokhang.

La plus grande partie du Tibet est un désert et l'altitude moyenne dépasse les 4 000 mètres, avec des températures qui descendent bien en dessous de zéro en hiver. Dans cette nature hostile, beaucoup de traditions ont été dictées par l'instinct de survie de l'homme. Les funérailles célestes par exemple, où les morts sont abandonnés aux vautours, ont une utilité pratique lorsque le bois à brûler est rare et le sol trop dur pour être creusé. La polyandrie (posséder plusieurs maris) pour les femmes et le célibat pour le clergé étaient des moyens pour contrôler la démographie.

Près d'un quart de la population est constitué de nomades qui vivent dans des tentes. Le bétail leur fournit les produits essentiels pour la vie de tous les jours – le beurre de yack sert à la fois à préparer le thé et à alimenter les lampes rituelles. Les routes sont rares au Tibet et les trajets toujours longs. La route la plus empruntée est la route de l'Amitié (*Friendship Highway*) entre Lhassa et la frontière népalaise, qui passe par Shigatsé, Gyantsé et le monastère de Sakya. Elle permet de rejoindre le camp de base de l'Everest, qui offre des vues grandioses sur le célèbre sommet. Lhassa peut aussi être une base agréable pour aller à la découverte d'autres endroits reculés. Les monastères de Drépung, Sera, Ganden et Tsurphu sont faciles d'accès. Le lac Namtso et le village de Samyé en revanche sont plus éloignés.

Moines débattant sous un arbre au monastère de Sera

Le bouddhisme tibétain

Le bouddhisme Mahàyàna indien, qui prône la compassion et le sacrifice de soi, fut introduit au Tibet au viie siècle. Il se diffusa en empruntant à la tradition indigène du chamanisme bön ses rituels et ses divinités. Comme la majorité des bouddhistes, les Tibétains croient à la réincarnation – nouvelle naissance pour une vie meilleure ou plus mauvaise selon le karma ou le mérite, résultant de la vie antérieure. Le bouddhisme imprègne tellement la vie des Tibétains que l'idée d'une religion séparée des faits quotidiens leur est étrangère – il n'existe pas de mot tibétain pour traduire le concept de religion.

Divinité protectrice ou *dharmapala*

Les *chortens* *abritent les cendres des maîtres spirituels. La base cubique symbolise la Terre et le pinacle la sphère céleste.*

L'âme peut emprunter soit la voie de lumière qui conduit à des renaissances successives jusqu'à la libération finale, soit la voie obscure qui mène à l'enfer.

Au centre de la roue, les trois éléments malfaisants, le serpent (colère), le cochon (ignorance) et le coq (désir) se poursuivent éternellement en tenant la queue de l'autre dans la gueule.

MOINES ET MONASTÈRES

Le Tibet compte quelque 2 700 monastères et de nombreuses sectes bouddhistes. La plupart des familles envoient un fils au monastère pour qu'il se fasse moine. Les lamas sont célibataires et mènent une vie de méditation.

La secte Gelugpa *ou secte des Bonnets jaunes fut fondée vers 1300 par le réformateur Tsongkhapa. Elle règne sur la vie politique tibétaine depuis de nombreux siècles, dirigée par le dalaï-lama et le panchen-lama* (p. 520, 544).

L'ordre Nyingma *est le plus ancien et le plus traditionnel de tous. Il fut fondé aux environs de 600 par Guru Rinpoché.*

LE BÖN : CULTE PRÉBOUDDHIQUE TIBÉTAIN

La tradition animiste du bön était la tradition religieuse du Tibet avant l'introduction du bouddhisme. Beaucoup de légendes tibétaines racontent la conversion des divinités locales au bouddhisme. Une grande partie de l'iconographie, des rituels et des symboles bouddhiques, notamment les drapeaux à prières et les funérailles célestes – où le corps du défunt est dépecé sur la montagne et abandonné aux vautours –, provient du bön. Le bön a connu un renouveau dans certains monastères.

Statue en bronze d'une divinité bön (XIXe siècle)

LA ROUE DE LA VIE

La Roue de la Vie, que le Seigneur de la Mort tient entre ses crocs, représente le cycle continu de l'existence et de la renaissance. Atteindre l'Éveil est le seul moyen de transcender son mouvement incessant.

Quand un moulin à prières tourne *(dans le sens des aiguilles d'une montre), les rouleaux de papier qu'il contient et sur lesquels sont écrites des prières vont au ciel. Les moulins les plus grands sont actionnés par une manivelle ou la force de l'eau.*

PRIÈRES ET RITUELS

La pratique bouddhique tibétaine compte un grand nombre d'objets et de rituels, destinés pour beaucoup à augmenter les mérites. La *kora* qui s'accomplit dans le sens des aiguilles d'une montre peut être une courte circambulation ou un pèlerinage à part entière. Celle autour du mont Kailash, considéré comme le centre de l'univers, assure l'accès au nirvana au 108e tour.

Ce tambour rituel, *composé de deux hauts de crâne humain, est doté d'un grand pouvoir en tant qu'instrument de prière parce qu'il est fabriqué avec des restes humains.*

Le cercle extérieur illustre les douze éléments qui déterminent le karma, notamment la conscience spirituelle (un aveugle avec une canne) et les actes de volition (un potier avec son tour).

Le cercle intérieur représente les six royaumes où les êtres peuvent renaître : dieux, demi-dieux, hommes, animaux, esprits et démons.

Fidèle *avec des billets de banque à la main en guise d'offrande, actionnant son moulin à prières et faisant sonner la* drilbu *(cloche tibétaine). Ces trois éléments réunis aident à la prière.*

Pierre mani *sur laquelle est gravé le mantra sanskrit* « om mani padmé hum » *(« salut ô joyau du lotus »), puissante incantation bouddhique.*

LE PANTHÉON TIBÉTAIN

Le panthéon tibétain se compose de divinités, de bouddhas (« les Éveillés ») et de démons, dont beaucoup sont la réincarnation ou l'aspect mauvais des uns et des autres. Les bouddhas ont atteint l'Éveil et le nirvana. Les bodhisattvas ont renoncé temporairement à la poursuite du nirvana pour aider les autres à atteindre l'Éveil.

Jampalyang *(Manjusri) représente la connaissance et l'apprentissage. Il tient dans la main droite l'épée de la sagesse (pour couper les racines de l'ignorance).*

DIVINITÉS BOUDDHIQUES

Jowo Sakyamuni : le bouddha du présent
Jampa (Maîtreya) : le bouddha du futur
Dipamkara (Marmedzé) : le bouddha du passé
Guru Rinpoché (Padmasambhava) : manifestation terrestre du Bouddha qui diffusa le bouddhisme à travers le Tibet
Chenresig (Avalokitesvara) : bodhisattva de la Compassion aux multiples bras
Drolma (Tara) : aspect féminin de la compassion

Les Dharmapalas, *qui protègent la loi bouddhique, combattent les ennemis du bouddhisme. Autrefois démons, ils furent soumis par Guru Rinpoché, qui les contraignit à la foi. L'un des plus communs, Mahakala, est la manifestation courroucée de Chenresig.*

La vie des nomades

Jeune nomade et son *dzo*

Le haut plateau du Chang Tang, qui couvre près de 70 % du pays, abrite environ le quart de la population tibétaine. Le climat rude et aride empêchant les cultures, cette population est essentiellement nomade. Les *drokha* continuent de garder leurs troupeaux car ici l'influence de la vie moderne n'est guère sensible. Le bétail est adapté à l'altitude grâce à des poumons plus développés et un taux d'hémoglobine plus élevé. Les hommes ont aussi adapté leurs traditions au climat.

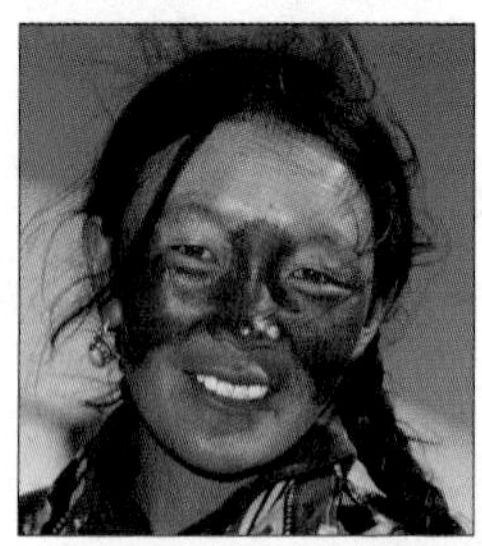
Le yaourt séché *aurait la vertu de protéger la peau du soleil. Les hommes n'en font aucun usage, mais les femmes s'en enduisent le visage en guise de cosmétique avec une boule de laine.*

Hommes *buvant le thé salé au beurre de yack, boisson très courante au Tibet. Le sel combat la déshydratation et le beurre fournit l'énergie nécessaire. Ils sont vêtus du* lokbar, *sorte de pelisse arrivant aux genoux, bordée d'une ganse noire.*

Vêtement traditionnel *des nomades, le* lokbar *en peau de chèvre sert aussi de couverture pendant la nuit. Le côté en laine est à l'intérieur et celui en peau à l'extérieur afin de protéger du vent et de la neige. Les manches sont très longues pour garder les mains au chaud. Les femmes ont les cheveux tressés et portent des bijoux, signe extérieur de richesse. Le corail est très prisé.*

LE TROUPEAU

Les *drokha* dépendent de leurs troupeaux pour se nourrir, se vêtir, se loger et avoir une source de revenu. Les chèvres fournissent le lait pour le yaourt et les peaux pour les vêtements ; la laine sert de monnaie d'échange et les excréments de combustible.

Chaque famille *possède une tente à quatre pans en poils de yak, qui est souvent plantée dans un creux et entourée de murets de pierres en guise de coupe-vent. Une autre tente en toile est parfois utilisée lors des déplacements.*

Femme nomade *enduisant un mur coupe-vent de bouse de yack en guise de mortier. Une fois les joints secs, elle grattera l'excédent de bouse qu'elle utilisera comme combustible pour la cuisine. Ce genre de tâche revient aux femmes, qui sont aussi chargées de la traite, du barattage, du tissage et de la collecte de combustible. Les femmes travaillent plus durement que les hommes.*

Nomade *avec une baratte versant du beurre de yack pour le thé salé. L'alimentation des nomades est simple et basée sur la* tsampa *(farine d'orge grillé), qui se mange nature et qui fournit environ la moitié de l'apport calorique journalier. Yaourt de chèvre, radis et ragoût de viande (occasionnellement) viennent en complément.*

La laine de yack, *de mouton ou de chèvre sert à la fabrication des tentes, des couvertures et des vêtements. Ces dernières années, beaucoup de nomades ont vu leurs revenus augmenter grâce à l'engouement pour le cachemire (mélange de poils de chèvre et de laine).*

DÉPLACEMENTS DES TROUPEAUX

Les nomades du Chang Tang ne se déplacent pas de manière continue et jamais très loin (15 à 65 kilomètres au plus), car la période des récoltes est partout la même sur le haut plateau. Ils essaient en fait de réduire au maximum les déplacements qui, disent-ils, affaiblissent le bétail. Certaines familles ont même une maison au campement principal. Lorsque les troupeaux à l'automne ont mangé la plus grande partie de la végétation autour du campement principal et que les récoltes sont terminées, ils les emmènent dans une plaine secondaire où ils devront se nourrir d'herbe sèche pendant huit ou neuf mois. Les hommes remonteront ensuite un peu plus haut avant de rejoindre le campement principal.

Nomade franchissant un col enneigé avec ses yacks

LE TIBET

Le plateau tibétain s'étend sur 1 200 000 km². Au nord, le Chang Tang est un vaste désert inhabité, de haute altitude et parsemé d'immenses lacs saumâtres. La moitié de la population (2 millions d'habitants) et presque tous les sites touristiques et toutes les villes sont concentrés dans la région sud, au climat moins rude.

En bordure de la vallée fertile du Tsang Po se trouve la chaîne himalayenne qui constitue la frontière sud du Tibet. Les Himalayas, qui datent de seulement 14 millions d'années, sont les montagnes les plus jeunes du globe et aussi les plus hautes avec plus de 70 sommets de 7 000 mètres – l'Everest, le plus élevé, culmine à 8 848 mètres. Le Tibet doit son nom de « pays des Neiges » à ses cimes enneigées. À l'altitude moyenne de 4 000 mètres, l'air se raréfie et la lumière du soleil s'intensifie, ce qui nécessite une acclimatation et une protection solaire pour les visiteurs.

Dans la région orientale du Tibet, les trois grands fleuves chinois –Yangzi, Salween et Mékong– creusent de nombreuses gorges. Les grands espaces du Nord sont le pays des nomades, qui mènent une vie pastorale très rude. L'industrialisation mondiale gagne peu à peu du terrain sur ces régions sauvages.

Malgré un développement rapide et plus de 50 ans d'occupation chinoise, le Tibet s'attache à préserver son patrimoine culturel, comme en témoigne la reconstruction des monastères. Le tourisme se développe à mesure que s'ouvrent les régions et les visiteurs peuvent aujourd'hui aller à la découverte d'une terre jadis interdite.

Grande salle du monastère de Ganden, le plus ancien monastère gelugpa du Tibet

◁ Moine derrière une magnifique porte du monastère de Labrang

Lhassa ❶

拉萨

Statue de la chapelle Tsepak Lhakhang

Fondée au VIIe siècle, la capitale Lhassa est une belle entrée en matière pour les voyageurs au Tibet. Le palais du Potala, résidence du dalaï-lama aujourd'hui en exil, domine la ville depuis la colline du Marpori. Le vieux quartier tibétain à l'est constitue la partie la plus intéressante de la ville avec en son centre le Jokhang et le Barkhor moyenâgeux, ses temples remplis de fumée d'offrandes et ses ruelles pavées. Le Barkhor est un haut lieu de pèlerinage pour les Tibétains. La présence d'immeubles en béton et de cybercafés montre combien la ville a changé ces dernières années.

LHASSA : LE CENTRE-VILLE

Nonnerie Ani Tsankhung ④
Temple de Jokhang ⑤
Temple de Lukhang ②
Norbulingka ⑦
Palais du Potala ①
Temple de Ramoché ③
Musée du Tibet ⑥

LÉGENDE

Quartier pas à pas *p. 530-531*

0 500 m

Légende des symboles, *voir rabat de couverture*

Peinture murale du temple de Lukhang

Palais du Potala

Voir p. 534-535

Temple de Lukhang

Ching Drol Chi Ling.

Construit sur un îlot du lac qui s'étend derrière le Potala, le temple de Lukhang – dissimulé derrière les saules en été –, dédié au roi des esprits de l'eau (*lu*), est représenté sur un éléphant au fond de la Grande Salle. Les étages sont décorés de superbes peintures murales du XVIIIe siècle figurant la Voie bouddhique de l'Éveil. Les histoires qu'elles relatent guidaient les dalaï-lamas *(p. 520)* qui avaient coutume de venir ici pour de longues périodes de méditation. Les fresques du 1er étage illustrent des enseignements bouddhiques et celles du dernier étage décrivent des techniques yogiques des maîtres indiens de la Voie tantrique. D'autres peintures représentent des épisodes de la vie de Péma Lingpa, ancêtre du 6e dalaï-lama, qui aurait dessiné les plans du Lukhang au XVIIe siècle.

Temple de Ramoché

de 9h à 17h t.l.j. payant.

Le temple de Ramoché, situé juste au nord du Barkhor *(p. 530-531)*, est le pendant du Jokhang. Il fut construit par le roi Songtsen Gampo *(p. 520)* au VIIe siècle pour abriter la statue du Jowo Sakyamuni, l'image du Bouddha la plus vénérée au Tibet, que la princesse chinoise Wencheng avait apportée en dot. La légende raconte que la menace de l'invasion chinoise après la mort du souverain obligea la famille à cacher la statue au Jokhang. Celle-ci fut remplacée par une statue de bronze du bouddha Sakyamuni *(p. 30-31)* offerte au souverain par son épouse népalaise, la princesse Bhrikuti.

Aujourd'hui reconstruit sur ses trois niveaux, le temple, qui possède de grands moulins à prières, n'est pas aussi fréquenté que le Jokhang. À côté se trouve la chapelle de **Tsepak Lhakhang**, qui abrite une image de Jampa, nom tibétain du bouddha du futur *(p. 523)*.

Moulins à prières du temple de Ramoché

Palais d'été des dalaï-lamas dans le parc du Norbulingka

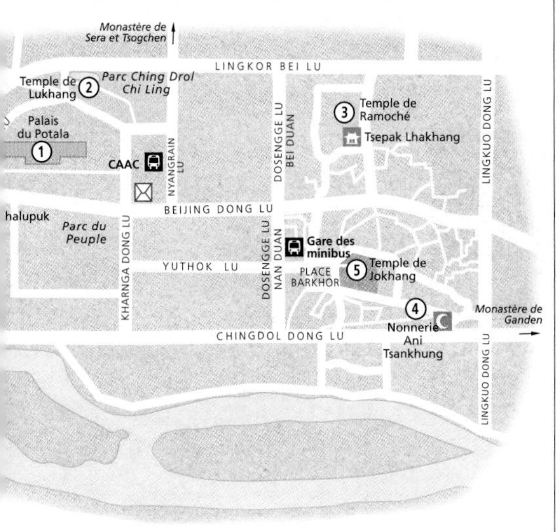

Nonnerie Ani Tsankhung

t.l.j.

Située dans la vieille ville, la nonnerie Tsankhung n'est pas facile à trouver, mais le trajet à travers les ruelles animées au sud du Barkhor jusqu'à cette bâtisse jaune de la rue parallèle à Chingdol Dong Lu (côté nord) est très agréable. La Grande Salle abrite une belle statue de Chenresig, bodhisattva de la Compassion aux mille bras *(p. 523)*. Derrière se trouve une salle de méditation où se rendait le roi Songtsen Gampo (VIIe siècle). Une grande sérénité règne en ce lieu pittoresque doté d'une cour intérieure fleurie immaculée. L'accueil chaleureux que les nonnes pleines de curiosité réservent aux visiteurs ajoute à l'attrait de cet endroit.

Temple du Jokhang

Voir p. 532-533.

Musée du Tibet

de 10h à 17h t.l.j.

Cet imposant bâtiment retrace de manière partiale l'histoire du Tibet. Hormis cet aspect propagandiste, l'endroit mérite une visite (plus de 30 000 pièces présentées).
À côté des nombreux objets rituels se trouvent notamment des instruments de musique rares, des instruments médicaux et même une barque en osier.

Parc de Norbulingka

de 9h30 à 18h t.l.j.

Le beau parc de Norbulingka (parc du Joyau) était autrefois la résidence d'été des dalaï-lamas.
Créé en 1755 par le 7e dalaï-lama et agrandi par ses successeurs, il abrite plusieurs palais et chapelles ainsi que d'autres bâtiments. C'est un endroit agréable à visiter l'après-midi. L'allée ouest après l'entrée conduit au **Kelsang Potrang**, le palais le plus ancien où résidèrent les 8e, 9e, 10e, 11e, 12e et 13e dalaï-lamas. La Grande Salle contient des *thangkas (p. 536)* et un trône.
Au nord du bâtiment se trouve le **palais d'Été** construit en 1954 pour l'actuel dalaï-lama. Dans la salle d'audience, de remarquables peintures murales retracent l'histoire du Tibet, depuis le labourage du premier champ jusqu'à la construction des grands monastères dont fait partie le Norbulingka. À côté se trouvent la salle de méditation et la chambre à coucher du dalaï-lama dans l'état où il les a laissées quand il s'enfuit en Inde déguisé en soldat tibétain.
La salle de réunion contient un trône en or et des fresques très colorées représentant des scènes de la cour de Sa Sainteté et des épisodes de la vie de Sakya Thukpa (Sakyamuni, le bouddha historique) et de Tsongkhapa, fondateur de l'ordre des Gelugpa *(p. 520)*.

MODE D'EMPLOI

2 700 000. Aéroport de Lhassa à Gongkhar, à 93 km au sud-est de Lhassa, puis bus. Gare de Lhassa. Gare des minibus CAAC. Véhicule tout-terrain. 208 Yuan Lin Lu, (0891) 633 3476. Losar (1er mois lunaire).

Porte du Norbulingka aux couleurs éclatantes

Le Barkhor pas à pas

Temple du Jokhang, détail du toit

Le Barkhor est le quartier le plus animé de Lhassa, où autochtones, pèlerins et touristes se rendent au Jokhang *(p. 532-533)* – la foule est dense à la tombée de la nuit. La *kora* autour du temple est le rituel le plus sacré pour les Tibétains, qui l'accomplissent depuis le VIIe siècle ; tout au long se trouvent des éventaires à l'intention des pèlerins.

Ici, beaucoup de constructions sont très anciennes, certaines remontent au VIIIe siècle et, malgré l'attachement des Tibétains à leur patrimoine, des bâtiments ont été démolis pour être remplacés par une architecture chinoise traditionnelle. Mais avec ses vieilles ruelles pavées, le Barkhor n'a rien perdu de son caractère unique.

Éventaire de beurre
Le beurre de yack qui alimente les lampes dans les temples en répandant une odeur particulière est vendu un partout ici.

★ Temple du Jokhang
Situé au cœur du Barkhor, le Jokhang est le sanctuaire le plus important du Tibet et constitue le pôle originel de Lhassa.

BARKHOR TROMSHI

Drapeaux à prières
Deux mâts de drapeaux à prières se dressent devant le Jokhang. Autrefois pavillons de guerre, ces mâts verticaux qui viennent de la région de l'Amdo sont aujourd'hui des symboles de paix.

Fours à fumigations
Les offrandes de genévrier brûlent dans les quatre fours à fumigations en pierre ou sangkang, qui jalonnent la kora.

LÉGENDE

– – – *Kora* (circambulation rituelle)

À NE PAS MANQUER

★ Monastère de Meru

★ Temple du Jokhang

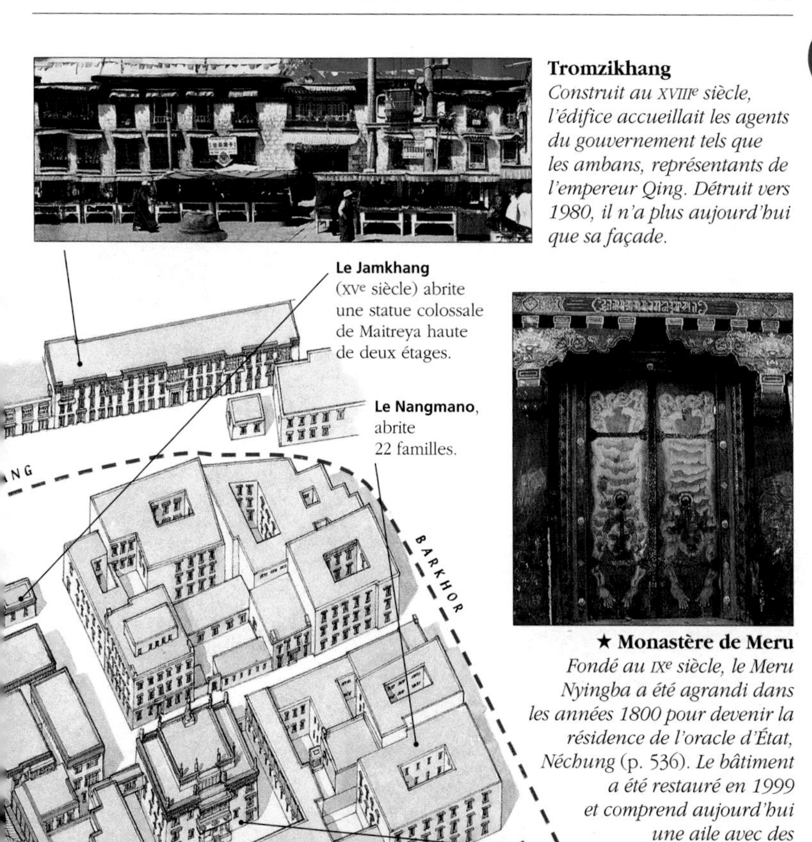

Tromzikhang
Construit au XVIIIe siècle, l'édifice accueillait les agents du gouvernement tels que les ambans, représentants de l'empereur Qing. Détruit vers 1980, il n'a plus aujourd'hui que sa façade.

Le Jamkhang (XVe siècle) abrite une statue colossale de Maitreya haute de deux étages.

Le Nangmano, abrite 22 familles.

★ Monastère de Meru
Fondé au IXe siècle, le Meru Nyingba a été agrandi dans les années 1800 pour devenir la résidence de l'oracle d'État, Néchung (p. 536). *Le bâtiment a été restauré en 1999 et comprend aujourd'hui une aile avec des logements publics.*

Le vieux sanctuaire dédié à Palden Lhamo, protectrice de Lhassa, est aujourd'hui entouré d'immeubles. modernes.

Le Labrang Nyingba fut la résidence du 5e dalaï-lama et de Tsongkhapa à différentes périodes.

Éventaires le long de la *kora*
Des marchands vendant un étrange bric-à-brac allant des chapeaux de cow-boy aux drapeaux à prières sont installés le long du chemin circulaire. Les boutiques situées plus loin derrière proposent des objets plus intéressants tels que statuettes religieuses et tapis.

Le temple du Jokhang

大昭寺

Détail de faîteau

Le flot incessant des fidèles, les couleurs des objets rituels, l'odeur des lampes à beurre et les fumées d'encens qui emplissent le Jokhang en font un des lieux les plus marquants du Tibet. L'édifice fut construit en 639 à l'initiative de l'épouse du roi Songtsen Gampo, la princesse chinoise Wencheng, pour abriter la statue du Bouddha apportée en dot par l'autre épouse du roi, la princesse népalaise Bhrikuti. Le temple devait recouvrir le cœur de la grande démone qui sommeillait sous terre afin de la contrôler. À la mort du souverain, la statue du Jowo Sakyamuni apportée par Wencheng fut transférée du monastère de Ramoché *(p.528)* au temple du Jokhang où l'on pensait qu'elle serait plus à l'abri d'une invasion chinoise.

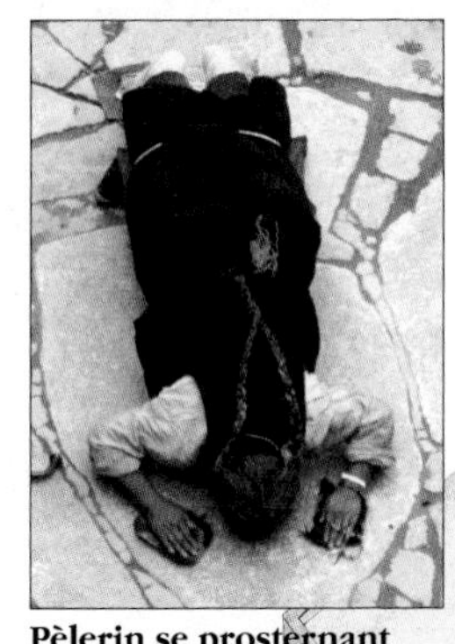

Pèlerin se prosternant
Le Jokhang est le lieu le plus sacré du Tibet. Les pèlerins viennent se prosterner et prier devant les portes du temple.

Cour intérieure
La cour intérieure, ou dukhang, *accueille toutes les cérémonies pendant les festivités. Son entrée est signalée par un autel qu'éclairent des centaines de lampes à beurre de yack.*

Dans l'entrée se trouvent les quatre rois gardiens *(chokyong)* des quatre points cardinaux.

Sur cette stèle sont gravées les clauses du traité de 822 entre le Tibet et la Chine qui garantissait le respect mutuel de leurs frontières.

Faîteau
Les rayons de la Roue de la Loi représentent les huit voies de l'Éveil.

Autre entrée

À NE PAS MANQUER

- ★ Chapelle de Chenresig
- ★ Chapelle du Jowo Sakyamuni
- ★ Sanctuaire intérieur

La chapelle de Tsongkapa contient une impressionnante statue du fondateur de l'ordre Gelugpa.

La chapelle de Songtsen Gampo abrite une image du roi avec Wencheng à sa droite et Bhrikuti à sa gauche.

MODE D'EMPLOI

Le Barkhor, Lhasa. *de 9h à 18h, t.l.j. Visite dans le sens des aiguilles d'une montre. Chapelles intérieures* *de 8h à 12h.* *Monlam, pendant le 1er mois lunaire.*

★ Chapelle de Chenresig

Une grande statue de Chenresig, bodhisattva de la Compassion, se dresse à l'intérieur de la chapelle. Les portes et les encadrements du VIIe *siècle sculptés par des artistes népalais font partie des rares vestiges du bâtiment originel.*

★ Chapelle du Jowo Sakyamuni

Les pèlerins se pressent autour du Jowo Sakyamuni à douze ans, au visage impassible, pour faire leurs offrandes et prier. La statue apportée en dot par la princesse Wencheng est l'image la plus vénérée du Tibet.

Le Jampa qui se trouve ici est une copie de la statue apportée par la princesse népalaise Bhrikuti.

★ Sanctuaire intérieur

Le sanctuaire abrite quelques-unes des statues les plus importantes du Jokhang, notamment celles de Guru Rinpoché, du Jampa et d'un Chenresig aux mille bras. Les chapelles sur les côtés se visitent dans le sens des aiguilles d'une montre et il faut prendre la file pour entrer dans la plus sacrée.

Moulins à prières

Les pèlerins actionnent les moulins en faisant le tour du Nangkor, l'un des trois cercles concentriques sacrés de Lhassa.

Le palais du Potala

布达拉宫

Bronze sur le toit

Perché sur la colline du Marpori, point culminant de Lhassa, le Potala est l'édifice le plus monumental du Tibet. Le palais haut de douze étages qui comprend plus d'un millier de pièces était la résidence du dalaï-lama, et donc le siège du pouvoir spirituel et temporel. Depuis le départ en exil en 1959 de l'actuel dalaï-lama, le Potala est un gigantesque musée qui témoigne de la richesse de la culture tibétaine. Il continue néanmoins à accueillir les grands événements de la vie politique et les cérémonies religieuses importantes. Le palais originel construit par le roi Songtsen Gampo en 631 fut agrandi par la suite. Il se compose aujourd'hui de deux parties : le palais Blanc édifié en 1645 et le palais Rouge achevé en 1693.

★ Toits dorés

Les toits dorés (en cuivre) qui semblent flotter au-dessus du palais recouvrent les chapelles funéraires des précédents dalaï-lamas.

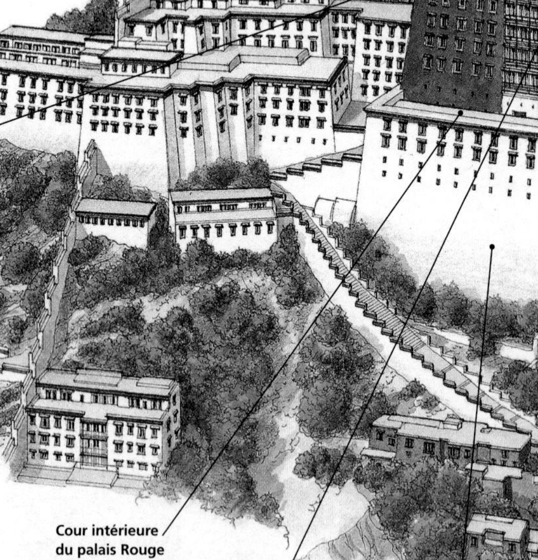

La chapelle du 5e dalaï-lama contient un stupa recouvert de quelque 3 000 kg d'or.

Cour intérieure du palais Rouge

La partie inférieure sert simplement de soubassement à l'édifice construit à flanc de colline.

Entrepôt de *thangkas*

★ Chapelle du 13e dalaï-lama

Décoré d'or et de pierres précieuses, le stupa du 13e dalaï-lama, qui mesure près de 13 mètres de haut, abrite les reliques momifiées de ce dernier.

★ Mandala en 3D

Ce mandala en forme de maquette recouverte de métaux précieux et de gemmes représente les différents aspects du chemin de l'Éveil.

À NE PAS MANQUER

- ★ Chapelle du 13e dalaï-lama
- ★ Mandala en 3D
- ★ Toits dorés

Pour les hôtels et les restaurants de la région, voir p. 573 et p. 597

MODE D'EMPLOI

Beijing Zhonglu, Lhassa.
(0891) 683 4362. *de 9h à 17h, t.l.j.* *supplément pour l'accès aux toits dorés et à l'Exhibition Room.* *dans les chapelles, ailleurs, supplément pour les photos.* *Déconseillé à ceux qui ont du mal à monter les étages.*

Vue depuis le toit du palais Rouge
Par beau temps, la vue sur la vallée et les montagnes au loin est exceptionnelle, même si les quartiers plus récents présentent moins d'intérêt.

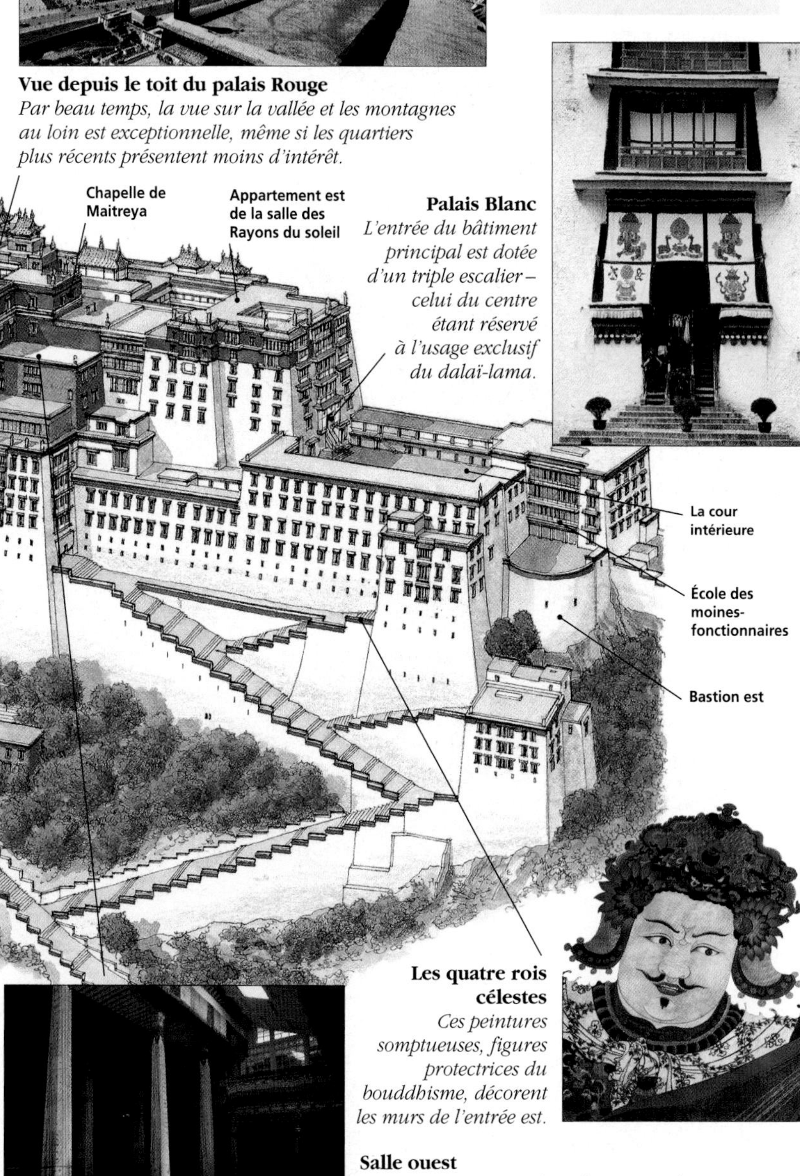

Palais Blanc
L'entrée du bâtiment principal est dotée d'un triple escalier – celui du centre étant réservé à l'usage exclusif du dalaï-lama.

Les quatre rois célestes
Ces peintures somptueuses, figures protectrices du bouddhisme, décorent les murs de l'entrée est.

Salle ouest
Située au 1er niveau du palais Rouge, la salle ouest, la plus grande salle du Potala, abrite le trône sacré du 6e dalaï-lama.

À la découverte des environs de Lhassa

Les grands monastères de Drépung, Nechung, Sera et Ganden sont facilement accessibles en bus, minibus ou véhicule de location depuis Lhassa. Leur visite, qui peut se faire dans la journée, intéressera notamment ceux qui ne peuvent se rendre dans des régions plus lointaines. Des agences à Lhassa fournissent les permis nécessaires et le véhicule (pour cinq personnes) avec chauffeur et guide. Pour partager les frais avec d'autres voyageurs, consultez les panneaux d'affichage des hôtels pour routards.

Peinture tantrique caractéristique du monastère de Nechung

Monastère de Drépung

8 km à l'ouest de Lhassa. de *8h à 16h t.l.j. (fermeture des chapelles entre 12h et 15h).*

Drépung (monticule de riz) fut fondé en 1416 par Jamyang Choje, disciple du fondateur de l'ordre Gelugpa (ou Bonnets jaunes), Tsongkhapa *(p. 520)*. Au XVIIe siècle, c'était le monastère le plus florissant du Tibet avec quatre collèges et 10 000 moines. Aujourd'hui, ces derniers sont moins d'un millier.

L'endroit est vaste et, pour le visiter, le plus simple est de suivre les pèlerins qui accomplissent la *kora*. Sur le côté gauche, le **Ganden Potrang**, palais du 2e dalaï-lama construit en 1530, comprend des appartements assez sommaires au 7e niveau. Dans la cour intérieure, des moines sculptent le bois et impriment des prières à grande vitesse. Sur un des côtés, le **Tsogchen**, ou grand temple de l'Assemblée, est le bâtiment le plus impressionnant avec ses quelque 180 piliers, ses *thangkas*, ses armures et ses statues dont les plus belles se trouvent dans la **chapelle des Trois Âges**. Du haut de l'escalier qui se trouve à l'entrée du temple, on peut voir la tête et les épaules de la statue de **Maitreya** (bouddha du futur) haute de trois étages. Les pèlerins se prosternent devant et boivent dans une conque sacrée. **La chapelle de Tara** adjacente contient des écritures et une statue de Prajnaparamita, mère de tous les bouddhas, et l'un des aspects de la déesse Tara ; l'amulette posée sur ses genoux contient une dent qui appartiendrait à Tsongkhapa. À l'arrière du Tsogchen, le petit **temple de Manjusri** abrite une image rupestre de Jampalyang, bodhisattva de la Sagesse. Le circuit rituel se poursuit vers le collège Ngagpa au nord, puis vers différents collèges en direction du sud-est.

Chaque bâtiment contient de belles sculptures, mais d'aucuns préféreront peut-être faire une pause dans la cour intérieure. Ceux qui sont acclimatés peuvent faire le tour entier du cercle de pèlerinage ; ils découvriront des peintures rupestres, des cellules troglodytes de nonnes et ils jouiront d'une superbe vue.

Monastère de Nechung

7 km à l'ouest de Lhassa. *de 8h à 16h t.l.j. (fermeture des chapelles entre 12h et 15h).*

Situé à quinze minutes à pied de Drépung, Nechung était autrefois la résidence de l'oracle d'État, dont la fonction consistait non seulement à prédire l'avenir, mais encore à protéger les enseignements bouddhiques. Il était toujours consulté dans un état de transe, vêtu de son lourd costume, puis, une fois

THANGKAS ET MANDALAS

Peints ou brodés sur brocart, les *thangkas* ont pour sujet la vie des bouddhas, la théologie et l'astrologie tibétaines ou des mandalas (représentations géométriques du cosmos).

On les trouve dans les temples, les monastères et les maisons. Ceux déroulés pour le festival annuel du monastère de Tashilunpo *(p. 544)* sont immenses. Les mandalas composés de carrés et de cercles concentriques sont souvent utilisés comme support à la méditation. Le Potala *(p. 534-535)* en abrite un superbe en trois dimensions en métal précieux. Les mandalas de sable (que les moines passent des jours à créer), destinés à être effacés une fois terminés, traduisent le caractère éphémère de la vie.

Mandala symbolisant l'Univers

Moines en train de débattre au monastère de Sera

les prophéties prononcées, perdait connaissance. Le dernier oracle suivit le dalaï-lama dans sa fuite en Inde en 1959 et aujourd'hui les moines sont peu nombreux à entretenir les bâtiments. La cour intérieure avec ses fresques sanguinolentes et ses tortionnaires démoniaques est un endroit étrange, de même que les chapelles obscures remplies de sculptures de crânes. La salle d'audience claire et spacieuse à l'étage est plus rassurante. C'est là que le dalaï-lama consultait l'oracle. La chapelle située au niveau du toit est dédiée à Padmasambhava, bouddha de la Voie tantrique.

Monastère de Sera

3,5 km au nord de Lhassa.
de 15h à 17h t.l.j.

Fondé en 1419 par les disciples de l'ordre Gelugpa, Sera était célèbre pour ses 5 000 moines guerriers, ou *dob-dob*. Aujourd'hui, ils sont moins de 500, mais les importants travaux de reconstruction donnent à penser que leur nombre va augmenter.

L'activité se concentre autour des trois collèges qui se visitent dans le sens des aiguilles d'une montre. À gauche de l'allée principale, Sera Me était dédié à l'enseignement des bases du bouddhisme et le Sera Ngag-Pa, situé un peu plus haut, aux études tantriques. Le Sera Je adjacent accueillait les moines invités. Chaque bâtiment comprend une grande salle sombre et des chapelles remplies de sculptures. L'endroit le plus étonnant et le plus grand du complexe est le **Tsogchen** situé plus haut, qui abrite des *thangkas* de la longueur des murs, le trône du 13e dalaï-lama ainsi que des images de ce dernier et du fondateur de Sera, Sakya Yeshe. Tout en haut se trouve la cour où les moines se réunissent pour débattre. Ces exercices ponctués de gestes rituels comme les battements de mains et les tapements de pieds qui marquent les points sont un spectacle fascinant. La *kora* s'accomplit en une heure et permet d'admirer de beaux reliefs rupestres.

Peinture rupestre du monastère de Sera

Monastère de Ganden

45 km à l'est de Lhassa. *Navette au départ de l'esplanade du Jokhang.*
de 8h50 à 16h t.l.j.

Ganden est le monastère le plus éloigné de Lhassa et sans doute le plus beau, à cause de sa situation spectaculaire sur la corniche de Gokpori. Pour s'imprégner plus facilement de son atmosphère, le mieux est de venir avec le bus des pèlerins qui part de l'esplanade du Barkhor à Lhassa à 6 h 30 et qui revient à 14 h. Ganden fut fondé en 1410 par Tsongkhapa, dont les restes se trouvent dans un *chorten* en or et en argent, à l'intérieur du **Serdung Lhakhang**. L'endroit le plus intéressant est la *kora* qui s'accomplit en une heure et qui offre de belles vues. En chemin, vous passerez devant un ou deux *chorten* dont les pèlerins (et les visiteurs intéressés) font le tour en sautant sur un pied.

Yack domestique sur l'une des collines entourant le monastère de Ganden

Le monastère de Samyé ❷

桑耶寺

Divinité protectrice tantrique du Gongkhan

Construit dans une oasis sur un plan symbolisant celui d'un mandala, Samyé, qui abrite par ailleurs de nombreux trésors, fait toujours une forte impression sur les visiteurs. Son fondateur, le roi Trisong Détsen (VIIIe siècle), aidé dans son projet par Guru Rinpoché, invita des maîtres indiens et chinois pour traduire les écritures bouddhiques en tibétain, mais, constatant leur désaccord sur l'interprétation de la doctrine, il organisa un débat public pour décider de la forme que devait prendre le bouddhisme au Tibet. Ce fut l'école indienne qui l'emporta. Le monastère qui a subi l'influence de nombreuses sectes présente aujourd'hui un caractère éclectique.

★ Chapelle du Jowo Sakyamuni
Le Jowo Khang, qui est la chapelle la plus sacrée du monastère, abrite une image de Sakyamuni à trente-huit ans, flanquée de deux divinités protectrices et de dix bodhisattvas.

★ Chapelle de Chenresig
À l'intérieur de la chapelle s'élève une statue de Chenresig portant un œil minutieusement peint sur chacune de ses 1 000 mains.

Les moines occupent le niveau supérieur du mur d'enceinte.

Le mur d'enceinte le long duquel se trouvent des moulins à prières présente de belles fresques du Bouddha.

LE TEMPLE ÜTSE

Munissez-vous d'une lampe de poche pour la visite. L'entrée donne directement sur la Grande Salle avec la chapelle de Chenresig à gauche, le Gongkhan à droite et la chapelle du Jowo Sakyamuni au fond. Le 1er étage abrite de nombreuses chapelles et l'appartement du dalaï-lama. La galerie du 2e étage est décorée de magnifiques fresques.

À NE PAS MANQUER

- ★ Chapelle de Chenresig
- ★ Chapelle du Jowo Sakyamuni

Vue du monastère de Samyé
Les collines environnantes offrent une belle vue d'ensemble du monastère, qui apparaît comme un mandala en 3D (p. 536).

◁ **Drapeaux à prières sur les collines entourant le monastère de Ganden**

Guru Rinpoché
Selon la tradition, ce prince du VIIIe siècle originaire de la vallée de Swat (actuel Pakistan) dut soumettre les démons malfaisants du Tibet avant d'y instaurer le bouddhisme. Le monastère abrite des statues du maître tenant la foudre.

MODE D'EMPLOI

150 km au sud-est de Lhassa. *de Lhassa ou Tsétang jusqu'au bac qui traverse le Tsangpo, puis camion.* *supplément pour les photos.* *Festival de Samyé, 15e jour du 5e mois lunaire.*

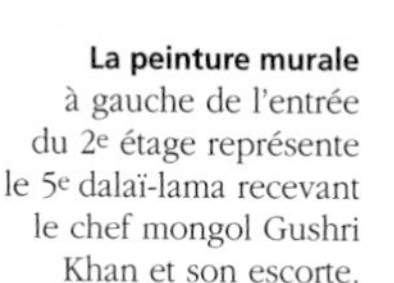

La peinture murale à gauche de l'entrée du 2e étage représente le 5e dalaï-lama recevant le chef mongol Gushri Khan et son escorte.

Appartements du dalaï-lama
Les appartements fort simples composés d'un vestibule, d'une chambre à coucher et d'une salle du trône sont remplis de reliques, notamment des cheveux et une canne de Guru Rinpoché.

La chapelle du Gongkhan est remplie de statues drapées de démons féroces. Un serpent empaillé garde la sortie.

Entrée principale

Cette stèle de 779 porte une inscription qui fait état de la proclamation par le roi Trisong Détsen du bouddhisme comme religion officielle.

La Grande Salle abrite des images ainsi que des statues de Guru Rinpoché, des rois bouddhistes Trisong Détsen et Songsten Gampo.

PLAN DU COMPLEXE MONASTIQUE

Samyé est construit suivant le plan de l'ordre cosmique du bouddhisme tibétain. Sur les 108 bâtiments, beaucoup ont été détruits, mais les quatre chapelles *(ling)* représentant les continents qui encerclent le mont Sumeru (l'Ütse) sont intactes. Jampa Ling abrite une peinture murale de l'ensemble tel qu'il était autrefois. Le mur d'enceinte circulaire est surmonté de 1 008 *chortens* représentant le Chakravala, un anneau de 1 008 monts qui entoure l'Univers.

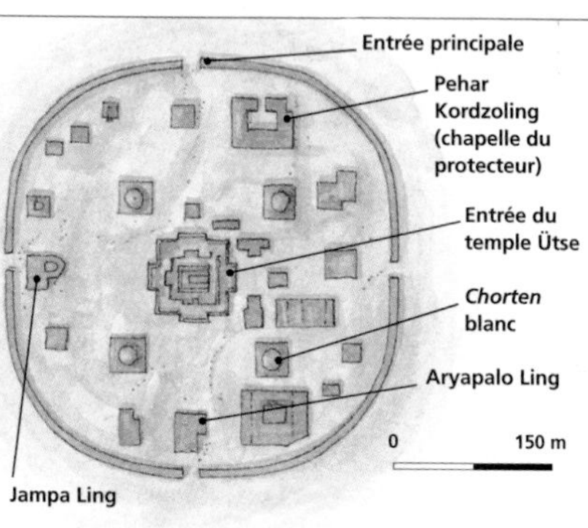

Tentes de nomades sur les rives du lac Namtso

Monastère de Tsurphu ❸
楚布寺

Vallée de la Tölung, 70 km à l'ouest de Lhassa. *t.l.j. depuis l'esplanade du Barkhor à Lhassa. Dernier bus pour le retour à 15h.* *4x4 de location à Lhassa, 2 à 3 h.* *t.l.j. de 9h à 14h.*

Situé à 4 480 mètres d'altitude, ce monastère fondé au XIIe siècle par l'ordre karmapa (des Bonnets noirs) était la résidence du karmapa, qui occupe le 3e rang après le dalaï-lama et le panchen-lama *(p. 544)*. Le 17e karmapa actuel s'enfuit en Inde en 1999 à l'âge de quatorze ans. C'était le seul haut représentant du bouddhisme tibétain reconnu à la fois par les autorités chinoises et par le dalaï-lama. Le flot de pèlerins qui venaient ici quotidiennement pour recevoir sa bénédiction s'est maintenant arrêté, mais plusieurs centaines de moines résident encore dans le monastère.

Le trône sacré du karmapa se trouve dans la salle d'audience du Grand Temple. Un *chorten* (appelé aussi stupa) abrite les reliques du 16e karmapa, mort en 1981 à Chicago. La *kora* qui part de l'arrière du monastère s'accomplit en trois heures, offrant de magnifiques vues, mais attention, il faut être acclimaté.

L'une des nombreuses fresques du monastère de Tsurphu

Lac Namtso ❹
纳木错湖

200 km au nord-ouest de Lhassa. *4x4 de location au départ de Lhassa, 2-3 jours aller-retour.* *t.l.j.*

Le trajet jusqu'à ce lac aux eaux turquoises dominé par les cimes enneigées, est une belle excursion de deux jours au départ de Lhassa. Le lac Namtso qui s'étend sur 70 kilomètres de long et 30 kilomètres de large est le 2e plus grand lac salé de Chine après le Qinghai Hu *(p. 499)*. Les pâturages qui

LES HUIT SIGNES DE BON AUGURE

Les huit signes de bon augure représentent les offrandes présentées au bouddha Sakyamuni parvenu à l'Éveil. Le prince Siddharta Gautama, du royaume de Kapilavastu, renonça à sa vie princière à l'âge de trente ans et partit en quête d'une réponse à la souffrance et à l'existence humaines. Au terme de nombreuses années de pénitence, Siddharta atteignit l'Éveil après avoir médité sous un arbre de bodhi à Bodh-Gaya en Inde.

Les Tibétains, qui attribuent aux huit signes une vertu protectrice, en décorent drapeaux, médaillons et tuiles des temples, des monastères et des maisons bouddhistes. La conque sert à célébrer l'Éveil de Sakyamuni ; le nœud d'éternité évoque l'harmonie et l'infini du temps ; la Roue de la Loi symbolise l'Octuple Sentier de l'Éveil. Parmi les autres signes figurent le poisson d'or, qui représente la libération de la Roue de la Vie, et le lotus, symbole de pureté.

Conque

Nœud d'éternité

Roue de la Loi

Pour les hôtels et les restaurants de la région, voir p. 573 et p. 597

l'entourent accueillent des campements de nomades en été. De novembre à mai, le lac est gelé.

Les visiteurs passent généralement la nuit au monastère de **Tashi Dor**, en bordure du lac. Il est conseillé d'apporter une lampe de poche et un sac de couchage. Il est nécessaire d'être bien acclimaté car le lac est situé à l'incroyable altitude de 4 718 mètres.

L'EXPÉDITION BRITANNIQUE AU TIBET

S'inquiétant de l'influence croissante de la Russie tsariste, le vice-roi des Indes envoya une mission diplomatique au Tibet qui allait échouer. Conduit par le colonel Francis Younghusband, un corps expéditionnaire de 1 000 soldats et 10 000 porteurs envahit le Tibet en 1903 *(p. 491)*, tuant en chemin près de 700 paysans dont une grande partie était seulement armée d'amulettes. Le fort de Gyantsé fut pris d'assaut par les Anglais qui perdirent quatre hommes dans la bataille (la plus haute de l'histoire) contre des centaines de victimes dans le camp tibétain. Les troupes avancèrent sur Lhassa où fut signé un accord commercial.

Francis Younghusband

Porte de la grande chapelle du Kumbum à Gyantsé

Gyantsé ❺

江孜

255 km au sud-ouest de Lhassa. *Minibus : un jour sur deux au départ de la gare routière de Lhassa. 4x4 depuis Lhassa.* **Permis (Travel Permit)** *obligatoire (p. 519).*

Bien que poussiéreuse, Gyantsé est une jolie bourgade célèbre pour ses tapis ; elle est la 3e ville du Tibet. Les visiteurs y passent généralement en se rendant au Népal *(p. 547)*. La « cité héroïque », comme on l'appelle souvent, était à l'origine la capitale d'un royaume du XIVe siècle. Il ne reste plus grand-chose du fort, ou ***Dzong***, bombardé au cours de l'expédition britannique de 1904, qui coûta la vie à de nombreux Tibétains. Les vestiges abritent aujourd'hui un petit musée qui relate – propagande oblige – l'« héroïque bataille menée pour défendre la mère patrie chinoise », même si à l'époque la Chine n'exerçait aucune autorité sur le Tibet. Le panorama depuis le toit est grandiose. À 200 mètres de là, vers le nord-ouest, se trouvent le **Kumbum** et le **Pelkor Chode**.

Construit vers 1440, le Kumbum est un *chorten* à 6 degrés de 35 mètres de hauteur, dont le style architectural est unique au Tibet. Un circuit rituel bordé de chapelles abritant des statues et des fresques du XIVe siècle – *kumbum* signifie « cent mille images » – gravit les degrés dans le sens des aiguilles d'une montre. Au 4e niveau, quatre paires d'yeux peints du Bouddha regardent en direction des quatre points cardinaux. L'escalier de la chapelle située à l'est monte au dôme du *chorten*. En haut, la vue est superbe. Construit 20 ans après le Kumbum, le Pelkor Chode accueillait toutes les sectes bouddhistes locales. La salle d'Assemblée abrite deux trônes, celui du dalaï-lama et celui de Sakya Lama. Dans la grande chapelle située au fond se trouvent une statue du bouddha Sakyamuni et un beau plafond décoré en bois. Tout en haut, la chapelle Shalyekhang contient de beaux *mandalas (p. 536)*.

Situé sur la route de Gyantsé, le **lac Yamdrok**, un des quatre lacs sacrés du Tibet, mérite le déplacement.

Dzong
Lun.-sam.

Kumbum et Pelchor Chode
de 9h à 19h, lun.-sam. (fermeture entre 12h et 15h).
supplément.

Le Kumbum de Gyantsé, construit sur le modèle d'un mandala en 3D

Shigatsé et le Tashilunpo ❻

日喀则

Tissage d'une étoffe

Située à 3 900 mètres d'altitude, Shigatsé est la capitale de la province du Tsang. La corniche de Drolma sur laquelle se dressent les ruines du fort, ancienne résidence des rois du Tsang, surplombe la ville. Capitale éphémère du Tibet au début du XVIIe siècle, Shigatsé fut de tout temps le siège du panchen-lama, le deuxième plus haut chef spirituel du Tibet, qui réside au monastère de Tashilunpo. Les voyageurs pourront rester un jour ou deux pour visiter la ville, qui est la 2e étape la plus confortable du Tibet après Lhassa. Elle abrite en effet d'agréables hôtels et restaurants.

Fabrication d'un tapis noué en laine aux couleurs chatoyantes

Fabrique de tapis tibétains

Qomolangma Lu. *lun.-ven. de 9h à 12h30 et de 14h30 à 19h.*

La Tibet Gang Gyen Carpet Factory, qui emploie des femmes des villages alentour, produit de belles pièces. Si vous voulez acheter un tapis tibétain, c'est ici qu'il faut aller. Vous y verrez des femmes filer la laine et tisser, un spectacle qui intéressera même ceux qui n'ont pas l'intention d'acheter. Ouverte en 1987 sur l'initiative du 10e panchen-lama, la fabrique est rattachée en partie au monastère. Tout est prévu pour les expéditions.

Marché nocturne

Quelques marchands ambulants se tiennent au carrefour de Qomolangma Lu et de Jiefang Zhonglu. Vous pourrez déguster des nouilles ou des brochettes (*kabob*) assis sur une chaise voire sur un canapé à même le trottoir.

LE 11e PANCHEN-LAMA

À la mort du 10e panchen-lama en 1989, le gouvernement du Tibet en exil et les autorités chinoises s'opposèrent sur la question de sa succession. Comme pour le dalaï-lama, le successeur du panchen-lama doit être une réincarnation de celui-ci. La tradition veut qu'à sa mort, les chefs lamas partent à la recherche de sa réincarnation. En 1995, après de longues recherches, le dalaï-lama désigna comme 11e panchen-lama un enfant de six ans, Gedhun Choeki Nyima. Le garçon et sa famille devaient disparaître à jamais peu de temps après. Suivit une cérémonie clandestine au cours de laquelle le gouvernement chinois désigna comme « panchen-lama officiel » Gyancain Norbu, qu'il s'empressa d'envoyer à Pékin où il est aujourd'hui détenu avec sa famille.

Gyancain Norbu, le 11e panchen-lama désigné par la Chine

Dzong

Situé au nord de Shigatsé, le fort, ou *dzong*, est l'ancienne résidence des rois du Tsang. Il fut construit au XIVe siècle par le puissant Karma Phuntso Namgyel sur le modèle d'un petit Potala. Il fut détruit par les Chinois lors du soulèvement de 1959 et il ne reste plus aujourd'hui que quelques vestiges de murs incendiés. Cependant, le panorama qu'il offre sur la ville est grandiose. La *kora* jalonnée par des drapeaux à prières et des pierres *mani*, qui part du côté ouest du Tashilunpo, monte jusqu'ici. Ne vous approchez pas des chiens errants.

Marché tibétain

Sur le petit marché de Tomzigang Lu, en contrebas du fort, sont vendus des souvenirs tels que moulins à prières, encens et quelques produits de première nécessité – médicaments, gigots d'agneau et grands couteaux. À l'ouest du marché s'étend le vieux quartier tibétain avec ses ruelles étroites et ses hauts murs chaulés.

Étal d'objets rituels au marché tibétain

Monastère de Tashilunpo

En été, lun.-sam. de 9h à 12h30 et de 16h à 18h ; en hiver, lun.-sam. de 10h à 12h et de 15h à 18h.

Tashilunpo est un immense complexe monastique aux toits dorés et aux allées pavées. Fondé en 1447 par Genden Drup, qui sera nommé rétroactivement 1er dalaï-lama, il prit soudain une place importante en 1642 lorsque le 5e dalaï-lama désigna son

Pour les hôtels et les restaurants de la région, voir p. 573 et p. 597

Le monastère de Tashilunpo et la corniche de Drolma à l'arrière-plan

tuteur, l'abbé de Tashinlunpo, comme la réincarnation du bouddha Amithaba et la 4e réincarnation du panchen-lama. Depuis, le monastère est le siège des panchen-lamas (au 2e rang de la hiérarchie après le dalaï-lama). Remontez l'allée principale jusqu'à l'arrière du monastère qui offre un superbe panorama. Le *chorten* en or et en argent qui se trouve en face abrite les restes du 4e panchen-lama. Construit en 1662, c'est le seul tombeau du monastère à avoir été épargné pendant la Révolution culturelle. Côté ouest s'élève un grand *chorten* recouvert de pierres précieuses qui contient les restes du 10e panchen-lama, mort en 1989. Sa construction, qui date de 1994, coûta 8 millions de dollars US. Plus loin vers l'ouest, la chapelle de Jampa abrite une gigantesque statue dorée du bouddha du futur de 26 mètres, datant de 1914.

Roue de la Loi, signe de bon augure

MODE D'EMPLOI

275 km à l'ouest de Lhassa. 60 000. Gare routière de Shigatsé ; arrêt de minibus. Festival de Tashilunpo : 2e semaine du 5e mois lunaire.

Il fallut quatre années, près d'un millier d'artisans et plus de 250 kilos d'or pour la réalisation de ce chef-d'œuvre.

Sur le côté est se trouve le Kelsang avec en son centre une cour où l'on peut voir des moines en train de prier, de débattre ou de faire une pause. La salle d'Assemblée du XVe siècle située sur le côté ouest contient le trône du panchen-lama.

Ceux qui ont encore un peu d'énergie peuvent faire le tour de la *kora* (environ 1 h), qui longe les murs du monastère avant de monter en direction du *dzong*.

Vous découvrirez en chemin de beaux reliefs rupestres colorés, dont quelques-uns représentent Guru Rinpoché, et l'immense mur blanc sur lequel on déroule un *thangka* du Bouddha pendant les trois jours du festival de Tashilunpo.

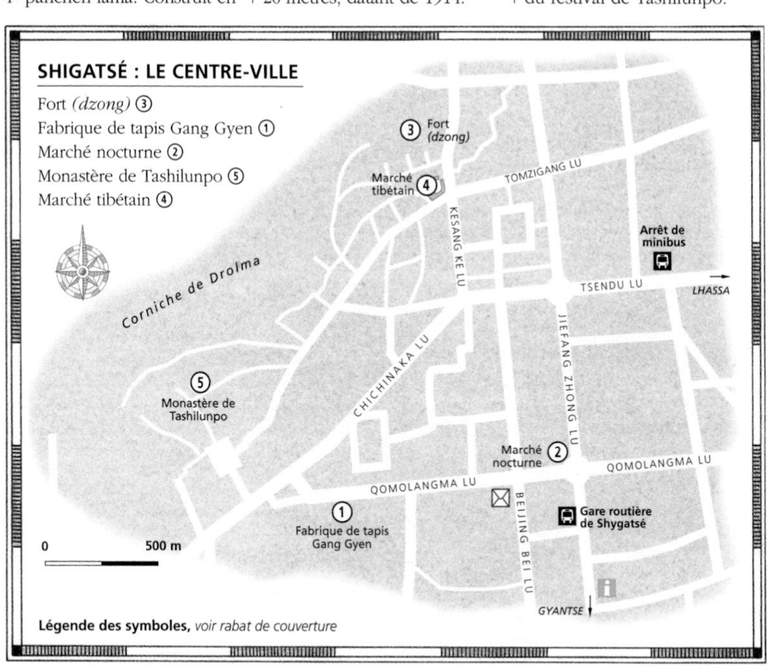

Monastère de Sakya ❼

萨迦寺

500 km au sud-ouest de Lhassa. *bus ou minibus de Lhassa à Shigatsé (7 h.) ; tous les 2 jours au départ de Shigatsé.* *4x4 de location depuis Lhassa.* *lun.-sam. de 9h à 18h30.* *Supplément.* **Permis (Travel permit)** *obligatoire* (p. 519).

Le monastère qui domine le village semble surgir des plaines grises (Sakya signifie « terre grise »). L'alliance extraordinaire signée par les moines de l'ordre Sakyapa avec les Mongols au XIIIe siècle fit de Sakya la capitale du Tibet. En 1247, le patriarche Sakya Pandita se rendit en Mongolie et signa un pacte d'allégeance qui faisait des moines les régents des seigneurs mongols ; ils furent ainsi les premiers à détenir le pouvoir temporel. Plus tard, son neveu Phagpa devint le guide spirituel du conquérant de la Chine, Qubilaï Khan. En 1354, la puissance mongole déclina et Sakya perdit son influence à cause des rivalités entre les différentes sectes.

Il y avait à l'origine un monastère de chaque côté de la rivière Trum, mais celui de la rive nord fut détruit pendant la Révolution culturelle *(p. 64-65)*. **Le monastère de la rive sud**, construit au milieu du XIIIe siècle par Phagpa, possède une architecture typiquement mongole, avec des murs épais et des tours de garde.

L'entrée donne sur une cour avec un grand mât à prières en son centre. À gauche se trouve le **palais de Puntsok**,

Détail de peinture murale du monastère de Sakya

résidence de l'un des deux chefs lamas vivant aujourd'hui à l'étranger, dont les salles sont vides, hormis la chapelle remplie de statues.

En suivant le sens des aiguilles d'une montre, on arrive au **Purkhang**, qui abrite des images du Jowo Sakyamuni et de Jampalyang, ainsi que des fresques de divinités tantriques. **La grande salle d'Assemblée** contient 40 énormes piliers en bois dont un aurait été offert par Qubilaï Khan et un autre transporté depuis l'Inde sur le dos d'un tigre. Statues, riches brocarts et lampes à beurre ornent la salle qui contient également des milliers de sutras (textes religieux). La représentation du Bouddha au centre abrite les reliques de Phagpa. Dans la chapelle nord se trouvent onze *chortens* en argent renfermant les restes de ses prédécesseurs. La tradition

Village de Sakya avec ses maisons grises décorées de bandes rouges et blanches

Sakya veut que les maisons soient peintes en gris avec des bandes verticales rouges et blanches, ces trois couleurs étant censées symboliser respectivement les bodhisattvas Channa Dorje, Jampalyan et Chenresig.

Camp de base de l'Everest ❽

珠峰大本营

Rongphu, 540 km au sud-ouest de Lhassa. *de Lhassa à Shigatsé (7 h.), puis 4x4 de location (plus difficile à trouver qu'à Lhassa).* *4x4 depuis Lhassa (2 jours) ; 4x4 du bureau de CITS près de l'hôtel Shigatsé ou du restaurant Tashi 1 à Shigatsé.* *pour la région de l'Everest.* **Permis (Travel permit)** *obligatoire* (p. 519).

Malgré les quatre heures de piste éprouvante depuis la bifurcation de la route de l'Amitié (Friendship Highway) qui relie Lhassa à Zhangmu, à la frontière népalaise, le paysage lunaire que l'on traverse est fantastique.

Le village de Rongphu est une bonne étape. Situé à 4 980 mètres, son monastère est le plus haut du monde. Malgré quelques belles peintures murales, l'intérieur ne vaut pas le panorama que l'on a à l'extérieur sur l'imposante face nord de l'Everest.

Le monastère a été construit en 1902 à l'emplacement d'une retraite séculaire pour les nonnes et accueille aujourd'hui une trentaine de moines.

Le camp de base de l'Everest se trouve à 8 kilomètres au sud. Le trajet à travers la plaine glaciaire dure environ quinze minutes en 4x4 ou deux heures à pied. Beaucoup de tentes se trouvent là, ainsi qu'une maison de thé de fortune et la plus haute boîte aux lettres du monde, mais la vue sur la plus grande montagne du globe (8 848 mètres) est inoubliable.

Toute la région de Rongphu et de l'Everest, qui couvre 34 000 km^2, est classée réserve naturelle. Elle borde trois parcs nationaux du Népal.

La table d'orientation du col de Pang-La, que l'on franchit

Pour les hôtels et les restaurants de la région, voir p. 573 et p. 597

Le camp de base de l'Everest offre un panorama grandiose sur la plus haute montagne du monde

avant Rongphu, permet d'identifier les sommets de plus de 8 000 mètres : le Cho Oyu, le Lhotse, le Makalu et bien sûr l'Everest ou Chomolungma en tibétain. L'air raréfié à cette altitude (5 150 mètres) empêche toute activité exigeant un effort considérable. Si vous n'êtes pas parfaitement acclimaté, mieux vaut reprendre la route de l'Amitié jusqu'à Shekhar pour y passer la nuit.

Frontière népalaise ❾
尼泊尔边境

Zhangmu à la frontière népalaise. 700 km au sud-ouest de Lhassa. *Minibus privés depuis l'esplanade du Barkhor à Lhassa jusqu'à Zangmu, 2 jours.* *4x4 de location depuis Lhassa par la route directe, ou 5 à 6 jours via Gyantsé, Shigatsé et le camp de base de l'Everest.* **Permis (Travel permit)** *obligatoire pour tous les endroits entre Shigatsé et la frontière (p. 519).*

La route de l'Amitié (Friendship Highway) qui relie Lhassa à la frontière népalaise est l'une des routes les plus empruntées du Tibet. Après la bifurcation pour Rongphu, il y a encore 50 kilomètres à parcourir sur une chaussée en bon état jusqu'à **Tingri**, village tibétain traditionnel avec de belles vues sur le massif de l'Everest. La route monte ensuite sur 90 kilomètres avant de redescendre en décrivant des lacets à travers une forêt dense qui contraste de façon étonnante avec le paysage désertique des hauts plateaux. Il ne reste plus alors que 33 kilomètres jusqu'à **Zhangmu**, la ville frontière située à 2 300 mètres. Avec son empilement de baraquements accrochés à la montagne, Zhangmu a des allures de ville du Far West. Les formalités d'émigration sont assez rapides. L'entrée au Népal se fait 10 kilomètres plus bas, à **Kodari**, où l'on vous délivrera un visa à entrée unique en échange de quelques dollars US et d'une photo d'identité. Katmandou n'est plus qu'à quatre heures de route.

LA ROUTE DE L'AMITIÉ

La Friendship Highway, qui relie Lhassa à la frontière népalaise (700 kilomètres) est probablement la route la plus empruntée par les voyageurs au Tibet, car elle permet de voir des endroits intéressants. Beaucoup d'agences à Lhassa et à Katmandou proposent des excursions en véhicule 4x4 avec chauffeur, guide et tous les permis nécessaires. Selon l'itinéraire, qui comprend généralement Shigatsé et Gyantsé, le voyage peut prendre jusqu'à une semaine. Vérifiez bien que le contrat corresponde exactement à ce que vous voulez et à ce que vous payez.

Route de l'Amitié en direction du Népal

LES BONNES ADRESSES

HÉBERGEMENT

Malgré le développement rapide des transports intérieurs en Chine, vous n'aurez aucune peine à vous loger durant la majeure partie de l'année. Les grandes villes et les grandes destinations touristiques comptent un nombre important de quatre et cinq étoiles (qui appartiennent parfois à des chaînes étrangères). Les autres villes proposent un large choix d'hôtels de catégorie moyenne et économique. En dehors de la haute saison (premières semaines de mai et d'octobre et nouvel an chinois ou fête du Printemps), il n'est pas nécessaire de réserver à l'avance. Vous pouvez très bien vous présenter à l'hôtel de votre choix et négocier le prix de la chambre pour obtenir une remise importante.

Logo de l'hôtel White Swan

TYPES D'HÔTELS

Si vous recherchez un niveau de confort et de service international, vous devrez vous cantonner aux cinq étoiles appartenant à des groupes occidentaux ou bien de Singapour ou de Hong Kong. Des chaînes hôtelières comme Sofitel, Hyatt, Shangri-La et Sheraton sont en train de s'implanter en Chine ; mieux vaut donc vérifier sur leur site Web si leurs nouveaux établissements ont déjà ouvert leurs portes.

Sachez néanmoins que l'expansion rapide de l'industrie hôtelière chinoise a entraîné une pénurie de personnel qualifié, si bien que même les groupes hôteliers internationaux, avec des années d'expérience, ont des difficultés à parvenir à un niveau de prestations égal à celui de leurs établissements installés dans d'autres pays. Les hôtels chinois s'efforcent de copier le modèle de gestion occidental. Si les catégories quatre et cinq étoiles sont comparables, la qualité du service est inférieure à celle de leurs homologues occidentaux, mais il y a de leur part une réelle volonté de satisfaire la clientèle, surtout quand on s'éloigne des grands sites touristiques.

Le système chinois de classification par étoiles n'est pas fiable car les autorités ne contrôlent pas la qualité des services exigés pour chaque catégorie et ainsi, même si un hôtel est mal entretenu, il ne perdra jamais ses étoiles. Certains établissements de chaînes internationales qui choisissent de ne pas avoir d'étoile sont souvent bien supérieurs à un hôtel chinois classé cinq étoiles qui n'a pas été rénové depuis des années. En règle générale, plus un hôtel chinois est récent, meilleure est la qualité de ses équipements.

L'hôtel Xinhao Ying sur Xinhao Shan à Qingdao

Hall de réception de l'hôtel White Swan à Canton

HÔTELS ÉCONOMIQUES ET AUTRES TYPES D'HÉBERGEMENT

Les voyageurs avec un petit budget trouveront divers hébergements basiques bon marché. Les lits en dortoir à 25-30 yuans sont chose courante, surtout en dehors des grandes villes. Des auberges de jeunesse aux équipements impeccables proposant des lits à environ 50 yuans commencent à ouvrir dans les grandes agglomérations. De nombreux campus universitaires louent les chambres disponibles de l'aile réservée aux résidents étrangers, mais les sanitaires communs sont parfois sinistres ; on y trouve généralement Internet et des cafés bon marché à proximité.

Le camping n'existe pas en Chine et, à moins de vous trouver dans un endroit très isolé, vous risquez de voir arriver la police si vous plantez

◁ Vendeurs de la minorité Bai sur le grand marché de Shaping, près de Dali, dans le Yunnan

Escalier de l'hôtel Novotel Peace à Pékin

votre tente. En revanche, les séjours en *ger* (tente ronde des nomades mongols et kazakhs) sont possibles en Mongolie intérieure et dans le Xinjiang, mais ces campements étant destinés aux touristes, ceux en quête d'authenticité risquent d'être déçus. Certains monastères et lamaseries accueillent les pèlerins et vous pourrez y dormir pour un prix minime dans des conditions qui peuvent néanmoins être très austères. Dans les montagnes sacrées comme l'Emei Shan, des temples offrent un hébergement sommaire avec une atmosphère émotionnelle unique.

RÉSERVER UN HÔTEL

En Chine, le prix réel d'une chambre est celui que le client accepte de payer. Les autochtones demandant toujours une remise, vous ferez donc comme eux. Même si beaucoup d'établissements annoncent un tarif plus élevé pour les étrangers, ils acceptent de leur faire des remises très importantes, surtout s'ils savent que la chambre risque autrement de rester inoccupée.

En ce qui concerne les hôtels de chaînes étrangères, les meilleurs tarifs sont ceux indiqués sur leur site Web. Sauf en cas de très forte demande, ces tarifs baissent à mesure que la date demandée approche.

En revanche, les prix affichés sur les sites Web des hôtels chinois sont toujours excessifs. Les sites de réservation d'hôtel proposent des rabais soi-disant importants mais, même si leurs tarifs sont intéressants, il y a de fortes chances que vous obteniez un prix encore plus intéressant en vous présentant directement à la réception. Une remise de 10 à 20 % est la norme, une remise de 30 à 40 % est chose courante et une remise de 50 % n'a rien d'inhabituel. Vous pouvez même tenter d'obtenir encore un meilleur prix, surtout dans les endroits où la demande saisonnière est forte.

Les nouvelles dimensions de lit ont semé un peu la confusion dans l'appellation des chambres. Les anciens hôtels et certains hôtels récents proposent des « single rooms » relativement petites avec un lit pour une personne à un tarif moins élevé. Mais aujourd'hui, une « single room » désigne aussi une chambre double avec un grand lit, un peu moins chère qu'une « double room » de la même dimension avec deux lits.

Autre confusion possible : le 1er étage correspond au r.-d.-c. (comme dans les pays anglo-saxons). Les cartes bancaires affichées à l'entrée d'un hôtel ne garantissent pas que vous pouvez utiliser la vôtre pour régler.

Vérifiez bien que l'hôtel accepte votre carte avant de prendre possession de la chambre. Les hôtels refusent les chèques de voyages, que vous devrez échanger à la Bank of China. Vous paierez la plupart du temps en renminbi (RMB), appellation officielle du yuan.

SUPPLÉMENTS SURPRISES

Les prix affichés dans les grands hôtels internationaux n'incluent pas les taxes locales (rarement prélevées) ni le service. Beaucoup d'hôtels de luxe chinois commencent à facturer entre 5 et 15 % de service, que les clients chinois refusent en général de payer. Les étrangers veilleront à vérifier soigneusement leur note, les restaurants des hôtels essayant souvent de facturer le service.

Sachez que le prix des consommations au minibar est aussi exorbitant en Chine que dans le reste du monde. Le calcul du montant des communications téléphoniques est informatisé, même dans les petits hôtels, et la commission qui vous sera facturée sera minime.

Auberge de charme à Pinan, près de Longscheng, dans le Guangxi

LA DEMANDE SAISONNIÈRE

Quel que soit l'endroit où vous allez, vous trouverez des chambres à pratiquement n'importe quel moment de l'année. Les seules périodes d'affluence sont les semaines fériées aux environs du 1er mai et du 1er octobre. Les Chinois, qui sont très peu nombreux à prendre des vacances à leur convenance, semblent alors voyager tous en même temps. Au nouvel an ou fête du Printemps, il est également quasi impossible de trouver à se loger. De plus, les dates exactes n'étant pas fixées à l'avance, le prix des transports et des hébergements monte en flèche dès leur annonce.

Au printemps et à l'automne les températures sont douces et l'atmosphère moins humide, tandis qu'en hiver et en été, les conditions climatiques sont extrêmes. En été, certaines destinations plus fraîches proches des grandes villes telles que l'île de Putuo Shan, desservie par l'avion et le ferry depuis Shanghai, peuvent être chères le week-end et très bon marché en semaine. Les fêtes des minorités ethniques, notamment dans le Sud-Ouest, ont une incidence sur le prix des transports et les disponibilités hôtelières, de même que les manifestations commerciales comme la foire bisannuelle de Guangzhou.

L'hôtel Grand Hyatt et le centre commercial Oriental Plaza à Pékin

CHOISIR UN HÔTEL

Si vous cherchez un hôtel chinois, sachez que le plus récent sera toujours le meilleur, les gérants se refusant en général à entretenir leur établissement tant que cela n'est pas indispensable. Les hôtels qui se construisent aujourd'hui appartiennent à des entreprises privées (banques, industrie du tabac et autres) ou à des services gouvernementaux qui espèrent tirer profit du développement du tourisme domestique. Ils ont même l'ambition de concurrencer les anciens hôtels gérés par l'administration locale.

D'une manière générale, les hôtels dont le nom commence par un nom de province ou de ville, suivi par *dajiudian, juidian, fandian* ou *binguan* (qui désigne un hôtel en chinois), sont vraisemblablement la propriété de l'administration locale. Mieux vaut les éviter car ils semblent être pris au piège de la planification centrale et de la garantie de l'emploi. Ils proposent souvent des chambres miteuses et délabrées ainsi qu'un personnel du genre indifférent, pour qui la devise communiste « servir le peuple » ne s'applique pas nécessairement à la personne en face de soi.

Hall de réception du Dalian Hotel à Harbin

INFORMATIONS ET CONSEILS

La chambre doit habituellement être libérée à midi, mais il est possible de la garder jusqu'à 18 h en payant une demi-nuitée. Le règlement stipule que les visiteurs doivent quitter les chambres à 23 h, ce qui n'est pas souvent respecté. La plupart des bons hôtels ont un bureau de change ouvert 7 j/7 aux seuls clients inscrits sur leur registre.

Pour accueillir les visiteurs étrangers, les hôtels doivent avoir une licence et peuvent refuser ces derniers s'ils ne l'ont pas. Mais cela arrive de plus en plus rarement : Pékin et le Yunnan ont déjà aboli cette licence et d'autres régions ne devraient pas tarder à les imiter.

Beaucoup d'hôtels en Chine, y compris les établissements de chaîne étrangère, font de la publicité pour leurs équipements tels que boîte de nuit, salons de coiffure, de beauté et bars karaoké, qui servent bien souvent de couverture à la prostitution. Méfiez-vous des appels téléphoniques fortuits dans votre chambre qui vous proposent des massages *(anmo)*. Mieux vaut décrocher le récepteur pour éviter ce genre de sollicitation.

Sachez qu'en commandant un taxi par l'intermédiaire de l'hôtel, vous avez toutes les chances de payer quatre fois plus cher. Descendez plutôt dans la rue et faites signe au premier taxi libre qui passe. Méfiez-vous de ceux qui attendent près de l'entrée des hôtels situés dans les endroits touristiques.

Avant de sélectionner un hôtel, n'oubliez pas que les photos sur les brochures ou les sites Web datent en général du jour de son ouverture et que l'état des chambres a pu changer depuis. Ne vous laissez pas influencer par la publicité pour le sauna, le centre de remise en forme, la piscine ou le Jacuzzi car rien ne dit qu'ils sont encore en état de marche (surtout s'il s'agit d'un hôtel d'une région lointaine géré par des Chinois). Plus important encore, les prix mentionnés ne sont pas fixes.

AVEC DES ENFANTS ET DES PERSONNES HANDICAPÉES

Les enfants sont partout les bienvenus, même si les équipements prévus pour eux sont rares. Ceux de moins de douze ans peuvent partager la chambre avec leurs parents sans supplément. Pour les plus âgés, un lit sera ajouté moyennant un supplément (négociable). Une famille avec deux enfants de plus de douze ans peut partager une chambre (mais en payant peut-être le prix de deux). Beaucoup d'hôtels chinois moins récents ont des chambres triples ou quadruples.

La Chine n'est pas une destination idéale pour les personnes handicapées. Seuls les meilleurs hôtels internationaux les plus récents sont équipés de rampes d'accès et de chambres adaptées. Si les autres établissements ont un ascenseur, ils n'auront que des suites standard avec parfois des portes de salle de bains suffisamment larges pour permettre le passage d'un fauteuil roulant, mais avec des interrupteurs électriques mal placés.

POURBOIRES

Le personnel n'attend pas de pourboire, qui n'est pas une chose courante en Chine. Dans les hôtels internationaux, le service (entre 5 et 15 %) est compris. Quelques hôtels chinois commencent à le facturer.

Le Yunjincheng Folk Custom Hotel à Pingyao, dans la province du Shanxi

ADRESSES

CHAÎNES HÔTELIÈRES

Crowne Plaza
Tél. 1-800 227 6963 (US).
Tél. 0800 8222 8222 (UK).
www.ichotelsgroup.com

Four Points by Sheraton
Tél. 1-800 368 7764 (Canada).
Tél. 1-888 625 5144 (France).
www.starwood.com

Grand Hyatt
Tél. 1-888 591 1234 (Canada).
Tél. 0800 90 85 29 (France).
www.hyatt.com

Harbour Plaza
Tél. (852) 2996 8004 (Hong Kong).
www.harbour-plaza.com

Hilton
Tél. 1-800 445 8687 (Canada).
Tél. 0800 44 45 86 67 (France).
www.hilton.com

Holiday Inn
Tél. 1-800 465 4329
www.ichotelsgroup.com

Howard Johnson
Tél. 1-800 446 4656
www.hojo.com

Hyatt Regency
Tél. 0800 9085 29 (France).
Tél. 0800 55 4772 (Suisse).
www.hyatt.com

Ibis
Tél. 0825 012 011 (France).
Tél. 0800 515 5679 (Canada).
www.ibishotel.com

Intercontinental
Tél. 0800 911 617.
www.ichotelsgroup.com

Kempinski
Tél. 1-800 426 3135 (Canada).
Tél. 0800 426 31355 (France).
www.kempinski.com

Marco Polo
www.marcopolohotels.com

Marriott
Tél. 1-888 236 2427 (Canada).
Tél. 1-801 468 4000 (France).
www.marriott.com

Novotel
Tél. 1-825 012 011
www.novotel.com

Park Hyatt
Tél. 0800 9085 29 (France).
Tél. 1-888 591 1234 (Canada).
www.hyatt.com

Peninsula
Tél. 1-800 745 8883 (US).
Tél. 0800 1010 1111 (UK).
www.peninsula.com

Radisson
Tél. 1-800 333 3333 (Canada). Tél. 0800 916 060 (France).
www.radisson.com

Ramada
Tél. 1-800 272 6232 (Canada). Tél. 0800 902 855 (France).
www.ramada.com

St. Regis
Tél. 1-512 836 5024 (Canada). Tél. 1-800 325 3589 (France).
www.starwood.com

Shangri-La
Tél. 1-866 344 5050 (Canada). Tél. 0800 90 81 53 (France).
www.shangri-la.com

Sheraton
Tél. 1-512 836 5024 (Canada). Tél. 1-888 625 5144 (France).
www.starwood.com

Sofitel
Tél. 1-825 012 011 (France). Tél. 1-800 SOFITEL (Canada).
www.sofitel.com

W Hotels
Tél. 1-877 946 8357 (France). Tél. 1-512 836 5024 (Canada).
www.starwood.com

Westin
Tél. 1-512 836 5024 (Canada). Tél. 1-888 625 5144 (France).
www.starwood.com

Choisir un hôtel

Les hôtels présentés ici ont été sélectionnés pour leurs prestations, leur situation ou leur charme dans un large éventail de prix. Ils sont classés par catégorie et par région. Beaucoup d'établissements possèdent des équipements d'affaires, des salles de sport et des piscines, mais seuls figurent ceux qui méritent d'être mentionnés.

CATÉGORIES DE PRIX
Les prix sont indiqués par nuit en haute saison et en chambre double standard (ou en dortoir pour une personne), taxes comprises. Le petit déjeuner n'est pas inclus.
¥ moins de 200 yuans
¥¥ de 200 à 400 yuans
¥¥¥ de 400 à 800 yuans
¥¥¥¥ de 800 à 1 400 yuans
¥¥¥¥¥ plus de 1 400 yuans

PÉKIN

Templeside House Hostel (Guangji Lin Guoji Qingnian Lüshe) ¥
Liu He Er Tiao, Fucheng Men Nei Dajie, Xicheng ***Tél.*** *et* ***Fax*** *(010) 6615 7797* ***Chambres*** *8* ***Plan*** *1 A4*

Pimpante demeure traditionnelle à cour carrée au milieu de l'animation des *hutong*, à quelques minutes à pied du temple du Dagoba blanc et autres sites, du marché de Xidan et du métro. Dortoirs et chambres doubles avec sanitaires communs. Laverie. Bar dans la cour. **www**.templeside.com

Beijing City Youth Hostel Beijing (Chengshi Guoji Qingnian Lüshe) ¥¥
1-5 Beijing Zhan Qian Jie, Dongcheng ***Tél.*** *(010) 6525 8066* ***Fax*** *(010) 6525 9066* ***Chambres*** *200* ***Plan*** *4 F1*

Un des meilleurs rapports qualité-prix dans la catégorie économique et situation idéale pour prendre un train au petit matin. Chambres à deux lits plus intimes que le dortoir à un tarif très raisonnable. Cette AJ est toute neuve et donc très propre. Fax et Internet à disposition.

Far East International Youth Hostel (Yuan Dong Qingnian Lüshe) ¥¥
90 Tieshuxie Jie, Xuanwu ***Tél.*** *(010) 5195 8561* ***Fax*** *(010) 6301 8233* ***Chambres*** *24* ***Plan*** *3 B2*

L'AJ avec le plus de charme de tout Pékin, proposant dortoirs et chambres dans un bâtiment conventionnel bien décoré et un *siheyuan* situé en face. Cet ancien quartier rouge de la capitale impériale a conservé son ambiance animée. À quelques minutes à pied du métro et de la place Tian'an men.

Red House (Ruixiu Binguan) ¥¥
10 Taipingzhuang Chunxiu Lu ***Tél.*** *(010) 6416 7810* ***Fax*** *(010) 6416 7600* ***Chambres*** *40*

Cet établissement propose des dortoirs, des chambres et des appartements et met un service de laverie et une cuisine à disposition des hôtes. Plancher en bois sombre, mobilier imitant l'ancien et douche à jets multiples dans les chambres. Tarifs courts et longs séjours. **www**.redhouse.com.cn

Cuimingzhuang Binguan ¥¥¥
1 Nanheyan Dajie ***Tél.*** *(010) 6513 6622* ***Fax*** *(010) 6526 1516* ***Chambres*** *134* ***Plan*** *2 D5*

Hôtel récemment rénové et très bien situé proposant des tarifs abordables. Les chambres sont simples mais propres et relativement grandes en comparaison des autres hôtels du quartier. Personnel agréable, calme, discret et méticuleux. **www**.cuimingzhuanghotel.com.cn

Hejing Fu Binguan ¥¥¥
7 Zhangzi Zhonglu, Ping'an Dadao ***Tél.*** *(010) 6401 7744* ***Fax*** *(010) 8401 3570* ***Chambres*** *140* ***Plan*** *2 E4*

Le plus grand et le plus récent hôtel installé dans un *siheyuan* très bien rénové avec trois cours intérieures remplies de belles statues finement ciselées. L'ornementation traditionnelle dans les suites sont la marque impériale de la maison qui était la résidence d'une fille d'un empereur Qing.

Lu Song Yuan Binguan ¥¥¥
22 Banchang Hutong, Dongcheng ***Tél.*** *(010) 6404 0436* ***Fax*** *(010) 6403 0418* ***Chambres*** *50* ***Plan*** *2 D3*

Les détails (lampions en papier au-dessus des lits, plafonds peints et portes anciennes) indiquent que l'on est dans un ancien *siheyuan* et contribuent à rendre l'atmosphère plus douillette et le lieu plus habité. Maison de thé et salon de lecture près de la réception. **www**.the-silk-road.com

Novotel Peace Beijing (Beijing Nuofute Heping Binguan) ¥¥¥
3 Jinyu Hutong, Dongcheng ***Tél.*** *(010) 6512 8833* ***Fax*** *(010) 6512 6863* ***Chambres*** *337* ***Plan*** *2 D5*

La plus abordable des enseignes étrangères installées dans le quartier commerçant de Wangfujing, même si le service n'est pas celui que l'on attend d'un hôtel du groupe Accor. Chambres de luxe d'un bon rapport qualité-prix. Restaurants cantonais, sichuanais, coréen et français. **www**.accorhotels-asia.com

Howard Johnson Paragon (Baochen Fandian) ¥¥¥¥
Jianguo Men Nei Dajie 18A, Dongcheng ***Tél.*** *(010) 6526 6688* ***Fax*** *(010) 6527 4060* ***Chambres*** *288* ***Plan*** *4 E1*

Le plus confortable des hôtels du quartier de la gare ferroviaire principale proche également du métro. Chambres basiques relativement petites mais propres et service meilleur que dans les établissements voisins. Accès Internet haut débit dans quelques chambres de catégorie supérieure. **www**.hojochina.com

Légende des symboles, *voir rabat de couverture*

Marco Polo (Mage Boluo Jiudian) ¥¥¥¥

6 Xuanwu Mennei Dajie, Xuanwu ***Tél.*** *(010) 6603 6688* ***Fax*** *(010) 6603 1488* ***Chambres*** *294* ***Plan*** *3 A1*

Récent hôtel de luxe très bien situé proposant de vastes et belles chambres à un tarif très inférieur à celui de ses concurrents des quartiers commerçants. Essayez son restaurant cantonais centenaire, le Yokohama. Le métro Xidan ou Xuanwu men est à quelques minutes à pied. **www**.marcopolohotels.com

The Regent Beijing (Lijing Jiudian) ¥¥¥¥

99 Jinbao Jie, Dongcheng ***Tél.*** *(010) 8522 1888* ***Fax*** *(010) 8522 1818* ***Chambres*** *500* ***Plan*** *2 E5*

Nouvel établissement situé à une rue de Wanfujing et à côté d'une nouvelle station de métro. Les parties communes sont élégantes, les chambres spacieuses et meublées avec goût. L'excellente qualité du service devrait lui assurer une nombreuse clientèle. **www**.regenthotels.com

Ritz-Carlton Beijing (Beijing Jinrong Jie Lisi Kaerdun Jiudian) ¥¥¥¥

1 Jinchengfang Dongjie ***Tél.*** *(010) 6601 6666* ***Fax*** *(010) 6601 6029* ***Chambres*** *253*

Dans le quartier d'affaires de l'ouest, à la limite du 2e périphérique, une toute nouvelle tour avec quelques-unes des chambres les plus spacieuses de Pékin et un immense Spa. Accès facile aux sites touristiques du centre-ville. Ne manquez pas le légendaire thé de l'après-midi. **www**.ritzcarlton.com

Traders Hotel Beijing (Guomao Fandian) ¥¥¥¥

1 Janguo Menwai Dajie, Chaoyang ***Tél.*** *(010) 6505 2277* ***Fax*** *(010) 6504 3144* ***Chambres*** *570*

Parfait pour les voyageurs d'affaires pressés : chambres relativement petites dotées d'un bon équipement bureautique, service rapide et beau buffet réapprovisionné en permanence. Accès gratuit au club de remise en forme cinq étoiles du China World Hotel. Excellent rapport qualité-prix. **www**.shangri-la.com

The Ascott Beijing (Beijing Yashige) ¥¥¥¥¥

108b Jianguo Menwai Dajie ***Tél.*** *(010) 6567 8100* ***Fax*** *(010) 6567 8122* ***Chambres*** *272*

Plébiscité par les dirigeants internationaux, cet hôtel situé au cœur du district de Pékin propose des chambres et des suites simples ou doubles parfaitement équipées et élégamment meublées. Service exceptionnel. À quelques minutes à pied du China World Mall et du métro Guo Mao. **www**.theascottbeijing.com

China World Hotel (Zhongguo Dafandian) ¥¥¥¥¥

1 Jianguo Menwai Dajie ***Tél.*** *(010) 6505 2266* ***Fax*** *(010) 6505 3165* ***Chambres*** *716*

Les 33 millions de dollars consacrés à sa rénovation en ont fait l'hôtel le plus luxueux de Pékin et l'un des plus grands de Chine. Le beau hall de réception est vite devenu le rendez-vous des riches et des puissants. Excellent restaurant fusion et installations de remise en forme dernier cri. **www**.shangri-la.com

Commune by the Great Wall Kempinski (Changcheng Jiaoxia de Gongshe) ¥¥¥¥¥

Grande Muraille, sortie n° 16 de Shuiguan Badaling Highway ***Tél.*** *(010) 8118 1888* ***Fax*** *(010) 8118 1866* ***Chambres*** *57*

Situé à une heure de route de Pékin, le Commune occupe un endroit privilégié au pied de la Grande Muraille. Onze villas d'exception dessinées par différents architectes asiatiques. Service de chambre, accès privé à la Grande Muraille et club-house. **www**.commune.com.cn/en/

Grand Hyatt Beijing (Beijing Dongfang Junyue) ¥¥¥¥¥

1 Dong Chang' an Jie, Dongcheng ***Tél.*** *(010) 8518 1234* ***Fax*** *(010) 8518 0000* ***Chambres*** *825* ***Plan*** *4 E1*

Admirablement situé dans le complexe de l'Oriental Plaza qui domine le quartier commerçant du centre, près de la Cité interdite et de la place Tien'an men, cet hôtel est l'un des plus beaux et des mieux équipés de Pékin, même si sa structure n'aide pas toujours à sa bonne organisation. **www.**grand.hyatt.com

Kempinski Hotel (Kaibinsiji Fandian) ¥¥¥¥¥

50 Liangma Qiao Lu, Chaoyang ***Tél.*** *(010) 6465 3388* ***Fax*** *(010) 6462 2204* ***Chambres*** *526*

Une bonne adresse pour les voyageurs d'affaires avec des chambres et un service de grande qualité, près du Centre Lufthansa (avec ses bureaux de compagnies aériennes et sa clinique privée pour soins médicaux et dentaires), un monde à lui seul dont certains semblent ne jamais sortir. **www**.kempinski-beijing.com

Kerry Centre Hotel (Jiali Zhongxin Fandian) ¥¥¥¥¥

1 Guanghua Lu ***Tél.*** *(010) 6561 8833* ***Fax*** *(010) 6561 2626* ***Chambres*** *487*

Le plus récent hôtel Shangri-La de Pékin avec des chambres modernes et lumineuses et le service haut de gamme du groupe hôtelier. Installé dans un complexe commercial de luxe, il abrite l'un des meilleurs restaurants cantonais et le bar le plus chaud de la ville, le Centro. Vaste centre de santé. **www**.shangri-la.com

Peninsula Beijing (Wangfu Fandian) ¥¥¥¥¥

8 Jinyu hutong, Dongcheng ***Tél.*** *(010) 8516 2888* ***Fax*** *(010) 6510 6311* ***Chambres*** *530* ***Plan*** *2 E5*

Excellente situation pour l'établissement le plus luxueux de Pékin. Même direction que le Peninsula de Hong Kong, mais la Peninsula Academy qui, elle, ne se trouve qu'à Pékin, dispense des cours ayant trait à des sujets tels que la cuisine et l'achat d'antiquités. Métro à proximité. **www**.peninsula.com

Raffles Beijing Hotel (Beijing Fandian Laifoshi) ¥¥¥¥¥

33 Dong Chang'an Jie, Dongcheng ***Tél.*** *(010) 6526 3388* ***Fax*** *(010) 6527 3838* ***Chambres*** *171* ***Plan*** *4 D1*

Rénové par le groupe de Singapour qui a aussi renouvelé le personnel, cet hôtel est aujourd'hui l'un des meilleurs de Pékin. Grandes chambres dotées de lits à baldaquin avec le charme des années 1900 et tout le confort moderne. Vues sur l'artère principale de la capitale. **www**.beijing.raffles.com

Shangri-la Beijing (Beijing Xiangggelila Fandian) ¥¥¥¥¥

29 Zizhuyuan Lu, Haidian ***Tél.*** *(010) 6841 2211* ***Fax*** *(010) 6481 8003* ***Chambres*** *528*

Le premier hôtel en date du groupe, installé dans un quartier paisible de l'ouest mais peu pratique d'accès, vient d'être rénové. Les chambres ont aujourd'hui tous les équipements haut de gamme et un décor aux lignes pures. Un bassin à koi et des pavillons ont été ajoutés dans le jardin. **www**.shangri-la.com

HEBEI, TIANJIN ET SHANXI

CHENGDE Mountain Villa Hotel (Shanzhuang Binguan) ¥¥¥

11 Lizheng Men Dajie ***Tél.*** *(0314) 209 5511* ***Fax*** *(0314) 203 4143* ***Chambres*** *370*

Six bâtiments avec différentes catégories de chambres allant des chambres économiques aux luxueuses chambres quatre étoiles à haut plafond et des restaurants (au rez-de-chaussée et au 2e étage). Équipements d'affaires basiques. Bonne situation face à l'entrée principale du parc impérial.

CHENGDE Qi Wang Lou ¥¥¥

1 Bi Feng Mendong Lu bBi (à gauche de l'entrée principale du parc) ***Tél.*** *(0314) 202 4385* ***Fax*** *(0314) 202 1904* ***Chambres*** *80*

Une belle partie ancienne du XVIIIe siècle et un bâtiment moderne dans la cour en bordure du parc impérial. Rénové en 2007 avec tout le confort moderne, cet hôtel est l'adresse de prédilection des huiles du Parti communiste et un endroit de taille raisonnable pour un séjour confortable dans un cadre intime.

DATONG Datong Binguan ¥¥¥

37 Yingbin Xilu ***Tél.*** *(0352) 586 8666* ***Fax*** *(0352) 586 8100* ***Chambres*** *221*

Imposant bâtiment avec un hall de réception d'apparat, des salles de réunion à chaque étage et d'immenses couloirs. Chambres avec balcon et bon mobilier dignes de l'estampille quatre étoiles. Importants équipements d'affaires. **www**.datonghotel.com

DATONG Yungang International Hotel (Yungang Guoji Jiudian) ¥¥¥

38 Daxi Jie ***Tél.*** *(0352) 586 9999* ***Fax*** *(0352) 586 9666* ***Chambres*** *236*

Situé au centre-ville, mais en retrait d'une petite rue tranquille, ce nouvel établissement quatre étoiles est géré par la même équipe que celle du Jianguo de Pékin, qui a une longue habitude de la clientèle étrangère. Chambres correctes. Deux restaurants. **www**.ygih.com

PINGYAO Tian Yuan Kui Ke Zhan ¥

73 Nan Dajie ***Tél.*** *(0354) 568 0069* ***Fax*** *(0354) 568 3052* ***Chambres*** *25*

Chambres simples et agréables – dallage noir, salles de bains équipées simplement et mobilier ancien – dans un *siheyuan* tricentenaire et néanmoins doté du confort moderne (climatisation et eau chaude 24 h/24). Le nombre réduit des chambres est la garantie d'une plus grande intimité. **www**.pytyk.com

PINGYAO Deju Yuan Folk-Style Guesthouse (Deju Yuan Minfeng Binguan) ¥¥

43 Xi Dajie ***Tél.*** *(0354) 568 5266* ***Fax*** *(0354) 5685366* ***Chambres*** *19*

Auberge datant de la dynastie Ming où descendaient les marchands se rendant à la banque située en face. Aujourd'hui, elle accueille des étrangers – parfois des noms connus comme Valéry Giscard d'Estaing. Chambres de diverses dimensions autour d'une belle cour carrée à l'écart du bruit. **www**.pydjy.com

SHANHAIGUAN Friendly Cooperate Hotel (Yihe Jiudian) ¥¥

4 Nan Hai Xilu ***Tél.*** *(0335) 593 9069* ***Fax*** *(0335) 507 0351* ***Chambres*** *37*

Petit hôtel deux étoiles proposant des chambres dotées d'un mobilier correct et d'une grande salle de bains digne d'un trois étoiles. À une rue de la gare ferroviaire et à proximité de la porte sud de la vieille ville. Un restaurant mais pas de bar (la vie nocturne se passe donc un peu plus loin).

SHIJIAZHUANG Yanchun Garden Hotel (Yanchun Huayuan Jiudian) ¥¥¥

195 Zhongshan Donglu ***Tél.*** *(0311) 8667 1188* ***Fax*** *(0311) 8604 8689* ***Chambres*** *185*

Hôtel cinq étoiles à juste deux rues à l'est de la gare ferroviaire et près d'un parc. Ici, pas de chambres en forme de L comme partout ailleurs, mais des espaces intérieurs en harmonie avec la façade aux courbes inhabituelles. Enfants et adultes apprécieront les restaurants pour le moins insolites. **www**.gardenhotel.com.cn

SHIJIAZHUANG Hebei Century Hotel (Hebei Shiji Dafandian) ¥¥¥¥

145 Zhongshan Xilu ***Tél.*** *(0311) 8703 6699* ***Fax*** *(0311) 8703 8866* ***Chambres*** *439*

Tour de verre à l'ouest du centre-ville avec de bons équipements. La qualité du service et le décor des chambres spacieuses sont supérieurs à ce que l'on trouve en général dans les cinq étoiles chinois. Également quatre restaurants et deux bars. **www**.hebei-centuryhotel.com

TAIYUAN Jingang Hotel (Jingang Dajiudian) ¥¥¥

37 Binzhou Beilu ***Tél.*** *(0351) 472 8888* ***Fax*** *(0351) 472 8333* ***Chambres*** *300*

Ouvert récemment, cet hôtel du centre-ville proche du parc Gingze et de la place Wuyi propose des chambres claires et spacieuses dotées de fenêtres arrondies. Tarif demi-journée pour les voyageurs en transit. Personnel sympathique sous la direction d'une équipe chinoise. Piscine intérieure et accès Internet haut débit gratuit. **www**.jgjt.net/jgit.asp

Légende des prix, *voir p. 554,* **légende des symboles,** *voir rabat de couverture*

TAIYUAN World Trade Hotel (Shanxi Guomao Dafandian) ¥¥¥¥

69 Fuxi Jie ***Tél.*** *(0351) 868 8888* ***Fax*** *(0351) 868 8000* ***Chambres*** *398*

Installé aux 22e et 40e étages du World Trade Center du Shanxi, la plus haute tour de la province, cet hôtel propose des chambres spacieuses dotées de salles de bains avec baignoire, douche séparée et de multiples miroirs. Au r.-d.-c., un ordinateur à écran tactile fait office de guide. Quatre restaurants. **www**.sxwtc.com/gmzx_hotel.html

TIANJIN Hyatt Regency (Kaiyue Fandian) ¥¥¥¥

219 Jiefang Beilu ***Tél.*** *(022) 2330 1234* ***Fax*** *(022) 2331 1234* ***Chambres*** *360*

Hôtel standard pour clientèle d'affaires, installé dans une tour sur les bords de la rivière, juste en face des anciennes concessions étrangères à l'architecture européenne. Restaurants proposant une cuisine chinoise (du Nord et du Sud), japonaise et occidentale. **www**.tianjin.regency.hyatt.com

TIANJIN Sheraton Tianjin (Xilaideng Dajiudian) ¥¥¥¥

Zijin shanlu, Hexi ***Tél.*** *(022) 2334 3388* ***Fax*** *(022) 2335 8740* ***Chambres*** *296*

Installé dans des jardins en bordure d'un grand parc, loin du tintamarre de la ville, cet hôtel cinq étoiles propose des chambres récemment rénovées au mobilier classique et un service d'excellente qualité. Restaurants chinois, japonais et occidentaux fréquentés par de nombreux expatriés. **www**.sheraton.com/ianjin

WUTAI SHAN Guangren Temple (Guangren Si) ¥

Taihuai Zhen ***Tél.*** *(0350) 654 5352* ***Chambres*** *20*

Vous vous endormirez avec les fumées d'encens et vous vous réveillerez avec les chants des moines tibétains. Chambres de style monacal, même si beaucoup ont une salle de bains. Les hôtes sont invités à partager le petit déjeuner avec les moines résidents. Comme l'on peut s'y attendre, il n'y a pas de bar.

WUTAI SHAN Wolong Shanzhuang ¥¥

Taihuai Zhen Jiayou Zhan Duimian (face à la station service) ***Tél.*** *(0350) 654 5037* ***Fax*** *(0350) 654 5688* ***Chambres*** *100*

Le plus grand hôtel familial du Wutai Shan qui change un peu des hôtels du gouvernement plutôt impersonnels et l'un des rares établissements de la rive est de la Qingshui. La famille Fan fera tout son possible pour vous faire oublier l'exiguïté des chambres. Un restaurant mais pas de bar.

WUTAI SHAN Yinhai Shanzhuang ¥¥¥

Wutaishan Yinhai Shanzhuang ***Tél.*** *(0350) 654 3676* ***Fax*** *(0350) 654 2949* ***Chambres*** *83*

Un établissement trois étoiles et néanmoins l'hôtel le plus chic de la vallée. Chambres neuves et propres, avec salles de bains dignes d'un cinq étoiles, dont beaucoup donnent sur les montagnes. Équipements basiques pour les affaires, restaurant et bar.

SHANDONG ET HENAN

JI'NAN Crowne Plaza Ji'nan (Ji'nan Guihe Huangguan Jiari Jiudian) ¥¥¥¥

3 Tian Di Tan Lu ***Tél.*** *(0531) 8602 9999* ***Fax*** *(0531) 8602 3333* ***Chambres*** *306*

Hôtel haut de gamme avec tout le confort moderne et les chambres les plus spacieuses et les plus luxueuses de la ville ; les unes donnent sur le lac de la Grande Clarté et par temps clair sur le fleuve Jaune, les autres sur les montagnes. Belle piscine, agence de voyages et Internet haut débit dans les chambres. **www**.ichotelsgroup.com

KAIFENG Dongjing Hotel (Dongjing Dafandian) ¥¥

66 Ziyou Lu Zhongduan ***Tél.*** *(0378) 398 9388* ***Fax*** *(0378) 393 8861* ***Chambres*** *200*

Autour d'un grand bassin de poissons rouges. Souvent complet malgré le grand nombre de chambres. Le nombreux personnel est toujours prêt à satisfaire les besoins des clients. Plusieurs chambres avec balcon. Importants équipements d'affaires (dont un service de traduction et de secrétariat).

KAIFENG Kaifeng Binguan ¥¥¥

Ziyou Lu Zhongduan 66 ***Tél.*** *(0378) 595 5589* ***Fax*** *(0378) 595 3086* ***Chambres*** *184*

Grand bâtiment de style chinois néoclassique autour d'un jardin de rocailles. Les chambres très confortables dotées d'un mobilier chinois traditionnel et d'une grande salle de bains avec baignoire sont beaucoup plus calmes qu'on pourrait s'y attendre vu le bruit de la rue. Trois restaurants et un café séparé.

LUOYANG Jing'an Peony Plaza (Jing'an Mudan Cheng) ¥¥¥

2 Nanchang Lu ***Tél.*** *(0379) 6468 1111* ***Fax*** *(0379) 6493 0303* ***Chambres*** *191*

Hôtel quatre étoiles rénové en 2003 situé près de la zone de développement. Chambres standard pour clientèle d'affaires. Galerie d'art dans le hall de réception et restaurant pivotant au 24e étage. Personnel très sympathique et serviable. Bons équipements d'affaires. **www**.jingan-peonyplaza.com

LUOYANG Peony Hotel (Mudan Dajiudian) ¥¥¥

15 Zhongzhou Xilu ***Tél.*** *(0379) 6468 0000* ***Fax*** *(0379) 6485 6999* ***Chambres*** *165*

Situé face au parc de la ville royale, cet hôtel est géré par une équipe de Hong Kong. Chambres récemment rénovées avec tapis en peau de léopard et douche et/ou baignoire. Souvenirs dans la galerie marchande du hall de réception. Personnel sympathique. Bons équipements d'affaires. **www**.peonyhotel.net

QINGDAO Crowne Plaza Qingdao ¥¥¥¥

76 Xianggang Zhonglu ***Tél.*** *(0532) 8571 8888* ***Fax*** *(0532) 8571 6666* ***Chambres*** *388*

Hôtel international fréquenté par les hommes d'affaires et les vacanciers avertis (souvent des clubs de golf dans l'entrée). Excellentes prestations, notamment une *churascaria* brésilienne et un comptoir de pâtisseries, et situation proche des compétitions de voile des J.O. 2008. **www**.ichotelsgroup.com

QINGDAO Grand Regency Hotel Qingdao (Qingdao Lijing Dajiudian) ¥¥¥¥

110 Xianggang Zhonglu ***Tél.*** *(0532) 8588 1818* ***Fax*** *(0532) 8588 1888* ***Chambres*** *393*

Le premier cinq étoiles en date de Qingdao. Équipements (club de santé, salle de billard, squash, piscine, tennis, bowling) et service d'excellente qualité. Très bonne situation à la limite de la ville avec un accès rapide aux quartiers d'affaires et de loisirs.

QUFU Queli Hotel (Queli Binshe) ¥¥¥

1 Queli Jie ***Tél.*** *(0537) 486 6523* ***Fax*** *(0537) 486 6524* ***Chambres*** *165*

Bâtisse de style chinois néoclassique avec une cour plantée de saules pleureurs. Chambres avec vue sur le temple de Confucius. Personnel à l'air impassible mais attention à la surfacturation pour les clients étrangers du restaurant. L'ancien président Jiang Zemin avait coutume de descendre ici. **www**.quelihotel.com

QUFU Qufu Confucia (Kongfu Xiyuan) ¥¥¥¥

Ban Bijie ***Tél.*** *(0537) 442 3666* ***Fax*** *(0537) 422 3888* ***Chambres*** *35*

Somptueux cinq étoiles construit à l'ancienne avec des portes en bois coulissantes et des galeries en verre proposant 34 superbes chambres spacieuses dotées d'un mobilier traditionnel et néanmoins fonctionnel. Salles de bains impeccables. Service parfait. Deux restaurants mais pas de bar. **www**.kongzihotel.com

TAI'AN Tai Shan Overseas Chinese Hotel (Tai Shan Huaqiao Dasha) ¥¥¥

15 Dongyue Dajie ***Tél.*** *(0538) 822 0001* ***Fax*** *(0538) 822 8171* ***Chambres*** *209*

Chambres récemment rénovées avec vue sur le Taishan, mobilier confortable et salles de bains correctes (les moins chères sont néanmoins d'une catégorie inférieure). Ordinateur à disposition. Piscine et minigolf. Le personnel s'efforce de satisfaire les besoins des clients. **www**.huaqiaohotel.com

WEIHAI Golden Bay Hotel (Jinhaiwan Guoji Fandian) ¥¥¥¥

128 Beihuanhai Lu ***Tél.*** *(0631) 568 8777* ***Fax*** *(0631) 568 7999* ***Chambres*** *154*

Sur la paisible plage de sable doré de Jinhai Wan, ce qui compense assurément sa situation excentrée. La plupart des spacieuses chambres donnent sur la mer. La vue depuis les restaurants est une raison suffisante pour séjourner ici. Piscine d'eau de mer chauffée et plage privée. **www**.whgoldenbayhotel.com

YANTAI Golden Gulf Hotel (Jinhaiwan Jiudian) ¥¥¥¥

34 Haian Lu ***Tél.*** *(0535) 663 6999* ***Fax*** *(0535) 663 2699* ***Chambres*** *274*

Le plus bel hôtel de Yantai admirablement situé entre le parc Yantai Shan et la mer de Bohai. Les copies de tableaux de la Renaissance dans l'entrée donnent une touche élégante que l'on retrouve dans les chambres bien équipées (notamment Internet haut débit). Cinq restaurants. **www**.yantaigoldengulfhotel.com

ZHENGZHOU Sofitel Zhengzhou ¥¥¥¥

289 Chengdong Lu ***Tél.*** *(0371) 6595 0088* ***Fax*** *(0371) 6595 0080* ***Chambres*** *241*

Hôtel cinq étoiles proposant des chambres décorées avec goût et dotées de grandes salles de bains. Le hall de réception est un atrium en verre de trois étages avec une énorme fleur en verre suspendue. Deux restaurants et trois bars. Le service est digne d'un hôtel international haut de gamme. **www**.sofitel.com

ZHENGZHOU Crowne Plaza Zhengzhou ¥¥¥¥¥

115 Jinshui Lu ***Tél.*** *(0371) 6595 0055* ***Fax*** *(0371) 6599 0770* ***Chambres*** *449*

Les larges colonnes et le majestueux escalier du hall de réception donnent à cet hôtel des allures d'opéra. Les chambres avec boiseries et baie vitrée sont bien équipées. Accès gratuit à la piscine et à l'espace de remise en forme. Le service est remarquable. Trois restaurants. **www**.crowneplaza.com

SHAANXI

HUASHAN Bei Feng Yuntai Shanzhuang ¥¥

Pic du Nord (à 5 min du téléphérique) ***Tél.*** *(0913) 430 0606* ***Fax*** *(0913) 436 5568* ***Chambres*** *20*

Situé sur le pic du Nord à quelques minutes du téléphérique, cet hôtel propose des lits dans un dortoir simple mais généralement propre et des chambres doubles avec sanitaires communs. Si l'endroit manque un peu de confort, il a l'avantage d'offrir une belle vue sur le lever et le coucher du soleil.

HUASHAN Xiyue Binguan ¥¥

Yuquan Lu Zhong Duan ***Tél.*** *(0913) 436 8299* ***Fax*** *(0913) 436 8222* ***Chambres*** *55*

Situé au pied de la montagne, en contrebas de l'entrée du temple de Yuquan yuan, cet hôtel simple au toit traditionnel propose des chambres sombres et néanmoins dotées d'une douche (contrairement à celles des hôtels d'altitude) ; celles du 1er étage orientées au sud sont plus claires. Personnel cordial.

Légende des prix, *voir p. 554,* **légende des symboles,** *voir rabat de couverture*

XI'AN Xi'an Shuyuan Youth Hostel ¥

2A Nan Dajie Xi Shun Cheng Xiang ***Tél.*** *(029) 8728 7721* ***Fax*** *(029) 8728 7720* ***Chambres*** *40*

Siheyuan de style Ming situé à l'intérieur des remparts et joliment restauré avec trois grandes cours en enfilade. Ici, les équipements sont simples, mais les occasions de séjourner dans ce genre de lieu d'un autre temps sont rares. On viendra vous chercher gracieusement à la gare routière ou ferroviaire.

XI'AN Jiefang Fandian ¥¥

181 Jiefang Lu ***Tél.*** *(029) 8769 8888* ***Fax*** *(029) 8769 8666* ***Chambres*** *368*

Situation idéale en face des gares ferroviaire et routière. Les bus pour l'armée de terre cuite, la pagode du monastère de la Porte de la Loi et le mont Huashan partent devant l'hôtel. Les chambres dans les parties rénovées sont plus chères, mais on peut faire baisser les prix de moitié. **www**.jiefanghotel.com

XI'AN Xi'an Melody Hotel (Xi'an Meilun Jiudian) ¥¥¥

86 Xi Dajie ***Tél.*** *(029) 8728 8888* ***Fax*** *(029) 8727 3601* ***Chambres*** *135*

Nouvel établissement proche de l'animation du quartier musulman. L'accueil à la réception peut être abrupt, voire inexistant, mais les chambres meublées simplement sont bien entretenues et dotées d'une belle salle de bains ultra-moderne. Certaines donnent sur la tour du Tambour.

XI'AN Hyatt Regency Xi'an (Kaiyue Fandian) ¥¥¥¥

158 Dong Dajie ***Tél.*** *(029) 8769 1234* ***Fax*** *(029) 8769 6799* ***Chambres*** *404*

Le plus central des hôtels de luxe situés dans l'enceinte de la cité. Service efficace et discret. Chambres relativement petites et néanmoins confortables. Le restaurant The Pavilion propose une excellente cuisine cantonaise. Les gares ferroviaire et routière sont à un peu plus de deux kilomètres au sud. **www**.xian.regency.hyatt.com

YAN'AN Silver Seas International Hotel (Yinhai Guoji Dajiudian) ¥¥¥

Daqiao Lu ***Tél.*** *(0911) 213 9999* ***Fax*** *(0911) 213 9666* ***Chambres*** *212*

Ouvert en août 2004, le Silver Seas est le plus récent et le plus beau quatre étoiles de la ville. Chambres avec vue sur la Pagode précieuse et les collines ; Internet haut débit. Grande piscine, salles de gym et de banquet. La gare ferroviaire est à cinq minutes et l'aéroport à dix. **www**.yinhaihotel.cn

SHANGHAI

Mingtown Hiker Youth Hostel ¥

450 Jiangxi Zhonglu ***Tél.*** *(021) 6329 7889* ***Fax*** *(021) 6329 8099* ***Chambres*** *80*

Idéalement situé entre le Bund, la rue de Nankin et la rivière Suzhou, le Mingtown est l'AJ type avec ses tableaux d'affichage et sa laverie où se pressent les routards. L'endroit est sombre par endroits mais propre d'une manière générale. Climatisation, location de vélos et pub.

Motel 168 (Motai Liansuo Lüdian) ¥¥

1119 Yan'an Xilu ***Tél.*** *(021) 5117 7777* ***Chambres*** *510*

Établissement de la nouvelle chaîne chinoise économique proposant des chambres sans chichi, propres et compactes aux couleurs gaies. Il y a plus d'une dizaine de succursales à Shangai, mais celle-ci proche du temple de Jing'an est la mieux située pour les visites. **www**.motel168.com/english/index.htm

Okura Garden Hotel Shanghai (Hua Yuan Fandian) ¥¥¥

58 Maoming Nanlu ***Tél.*** *(021) 6415 1111* ***Fax*** *(021) 6415 8866* ***Chambres*** *492*

Hôtel de luxe géré par une équipe japonaise, admirablement situé dans une rue animée, près du métro et de l'ancienne concession française. Jardins luxuriants, eau potable dans les salles de bains en marbre et personnel parfaitement polyglotte. Centre d'affaires. **www**.gardenhotelshanghai.com

Old House Inn (Lao Shiguang) ¥¥¥

N° 16 Lane 351 Huashan Lu ***Tél.*** *(021) 6249 6118* ***Fax*** *(021) 6249 6869* ***Chambres*** *12*

Peut-être le meilleur des rares petits hôtels de charme de Shanghai situé au centre et néanmoins à l'écart du bruit (hormis le craquement des planchers). Chambres toutes différentes décorées de meubles anciens donnant sur une cour carrée. Cuisine occidentale inventive au restaurant. **www**.oldhouse.cn

Seagull Hotel (Hai'ou Fandian) ¥¥¥

60 Huangpu Lu ***Tél.*** *(021) 6325 1500* ***Fax*** *(021) 6324 1263* ***Chambres*** *128*

Situé au bord de l'eau, à l'embouchure de la rivière Suzhou, Seagull propose des chambres rénovées correctes dont le principal attrait est la vue sur le Bund et Lu Jia Zui. Agréable restaurant sur le toit éclairé par le néon publicitaire pour Epson. **www**.seagull-hotel.com

Tai Yuan Villa (Tai Yuan Bieshu) ¥¥¥

160 Taiyuan Lu, près de Yongjia Lu ***Tél.*** *(021) 6471 6688* ***Fax*** *(021) 6471 2618* ***Chambres*** *19*

Demeure historique des années 1920 où résida la dernière épouse de Mao, Jian Qing. Ho Chi Minh et Kim Il Sung ont dormi ici. L'intérieur en bois poli abrite de nombreux bibelots. Beau jardin propice à la détente.

Dong Hu Binguan ¥¥¥¥

70 Donghu Lu ***Tél.*** *(021) 6415 8158* ***Fax*** *(021) 6415 7759* ***Chambres*** *280*

À deux pas de l'animation de Huaihai Lu, cet hôtel possède une longue histoire et un jardin luxuriant entouré d'un grand mur, véritable havre de paix. Préférez le bâtiment ancien avec ses meubles traditionnels à l'annexe plus moderne et plus banale. **www**.donghuhotel.com

Hotel Equatorial Shanghai (Shanghai Guoji Guidu Dajiudian) ¥¥¥¥

65 Yan'an Xilu 65 ***Tél.*** *(021) 6248 1688* ***Fax*** *(021) 6248 1773* ***Chambres*** *509*

Sans doute le meilleur rapport qualité-prix dans la catégorie quatre étoiles. Situation idéale face à un parc verdoyant, à cinq minutes à pied du Jing An Temple et du métro. Chambres calmes malgré la proximité du viaduc Yan'an donglu. Centre d'affaires avec Internet sans fil haut débit. **www**.equatorial.com

Jinjiang Fandian ¥¥¥¥

59 Maoming Nanlu ***Tél.*** *(021) 6258 2582* ***Fax*** *(021) 6472 5588* ***Chambres*** *515*

Ce célèbre hôtel connu autrefois sous le nom de Cathay Mansion fut le théâtre d'importants événements politiques. Il a été entièrement modernisé et propose aujourd'hui des chambres élégantes et de nombreuses prestations. Parc. Superbes restaurants dans les alentours.

Peace Hotel (Heping Fandian) ¥¥¥¥

20 Nanjing Donglu ***Tél.*** *(021) 6321 6888* ***Fax*** *(021) 6329 0300* ***Chambres*** *380*

C'est plus l'architecture Art déco que le service qui attire les clients dans cet hôtel du Bund. Le bâtiment aurait besoin d'être restauré et le service amélioré, mais les boiseries et les vitraux ont le charme indestructible de l'époque où Shanghai était le Paris de l'Orient. **www**.shanghaipeacehotel.com

Pudong Shangri-La Shanghai (Pudong Xianggelila Dajiudian) ¥¥¥¥

33 Fucheng Lu, Pudong ***Tél.*** *(021) 6882 8888* ***Fax*** *(021) 6882 6688* ***Chambres*** *957*

Dans une majestueuse tour dotée d'un élégant hall de réception à laquelle va bientôt être ajoutée une annexe. L'enseigne est réputée pour la qualité de son service. Nombreuses chambres avec vue sur la rivière et le Bund. Boîte de nuit au sous-sol fréquentée par les expatriés. **www**.shangri-la.com

Ruijin Binguan ¥¥¥¥

2 Ruijin Erlu ***Tél.*** *(021) 6472 5222* ***Fax*** *(021) 6473 2277* ***Chambres*** *62*

Ancienne résidence de style pseudo-Tudor construite en 1917 par un industriel anglais. L'élégant ensemble est un peu défraîchi, mais les salles de bains ont été rénovées. Villas de diverses périodes empreintes de la nostalgie de la grande époque de Shanghai dans un parc avec bars et restaurants.

88 Xin Tiandi ¥¥¥¥¥

380 Huangpi Nanlu ***Tél.*** *(021) 5383 8833* ***Fax*** *(021) 5383 8877* ***Chambres*** *53*

Nouvel hôtel de charme au cœur du quartier de nuit de Xin Tian DI proposant de luxueux appartements avec équipements d'affaires et kitchenette (avec réfrigérateur et four à micro-ondes) mais, vu le nombre de nouveaux restaurants alentour, vous n'aurez pas besoin de faire la cuisine. **www**.88xintiandi.com

Grand Hyatt Shanghai (Shanghai Jinmao Junyue Dajiudian) ¥¥¥¥¥

Tour Jinmao, 88 Shijie Dadao ***Tél.*** *(021) 5049 1234* ***Fax*** *(021) 5049 5832* ***Chambres*** *555*

Installé dans la partie supérieure de la tour Jinmao, la plus haute tour de Chine (88 étages), cet hôtel propose des chambres spacieuses ultramodernes avec vue sur le Bund et Pudong. Grandes salles de bains avec douche séparée. Plusieurs excellents restaurants et lieux de nuit. **www**.shanghai.grand.hyatt.com

Hilton Hotel (Xierdun Dajiudian) ¥¥¥¥¥

250 Huashan Lu ***Tél.*** *(021) 6248 0000* ***Fax*** *(021) 6248 3848* ***Chambres*** *772*

Numéro un des hôtels d'affaires depuis 1987, le Hilton risque d'être détrôné par les nouveaux concurrents. Le cadre est superbe, le service toujours excellent et le Spa luxueux. Belles vues sur l'ancienne concession française depuis le bar sur le toit. Près du Jing An Temple. **www**.hilton.com

JW Marriott Hotel Tomorrow Square Shanghai ¥¥¥¥¥

399 Nanjing Xilu ***Tél.*** *(021) 5359 4969* ***Fax*** *(021) 6375 5988* ***Chambres*** *342*

Vue à 360° sur la place du Peuple et le centre de Shanghai pour ce nouvel hôtel, l'un des meilleurs de la ville. L'arrivée dans le hall de réception aux parois entièrement vitrées, au 38e étage, est impressionnante. Service exceptionnel. Près des principales curiosités touristiques. **www**.marriott.com

Le Royal Méridien Shanghai ¥¥¥¥¥

Nanjing Donglu ***Tél.*** *(021) 3318 9999* ***Fax*** *(021) 6361 3388* ***Chambres*** *770*

Nouvel établissement chic sur la place du Peuple. Les chambres dotées d'une vaste salle de bains offrent un beau panorama. Dans le labyrinthe des couloirs se trouvent aussi d'excellents restaurants français et italien et une piscine baignée de lumière naturelle. **www**.lemeridien.com/royalshanghai

The Portman Ritz-Carlton (Shanghai Poteman Lijia Jiudian) ¥¥¥¥¥

1376 Nanjing Xilu ***Tél.*** *(021) 6279 8888* ***Fax*** *(021) 6279 8800* ***Chambres*** *590*

Majestueux hall de réception. Le personnel attentif anticipe les besoins des clients avec intelligence et discrétion. Chambres confortables avec vue panoramique. Également des boutiques de luxe, des banques, des agences de voyages et autres commodités. **www**.ritzcarlton.com

Légende des prix, *voir p. 554,* **légende des symboles,** *voir rabat de couverture*

The St. Regis Shanghai (Shanghai Ruiji Hongta Dajiudian) ¥¥¥¥¥

889 Dong Fang Lu, Pudong ***Tél.*** *(021) 5050 4567* ***Fax*** *(021) 6875 6789* ***Chambres*** *318*

Chambres modernes et élégantes avec grande salle de bains (avec douche séparée). Service de chambre 24 h/24. Cocktails et canapés offerts gracieusement chaque jour à tous les clients, ainsi que d'autres services tels que le repassage des vêtements à l'arrivée. Une adresse très courue. **www**.stregis.com/shanghai

The Westin Shanghai (Shanghai Weisiting Dafandian) ¥¥¥¥¥

88 Henan Zhonglu ***Tél.*** *(021) 6335 1888* ***Fax*** *(021) 6335 2888* ***Chambres*** *301*

La tour du Westin surmontée d'une fleur de lotus est facile à repérer au centre-ville. Hall de réception coloré décoré d'un escalier en verre avec éclairage intégré. Chambres modernes et élégantes dotées d'une salle de bains avec douche. Le Banyan Tree Spa est réputé. **www**.westin.com/shanghai

JIANGSU ET ANHUI

HEFEI Holiday Inn Hefei (Hefei Gujing Jiari Jiudian) ¥¥¥

1104 Changjiang Donglu ***Tél.*** *(0551) 220 6666* ***Fax*** *(0551) 220 1166* ***Chambres*** *388*

Le premier hôtel international en date de la capitale du Anhui et toujours la meilleure adresse du centre. Quelques chambres avec vue panoramique sur le parc Xiaoyaojin et la ville. Restaurant pivotant au 28e étage. Navette gratuite pour l'aéroport. La gare ferroviaire est à trois kilomètres. **www**.hfgjjr.com

HEFEI Sofitel Grand Park Hefei ¥¥¥

258 Faughua Dadao, zone de développement économique et technologique ***Tél.*** *(0551) 221 6688* ***Fax*** *(0551) 221 6699* ***Chambres*** *261*

Situation idéale pour les voyageurs d'affaires près de la zone de développement économique et technologique et du Centre international des expositions, à huit minutes de l'aéroport et vingt minutes du centre.
Le seul bâtiment de Hefei avec ce type d'architecture. Chapelle pour les mariages et *churascaria* brésilienne.

NANKIN (NANJING) Central Hotel (Nanjing Zhongxin Dajiudian) ¥¥¥¥

75 Zhongshan Lu ***Tél.*** *(025) 8473 3888* ***Fax*** *(025) 8473 3999* ***Chambres*** *360*

Clientèle essentiellement chinoise. Une bonne adresse par conséquent pour ceux qui souhaitent mieux connaître la Chine. Nombreux restaurants, salles de réunion et équipements d'affaires. Piscine à ciel ouvert.
Situation centrale à proximité du quartier d'affaires et des commerces.

NANKIN (NANJING) Crowne Plaza Hotel and Suites Nanjing ¥¥¥¥

89 Han Zhonglu ***Tél.*** *025 8471 8888* ***Fax*** *025 8471 9999* ***Chambres*** *290*

Hôtel situé au centre-ville s'adressant aux hommes d'affaires comme aux touristes. Belles vues. Importants équipements d'affaires et plusieurs restaurants. Également un club de santé avec piscine intérieure et sauna, de grands magasins et une galerie de peinture. **www**.crowneplaza.com

NANKIN (NANJING) Parkview Dingshan Hotel (Dingshan Huayuan Dajiudian) ¥¥¥¥

90 Cha Er Lu ***Tél.*** *(025) 5880 2888* ***Fax*** *(025) 5882 1729* ***Chambres*** *555*

Complexe situé sur la colline de Dingshan regroupant un hôtel cinq étoiles et un hôtel quatre étoiles fréquentés par les familles chinoises, ainsi qu'une résidence hôtelière et une villa de quatorze chambres. Agréable piscine ombragée et restaurant chinois proposant une cuisine huaiyang. **www**.nanjing-dingshan.com

NANKIN (NANJING) Metro Park Hotel (Nanjing Weijing Guoji Dajiudian) ¥¥¥¥¥

319 Zhongshan Donglu ***Tél.*** *(025) 8480 8888* ***Fax*** *(025) 8480 9999* ***Chambres*** *530*

Cinq étoiles dans un quartier paisible proche des remparts avec vues sur le lac et les montagnes. Plusieurs restaurants (de l'italien au chinois local) et un traiteur où l'on trouve du pain frais. Club de santé avec piscine intérieure, courts de tennis et practice de golf.

NANKIN (NANJING) Jinling Hotel (Jinling Fandian) ¥¥¥¥¥

Xinjie Kou ***Tél.*** *(025) 8471 1888* ***Fax*** *(025) 8471 1666* ***Chambres*** *592*

Premier cinq étoiles en date de Nankin, le Jinling reste aujourd'hui l'un des meilleurs hôtels de la ville malgré sa façade un peu défraîchie. Situation centrale, large choix de restaurants et de boutiques pour une clientèle avisée (essayez le restaurant pivotant au dernier étage). **www**.jinlinghotel.com

NANKIN (NANJING) Sheraton Nanjing Kingsley Hotel and Towers ¥¥¥¥¥

169 Han Zhonglu ***Tél.*** *(025) 8666 8888* ***Fax*** *(025) 8666 9999* ***Chambres*** *350*

Le meilleur cinq étoiles de la ville avec une situation centrale, une façade impressionnante et un service sans faille. L'intérieur est élégant et confortable sans être tape-à-l'œil. Restaurants et bars chic avec vue panoramique – essayez le bar club de jazz du dernier étage. **www**.sheraton.com

SUZHOU Suzhou New Century Hotel (Suzhou Xin Shiji Dajiudian) ¥¥¥

23 Guangji Lu ***Tél.*** *(0512) 6533 8888* ***Fax*** *(0512) 6533 5798* ***Chambres*** *188*

Un trois étoiles correct proposant des chambres claires et propres. Le service varie entre le dévouement et l'incivilité. Le célèbre jardin Liu (attardez-vous) est à dix minutes à pied. Possibilité de remise. À l'ouest du centre-ville mais à proximité de la gare ferroviaire. **www**.sz-newcenturyhotel.cn

SUZHOU New World Aster Hotel (Yadu Dajiudian) ¥¥¥¥

488 Sanxiang Lu ***Tél.*** *(0512) 6829 1888* ***Fax*** *(0512) 6829 1838* ***Chambres*** *366*

L'hôtel le plus haut de Suzhou, à dix minutes à l'ouest du centre-ville, à la limite de la vieille ville et de la zone industrielle en plein développement. Superbes vues depuis les ascenseurs vitrés et le restaurant sur le toit. Chambres bien meublées avec de nombreux gadgets. **www**.aster.com.cn

SUZHOU Shangri-La Hotel Suzhou ¥¥¥¥

168 Ta Yuan Lu ***Tél.*** *(0512) 6808 0168* ***Fax*** *(0512) 6808 1168* ***Chambres*** *390*

Situé juste à dix minutes de la majorité des sites touristiques les plus connus, le Shangri-La occupe les derniers étages de l'une des plus hautes tours de la province. Vues panoramiques. Accès facile aux magasins et restaurants du quartier commerçant. Excellents équipements. **www**.shangri-la.com

SUZHOU Sheraton Suzhou Hotel and Towers ¥¥¥¥¥

259 Xinshi Lu ***Tél.*** *(0512) 6510 3388* ***Fax*** *(0512) 6510 0888* ***Chambres*** *400*

Ici, l'architecture s'inspire des maisons de la vieille cité où les canaux serpentent à travers d'élégants jardins. Chambres luxueuses avec grande salle de bains en marbre. Du hall de réception traditionnel à la piscine rustique, les aménagements intérieurs sont remarquables. **www**.sheraton.com/suzhou

TUNXI Huang Shan Hongta Jiudian ¥¥¥

Huangkou Luyou Dujia Qu ***Tél.*** *(0559) 232 6666* ***Fax*** *(0559) 231 3009* ***Chambres*** *108*

Les aménagements de cet hôtel sont de grande qualité, mais le service laisse un peu à désirer et la situation en périphérie n'est guère commode si l'on n'est pas motorisé. Le cadre néanmoins est très agréable et il y a deux restaurants. Internet haut débit dans les chambres. **www.**hshongta.com

TUNXI Huangshan Pine Golf Hotel (Huang Shan Gaoerfu Jiudian) ¥¥¥

78 Longging, Jichang Dadao ***Tél.*** *(0559) 256 8000* ***Fax*** *(0559) 256 8111* ***Chambres*** *293*

Le meilleur hôtel de la ville et le seul classé cinq étoiles. Le service s'améliore mais il reste en dessous de celui offert dans les autres villes plus sophistiquées de la côte orientale. Salle de conférences. Le nouvel aéroport de Huangshan est proche. **www**.chinahsgolf.com

ZHEJIANG ET JIANGXI

HANGZHOU Fuchun Resort (Fuchun Shanju) ¥¥¥¥¥

Hangfu Yanjiang Lu, Fuyang section ***Tél.*** *(0571) 6346 1111* ***Fax*** *(0571) 6346 1222* ***Chambres*** *110 + cinq villas*

Sans doute le plus beau complexe hôtelier du delta du Yangzi. Le bâtiment de style traditionnel est impressionnant, mais l'hôtel doit surtout sa réputation aux cinq villas avec piscine privative dans un pavillon et vue sur des cultures de thé en terrasses. Golf 18 trous de classe internationale. **www**.fuchunresort.com

HANGZHOU Hyatt Regency Hangzhou ¥¥¥¥¥

28 Hubin Lu ***Tél.*** *(0571) 8779 1234* ***Fax*** *(0571) 8779 1818* ***Chambres*** *390*

Belle demeure en forme de fer à cheval avec un vaste hall de réception intégrant cafés et boutiques. Chambres avec vue sur le lac ou avec terrasse et jardins miniatures privatifs. Douche séparée dans les salles de bains en marbre. Garderie pour enfants et grande piscine. **www**.hangzhou.regency.hyatt.com

HANGZHOU Radisson Plaza Hotel Hangzhou ¥¥¥¥¥

333 Tiyuchang Lu ***Tél.*** *(0571) 8515 8888* ***Fax*** *(0571) 8515 7777* ***Chambres*** *284*

Hôtel proche du lac de l'Ouest géré par une équipe compétente. Centre de remise en forme, équipements de loisirs et restaurants. Les chambres spacieuses et bien meublées sont dotées de sanitaires avec baignoire et cabine de douche ; valet de chambre préposé pour la catégorie supérieure. **www**.radisson.com

HANGZHOU Shangri-la Hotel Hangzhou ¥¥¥¥¥

78 Beishan Lu ***Tél.*** *(0571) 8797 7951* ***Fax*** *(0571) 8707 3545* ***Chambres*** *383*

Deux bâtiments réservés à l'origine aux hauts fonctionnaires dans le parc d'un temple aujourd'hui disparu et tout simplement l'un des hôtels les plus agréables de Chine. Bon nombre de chambres donnent sur le lac de l'Ouest. Bons équipements de conférences et d'affaires. **www**.shangri-la.com

HANGZHOU Sofitel Westlake Hangzhou ¥¥¥¥¥

333 Xihu Dadao ***Tél.*** *(0571) 8707 5858* ***Fax*** *(0571) 8707 8383* ***Chambres*** *200*

Hôtel relativement petit avec un bel aménagement intérieur et des couleurs. Bon service. Admirablement situé en bordure du lac de l'Ouest et près de Xudi Tiandi, un quartier de bars et de restaurants qui monte. Le bar sur le toit offre une vue magnifique sur le lac. **www**.sofitel.com

JINGDEZHEN Jinye Dajiudian ¥¥

2 Chashan Lu, Cidu Dadao ***Tél.*** *(0798) 858 8888* ***Fax*** *(0798) 856 2233* ***Chambres*** *228*

Un trois étoiles proposant des chambres propres et confortables et le seul hôtel de la ville digne de ce nom. Équipements de conférences basiques et ADSL haute capacité dans les chambres supérieures destinées à une clientèle d'affaires. Bon restaurant servant des spécialités locales et nationales.

Légende des prix, *voir p. 554,* **légende des symboles,** *voir rabat de couverture*

LU SHAN Qi Shi Jiujiang Dajiudian ¥¥¥

68 Binjiang Lu ***Tél.*** *(0792) 823 3388* ***Fax*** *(0792) 812 1288* ***Chambres*** *232*

Hôtel sur les rives du Yangzi qui manque un peu de vie et de couleurs, mais qui sera toujours mieux que les autres établissements du Lushan. Nombreuses chambres avec vue sur le fleuve. Bons restaurants chinois et occidental fréquentés par des étrangers en voyages d'affaires, à l'air grave. **www**.jjqishi.com

NANCHANG Gloria Plaza (Kailai Dajiudian) ¥¥¥¥

35 Yanjiang Bei Dadao ***Tél.*** *(0791) 673 8855* ***Fax*** *(0791) 673 8533* ***Chambres*** *327*

Un quatre étoiles sur la rivière Gan près du Tengwang géré par une équipe de Hong Kong. Les chambres sont bien entretenues et équipées d'Internet haut débit ; vue sur la rivière pour beaucoup. Somptueux hall de réception avec colonnes. **www**.gloriahotels.com

NANCHANG Regal Hotel (Fuhao Jiudian) ¥¥¥¥

160 Hongcheng Lu ***Tél.*** *(0791) 640 8888* ***Fax*** *(0791) 640 7777* ***Chambres*** *234*

Cet établissement quatre étoiles ouvert en 2001 est plus luxueux que le Gloria Plaza mais moins bien situé (juste au sud du centre-ville). Le calme des chambres décorées avec goût contraste avec l'animation des restaurants et autres parties communes. Détail insolite : un étage réservé aux femmes.

PUTUO SHAN Xilei Xiao Zhuang ¥¥¥

1 Xianghua Jie ***Tél.*** *(0580) 609 1505* ***Fax*** *(0580) 609 2109* ***Chambres*** *160*

Situé près du temple Puji et à quelques minutes à pied de l'une des grandes plages de l'île, cet hôtel propose différentes catégories de chambres (jusqu'à quatre étoiles), toutes d'un meilleur rapport qualité-prix que chez ses concurrents. Importants équipements d'affaires, deux restaurants et deux bars. **www**.xlxzhotel.com

WENZHOU Jiangxin Liaoyangyuan ¥¥

Jiangxin Yu ***Tél.*** *(0577) 8820 1269* ***Fax*** *(0577) 8820 1213* ***Chambres*** *6*

Ancien consulat britannique de la fin du XIXe siècle sur le paisible îlot de Jiangxin (à quelques minutes en ferry de la ville). Un hôtel intime de six chambres avec sanitaires communs pour certaines. L'établissement dispose d'une agréable terrasse avec vue sur la rive opposée.

WENZHOU Wanhao Grand Hotel (Wanhao Shangwu Dajiudian) ¥¥¥¥

Wenzhou Dadao ***Tél.*** *(0577) 8808 9888* ***Fax*** *(0577) 8808 9222* ***Chambres*** *200*

Situé assez loin du centre-ville et encore plus loin du fleuve, ce quatre étoiles a néanmoins l'avantage d'être plus récent et plus luxueux que ses concurrents. Chambres modernes et confortables. Personnel soucieux d'être agréable. La gare ferroviaire et la nouvelle gare de bus longue distance sont proches.

HUNAN ET HUBEI

CHANGSHA Hunan Bestride Hotel (Hunan Jiacheng Jiudian) ¥¥¥

215 Laodong Xilu ***Tél.*** *(0731) 511 8888* ***Fax*** *(0731) 511 1888* ***Chambres*** *238*

Cinq étoiles géré par une équipe efficace de Hong Kong. Chambres conventionnelles assez spacieuses avec vue garantie (aucune tour alentour). Un peu au sud du centre-ville et donc plus près de l'aéroport que la majorité des autres hôtels. Tous les équipements, dont plusieurs restaurants occidentaux et chinois. **www**.hnbrhotel.com

CHANGSHA Dolton Hotel Changsha (Tongcheng Guoji Dajiudian) ¥¥¥¥

159 Shaoshan Beilu ***Tél.*** *(0731) 416 8888* ***Fax*** *(0731) 416 9999* ***Chambres*** *450*

Classé cinq étoiles, il a été entièrement rénové (dallages en marbre, chambres neuves avec mobilier confortable et tout le confort moderne) pour faire face à la concurrence du Hilton voisin en cours de rénovation. Personnel aimable et courtois. La plus grande piscine de la province. **www**.dolton-hotel.com

CHANGSHA Huatian Dajiudian ¥¥¥¥

300 Jiefang Donglu ***Tél.*** *(0731) 444 2888* ***Fax*** *(0731) 444 2270* ***Chambres*** *700*

Le meilleur établissement de la ville (du moins jusqu'à l'ouverture du Sheraton). Chambres de forme originale au mobilier élégant et fonctionnel avec tout le confort moderne et une salle de bains d'exception (dotée d'une cabine de douche à jets massants). Le personnel parle bien anglais. **www**.huatian-hotel.com

WUHAN Jianghan Fandian ¥¥¥

245 Shangli Jie, Hankou ***Tél.*** *(027) 6882 5888* ***Fax*** *(027) 8281 4342* ***Chambres*** *110*

Demeure de 1919 à l'architecture européenne du centre de Hankou rénovée au milieu des années 1990, qui a néanmoins conservé son caractère et son atmosphère d'autrefois. Chambres dans les tons bruns et dorés. À l'extérieur, les grands arbres sont une invitation à la flânerie. **www**.jhhotel.com

WUHAN Wuhan Shangri-La Hotel (Wuhan Xianggelila Jiudian) ¥¥¥

700 Jianshe Dadao, Hankou ***Tél.*** *(027) 8577 6868* ***Fax*** *(027) 8572 4590* ***Chambres*** *448*

Établissement bien tenu et géré par une équipe efficace proposant des chambres confortables et spacieuses avec une grande salle de bains bien équipée. Le hall de réception animé est le lieu de rendez-vous favori des expatriés. Plusieurs restaurants chinois, occidentaux et japonais. **www**.shangri-la.com

WUHAN Best Western Premier Mayflowers Hotel ¥¥¥¥

385 Wuluo Lu, Wuchang ***Tél.*** *(027) 6887 1588* ***Fax*** *(027) 6887 1599* ***Chambres*** *280*

Cet hôtel tout neuf propose des chambres qui sont de loin les plus confortables de Wuchang. Club de santé bien équipé et grande piscine intérieure. La majorité des sites touristiques de la ville sont proches. **www**.bwmayflowers.com.cn

WUHAN Holiday Inn Tian'an Wuhan City Center ¥¥¥¥

Jiefang Dadao 868, Hankou ***Tél.*** *(027) 8586 7888* ***Fax*** *(027) 8584 5353* ***Chambres*** *355*

Valeur sûre au cœur du centre-ville, à proximité du parc Zhongshan, des commerces et de l'ancienne concession et l'un des hôtels haut de gamme les plus fréquentés de la ville. Piscine intérieure et court de tennis. Service de navette aéroport bon marché. **www**.china.ichotelsgroup.com

WULINGYUAN Minnan International Hotel (Minnan Guoji Jiudian) ¥¥¥

18 Ziwu Xilu ***Tél.*** *(0744) 822 8888* ***Fax*** *(021) 822 9888* ***Chambres*** *152*

Le seul hôtel quatre étoiles et le meilleur de la ville, même si les chambres sont un peu défraîchies. Hall de réception pimpant et service attentionné. L'aéroport n'est pas loin, ce qui est pratique pour prendre les vols du petit matin. Deux restaurants commodes également pour les réunions d'affaires. **www**.zjjtour.com/mn

WULINGYUAN Xiangdian International Hotel ¥¥¥

Senlin Gongyuan ***Tél.*** *(0744) 571 2999* ***Fax*** *(0744) 571 2666* ***Chambres*** *156*

Les chambres ne sont peut-être pas les meilleures de la ville (beaucoup ont néanmoins un balcon et donnent sur de belles cours intérieures), mais le cadre et le service sont dignes d'un vrai quatre étoiles. Près de l'entrée du parc Senlin Gongyuan. **www**.xiangdianhotel.com.cn

FUJIAN

FUZHOU Ramada Plaza (Meilun Huameida Guangchang Jiudian) ¥¥¥

108 Beihuan Xilu ***Tél.*** *(0591) 8788 3999* ***Fax*** *(0591) 8786 9631* ***Chambres*** *328*

Hôtel standard bien équipé et très propre situé au nord du boulevard circulaire, ce qui permet un accès rapide à pratiquement tous les points de la ville. Centre d'affaires avec ordinateur, Internet, fax et services de secrétariat. Bons restaurants occidental et cantonais. **www**.ramadainternationalhotel.com

FUZHOU Shangri-La ¥¥¥¥

9 Xinquan Nanlu ***Tél.*** *(0591) 8798 8888* ***Fax*** *(0591) 9798 8222* ***Chambres*** *414*

Situé au centre, le Shangri-La dépasse largement ses concurrents en termes de confort et de prestations. Le grand luxe avec un nombre impressionnant d'équipements, dont une grande piscine et de superbes restaurants de cuisine locale. Excellent rapport qualité-prix (tarifs de province). **www**.shangri-la.com

QUANZHOU Xiamen Airlines Quanzhou Hotel ¥¥¥

Fengze Jie ***Tél.*** *(0595) 216 4888* ***Fax*** *(0595) 216 4777* ***Chambres*** *377*

Hôtel classé trois étoiles avec un cadre et un équipement d'un hôtel de luxe (vidéo à la demande et Internet haut débit à certains étages) dans un quartier commerçant un peu à l'ouest du centre historique. Navette gratuite pour l'aéroport de Xiamen. **www**.xiamenair.com.cn/english/

QUANZHOU Quanzhou Jiudian ¥¥¥¥

Zhuangfu Xiang 22 ***Tél.*** *(0595) 228 9958* ***Fax*** *(0595) 218 2128* ***Chambres*** *386*

Trois bâtiments de différentes époques classés respectivement trois, quatre et cinq étoiles. L'aile nouvelle est somptueusement aménagée. Toutes les chambres sont bien entretenues avec vue sur le temple Kaiyuan pour certaines. Importants équipements de conférences. **www**.quanzhouhotel.com

WUYI SHAN Wuyi Mountain Villa (Wuyi Shan Zhuang) ¥¥¥

Wuyi Gong ***Tél.*** *(0599) 525 1888* ***Fax*** *(0599) 525 2567* ***Chambres*** *168*

Malgré la concurrence, cet hôtel continue d'accueillir les personnages importants qui apprécient ses villas et son cadre verdoyant sur l'autre rive de Chongyang XI, à la limite de la réserve. De la chambre simple bon marché à la chambre quatre étoiles spacieuse et bien entretenue. **www**.512villa.com

XIAMEN Crowne Plaza Hotel Harbourview Xiamen ¥¥¥¥

Zhenhai Lu ***Tél.*** *(0592) 202 3333* ***Fax*** *(0592) 203 6666* ***Chambres*** *349*

En bordure de la vieille ville, près du quai des ferries pour Hong Kong et à quelques minutes à pied de l'embarcadère pour l'île de Gulang Yu. Une tour de 21 étages avec superbes vues sur la mer. Internet haut débit et bons équipements d'affaires. **www**.ichotels.com

XIAMEN Marco Polo Xiamen (Xiamen Mageboluo) ¥¥¥¥¥

8 Jianye Lu ***Tél.*** *(0592) 509 1888* ***Fax*** *(0592) 509 2888* ***Chambres*** *350*

Hôtel à l'atmosphère sereine avec vue sur le lac Yuandang et la ville, ainsi que tout le confort d'un quatre étoiles, notamment une piscine à ciel ouvert et son bar. Un piano égrène ses notes dans l'atrium de huit étages. Plusieurs salles pour les groupes et un centre d'affaires bien équipé. **www**.marcopolohotels.com

Légende des prix, *voir p. 554,* **légende des symboles,** *voir rabat de couverture*

XIAMEN Sheraton Xiamen Hotel ¥¥¥¥¥

386-1 Jiahe Lu ***Tél.*** *(0592) 552 5888* ***Fax*** *(0592) 553 9088* ***Chambres*** *360*

Le plus récent hôtel de luxe de Xiamen avec toutes les prestations d'un cinq étoiles telles que centre de remise en forme ultramoderne, piscine et le premier Spa de la ville. Architecture moderne et luxueuse. Un peu loin cependant des principales curiosités historiques et culturelles. **www**.starwoodhotels.com

GUANGDONG ET HAINAN

CANTON (GUANGZHOU) Customs Conference and Reception Center ¥¥

Shamian Dajie (sur l'île de Shamian) ***Tél.*** *(020) 8110 2388* ***Fax*** *(020) 8121 8552* ***Chambres*** *49*

Façade néoclassique au milieu de bâtiments centenaires de style européen de la paisible et verdoyante île de Shamian. Petit hôtel proposant des chambres neuves et lumineuses disposées autour d'un atrium haut de quatre étages. Excellent rapport qualité-prix pour Canton où les hébergements sont chers.

CANTON (GUANGZHOU) Guangdong Victory Hotel (Guangdong Shengli Binguan) ¥¥

53 Shamian Beiji, île de Shamian ***Tél.*** *(020) 8121 6688* ***Fax*** *(020) 8121 6062* ***Chambres*** *330*

Deux bâtiments de l'époque coloniale situés sur la belle île de Shamian : le premier est un bon trois étoiles et le second un quatre étoiles. Personnel aimable et efficace. Vingt restaurants. Centre d'affaires basique avec fax et ordinateur. Internet TV dans les chambres. **www**.vhotel.com

CANTON (GUANGZHOU) Lido Hotel (Lidu Dafandian) ¥¥¥

182 Beijing Lu, Canton ***Tél.*** *(020) 8332 1988* ***Fax*** *(020) 8332 3413* ***Chambres*** *300*

Hôtel standard deux étoiles de 29 étages situé à l'entrée de la zone piétonne de Beijing Lu. Suites supérieures et centre d'affaires. Accès rapide au centre-ville. Le métro et les bus express pour Hong Kong sont proches. **www**.lido-hotel.cn

CANTON (GUANGZHOU) Asia International Hotel (Yazhou Guoji Dajiudian) ¥¥¥¥

326 Huanshi Donglu, Duan 1 ***Tél.*** *(020) 6128 8888* ***Fax*** *(86 20) 6120 6881* ***Chambres*** *442*

Murs en marbre poli du Guangdong et en granite permettant une bonne insonorisation du bâtiment. Situation centrale près des lieux de nuit. Le plus élégant hôtel de la ville avec chambres spacieuses et confortables. Service professionnel. Bel espace de remise en forme. Restaurant pivotant sur le toit.

CANTON (GUANGZHOU) Hotel Canton (Guangzhou Dasha) ¥¥¥¥

374 Beijing Lu ***Tél.*** *(020) 8318 9888* ***Fax*** *(020) 8330 1230* ***Chambres*** *465*

Tour de 37 étages en verre bleu dans le centre historique. L'un des plus beaux hôtels de Canton, avec lustres, sols en pierre polie et service impeccable. Centre d'affaires avec tous les services et salles de conférences. Yacht ancré sur la rivière des Perles à disposition. **www**.hotel-canton.cn

CANTON (GUANGZHOU) Garden Hotel (Huayuan Jiudian) ¥¥¥¥¥

368 Huanshi Donglu ***Tél.*** *(020) 8333 8989* ***Fax*** *(020) 8335 0467* ***Chambres*** *2 000*

Hôtel gigantesque avec tous les équipements imaginables et peut-être moins de restaurants que d'autres hôtels de cette taille, mais avec un meilleur service et des chambres plus confortables. Espaces de jeux pour les enfants, courts de tennis, squash et galerie marchande. **www**.gardenhotel-guangzhou.com

CANTON (GUANHZHOU) White Swan Hotel (Bai Tian'e Binguan) ¥¥¥¥¥

1 Shamian Nanjie ***Tél.*** *(020) 8188 6968* ***Fax*** *(020) 8186 1188* ***Chambres*** *843*

Une institution sur l'île de Shamian, face à la rivière des Perles. Ici, tout a été pensé. Le prix des chambres est élevé pour le standing de l'hôtel mais il est facile de le faire baisser. Clientèle de groupes et de couples venus adopter un enfant (d'où les espaces de jeux). **www**.whiteswanhotel.com

HAINAN Sheraton Sanya Resort (Sanya Xilaideng Dujia Jiudian) ¥¥¥¥

Yalong Bay National Resort District ***Tél.*** *(0898) 8855 8855* ***Fax*** *(0898) 8855 8866* ***Chambres*** *511*

Dans la baie tropicale de Yalong et sans conteste le meilleur complexe hôtelier de la Chine continentale. L'hôtel a accueilli par deux fois la finale du concours de Miss Monde. Hall de réception en tek à ciel ouvert. Magnifiques piscines, lagons et tous les sports nautiques. **www**.sheraton.com/sanya

HAINAN Sofitel Boao (Hainan Boao Suofeite Dajiudian) ¥¥¥¥

Boao, île de Dongyu ***Tél.*** *(0898) 6296 6888* ***Fax*** *(0898) 6296 6999* ***Chambres*** *437*

Construit dans une ancienne zone de marécages, le Sofitel accueille des conférences internationales (l'aéroport de Haikou est à une heure de voiture et celui de Sanya à 90 min). Vue magnifique depuis le balcon ou la baignoire. **www**.accorhotels.com/asia ou **www**.sofitel.com

SHENZHEN Crowne Plaza Shenzhen ¥¥¥¥

9026 Shennan Dadao, Overseas Chinese Town ***Tél.*** *(0755) 2693 6888* ***Fax*** *(0755) 2693 6999* ***Chambres*** *375*

Le premier cinq étoiles en date de Shenzen avec sa façade vénitienne. La Méditerranée se retrouve dans la déco de la piscine et le restaurant italien Blue réputé. Une adresse connue des familles en raison de la proximité de parcs d'attractions comme le China Folk Cultural Village. Bons équipements d'affaires.

SHENZHEN Shangri-La Shenzhen (Xianggelila Dajiudian) ¥¥¥¥¥

Jianshe Lu ***Tél.*** *(0755) 8233 0888* ***Fax*** *(0755) 8233 9878* ***Chambres*** *553*

Bien que fortement concurrencé, le Shangri-La récemment rénové reste le meilleur hôtel en termes de situation et d'équipements : somptueux hall de réception, restaurant pivotant sur le toit, superbes espaces de remise en forme, restaurant cantonais, japonais et américain. **www**.shangri-la.com

HONG KONG ET MACAO

HONG KONG Caritas Bianchi Lodge ¥

4 Cliff Road, Yau Ma Tei ***Tél.*** *(852) 2388 1111* ***Fax*** *(852) 2770 6669* ***Chambres*** *160* ***Plan*** *1 B1*

Hôtel sans beaucoup d'âme et très basique qui a néanmoins l'avantage d'être très bon marché et bien situé, en retrait de Nathan Road. Chambres vieillottes, propres et spacieuses. Adresse idéale pour les petits budgets. Le métro Ya Ma Tei est proche, ce qui est pratique vu qu'il n'y a ni restaurant ni bar.

HONG KONG Mount Davis Youth hostel ¥

Mt Davis Path, Mt Davis, Hong Kong Island ***Tél.*** *(852) 2817 5715* ***Fax*** *(852) 2788 3105* ***Chambres*** *169 lits*

Lits en dortoirs aux allures de casernes loin du centre (navette de l'AJ, bus ou taxi), mais que peut-on trouver d'autre à ce prix loin du bruit, dans un cadre arboré avec vue sur la baie ? Un endroit idéal, bien que basique, pour ceux qui recherchent le calme. **www**.yha.org.hk

HONG KONG Garden View International House ¥¥

1 MacDonnell Road, Central, Hong Kong Island ***Tél.*** *(852) 2877 3737* ***Fax*** *(852) 2845 6263* ***Chambres*** *130* ***Plan*** *2 B4*

Vous ne trouverez rien de moins cher plus près du centre. Chambres fonctionnelles, cadre un peu vieillot, mais il y a une piscine et vous êtes à deux pas du funiculaire qui monte au Peak de Hong Kong Park et du Jardin botanique (que l'on voit depuis certaines chambres). **www**.ywca.org.hk

HONG KONG The Wesley ¥¥

22 Hennessy Road, Wan Chai, Hong Kong Island ***Tél.*** *(852) 2866 6688* ***Fax*** *(852) 2866 6633* ***Chambres*** *190* ***Plan*** *3 E4*

Bon hôtel sans chichi pour petits budgets, proche de l'animation de Wan Chai. Bon rapport qualité-prix vu la situation et la dimension des chambres. Un bar et un restaurant, mais vous aurez peut-être envie de profiter de la proximité des lieux de nuit pour sortir. **www**.hanglung.com

HONG KONG YMCA - The Salisbury ¥¥

41 Salisbury Road, Tsim Sha Tsui, Kowloon ***Tél.*** *(852) 2268 7000* ***Fax*** *(852) 2739 9315* ***Chambres*** *363* ***Plan*** *1 B4*

Le meilleur rapport qualité-prix de Hong Kong. Chambres de dimensions raisonnables avec vue spectaculaire sur le port pour beaucoup. Une bonne adresse pour les familles (grandes suites à un prix avantageux et centre de loisirs attenant) et pour les voyageurs avec un petit budget. **www**.ymcahk.org.hk

HONG KONG The Fleming ¥¥¥¥

41 Fleming Road, Wan Chai ***Tél.*** *(852) 3607 2288* ***Fax*** *(852) 3607 2299* ***Chambres*** *66* ***Plan*** *3 F3*

Anciens appartements services convertis en chambres coquettes, fonctionnelles et confortables à des prix raisonnables (beaucoup avec kitchenette convenant plus particulièrement aux familles). Accès facile au Conference and Exhibition Centre, aux ferries pour Kowloon et à Wan Chai. **www**.thefleming.com.hk

HONG KONG The Peninsula Hong Kong ¥¥¥¥

Salisbury Rd, Tsim Sha Tsui, Kowloon ***Tél.*** *(852) 2920 2888* ***Fax*** *(852) 2722 4170* ***Chambres*** *300* ***Plan*** *1 B4*

Une flotte de Rolls Royce attend à l'aéroport pour emmener les clients dans cet hôtel de luxe qui allie l'opulence du marbre et le charme colonial. Chambres modernes avec les plus belles vues sur le port. Quelques-uns des meilleurs restaurants de la ville et un Spa qui a été primé. **www**.peninsula.com

HONG KONG Island Shangri-La ¥¥¥¥¥

Pacific Place, Supreme Court Road, Central ***Tél.*** *(852) 2877 3838* ***Fax*** *(852) 2521 8742* ***Chambres*** *565* ***Plan*** *3 D4*

L'un des meilleurs hôtels de Hong Kong avec un personnel efficace et quelques-unes des chambres les plus spacieuses. Idéalement situé juste au-dessus du métro Admiralty et de quelques-unes des plus belles boutiques de l'île. Choisissez une chambre avec vue sur le Peak. **www**.shangri-la.com

HONG KONG JIA Boutique Hotel ¥¥¥¥¥

1-5 Irving Street, Causeway Bay ***Tél.*** *(852) 3196 9000* ***Fax*** *(852) 3196 9001* ***Chambres*** *54*

Situé dans une rue à l'écart du quartier commerçant de Causeway Bay, le JIA (maison en mandarin) propose de confortables studios et suites avec kitchenette et salle de bains en marbre. Décoration et mobilier signés Philippe Starck. Un endroit confortable et plein de surprises. **www**.jiahongkong.com

HONG KONG Mandarin Oriental ¥¥¥¥¥

5 Connaught Road, Central ***Tél.*** *(852) 2522 0111* ***Fax*** *(852) 2903 1626* ***Chambres*** *502* ***Plan*** *2 C3*

La rénovation tant attendue de ce grand hôtel est une réussite et le Mandarin possède aujourd'hui une architecture intérieure moderne, tous les équipements high-tech et des chambres toujours aussi chic. Les parties communes demeurent le lieu de rendez-vous le plus couru de l'île. **www**.mandarinoriental.com

Légende des prix, *voir p. 554,* **légende des symboles,** *voir rabat de couverture*

HONG KONG The Landmark Mandarin Oriental ¥¥¥¥¥

15 Queens Road Central, Central ***Tél.*** *(852) 2132 0188* ***Fax*** *(852) 2132 0199* ***Chambres*** *113* ***Plan*** *2 C3*

Parmi les chambres les plus spacieuses de Hong Kong. Les murs courbes des salles de bains en marbre et en verre délimitent les espaces à dormir et à vivre. Baignoires rondes au niveau du sol, écrans de TV haute définition et Internet haut débit sans fil. Admirable situation. **www**.mandarinoriental.com

HONG KONG The Luxe Manor ¥¥¥¥¥

39 Kimberley Road, Tsim Sha Tsui, Kowloon ***Tél.*** *(852) 3763 8888* ***Fax*** *(852) 3763 8899* ***Chambres*** *159* ***Plan*** *1 C3*

Une décoration orientale, postmoderne et européenne qui se veut « surréelle ». Suites de luxe ou sur jardin et six suites à thème, dont la suite Liason avec lit rond et murs capitonnés. Équipements high-tech et salles de bains avec douche pluie. **www**.theluxemanor.com

MACAO Pousada de São Tiago ¥¥¥

Fortaleza de S. Tiago da Barra, Ave. Da Republica, Macao ***Tél.*** *(853) 378 111* ***Fax*** *(853) 552 170* ***Chambres*** *24*

Installé dans un ancien fort creusé dans la roche, dans la partie ouest de Macao, cet hôtel possède une atmosphère coloniale. Personnel charmant. Chambres décorées de meubles d'époque en bois sombre et d'azulejos portugais. Petite piscine et restaurant correct. **www**.saotiago.com.mo

MACAO Mandarin Oriental ¥¥¥¥

Avenida da Amizade, Port extérieur, Macao ***Tél.*** *(853) 2856 7888* ***Fax*** *(853) 2859 4589* ***Chambres*** *435*

Nouvel hôtel-casino Mandarin dont le service ne vaut pas celui à l'européenne des anciens hôtels du groupe. Une oasis de paix en retrait du nouveau Macao. Chambres avec vue sur la piscine et somptueux Spa où les massages sont parmi les meilleurs d'Asie. Excellents restaurants. **www**.mandarinoriental.com/macau

MACAO The Venetian ¥¥¥¥¥

Cotai Strip, Macao ***Tél.*** *(853) 2882 8888* ***Chambres*** *3000*

Quand Las Vegas rêve de l'Italie : le plus spectaculaire hôtel-casino avec son campanile miniature, son pont du Rialto et ses sampans au milieu de 51 gondoles. Uniquement des suites. Boutiques spécialisées et un théâtre de 1 800 places présentant un nouveau spectacle du Cirque du Soleil. **www**.venetianmacau.com

MACAO Wynn Macau ¥¥¥¥¥

Rua Cidade de Sintra, Nape ***Tél.*** *(853) 2888 9966* ***Fax*** *(853) 2832 9966* ***Chambres*** *600*

Immense complexe hôtelier et casino avec notamment un luxueux Spa et trois restaurants. Les chambres à plafond haut décorées avec goût sont dotées d'un équipement entièrement électronique. L'entrée du casino est indépendante. **www**.wynnmacau.com

SICHUAN ET CHONGQING

CHENGDU California Garden Hotel (Jiazhou Huayuan Jiudian) ¥¥¥

258 Shawan Lu, International Exhibition and Convention Centre ***Tél.*** *(028) 8764 9999* ***Fax*** *(028) 8764 0988* ***Chambres*** *274*

L'hôtel fait partie d'un immense complexe regroupant boutiques, cinémas ainsi qu'un palais des congrès, un opéra et une patinoire. Le vaste hall de réception est décoré de sculptures et de peintures. Annexe dans une nouvelle tour VIP proposant des chambres haut de gamme ou trois étoiles standard. **www**.ecccn.com

CHENGDU Sofitel Wanda Chengdu (Suo Fei Te Wangda Dajiudian) ¥¥¥¥

15 Binjiang Zhonglu ***Tél.*** *(028) 6666 9999* ***Fax*** *(028) 6666 3333* ***Chambres*** *262*

L'un des hôtels les plus récents et actuellement le meilleur de la ville avec une tonalité contemporaine et un excellent service. Vue sur la rivière Funan et le parc, illuminés la nuit. Les mardi et vendredi soir, l'English Corner attire des centaines de personnes. Grandes salles de réunion. **www**.sofitel.com

CHENGDU Kempinski Hotel Chengdu (Kaibin Siji Fandian) ¥¥¥¥¥

Renmin Nanlu, Duan 4, #42 ***Tél.*** *(028) 8526 9999* ***Fax*** *(028) 8512 2666* ***Chambres*** *483*

Hôtel récent avec une vaste réception et un Spa encore plus grand (piscine de 24 mètres, bains d'eau thermale, salles de massage et gymnase). Le service était encore hésitant au moment de la rédaction. Fumoir pour les amateurs de cigares et salons de thé. **www**.kempinski.com/en/hotel/index.html

CHENGDU Holiday Inn Crowne Plaza Chengdu ¥¥¥¥¥

31 Zongfu Lu ***Tél.*** *(028) 8678 6666* ***Fax*** *(028) 8678 9789* ***Chambres*** *434*

Probablement l'hôtel le mieux situé, à côté de la rue de la mode (Chunxi Lu), mais un service qui laisse à désirer. Somptueux hall de réception et nombreuses prestations de qualité, dont quatre restaurants. Guichet de banque et de poste. **www**.crowneplazachengdu.cn

CHENGDU Sheraton Chengdu Lido Hotel ¥¥¥¥¥

Renmin Zhonglu, Duan 1, #15 ***Tél.*** *(028) 8676 8999* ***Fax*** *(028) 8676 8888* ***Chambres*** *402*

Hôtel situé à cinq minutes à pied au nord de la place Tianfu avec l'un des meilleurs services de la ville et quelques chambres donnant sur le stade et le Panda Mall. Importants équipements d'affaires et club de santé avec espaces de repos. **www**.sheraton.com/chengdu

CHONGQING Chongqing Carlton Hotel (Nanfang Junlin Jiudian) ¥¥¥¥¥

259 Ke Yuan Silu, zone de développement des hautes technologies ***Tél.*** *(023) 6806 6806* ***Fax*** *(023) 6806 6666* ***Chambres*** *313*

Nouvel hôtel d'affaires situé dans la zone de développement, à quelques minutes en voiture du centre. Le quartier manque un peu d'âme, mais le hall de réception est impressionnant et le service attentif. Salle de danse, discothèque, centre de remise en forme et sauna. **www**.cqcarltonhotel.com

CHONGQING Hilton Chongqing (Chongqing Xi'erdun Jiudian) ¥¥¥¥¥

139 Zhongshan Sanlu, Yuzhong district ***Tél.*** *(023) 8903 9999* ***Fax*** *(023) 8903 8700* ***Chambres*** *434*

À un peu plus de quatre kilomètres du centre-ville avec vue sur le confluent du Yangzi et de la Jailing. Belles œuvres d'art et un magnifique Spa, le Cloud 9. Le hall de réception est bien aménagé et le service de premier ordre. Divers équipements de loisir. **www**.chongqing.hilton.com

CHONGQING JW Marriott Hotel (Chongqing Wanhao Jiudian) ¥¥¥¥¥

77 Qingnian road, district de Yuzhong ***Tél.*** *(023) 6388 8888* ***Fax*** *(023) 6388 8777* ***Chambres*** *446*

Situé dans un quartier commerçant animé, le Marriott possède un hall de réception impressionnant et un salon sur le toit avec vue panoramique sur la ville. Pour beaucoup, la meilleure adresse de Chongqing malgré l'aspect extérieur, avec de multiples équipements et un personnel bien formé. **www**.marriott.com

EMEI SHAN Emei Shan Dajiudian ¥¥

Baoguo Si ***Tél.*** *(0833) 552 6888* ***Fax*** *(0833) 559 5453* ***Chambres*** *289*

Situation idéale pour ceux qui vont au mont Emei et souhaitent une bonne qualité d'hébergement, au pied de la montagne dans une zone forestière voisine du temple Baoguo. Le service est meilleur qu'on ne pourrait imaginer dans cet endroit isolé. Salons de beauté, de santé et vie nocturne animée.

LESHAN Jinhaitang Dajiudian ¥¥¥

99 Haitao Lu ***Tél.*** *(0833) 212 8888* ***Fax*** *(0833) 213 2988* ***Chambres*** *141*

À quelques minutes à pied du centre-ville mais à l'écart du bruit et à quelques minutes en voiture de l'embarcadère pour le site du Grand Bouddha (départs fréquents). Beaux jardins bien entretenus. Équipements d'affaires basiques.

ZIGONG Huidong Dajiudian ¥¥

16 Huidong Donglu ***Tél.*** *(0813) 828 8306* ***Fax*** *(0813) 828 8618* ***Chambres*** *198*

Dans la partie est de cette ville de montagne avec vue sur le centre. Hall de réception imposant mais le service laisse un peu à désirer et les chambres pourraient être mieux entretenues. Nombreuses activités de loisir. Agence de voyages, salon de beauté, salle de billard et sauna. **www**.huidonghotel.com

YUNNAN

DALI Landscape Hotel (Lan Lin Ge Jiudian) ¥¥¥

96 Yuer Lu ***Tél.*** *(0872) 266 6188* ***Fax*** *(0872) 266 6189* ***Chambres*** *168*

Installé dans une maison bai, cet hôtel ouvert en 2002 propose les chambres standard les plus agréables de la ville avec tout le confort moderne. À l'extérieur, murs-écrans, cours en marbre, fleurs, bancs en pierre et même un petit ruisseau. Bonne situation au calme à l'extrémité nord du vieux Dali.

DALI Asia Star Hotel (Yaxing Dafandian) ¥¥¥¥

Gucheng Nanjiao ***Tél.*** *(0872) 267 9999* ***Fax*** *(0872) 267 0399* ***Chambres*** *310*

Sur une petite colline avec vue sur le lac ou la montagne depuis toutes les chambres. Le mural de la réception est l'un des nombreux détails évocateurs de la culture bai. Restaurant végétarien bio au 1er étage. Navette gratuite toutes les 30 minutes la nuit à destination et en provenance de la vieille ville.

KUNMING Horizon Hotel (Tianheng Dajiudian) ¥¥¥

432 Qingnian Lu ***Tél.*** *(0871) 318 6666* ***Fax*** *(0871) 318 6888* ***Chambres*** *440*

Une adresse très prisée des hommes d'affaires et des touristes chinois comme des visiteurs étrangers en raison de sa situation centrale et de la qualité de ses chambres (bien équipées et très propres). Le salon du dernier étage pivotant est très fréquenté la nuit. Bowling au 2e étage. **www**.horizonhotel.net

KUNMING Green Lake Hotel (Cui Hu Binguan) ¥¥¥¥

6 Cuihu Nanlu ***Tél.*** *(0871) 515 8888* ***Fax*** *(0871) 515 7867* ***Chambres*** *302*

Depuis sa rénovation en 2003, cet hôtel moderne est le plus beau cinq étoiles de Kunming. Le bar installé sur une mezzanine offre une vue panoramique sur le parc du lac d'Émeraude. Parmi les nombreux services offerts, des excursions individuelles dans la région, en voiture avec chauffeur. **www**.greenlakehotel.com

KUNMING Harbour Plaza Hotel (Haiyi Jiudian) ¥¥¥¥

20 Honghua Qiao ***Tél.*** *(0871) 538 6688* ***Fax*** *(0871) 538 1189* ***Chambres*** *300*

Hôtel d'affaires situé dans un quartier calme et verdoyant au nord-ouest du centre-ville, à cinq minutes de l'animation du quartier central et à deux pas du parc du lac d'Émeraude. Trois restaurants et deux bars. **www**.harbour-plaza.com/hpkm

Légende des prix, *voir p. 554,* **légende des symboles,** *voir rabat de couverture*

KUNMING Kai Wah Plaza International Hotel ¥¥¥¥

157 Beijing Lu ***Tél.*** *(0871) 356 2828* ***Fax*** *(0871) 356 1818* ***Chambres*** *525*

Élégant hôtel avec tout ce que l'on attend d'un cinq étoiles de classe internationale : réception en verre monumentale, vues spectaculaires sur la ville et les montagnes, nombreuses possibilités de se distraire et de se détendre. Centre commercial de cinq étages dans le même complexe. **www**.kaiwahplaza.com

KUNMING Zhen Zhuang Ying Binguan ¥¥¥¥

514 Beijing Lu ***Tél.*** *(0871) 316 5869* ***Fax*** *(0871) 313 9756* ***Chambres*** *86*

Hôtel unique en son genre installé dans l'ancienne maison familiale du premier gouverneur du Yunnan moderne avec son grand jardin traditionnel. C'est ici que le président et les hauts fonctionnaires chinois ont coutume de descendre. Seul inconvénient : le niveau d'anglais du personnel.

LIJIANG Grand Lijiang Hotel (Gelan Dajiudian) ¥¥¥

Xinyi Jie ***Tél.*** *(0888) 512 8888* ***Fax*** *(0888) 512 7878* ***Chambres*** *127*

L'un des plus anciens hôtels de luxe de Lijiang avec une annexe moderne comprenant 70 chambres, piscine, centre de remise en forme, golf miniature et boutiques. Chambres standard d'un bon rapport qualité-prix bien qu'un peu défraîchies. Deux restaurants avec un buffet qui change tous les jours.

LIJIANG Guanfang Hotel Lijiang (Guanfang Dajiudian) ¥¥¥

Xiange Lila Dadao ***Tél.*** *(0888) 518 8888* ***Fax*** *(0888) 518 1999* ***Chambres*** *289*

Grand hôtel moderne cinq étoiles de 29 étages avec vues sur la vieille ville et la campagne environnante. Le bâtiment VIP Executive situé à l'arrière offre des chambres de catégorie supérieure. Accès aux fauteuils roulants. Chambres non-fumeurs avec humidificateur. **www**.gfhotel-lijiang.com.cn

LIJIANG Sanhe Hotel (San He Jiudian) ¥¥¥

Jishan Xia, 4 Xinyi Jie ***Tél.*** *(0888) 512 0891* ***Fax*** *(0888) 512 0892* ***Chambres*** *47*

Guesthouse à l'architecture traditionnelle proposant des chambres modernes très propres avec sol en plancher et salle de bains rénovée. Pas l'établissement de luxe, mais les cours paisibles et la situation dans la zone piétonne de la vieille ville (le taxi vous dépose à proximité) compensent largement.

LIJIANG Guan Fang Garden Villas (Guanfang Huayuan Bieshu) ¥¥¥¥

Shangri-La Dadao ***Tél.*** *(0888) 518 8888* ***Fax*** *(0888) 518 1999* ***Chambres*** *1002*

Ouvert en 2003, ce vaste complexe propose deux types d'hébergement : chambres modernes sur cour intérieure et chambres dans des villas (quatre chambres non-fumeurs + salle de séjour et cuisine communes). Presque à la campagne et près du parc de la Fontaine de Jade. **www**.gfhotel-lijiang.com.cn

GUIZHOU ET GUANGXI

GUILIN Guilin Lijiang Waterfall Hotel ¥¥¥

1 Shanhu Beilu ***Tél.*** *(0773) 282 2881* ***Fax*** *(0773) 282 2891* ***Chambres*** *646*

Hôtel récent géré par une équipe chinoise avec un hall de réception monumental. Actuellement la meilleure adresse de Guilin réputée pour sa chute d'eau artificielle de 45 mètres de haut (la plus haute du monde). Cinq restaurants et tous les équipements pour la clientèle d'affaires. **www**.waterfallguilin.com

GUILIN Sheraton Guilin Hotel (Guilin Dayu Da Fandian) ¥¥¥¥

15 Binjian Nanlu ***Tél.*** *(0773) 282 5588* ***Fax*** *(0773) 282 5998* ***Chambres*** *430*

Hôtel cinq étoiles situé sur les bords de la Li, au milieu des magasins et des restaurants, offrant le meilleur service de la ville, même si le bâtiment n'est plus de la première jeunesse. Équipements d'affaires et accès Internet dans toutes les chambres. Deux restaurants et un bar. **www**.sheraton.com/guilin

GUIYANG Nenghui Jiudian ¥¥¥

38 Ruijin Nanlu ***Tél.*** *(0851) 589 8888* ***Fax*** *(0851) 589 8622* ***Chambres*** *149*

Situation centrale pour ce quatre étoiles desservi par la navette de l'aéroport et doté de chambres confortables à prix très discount. Personnel plein de bonne volonté. Équipements d'affaires basiques avec Internet haut débit. Deux bars et deux restaurants. Adresse idéale pour les réunions d'affaires.

GUIYANG Shengfeng Jiudian ¥¥¥¥

69 Shenqi Lu ***Tél.*** *(0851) 556 8888* ***Fax*** *(0851) 556 9999* ***Chambres*** *319*

Service de grande qualité pour une capitale provinciale aussi lointaine. Grand buffet pour le petit déjeuner, chambres neuves relativement grandes et très lumineuses, tels sont les atouts de cet établissement. Équipements d'affaires basiques. La meilleure adresse de la ville. **www**.shengfenghotel.com

NANNING Trans Century Hotel (Kua Shiji Dajiudian) ¥¥

111 Minzu avenue ***Tél.*** *(0771) 551 9200* ***Fax*** *(0771) 551 9210, 551 9477* ***Chambres*** *206*

À quelques pas du parc Nanhu et à cinq minutes en taxi du palais des congrès. Excellent service. L'hôtel offre de nombreux équipements d'affaires et diverses activités de loisir. Le quartier des finances est proche.

NANNING Ming Yuan Xindu Jiudian ¥¥¥¥

38 Xinmin Lu ***Tél.*** *(0771) 211 8988* ***Fax*** *(0771) 283 0811* ***Chambres*** *290*

Situé dans le centre historique et le quartier commerçant, le meilleur hôtel de Nanning propose piscine, sauna, Spa, court de tennis, salle de cinéma, TV par satellite et de nombreux équipements d'affaires. Trois restaurants et deux bars. Service de limousine et médecin sur appel. **www**.nn-myxd.com

YANGSHUO Aiyuan Binguan ¥¥¥

115 Xi Jie ***Tél.*** *(0773) 881 1868* ***Fax*** *(0773) 881 1916* ***Chambres*** *72*

Un des quelques nouveaux hôtels de la ville situé presque en face du Paradise Resort Hotel. Le personnel y est néanmoins plus aimable et plus serviable. Chambres avec mobilier chinois traditionnel et, pour les plus chères, un balcon donnant sur la rue. Deux restaurants. Équipements d'affaires basiques.

YANGSHUO The Paradise Yangshuo Resort Hotel ¥¥¥

116 Xi Jie ***Tél.*** *(0773) 882 2109* ***Fax*** *(0773) 882 2106* ***Chambres*** *146*

Dans un grand jardin paysager au bord d'un lac. Réputé depuis longtemps pour être le meilleur hôtel de Yangshuo, il a été classé quatre étoiles par l'office du tourisme suite à la construction d'une aile de luxe en 2001. **www**.yangshuoparadise.com

LIAONING, JILIN ET HEILONGJIANG

CHANGCHUN Paradise Hotel (Yuefu Dajiudian) ¥¥

1078 Renmin Dajie ***Tél.*** *(0431) 8209 0999* ***Fax*** *(0431) 8271 5709* ***Chambres*** *187*

Un quatre étoiles au prix d'un trois étoiles et l'une des meilleures adresses de cette catégorie située au nord-est de Changchun. Les chambres rénovées en 2002 sont exiguës mais étonnamment bien décorées et entretenues. Chose rare également, le personnel est professionnel et aimable. Trois restaurants.

CHANGCHUN Shangri-La Changchun ¥¥¥¥

9 Xi'an Dalu ***Tél.*** *(0431) 8898 1818* ***Fax*** *(0431) 8898 1919* ***Chambres*** *458*

Le plus ancien hôtel de luxe de Changchun et toujours le meilleur, en grande partie grâce à la qualité de son service. À quelques minutes à pied de la place du Peuple et du principal quartier commerçant. Pour la cuisine occidentale, rien ne vaut le Coffee Garden (également un Beer Garden). **www**.shangri-la.com

DALIAN Dalian Hotel (Dalian Binguan) ¥¥¥

4 Zhongshan Guangchang ***Tél.*** *(0411) 8263 3111 ext. 1101* ***Fax*** *(0411) 8263 4363* ***Chambres*** *36*

Situé sur la très belle place Zhongshan, cet hôtel construit en 1909 passe pour être le plus beau de Mandchourie. Il a connu une renaissance après sa restauration à la fin des années 1990. Le nombre restreint de chambres est la garantie d'un séjour de choix. **www**.chinadalianhotel.com

DALIAN Swissôtel Dalian (Dalian Ruishi Jiudian) ¥¥¥¥

21 Wuhui Lu ***Tél.*** *(0411) 8230 3388* ***Fax*** *(0411) 8230 2266* ***Chambres*** *327*

Situation centrale et l'un des meilleurs services de la ville. Chambres relativement petites mais impeccables avec une belle vue pour celles côté jardin des derniers étages. Centre commercial à proximité. Excellent buffet de la mer (pêche locale) et barbecues de temps à autre. **www**.swissotel.com.cn

DANDONG Zhonglian Dajiudian ¥¥¥

62 Binjiang Zhonglu ***Tél.*** *(0415) 233 3333* ***Fax*** *(0415) 233 3888* ***Chambres*** *165*

Le meilleur établissement de Dandong avec vues imbattables. Chambres confortables et de bon goût. Service professionnel. Regardez par les fenêtres du café pour voir la Corée-du-Nord, et si vous ne savez pas quoi faire, il y a un bowling, un salon cigare et un grand buffet occidental. **www**.zlhotel.com

HARBIN Modern Hotel (Madie'er Binguan) ¥¥¥

89 Zhongyang Dajie, Daoli ***Tél.*** *(0451) 8488 4000* ***Fax*** *(0451) 8461 4997* ***Chambres*** *131*

Construit en 1913, cet hôtel de caractère, récemment restauré, était le plus renommé de la ville à l'époque pré-communiste. Il fut aussi le lieu de rendez-vous de plusieurs des protagonistes de la lutte révolutionnaire. Situation admirable au cœur de l'historique Zhongyang Dajie. **www**.modern.com.cn

HARBIN Harbin Shangri-La (Ha'erbin Xianggelila Dafandian) ¥¥¥¥

555 Youyi Lu, Daoli ***Tél.*** *(0451) 8485 8888* ***Fax*** *(0451) 8462 1777* ***Chambres*** *340*

L'entrée la moins monumentale des Shangri-La du Nord-Est, mais le meilleur hôtel de luxe de la ville situé un peu loin des curiosités touristiques. Situation néanmoins idéale quand la rivière Sungari gelée se pare de son palais de glace et de neige (on la voit depuis la salle de gym). **www**.shangri-la.com

JILIN Crystal Hotel (Wusong Binguan) ¥¥¥¥

29 Longtian Dajie ***Tél.*** *(0432) 398 6200* ***Fax*** *(0432) 398 6501* ***Chambres*** *200*

Loin des sites touristiques mais admirablement situé pour contempler la rivière Jilin en hiver. Le plus ancien hôtel de luxe de la ville avec des chambres propres de belles dimensions et un personnel habitué à servir les visiteurs étrangers. Spa avec vue sur la rivière et les arbres couverts de givre en hiver.

Légende des prix, *voir p. 554,* **légende des symboles,** *voir rabat de couverture*

MUDANJIANG Jialin Fandian ¥¥

46 Xinhua Lu ***Tél.*** *(0453) 653 0888* ***Fax*** *(0453) 655 4888* ***Chambres*** *61*

Le seul hôtel accueillant de la ville. Complètement rénové en 2002, c'est un endroit charmant et sympathique proposant des chambres propres et confortables. Les équipements sont basiques et fonctionnels, mais on ne peut guère demander plus dans cette région. Fax et Internet. Un restaurant et un bar.

QIQIHA'ER Guomai Dasha ¥¥

1 Junjiao Jie ***Tél.*** *(0452) 241 0000* ***Fax*** *(0452) 242 0683* ***Chambres*** *218*

Le plus haut bâtiment de la ville repérable à son antenne depuis la gare ferroviaire. L'hôtel le plus récent et donc le meilleur, mais pas aussi luxueux que le laissent penser ses quatre étoiles. Propre et confortable. À quelques minutes à pied du centre, ce qui est pratique si vous êtes en train.

SHENYANG Liaoning Hotel (Liaoning Binguan) ¥¥¥

97 Zhongshan Lu ***Tél.*** *(024) 2383 9166* ***Fax*** *(024) 2383 9103* ***Chambres*** *80*

Cet hôtel construit il y a 80 ans et joliment rénové en 2001 appartenait autrefois à une chaîne japonaise réputée. Le sol en dalles vertes de la réception et le majestueux escalier en marbre sont d'origine. Chambres un peu vieillissantes et néanmoins confortables. Près du centre-ville. Deux restaurants.

SHENYANG Sheraton Shenyang Lido (Lidu Xilaideng Fandian) ¥¥¥¥

386 Qingnian Dajie ***Tél.*** *(024) 2318 8888* ***Fax*** *(024) 2318 8000* ***Chambres*** *590*

Ouvert fin 2002, le plus bel hôtel de luxe de Shenyang a été financé par le Hongkongais Li Ka-Shing. Somptueuses chambres avec des œuvres d'art respectables. Les curiosités sont loin mais le service excellent. Club de santé avec salle de gym et salon cigare avec live music. **www**.sheraton.com/shenyang

MONGOLIE INTÉRIEURE ET NINGXIA

HOHHOT Hohhot Holiday Inn (Huhehaote Jiari Jiudian) ¥¥¥

185 Zhongshan Xilu ***Tél.*** *(0471) 635 1888* ***Fax*** *(0471) 635 0888* ***Chambres*** *198*

Hôtel ouvert depuis janvier 2003 proposant d'immenses et élégantes chambres avec des salles de bains du même style, situé dans une rue chic (la principale artère commerçante de la ville). Deux restaurants et deux bars. Navette aéroport. **www**.ichotelsgroup.com

HOHHOT Phoenix Hotel (Neimenggu Guohang Dasha) ¥¥¥

Xincheng Beijie ***Tél.*** *(0471) 660 8888* ***Fax*** *(0471) 628 0959* ***Chambres*** *280*

Chambres élégantes et personnel très serviable. Petits détails attentionnés tels que les plateaux de fruits pour les clients qui ont réservé et la délivrance des cartes d'embarquement pour ceux en partance. Cuisine française au restaurant sur le toit. Près de la gare ferroviaire. **www**.ni-phoenix.com.cn

HOHHOT Xincheng Binguan ¥¥¥

40 Hulun Nanlu ***Tél.*** *(0471) 666 1888* ***Fax*** *(0471) 693 1141* ***Chambres*** *320*

Ouvert en 1959, cet hôtel gigantesque abrite plusieurs restaurants et bars. Les chambres sont grandes et bien aménagées, bien qu'un peu usagées, et sont aujourd'hui équipées d'une connexion Internet haut débit. Piscine, courts de tennis et bowling. **www**.xincheng-hotel.com.cn

HOHHOT Yitai Dajiudian ¥¥¥

69 Dongying Nanlu ***Tél.*** *(0471) 223 3388* ***Fax*** *(0471) 493 6699* ***Chambres*** *101*

Situé dans la partie animée de Dongying Lu éclairée la nuit par les enseignes néon, cet hôtel d'affaires accueille aussi des groupes étrangers et des voyageurs indépendants. Le personnel particulièrement sympathique est omniprésent. Accès facile à l'aéroport et à la gare ferroviaire. **www**.yt-hotel.com.cn

YINCHUAN Rainbow Bridge Hotel (Hong Qiao Dajiudian) ¥¥

38 Jiefang Xijie, Laocheng Qu ***Tél.*** *(0951) 691 8888* ***Fax*** *(0951) 691 8788* ***Chambres*** *231*

Un trois étoiles dans une affreuse tour à quelques rues du centre historique et néanmoins la meilleure adresse et la plus courue de la capitale provinciale. Personnel peu productif mais plein de bonne volonté. Chambres simples relativement propres, avec vue sur la ville pour beaucoup. Centre d'affaires basique.

GANSU ET QINGHAI

DUNHUANG The Silk Road Dunhuang Hotel (Dunhuang Shanzhuang) ¥¥¥¥

Dunyue Lu ***Tél.*** *(0937) 888 2088* ***Fax*** *(0937) 888 3245* ***Chambres*** *267*

Le meilleur hôtel du Gansu situé sur la route désertique des dunes de Mingsha. Les constructions en pisé abritent des chambres impeccables bien meublées en harmonie avec l'environnement. L'« auberge de jeunesse » attenante est meilleur marché. Navette gratuite pour la ville. **www**.dunhuangshanzhuang.com

GOLMUD Post Hotel (Youzheng Binguan) ¥

Yingbin Lu ***Tél.*** *(0979) 845 7000* ***Fax*** *(0979) 845 7020* ***Chambres*** *60*

Bon trois étoiles ouvert en 2002 et très pratique au niveau des transports. Trois types de chambres standard selon la taille (cela vaut la peine de payer le supplément pour les plus grandes). Le personnel fait tout pour satisfaire la clientèle. Location de vélo et agence de voyages.

JIAYUGUAN Qingnian Binguan ¥

3 Jianshe Xilu ***Tél.*** *(0937) 622 6812* ***Fax*** *(0937) 620 1089* ***Chambres*** *88*

Hôtel récemment rénové situé au sud de la ville, auquel l'abondance des couleurs pastel donne des allures de château gonflable. Chambres impeccables mais sans chichi et pouvant être froides la nuit vu l'épaisseur des murs. Location de vélo.

LANZHOU Lanzhou JJ Sun Hotel (Jinjiang Yangguang Jiudian) ¥¥¥

589 Donggang Xilu ***Tél.*** *(0931) 880 5511* ***Fax*** *(0931) 885 4700* ***Chambres*** *236*

Hôtel trois étoiles du groupe Accor proposant des chambres de taille moyenne dignes d'un quatre étoiles avec coffre, réfrigérateur, sèche-cheveux et Internet haut débit. Personnel enthousiaste parlant bien anglais. Possibilité de remise importante si vous ne réservez pas à l'avance. **www**.accor-jinjiang-hotels.com

LANZHOU Sunshine Plaza (Yangguang Dasha) ¥¥¥¥

428 Qingyang Lu ***Tél.*** *(0931) 460 8888* ***Fax*** *(0931) 460 8889* ***Chambres*** *223*

Ouvert en 2002, cet hôtel chinois cinq étoiles maintient l'excellente qualité de son service (il appartient à un conglomérat du pétrole qui finance des travaux de rénovation continus). Dernière innovation : les douches massages et la sympathique salle de jeux pour les enfants avec tous les jouets imaginables.

TIANSHUI Maiji Dajiudian ¥¥

Tianshui Huoche Zhan Guangchang Xice ***Tél.*** *(0938) 492 0000* ***Fax*** *(0938) 492 9323* ***Chambres*** *123*

Service efficace et chambres très propres pour cet hôtel deux étoiles par ailleurs tout à fait standard. Quelques chambres rénovées plus récemment au dernier étage. Située sur la place de la gare, l'adresse est pratique mais également bruyante (choisissez donc une chambre ne donnant pas sur la gare).

TONGREN Telecom Hotel (Dianxin Binguan) ¥

38 Zhongshan Lu ***Tél.*** *(0973) 872 6888* ***Fax*** *(0973) 872 2666* ***Chambres*** *33*

Hôtel deux étoiles ouvert récemment et bien entretenu. Chambres bien équipées pour le prix demandé avec de pimpantes salles de bains bleues. Le service est aussi bon qu'il peut l'être à Tongren. Trois pistes de bowling, ce qui pourra intéresser certains.

XIAHE Overseas Tibetan Hotel (Huaqiao Fandian) ¥

77 Renmin Xijie ***Tél.*** *(0941) 712 2642* ***Fax*** *(0941) 712 1872* ***Chambres*** *35*

Direction énergique pour cet hôtel autrefois miteux. Mobilier de style tibétain et literie confortable dans les chambres du 2e étage (évitez néanmoins celles avec sanitaires communs ainsi que le dortoir). Le Café Everest propose une délicieuse cuisine népalaise et un petit déjeuner occidental correct.

XINING Mingzhu Binguan ¥¥

7 Huzhu Xilu ***Tél.*** *(0971) 814 9569 ext. 1 ou 2* ***Fax*** *(0971) 817 4867* ***Chambres*** *148*

Principal atout de cet hôtel standard trois étoiles : sa proximité avec la gare ferroviaire et les bus longue distance. Les chambres n'ont pas eu le temps de se délabrer depuis son ouverture en 2002. Personnel affable et serviable. Évitez les chambres sur la rue à cause du bruit. Restaurant mais pas de bar.

XINJIANG

KACHGAR Chini Bagh Hotel (Qiniwake Binguan) ¥¥¥

144 Seman Lu ***Tél.*** *(0998) 298 0671* ***Fax*** *(0998) 298 2299* ***Chambres*** *258*

Le bâtiment du consulat britannique du début du XXe siècle se trouve à l'arrière de la partie moderne. Les belles pelouses et le thé de l'après-midi de l'époque du Grand Jeu *(p. 491)* ont disparu, mais le Chini Bagh reste un hôtel correct avec des chambres pour tous les budgets. À la lisière de la vieille ville.

KACHGAR Seman Binguan ¥¥¥

337 Seman Lu ***Tél.*** *(0998) 258 2150* ***Fax*** *(0998) 258 2861* ***Chambres*** *222*

L'occasion rare de dormir dans un ancien consulat russe situé à l'arrière du bâtiment principal moderne (lequel abrite des dortoirs basiques et sales). Quelques chambres petites et de forme singulière avec salle de bains simple. Hauts plafonds et tableaux militaires dans les parties communes.

KHOTAN Tianhai Binguan ¥¥

5 Beijing Xilu ***Tél.*** *(0903) 203 7666* ***Fax*** *(0903) 203 7222* ***Chambres*** *64*

Juste à l'ouest de la poste, le plus luxueux hôtel de Khotan, ouvert en 2002, classé trois étoiles (qui sont méritées). Chambres de taille moyenne avec mobilier confortable, salle de bains très propre et un réfrigérateur qui peut être utile en été.

Légende des prix, *voir p. 554,* **légende des symboles,** *voir rabat de couverture*

KUCHA Jiaotong Binguan ¥

87 Tianshan Lu **Tél.** *(0997) 712 2682* **Fax** *(0997) 712 7230* **Chambres** *56*

Auberge bon marché rénovée en 2001 (le personnel est très embarrassé par la mauvaise image que l'endroit avait auparavant). Chambres au confort spartiate (celles à l'arrière sont plus tranquilles). Si vous partez tôt le matin, l'eau de la douche ne sera peut-être pas chaude. Proche de la gare routière.

TURPAN Grand Turpan Hotel (Tulufan Dafandian) ¥¥

422 Gaochang Lu **Tél.** *(0995) 855 3868* **Fax** *(0995) 855 3919* **Chambres** *154*

Repris récemment par une chaîne de Hong Kong, cet hôtel propose des chambres quatre étoiles (grandes et propres) dans sa nouvelle aile. Remise de 60 % en basse saison. Dortoirs confortables dans la partie ancienne avec de nouvelles douches et salles de bains – les prix les plus bas de la ville. **www**.xjturpanhotel.com

ÜRUMQI Xinjiang Fandian ¥

107 Changjiang Lu **Tél.** *(0991) 585 2511 ext. 2000* **Fax** *(0991) 581 1354* **Chambres** *305*

Deux étoiles monolithique avec couloirs et dortoirs en béton comme sur les campus universitaires chinois. Service sympathique. Près de la gare ferroviaire et du quartier ouïgour (appelé ici ironiquement la « région autonome »). Essayez les massages par des aveugles (prix abordables). **www**.xjhotel.com.cn

ÜRUMQI Hoi-tak Hotel (Haide Jiudian) ¥¥¥¥¥

1 Dongfeng Lu **Tél.** *(0991) 232 2828* **Fax** *(0991) 232 1818* **Chambres** *318*

Hôtel de 35 étages classé cinq étoiles très bien situé au centre-ville. Chambres modernes et confortables avec lit *kingsize*. Par temps clair, la vue sur le Tian Shan est superbe depuis les étages supérieurs. Remise importante (jusqu'à 70 %) toute l'année. **www**.hoitakhotel.com

YINING Yili Binguan ¥¥¥

8 Yingbin Lu **Tél.** *(0999) 802 3799* **Fax** *(0999) 802 4964* **Chambres** *210*

Un buste de Lénine et un plan à l'entrée (pour vous aider à vous orienter). Li Peng est descendu ici, mais seuls les cadres du Parti sont autorisés dans le luxueux bâtiment 5 à l'escalier en marbre. Les bâtiments 2, 3 et 4 sont pour les civils (chambres bon marché dans le charmant bâtiment 4 néanmoins délabré).

TIBET

GYANTSE Wutse Hotel (Wuzi Fandian) ¥¥

Yingxiong Nanlu **Tél.** *(0892) 817 2909* **Fax** *(0892) 817 2880* **Chambres** *48*

Hôtel ouvert en 1999 dont la sympathique équipe de direction tibétaine a fait des travaux de rénovation. Les chambres standard sont grandes et équipées de lits fermes et confortables. Dortoirs très basiques. Restaurant correct, mais le Tashi situé à proximité est meilleur. À deux pas du bas du *dzong*. **www**.wutse.com.cn

LHASSA Kyiuchu Hotel (Jiqu Fandian) ¥¥

149 Beijing Donglu **Tél.** *(0891) 633 1541* **Fax** *(0891) 632 0234* **Chambres** *50*

Cela vaut peut-être la peine pour une fois de réserver votre chambre car cet hôtel confortable est souvent complet. Service extrêmement sympathique. Les chambres de la nouvelle aile donnent sur une cour ensoleillée (supplément justifié). À deux pas du Barkhor qui est le cœur de Lhassa. **www**.kyichuhotel.com

LHASSA Oh Dan Guesthouse (Oudan Binguan) ¥¥

Près du Barkhor **Tél.** *(0891) 634 4999* **Fax** *(0891) 636 3992* **Chambres** *40*

Située dans une rue à l'écart, pittoresque, à deux pas du Barkhor, cette *guesthouse* offre une belle vue sur le Potala. Les chambres sont propres et agréables ; les doubles avec salle de bains attenante sont d'un excellent rapport qualité-prix. Également des lits en dortoir.

SHIGATSÉ Hotel Mansarovar (Shenhu Jiudian) ¥¥

14 Qingdao Donglu **Tél.** *(0892) 883 9999* **Fax** *(0892) 882 8111* **Chambres** *82*

Hôtel ouvert en 2002 avec chambres standard simples et élégantes, et dortoirs impeccables (tarifs cependant excessifs). Personnel aimable et professionnel d'une manière générale malgré les liens étroits de la direction avec le FIT (Foreign Individual Travel). Délicieux currys népalais au restaurant.

TINGRI Everest Snow Leopard Hotel (Xuebao Fandian) ¥

Lao Dingri **Tél.** *(0892) 826 2775* **Fax** *(0892) 826 2818* **Chambres** *46*

Situé juste à la sortie est du village. Vues magnifiques sur l'Himalaya. Aménagé autour d'une grande cour intérieure, cet hôtel est le seul du vieux Tingri qui soit digne de ce nom. Chambres propres, simples et équipées de lits confortables. Douches chaudes uniquement le soir.

TSETANG Xuege Binguan ¥¥¥

1 Hubei Lu **Tél.** *(0893) 782 8888* **Fax** *(0893) 782 7777* **Chambres** *74*

Le trois étoiles le plus récent de la ville, qui expérimente la manière révolutionnaire d'accueillir les clients alors que d'autres hôtels appellent la police pour vérifier votre autorisation de séjour. Chambres impeccables avec literie ferme et salle de bains compacte mais propre. Quatre pistes de bowling.

QUE MANGER EN CHINE ?

En Chine, la nourriture tient une plus grande place que dans n'importe quel autre pays au monde. C'est ainsi qu'au lieu de dire « Comment allez-vous ? », les Chinois disent « *Ni chi fan le ma ?* » (Avez-vous déjà mangé ?). Peut-être vous poserez-vous la même question en arrivant en Chine : est-ce que j'ai déjà mangé de la vraie cuisine chinoise auparavant ? La variété et la délicatesse des plats vous feront vite oublier les pâles imitations auxquelles vous avez goûté chez vous. En parcourant la Chine, vous pourrez vous livrer à une véritable dégustation culinaire : nouilles de blé, brochettes d'agneau et canard à la pékinoise au Nord, crabes et abalones braisés de Shanghai à l'Est, préparations épicées du Sichuan à l'Ouest et *dim sum* cantonais de toutes sortes au Sud.

Coupelle de riz *yin yang*

Que ce soit pour un repas ou une collation, les Chinois aiment manger

PLAISIR DIVIN

Comme le dit un proverbe chinois, la nourriture est un plaisir divin, plaisir qui remonte à l'ancien culte rendu aux divinités et aux esprits où les empereurs étaient portés jusqu'aux temples ou aux montagnes sacrées pour offrir les sacrifices et le vin de riz qui devaient assurer de bonnes récoltes. Aujourd'hui, n'importe quel événement est le prétexte à un banquet où les relations peuvent se nouer, les conflits se résoudre et les affaires se conclure. La nourriture est la pierre angulaire de la culture chinoise.

CUISINE DE TEMPS DE FAMINE

Comment nourrir une population aussi nombreuse avec moins de 10% de terres cultivables, tel fut l'un des problèmes constants de la Chine auquel elle répondit par l'inventivité et la rationalité. Les Chinois ont élaboré une cuisine de temps de famine qui utilise les plantes sauvages et toutes les parties des animaux sauvages ou domestiques. Les marchés grouillants et certains plats ne sont pas faits pour les estomacs délicats, mais les plus téméraires apprendront que têtes de poisson, intestins de poulet, palmes de canard, limaces de mer et testicules de taureau sont un délice une fois préparés. Imaginez combien de vies les scorpions frits, riches en protéines, ont pu sauver pendant les famines.

PREMIÈRE CUISINE RAPIDE

Même si la cuisson à l'eau et à la vapeur y domine, la cuisine chinoise est surtout connue pour ses préparations sautées au wok. Les restaurants qui se conforment en général aux habitudes de l'élite ne servent pas la cuisine de tous les jours, mais, encore aujourd'hui, les sautés reflètent la rationalité de la cuisine chinoise : viandes et légumes sont taillés en dés, puis sautés rapidement dans l'huile chaude, ce qui économise du combustible et du matériel, sans sacrifier le goût.

ART CULINAIRE

D'après les archives, le premier maître chinois en gastronomie, Yi Yin, officiait pour le premier empereur Shang (XVIe siècle av. J.-C.). Les chefs d'aujourd'hui utilisent comme référence un ouvrage de cuisine du VIe siècle apr. J.-C. contenant des recettes comme celle du porcelet rôti qui doit « fondre dans la bouche comme de la glace ». Un nombre infini de lettrés ont chanté la gloire de la cuisine. Le poète de la dynastie Song, Su Dongpo, a écrit une ode au porc et aujourd'hui le porc Dongpo est la spécialité la plus célèbre de Hangzhou. Votre voyage vous permettra d'apprendre l'histoire de nombreux autres plats renommés. La philosophie du yin et du yang – qui associe les principes opposés de la nature en lutte constante – s'applique autant aux choses culinaires qu'aux choses spirituelles. La bonne

Brochettes de scorpions (dont le dard est neutralisé par la cuisson)

Cuisine à la vapeur : une cuisine de rue simple, rapide et rationnelle

harmonie entre le yin (doux, froid, sombre et féminin) et le yang (fort, chaud, lumineux et masculin) est aussi la garantie d'une bonne santé.

Les aliments yin (la plupart des légumes, le crabe, la pâte de haricot) doivent venir en complément des aliments yang (viande et piments). Dans les préparations sautées au wok, les ingrédients de base (ciboule et gingembre) sont également yin et yang. Une alimentation équilibrée doit compter des céréales *(fan)* et des légumes *(cai)* en proportions harmonieuses et pas trop de viande. Par maints aspects, l'art culinaire chinois est régi par des concepts et des philosophies qui imprègnent toute la vie de la nation.

Riz et baguettes

ON EST CE QUE L'ON MANGE

Cela fait longtemps que les vertus médicinales des aliments sont reconnues en Chine : des nutritionnistes officiaient déjà à la cour de l'empereur Zhou au VIIe siècle av. J.-C. Un chef chinois a toujours à son répertoire un plat ou un ingrédient pour chaque organe malade ou chaque affection. Si pour certains aliments destinés à augmenter le *qi* (énergie, souffle), comme le ginseng et la soupe aux nids d'hirondelle, l'efficacité n'est pas toujours évidente, pour d'autres tels que le sang de canard riche en fer, les vertus sont manifestes. Certaines parties animales sont supposées renforcer la partie équivalente chez l'homme : l'intelligence pour la cervelle de canard, l'éloquence pour la langue de bœuf et la virilité pour les testicules de taureau.

LES CINQ SAVEURS

Les Chinois suivent rarement les recettes à la lettre. Pour flamber une préparation sautée par exemple, ils évaluent eux-mêmes les proportions requises. Cela ne les empêche pas d'être très exigeants en matière de saveurs, d'arômes, de couleurs et de textures pour lesquels il existe un vocabulaire et des règles précis. Le *xian* est l'esprit d'un plat (sa fraîcheur intangible, douce et néanmoins naturelle) et le *cui* l'effet recherché (un croustillant comme celui de la peau du canard à la pékinoise). Les palais chinois exercés distinguent cinq saveurs (sucrée, aigre, amère, piquante et salée) et seule une parfaite combinaison produit un bon résultat. Ainsi, les aliments riches en saveurs s'harmonisent bien avec ceux au goût plutôt neutre et à la belle texture comme le concombre de mer et l'aileron de requin, qui absorberont et relèveront les autres saveurs.

SYMBOLES CULINAIRES

Dans la culture chinoise où les symboles sont nombreux, certains mets sont réservés à des occasions particulières. Les gâteaux de lune, dorés au jaune d'œuf de canne (rond lui aussi), se mangent lors des réunions familiales de la fête de la Mi-Automne célébrée à la pleine lune. À la fête du Printemps (nouvel an chinois), toutes les familles préparent des boulettes de riz glutineux farcies ou *tangyuan* (*yuan* signifie également réunion). Le poisson *(yu)* qui se prononce comme le mot « abondance » apporte la bonne fortune pour l'année à venir. Servis aussi au nouvel an, surtout dans le Nord, les raviolis de viande ou *jiaozi* ont la forme de lingots d'or. Les nouilles, qui symbolisent la longévité, se mangent aux anniversaires, accompagnées de haricots rouges, symboles de nostalgie et d'amour. Pour la naissance d'un enfant, les parents distribuent des œufs porte-bonheur peints en rouge – un nombre pair pour un garçon et impair pour une fille.

La cuisine chinoise est une harmonie de couleurs, de saveurs et de textures

Où manger ?

Que vous vouliez manger dans un ancien pavillon impérial de Pékin, un café chic de Shanghai ou une maison de thé du Sichuan, vous n'aurez que l'embarras du choix car le secteur de la restauration est aujourd'hui florissant. L'État n'exerçant plus de contrôle, les entrepreneurs inventent de nouvelles formules pour permettre à leurs compatriotes de s'adonner à leur passe-temps favori. Vous n'aurez pas beaucoup à marcher pour trouver un restaurant. Ne vous fiez cependant pas aux apparences : dans beaucoup d'endroits pour gourmets, le cadre est simple et l'éclairage cru. Fiez-vous plutôt aux joyeuses tablées et au bruit. Pour les Chinois, plus il y a de monde et de bruit *(renao)* dans un restaurant, mieux on y mange.

Restaurant typique : beaucoup de monde, de bruit, et un décor fonctionnel

SERVICE À TOUTE HEURE

Jusque dans les années 1990, les Chinois se levaient et se couchaient tôt. Certains visiteurs se trouvaient alors pris au dépourvu quand il s'agissait d'aller manger. Même si les Chinois continuent de manger tôt le matin, leurs horaires de travail et de loisirs sont en train de changer. Le petit déjeuner peut se prendre dans la rue dès 6 h, mais dans les hôtels il est servi jusqu'à 9 h et plus. L'heure du déjeuner varie entre 11 h et 14 h. Certains restaurants ferment jusqu'au service du soir qui commence vers 17 h. Le soir, les heures de fermeture peuvent être très tardives (certains endroits ne ferment jamais). Inutile de réserver sauf pour les adresses les plus courues et les établissements haut de gamme. Présentez-vous : si c'est complet, attendez qu'une table se libère en prenant un verre au bar. Il se peut aussi que l'on vous dresse une table improvisée dans un coin, voire dans l'arrière-cour.

RESTAURANTS D'HÔTEL

Si vous séjournez dans un hôtel de catégorie supérieure, vous pouvez faire appel au service en chambre pour assouvir votre faim. Mais même si vous êtes fatigué, il est toujours préférable de descendre à l'un des restaurants de l'hôtel.

À Pékin, Shanghai et Hong Kong, quelques-uns des meilleurs restaurants sont des restaurants d'hôtel, mais il est rare qu'ils servent de la cuisine chinoise et, s'ils le font, il s'agira d'une cuisine adaptée aux palais étrangers. Si la carte en anglais est commode, les prix sont souvent excessifs. La Chine, qui possède l'une des meilleures cuisines au monde, a beaucoup à offrir à ses visiteurs, et les plus aventureux, qui sortiront du confort des hôtels quatre étoiles, feront en plus de sérieuses économies.

MANGER DANS LA RUE

La Chine se préparant pour les Jeux olympiques et l'Exposition universelle, les marchands ambulants doivent parfois jouer à cache-cache avec les autorités. Mais ils tiennent un rôle important dans la vie des Chinois, leur proposant une nourriture bon marché et qu'ils aiment comme le *doujiang youtiao* (lait de soja et beignets) du petit déjeuner, les *jianbing* (crêpes à la ciboule), les *shanyu* (patates douces cuites dans des bidons en fer), les *zhadoufu* (cubes de tofu frits) et les fruits de la production locale.

Une bonne façon de manger dans la rue est d'aller sur un marché nocturne *(yeshi)*, véritable fête des sens, où la vapeur s'échappe des paniers en bambou tandis que les flammes montent des bidons en ferraille au milieu du grésillement de l'huile et des cris des vendeurs. Si les brochettes de scorpions et de criquets frits vous paraissent trop « exotiques », d'autres choses mieux adaptées à votre goût vous attendent. Tout ce qui vient d'être cuit ne pose aucun problème d'hygiène. Le marché près de Wanfujing Dajie *(p. 94)* à Pékin est le plus réputé, mais vous en découvrirez d'autres au hasard de vos promenades.

Marché nocturne de Dunhuang avec ses étals d'épices, de soieries et de tapis

Marchand ambulant préparant des *xiaochi* (petites-faims) à Dalian

« PETITES-FAIMS »

Les *xiaochi* (petites-faims) se trouvent soit sur les marchés nocturnes, soit dans les restaurants qui portent leur nom, les *xiaochidian*. Il s'agit de minuscules portions de nouilles, de boulettes, de petits pains fourrés ou de crêpes. Les *xiaochidian*, qui servent aussi des préparations au wok, ouvrent à la première heure et ferment après le dernier client. Le cadre est en général basique mais la cuisine nourrissante, riche en saveurs et d'un prix très raisonnable. Chaque ville a ses spécialités, les meilleurs *xiaochi* étant les *dim sum* cantonais *(p. 282)*.

RESTAURATION RAPIDE

Le succès des géants comme McDonald's et Kentucky Fried Chicken, implantés aujourd'hui dans tout le pays, a incité les Chinois à les concurrencer. Yonghe King est aujourd'hui une chaîne taiwanaise spécialisée dans le *doujiang youtiao*, le *congee* (gâteau de riz) et les crêpes à la ciboule. Les cafétérias des grands magasins et des centres commerciaux qui servent une cuisine régionale variée (des nouilles au curry) valent le déplacement. Elles sont propres et généralement climatisées.

RESTAURANTS À THÈME

La demande urbaine en matière de loisirs devenant de plus en plus sophistiquée, de nombreux restaurants offrent aujourd'hui une cuisine et un cadre spécifiques (pseudo-train ou pseudo-prison par exemple). Leur thème se veut souvent nostalgique : pour évoquer le vieux Pékin *(Lao Beijing)*, chaque client est salué haut et fort et les serveurs en uniforme d'avant la Révolution font tinter des tasses à thé en signe de bienvenue ; dans d'autres endroits, les murs sont couverts de souvenirs de la Révolution culturelle à la tonalité aigre-douce, et au Sichuan, beaucoup ont choisi un décor campagnard pour accentuer le propos.

L'AUTRE CHINE

La Chine Han possède non seulement un grand nombre de cuisines régionales, mais aussi de spécialités ethniques des minorités nationales originaires des zones frontalières (de la Corée au plateau tibétain). Dans les restaurants Dai qui proposent une cuisine du sud du Yunnan proche de la cuisine thaïe, les clients sont accueillis avec de l'eau parfumée et reçoivent un porte-bonheur ; ils seront invités plus tard à chanter et à danser. Les restaurants ouïghours proposent souvent des spectacles de danse du ventre.

Boulettes colorées

RESTAURANTS VÉGÉTARIENS

Pour les Chinois, nul ne peut vivre bien sans manger de viande. Ils ont de la peine à comprendre comment on peut choisir de ne pas en manger si on a les moyens d'en acheter. Les grandes villes comptent néanmoins quelques excellents restaurants végétariens fréquemment situés près d'un temple bouddhiste. Les plats proposés sont souvent une imitation de préparations à base de viande auxquelles ils empruntent le nom. Les végétariens pourront également manger dans des restaurants ordinaires à condition de savoir dire *« wo chi su »* (« je mange des légumes »), ce qui ne les empêchera pas de voir de temps à autre un morceau de viande remonter à la surface de leur bol.

CUISINES ÉTRANGÈRES

Les restaurants occidentaux que l'on trouve aujourd'hui dans toutes les grandes villes servent en général une cuisine italienne, française ou une cuisine internationale fusion. La renommée de certains comme *The Courtyard* à Pékin et le *M. on the Bund* à Shanghai est justifiée.

Dans les petites villes, on trouve surtout des italiens, les raviolis et les spaghettis étant appréciés des Chinois. Les cuisines asiatiques comme les cuisines coréenne, japonaise et thaïe sont également bien représentées car ici le maniement des baguettes n'est pas un problème.

Étal de pain ouïghour sur le marché de Linxia, dans le Gansu

Manières de table et savoir-vivre

Si le célèbre philosophe Confucius avait l'habitude de manger en silence, 2 500 ans plus tard, les Chinois sont moins solennels à table. À l'heure d'affluence, le bruit dans un restaurant est souvent assourdissant, mais cela ne doit pas vous faire peur. Prenez place à votre tour et ne vous étonnez pas si on vous félicite pour votre habileté à manier les baguettes – même si vous faites des efforts désespérés, votre bonne volonté sera appréciée !

Dîner d'affaires, un événement toujours très apprécié en Chine

LES BONS USAGES

Les Chinois n'attendent pas des visiteurs étrangers qu'ils soient parfaitement au courant des usages, mais, si vous avez quelques notions essentielles de savoir-vivre, ils apprécieront votre respect pour leur culture.

La place d'honneur à table est celle du milieu, face à la porte d'entrée. Autrefois, l'hôte s'asseyait face à son invité, mais aujourd'hui il est plus souvent à sa gauche. Si vous êtes invité, soyez ponctuel et attendez qu'on vous indique votre place (le placement se fait en fonction du rang).

Ne commencez pas à boire ni à manger avant que vos hôtes ne donnent le signal. Certains des mets qui vous seront présentés risquent de mettre votre bravoure à l'épreuve, mais goûtez-y par courtoisie. Cela offenserait vos hôtes de voir que vous ne touchez pas à la nourriture qui vous est offerte. Mais ne laissez jamais votre assiette ou votre bol vide, ce qui voudrait dire que votre hôte est trop pauvre ou trop avare pour offrir un copieux festin.

L'ART DE COMMANDER

Si vous êtes invité au restaurant, on vous demandera peut-être ce que vous souhaitez manger ou quelles sont vos préférences. Répondez, sinon vous risquez de voir arriver un assortiment de dix plats. Sentez-vous libre de nommer votre mets favori ou de montrer ce qui vous ferait plaisir.

Les cartes en anglais sont de plus en plus courantes et un nombre croissant de restaurants invitent les clients à venir faire leur choix dans l'aquarium, les cages ou sur les étagères mises à leur intention. Vos amis chinois (de même que les serveurs et l'assistance) seront probablement flattés de voir l'intérêt que vous montrez à faire cela. Pour surmonter la barrière de la langue, sachez que vous pouvez montrer du doigt ce que vous avez vu sur une autre table ou aller carrément dans les cuisines.

Un repas commence en général par une entrée telle que des légumes marinés, des œufs de 100 ans, une salade de méduse ou un rôti froid.

Pour le choix des plats principaux, pensez à l'équilibre yin et yang : à côté d'un porc aigre-doux, vous pouvez prendre par exemple du poulet aux épices. Le mode de cuisson est aussi à prendre en compte : à côté d'un sauté au wok, choisissez un poisson à la vapeur ou un porc rôti. Il est inutile de commander des légumes car il y en a dans presque tous les plats.

Le dernier plat ou *cai* est habituellement une soupe. Suit le *fan* à base de céréales (riz, nouilles ou pain – *mantou*) sans lequel les Chinois ont généralement l'impression de ne pas avoir mangé. Dans les repas informels, le riz peut se manger en premier, mais pas dans les banquets. Les desserts ne sont pas une tradition chinoise, mais goûtez aux pommes ou aux bananes caramélisées dans la région du Nord, que l'on plonge dans l'eau et que l'on mange instantanément, et aux autres fruits.

Étal du marché de Dali : le riz constitue l'élément de base des repas informels

LES INVITATIONS

Un repas formel a souvent lieu dans une salle à manger privée et commence par un toast. L'hôte sert en premier les morceaux de choix à son invité, puis les autres convives se servent. S'il n'y a pas de baguettes sur la table, prenez les vôtres.

Même si pour Confucius il n'était pas civilisé d'avoir un couteau sur une table, les serveurs vous en apporteront volontiers un avec une fourchette si vous avez des difficultés.

L'hôte commande presque toujours plus que nécessaire. Vous vous montrerez certes poli en goûtant à chacun des plats, mais ne vous sentez pas obligé de tout finir.

AVEC SES VOISINS

La courtoisie veut que l'on remplisse la tasse à thé de ses voisins dès qu'elle est vide et pour remercier on frappe l'index sur la table, usage qui remonte à l'époque de l'empereur Qing Qianlong, qui aimait se déplacer incognito. Un jour, dans une maison de thé, soucieux de préserver son anonymat, ses compagnons frappèrent le sol de leurs doigts en s'inclinant légèrement au lieu de poser le front contre le sol pour le remercier. Si vous ne voulez plus de thé, ne videz pas votre tasse.

Les crabes sont difficiles à manger avec des baguettes

CE QU'IL FAUT FAIRE ET NE PAS FAIRE

Boire à grand bruit montre que l'on apprécie et permet de mieux sentir les saveurs ; le fait d'avaler de l'air évite aussi de se brûler la langue. Tenir son bol au niveau des lèvres pour propulser le riz dans la bouche à l'aide de baguettes est commode. Vous pouvez allonger le bras pour servir un voisin éloigné mais sans piquer la nourriture avec vos baguettes. Ne plantez jamais celles-ci à la verticale dans un bol de riz à la manière des baguettes d'encens pour les morts. Quand vous avez terminé, posez-les sur leur support ou sur la table. Ne sucez pas vos doigts s'ils sont gras. Pour retirer un os ou une coquille de votre bouche, crachez ces derniers dans la soucoupe de votre bol ou une serviette en papier. Pour utiliser un cure-dents (sur toutes les tables), placez votre main devant la bouche. N'ayez pas peur de crier pour appeler un serveur.

Manger seul est une notion étrangère au mode de pensée des Chinois.

MANIEMENT DES BAGUETTES

1) Glissez une baguette dans le creux entre le pouce et l'index en la faisant reposer sur l'auriculaire et l'annulaire repliés et maintenez-la ainsi avec l'articulation du pouce.
2) Prenez l'autre baguette entre le majeur et l'index à la manière d'un crayon et maintenez-la avec l'extrémité du pouce.
3) Maintenez la baguette du bas immobile et les extrémités des baguettes à la même hauteur. Bougez votre index de haut en bas en actionnant uniquement la baguette du haut, le pouce servant d'axe.

La baguette du bas repose sur l'annulaire

Le pouce et l'index contrôlent la baguette du haut

À LA FIN D'UN REPAS

Le plateau de fruits et les serviettes fumantes donnent le signal de la fin du repas. Attendez que votre hôte se lève et vous demande si vous avez assez mangé (votre réponse sera « oui ») pour quitter la table.

Vieille dame maîtrisant parfaitement la technique pour manger les nouilles

La personne qui invite règle la totalité de la note. Acceptez-donc son invitation. Il est poli de proposer de partager mais, si vous insistez, cela signifie que vous doutez que votre hôte soit en mesure de payer.

L'usage du pourboire a disparu après l'arrivée au pouvoir de Mao. S'il est aujourd'hui politiquement correct, il n'est pas répandu, pas plus que le fait de payer chacun sa part.

Les prix sont généralement affichés et inscrits sur la note – qui est parfois plus élevée pour les étrangers.

Il n'y a pas de service à payer, sauf dans les endroits chers qui sont aussi les seuls susceptibles d'accepter les cartes de crédit internationales.

BANQUETS D'AFFAIRES

Le banquet d'affaires est le summum de ce qui se fait en Chine en matière de repas. Presque toutes les affaires importantes se concluent autour d'un banquet. Plusieurs règles sont à observer : arriver quinze minutes à l'avance, répondre aux applaudissements à votre arrivée en applaudissant à votre tour, répondre brièvement au toast de bienvenue, éviter les sujets sensibles, respecter vos aînés et vos supérieurs en maintenant le bord de votre verre plus bas que le leur pour trinquer, puis vider votre verre d'un trait.

Que boire en Chine ?

Feuilles de thé fraîches

Le thé est bien sûr la boisson la plus populaire en Chine. Toutes les occasions sont bonnes pour boire le célèbre breuvage. Les légendes sur l'origine du *Camellia sinensis*, de son nom savant, sont innombrables *(p. 293)*. Mais un grand choix d'autres boissons s'offre aux visiteurs. La bière accompagne souvent les repas et les grands restaurants servent du vin. Les alcools chinois vont du meilleur au pire. Soyez prudent avec les boissons « énergétiques », comme le vin de serpent, qui peuvent être très fortement alcoolisées.

Plantation de thé sur les collines du Fujian, dans le sud de la Chine

LES VARIÉTÉS DE THÉ

Le thé vert torréfié aussitôt après la cueillette est le plus courant. Le thé parfumé est un thé vert mélangé avec des pétales de fleur. En fermentant, le thé noir donne un jus rougeâtre qui explique son nom (*hongcha*, thé rouge) ; le plus apprécié est le *Oolong*, semi-fermenté. Le thé en brique est un thé vert ou noir dont les feuilles ont été compressées. Le *babaocha* (thé aux huit trésors) contient des dattes, du longane séché et des baies de *Lycium*. Au Tibet, on boit du thé au beurre de yack.

Gaiwan, tasse à thé composée de trois éléments

Le couvercle bloque les feuilles quand on boit

La soucoupe évite qu'on se brûle les doigts

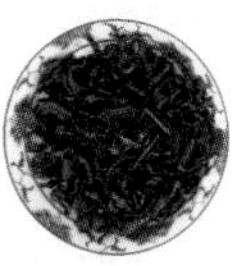

Thé noir : *appelé* hongcha *(thé rouge) en chinois.*

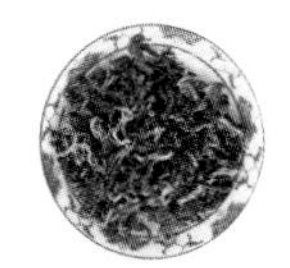

Thé vert : (lucha), *les feuilles sont séchées sans avoir fermenté.*

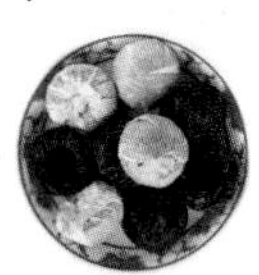

Thé *pu'er* : *thé noir post-fermenté originaire du Yunnan.*

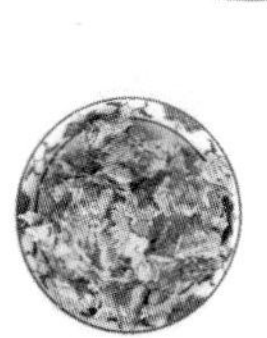

Thé parfumé : (huacha) *avec un mélange de pétales de jasmin, de rose et de chrysanthème.*

Le fameux thé vert « Hairy Peak »

Le café : *la culture du café a touché aujourd'hui la Chine. C'est devenu une boisson à la mode dans la bourgeoisie chinoise. Mais le café fraîchement moulu est rare en dehors des grands hôtels.*

Boisson au thé et au café : *une boisson qui mélange thé et café très à la mode pour ceux qui ne peuvent se passer de leur ration quotidienne de thé.*

BOISSONS NON ALCOOLISÉES

Le thé glacé *(iced tea)* a beaucoup de succès auprès des jeunes. À côté des jus de fruits habituels, vous trouverez du jus de grenade dans le Xinjiang, d'aubépine à Pékin, de lychee et de canne à sucre dans le Sud. Tianfu Cola et Jianlibao (boisson énergétique à base de miel) sont des marques locales. À mesure que les Chinois surmontent leur aversion pour le lait, les boissons à base de lait et de yaourt, de lait de soja *(doujiang)* et de lait de coco (de l'île de Hainan) se multiplient.

Jus de canne de bambou

Thé vert glacé

Boisson au lait de coco

Bière Tsingtao

Bière Yanjing

LA BIÈRE

La bière fut introduite en Chine par des brasseurs européens au début du XXe siècle. Aujourd'hui, la Chine est le premier producteur mondial de bière. Vous n'aurez aucun mal à trouver une bière blonde légère ou même une bière brune car chaque ville possède sa brasserie.

LE VIN

Bien que les semences de raisin aient parcouru les Routes de la soie, les Chinois ont toujours préféré l'alcool de grain et, même si la qualité de leurs vins s'améliore, mieux vaut choisir un rouge – bon pour le cœur et couleur de la chance selon les Chinois.

Vin de la Grande Muraille (Great Wall)

Vin du Sceau du Dragon (Dragon Seal)

LES ALCOOLS

La distillation des grains existe depuis des millénaires en Chine. Les *baijiu* (alcools blancs), qui vont du plus léger au plus fort, se divisent en trois catégories : les *qingxiang* (bouquet léger) avec le Fenjiu du Shanxi, les *jiangxiang* (bouquet de soja) avec le célèbre Maotai du Guizhou et les *nongxiang* (fort bouquet) avec le Wuliangye du Sichuan.

LE VIN DE RIZ

Malgré son appellation, le *nuomi jiu* peut titrer entre 15 et 30°, voire jusqu'à 38° quand il a subi trois fermentations. Un bon vin de riz se boit de préférence à température ambiante. Il accompagne parfaitement les entrées froides.

Le ***Maotai*** *est de tous les toasts dans les banquets. Sa fabrication suppose huit fermentations et sept distillations. Beaucoup moins cher, l'*erguotou *est la boisson du peuple.*

Maotai

Erguotou

Vin de riz Shaoxing

Le ***Shaoxing,*** *qui figure parmi les meilleurs* huangjiu *(alcools jaunes), est apprécié pour sa teneur modérée en alcool et son moelleux.*

Vin de riz fort

LA CULTURE DE LA BOISSON

Avec la renaissance de la culture du thé, après des décennies d'austérité, les maisons de thé connaissent aujourd'hui un regain d'intérêt. Le *cha* (thé) stimule la contemplation tranquille tandis que le *jiu* (alcool) aide aux célébrations bruyantes. Même s'ils se délectent des habitudes d'ivrognerie de leurs poètes tel Li Bai *(p. 28),* les Chinois ne sont pas touchés par le fléau de l'alcoolisme comme d'autres sociétés. Être en état d'ébriété dans un lieu public est mal vu – sauf peut-être dans les bars à karaoké dont le succès va grandissant. La tradition voulait que le bouillon soit la seule boisson dans les repas d'autrefois, mais les choses sont en train de changer, surtout au contact des visiteurs étrangers. « Gan bei » (cul sec) est de tous les toasts et de toutes les beuveries.

The Jazz Club à Hong Kong, l'un des nombreux bars de cette ville

Choisir un restaurant

Les restaurants proposés ici ont été sélectionnés dans un large éventail de prix pour leur cuisine, leur rapport qualité-prix et leur situation. Ils sont classés par catégorie et par région (les onglets de couleur correspondent à ceux des différentes régions des chapitres précédents). Si un restaurant a un nom anglais et un nom chinois, le nom anglais figure en premier.

CATÉGORIES DE PRIX
Prix moyens, service compris, pour un repas pour deux personnes accompagné de thé.

¥ moins de 100 yuans
¥¥ de 100 à 250 yuans
¥¥¥ de 250 à 500 yuans
¥¥¥¥ plus de 500 yuans

PÉKIN

Beijing Roast Duck Restaurant (Beijing Dadong Kaoyadian) ¥
Tuanjiehu Beikou, Dong San Huan, building 3 ***Tél.*** *(010) 6582 2892*

Un canard laqué qui n'a pas son pareil – des saveurs sublimes et le juste équilibre entre le moelleux de la chair et le croustillant de la peau. Moins connu que les restaurants Quanjude, mais supérieur à tous les niveaux (y compris celui des prix). Également des spécialités sichuanaises.

Fu Jia Lou ¥
23 Dongsishi Tiao ***Tél.*** *(010) 8403 7831* **Plan** *2 E3*

Toujours plein, ce restaurant est le meilleur représentant du Pékin d'avant 1949. Cuisine aux saveurs aigres et piquantes, mais on vient ici aussi pour l'atmosphère survoltée avec les serveurs en pleine action. Les aubergines farcies et les pommes de terre râpées au vinaigre de riz sont à recommander.

Noodle Loft (Mian Ku) ¥
18 Baiziwan Lu (SOHO New Town) ***Tél.*** *(010) 6774 9950*

Un restaurant moderne et soigné où les plats du Shanxi ont une touche de modernité et une présentation impeccable. Excellentes collations et entrées froides telles que la purée de potiron et les champignons ; la salade au carvi accompagne les nouilles fraîches et les plats. Très bon rapport qualité-prix.

Three Guizhou Men (San Ge Guizhouren) ¥
6 Guanghua Xili ***Tél.*** *(010) 6507 4761*

Authentique cuisine du Guizhou aux saveurs résolument aigres et piquantes qui n'est pas habituellement au goût des étrangers, mais le chef y mêle des saveurs chinoises plus conventionnelles, et le résultat est vraiment savoureux. Un endroit élégant et pittoresque.

Yuxiang Renjia ¥
20 Chaoyang Menwai Dajie, 4e étage de Lianhe Dasha ***Tél.*** *(010) 6588 3841*

Une des chaînes de restaurant qui a essaimé dans toute la ville et qui est au moins aussi bonne et beaucoup moins chère que ses nombreuses concurrentes plus connues. Agréable atmosphère de village et authentique cuisine sichuanaise – avec de l'huile et beaucoup d'épices. Le canard fumé est incontournable.

Han Cang ¥¥
Ping'an Dadao, face au portail nord du parc Beihai ***Tél.*** *(010) 6404 2259* **Plan** *1 C3*

Établissement sur deux niveaux avec une grande terrasse face au lac QianHai. Nombreuse clientèle chinoise et étrangère. Plats hakkas simples et savoureux. Une armée de serveurs pleins d'entrain pour servir les spécialités de la maison, notamment le poisson en papillote et les crevettes cuites au gros sel.

Kong Yiji ¥¥
Desheng Mennei Dajie, Hou Hai Shore ***Tél.*** *(010) 6618 4917/4915* **Plan** *1 B2*

Toujours plein à craquer, l'un des deux ou trois meilleurs restaurants chinois de Pékin connu des épicuriens. Énorme choix de plats fins en provenance du delta du Yangzi et atmosphère joyeuse. Belle décoration avec une bambouseraie à l'entrée.

Lemon Leaf ¥¥
15 Xiaoyun Lu ***Tél.*** *(010) 6462 5505*

Restaurant d'une pop star taiwanaise, réputé pour ses fondues. Cadre chic avec un éclairage feutré et des box en velours. Essayez la fondue yin yang avec son bouillon aigre-doux à la thaïe et son curry à la noix de coco. Parfait pour deux à quatre personnes.

Lotus in Moonlight (Hetang Yuese Sushi) V ¥¥
12 Liufang Nanli ***Tél.*** *(010) 6465 3299*

Le plus récent végétarien de Pékin, presque rayonnant de santé avec sa salle lumineuse et très apprécié pour sa grande carte et son inventivité. Vous aurez le choix entre les plats au tofu (qui remplace la viande) et les plats de légumes pleins d'invention. Grande sélection de thés.

Légende des symboles, *voir rabat de couverture*

Pure Lotus (Jin Xin Lian) ¥¥

3f Holiday Inn Lido, Jiangtai Lu ***Tél.*** *(010) 8703 6668*

Succursale d'une chaîne de restaurants végétariens, avec d'étonnantes peintures d'inspiration orientale, en harmonie avec la cuisine d'« inspiration carnivore » tout aussi attrayante. Plats de mouton (à base de tofu), de porc (à base de haricots) et de canard à la pékinoise.

The Tree (Yinbide Shu) ¥¥

Hutong, à l'ouest de Sanlitum Beilu (Jiuba Jie-Bar Street) ***Tél.*** *(010) 6415 1954*

Pub du quartier de nuit de Sanlitum proposant des bières belges à la pression et des pizzas au feu de bois (les habitués ne jurent que par celle aux boulettes aigres, *flemish-style*). On mange en écoutant des *cover bands* philippins et en contemplant les tableaux abstraits de nus. Cour intérieure ouverte en été.

Cepe ¥¥¥

1 Jinchengfang Jie (dans l'hôtel Ritz-Carlton) ***Tél.*** *(010) 6601 6666*

Des champignons argentés sont suspendus au plafond de ce restaurant de cuisine italienne contemporaine. Les pâtes, les poissons et les plats à la bière qui mettent tous l'accent sur les champignons (cultivés sur place) sont excellents.

Daccapo ¥¥¥

99 Jinbao Jie, Dongcheng (dans le Regent Hotel) ***Tél.*** *(010) 852 1888* ***Plan*** *2 E5*

Ici, la cuisine italienne traditionnelle est remise au goût du jour et parfaitement exécutée. Salle claire et spacieuse surplombant l'élégant hall de réception du Regent Hotel. Les plats de poisson en particulier, de toute première fraîcheur, méritent le déplacement.

Ding Tai Fung (Ding Tai Feng) ¥¥¥

Hujiayuan Yibei building 22 ***Tél.*** *(010) 6462 4502*

Succursale d'une chaîne taiwanaise de renommée internationale. Ici, la cuisine est de Shanghai et le *xiao long bao* (soupe aux boulettes), la spécialité. Sur deux niveaux, dans un cadre soigné, avec une cuisine réservée aux préparations à la vapeur ouverte sur une des salles. Service attentif.

Huang Ting ¥¥¥

8 Jinyu Hutong (dans le Peninsula Palace Hotel) ***Tél.*** *(010) 8516 ext. 6707* ***Plan*** *2 E5*

Une reconstitution du vieux Pékin à l'intérieur de murs en brique provenant d'un ancien *hutong* : écran et frises en bois, portes flanquées de pierres protectrices. Les crevettes frites agrémentées d'une mayonnaise au wasabi dénotent l'influence de Hong Kong, mais il y a aussi du canard à la pékinoise.

Made in China (Chang'an Yi Hao) ¥¥¥

1 Dongchang'an Jie (dans le Grand Hyatt Hotel) ***Tél.*** *(010) 8518 1234 ext. 3608* ***Plan*** *4 D1*

Les murs en brique auxquels sont suspendus des ustensiles de cuisine donnent l'impression d'être en famille. Dans les cuisines ouvertes sur la salle, les canards rôtissent et les doigts agiles travaillent la pâte pour les délicieux *jiaozi* farcis, spécialité pékinoise. Superbe.

My Humble House (Sai She) ¥¥¥

W307/1F Oriental Plaza, West Tower, Dongcheng ***Tél.*** *(010) 8518 8811* ***Plan*** *4 D1*

Nouvelle succursale de la chaîne de Singapour installée dans un cadre chic et moderne. Une cuisine fusion insolite. Ici, tout est joliment présenté, depuis le bassin décoratif dans l'atrium baigné de lumière, jusqu'aux vers poétiques qui s'insèrent dans la description des plats.

The Horizon Chinese Restaurant (Haitian Ge Zhong Canting) ¥¥¥

Kerry Centre, 1 Guanghua Lu, Chaoyang ***Tél.*** *(010) 6561 8833 ext. 41*

Réputé pour être le meilleur cantonais de la ville. Sur la carte, les classiques côtoient des plats plus insolites. Subtils, légers et riches en saveurs, les mets proposés seront une révélation pour ceux habitués aux pâles imitations occidentales. Propose aussi d'excellentes spécialités épicées du Sichuan.

Aria ¥¥¥¥

1 Jianguo Menwai Dajie (1er étage du China World Hotel) ***Tél.*** *(010) 6505 2266 ext 36*

Un prétendant au titre de meilleur restaurant de Pékin. La carte qui change en permanence va au-delà de la banale fusion franco-asiatique et vous propose de superbes combinaisons de saveurs venues du monde entier qui frisent la perfection. Tout est de grande qualité, y compris les vins et le service.

Jaan ¥¥¥¥

33 Dongchang'an Jie (dans le Raffles Beijing Hotel) ***Tél.*** *(010) 6526 3388* ***Plan*** *4 D1*

Cuisine française contemporaine inventive alliant à la perfection les produits venus de Chine et du monde entier. Les poissons et fruits de mer, toujours présentés de manière audacieuse, sont la note dominante. Cadre élégant avec lustres en cristal. La piste de danse date des années 1920.

Court Yard (Siheyuan) ¥¥¥¥

95 Donghuamen Dajie ***Tél.*** *(010) 6526 8883* ***Plan*** *2 F5*

Le Court Yard, qui a été classé au rang des grands restaurants dans le monde, n'est donc pas une révélation. Sa cuisine fusion, la plus réputée de Pékin, est excellente. La carte orientée davantage sur l'exécution que sur l'invention change régulièrement. Carte des vins remarquable. Galerie de peinture.

Jing ¥¥¥¥

8 Jinyu Hutong (dans le Peninsula Palace Hotel) ***Tél.*** *(010) 8516 2888 ext. 6714* ***Plan*** *2 E5*

Une cuisine variée et de qualité venue de toute l'Asie et d'Europe. L'accent est mis sur le visuel, avec un cadre moderne en métal et en verre et des cuisines ouvertes sur les salles – peu de restaurants en Chine peuvent prétendre à une telle classe.

HEBEI, TIANJIN ET SHANXI

CHENGDE Xin Qianlong Dajiudian ¥

Da Jingyuan Dasha, Xinhua Lu ***Tél.*** *(0314) 207 6768*

À l'instar de beaucoup d'autres restaurants de Chengde, celui-ci met l'accent sur le gibier local, les herbes et les champignons sauvages de montagne. Cadre agréable et prix bas. Essayez les boulettes farcies au gibier, une belle variante d'un standard qui constitue un repas rapide et bon marché.

CHENGDE Qianyang Dajiudian ¥¥

18 Pule Lu ***Tél.*** *(0314) 590 7188*

Les empereurs Qing venaient autrefois chasser à Chengde. Dans ce restaurant d'hôtel, le gibier local (venaison, faisan et sanglier) est traité suivant les principes habituels de la cuisine chinoise. Champignons et herbes de montagne sont préparés avec art.

DATONG Dongfang Mianshi Guan ¥

Yingze Jie ***Tél.*** *(0352) 201 5518*

Apprêtez-vous à attendre une dizaine de minutes, mais cela en vaut la peine. Les clients commencent à arriver à 11 h 30 pour manger les fameux *dao xiao mian* (spécialité locale de nouilles) assis sur des tabourets orange. Bouillon à volonté. Un bon endroit pour ceux en quête d'authenticité culinaire.

DATONG Yonghe Hongqi Meishicheng ¥

8 Yingbin Donglu ***Tél.*** *(0352) 510 0333*

L'établissement le plus connu de Datong dans une immense salle avec six hôtesses pour accueillir les clients et un jardin de rocaille en son centre. La cuisine cantonaise est la spécialité, mais il y a aussi des plats régionaux du Shanxi, du Sichuan (épicés) et du Hunan.

JI'NAN Luneng Ju Ji Wang ¥¥

65 Heihuquan Xilu ***Tél.*** *(0531) 602 1888*

Vous aurez le choix entre viandes rôties, sushis chinois, sautés au wok, produits frais de la mer et plats froids du Shandong. Le poulet au sel, spécialité maison, ainsi que les boulettes farcies aux fleurs de chrysanthème et aux crevettes sont à recommander. Service impeccable.

PINGYAO Dejuyuan Folk-style Guesthouse (Dejuyuan Mingfeng Binguan) ¥

43 Xi Dajie ***Tél.*** *(0354) 568 5266*

La carte en anglais et les photos vous simplifieront la tâche pour la commande. La salle est souvent pleine. Ici, les spécialités locales salées et épicées sont adaptées au goût des visiteurs étrangers. Le bœuf froid et le *you mian kao lao* (grosses nouilles tubulaires avec une sauce) sont recommandés.

PINGYAO Yuanheng Jiujia ¥

111 Xi Dajie ***Tél.*** *(0354) 568 7052*

Atmosphère confinée d'un restaurant chinois typique. Les gens du cru viennent ici pour manger les spécialités locales, notamment le *qiao mian wan tuan* (crêpe épaisse découpée en lanières et servie dans une soupe). Également des plats du Shanxi.

SHIJIAZHUANG Quanjude ¥

7 Jianshe Nan Dajie ***Tél.*** *(0311) 8621 1566*

Restaurant d'une chaîne spécialisée dans le canard à la pékinoise. La salle moderne et lumineuse est plus agréable que dans les succursales de Pékin et les prix sont moins élevés. Également des plats du Shandong pour ceux qui ne veulent pas de canard.

SHIJIAZHUANG The Greenery Café (Lüyin Ge Kafeiting) ¥

195 Zhongshan Donglu (à l'intérieur du Yanchun Garden Hotel) ***Tél.*** *(0311) 8667 1188*

Une adresse pour faire une pause en matière de cuisine chinoise. Une carte très appréciée des expatriés pan-asiatiques et occidentaux qui va du poulet à la malaisienne aux spaghettis à la bolognaise. Excellente formule petit déjeuner. On peut manger à l'intérieur d'un fuselage d'avion.

TAIHUAI (WUTAI SHAN) Fo You Yuan Quan Su Zhai ¥

Wuyue Miao Dong Ce ***Tél.*** *(0350) 654 6283*

Plats végétariens (et non végétaliens) allant des légumes et pommes de terre aux haricots et tofu présentés sous la forme d'ailes de poulet ou de brochettes de porc. Les clients se retrouvent souvent en train de manger en compagnie de moines qui semblent apprécier l'endroit. Ouvert seulement en mars-avril.

Légende des prix, *voir p. 582,* **légende des symboles**, *voir rabat de couverture*

TAIHUAI (WUTAI SHAN) Yinhai Shanzhuang Canting ¥

Taihuai Zhen **Tél.** *(0350) 654 3794*

Salle sans fenêtres, à la fois simple et élégante, dans l'enceinte de l'hôtel Yinhai. La cuisine la plus inventive de la ville selon les autochtones, à base de produits de la montagne tels que faisans, lièvres, champignons et légumes sauvages. Également du canard laqué, des plats cantonais et végétariens.

SHANDONG ET HENAN

KAIFENG Diyilou Baoziguan ¥

8 Sihou Jie ***Tél.*** *(0378) 599 8655*

Tous les restaurants familiaux de la ville font de la publicité pour leurs boulettes *guangtang* (farcies à la soupe), mais celles du Diyilou sont incomparables. Le restaurant a aujourd'hui 40 succursales à travers la Chine. Plats phare : le porc au poireau chinois et le poulet aux épices. Service attentif.

KAIFENG You Yi Xin ¥

22 Gulou Jie ***Tél.*** *(0378) 255 5186*

Un restaurant chinois typique car l'atmosphère est banale, mais la cuisine de très grande qualité. Cuisine du Henan difficile à définir mais que les Chinois décrivent comme étant ni très douce, ni très épicée, ni très aigre, ni très salée. Personnel sympathique.

LUOYANG Zhenbutong Fandian ¥

369 Zhongzhou Donglu ***Tél.*** *(0379) 6399 5080*

Le *water banquet* est le fleuron de cette institution fondée il y a 109 ans, primée à plusieurs reprises par des associations internationales de critiques gastronomiques. On passe devant les photos de célébrités et d'hommes d'État qui ont mangé ici, notamment l'ancien Premier ministre Zhou Enlai.

LUOYANG Mudan Ting ¥¥

5 Xianggang Zhonglu Hao ***Tél.*** *(0379) 6468 0028*

Une renommée moins grande que le précédent, mais une carte en anglais et un accès plus commode. Ici, le *water banquet* compte jusqu'à 20 plats de soupe. Également des grillades coréennes. Souvent un spectacle de musique et de danses des minorités le soir. Personnel beaucoup plus sympathique qu'ailleurs.

QINGDAO La Villa Bar et Restaurant (Weila Faguo Canguan) ¥¥

5 Xianggang Zhonglu Hao ***Tél.*** *(0532) 8388 6833*

Ce restaurant confortable et toujours plein est installé dans une villa en pierre bien restaurée. Cuisine adaptée aux palais occidentaux. On mange dans le bar, dehors, ou dans la salle privée pour les privilégiés. Tapas et grand choix de salades, soupes, pizzas et spaghettis. Ouvert toute la journée.

QUFU Confucia Dining Room (Kongfu Xiyuan Canting) ¥

8 Ban Bijie ***Tél.*** *(0537) 442 3666*

Salle plutôt ordinaire par rapport à l'élégant hôtel Queli auquel le restaurant est rattaché. Ici, la spécialité est la cuisine Kong, une branche de la cuisine du Shandong qui met l'accent sur les couleurs foncées et les saveurs fortes. La carte avec les photos s'impose pour la commande.

QUFU Queli HoTél. Dining Room (Queli Binshe Canting) ¥¥

1 Queli Jie ***Tél.*** *(0537) 486 6660*

Ce restaurant sert une cuisine Kong qui était réservée à l'origine aux dignitaires en visite et aux occasions spéciales. Descriptif en anglais de certains plats. Également des *dim sum* de Confucius (frits, salés ou sucrés). Repas au son de la musique traditionnelle chinoise en général.

TAI'AN Taishan Restaurant (Taishan Caiguan) ¥

20 Hongmen Lu, Daizongfang ***Tél.*** *(0538) 626 7888*

Un endroit agréable pour se restaurer avant ou après l'ascension du mont Tai, situé près de la première porte. L'environnement est assez spectaculaire. Cuisine typique du Shandong avec beaucoup de sauce de soja, de vinaigre et de sel. Les plats à la vapeur et la bière locale Tai Shan sont remarquables.

SHAANXI

XI'AN Fanji Lazhi Roudian ¥

46 Zhubashi Jie

Un lieu d'un autre temps dont l'atmosphère vous ramènera à l'époque des coupons de rationnement. Le *rou jia mo* le plus réputé de la ville (sorte de hamburger de porc légèrement épicé bien meilleur que ne le laisse supposer son nom). L'adresse idéale pour y goûter.

XI'AN Highfly Pizza (Gaofei Bisa) ¥¥

Heping Menwai Shengli Fandian ***Tél.*** *(029) 8785 5333*

Excellent petit déjeuner occidental (avec un vrai muesli !) et copies approximatives mais néanmoins correctes des bons plats de chez nous : soupes épaisses, pâtes et pizzas généreuses en fromage (qui peuvent être livrées à votre hôtel moyennant un petit supplément). Idéal pour se reposer de la cuisine chinoise.

XI'AN Lao Sun Jia ¥¥

78 Dongguan Zhengjie ***Tél.*** *(029) 8248 2828*

Le meilleur *yangrou paomo* (soupe à l'agneau), spécialité la plus connue du Shaanxi, au 2e étage. Vous émietterez votre petit pain sur lequel le serveur versera le bouillon, puis vous ajouterez le piment et la coriandre à votre convenance. Self-service d'un bon rapport qualité-prix au 1er étage.

XI'AN The Tang Dynasty (Tang Yue Gong) ¥¥¥

75 Chang'an Lu ***Tél.*** *(029) 8526 1633*

Ici, la cuisine chinoise du Sud légère et élaborée va de la « broche de la princesse » aux « perles du Cathay ». Le spectacle musical qui met en scène les instruments et les costumes de la dynastie des Tang est superbe. Le dîner commence à 18 h 30 précises (réservation impérative).

SHANGHAI

Nan Xiang Steamed Bun Restaurant (Nan Xiang Mantou Dian) ¥

85 Yuyuan Lu ***Tél.*** *(021) 6355 4206*

Une institution fondée en 1900 digne de sa réputation. En venant à 10 h 30, ou après 15 h, vous n'aurez pas à attendre. Les boulettes au porc et au crabe valent le déplacement. Dans la salle à l'étage (plus chère), vous attendrez moins, mais, comme en bas, vous devrez libérer la table dès la fin du repas.

1221 ¥¥

1221 Yan'an Xilu ***Tél.*** *(021) 6213 6585*

Une version moins huileuse de la cuisine de Shanghai avec une touche cantonaise, notamment une soupe au porc et à la papaye et un bœuf bouilli aux épices avec un pain au sésame chaud. Les influences occidentale et japonaise en font un endroit très fréquenté où l'on ne voit cependant pas d'expatriés. Un peu excentré.

1931 ¥¥

112 Maoming Nanlu ***Tél.*** *(021) 6472 5264*

Atmosphère d'une maison particulière des années 1930. Les autochtones et les expatriés apprécient l'endroit ; vu le nombre de tables, il est conseillé de réserver. La cuisine se veut de Shanghai et, même si les plats régionaux y sont rares, elle est légère et agréable. Bon rapport qualité-prix.

A Future Perfect ¥¥

Lane 351, House 16, Huashan Lu ***Tél.*** *(021) 6248 8020*

Dans une ruelle tranquille, un cadre futuriste et une cuisine du monde inventive élaborée avec soin. Essayez la soupe épaisse de fruits de mer, pleine de dés de saumon et servie dans une boule de pain évidée. Les vins sont d'un prix équitable et les cocktails préparés avec des ingrédients de choix.

Paul's (Bao Luo) ¥¥

271 Fumin Lu ***Tél.*** *(021) 6279 2827*

Ne soyez pas rebuté par l'entrée désuète. Cet endroit est le rendez-vous des gourmets locaux (et du célèbre chef Jean-Georges Vongerichten), qui apprécient ses plats classiques et bon marché de la cuisine shanghainaise, telles les divines aubergines sautées, sucrées, présentées dans une crêpe.

Crystal Jade (Fei Cui Jiujia) ¥¥

South Block Xin Tiandi, Lane 123, Xingye Lu ***Tél.*** *(021) 6385 8752*

Complexe sélect de Xintiandi proposant une cuisine de Canton, de Shanghai et d'autres régions chinoises exceptionnelle. Les plats phare sont le *dan dan mian* épicé (à base de longues nouilles fraîches), les boulettes shanghainaises et les petits pains à la vapeur. Réservation obligatoire le week-end.

Dong Bei Ren ¥¥

1 Shanxi Nanlu ***Tél.*** *(021) 5228 9898*

Restaurant bon marché au décor coloré servant une cuisine saine du Nord-Est notamment les *jiaozi* (boulettes de viande) préparées simplement et le tofu qui prend ici des saveurs étonnantes. Le *baijiu* (alcool blanc bien connu des Chinois) accompagnant les repas, les tablées deviennent parfois bruyantes.

Element Fresh (Xin Yuan Su) ¥¥

4/5f, KWah Centre, 1028 Huaihai Zhonglu ***Tél.*** *(021) 5403 8865*

Si vous en avez assez des nouilles de la rue, cet endroit propose des salades et des sandwichs généreux. Essayez la salade niçoise arrosée de jus de carotte et de pomme frais. La meilleure succursale de la chaîne Kwah Centre avec une grande terrasse et l'une des vues les plus verdoyantes de la ville.

Légende des prix, *voir p. 582,* **légende des symboles**, *voir rabat de couverture*

Gu Yi ¥¥

87 Fumin Lu ***Tél.*** *(021) 6249 5628*

Au carrefour sans prétention de Julu et de Fumin Lu, une adresse d'exception. Les palais délicats devront néanmoins être prudents, car dans ce restaurant de cuisine du Hunan tout est pimenté, depuis les travers de porc et le poulet froid jusqu'au plat d'accompagnement de concombre.

Lost Heaven Yunnan Folk Cuisine (Huama Tiantang Yunnan Canting) ¥¥

39 Gaoyou Lu ***Tél.*** *(021) 6433 5126*

Installé dans une charmante villa de l'ancienne concession française, ce nouveau venu s'est vite fait une clientèle grâce à son cadre confortable, son personnel attentif et son grand choix de plats. Cuisine rustique des minorités du Yunnan, orientée vers le poisson, le poulet et les légumes.

Vegetarian Lifestyle (Zao Zi Shu) V ¥¥

258 Fengxian Lu ***Tél.*** *(021) 6215 7566*

Ni œuf, ni viande, ni poisson, ni OGM, mais des pseudo-plats de viande à base de tofu pour la plupart. La majorité des clients sont des moines. Après le repas, vous pouvez aller jeter un coup d'œil dans la librairie New Age qui vend de la littérature bouddhiste et des ouvrages de cuisine végétarienne.

Whisk Choco Café ¥¥

1250 Huaihai Lu ***Tél.*** *(021) 5404 7770*

Malgré son nom, le chocolat n'est pas la seule chose que ce petit café sympathique a à offrir. Son propriétaire nouveau-zélandais sert aussi un bon café et de supers *panini* au *prosciutto caprese*. Le chocolat chaud et les desserts incroyables complètent le tableau.

Palladio (Paladuo) ¥¥¥

1376 Nanjing Xilu (dans le Portman Ritz-Carlton) ***Tél.*** *(021) 6279 8888*

Somptueuse carte de plats italiens extravagants à la tonalité napolitaine. Même si les serveurs se précipitent pour apporter les plats, vous avez tout votre temps pour les déguster. Déjeuner d'un excellent rapport qualité-prix. Carte des vins trois fois primée par le Wine Spectator. Adresse vivement recommandée.

Shintori Null II (Xinduli Wu Er Dian) ¥¥¥

803 Julu Lu ***Tél.*** *(021) 5404 5252*

Dans un ancien entrepôt auquel on accède par une allée à travers les bambous. Derrière la porte métallique se trouvent un espace industriel du genre chic et peut-être le meilleur japonais de la ville. Goûtez le bœuf en papillote, mais gardez une petite place pour le tiramisu au thé vert.

Shui Yuan ¥¥¥

3/F, 1 Yan'an Donglu ***Tél.*** *(021) 6330 8098*

Pas de cigarettes ni d'OGM pour ce restaurant bio proposant une cuisine saine. Le Shui Yuan n'est pas un végétarien non plus (la soupe au potiron contient des lanières de poulet), mais les champignons, le tofu, les haricots et les légumes secs dominent. Un endroit différent des autres endroits du Bund.

South Beauty (Qiao Jiang Nan) ¥¥¥

881 Yan'an zhonglu ***Tél.*** *(021) 6247 5878*

Le cadre (une demeure joliment décorée avec une terrasse sur le toit et un grand jardin) risque d'écraser le reste. Certains plats épicés de la carte sichuanaise et cantonaise, notamment les préparations de la mer, ont néanmoins des saveurs remarquables et une présentation originale.

Vedas ¥¥¥

550 Jianguo Xilu ***Tél.*** *(021) 6445 8100*

Ce restaurant indien propre et confortable du quartier de l'ancienne concession française est vite devenu le meilleur restaurant de *biryanis* de Shanghai. La direction est remarquable, la présentation des plats élégante et les samosas, currys et pains savoureux. Le Maharaja Lounge est plus intime.

Whampoa Club (Huangpu Hui) ¥¥¥

4e étage, Three on the Bund, 3 Zhongshan Dongyilu ***Tél.*** *(021) 6321 3737*

Un cadre superbe et une carte exhaustive de la cuisine shanghainaise traditionnelle avec quelques touches de modernité surprenantes (comme les travers de porc aux amandes et au cacao grillés) ou simplement des recettes réinventées pour accentuer les saveurs. Cinquante variétés de thé fin de toute la Chine.

Jean Georges (Rangqiaozhi) ¥¥¥¥

3e étage, Three on the Bund, 3 Zhongshan Yilu ***Tél.*** *(021) 6321 7733*

Succursale shanghainaise du chef Jean-Georges Vongerichten proposant une cuisine française aux tonalités asiatiques (citronnelle, noix de coco). Les portions sont petites mais parfaites en tous points. Essayez le menu de saison qui décline à merveille les produits du moment et l'un des quelque 5 000 vins.

Kissho Japanese Restaurant (Jixiang Riben Liaoli) ¥¥¥¥

42/F, 889 Yanggao Nanlu, Pudong (dans le Sofitel Jinjiang Oriental Hotel) ***Tél.*** *(021) 6854 6673*

Bœuf persillé importé d'Osaka, saké de toutes sortes, wasabi fraîchement râpé, ventre de thon de premier choix et comptoir *teppanyaki* pour les viandes grillées. Un endroit très fréquenté par les résidents et visiteurs japonais. La carte fait également des incursions en Europe (foie gras sur canapé).

M on The Bund (Mishi Xi Canting) ¥¥¥¥

20 Guangdong Lu, 7e étage ***Tél.*** *(021) 6350 9988*

Considérée comme la pionnière de la grande cuisine étrangère (autre que celle des grands hôtels), Michelle Garnaut élabore des plats aux saveurs européennes et moyen-orientales, notamment un agneau salé moelleux à souhait. Le bar situé au-dessus d'une banque des années 1920 est aussi très couru.

Laris (Lu Wei Xuan) ¥¥¥¥

Three on the Bund, 3 Zhongshan Dongyilu, 5e étage ***Tél.*** *(021) 6321 9922*

La salle toute blanche est le cadre parfait pour la « cuisine du monde » de l'Australien David Laris. Les préparations subtiles, inventives mais jamais prétentieuses en font peut-être le meilleur restaurant étranger de Shanghai. En choisissant l'un des menus, vous passerez une soirée inoubliable.

The Yongfoo Elite (Yongfu Hui) ¥¥¥¥

200 Yongfu Lu ***Tél.*** *(021) 5466 2727*

La carte shanghainaise et cantonaise centrée sur l'abalone est un peu chère, mais cela vaut la peine de venir dîner dans cet ancien consulat britannique. L'aménagement a duré deux années et le résultat est superbe : une véranda à l'ombre d'un magnolia séculaire et des candélabres pour l'ornement.

JIANGSU ET ANHUI

HEFEI The Golden Lotus (Jin Lian Ge) ¥¥

199 Wuhu Lu ***Tél.*** *(0551) 228 6200*

Le cadre est peut-être banal, mais ce restaurant d'hôtel est situé dans la plus belle partie de la ville, face au temple Baogong et au palais des Enfants. Les plats cantonais dominent. Également des spécialités du Anhui comme le poulet au cacao cuit avec des herbes médicinales traditionnelles.

NANKIN (NANJING) Dingshan Yixian ¥¥

458 Zhongshan Donglu, 2/F ***Tél.*** *(025) 8445 6622*

L'un des meilleurs endroits de Nankin pour la cuisine Huaiyang du Jiangsu que vous recommanderont les autochtones. Le cadre est moyen, mais la cuisine familiale est savoureuse : canard et boulettes de viande. Si vous avez l'âme aventurière, essayez les tortues frites. Carte en anglais.

NANKIN (NANJING) Great Nanjing Eatery (Da Pai Dang) ¥¥

2 Shiziqiao Jie ***Tél.*** *(025) 8330 5777*

Toutes les spécialités Huaiyang faites maison, notamment le *xihuang dofu* (tofu en sauce au homard) et le *zhufei luobo tang* (soupe de poumon de porc), sont servies dans de la porcelaine. Si cela ne vous convient pas, il y a des tas d'autres restaurants dans la rue. Pas de carte en anglais.

NANKIN (NANJING) Behind the Wall ¥¥¥

150 Shanghai Lu ***Tél.*** *(025) 8420 1178*

Un endroit sympathique et décontracté pour manger dans le beau patio en été. Nombreuse clientèle d'expatriés qui apprécient la fraîcheur des produits. La cuisine est soignée et nourrissante. Groupes de jazz le week-end. Également des plats européens et quelques plats mexicains.

NANKIN (NANJING) Ming Yuen ¥¥¥

Shangri-La Hotel, Cha Er Lu 90, B/F ***Tél.*** *(025) 5880 2888 ext 21*

Un superbe endroit pour se familiariser avec la cuisine Huaiyang. La carte, centrée sur les produits de la rivière tels que la perche, la crevette et l'anguille, propose aussi des plats à base de canard. Également des classiques de la cuisine cantonaise : ailerons de requin et abalone. Carte en anglais.

NANKIN (NANJING) Nihero Cantonsese Cuisine (Yue Hong He) ¥¥¥

Suning Universal Shopping Centre 11/F ***Tél.*** *(025) 5792 3518*

Le restaurant cantonais chic le plus couru de la ville, réputé pour la fraîcheur et la qualité de ses produits. Pas de carte en anglais, mais les serveuses se feront un plaisir de vous indiquer les meilleurs plats. Beaucoup de préparations de la mer, mais également des sushis.

NANKIN (NANJING) Sui Yuan ¥¥¥

Hilton Hotel, 1/F, Zhongshan Donglu 319 ***Tél.*** *(025) 8480 8888 ext 7760*

Restaurant cinq étoiles servant de la haute cuisine de spécialités régionales comme l'anguille de Huaiyang, le canard rôti de Nankin et le *shizi tou* (boulettes têtes de lion) *(p. 180)*. Sélection de *dim sum*. Carte en anglais. Peintures colorées du Jiangsu sur les murs.

SUZHOU Sarawak House (Shala Yue) ¥

516 Shiquan Jie ***Tél.*** *(0512) 6518 4406*

Ce restaurant qui appartient à un Australo-Malaisien répondant au nom de Big Al propose des currys sains et bon marché ainsi que des *satays* avec une sauce cacahuète épicée. Le décor est terne mais la vue sur le canal est la plus belle de Suzhou. Idéal pour goûter une cuisine malaisienne authentique.

Légende des prix, *voir p. 582*, **légende des symboles**, *voir rabat de couverture*

SUZHOU Chuanfulou Dajiudian ¥¥

1 Guanqian Jie Bifeng Fang ***Tél.*** *(0512) 6522 8877*

Situé dans le quartier de la gastronomie, ce restaurant sert de la cuisine du Sichuan et de Suzhou dans de la vaisselle en pierre et en porcelaine. Un endroit de charme très propre. Les plats phare de l'imposante carte sont le rôti de boeuf *chuan fu* et les sautés de champignons de la récolte locale.

SUZHOU Deyue Lou ¥¥

8 et 43 Guanqian Jie Taijian Nong ***Tél.*** *(0512) 6523 8940*

Ce restaurant réputé quatre fois centenaire est passé deux fois sur les écrans de cinéma chinois. Probablement la meilleure adresse pour déguster le poisson mandarin et autres spécialités de la ville. La présentation est remarquable, notamment les boulettes, dont certaines ont la forme de hérisson ou d'oie.

SUZHOU Wang Si Wineshop (Wang Si Jiujia) ¥¥

23 Guanqian Jie Taijian Nong ***Tél.*** *(0512) 6522 7277*

Une cuisine locale remarquable qui utilise les propriétés médicinales de ses produits. Essayez un des légumes sauvages ou le « poulet du mendiant » en papillote de feuilles de lotus, cuit dans un four en argile. La salle est un peu défraîchie, mais les produits, eux, sont très frais, et les saveurs exquises.

ZHEJIANG ET JIANGXI

HANGZHOU Crystal Garden (Yuqilin) ¥

12 Dongpo Lu ***Tél.*** *(0571)8706 7777*

Tables carrées et sièges traditionnels en bois répartis sur deux niveaux de galeries autour du puits central d'une belle cour intérieure du centre-ville. La carte illustrée en anglais facilite la commande. Essayez le porc haché à la vapeur avec ses boulettes de laitance ou le poulet au vin de riz.

HANGZHOU Zhangshengji ¥

77 Shuangling Lu ***Tél.*** *(0571) 8602 6666*

Cuisine locale fine et légère. Le Zhangshengji qui occupe plusieurs niveaux est toujours plein de locaux et, contrairement aux restaurants indiqués dans les guides, ses prix sont bas. La carte avec quelques photos facilite la commande. Plats de Huaiyang et de Hangzhou principalement à base de poisson.

HANGZHOU Shang Palace (Shang Gong) ¥¥

78 Bei Shan Lu (dans l'hôtel Shangri-La) ***Tél.*** *(0571) 8797 7951*

Ici, les standards de la cuisine locale, comme le « poulet du mendiant », le porc Dongpo et les spécialités cantonaises aussi légères que délicates, sont préparés à la perfection. Cadre somptueux avec motifs chinois traditionnels pour la décoration.

HANGZHOU Va Bene (Huabinni) ¥¥¥

147 Nanshan Lu, Xihu Tiandi ***Tél.*** *(0571) 8702 6333*

La toute dernière incarnation de la maison mère de Hong Kong sur le bord du lac, à l'image des restaurants branchés de Shanghai. Un chef italien officie dans la cuisine ouverte sur la salle. Essayez le carpaccio de bœuf ou de saumon au raifort, les pizzas à 70 yuans ou le menu fixe à partir de 220 yuans.

NANCHANG The New Oriental HoTél. (Xin Dongfang Dajiudian) ¥

18 Binjiang Nanlu ***Tél.*** *(0791) 670 9999*

Un immense restaurant sur quatre niveaux, face au pavillon Tengwang, où l'on sert tous les plats imaginables de la cuisine chinoise, depuis les *dim sum* jusqu'à la fondue. La spécialité locale est le tofu aux têtes de poisson. La Rolls-Royce, la seule de la province, du richissime propriétaire est garée à l'entrée.

NANCHANG Yuan Dong Dajiudian ¥

95 Fuzhou Lu ***Tél.*** *(0791) 621 8888*

C'était autrefois le restaurant le plus renommé de Nanchang, mais il a été distancé par les nouveaux venus plus soucieux du service. Il a au moins l'avantage d'être ouvert tard. Cuisine locale (épicée) soigneusement élaborée. Produits et plats sont présentés dans une vitrine à l'entrée.

PUTUO SHAN Seafood Restaurants ¥

Dans le quartier des docks

Les petits restaurants sans façon qui bordent les deux rues partant du quai des docks proposent toutes sortes de plats de la mer de première fraîcheur. Les poissons sont encore vivants au moment où vous passez la commande et préparés à la demande.

PUTUO SHAN Xilei Xiao Zhuang ¥

1 Xianghua Jie ***Tél.*** *(0580) 609 1505*

Beaucoup de restaurants de la ville proposent des plats végétariens destinés aux pèlerins et des plats de viande pour les simples touristes. Herbivores et carnivores trouveront leur bonheur dans l'imposante carte chinoise. Cadre confortable dans l'enceinte du Xilei Xiao Zhuang Hotel.

WENZHOU Haigang Meishi Fang ¥

Wangjiang Donglu ***Tél.*** *(0577) 819 7008*

Une barge face à Jiangxin Dao, offrant des vues encore plus belles que le Jingwangjiao. Ici, les produits et les modes de préparation sont aussi simples et les prix aussi modiques que chez ce dernier et on parle avec les mains pour commander (les produits de la mer s'imposent). Pont supérieur à l'air libre.

WENZHOU Jinwangjiao Dajiudian ¥

Wangjiang Donglu ***Tél.*** *(0577) 819 7008*

Vous n'avez qu'à montrer ce qui vous fait envie, expliquer le mode de cuisson avec les mains et choisir le reste en regardant les autres tables. Osez aller ailleurs qu'au restaurant de votre hôtel : la fraîcheur des produits de la mer proposés ici à moitié prix est une raison suffisante pour tenter l'aventure.

HUNAN ET HUBEI

CHANGSHA Boton (Bodun Xicanting) ¥

591 Wuyi Dadao ***Tél.*** *(0731) 227 7518*

Ceux qui trouvent la cuisine du Hunan trop succincte et trop pimentée se sentiront soulagés ici : un cadre moderne confortable, des steaks, une pseudo-cuisine occidentale et un bon café à défaut d'être bon marché. Installez-vous ensuite sur les canapés pour écouter le piano et le saxophone.

CHANGSHA Huo Gong Dian ¥

93 Wuyi Dadao ***Tél.*** *(0731) 411 6803*

Une carte illustrée avec des photos et des chariots sur lesquels sont présentés des plats du Hunan et qui passent parmi les clients. Attendez-vous à une cuisine très relevée, à l'exception du *ba bao zhou* (plat de riz). Également des plats cantonais tels que *dim sum* et soupe au canard.

WUHAN Changchunguan Sucaiguan V ¥¥

269 Wuluo Lu, Wuchang ***Tél.*** *(027) 8885 4229*

Agréable restaurant proposant une cuisine végétarienne variée. Le décor évoque le temple voisin. Le *xiaopinpan* est un plat de dégustation avec quelques-unes des spécialités chinoises les plus connues. Essayez aussi le *lazi tianluo*, version végétarienne des escargots d'eau douce, très appréciés dans la région.

WUHAN Fang Fang Caiguan ¥¥

168 Jixing Jie, Hankou ***Tél.*** *(027) 8281 0115*

Une excellente cuisine et, pour un peu de monnaie, des musiciens vous chanteront des tubes de music pop ou des chants traditionnels. Le plus vieux et le plus grand restaurant de Wuhan. Essayez le *caiyu lianou* (poisson et racine de lotus) ou le *ya bozi* (cou de canard), très appréciés dans la région.

WUHAN Mr. Xie Restaurant & Pub (Xie Xiansheng Canting) ¥¥

910 Jiefang Dadao ***Tél.*** *(027) 8581 3580*

Après avoir travaillé plusieurs années dans la restauration aux États-Unis, M. Xie a ouvert son restaurant au centre de Wuhan (on le voit souvent accueillir les clients). Carte partielle en anglais. Beaucoup d'autochtones et d'étrangers. Essayez le *qingzheng Wuchang yu*, un poisson à la vapeur très apprécié.

WUHAN Sunny Sky (Yanyangtian) ¥¥

Jiefang Dadao Baofeng Lukou ***Tél.*** *(027) 8377 9688*

La décoration de bon goût contribue à faire oublier le bruit assourdissant de la salle principale. Carte en chinois avec quelques photos. La cuisine est excellente. Essayez notamment le *suzha oujia* (beignets de racines de lotus autour d'une farce de porc) et le *nongjia xiaochaorou* (porc épicé).

FUJIAN

FUZHOU Juchun Yuan Dajiudian ¥¥

2 Dong Jie ***Tél.*** *(0591) 8750 2328*

Le seul restaurant de Fuzhou digne de ce nom qui doit sa réputation au *fo tiao qiao* (littéralement « Bouddha sautant par-dessus le mur »), composé de plus de 20 ingrédients de choix. Le bâtiment originel s'est réincarné en hôtel moderne, mais la recette de l'époque Ming est toujours là.

XIAMEN Guan Hai Canting ¥

54 Lujiang Dao (en haut du Lujiang Binguan) ***Tél.*** *(0592) 202 2922*

Les restaurants des hôtels quatre étoiles de Xiamen ont peut-être une meilleure cuisine, mais ils sont plus chers et aucun n'a une aussi belle vue que le Guan Hai (littéralement « regardez la mer »). Principalement des produits de la mer ainsi que des standards de la cuisine chinoise et des *dim sum*.

Légende des prix, *voir p. 582,* **légende des symboles**, *voir rabat de couverture*

XIAMEN Nan Putuo Si ¥

Dans l'enceinte du temple Nan Putuo

Ce restaurant ne se contente pas de faire des pseudo-plats de viande comme beaucoup, il s'emploie à faire le meilleur usage des légumes frais en tous genres et du tofu. Cadre simple. On paie son repas (menu fixe) à la billetterie. Les clients sont surtout des moines et des visiteurs du temple.

GUANGDONG ET HAINAN

CANTON (GUANGZHOU) Taotao Ju ¥

20 Dingshipu Lu ***Tél.*** *(020) 8139 6111*

Les préparations à base de serpent sont une tradition cantonaise. Ici, on le mange notamment sous forme de soupe. Également d'autres spécialités de Canton plus connues. Plus petit et plus couru que d'autres restaurants de la ville établis de longue date, le Taotao Ju a une atmosphère cantonaise authentique.

CANTON (GUANGZHOU) Taste Of India (Yinsi Weishiguan Jiulang) ¥

181 Taojin Lu ***Tél.*** *(020) 8350 7688*

La meilleure cuisine indienne de Canton très appréciée des expatriés. Buffet à partir de 18 h 30. À la carte, salade d'Arabie, curry de poisson de Goa et mouton *vindaloo* que vous dégusterez en regardant un match de cricket indien à la TV ou les poissons dans l'aquarium. Somptueux mobilier.

CANTON (GUANGZHOU) (GUANGZHOU) Guangzhou Jiujia ¥¥

2 Wenchang Nanlu ***Tél.*** *(020) 8138 0388*

De nombreuses salles sur plusieurs niveaux pour tous les budgets, avec des plats allant des *dim sum* qui ne coûtent presque rien jusqu'aux menus fixes et aux mets les plus élaborés de la cuisine cantonaise. Toujours beaucoup de monde. La carte en anglais est limitée. Faites le tour des salles où règne une grande animation.

CANTON (GUANGZHOU) Mao Jia Fandian ¥¥

Beijing Nanlu, Da Xia 6/F ***Tél.*** *(020) 8326 4869*

Arbres artificiels, bassins et passerelles pour le décor et, pour la cuisine, des plats du Hunan épicés qu'aimait le président Mao (dont on voit un buste en bronze et la maison en photo) : *hong shao rou* (porc gras), canard Marshall, pieds de cochon au four et « tofu puant ». Personnel enthousiaste.

CANTON (GUANGZHOU) East River Seafood Restaurant (Dong Jiang Hai Xian Jiu Jia) ¥¥¥

198 Yanjiang Zhonglu ***Tél.*** *(020) 8318 4901*

Le meilleur des 18 restaurants franchisés de cette enseigne du Guangdong, bien connue des Cantonais. Marché aux poissons et comptoir de jus frais au rez-de-chaussée. La carte est petite pour un endroit aussi grand. Essayez la fondue Dong Jiang ou le poulet au sel découpé en lanières. Bars à tous les étages.

CANTON (GUANGZHOU) Qiaomei Shijia ¥¥¥

52 Shamian Nanjie ***Tél.*** *(020) 8121 7018*

Les poissons et les fruits de mer sont les points forts : soupe d'ailerons de requin au poulet et au porc, concombre de mer frit, tortue bouillie au lotus neige. Parmi les autres délices figurent les anguilles brouillées au poivre, le poulet bouilli aux champignons chenille et les pigeonneaux grillés.

HAINAN Haigang Dajiulou ¥¥

Xinfeng Lu, en face du Mingri Hotel, Sanya ***Tél.*** *(0898) 3828 3333*

Direction hongkongaise et cuisine cantonaise pour ce confortable restaurant de Sanya d'une propreté immaculée. La cuisine ouverte sur la salle et la grande fraîcheur des produits de la mer compensent l'absence de vue sur le golfe. Essayez la soupe aux têtes de poisson ou le pigeon Zhongshan.

HAINAN Heyou Seafood Restaurant (Haikou Heyou Haixianguan) ¥¥

28 Haixiu Dadao, Haikou ***Tél.*** *(0898) 6676 0006*

Restaurant de poisson renommé où venaient autrefois les dignitaires militaires – d'où l'étoile rouge au plafond de la salle à manger. Choisissez l'un des poissons ou crustacés des nombreux viviers : le homard à l'ail, cuit à la vapeur, est remarquable. Le crabe Hele est l'une des quatre spécialités de l'île proposées.

HAINAN Symposium (Ju Xian Ge) ¥¥¥

Sofitel Boao, Dong Yu Island, Boao, Hainan ***Tél.*** *(0898) 6296 6888 ext. 63*

Cuisine chinoise inventive dans un cadre élégant. Le Symposium est connu des responsables économiques et politiques qui participent au Forum de Boao pour l'Asie. Spécialités de l'île, de simples plats de poisson au poulet Wenchang, servies avec la vue sur la plage de la Ceinture de Jade.

HAINAN The Spice Garden (Xiangliaoyuan Yazhou Canting) ¥¥¥

2/F, Sheraton Sanya Resort, Yalong Bay National Resort District, Sanya ***Tél.*** *(0898) 8855 8855 ext. 8411*

La cuisine de l'île de Hainan a des tonalités du Sud-Est asiatique plus marquées que les autres cuisines régionales, avec ses *laksa* de poisson et de crevettes, et ses soupes *tom yum*. Cocotiers et parasols au bord de la vaste terrasse, le meilleur endroit avec vue sur la mer du Sheraton Sanya Resort.

HONG KONG ET MACAO

HONG KONG Woodlands ¥

Mirror Tower, r.-de-ch., 61 Mody Road, Tsim Sha Tsui, Kowloon **Tél.** *(852) 2369 3718* **Plan** *1 B4*

La cuisine est bien meilleure que ne le laissent supposer le décor et les prix de la carte. Restaurant exclusivement végétarien et sans alcool (mais un grand choix de jus de fruits et de *lassi* à base de yaourt). Le *thali* (buffet) est une bonne formule, mais, quoi que vous choisissiez, vous ne serez pas déçu.

HONG KONG Gaylord ¥¥

1/F Ashley Centre, 23-25 Ashley Road, Tsim Sha Tsui, Kowloon **Tél.** *(852) 2376 1001* **Plan** *1 B4*

L'un des restaurants de currys les plus classes du quartier. Ici, les saveurs sont riches sans être trop ardentes, les plats fraîchement préparés et les épices grillées du jour. Les préparations *tandoori* (le *tandoor* est un four en argile) méritent vraiment le déplacement. Également des plats de l'Inde du Nord.

HONG KONG Miso ¥¥

Jardine House, échoppe n° 15, entre-sol, Central, Hong Kong Island **Tél.** *(852) 2845 8773* **Plan** *2 C3*

Vous ne pouvez pas trouver de meilleure cuisine japonaise meilleur marché à Hong Kong. Les sushis et les sashimis sont superbes, mais il y a des tas d'autres choses comme les brochettes mixtes grillées. Les soupes miso sont succulentes et les desserts somptueux. Service parfait. Une adresse incontournable.

HONG KONG DeVino ¥¥¥

73 Wyndham Street, Central **Tél.** *(852) 2167 8883* **Plan** *2 B3*

Cuisine italienne rustique dans un cadre élégant avec quelques tables à l'extérieur, chose rare à Hong Kong. Ici, les plats sans chichi sont préparés avec des produits importés de première fraîcheur, notamment la *mozarella* de bufflonne et l'espadon. Une adresse bien connue des expatriés.

HONG KONG Kung Tak Lam ¥¥¥

1 Peking Road, 6e étage, Tsim Sha Tsui, Kowloon **Tél.** *(852) 2367 7881* **Plan** *1 B4*

Caché parmi les boutiques tape-à-l'œil de Tsim Sha Tsui, cet excellent restaurant végétarien propose une cuisine inventive et néanmoins typiquement chinoise à base de produits de la ferme. Le cadre vieillot mais sans prétention ne doit pas vous rebuter. Essayez impérativement le potiron à l'étouffée.

HONG KONG Luk Yu Tea House ¥¥¥

Luk Tea Building, r.-de-ch., 24-26 Stanley Street, Central, Hong Kong Island **Tél.** *(852) 2523 1970* **Plan** *2 B3*

Cuisine cantonaise authentique dans le cadre élégant d'une bâtisse qui a le charme de l'Ancien Monde. Des plats chers, à base de nids d'hirondelle et d'abalone, mais aussi des *dim sum* et de nombreux plats toujours bons comme les crevettes *fu yung* et le pigeon rôti d'un excellent rapport qualité-prix.

HONG KONG Yung Kee ¥¥¥

32-40 Wellington Street, Central, Hong Kong Island **Tél.** *(852) 2522 1624* **Plan** *2 B3*

Ce restaurant cantonais est plus grand, plus impersonnel et souvent plus bondé que d'autres, mais ici les produits sont toujours frais (pas de produits surgelés), la cuisine authentique et la qualité constante. Le chef a souvent été primé lors de concours locaux.

HONG KONG Gaddis ¥¥¥¥

The Peninsula, Salisbury Road, Tsim Shan Tsui, Kowloon **Tél.** *(852) 2315 3171* **Plan** *1 B4*

Si vous voulez ce qu'il y a de mieux, enfilez votre veste (obligatoire pour les hommes) et faites-vous conduire ici. Somptueuse salle avec des lustres et une cuisine française traditionnelle pleine de saveurs et d'invention. Les produits sont de choix, la carte des vins sensationnelle et les prix astronomiques.

HONG KONG Opia ¥¥¥¥

JIA, 1-5 Irving Street, Causeway Bay **Tél.** *(852) 3196 9100*

Un intérieur sophistiqué avec un éclairage théâtral et une carte aux tonalités australiennes (bœuf *wagyu*, *barramundi*) pleine de bonnes surprises. Essayez le mélange pour le moins insolite de foie gras, caviar et mousse au chocolat au lait, ou bien la joue de bœuf, une des spécialités de la maison.

HONG KONG Petrus ¥¥¥¥

Island Shangri-La, Pacific Place, Central **Tél.** *(852) 2820 8590* **Plan** *3 D4*

Cuisine française contemporaine inventive sans être trop élaborée. L'élégance de l'Ancien Monde avec de larges fenêtres offrant une vue panoramique et un service à la fois attentif et discret. Même excellence pour les nombreux plats végétariens.

HONG KONG Pierre ¥¥¥¥

5 Connaught Road, Central (dans le Mandarin Oriental Hotel) **Tél.** *(852) 2522 0111* **Plan** *2 C3*

Un décor impressionnant en marbre noir et feuilles d'argent au dernier étage du Mandarin Oriental avec une vue tout aussi impressionnante sur le port. Cuisine française moderne. Il faut venir plusieurs fois pour mesurer toute la créativité de Pierre Gagnaire (trois étoiles au Michelin), qui paraît être sans limites.

Légende des prix, *voir p. 582*, **légende des symboles**, *voir rabat de couverture*

HONG KONG Shang Palace ¥¥¥¥

Kowloon Shangri-La, 64 Mody Road, Tsim Sha Tsui, Kowloon ***Tél.*** *(852) 2733 8754* **Plan** 1 C4

Une cuisine chinoise régionale superbement revisitée. Les plats comme les rouleaux de crevettes frits et l'échine de porc rôtie au miel ont des saveurs subtiles. Admirez la somptuosité et la recherche du décor rouge.

HONG KONG Spoon by Alain Ducasse ¥¥¥¥

Intercontinental, 18 Salisbury Road, Tsim Sha Tsui ***Tél.*** *(852) 2313 2323* **Plan** 1 C5

Cinq cent cinquante cuillères en verre vénitien suspendues au plafond. Ici, la cuisine française traditionnelle prend un tour moderne : depuis le foie gras jusqu'au feuilleté aux framboises, tout est superbe. La grande carte des vins est pleine de surprises : contentez-vous de vous en remettre au sommelier qui officie tel un oracle.

HONG KONG Top Deck ¥¥¥¥

Jumbo Kingdom, dernier étage, Sum Wan Pier Drive, Aberdeen ***Tél.*** *(852) 2552 2331*

Le dernier étage de ce restaurant flottant touristique (à deux minutes en ferry de Hong Kong) est devenu un établissement de premier ordre spécialisé dans les produits de la mer. On y trouve de tout, depuis la bouillabaisse jusqu'au homard de Boston. Des groupes de jazz viennent jouer de temps à autre.

MACAO Clube Militar ¥¥

795 Avenida da Praia Grande ***Tél.*** *(853) 2871 4009*

Établissement fondé en 1870 avec des ventilateurs au plafond, des planchers qui craquent et des murs tapissés de photos du Macao d'autrefois. Une grande partie de la communauté portugaise restée ici vient déguster des plats portugais tels que le poulet africain au piment et au coco arrosé de *vino verde*.

MACAO Espaco Lisboa ¥¥

8 Rua das Gaivotas, Coloane ***Tél.*** *(853) 2888 2226*

Situé dans le village de Coloane (accessible en taxi depuis la péninsule moyennant 20 dollars), ce petit restaurant rustique appartient à un chef portugais fier de son établissement. Évocation de l'époque coloniale, l'Espaco Lisboa propose de solides plats portugais sur sa carte.

MACAO Naam ¥¥¥

Avenida da Amizade (dans l'hôtel Mandarin Oriental) ***Tél.*** *(853) 2856 7888*

Dans le superbe cadre des jardins tropicaux du Mandarin Oriental Hotel. Le personnel essentiellement thaï et le chef thaï Nui s'associent non seulement pour vous servir une cuisine vraiment authentique, mais également pour vous proposer une véritable incursion en Thaïlande.

MACAO Robuchon a Galera ¥¥¥¥

2-4 Avenida de Lisboa ***Tél.*** *(853) 377 666*

La meilleure cave, dit-on, d'Asie et la meilleure cuisine occidentale de Macao, mais aussi la plus chère (moins chère néanmoins qu'à Hong Kong). Le propriétaire est le chef étoilé Joël Robuchon. La cuisine est un mélange de Portugal et d'Europe contemporaine avec bien sûr une forte tonalité française.

SICHUAN ET CHONGQING

CHENGDU Huang Cheng Lao Ma ¥¥

3, 20 Er Huanlu Nan Duan ***Tél.*** *(028) 8513 9999*

Bâtisse de quatre étages avec salon de thé dans la cour intérieure, musée, garderie et une scène pour les spectacles. Buffet de fondues dans une des salles ; probablement la meilleure adresse pour les fondues du Sichuan, moins relevées que celles de Chongqing. Réservation obligatoire les soirs de week-end.

CHENGDU Shunxing Ancient Tea House – Chengdu Snack City ¥¥

258 Shawan Lu, 2e étage, quartier commerçant du palais des expositions ***Tél.*** *(028) 8769 3202*

Immense restaurant-maison de thé avec une atmosphère authentique idéale pour déguster les *xiaochi*, la grande spécialité du Sichuan qui constitue en fait un repas complet. Spectacles d'opéra sichuanais le soir et thé.

CHENGDU Sichuan Mantingfang Langting Guibin Huisuo ¥¥

15 Er Huanlu, Nan San Duan ***Tél.*** *(028) 8519 3111*

L'aménagement intérieur avec les colonnes et les séparations permet d'éviter les syndromes des immenses salles que déclenchent souvent les restaurants chinois. Le service est efficace et discret ; la cuisine savoureuse. Une adresse pour ceux qui veulent quelque chose de traditionnel et d'insolite à la fois.

CHENGDU China Grand Plaza (Zhongguo Huisuo) ¥¥¥

Huoche Nanzhan Xilu ***Tél.*** *(028) 8515 9896*

Complexe de plusieurs restaurants haut de gamme au décor luxueux proposant de la cuisine sichuanaise et occidentale. Également quelques chambres très chères avec Spa. Excellent service : les hôtesses prennent le temps de vous indiquer les différents restaurants.

CHENGDU Ginko Restaurant (Yinxing Chuancai Jiulou) ¥¥¥

12 Lin Jiang Zhonglu ***Tél.*** *(028) 8555 5588*

Un salon au r.-d.-c., une grande salle au 1er étage avec des fenêtres donnant sur la rivière illuminée le soir, et plusieurs salles à manger privées au 2e étage. Parmi les spécialités sichuanaises : le *zhang cha ya* (canard rôti), le *ma la tu ji* (poulet aux épices) et le *qing zhen gui yu* (poisson vapeur).

CHENGDU Hailingge Grand Restaurant (Hailingge Dajiudian) ¥¥¥

4 Shangnan Dajie, Tianfu Guangchuang, 1er et 2e étages ***Tél.*** *(028) 8612 3111*

Un endroit somptueux réputé pour sa cuisine régionale (la meilleure de Chengdu). La présentation des plats est une œuvre d'art et le service est impeccable. Essayez le *hai ling ge quan jia fu* (famille heureuse) avec divers poissons, viandes et fruits de mer. Les pièces aux murs blancs sont lumineuses.

CHONGQING Chongqing Dezhuang Huoguo, Qi Xing Gang Branch ¥¥

148 Dongshan Lu ***Tél.*** *(023) 6352 1934*

Succursale d'une chaîne chinoise qui passe pour être le restaurant de fondues le plus connu de la ville. Ici, l'ambiance est animée, le service attentif et l'intensité des épices de force quatre. L'endroit idéal pour déguster les spécialités torrides de la région en allant visiter le monument de la Libération.

CHONGQING Da Du Hui Wai Po Qiao ¥¥

Da Du Hui, 6e étage ***Tél.*** *(023) 6383 5988*

Installé au 6e étage de l'immeuble Da Du Hui, ce restaurant sert tout un choix de spécialités locales et de petits plats légers. La présentation artistique des plats compense le manque d'ambiance. Essayez les savoureuses spécialités à base de porc fumé *(lao shao zhi zheng la rou)* ou de canard.

CHONGQING Tao Ran Ju Dajiulou ¥¥

Zourong Plaza, 5e et 6e étages ***Tél.*** *(023) 6379 2466*

Un endroit pratique pour se restaurer en allant visiter le monument de la Libération. Succursale d'une chaîne nationale proposant des classiques de la cuisine sichuanaise, notamment des escargots frits, de la racine de taro et du poulet à l'étouffée. Mobilier traditionnel et personnel attentif.

CHONGQING Xiaotian'e Ba Yu Shi Fu ¥¥

22 Mingzu Lu, Xin Chongqing Guangchang, 5e étage ***Tél.*** *(023) 6378 8811*

Succursale d'une chaîne nationale et l'un des restaurants de fondue les plus courus de la ville. Décor typique. Les palais plus délicats pourront commander une fondue « mi-blanche, mi-rouge », demander au serveur d'enlever les piments et utiliser seulement le côté rouge pour cuire les cubes de viande.

LE SHAN Honglilai Jiulou V ¥¥

268 Jiading Zhonglu ***Tél.*** *(0833) 213 3252*

Bien que la salle du restaurant soit grande et l'espace entre les tables réduit, il est vivement recommandé de réserver la veille. Vous aimerez cette cuisine végétarienne traditionnelle du Sichuan, notamment les plats à base de tofu et autres classiques du genre léger.

YUNNAN

DALI Jim's Peace Café (Jimu Heping Kezhan) ¥

63 Boai Lu ***Tél.*** *(0872) 267 1822*

Complètement réaménagé en 2002, le Jim's Peace Café fut l'un des premiers à accueillir les visiteurs étrangers. De la carte à la déco, tout ici évoque Lhassa. Aux plats occidentaux, préférez les plats tibétains. Réservation obligatoire pour le banquet tibétain de 20 plats (pour six personnes et plus).

DALI Marley's Café (Mali Kafei Guan) ¥

105 Boai Lu ***Tél.*** *(0872) 267 6651*

Plus propre et plus sélecte que les adresses pour routards de la ville, cette sympathique institution de Dali propose une carte avec des plats chinois, bai et occidentaux. Parfait pour les petits déjeuners comme pour les banquets bai. On est assis sur un balcon d'où l'on peut observer la rue.

KUNMING The Brother Jiang (Qiao Xiang Yuan) ¥

84 Renmin Donglu ***Tél.*** *(0871) 339 5267*

Succursale d'une chaîne de restaurants qui propose quatre menus fixes en plus du plat le plus célèbre de la ville, les nouilles « qui traversent le pont » agrémentées de poulet. Également une soupe au canard servie avec toutes sortes d'accompagnements. Les portions sont généreuses.

KUNMING Xianyun Jie Meishi Cheng ¥

Dingying Jie Bei Men A11-A18 ***Tél.*** *(0871) 317 9995*

La plus grande des gargotes de Ding Ying Jie et Nan Qiang Jie, très populaire auprès des autochtones et des voyageurs car ici on peut manger toutes sortes de choses sans se ruiner. Pas de carte, mais quatre serveuses à qui vous aurez simplement à montrer ce que vous voulez avec le doigt et avec le sourire.

Légende des prix, *voir p. 582*, **légende des symboles**, *voir rabat de couverture*

KUNMING Shiping Huiguan ¥¥

24 Cuihu Nanlu Zhong He Xiang ***Tél.*** *(0871) 362 7222*

Même si vous n'y venez pas pour manger, cette authentique maison chinoise avec sa cour carrée mérite le déplacement. Pas de carte en anglais ou avec la photo des plats, ni de serveurs parlant anglais. Vous devez absolument essayer le poulet cuit dans sa cocotte en terre.

KUNMING Yu Quan Zhai ¥¥

88 Pingzheng Jie ***Tél.*** *(0871) 511 1672*

Installé dans un hôtel face à un temple bouddhiste, ce restaurant très populaire propose une cuisine strictement végétarienne, même si vous voyez des noms anglais de viande sur la carte. Ici, les protéines végétales remplacent la viande qu'elles imitent à la perfection. Les portions sont parfois pantagruéliques.

KUNMING New Yun Yuan Restaurant (Xin Yun Yuan Jiulou) ¥¥¥

452 Qingnian Lu ***Tél.*** *(0871) 315 9668*

Pour les autochtones, c'est l'un de meilleurs restaurants de la ville en raison de son grand choix de spécialités du Yunnan et d'autres régions. Les 184 plats de la carte (en anglais) vont du ragoût de chien au pigeon frit et autres. Spécialités de poissons grillés. Salles à manger privées à l'étage.

LIJIANG Sakura Café (Yinghua Wu) ¥

123 Xinhua Jie, Cuiwen Duan ***Tél.*** *(0888) 518 7619*

Ce café très sympathique est réputé pour être l'un des meilleurs de la vieille ville. La carte bilingue propose 354 plats et vins (chinois). Cuisine asiatique, moyen-orientale (Israël) et occidentale avec des plats allemands et français. Essayez la galette de pain fourrée.

LIJIANG Ancient Town Restaurant (Gucheng Jiulou) ¥¥

1 Dong Dajie Kou Gucheng ***Tél.*** *(0888) 518 1818*

L'un des rares restaurants de la vieille ville fréquentés par les autochtones. La carte qui propose essentiellement des spécialités Naxi est relativement petite, mais les portions sont généreuses. Le poulet entier à l'étouffée et le yack séché sont à recommander. Carte en anglais et personnel plein de zèle.

GUIZHOU ET GUANGXI

GUIYANG Siheyuan ¥

79 Qianling Xilu ***Tél.*** *(0851) 682 5419*

Cuisine basique du Guizhou à prix planchers dans un *siheyuan* plus ou moins bien adapté. Un endroit rudimentaire, bruyant mais sympathique. Ici, la préparation des plats est industrielle : émincé de bœuf aux poivrons (épicé) et des plats plus doux comme les crêpes de pommes de terre roulées, fourrées à la pâte de haricots et saupoudrées de noix de coco.

GUIYANG Guizhou Long ¥¥

23 Jiandao Jie ***Tél.*** *(0851) 586 3333*

L'un des plus beaux restaurants de Guiyang avec d'élégantes salles à manger privées sur quatre niveaux, équipées de chauffe-serviettes et d'une TV. Ici, l'exécution des spécialités du Guangdong, du Sichuan et de Shanghai est parfaite. Vue sur la rivière aux eaux troubles et sur un petit temple en mauvais état.

YANGSHUO Le Vôtre (Le De) ¥¥

79 Xi Jie ***Tél.*** *(0773) 882 8040*

Une escapade hors de Chine. Vincent Christophe a ouvert un restaurant français (crédible mais un peu incertain) dans la maison d'une ancienne guilde. On y sert de tout, depuis la soupe à l'oignon jusqu'aux crêpes Suzette, dans un cadre traditionnel de charme quelque peu improbable.

LIAONING, JILIN ET HEILONGJIANG

CHANGCHUN Xiangyang Tun ¥

3 Dong Chaoyang Lu ***Tél.*** *(0431) 894 4325*

L'adresse favorite des autochtones, à juste titre : ici, la cuisine est soignée et bon marché. Plats simples mais savoureux ; certains même sont effrayants mais tout simplement délicieux. Les travers de porc *(dapaigu)* ont du succès. Personnel chaleureux et patient avec les étrangers.

DALIAN Baixing Cun ¥

128 Changjiang Lu ***Tél.*** *(0411) 258 0128*

Cuisine campagnarde inventive dans une pseudo-maison de village sur deux niveaux. Les plats sont présentés crus sur une table à l'arrière et vous n'avez plus qu'à montrer ce que vous voulez. Les soupes dans leur récipient en terre sont à recommander. Portions généreuses. Beaucoup de monde le soir.

DALIAN Tian Tian Yugang ¥¥¥

10 Renmin Lu ***Tél.*** *(0411) 8280 1118*

Le plus beau restaurant de poisson et fruits de mer de la ville avec une salle remplie d'aquariums. Prix élevés. Les serveurs vous aideront à choisir le mode de préparation le mieux adapté à votre goût pour le poisson ou le crustacé que vous aurez choisi. Produits de qualité et service compétent.

DANDONG Andong Ge Jiudian ¥

À deux rues à l'ouest de Yalujiang Qiao ***Tél.*** *(0415) 314 5801*

Une cuisine inventive malgré l'isolement de la ville, d'inspiration sichuanaise, avec quelques tonalités macanaise et cantonaise. Belle salle propre et lumineuse en bordure de la rivière Yalu. Depuis les tables près de la fenêtre, on voit la Corée-du-Nord (mais la vue n'a rien de vraiment pittoresque).

HARBIN Dongfang Jiaozi Wang ¥

39 Zhongyang Dajie ***Tél.*** *(0451) 465 3920*

Le meilleur restaurant de *jiaozi* (boulettes) de la région : terriblement simples mais absolument délicieuses et scandaleusement bon marché. On est ici dans le restaurant historique d'une chaîne qui a rapidement essaimé et qui a été souvent imitée sans jamais être égalée. Le spectacle est dans la cuisine.

HARBIN Portman (Boteman Xicanting) ¥¥

53 Xiqi Daojie ***Tél.*** *(0451) 8468 6888*

Une cuisine russe proche de l'authenticité et une ambiance très occidentale. Le restaurant est toujours plein : les gens viennent ici autant pour la bière (brassée sur place) que pour les spectacles et la cuisine, qui mérite à elle seule le déplacement – consistante et revigorante, surtout en hiver.

JILIN Liyade Shifu ¥¥

Jiyuan Shangchang sur Jiefang Zhonglu ***Tél.*** *(0432) 201 7999*

Les restaurants sont rares à Jilin, mais celui-ci mérite le déplacement. La cuisine hui, à l'opposé de la cuisine ouïghour, est relativement proche de la cuisine chinoise en général, avec quantité d'ail et de piments. Nombreux plats de viande : il faut absolument essayer le *shousi yangrou* (mouton halal).

SHENYANG Laobian Jiaozi House (Laobian Jiaozi Guan) ¥¥

206 Zhongjie ***Tél.*** *(024) 2484 3965*

Ce restaurant, qui aurait été fondé il y a 170 ans, est le plus réputé de la région au sud de Harbin pour les boulettes. À l'écart de la frénésie du quartier commerçant. Ici, les boulettes sont préparées simplement suivant la méthode du Nord-Est et garnies de dizaines de farces différentes.

MONGOLIE INTÉRIEURE ET NINGXIA

HOHHOT Jinhuolu Shaokao Cheng ¥

Dongying Nanjie ***Tél.*** *(0471) 490 8074*

Un endroit sans façon ouvert récemment, apprécié pour ses grillades au barbecue. Les serveurs apportent un plat spécial au milieu de la table pour griller les viandes, en faisant plus ou moins de fumée. Pour cela, les cavaliers mongols utilisaient autrefois leur bouclier.

HOHHOT Little Fat Sheep Hotpot (Xiaofeiyang Huoguo) ¥

Wulanchabu Donglu Zhaojun Huayuan Shizi Lukou ***Tél.*** *(0471) 490 1998*

Avec ses centaines de succursales à travers le pays, la chaîne Xiaofeiyang est la reine de la fondue mongolienne. Le restaurant met l'accent sur la qualité de la cuisine et recommande aux clients de ne pas tremper la viande dans la sauce pour lui conserver toute sa saveur. Fondues individuelles également.

HOHHOT Xin'anju ¥¥¥

Xincheng Beijie ***Tél.*** *(0471) 660 8888*

Ouvert en 1999. Carte en anglais divisée en quatre régions : Shandong, Shanxi, Sichuan et Mongolie. Les vins de la maison accompagnent agréablement les spécialités, notamment le gigot d'agneau. Jolie décoration avec boiseries sculptées et nœuds porte-bonheur rouges.

GANSU ET QINGHAI

DUNHUANG Da Ji Lürou Huangmian Guan ¥

Da Shichang

Une adresse pour les voyageurs plus aventureux, située dans une rue du marché. Ce minuscule restaurant est très apprécié de la population locale. On vient ici pour les plats de nouilles authentiques et d'autres choses plus insolites comme la viande d'âne. Bon rapport qualité-prix.

Légende des prix, *voir p. 582*, **légende des symboles**, *voir rabat de couverture*

JIAYUGUAN Lin Yuan Jiudian ¥¥

34 Xinhua Nanlu ***Tél.*** *(0937) 628 6918*

Restaurant sur quatre niveaux proposant une cuisine de Canton et du Huaiyang, légère et impeccablement présentée. La présence de la clientèle locale dans la salle généralement pleine à craquer est un bon signe ; prenez donc votre courage à deux mains pour entrer. Pas de carte en anglais.

LANZHOU Mingde Gong ¥¥

191 Jiuquan Lu ***Tél.*** *(0931) 466 8588*

Ouvert en 2000, ce restaurant phare de la cuisine du Gansu *(long cai)* – à mi-chemin entre la cuisine chinoise familiale et les spécialités d'agneau du Nord-Ouest – fait curieusement venir la majorité de ses chefs de Canton. Grande salle à l'étage et somptueuses salles privées. Service attentif.

TIANSHUI Hong Qiao Binguan ¥

Tianshui Huochezhan Guangchang Xi Ce ***Tél.*** *(029) 261 6377*

Tianshui est une bonne étape pour ceux qui vont visiter les grottes de Maijishan, mais elle ne compte guère de restaurants intéressants. Celui de l'hôtel Hong Qiao Binguan en est un parmi d'autres. Cuisine chinoise standard.

XINING Qinghai Hotel (Qinghai Binguan) ¥¥

158 Huanghe Lu ***Tél.*** *(0971) 614 4888*

Carte sans surprise proposant une cuisine panchinoise standard et quelques spécialités locales. Le restaurant appartenant à l'un des meilleurs hôtels de la ville, vous êtes assuré de la propreté et du confort, mais ne vous attendez pas à des miracles au niveau culinaire.

XINJIANG

KUCHA Wuqia Guoyuan Canting ¥

Tuanjie Lu ***Tél.*** *(0997) 712 4003*

Cuisine ouïghour avec des plats consistants de poulet entier, de bœuf et d'épaisses nouilles tirées à la main, le tout agrémenté de pommes de terre, de tomates et de piments. Ce restaurant à la bonne franquette a beaucoup de succès auprès des locaux, qui sont ravis d'accueillir les visiteurs étrangers.

TURPAN Oasis Hotel (Lüzhou Binguan) ¥¥

41 Qingnian Lu ***Tél.*** *(0995) 852 2491*

Agneau entier rôti et autres spécialités de viande ouïghour avec des montagnes de galettes de pain et de nouilles pour rassasier les ventres les plus affamés. Pour ceux qui veulent davantage de choix, il y a un restaurant chinois standard et un petit *coffee shop* dans le même bâtiment.

URUMQI Vine Coffeehouse & English Corner (Deman Kafeiwu) ¥

65 Minzhu Lu ***Tél.*** *(0991) 230 4831*

Ce café antillais, qui appartient à un ancien étudiant en beaux-arts, est l'une des meilleures surprises que peut vous réserver le Xinjiang. Vous y trouverez gâteaux, café (du vrai), steaks à la poêle, plats végétariens et autres délices dont vous avez sans doute la nostalgie. Près du Xinjiang Hotel.

TIBET

LHASA Alu Cang Restaurant (Alucang Canting) ¥

21 Duosenge Lu ***Tél.*** *(0891) 633 8826*

Bien que bouddhistes, les Tibétains ne sont pas végétariens. Les nomades doivent en effet leur survie à la viande. La plupart des restaurants servent de la viande, à l'image de l'Alu Cang, où l'on sert du bœuf, de l'agneau et du yack. Un endroit simple et sans prétention fréquenté par les locaux.

LHASA Snow God Palace (Xue Shen Gong) ¥¥

Budala Gong Guangchang ***Tél.*** *(0891) 633 5866*

Un endroit un peu plus élégant que beaucoup d'autres restaurants tibétains de Lhassa proposant aussi une cuisine plus légère. Plats occidentaux à la carte où le beurre de yack toutefois est omniprésent.

SHIGATSE Yalu Zang Canting ¥

Shandong Lu ***Tél.*** *(0892) 883 3638*

Une cuisine chinoise standard et quelques timides tentatives de plats occidentaux pour plaire aux voyageurs. Mais ici le propriétaire est tibétain et la carte est différente des habituelles cartes des restaurants tibétains. Un endroit insolite, accueillant et meublé simplement dans le style tibétain.

BOUTIQUES ET MARCHÉS

La richesse du patrimoine artistique de la Chine se retrouve dans la diversité de son artisanat d'art, qui va de la calligraphie et de la peinture de paysage philosophique aux céramiques et aux objets en bambou sculpté. Avec le développement touristique et la nouvelle politique économique, les boutiques et les marchés se sont multipliés dans les villes. Même si les copies sont nombreuses, beaucoup d'objets sont encore fabriqués suivant les techniques ancestrales et il n'est pas difficile de trouver des objets authentiques. Les souvenirs les plus originaux que l'on peut rapporter sont peut-être ceux produits par les minorités ethniques, notamment les travaux d'aiguille. Les grands magasins vendent des bijoux et des pierres semi-précieuses avec un certificat d'authenticité (qui n'est pas toujours une garantie cependant). Beaucoup de grands hôtels ont aussi leurs boutiques de souvenirs (articles en soie et en jade), mais leurs prix sont souvent excessifs.

Statue de divinité bouddhiste

HEURES D'OUVERTURE

Les magasins chinois sont ouverts en général de 9 h à 19 h en hiver et de 8 h 30 à environ 20 h le reste de l'année. Les horaires varient néanmoins d'un endroit à l'autre. Dans certaines régions, ils sont ouverts à partir de 8 h jusque bien après 20 h. Dans les grands centres commerçants comme Pékin, Shanghai et Hong Kong, ils ne sont pas fermés avant 21 h. Les magasins et les marchés d'alimentation vendant des produits frais ouvrent tôt et ferment tard. Notez que certains magasins sont fermés les jours fériés, dont les principaux sont le nouvel an chinois appelé aussi fête du Printemps, le 1er octobre, jour de la fête nationale, et le 1er janvier.

Pinceaux de calligraphie sur un marché de Pékin

MODE DE PAIEMENT

La monnaie chinoise est le yuan, connu aussi sous le nom de *renminbi* (RMB en abrégé), la « monnaie du peuple ». Le *yuan* se divise en *jiao* ou *mao* et en *fen*. 1 yuan = 10 jiao = 100 fen.
Les cartes de crédit ne sont acceptées que dans les grands hôtels de tourisme et dans les magasins d'État. Seuls quelques DAB dans les grandes villes acceptent les cartes internationales – cherchez l'agence principale d'une banque internationale ou une Banque de Chine. Il est recommandé d'emporter des chèques de voyage et des espèces (euros et dollars sont les plus faciles à changer).
La Banque de Chine a des guichets de change que l'on trouve également dans les aéroports, les grands hôtels et quelques magasins. Conservez vos bordereaux de change et reçus de distributeur car vous en aurez besoin pour convertir les *yuan* qui vous restent avant de sortir de Chine *(p. 620-621)*.

MARCHANDAGE

Le marchandage est une pratique courante en Chine, surtout dans la rue, les échoppes de souvenirs et sur les marchés nocturnes. Vous pouvez même tenter votre chance dans les grands hôtels, les boutiques modernes, les grands magasins, les magasins d'État et les Magasins de l'Amitié. Les vendeurs ambulants ont tendance à demander le prix fort (multiplié par trois) aux touristes et il arrive même que le prix qu'ils annoncent au départ soit décuplé. Comparez les prix ailleurs et voyez combien paient les autres, notamment les autochtones.

Panneaux publicitaires de Nanjing Lu à Shanghai

Grand magasin de luxe de Zhaoqing, province du Quangdong

GRANDS MAGASINS ET BOUTIQUES

Avec la révolution économique, les grands magasins de luxe, boutiques de mode et centres commerciaux ont poussé comme des champignons, en particulier à Pékin et à Shanghai. C'est ainsi que dans la capitale le nombre des marchés de rue et des marchés nocturnes très populaires a diminué.

À l'instar des pays développés, les produits de luxe tels que parfums, mode, bijoux et montres remportent un grand succès. De leur côté, les supermarchés comme Carrefour vendent de l'alimentation, de l'électroménager et des souvenirs à des prix raisonnables. La majorité des grands magasins sont gérés par l'État (quelques-uns seulement sont indépendants).

MAGASINS D'ÉTAT

Les Magasins de l'Amitié datent de l'époque du président Mao. Ils vendaient des articles de luxe et de l'artisanat de qualité pour les diplomates et les touristes intrépides. Il en reste quelques-uns aujourd'hui qui proposent des produits locaux tels que thé, soie, jade, calligraphie et broderies Miao. Face à la myriade de commerces privés, ils s'efforcent de rester compétitifs au niveau des prix et de la qualité. On y trouve parfois des journaux et des livres en anglais.

MARCHÉS

La meilleure façon de découvrir la diversité culturelle de la Chine est d'aller sur les marchés, surtout dans les régions rurales. Les *ganji* (littéralement « aller au marché ») ou *gangai* (« aller dans la rue ») se tiennent certains jours de la semaine. Autrefois, les gens de la campagne venaient au marché de la ville voisine pour vendre leurs produits de la ferme ou acheter ce dont ils avaient besoin. Aujourd'hui, ces marchés vendent aussi des articles pour la maison, allant de la brosse à dents au wok et à la cocotte à cuire. Si quelques-uns suivent encore le calendrier lunaire, auquel les visiteurs en général ne comprennent rien, beaucoup ont adopté des jours d'ouverture fixes. L'affluence est grande entre le milieu de la matinée et le milieu de l'après-midi. Vous serez fasciné par la variété des étals mais apprêtez-vous à marchander ferme !

Marchand de tapis sur un marché de Linxiang, province du Gansu

ANTIQUITÉS

Acheter des antiquités en Chine est une opération à risque, sauf bien sûr pour les experts. Dans beaucoup de villes, les objets exposés sur les marchés sont pour la plupart des copies. Mais cela peut être amusant de chiner et de marchander des copies bon marché. Même si les magasins d'antiquités gérés par l'État comme les Magasins de l'Amitié sont sur le déclin, ce n'est pas là qu'on faisait des affaires. Les boutiques des galeries d'art et des musées vendent des œuvres d'art (peintures sur rouleau, calligraphies et foulards en soie). Les objets datant d'avant 1795 ne sont pas exportables et ceux qui lui sont postérieurs doivent porter un cachet de cire rouge pour sortir du territoire. Conservez les factures qui pourront vous être réclamées à la douane.

Boutique de souvenirs de la Montagne Qingcheng, près de Chengdu

Qu'acheter en Chine ?

Masque d'opéra

Boutiques et marchés vendent des souvenirs intéressants dans tous les centres touristiques du pays. Vous trouverez des objets traditionnels un peu partout ainsi que de l'artisanat régional, comme les broderies du Sud-Ouest, les moulins et les drapeaux à prières au Tibet et les tapis du Xinjiang. Sur les marchés, le marchandage est obligatoire, mais, dans les Magasins de l'Amitié et les boutiques de cadeaux des usines, les prix sont généralement fixes (et excessifs).

Collection de statuettes de Mao

LA CALLIGRAPHIE

Très ancienne et aussi vénérée que la peinture, la calligraphie, en donnant vie aux idéogrammes, exprime la sensibilité de l'artiste. Les œuvres des maîtres peuvent atteindre des prix élevés, mais il existe des calligraphies d'un prix plus abordable.

Les sceaux *apposés sur les calligraphies sont traditionnellement taillés dans des éclats de marbre. Les vendeurs des marchés d'artisanat peuvent vous vendre un sceau gravé à votre nom.*

Les rouleaux *de calligraphie sont en général vendus déjà peints, mais vous pouvez aussi faire transcrire sur le papier des proverbes de différents styles.*

Les pinceaux *doivent être en poils durs et leur pointe d'une forme bien définie. Les bâtons à encre sont râpés sur une pierre à encre et la poudre obtenue délayée dans un peu d'eau.*

La peinture *sur soie ou sur papier dont la force réside dans le trait est un art traditionnel majeur. Les œuvres produites aujourd'hui ont souvent une tonalité contemporaine.*

LES CÉRAMIQUES

Les céramiques chinoises sont connues dans le monde entier. Elles sont produites depuis des siècles dans les fours des potiers et rendues imperméables au moyen d'une couverte. La porcelaine translucide a été inventée à l'époque des Sui et des pièces de qualité sont encore fabriquées aujourd'hui.

Jingdezhen *est un grand centre de production de la porcelaine depuis le Xe siècle* (p. 254-255). *De belles pièces y sont encore fabriquées, cependant, les motifs décoratifs des modèles bon marché sont souvent exécutés au simple pochoir.*

Théière de Yixing *en argile rouge fabriquée à Dingshan* (p. 218). *Cette célèbre théière peut aussi être de couleur verte, marron ou grise.*

SOIE

Fabriquée à partir des cocons de la chenille du bombyx, la soie a été inventée en Chine *(p. 208-209)*. Les vêtements en soie tels que les *cheongsam* sont vendus un peu partout, mais sachez que ceux proposés sur les marchés sont souvent en rayonne. La soie peut aussi être brodée.

Dessous-de-verre en soie brodée

Sacs en soie

Coussins recouverts de soie

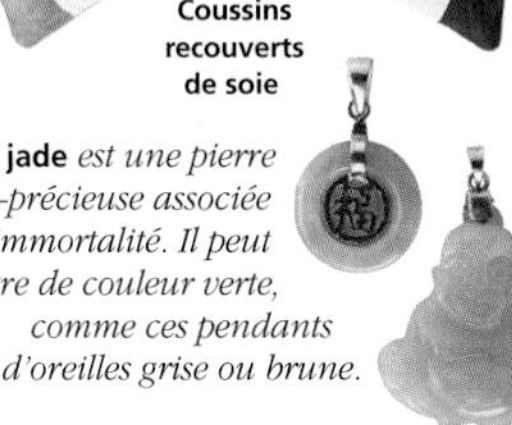

Le jade *est une pierre semi-précieuse associée à l'immortalité. Il peut être de couleur verte, comme ces pendants d'oreilles grise ou brune.*

OBJETS D'ARTISANAT TRADITIONNELS

Les objets de l'artisanat chinois sont plus souvent des productions en série que des créations artistiques ; il s'agit en général d'objets très élaborés aux teintes vives, qui vont des flacons miniature aux pacotilles pour touristes évoquant l'époque communiste.

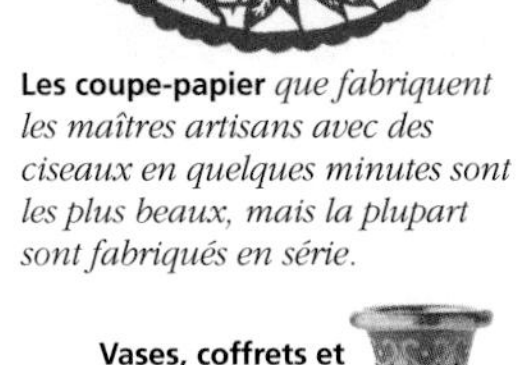

Les coupe-papier *que fabriquent les maîtres artisans avec des ciseaux en quelques minutes sont les plus beaux, mais la plupart sont fabriqués en série.*

Coffret à bijoux en laque

Pompom d'ornement

Éventail en bois ciselé

Les flacons à priser *sont apparus sous la dynastie des Qing avec la mode du tabac à priser. Ils étaient décorés de peintures miniatures exécutées sur la face interne à l'aide d'un pinceau coudé.*

Vases, coffrets et pots en cloisonné *sont recouverts d'émaux de couleurs coulés entre des lamelles de cuivre. Après la cuisson, ces émaux sont poncés et lustrés.*

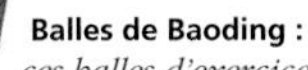

Balles de Baoding : *ces balles d'exercice que l'on tient dans une main servent à renforcer la maîtrise de soi et à exercer un massage sur les méridiens par lesquels circule le qi (souffle)* (p. 232). *Un grelot se trouve parfois à l'intérieur.*

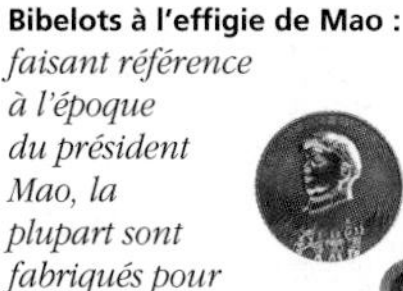

Bibelots à l'effigie de Mao : *faisant référence à l'époque du président Mao, la plupart sont fabriqués pour les touristes, hormis quelques pièces authentiques.*

Badge à l'effigie de Mao

Briquet à l'effigie de Mao

Le thé, *souvent présenté dans des boîtes en métal, est vendu un peu partout. Le* Tie guayin *et autres thés* Oolong *originaires du Fujian sont excellents. Le* Pu'er *est produit dans le Sud-Ouest.*

SE DISTRAIRE

Les Chinois ont la réputation de travailler dur, mais ils savent aussi se distraire à leurs moments de loisir. La tradition des arts du spectacle – opéra, théâtre d'ombres et de marionnettes, cirque – reflète la richesse du patrimoine culturel de la Chine. À cela s'ajoutent la danse et la musique des minorités ethniques. Avec l'ouverture de leur pays à l'Occident, les Chinois peuvent aujourd'hui aller voir des films contemporains et écouter des concerts de musique classique ou de rock. La plupart des villes ont leurs bars karaoké qui remportent un immense succès. Le développement d'Internet a ouvert la voie à de nouvelles distractions en ligne et les jeunes passent désormais beaucoup de temps dans les cybercafés. Les jeux d'argent ne sont autorisés que dans la Région administrative spéciale de Macao. Les courses hippiques sont très populaires à Hong Kong *(p. 332)*.

Danseuse traditionnelle

Joueurs de *xiangqi* (échecs chinois) sur un trottoir de Xi'an

JEUX DE STRATÉGIE

La pratique des jeux de stratégie dans les jardins publics est une vieille tradition en Chine. Les visiteurs seront probablement trop intimidés pour faire une partie avec les autochtones, mais ils s'amuseront presque tout autant en les regardant jouer. Le jeu le plus connu est le mah-jong, qui se joue avec des tuiles en plastique (elles étaient autrefois en ivoire et en bambou). Les règles rappellent celles du rami : le but est de faire des séries ou des suites. Les mah-jongs plus sophistiqués comprennent des tuiles représentant les quatre vents, les quatre dragons, les quatre saisons et des fleurs. Quand la partie bat son plein, les tuiles s'entrechoquent – mah-jong signifie « moineaux jacassant ».

Les échecs chinois *(xiangqi)* sont un autre jeu populaire en Chine avec des pièces de bois en forme de palet, et un plateau divisé en neuf rangées verticales et dix rangées horizontales.

Le jeu de go *(weiqi)* date de plus de 4 000 ans : il se joue à deux avec des pierres rondes ; le but est d'encercler l'adversaire.

SPORTS

Les sports les plus populaires à l'école sont le badminton et le ping-pong, où les Chinois excellent, ainsi que le basket-ball. Le football a ses adeptes et ses supporters. Les footballeurs chinois sont aujourd'hui recrutés par les clubs européens. Les centres de remise en forme et les salles de gym connaissent un succès grandissant dans les villes. Les arts martiaux traditionnels comme le *taijiquan* sont pratiqués par l'ancienne génération, que l'on peut voir s'exercer au petit matin dans les jardins publics et sur les places.

THÉÂTRE TRADITIONNEL

Le célèbre opéra de Pékin *(jingju)* est une forme d'art traditionnel unique au monde *(p. 74-75)* où les personnages portent des costumes élaborés, des maquillages et des masques spéciaux. Il se joue sur une scène nue avec seulement quelques accessoires.

Avec ses acrobates virtuoses dotés d'une souplesse extraordinaire, le cirque chinois jouit d'une renommée mondiale. Dans leurs numéros d'équilibre, les artistes utilisent en général des balais, des assiettes et des chaises ; le numéro présentant vingt acrobates empilés sur une bicyclette a fait le tour du monde ! Ces performances alternent avec les numéros de domptage d'animaux sauvages,

Actrice vêtue d'un somptueux costume dans un opéra de Pékin

qui cèdent peu à peu le pas aujourd'hui aux acrobaties.

Les danses traditionnelles sont encore très vivantes, surtout au sein des groupes ethniques. Certaines font référence aux rituels du chamanisme ou autres rituels religieux et s'exécutent avec des masques spéciaux.

THÉÂTRES D'OMBRES ET DE MARIONNETTES

Le très populaire théâtre d'ombres *(piyingxi)* utilise des marionnettes articulées en cuir qui sont manipulées derrière un drap blanc. La lumière projetée par-derrière renvoie leur ombre sur le drap. Musique et chants accompagnent le spectacle. Le théâtre de marionnettes *(mu'ouxi)* utilise soit des modèles en bois élaborés, aux couleurs vives, manipulés avec des fils, soit des marionnettes à gaine, soit des marionnettes maniées à l'aide de tiges.

MUSIQUE TRADITIONNELLE

La musique chinoise est attestée depuis la dynastie des Shang. Des ensembles de 65 cloches datant du ve siècle avant notre ère ont été mis au jour. La musique traditionnelle a commencé à prendre forme sous la dynastie des Tang. Elle constituait un élément important de l'éducation confucéenne.

Parmi les instruments traditionnels figurent les instruments à cordes, à vent et les percussions. Le violon chinois, la harpe horizontale et la cithare *zheng* se jouent avec les doigts, un plectre ou un archet. Le *pipa*, sorte de luth, est l'un des instruments à cordes les plus importants. Les flûtes en bambou les plus courantes sont le *xiao* (qui se tient verticalement) et le *di* (qui se tient horizontalement). Fabriqué avec une calebasse et une tige de bambou, le *bulusu* est utilisé dans la musique populaire. Le *sheng*,

Bars de la rue piétonne Lan Kwai Fong à Hong Kong

qui fait partie des instruments chinois les plus anciens, compte une anche et jusqu'à 17 tuyaux en bambou. Le *xun* en céramique (parfois en os ou en ivoire) se compose d'un bec et d'une série de trous de jeu. Les percussions sont notamment le gong, la cloche, le tambour, le bloc de bois et le xylophone.

Musicien jouant du *pipa*, parent du luth

CERFS-VOLANTS

Les jours fériés, on peut voir des centaines de cerfs-volants de toutes les couleurs et de toutes les formes, parfois très haut dans le ciel, au-dessus des jardins publics et des grandes places. Les modèles les plus courants sont les oiseaux et les dragons.

BARS, DISCOTHÈQUES ET KARAOKÉ

Bars, discothèques et salles de karaoké ont fait leur apparition ces dernières années dans toute la Chine, et principalement dans les grandes villes comme Pékin et Shanghai. Les bars accueillant des groupes de musique ont beaucoup de succès auprès des expatriés, des visiteurs étrangers et des citadins chinois – attention, les consommations sont chères. Les jeunes vont de plus en plus dans les cafés-bars. La vieille génération, quant à elle, continue d'aller boire le thé vert dans les maisons de thé traditionnelles.

ROCK ET CANTOPOP

La scène du rock chinois est aujourd'hui très dynamique. Le rock a fait son apparition en Chine dans les années 1980. De nombreux groupes locaux ont joué pendant les manifestations de la place Tian'an men. La plupart des formations n'étant toujours pas acceptées par les radios d'État, elles sont tributaires d'Internet et du bouche à oreille pour remplir les salles.

Tradition musicale populaire de Hong Kong, la cantopop se chante en cantonais sur fond de bluette sirupeuse. Beaucoup de chanteurs de cantopop sont devenus des stars.

CINÉMA

La Chine a produit par le passé de nombreux films de qualité fondés sur des contes populaires et des histoires d'amour romantiques, ou inspirés par un ardent patriotisme. Le cinéma chinois s'est aujourd'hui mondialisé et des films comme *Hero* de Zhang Yimou, qui mélange arts martiaux et grands effets spéciaux, attirent un public nombreux. Rares sont les villes, hormis Hong Kong, où les films sont présentés en version anglaise ou en VO sous-titrée.

Cerfs-volants d'un marchand de Wuhan portés par la brise du Yangzi

SPORTS ET SÉJOURS À THÈME

Pékin, qui doit accueillir les Jeux olympiques, 2008, est aujourd'hui la vitrine de la Chine, où les héros sportifs sont honorés avec la même ferveur que les icônes politiques – le football et le basket-ball sont devenus de grands sports spectacle dans ce pays. Le pouvoir d'achat de la classe moyenne chinoise, en pleine ascension, et l'intérêt qu'elle porte aujourd'hui aux loisirs se traduisent pour les visiteurs par une offre plus large en matière d'activités sportives : golf, ski, escalade, etc. Des cours d'arts martiaux sont proposés dans la plupart des centres touristiques et en particulier au monastère Shaolin. Un circuit organisé sera une expérience inoubliable si vous choisissez un séjour à thème comme la photo, le rafting, l'équitation ou autres.

Fleurs

JEUX OLYMPIQUES

Pékin doit accueillir les Jeux olympiques en août 2008. La Chine attend beaucoup de cet événement et espère remporter le plus grand nombre de médailles. Ces 29e olympiades ont un impact spectaculaire sur la capitale chinoise, qui a prévu, d'améliorer ses infrastructures et lancé de gigantesques chantiers. Pékin a promis « des JO verts, des JO de haute technologie et des JO populaires ». On peut donc s'attendre à voir des hectares d'espaces verts, des stades futuristes et une cohorte de bénévoles parlant anglais. La moitié du parc olympique, situé au sommet de l'axe principal nord-sud de la capitale représentant l'autorité impériale, sera transformée en espaces arborés et en pelouses. Les compétitions de voile se dérouleront dans le port de Qingdao et les matchs de foot préliminaires à Shanghai ainsi que dans d'autres villes.

SPORT SPECTACLE

Les Chinois se sont pris de passion pour le football. Les annales chinoises nous parlent déjà d'un jeu de kick-ball avec deux équipes de trois joueurs, et des peintures anciennes nous montrent un empereur de la dynastie Song tapant dans un ballon avec son pied ; cependant, le football est un sport récent en Chine. La Ligue chinoise de football professionnel a été créée en 1991 et la Super League, l'élite chinoise du foot, en 2004. Cette **Super League** a beaucoup de supporters. Le **basket** devient lui aussi populaire, grâce notamment à des stars de la NBA chinoise comme Yao Ming.

Le tournoi annuel de rugby à sept au mois de mars est un événement très important à Hong Kong, où se jouent près de 70 matchs en trois jours. Le **Hong Kong Rugby Football Union** organise régulièrement des rencontres pendant la saison de rugby, qui s'étend de novembre à mars.

Shanghai a accueilli son premier **Grand Prix de Formule Un** en 2004. Les places sont chères, mais la course est superbe : depuis les gradins, on voit 80 % du circuit.

Nettement plus typiques, les sports traditionnels, allant de la course de bateaux-dragons à la lutte à dos d'éléphant, sont inscrits au programme des Jeux quadriennaux, qui rassemblent les sportifs des minorités ethniques (les derniers ont eu lieu en septembre 2007).

GOLF

Le golf se popularise en Chine malgré la réticence initiale du Parti communiste à adopter ce sport élitiste. Les visiteurs auront le choix entre plus de 200 terrains répartis à travers le pays. Le **Mission Hills** à Shenzhen détient le record avec dix parcours. Le golf de la Montagne enneigée du Dragon de Jade près du Lijiang, au Yunnan, est l'un des plus hauts du monde. Le plus attrayant est peut-être celui de **Spring City** près de Kunming. La plupart des terrains de golf sont ouverts au public et le droit d'entrée est le même que dans les pays occidentaux.

NATATION

La Chine possède un littoral important, mais la culture de la plage n'existe pas ici. L'île de Hainan, surnommée le Hawaï chinois, compte un nombre grandissant de stations balnéaires et Beihai au Guangxi peut s'enorgueillir de ses plages

Randonnée équestre dans les gorges du Tigre bondissant, au Yunnan

Randonnée à chameau dans les dunes du Mingsha Shan, près de Dunhuang, province du Gansu

de sable. Beidaihe a été pendant longtemps le lieu de villégiature du Parti communiste. Le principal attrait de Qingdao est son front de mer.

SKI

Les Chinois sont en train de découvrir le ski, comme l'ont fait avant eux les Japonais et les Coréens. Les stations du Heilongjiang et du Jilin sont les meilleures et **Yabuli** (à 160 kilomètres de Harbin), l'une des plus réputées. Les environs de Pékin possèdent une dizaine de pistes – de neige artificielle – et Shanghai, des installations couvertes qui sont parmi les plus vastes au monde. Vous aurez peut-être du mal à trouver des chaussures de location à votre pointure et vous devrez faire attention à ceux qui arrivent derrière vous car les grands débutants sont nombreux !

CIRCUITS ORGANISÉS

De nombreux voyagistes proposent des circuits dans les plus belles régions touristiques de la Chine. Choisissez soigneusement votre circuit et, outre la question du transport, de l'hébergement et du nombre de participants, renseignez-vous sur le montant du pourboire à laisser à l'accompagnateur, qui peut augmenter sensiblement le prix de la prestation. Renseignez-vous aussi sur la fréquence des arrêts consacrés aux achats, le fléau de tous les circuits organisés en Chine. Ces détours (qui permettent à l'accompagnateur de toucher une commission) risquent d'écourter le temps pour les visites.

Abercrombie & Kent est un groupe international connu depuis des décennies pour ses bonnes prestations et qui est représenté en France par certains tour-opérateurs. Des voyagistes français comme la **Compagnie de la Chine**, la **Maison de la Chine** et **Voyageurs en Chine** sont des spécialistes de ce pays. Ils proposent des circuits en tout genres et sur mesure. Pour un circuit d'aventure au Tibet ou sur les Routes de la soie, vous pouvez vous adresser à **Déserts, Terres d'aventure** ou **Nomade aventure. Couleurs Sables** propose des circuits à thématique photo. **Cheval d'aventure** et **Cavaliers du monde** sont spécialisés dans les circuits équestres. Spécialiste de la Chine du Sud-Est et basé à Pékin, **Wild China** organise des itinéraires passant par les monastères tibétains du Sichuan occidental et par les villages et la jungle du Xishuangbanna.

CIRCUITS EN TRAIN

Le vaste réseau ferroviaire de la Chine en fait l'une des destinations favorites des amateurs de train depuis des années, et ce d'autant plus que les locomotives à vapeur y ont subsisté bien plus longtemps qu'ailleurs. Malheureusement, la ligne du Jitong Railways, qui franchit le col de Jinpeng en Mongolie intérieure, les abandonne peu à peu.

Mais les trains à vapeur continueront de circuler dans les régions industrielles où des lignes privées desservent les exploitations minières. Les amateurs de train trouveront d'autres informations sur le Web.

Radeau flottant sur des poches d'estomac de mouton gonflées, sur le bord du fleuve Jaune

Ballon au milieu des pitons karstiques de Yangshuo, au Guangxi

BICYCLETTE

Même si la bicyclette est aujourd'hui menacée par l'automobile, elle reste un mode de transport agréable en Chine : elle permet de voir plus de choses que le bus et donne un meilleur aperçu de la vie quotidienne des Chinois. Un circuit bien organisé doit prévoir un mode de transport de remplacement ainsi que tout le matériel de réparation. Il existe des circuits de différents niveaux de difficulté. La bicyclette est généralement fournie. Pour les circuits autour de Pékin, adressez-vous à des spécialistes comme **Bike China Adventures**.

Dans les régions rurales, la bicyclette de location est le meilleur moyen de visiter les environs des villes. Vous trouverez des loueurs un peu partout, mais votre hôtel peut aussi se charger de la location. En ville, empruntez les pistes cyclables et laissez votre bicyclette dans les espaces réservés à cet effet (sans oublier de récupérer le jeton).

ARTS MARTIAUX

La Chine attire des milliers d'amateurs d'arts martiaux. Beaucoup vont au célèbre monastère Shaolin au Henan *(p. 158)*. Le sage Bodhidharma aurait été le premier à enseigner aux moines ce qui allait devenir le *shaolinquan* au VIe siècle. Aux alentours du monastère se trouvent des écoles de kong-fu qui proposent des stages d'une semaine à six mois et plus.

Moins connu, le monastère de Wudang Shan au Hubei, qui serait le berceau du *taijiquan (p. 272)*, possède également des écoles.

La plupart des formes de kong-fu enseignées en Chine aujourd'hui sont une version édulcorée de la forme martiale originelle et s'adressent à ceux qui veulent garder la forme. Si vous recherchez la pure technique de combat, ce sera plus facile en France ou peut-être à Hong Kong. Vous trouverez aisément une adresse d'école dans les encarts publicitaires des magazines de loisirs, mais beaucoup plus difficilement un maître parlant anglais, à moins d'aller à Yangshuo, Dali ou Lijiang. Vous pouvez aussi bien sûr vous joindre aux adeptes de *taijiquan* et de kong-fu dans les jardins publics au lever du jour.

Ceux qui veulent se battre autrement qu'à mains nues peuvent essayer le paint-ball, qui devient de plus en plus populaire (voir les adresses dans les publicités des magazines de loisirs), ou bien les fusils antiaériens et les AK-47 du site de Badaling sur la Grande Muraille.

ALPINISME ET ESCALADE

Les montagnes sacrées comme le Taishan et le Huangshan sont équipées de marches et de téléphériques pris d'assaut par les cohortes de visiteurs. Pour les randonnées, les sentiers de montagne moins fréquentés sont plus adaptés, mais les vrais alpinistes devront se rendre au Tibet, qui est le Toit du monde. Si les permis pour l'Everest sont longs et difficiles à obtenir, ceux pour le camp de base sont accessibles auprès de certaines agences de voyages. L'ascension du Gonggashan au Sichuan et du Muztaghata au Xinjiang (plus facile et la descente peut se faire à skis) est également spectaculaire mais, là aussi, il faut demander un permis.

Après avoir inspiré les poètes pendant de nombreux siècles, les pitons karstiques de Yangshuo au Guangxi attirent aujourd'hui les adeptes de l'escalade. Avec ses collines, ses rivières aux nombreux méandres et ses hôtels de charme, la région de Yangshuo connaît un essor plus rapide que toutes les autres régions d'escalade de l'Asie.

Quelques spéléologues intrépides ont exploré le gigantesque réseau de grottes karstiques de la province du Guangxi. Des agences se sont spécialisées dans l'exploration des grottes, mais les circuits qu'elles proposent s'adressent généralement aux spéléologues expérimentés.

Futurs maîtres de kung-fu au temple Shaolin, au Henan

Panda de la réserve d'élevage, environs de Chengdu

RANDONNÉES ET CAMPING

C'est dans la région du Sud-Ouest que l'on peut faire les plus belles randonnées, comme dans la jungle du Xishuangbanna ou dans les montagnes reculées qui abritent les monastères tibétains. Les randonnées équestres sont possibles dans les montagnes du Xinjiang et dans les parcs nationaux du Sichuan. Adressez-vous aux agences spécialisées ou à la **Northwest Yunnan Ecotourism Association**. Le rafting est populaire dans le Sud-Ouest et au Tibet, mais veillez à prendre des renseignements sur l'agence à laquelle vous vous adressez et à vérifier la qualité et l'état du matériel (casques, gilets de sauvetage et combinaisons).

Le camping sauvage est déconseillé. Si les terrains de camping sont aujourd'hui inexistants, la situation risque de changer maintenant que la culture du caravaning est parvenue jusqu'à la Chine. Le camping-car en est seulement à ses débuts, mais des terrains seront bientôt aménagés pour ce type de véhicule. Sachez néanmoins que pour conduire en Chine il faut un permis chinois et qu'un véhicule se loue obligatoirement avec un chauffeur.

FAUNE SAUVAGE ET OBSERVATION DES OISEAUX

Vous pourrez voir des pandas dans la réserve naturelle de Wolong *(p. 369)* ou dans la réserve de recherche et d'élevage de pandas géants de Chengdu *(p. 360)*, qui tente de préserver cette espèce menacée. Des circuits d'observation des oiseaux sont organisés dans l'île aux Oiseaux sur le lac Qinghai *(p. 499)* et dans des parcs nationaux comme la réserve naturelle de Zhalong *(p. 452)* dans le nord-est de la province du Heilongjiang, la plus grande région marécageuse de Chine, qui abrite plus de 300 espèces d'oiseaux.

Le milieu naturel de la Chine a été sauvagement endommagé au XXe siècle par la politique de déplacement de la main-d'œuvre vers les montagnes, et, en ce début du XXIe siècle, la croissance économique menace à la fois la biodiversité et la diversité culturelle. On s'efforce actuellement de sauver la faune sauvage et les coutumes chinoises. Ceux qui veulent concilier tourisme et défense de l'environnement pourront s'adresser à des organisations comme la Northwest Yunnan Ecotourism Association, basée près de Lijiang, province du Yunnan, qui propose des circuits et des hébergements écologiques.

ADRESSES

SPORTS

Jeux olympiques 2008
fr.beijing2008.cn

Basket-ball
www.icsh.sh.cn

Formule Un
www.icsh.sh.cn

Rugby
www.hkrugby.com

Football
www.sinosoc.com

GOLF

Mission Hills
1 Mission Hills Road, Shenzhen, PRC 518110.
Tél. *(0755) 2802 0888.*
Fax *(0755) 2801 0713.*
www.missionhillsgroup.com

Spring City
Tangchi, Yilang, Yunnan, PRC 652103.
Tél. (0871) 767 1188.
www.springcityresort.com

SKI ALPIN

Yabuli
160 km à l'est de Harbin, Heilongjiang.
www.yabuliski.com

VOYAGISTES

Abercrombie & Kent
www.abercrombiekent.com

Compagnie de la Chine
82 bd Raspail, 75006 Paris
Tél. *01 53 63 33 42.*
Fax *01 42 22 20 15.*

3 av de l'Opéra 75001 Paris
Tél. *01 55 35 33 57.*
Fax *01 42 61 00 96.*
www.compagniesdumonde.com

Maison de la Chine
76 bis rue Bonaparte 75006 Paris
Tél. *01 40 51 95 00.*
Fax *01 46 33 73 03.*

1 Dongdan Bei Da Jie, Dongcheng District, Beijing 10005
Tél. *(8610) 8522 7500.*
Fax *(8610) 8511 6009.*
www.maisondelachine.fr

Voyageurs en Chine
Tél. *0892 237 979.*
Fax *01 42 61 14 93.*
www.vdm.com

Déserts
www.deserts.fr

Terres d'aventure
www.terdav.com

Nomade aventure
www.nomade-aventure.com

Couleurs Sables
www.couleurs-sables.com

Cheval d'aventure
www.cheval-daventure.com

Cavaliers du monde
www.cavaliers-du-monde.com

Wild China
Oriental Palace, chambre 801, 9 East Dongfang Road, North Dongsanghuan Road, Chaoyang District, Pékin, PRC 100027.
Tél. *(010) 6465 6602.*
Fax *(010) 6465 1793.*
www.wildchina.com

CIRCUITS CYCLISTES

Bike China Adventures
6 Yi Guan Miao Fang Cao Jie, Wangfu Huayuan 64-1-17, Chengdu, Sichuan, PRC 610041.
Tél. *1-800 818 1778 (gratuit), 138 8226 6575.*
www.bikechina.com

ÉCOTOURISME

Northwest Yunnan Ecotourism Assoc.
www.northwestyunnan.com

RENSEIGNEMENTS PRATIQUES

LA CHINE MODE D'EMPLOI

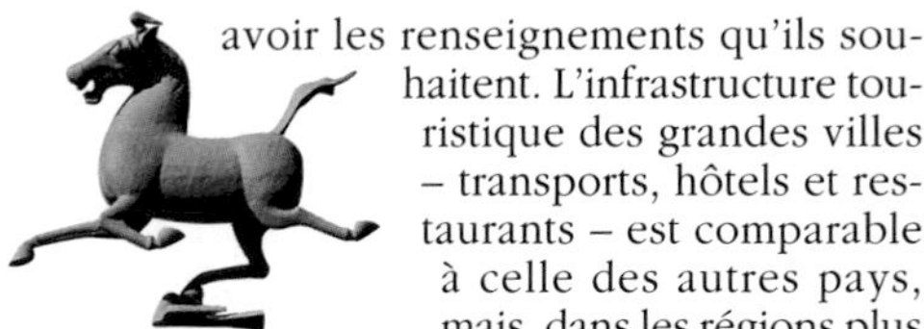

Symbole du ministère chinois du Tourisme

Le tourisme chinois est en plein essor, tant au plan international que domestique. Si la qualité des services s'améliore peu à peu, certains des sites les plus reculés restent difficiles d'accès pour les voyageurs individuels, et les sites les plus accessibles ont l'inconvénient d'être très fréquentés, surtout en été. Les centres d'information touristique n'existant pas en Chine, les visiteurs doivent s'en remettre à la réception de leur hôtel pour avoir les renseignements qu'ils souhaitent. L'infrastructure touristique des grandes villes – transports, hôtels et restaurants – est comparable à celle des autres pays, mais, dans les régions plus isolées, l'hébergement est plutôt basique. Les visiteurs rencontreront des problèmes de communication car l'usage de l'anglais se limite généralement aux circuits organisés, aux hôtels quatre et cinq étoiles et aux restaurants touristiques.

QUAND PARTIR

Malgré les disparités climatiques, le printemps et l'automne sont les meilleures saisons pour visiter la Chine. L'été (juin-septembre) est la haute saison touristique et mieux vaut éviter cette période si vous n'aimez pas la chaleur – (le Nord est très chaud, le Sud étouffant et la région du Yangzi chaude et humide). Quant à l'hiver, il est glacial dans le Nord, surtout dans le Nord-Est, mais plus agréable dans le Sud, notamment sur l'île de Hainan et au Yunnan. Vous trouverez un tableau des températures et des précipitations aux pages 48-49. Un voyage programmé à une période de fêtes *(p. 44-47)* peut être une expérience amusante et haute en couleur. Sachez néanmoins que vous risquez d'avoir des difficultés pour trouver des places dans les avions, les trains et les bus car la moitié de la Chine est en voyage elle aussi à ces périodes de l'année ; il y a foule dans les sites touristiques et les tarifs montent en flèche dans les hôtels.

À EMPORTER

Vous emporterez des vêtements différents suivant la période à laquelle vous partez. De novembre à mars, vous aurez besoin dans le Nord d'un blouson, de gants, de pull-overs, de chaussettes chaudes, de collants Thermolactyl, de grosses chaussures et de baume pour les lèvres, et dans le Sud (y compris Hong Kong) de pull-overs. En été, quelle que soit la région, il faut prévoir chemises ou T-shirts, pantalons fins (les shorts conviennent également, bien qu'ils soient très peu portés en Chine), imperméable, chapeau de soleil, déodorant. La trousse de pharmacie, le canif et la lampe de poche sont utiles en toute saison.

Jardin de thé de Chengdu

RÉSERVATIONS

Les réservations de chambre d'hôtel sont obligatoires pendant les fêtes du 1er mai, du 1er octobre et peut-être aussi au nouvel an chinois. En réservant en ligne, vous pourrez bénéficier de tarifs avantageux. Les billets de train (hormis les trains intercités) doivent s'acheter quelques jours à l'avance car les places ne sont pas nombreuses (cinq jours maximum avant la date du départ). Il n'est pas utile de réserver vos places de bus ou d'avion, sauf en période de fêtes.

VISAS ET PASSEPORTS

Visa et passeport sont nécessaires pour entrer en République populaire de Chine (le passeport doit être valable six mois après la date de retour). Il n'y a pas besoin de visa pour aller à Hong Kong et Macao. Les ambassades et consulats de Chine délivrent un visa standard à entrée unique d'une durée de 30 jours, mais il existe aussi des visas à entrées multiples pour 60 ou 90 jours. Aucun visa n'est délivré à la frontière. Dans le formulaire de demande de visa, vous devrez indiquer les régions que vous souhaitez visiter, cependant, évitez de citer le Tibet ou le Xinjiang (même si vous avez l'intention de vous y rendre) car on risque de vous poser des tas de questions sur le but

◁ Bicyclettes dans une rue de Pékin

de votre voyage. La liste que vous fournirez ne vous engage pas de toute façon. Ayez toujours votre passeport sur vous : c'est un document essentiel pour vous présenter dans un hôtel et la police (Public Security Bureau ou PSB en anglais) *(p. 616)* peut exiger de le voir. Faites une photocopie des premières pages et de la page du visa pour le cas où il serait perdu ou volé. Les visas peuvent être parfois prolongés de 30 jours par le service étranger de n'importe quel commissariat de police (PSB). Sachez que vous risquez une lourde amende si vous dépassez la durée autorisée.

PERMIS

La plupart des régions chinoises sont accessibles aux voyageurs, mais un permis (délivré par un commissariat de police ou PSB) peut être nécessaire pour Lushun (Liaoning), Xanadu (Mongolie intérieure) et quelques tronçons de la Shennong (Hubei). Pour l'ouest du Sichuan, il est conseillé de se renseigner auprès d'un commissariat. Les permis pour le Tibet sont délivrés par le Tibetan Tourism Bureau (TTB) à ceux qui veulent sortir de la préfecture de Lhassa ; ils auront aussi besoin d'un permis délivré par la police.

AMBASSADES ET CONSULATS

Il existe des ambassades de presque tous les pays à Pékin et des consulats à Hong Kong, Shanghai et Canton, ainsi qu'à Chengdu, Chongqing, Qingdao et Dalian pour certains pays. Les consulats peuvent délivrer un nouveau passeport et prêter assistance aux voyageurs en cas de perte ou de vol, d'hospitalisation ou d'incarcération. Votre hôtel peut vous mettre en contact avec votre ambassade ou votre consulat. Consultez également le site *www.travelchinaguide.com*.

DOUANE

Les visiteurs étrangers ont le droit d'importer deux litres de vin ou d'alcool fort, 400 cigarettes et un certain poids en or et en argent. Les devises étrangères d'un montant supérieur à 5 000 dollars US, ou équivalent, doivent être déclarées. Sont interdits les fruits frais, les espèces animales et végétales rares, les armes et les munitions. La législation chinoise interdit l'exportation des plantes médicinales et des antiquités datant d'avant 1795 (un sceau officiel doit être apposé sur celles postérieures à cette date). Même si on laisse les étrangers à peu près en paix, il n'est pas conseillé à ces derniers de prendre part à des discussions sur des problèmes politiques, surtout dans des régions sensibles comme le Tibet, où des confiscations de livres ont déjà été rapportées.

Trépied en bronze (dynastie Shang)

VACCINATIONS

Assurez-vous que vos vaccinations antitétanos et antipolio sont à jour. Les vaccins contre l'hépatite A, l'hépatite B et la typhoïde sont conseillés. Les visiteurs venant de pays où la fièvre jaune est endémique doivent fournir la preuve de leur vaccination. Un traitement antipaludique est recommandé pour aller dans les régions rurales, tels le Yunnan et le Hainan, de même que la vaccination contre l'encéphalite japonaise. Pour des informations supplémentaires, consultez le site *www.mdtravelhealth.com*.

ASSURANCES

Avant de partir, il est conseillé de souscrire une assurance offrant une protection en cas d'urgence médicale ou de vol, et de vérifier auprès de votre assureur qu'elle est valable en Chine. Elle couvrira la perte des bagages, des billets d'avion et dans une certaine mesure celle des billets de banque et des chèques de voyage. Prenez une assurance qui couvre les activités sportives ou de plein air que vous êtes susceptible de pratiquer pendant votre voyage, mais qui exclut ce dont vous n'avez pas besoin.

ADRESSES

CHINA INTERNATIONAL TRAVEL SERVICE (CITS)

www.cits.net

Pékin
28 Jianguo Men Wai Jie.
***Tél.** (010) 6515 8587.*

Dalian
Central Plaza Hotel,
145 Zhongshan Lu.
***Tél.** (0411) 8368 7843.*

Canton
185 Huanshi Xi Lu.
***Tél.** (020) 8666 6889.*

Shanghai
1277 Beijing Xi Lu.
***Tél.** (021) 6289 8899.*

Suzhou
251 Ganjiang Xi Lu.
***Tél.** (0512) 6515 1369.*

Xi'an
50 Chang'an Bei Lu.
***Tél.** (029) 8524 1864.*

Formations de roches *taihu* du jardin Yu à Shanghai

INFORMATION TOURISTIQUE

Des offices du tourisme de Chine se sont ouverts récemment dans des pays étrangers, mais vous ne trouverez pas de bureaux d'information touristique en Chine, hormis dans les plus grandes villes. Ceux de Pékin et de Shanghai sont souvent sous-équipés et les employés peu fiables, mais ils mettent toutefois à disposition des plans gratuits.

Destiné à l'origine à répondre aux besoins et aux questions des visiteurs étrangers, le **China International Travel Service** (CITS) *(p. 611)*, agréé par l'État, ne propose rien d'autre aujourd'hui que des circuits organisés, des billets de transport et des locations de voiture. Quelques organismes d'État installés à l'étranger sont chargés de promouvoir le tourisme en Chine, mais leur préoccupation est plutôt d'orienter les clients vers les circuits organisés ou les hôtels standard.

DROITS D'ENTRÉE

L'entrée dans les sites touristiques chinois est presque toujours payante. La majorité des temples et des parcs nationaux, ainsi que la totalité des musées, palais, monuments historiques, montagnes sacrées et réserves naturelles font payer l'entrée.

Dans les temples, le prix va de 5 à 40 yuans, mais partout ailleurs les tarifs sont très variables. Il est difficile de comprendre où va cet argent vu que beaucoup de temples et de monuments sont en très mauvais état.

Encore récemment, les visiteurs non chinois payaient plus cher, mais, bien que les choses aient plus ou moins changé, il arrive que les étrangers soient obligés de payer un supplément. Dans les parcs et les temples, un seul ticket d'entrée *(men piao)* est délivré, mais vous devrez peut-être acheter des billets complémentaires pour accéder à d'autres parties du site. Ailleurs, vous pourrez acheter un ticket global *(tao piao)*.

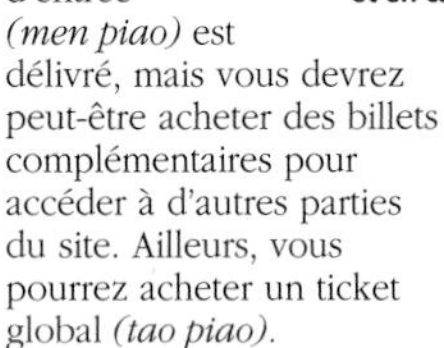

Panneau de signalisation en *pinyin* et en caractères chinois

Les consignes peuvent également s'avérer payantes. La billetterie ferme 30 minutes avant la fermeture.

À l'entrée des principaux sites se trouve toujours une multitude de guides qui vous assailliront, même si vous n'êtes pas intéressé. Vérifiez le niveau de leur anglais car, bien souvent, ils se contentent de réciter un texte en guise de commentaire et sont incapables de répondre à vos questions.

JOURS FÉRIÉS ET HEURES D'OUVERTURE

Même si le jour de l'an international (1er janvier) est férié en Chine, les grandes fêtes du pays sont le nouvel an chinois lunaire (fête du Printemps), le 1er mai (fête du Travail) ainsi que le 1er octobre (fête nationale).

Chaque fête dure officiellement trois jours. Cependant, la plupart des entreprises et des banques restent fermées durant sept jours. Les sites touristiques, en revanche, sont ouverts pour les visiteurs durant cette période. Prenez garde, les tarifs dans les hôtels augmentent dans tout le pays en ces périodes d'affluence.

LANGUE

La langue officielle en Chine est le *putonghua* (littéralement « langue commune »), fondé sur le dialecte parlé à Pékin et connu à l'étranger sous le nom de mandarin.

Le *putonghua* n'est propre à aucune région particulière ; c'est une langue véhiculaire qui permet aux Chinois parlant des dialectes divers de communiquer entre eux et, contrairement au cantonais, il est utilisé dans toute la Chine.

Pour le moment, l'anglais est peu usité en dehors des hôtels et des grandes villes, la grande majorité des Chinois ne le comprenant pas. La difficulté du *putonghua* réside dans les tons. L'alphabet phonétique chinois, ou *pinyin*, transcrit en lettres latines, aide à reconnaître ces tons au moyen de signes diacritiques.

Quelques expressions utiles en *putonghua* figurent à la fin de cet ouvrage, aux pages 668 à 672.

PERSONNES À MOBILITÉ RÉDUITE

La Chine n'est pas une destination conseillée pour les personnes en fauteuil roulant. Dans les transports publics et les hôtels, les aménagements pour les personnes handicapées sont toujours très sommaires, sauf à Hong Kong et peut-être aussi à Macao. Les bâtiments publics et les endroits à visiter sont rarement équipés de rampes. Les trottoirs dans les

Façade du musée d'Histoire du Shaanxi à Xi'an

villes sont très hauts (donc difficiles d'accès) et parsemés d'obstacles, sans parler des trous dans le revêtement.

Les passages pour piétons étant rares dans les villes, ceux-ci doivent emprunter les passerelles ou bien se frayer un chemin au milieu de la circulation. Seuls les hôtels de catégorie supérieure disposent de chambres spécialement aménagées et la plupart des hôtels de plus de deux étages ont un ascenseur.

Enfants avec leurs parents à la table d'un restaurant

AVEC DES ENFANTS

Les Chinois adorent les enfants, et ces derniers sont généralement bien accueillis. Même si les endroits pour changer les bébés sont extrêmement rares et si très peu de restaurants mettent à disposition des chaises hautes, un voyage avec de jeunes enfants peut présenter des avantages, dans la mesure où, la plupart du temps, la population se pliera en quatre pour vous être agréable.

Les supermarchés des villes vendent des couches, des lingettes, du lait et autres aliments pour bébé (sachez que ces derniers sont néanmoins plus sucrés et presque toujours en conserve).

Les Chinois donnent très rarement des tétines physiologiques à leurs enfants, mais vous en trouverez dans les grands magasins. Pensez à apporter des couverts en plastique, car certains restaurants n'ont que des baguettes à proposer.

Fiches à deux et trois broches

APPAREILS PHOTO

Vous trouverez facilement des magasins pour s'occuper du tirage et du développement de vos photos dans les grandes villes. Pour les appareils argentiques, vous vous procurerez principalement des pellicules couleurs de 100 ISO. Seuls les magasins spécialisés vendent des pellicules en noir et blanc. Des piles au lithium sont disponibles dans les grands magasins, mais mieux vaut apporter les vôtres. Pour les appareils numériques, vous trouverez un peu partout des magasins pour faire transférer vos photos sur CD et pour acheter des cartes mémoire.

Vous n'aurez pas de problème en général pour prendre les gens en photo, mais il est toutefois recommandé de leur demander d'abord leur accord. Les photos sont rarement autorisées dans les salles des temples et des musées ou sur les sites archéologiques. Des panneaux en anglais signalent les endroits où il est interdit de prendre des photos. Si vous n'en voyez pas, posez quand même la question. En prenant une photo ayant trait à une question politique délicate, vous prenez le risque de vous faire confisquer votre pellicule et il va sans dire qu'il est interdit de photographier les installations militaires, les aéroports, les ports et les voies ferrées. Les photos aériennes sont également interdites, mais ces règlements sont rarement mis en application, sauf pour les installations militaires.

ÉLECTRICITÉ

En Chine, le courant est en 220 volts. Les prises électriques sont de différentes sortes : à deux ou trois douilles plates, ou à trois douilles carrées. Il est donc recommandé de vous munir d'un adaptateur universel que vous pourrez aussi acheter dans les grandes villes chinoises. Un onduleur protégera votre ordinateur portable contre les sautes de tension qui sont assez fréquentes en Chine.

Mieux vaut par ailleurs éviter d'acheter des piles bon marché sur place, car elles sont de courte durée. Achetez plutôt des piles rechargeables et un chargeur que vous dénicherez un peu partout. Les coupures d'électricité étant chose courante en Chine, il est sage d'emporter une lampe de poche avec vous.

HEURE ET CALENDRIER

Bien que couvrant quatre fuseaux horaires, la Chine a adopté une heure unique et il n'y a pas de changement d'heure en été. L'heure est la même partout, y compris à Lhassa et à Ürümqi, qui se trouvent à la même latitude que des pays qui ont deux ou trois heures de retard sur la Chine. Le décalage avec la France est de + 6 ou 7 heures, avec le Québec et les Antilles de + 12 ou 13 heures, de – 2 ou 3 heures avec la Nouvelle-Calédonie. Les fêtes légales sont fondées sur le calendrier grégorien international, bien que le calendrier luni-solaire serve encore pour calculer la date des fêtes traditionnelles.

Savoir-vivre

Malgré une modernisation rapide, la société chinoise reste une société traditionnelle régie par les valeurs familiales. Même si les villes donnent une impression de modernité à l'occidentale, leurs habitants sont conservateurs et profondément attachés à la famille. Les valeurs confucéennes préconisent le respect des aînés et des personnes en position d'autorité. La religion est une part importante de la vie des Chinois mais tout à fait distincte de leur vie sociale. Les Chinois sont avant tout des gens accueillants et généreux dont l'hospitalité surprend souvent les visiteurs. Si vous êtes invité chez quelqu'un, une boîte de chocolats, une bouteille de vin français ou une cartouche de cigarettes seront très appréciées.

SALUTATIONS

Les Chinois entre eux n'ont pas l'habitude d'échanger une poignée de main, mais il se peut qu'un Chinois serre la main d'un visiteur étranger ou qu'il trouve naturel que celui-ci lui serre la main. Le contact physique en revanche est une chose courante entre amis, même de sexe identique. Il est très fréquent de voir des jeunes hommes marcher en se tenant par le bras ou par l'épaule. Pour saluer, les Chinois disent habituellement *ni hao* (comment vas-tu ?) ou *ni men hao* au pluriel, auquel vous répondrez *ni hao* ou *nimen hao* (la forme de politesse est *nin/ninmen hao*). Ils peuvent être très directs et n'hésiteront pas à vous demander combien vous gagnez, quel âge vous avez ou si vous êtes marié. Ces questions ne montrent rien de plus que leur sympathie à votre égard. Lors de l'échange de cartes de visite à l'issue de la première rencontre, celle-ci se présente avec les deux mains en signe de politesse et se reçoit de la même façon. Emportez les vôtres (imprimées en chinois au recto et en anglais au verso) car vous aurez de nombreuses occasions d'en donner.

LANGAGE DU CORPS

À trente ou quarante ans, les Chinois s'habillent de manière conventionnelle, dans des couleurs discrètes comme le marron et le noir. Dans les villes, les gens portent jeans, jupes et T-shirts et beaucoup de jeunes ont les cheveux colorés. Les Chinois jugent naturel que les visiteurs étrangers aient une tenue et une conduite ostentatoires. Portez ce que vous voulez, évitez seulement d'avoir l'air débraillé. Le short pour hommes et pour femmes est admis quand il fait chaud. Sur les plages, le nudisme et les seins nus sont rares car la culture de la plage n'est pas très développée en Chine.

« NE PAS PERDRE LA FACE »

Les Chinois sont des personnes réservées qui possèdent un grand sens de l'honneur. Garder sa fierté et éviter la honte, c'est pour eux « ne pas perdre la face ». À l'opposé, le fait de « perdre la face » *(mianzi)* les met dans un grand embarras. Donc, même si la lenteur bureaucratique peut parfois vous agacer, sachez que vous risquez d'aggraver les choses en manifestant votre mécontentement.

LIEUX DE CULTE

Conseils pour faire brûler l'encens

Il n'y a pas de règlement en matière de tenue vestimentaire dans les temples bouddhiques, taoïstes ou confucéens, mais, dans les mosquées, évitez les shorts et les minijupes et couvrez vos bras au moins jusqu'aux coudes. Si dans les temples les visiteurs peuvent déambuler librement, ils doivent respecter les fidèles. Vérifiez si les photos sont autorisées à l'intérieur des salles (elles sont souvent interdites, mais pas à l'extérieur en général). Certains temples bouddhiques et taoïstes étant encore en service, montrez-vous respectueux à l'égard des moines résidents.

CONVENANCES

Si vous êtes invité au restaurant, attendez-vous à ce que vos hôtes insistent pour payer l'addition (il n'est pas coutumier de partager la note). Il est bien que vous proposiez de payer, votre proposition sera appréciée mais presque certainement déclinée. Les Chinois évitant de parler de politique, imitez-les.

Cour du temple du Bouddha de Jade à Shanghai

PETITS TRACAS

L'habitude des Chinois de vous regarder fixement, surtout dans les petites villes et les régions rurales, peut être pénible, mais sachez qu'en général cela ne dénote aucune hostilité de leur part. Avant les années 1990, cet usage avait cours aussi à Pékin, nous rappelant que jusqu'au début des années 1980 la Chine était un pays fermé aux étrangers. Vous entendrez dans les petites villes les gens vous crier «hellooo» ou «*laowai*» (étranger). Le mieux est de les ignorer ou de leur sourire car en leur répondant «hello», vous risquez de provoquer l'hilarité générale. Dans les grandes villes, les gens engageront souvent la conversation pour pratiquer leur anglais. Même si les files d'attente commencent à remplacer la mêlée générale devant les billetteries, attendez-vous à une belle bousculade !

Depuis l'épidémie du syndrome respiratoire aigu sévère (SRAS) en 2002, les organisations de santé publique font des efforts pour mettre fin à l'habitude que les Chinois ont de cracher par terre. Cette pratique reste assez répandue dans les campagnes et il n'est pas impoli de cracher au milieu d'une conversation. Ne vous offusquez pas !

TABAC ET ALCOOL

La Chine, 1er producteur et 1er consommateur de cigarettes *(xiangyan)*, est le paradis des fumeurs. Malgré l'apparition des zones non-fumeurs et les campagnes antitabac rudimentaires, les villes sont envahies par la fumée des cigarettes. Il est interdit aujourd'hui de fumer sur les vols intérieurs et dans les trains (à l'exception des couloirs), mais, dans les zones rurales, les bus sont remplis de fumée. Les hôtels quatre et cinq étoiles ont en général des étages non-fumeurs, inexistants dans les hôtels de catégorie inférieure.

Bric-à-brac d'un marché de rue à Tianjin

Fumer pendant le repas est admis, surtout s'il y a d'autres fumeurs. Les Chinois sont très généreux quand il s'agit d'offrir des cigarettes ; n'oubliez pas de leur rendre la pareille. Ils aiment aussi l'alcool et boire modérément n'est pas un tabou. Aux repas, ils boivent ordinairement de la bière *(pijiu)* ou de l'alcool blanc *(baijiu)*. Le vin *(putaojiu)* est rare, mais présent dans les restaurants servant de la cuisine occidentale. Si quelqu'un lève son verre en votre honneur *(ganbei !)*, il est de bon ton de lui porter un toast en retour.

Bouteille d'alcool blanc ou *baijiu*

MARCHANDAGE

Les étrangers doivent impérativement marchander *(jiangjia)*. Sur les marchés et là où les prix ne sont pas affichés, les commerçants leur demandent souvent un prix excessif, voire exorbitant. Dans certains restaurants, les prix de la carte en anglais sont plus élevés que ceux de la carte en chinois ! Le tarif d'une chambre d'hôtel peut se négocier, surtout en basse saison. Inutile d'être agressif, il suffit d'annoncer son prix – réaliste – d'un ton ferme et de partir si le vendeur n'est pas d'accord. Une fois qu'il comprend qu'il est en train de perdre un client potentiel, le commerçant accepte souvent le prix que vous lui proposez. Les prix dans les magasins de grande taille et les magasins d'État *(guoying shangdian)* sont fixes.

POURBOIRE

Le pourboire *(xiaofei)* est une chose rare en Chine, à Hong Kong ainsi qu'à Macao, et vous n'êtes donc pas obligé d'en laisser un ; d'ailleurs, les gens n'en attendent pas. Certains grands restaurants incluent le service dans la note.

MENDICITÉ

Le déséquilibre de la croissance économique et l'énorme pourcentage de population rurale pauvre en Chine font que l'on y voit beaucoup de mendiants, surtout dans les villes. Les étrangers attirent bien sûr leur attention et les parents envoient souvent leurs enfants leur réclamer de l'argent. La meilleure stratégie est de les ignorer.

Mendiant en costume bouddhiste à Lhassa

Sécurité et santé

La police chinoise a pour nom *gonganju* ou Public Security Bureau (PSB) en anglais. Les ressortissants étrangers s'adresseront à elle pour prolonger leur visa, demander un permis pour une région à l'accès réglementé ou faire une déclaration de perte ou de vol. Le personnel des commissariats *(paichusuo)* ne parlant pas toujours anglais, essayez de vous faire accompagner par un interprète, mais le mieux est de contacter votre ambassade ou votre consulat. La Chine est un État policier où la bureaucratie et la corruption vont de pair. Prenez toujours la précaution de mettre objets de valeur et documents importants dans un endroit sûr, de choisir des hôtels et des restaurants propres et de boire uniquement de l'eau minérale en bouteille cachetée. Pour vous faire soigner, choisissez de préférence une clinique privée.

Dans le quartier commerçant de Causeway Bay, à Hong Kong

PRÉCAUTIONS GÉNÉRALES

D'une manière générale, les voyageurs sont en sécurité en Chine. Même si la criminalité a augmenté depuis la libéralisation économique des années 1980 avec l'afflux dans les villes de millions de personnes sans travail, les visiteurs étrangers ne courent aucun risque en dehors des vols mineurs. Les touristes dans les bus et les trains, surtout dans les wagons à sièges durs *(p. 629)* et les trajets de nuit, sont des cibles tentantes pour les voleurs. Surveillez votre appareil photo et vos objets de valeur, portez en permanence une ceinture portefeuille et, quand vous prenez un train de nuit, mettez vos bagages dans les porte-bagages. Les chambres d'hôtel sont beaucoup plus sûres que les dortoirs. Utilisez le coffre ou la consigne de votre hôtel et insistez pour vous faire délivrer un reçu. Si vous êtes en dortoir, ne laissez aucun objet ou document de valeur et veillez à ne pas donner trop de détails en parlant avec les autres occupants. Dans la rue, évitez d'avoir sur vous des choses de valeur ou qui attirent l'œil, et gardez votre porte-monnaie au fond d'un sac – en aucun cas dans votre sac à dos. Soyez discret en ouvrant votre porte-monnaie – emportez seulement l'argent dont vous avez besoin pour la journée. Surveillez vos affaires dans les toilettes publiques pour éviter les mésaventures.

Rangez billets de banque, chèques de voyage, passeports et documents de visa dans une ceinture porte-feuille – les modèles de forme plate qui se portent sous les vêtements sont les plus adaptés. Photocopiez les premières pages de votre passeport, celles de votre visa et tous les autres documents importants ; rangez les photocopies à part.

Agent du PSB à Pékin

SÉCURITÉ DES PERSONNES

Depuis les attaques du 11 septembre 2001, la sécurité a été renforcée dans toute la Chine, et plus particulièrement dans les aéroports et les gares ferroviaires. Ayez toujours votre passeport sur vous en cas de contrôle d'identité.

FEMMES VOYAGEANT SEULES

La Chine passe pour être une destination très sûre pour les femmes seules. Les hommes dans ce pays étant respectueux des femmes en général, le risque de harcèlement sexuel est faible. Cela dit, les voyageurs seuls risquent davantage de se faire agresser que ceux en groupe. Les voyageuses en solo doivent donc être vigilantes, surtout dans les zones rurales et les régions reculées, en évitant les endroits déserts, particulièrement la nuit.

Sur le plan vestimentaire, le mieux est d'observer la tenue et la conduite des femmes autochtones et de faire son possible pour les imiter. Une tenue décente, surtout dans les régions musulmanes et les régions rurales, est préférable.

Les femmes seules choisiront un hôtel proche du centre-ville – où les rues sont mieux éclairées – et s'abstiendront de dormir en dortoir. Un sifflet ou quelques rudiments d'autodéfense leur permettront d'éviter les rencontres indésirables.

VOYAGEURS HOMOSEXUELS

Le milieu gay et lesbien gagne du terrain à Shanghai et à Hong Kong. L'homosexualité a été rayée de la liste des troubles mentaux par la Société de psychiatrie chinoise en 2001 et elle est aujourd'hui légale mais réprouvée par la société chinoise, qui reste très conventionnelle. Aucune loi ne protège les gays ni les lesbiennes et des descentes de police ont lieu périodiquement sur leurs lieux de rencontre. Malgré les relations tactiles qu'entretiennent les Chinois entre amis du même sexe, il est déconseillé aux voyageurs homosexuels de parler de leur orientation sexuelle, même dans les grandes villes.

ÉQUIPEMENT MÉDICAL

Il est important de souscrire une bonne assurance médicale avant le départ. La qualité des hôpitaux publics *(yiyuan)* est très variable, les mieux équipés se trouvant dans les grandes villes, mais des problèmes de langue peuvent se poser.

Dans les villes accueillant d'importantes communautés d'expatriés, on trouve des cliniques privées avec du personnel parlant anglais. Pensez à vous procurer la liste des hôpitaux agréés auprès de votre ambassade.

Enseigne de pharmacie

D'une manière générale, les soins médicaux sont assez bon marché, mais beaucoup d'hôpitaux peuvent prélever un « supplément pour étrangers », qui peut être la garantie d'une meilleure qualité de soins.

Où que vous alliez, on vous demandera de payer au moment de votre admission.

Il y a des pharmacies *(yaodian)* un peu partout, signalées par une croix verte. Elles vendent des produits de la médecine chinoise *(zhong yao)* et de la médecine occidentale *(xi yao)* et peuvent vous soigner pour des blessures et des affections mineures. Emportez les médicaments qui vous ont été prescrits en quantité suffisante, ainsi que l'ordonnance avec le nom chimique et la dénomination internationale de chacun d'eux au cas où il faudrait en racheter. À Pékin et à Shanghai, antibiotiques et somnifères sont parfois délivrés sans ordonnance.

Quelques grands hôtels ont leur clinique où les clients peuvent se faire établir un diagnostic, recevoir une prescription et des soins. Les grands hôtels modernes pourront vous faire accompagner à l'hôpital par une personne chinoise parlant anglais. Les adeptes de la médecine chinoise *(p. 232)* peuvent aller consulter dans les instituts traditionnels rattachés aux hôpitaux et dans les facultés de médecine pour les affections chroniques.

TOILETTES PUBLIQUES

Les toilettes publiques en Chine sont dotées d'un siège à la turque et du genre sale et sordide. Elles sont rarement nettoyées – à l'exception des toilettes gardées – et manquent totalement d'intimité : les W.-C. sont séparés par un simple muret, sans aucune porte. Le papier hygiénique y étant rare, n'oubliez pas d'emporter le vôtre et de le jeter dans le récipient prévu à cet effet et non dans la cuvette, car le système de fosse sceptique est rarement destiné à recevoir le papier. Vous êtes censé payer quelques *jiao* en sortant. Utilisez les toilettes des hôtels et des fast-foods chaque fois que vous le pouvez.

Panneau indicateur de toilettes publiques

CONSEILS D'HYGIÈNE

Quelques précautions sont nécessaires en matière d'hygiène. Emportez toujours avec vous du savon ou un gel désinfectant. Les boîtes de lingettes sont aussi très pratiques.

Les verrues s'attrapent facilement dans des douches mal nettoyées. Vous trouverez souvent sous le lit de votre chambre d'hôtel des tongs destinées à la douche, mais vous pouvez aussi prévoir d'emporter les vôtres.

ADRESSES

NUMÉROS D'URGENCE

Police 110. Pompiers 119. Ambulance 120.

HÔPITAUX

Pékin
Hong Kong International Medical Clinic, 8e étage, Office Tower Hong Kong Macao Center, Swisshotel, 2 Chaoyang Menbei Dajie.
Tél. *(010) 6501 4260.*
www.hkclinic.com.
Hong Kong International Medical Clinic, 8e étage, Office Tower Hong Kong Macao Center, Swisshotel, 2 Chaoyang Menbei Dajie.
Tél. *(010) 6462 9112 et (010) 6462 9100 (24h/24).*

Canton
Can-Am International Medical Center, 4e étage, Garden Tower, Garden Hotel, 368 Huanshi Donglu. 368 Huanshi Dong Lu.
Tél. *(020) 8387 9057.*

Hong Kong
Queen Elizabeth Hospital, 30 Gascoigne Road, Yau Ma Tei.
Tél. *(0852) 2958 8888.*

Shanghai
New Pioneer International Medical Center (24 h/24), 1er étage, Geru Building, 910 Hengshan Lu.
Tél. *(021) 6469 3898.*

AMBASSADES À PÉKIN

France
3 Sanlitun Dongsanjie, Chaoyang
Tél. *(010) 8532 8181.*
Fax *(010) 8532 8109.*

Belgique
6 Sanlitun, Chaoyang
Tél. *(010) 6532 1736.*

Canada
19 Dongzhimenwai
Tél. *(010) 6532 3536.*
Fax *(010) 6532 4072.*

Suisse
3 Sanlitun East, 5th Street
Tél. *(010) 6532 2736.*

SANTÉ ET VOYAGE

MD Travel Health
www.mdtravelhealth.com

Santé Voyages
83-87 av. d'Italie
75013 Paris
Tél. *01 45 86 41 91.*
Fax *01 45 86 40 59.*
www.santé-voyages.com

Terrasse ombragée au Jardin botanique de Hangzhou, province du Zhejiang

CHALEUR, HUMIDITÉ ET POLLUTION

En été, il fait chaud dans toute la Chine ; il faut boire abondamment pour éviter la déshydratation et manger plus salé pour compenser les effets de la transpiration. Portez des vêtements en coton qui ne serrent pas, un chapeau, des lunettes de soleil et appliquez une crème antisolaire. La plupart des hôtels (hormis les hôtels très bon marché) et pratiquement tous les restaurants sont climatisés. Une exposition prolongée au soleil peut provoquer une insolation avec fièvre, maux de tête et confusion mentale. Pour éviter les rougeurs dues à la chaleur et les infections fongiques provoquées par l'humidité, portez des vêtements en fibre naturelle et des sandales découvertes.

Dans beaucoup de villes, notamment à Pékin, le taux de pollution atmosphérique est élevé, ce qui aggrave les infections respiratoires. Les asthmatiques devront toujours avoir leurs médicaments avec eux.

FROID ET HYPOTHERMIE

L'hiver peut être rigoureux dans la majeure partie du nord de la Chine. À haute altitude, le froid est extrême et ceux qui se rendent au Tibet et autres régions montagneuses doivent se préparer à un brusque changement de température. Les vêtements de protection contre la pluie et le vent sont indispensables. Une exposition prolongée au froid extrême peut provoquer une hypothermie avec des étourdissements, un état d'épuisement et un comportement irrationnel. Les doigts et les orteils qui deviennent blancs ou qui s'engourdissent sont les premiers symptômes de la gelure. Dans ce cas, frottez vigoureusement les mains et les pieds.

Motocycliste dans son harnachement antipollution

TROUSSE À PHARMACIE

Une trousse à pharmacie doit contenir les médicaments dont vous avez besoin ainsi que du paracétamol et des analgésiques, des comprimés pour la nausée et le mal des transports, un baume anti-fongicide, un antibiotique, un antihistaminique, un anti-diarrhéique, des solutions réhydratantes orales, un anti-moustiques et des comprimés pour purifier l'eau. Emportez également des crèmes antiseptiques, des bandages, des pansements, une paire de ciseaux, une pince fine, des seringues jetables et un thermomètre. Ces produits sont vendus dans les pharmacies chinoises.

TROUBLES INTESTINAUX ET DIARRHÉE

La diarrhée est une affection fréquente chez les voyageurs ; elle est généralement provoquée par un changement de nourriture, d'eau et de climat. La cuisine chinoise riche en huile et en épices nécessite souvent un temps d'adaptation. En cas de troubles, mieux vaudra vous en tenir à la cuisine occidentale et au riz nature jusqu'à ce que tout soit rentré dans l'ordre. Et surtout buvez abondamment afin de ne pas vous déshydrater – les solutions réhydratantes orales (SRO) sont efficaces pour cela.

Pour réduire les risques de problèmes intestinaux, évitez les crudités, les fruits épluchés, la viande froide, les brochettes cuites dans la rue, les jus de fruits frais et les yaourts. Ne buvez en aucun cas l'eau du robinet même dans les grandes villes, hormis Hong Kong.

La plupart des marques internationales de sodas sont vendues en Chine. Même si la cuisine de la rue peut être alléchante, mieux vaudra vous abstenir à moins que les aliments soient cuits devant vous.
Un bon pharmacien peut vous recommander un anti-diarrhéique standard comme l'Imodium mais si la diarrhée est forte, consultez un médecin. Le *Huangliansu* est efficace pour soigner les troubles intestinaux.

SRAS ET GRIPPE AVIAIRE

Au printemps 2003, le syndrome respiratoire aigu sévère (SRAS) s'est propagé dans toute la Chine avant d'atteindre Toronto au Canada. Le gouvernement a réussi à endiguer la maladie grâce à un programme strict d'identification et de mise en quarantaine. Ses manifestations ultérieures ont été locales et de faible ampleur. Le virus, inconnu jusqu'alors, attaque le système respiratoire supérieur, provoquant de la fièvre suivie d'une toux sèche et d'une respiration difficile. Si une autre épidémie se déclare,

Un étal de rue alléchant mais non dépourvu de risque

ce qui est peu probable, évitez la région touchée et si à votre retour vous présentez les symptômes de la pneumonie ou de la grippe, consultez immédiatement votre médecin.

La grippe aviaire est un problème grave pour l'Extrême-Orient mais es voyageurs ne sont pas vraiment concernés. N'allez pas dans les élevages de volaille, évitez les oiseaux sur les marchés à découvert et mangez des volailles et des œufs parfaitement cuits.

MALADIES SEXUELLEMENT TRANSMISSIBLES ET AUTRES MALADIES INFECTIEUSES

Les autorités chinoises ont commencé à reconnaître après de nombreuses années la vitesse alarmante de la propagation du VIH, qui est à l'origine du syndrome de l'immunodéficience acquise (SIDA) transmissible par voie sexuelle (rapports non protégés) et sanguine (drogues injectables illicites, banques de sang contaminé). Les experts prévoient 10 millions de cas de SIDA en Chine d'ici à 2010. Or les populations rurales ignorent encore très souvent la maladie et les moyens de la prévenir. Les visiteurs qui prévoient de rester longtemps en Chine doivent se soumettre à un test de dépistage du VIH.

L'hépatite B est également transmissible par la salive, par voie sexuelle et par voie sanguine, mais elle peut être prévenue par un vaccin. Si vous allez dans une clinique, assurez-vous que le médecin prend une seringue neuve (qu'il déballera devant vous) ou bien apportez-lui une seringue jetable.

MALADIES VÉHICULÉES PAR L'EAU

Les visiteurs étrangers doivent prendre des précautions contre la dysenterie. La dysenterie bacillaire s'accompagne de maux de ventre, vomissements et fièvre ; la dysenterie amibienne provoque les mêmes symptômes mais la période d'incubation est plus longue. La vaccination contre l'hépatite A est conseillée. Il existe aussi des vaccins contre des maladies véhiculées par l'eau, comme le choléra et la typhoïde. La schistosomiase ou bilharziose est causée par un ver parasite présent en Chine du Sud et centrale, que l'on évitera en s'abstenant de nager en eau douce. Buvez toujours de l'eau minérale en bouteille cachetée et évitez les glaçons.

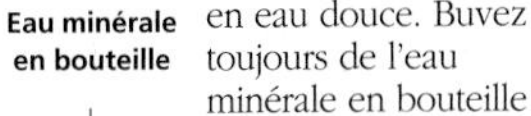
Eau minérale en bouteille

RAGE

Le virus mortel de la rage se transmet par morsure d'un animal infecté. Si vous êtes mordu, nettoyez la morsure avec une solution antiseptique et allez immédiatement chez un médecin. Le traitement antirabique comprend une série d'injections.

La vaccination est nécessaire seulement pour ceux qui doivent séjourner longtemps dans une zone à risque et être en contact avec des animaux.

MALADIES VÉHICULÉES PAR LES INSECTES

Les moustiques qui sévissent en été dans les régions tropicales du sud de la Chine peuvent transmettre un certain nombre de maladies. Un traitement antipaludéen est nécessaire pour ceux qui doivent visiter une zone à risque. Contactez Santé Voyages et consultez le site Web de MD Travel Health *(p.617)* à ce sujet. La dengue et l'encéphalite japonaise sont également véhiculées par les moustiques. Les lotions anti-moustiques pendant la journée, les vêtements longs à la tombée du jour et la moustiquaire pendant la nuit assurent une bonne protection.

MAL DE L'ALTITUDE

Le manque d'oxygène à plus de 2 500 mètres d'altitude peut provoquer le syndrome du mal aigu des montagnes (MAM) – forts maux de tête, étourdissements et perte de l'appétit. Si ces symptômes persistent pendant plus de 48 h, redescendez immédiatement à une altitude moins élevée et consultez un médecin. Pour éviter ces désagréments, il suffit de s'acclimater progressivement à l'altitude, de boire abondamment et d'éviter l'alcool et les sédatifs.

Trek sur le Chomolungma (mont Everest)

Banques et monnaie

Enseigne de banque ouverte 24 h/24

De nombreux services bancaires et de change sont à la disposition des visiteurs dans les aéroports internationaux, les grandes villes et les grands hôtels. Les chèques de voyage sont la solution la plus sûre, mais prévoyez aussi des espèces pour les transports, les restaurants et les achats, car, à l'instar de la carte de crédit, vous ne pourrez pas les utiliser partout. En dehors de Hong Kong, Macao et quelques autres grandes villes, les distributeurs automatiques (DAB) qui acceptent les cartes internationales sont difficiles à trouver.

BANQUES

La Bank of China est la plus présente sur l'ensemble du territoire. Plusieurs autres banques comme la Commercial Bank of China, la China Construction Bank et la China Merchants Bank ont un réseau national. Les établissements sont habituellement ouverts de 9 h à 12 h et de 14 h à 16 h 30 ou 17 h, du lundi au vendredi ou samedi suivant les régions. Mais toutes les banques sont fermées les trois premiers jours du nouvel an chinois et ne sont ouvertes qu'à temps partiel les autres jours de fête.

DISTRIBUTEURS AUTOMATIQUES

Si les distributeurs automatiques (DAB) acceptant les cartes étrangères sont nombreux à Hong Kong et Macao, ils sont beaucoup plus rares en Chine continentale. Mieux vaut donc ne pas miser dessus. Les DAB des réseaux internationaux tels PLUS, CIRRUS et MAESTRO se trouvent dans les grandes villes comme Pékin, Shanghai, Canton et Shenzhen, dans les agences principales de la Bank of China et dans les hôtels cinq étoiles. Certains DAB acceptent également les cartes de crédit. Le taux de change est le même que pour les règlements électroniques, mais il y a souvent un montant maximum de retrait par jour.

Distributeurs automatiques de la HSBC

CHANGE

La monnaie chinoise n'étant pas convertible, elle ne s'achète qu'en Chine et ne peut s'utiliser en dehors du territoire. Vous devrez changer votre argent à l'arrivée (la plupart des devises étrangères sont acceptées) et revendre les *yuan* ou *renminbi* qui vous restent à la fin du séjour. Pour cela, vous irez dans une banque, un bureau de change d'un aéroport international et la plupart des bons hôtels. Toutes les opérations de change étant liées à la Bank of China, les taux sont partout identiques. Conservez vos bordereaux d'achat afin de pouvoir revendre l'argent qui vous reste au retour. Il est rare que le taux de change du marché noir soit plus favorable que celui des banques.

Les dollars de Hong Kong sont convertibles et peuvent s'acheter en dehors de la Chine. Ils sont acceptés à Macao et dans la plupart des zones économiques spéciales (ZES) du sud du pays.

CARTES DE CRÉDIT

Les cartes de crédit sont généralement acceptées dans les restaurants et les hôtels de catégorie supérieure ainsi que dans les grands magasins pour touristes, mais, avant de faire un achat, assurez-vous que le commerçant accepte la vôtre. Les Mastercard, Visa, Japan Credit Bureau (JCB), Diners Club et American Express sont

ADRESSES

BANK OF CHINA

Pékin
Asia Pacific Building, 8 Yabao Lu, Chaoyang District, 100020.
1 Fuxing Men Nei Dajie, 100818.

DAB 24 h/24
Hall des arrivées, aéroport Capital.
Angle de Sundongan Plaza et Wangfujing Dajie.
Coin de l'Oriental Plaza, 1 Dongchang'an Jie.

Shanghai
39/F, Bank of China Tower, 200 Yincheng Rd, Central, Pudong, 200120.

Hong Kong
2A Des Voeux Road, Central.
24-28 Carnarvon Road, Tsim Sha Tsui.

HSBC

Pékin
Block A, Beijing COFCO Plaza 8, Jianguo Men Nei Dajie, Dong Cheng District, 100005.

Shanghai
HSBC Tower, 101 Ying Cheng East Rd, Pudong, 200120.

24-hr ATMs
Shanghai Center, 1376 Nanjing Xi Lu.

CITIBANK

Shanghai
Marine Tower, 1 Pudong Avenue, Pudong, 200120.

DAB 24 h/24
À côté du Peace Hotel, Zhongshan Donglu.

AMERICAN EXPRESS

Pékin
Pièce 2101, China World Tower One, China World Trade Center, 1 Jianguo Men Wai Dajie, 100004.

Shanghai
Pièce 206, Retail Plaza, centre-ville, 200040.

acceptées. Vous pouvez acheter des billets d'avion avec votre carte dans les bureaux de l'Administration de l'aviation civile chinoise (CAAC).

Les billets de train en revanche se règlent en espèces.

CHÈQUES DE VOYAGE

Les chèques de voyage offrent plus de sécurité que les espèces et se changent à un taux plus avantageux. Les plus utilisés sont les chèques American Express et Visa. Vous pouvez les encaisser dans les agences principales de la Bank of China et les grands hôtels (les autres hôtels et la plupart des restaurants ne les acceptent pas). Conservez les bordereaux d'achat et notez les numéros de série en cas de perte ou de vol.

Gardez aussi les bordereaux d'encaissement pour reconvertir les *renminbi* qui vous restent à la fin du séjour.

MONNAIE LOCALE

La monnaie locale est le *yuan* ou *renminbi* (« monnaie du peuple »). Le *yuan* se divise en 10 *jiao* et 100 *fen*. Dans le langage familier, le *jiao* s'appelle « *mao* » et le *yuan* « *kuai* ». Les pièces les plus courantes sont celles de 1 *yuan*, de 1 et 5 *jiao*. On trouve des billets de 1, 2, 5, 10, 20, 50 et 100 *yuan* ainsi que de 1, 2 et 5 *jiao*. Il existe également des pièces et des billets en *fen* mais qui sont rarement acceptés en raison de leur faible valeur. N'acceptez pas trop de billets abîmés car vous aurez du mal à vous en débarrasser. Vu le nombre de faux billets, les commerçants examinent toujours les grosses coupures. Le dollar de Hong Kong se divise en 100 cents et le *pataca* de Macao en 100 *avos*.

Billets de banque
Sur les plus récents figurent au recto le portrait de Mao et au verso un site connu. Sur les billets plus anciens figurent les costumes traditionnels des différentes minorités ethniques.

Billet de 1 *yuan*

Billet de 5 *yuan*

Billet de 10 *yuan*

Billet de 20 *yuan*

Billet de 50 *yuan*

Billet de 100 *yuan*

Pièces
Les pièces de monnaie chinoises en circulation ne sont pas nombreuses. Il y a celles de 1 yuan, *celles de 1 et 5* jiao *et celles (minuscules) de 1, 2 et 5* fen.

5 *jiao*

1 *jiao*

1 *yuan*

Communications et médias

Panneau indiquant un téléphone

La Chine possède un réseau postal efficace qui offre différents services tels que le courrier recommandé et le courrier express. Le réseau téléphonique permet d'appeler à l'étranger depuis tous les hôtels, à l'exception des hôtels très bon marché. Internet remporte un grand succès et on trouve des cybercafés partout. Le gouvernement qui exerce une surveillance sur la Toile peut fermer des sites jugés discutables. Les journaux et magazines étrangers sont vendus dans les hôtels cinq étoiles et peuvent eux aussi être censurés.

Cabine téléphonique accessible aux fauteuils roulants, Pékin

APPELS INTERNATIONAUX

On peut appeler l'étranger depuis la plupart des hôtels, les téléphones publics et les agences de China Telecom. Les téléphones publics des grandes villes qui acceptent un certain nombre de télécartes sont la solution la moins onéreuse pour appeler à l'intérieur de la Chine et vers l'étranger. Les cartes IC (Integrated Circuit) disponibles en 20, 50 et 100 *yuan* sont très utilisées pour le national, mais sont bien moins avantageuses pour l'international. Les cartes IP (Internet Phone) disponibles en dénominations de 100 *yuan* sont les plus économiques pour l'international.

En achetant une carte SIM chinoise que vous ferez installer sur votre téléphone après l'avoir fait débloquer, vous accéderez à un système d'appel à la minute (les Canadiens ont besoin d'un tri ou quadri-bande). Ceux qui ont un portable sans abonnement trouveront des cartes rechargeables facilement. Les prix des téléphones chinois sont modiques et les boutiques de matériel d'occasion florissantes (tous les appareils chinois ont un menu en anglais).

COURRIER ÉLECTRONIQUE ET INTERNET

Les ordinateurs personnels étant encore peu nombreux en Chine, les cybercafés *(wangba)* ont fleuri un peu partout. Leur nombre a néanmoins légèrement diminué depuis que la réglementation sur la délivrance des licences est devenue plus stricte à la suite de certains excès. Les cybercafés sont concentrés autour des campus universitaires et dans les quartiers résidentiels. Vous pouvez aussi aller dans les agences de China Telecom. À moins d'un besoin urgent, évitez d'utiliser les centres d'affaires des hôtels ou les cybercafés pour touristes, car leurs tarifs sont en général très élevés. Dans les hôtels trois étoiles et plus, l'accès à Internet haut débit est gratuit pour les clients. Le gouvernement chinois surveille étroitement la Toile, ce qui explique pourquoi certains sites sont interdits.

SERVICES POSTAUX

La poste chinoise est fiable d'une manière générale et assez rapide pour ce qui concerne le territoire national. Les délais de distribution sont de moins de 24 h en local, de 48 h ou plus en national et de 10 jours maximum en international. Lettres et cartes postales peuvent être expédiées en courrier normal ou recommandé *(guabaoxin)*. **EMS Chronopost International** est fiable pour l'envoi express de paquets et de documents en Chine et à l'étranger. Les postes principales sont ouvertes 7 j/7, de 8 h à 20 h, mais les autres bureaux de poste ferment plus tôt, ou bien à l'heure du déjeuner, ainsi que le week-end. Les grands hôtels ont habituellement un guichet de poste.

Déposez votre courrier directement dans un bureau de poste plutôt que dans une boîte aux lettres. Vous rendrez un grand service aux employés en écrivant le nom du pays de destination en caractères chinois. Les postes vendent des aérogrammes et des emballages pour colis.

Le service de poste restante est fiable quelle que soit la région. Vous aurez besoin

Dans le cybercafé Aztec, l'un des plus grands de Shanghai

Devant un kiosque à journaux

d'une pièce d'identité, de préférence votre passeport, pour retirer votre courrier. Votre nom doit figurer en lettres capitales soulignées sur l'enveloppe. En Chine, une adresse postale commence toujours par le pays, suivi de la province, de la ville, de la rue, du numéro de la rue, du nom du destinataire et enfin du code postal.

SERVICES DE MESSAGERIE

Les services de messagerie sont plus nombreux dans les grandes villes que dans les petites et les régions reculées. Pour les lettres, les documents importants et les petits paquets, il est préférable d'utiliser ces services, même s'ils sont plus chers. **United Parcel Service (UPS), Federal Express** et **DHL Worldwide Express** ont un vaste réseau international.

JOURNAUX ET MAGAZINES

L'austère *China Daily* est le journal officiel en langue anglaise, mais son contenu est pour le moins succinct. Les librairies des hôtels internationaux et les magasins Friendship vendent des journaux et des magazines français et anglo-saxons. Ceux importés continuent d'être censurés et arrivent parfois sur les présentoirs avec une page manquante. Les sites des journaux en ligne ne sont pas bloqués mais ceux des organismes de presse en ligne comme la BBC le sont. Les magazines destinés aux expatriés et aux touristes que l'on trouve à Pékin, Shanghai, Tianjin, Canton et autres grandes villes donnent les meilleures informations sur l'actualité culturelle locale.

Boîte aux lettres à Pékin

TV ET RADIO

La télévision d'État, Chinese Central Television (CCTV), possède deux chaînes anglophones, dont CCTV9 qui est acceptable malgré le manque d'objectivité de ses informations et le contenu insipide de ses émissions. CCTV4 présente aussi quelques émissions en anglais. Les chaînes du câble et du satellite étant accessibles uniquement dans les grands hôtels et les bâtiments des services diplomatiques, vous ne pourrez pas écouter les informations de TV5, de CNN ou de News n'importe où. Les émissions de la TV chinoise proposent des pièces de théâtre en costumes d'époque, des feuilletons à l'eau de rose, des documentaires sur les régions et la faune chinoises, des films de guerre et des bulletins d'informations tendancieux.

La Chine possède un vaste réseau radiophonique qui propose néanmoins très peu d'émissions en langue française ou anglaise. Vous capterez Radio France Internationale et la BBC en ondes courtes. La mauvaise réception de leurs émissions en chinois laisse supposer que celles-ci sont brouillées.

ADRESSES

DHL Worldwide Express
Tél. (010) 6466 2211
ou 800 810 8000, Pékin.
Tél. (021) 6536 2900
ou 800 810 8000, Shanghai.

Federal Express
Tél. (010) 6561 2003
ou 800 810 2338, Pékin.
Tél. (021) 6237 5134, Shanghai.

General Post Office
134 Changjiang Lu, Dalian.
Près de la tour de la Cloche, 1 Bei Dajie, Xi'an.

International Post Office
Jianguo Men Bei Dajie, Pékin.
Sichuan Bei Lu, Shanghai.

United Parcel Service
Tél. (010) 6593 2932, Pékin.
Tél. (021) 6391 5555, Shanghai.

INDICATIFS ET NUMÉROS UTILES

- De la France vers la Chine : 00 + 86 (indicatif de la Chine) + indicatif de la ville sans le premier 0 + numéro du correspondant
- De la France vers Hong Kong ou Macao : 852 ou 853 + numéro du correspondant.
- À l'intérieur de la Chine : indicatif de la ville + numéro du correspondant. Pour Pékin, faites le 010 ; pour Shanghai le 021 ; pour Canton le 020 ; pour Chongqing le 023 et pour Kunming le 0871.
- À l'intérieur d'une ville : numéro du correspondant.
- De la Chine vers l'étranger : 00 + indicatif du pays (France : 33 ; Belgique : 32 ; Canada : 1 ; Suisse : 41) + numéro du correspondant.
- Renseignements internationaux : 115
- Renseignements nationaux : indicatif de la ville + 114

ALLER EN CHINE

Pour aller en Chine, le moyen de transport le plus utilisé est l'avion, mais il y a aussi le train depuis la Russie, la Mongolie, le Kazakhstan et le Vietnam, le bus au départ du Pakistan et le ferry depuis le Japon et la Corée-du-Sud. À l'intérieur de la Chine, le réseau ferroviaire est vaste mais le nombre de places limité en période de fêtes – surtout dans les wagons-lits.

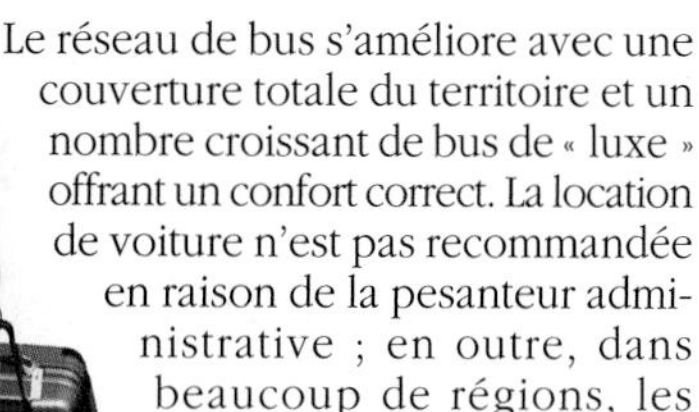
Arrivée à l'aéroport

Le réseau de bus s'améliore avec une couverture totale du territoire et un nombre croissant de bus de « luxe » offrant un confort correct. La location de voiture n'est pas recommandée en raison de la pesanteur administrative ; en outre, dans beaucoup de régions, les permis de conduire étrangers ne sont pas valables et les routes sont souvent en mauvais état.

COMPAGNIES AÉRIENNES

La plupart des compagnies aériennes vont en Chine. **Air France, British Airways** et **KLM** desservent Pékin, Shanghai et Hong Kong sur vols réguliers. La compagnie nationale **Air China**, qui propose un service à bord très basique mais un bon niveau de sécurité, assure des liaisons avec la majorité des grands aéroports du monde à des prix compétitifs. Au départ de Roissy-Charles de Gaulle, **China Eastern Airlines** assure deux vols quotidiens vers Pékin et Shanghai, et **Cathay Pacific** un vol quotidien vers Hong Kong.

Air China et China Eastern Airlines proposent des vols bon marché à destination de la Chine, ainsi que l'Aeroflot (via Moscou) et Malaysia Airlines (via Kuala Lumpur).

D'autres compagnies proposent des vols avec escale à destination de Pékin, Shanghai, Canton et Hong Kong : Finnair *via* Helsinki, Gulf Air *via* Bahrein, Lufthansa *via* Francfort ou Münich, Malaysia Airlines *via* Kuala Lumpur, Thai Airways *via* Bangkok (la compagnie dessert également Kunming, Xiamen et Chengdu).

AÉROPORTS CHINOIS

Les trois grands aéroports internationaux de la Chine sont Pékin, Shanghai et Hong Kong. Le gouvernement chinois dépense des sommes considérables pour les équiper avec la technologie la plus moderne. À Pékin, l'aéroport Capital, qui compte déjà deux immenses terminaux, en possédera un troisième pour les Jeux olympiques de 2008. Avec Hongqiao et Pudong, inauguré en 1999, Shanghai a été la première ville chinoise à se doter de deux aéroports internationaux. Macao a aussi son aéroport international sur l'île de Taipa, bien que la plupart des visiteurs arrivent en ferry depuis Hong Kong. Les autres aéroports internationaux sont Changchun (vers Nagoya, Séoul et Tokyo), Changsha (vers Séoul), Chengdu (vers Amsterdam, Bangkok, Katmandou, Singapour et Tokyo), Chongqing (vers Nagoya, Séoul et Singapour), Dalian (vers Hiroshima, Münich, Sendai, Séoul et Tokyo), Canton (vers Paris, Kuala Lumpur, Los Angeles, Sidney, Singapour et Tokyo), Guilin (vers Séoul et Bangkok), Haikou (vers Bangkok, Osaka et Séoul), Hangzhou (vers Bangkok, Séoul et Tokyo), Harbin (vers Séoul, Khabarovsk et Vladivostok), Kunming (vers Bangkok), Lhassa (vers Katmandou), Qingdao (vers Osaka, Séoul et Tokyo), Shenyang (vers Osaka et Séoul), Shenzhen (vers Bangkok, Manille et Tokyo), Tianjin (vers Nagoya et Séoul), Xi'an (vers Nagoya, Pusan, Séoul et Tokyo), Xiamen (vers Manille, Singapour, Osaka et Tokyo), Ürümqi (vers Almaty, Bichkek, Islamabad, Moscou et Novossibirsk) et Wuhan (vers Séoul).

Bus devant le hall des départs de l'aéroport de Pékin

TARIFS AÉRIENS

Les tarifs varient selon la compagnie et la période de l'année. La haute saison (la plus chère) se situe entre juin et septembre. Il est difficile de trouver des billets à un prix raisonnable pendant les fêtes nationales (nouvel an chinois, 1re semaine de mai et 1re semaine d'octobre). Même si les vols avec escale des compagnies européennes sont moins chers que les vols directs, les tarifs des deux compagnies chinoises Air China et China Eastern restent plus avantageux. Pour un voyage à long terme, vous pouvez trouver sur Internet des billets *open multistop* à prix réduits valables douze mois. Consultez les sites comparatifs de voyages.

À L'ARRIVÉE

Trois formulaires (immigration, douane et santé) sont remis à bord de l'avion aux voyageurs qui devront les remplir et les présenter aux guichets de l'immigration en même temps que leur passeport.

Dans les aéroports internationaux chinois, vous trouverez des bureaux de change, des distributeurs de billets, des téléphones publics, une consigne, des restaurants (chers), des boutiques et des toilettes publiques. Les bureaux d'information touristique ne sont pas toujours d'une grande utilité pour les étrangers car bien souvent le personnel ne parle qu'un anglais rudimentaire.

Modèle de récépissé de taxe d'aéroport

QUITTER L'AÉROPORT

Des trains express ou des bus desservent le centre des villes depuis les aéroports, avec plusieurs arrêts à destination. Évitez les rabatteurs qui essaient de vous imposer un taxi dont le tarif sera forcément excessif. Prenez la file d'attente de la station des taxis équipés d'un taximètre à la sortie du hall d'arrivée. Les hôtels quatre et cinq étoiles mettent généralement un service de navette à la disposition des clients.
La CAAC propose un service de bus à destination de son bureau du centre-ville.

ENREGISTREMENT

Officiellement, les passagers doivent se présenter à l'enregistrement des bagages deux heures avant le départ. Le poids des bagages est limité à 20 kg en classe économique, à 30 kg en classe affaires et en première classe. Les bagages à main ne doivent pas peser plus de 5 kg. Toutefois, les restrictions de poids varient suivant les destinations et sont moins sévères pour les passagers à destination de l'Amérique du Nord. Vérifiez auprès de votre compagnie car un excédent de bagages peut vous coûter très cher.

TAXE D'AÉROPORT

Jusqu'en 2004, une taxe d'aéroport était prélevée (en espèces) au départ de n'importe quel aéroport chinois. Celle-ci est supprimée depuis le 1er octobre 2004 pour les vols internationaux comme pour les vols intérieurs et désormais incluse dans le prix du billet. Elle peut néanmoins vous être réclamée à l'aéroport de Hong Kong : son montant est de 120 HK$ à payer en espèces.

ADRESSES

BUREAUX DES COMPAGNIES AÉRIENNES

Air Canada
Tél. *(010) 6468 2001, Pékin.*
Tél. *(021) 6279 2999, Shanghai.*
www.aircanada.ca

Air China
Tél. *800 810 1111*
(numéro gratuit).
Tél. *(010) 6601 7870, Pékin.*
Tél. *(021) 5239 7227, Shanghai.*
www.airchina.com.cn

Air France
Tél. *(010) 400 880 88 08,*
Pékin et Shanghai.
Tél. *(0852) 2524 8145,*
Hong Kong.
www.airfrance.com.cn

British Airways
Tél. *(010) 8511 5599, Pékin.*
Tél. *(0852) 2822 9938 , Hong Kong.*
www.britishairways.com

Cathay Pacific
Tél. *(0852) 2747 5000, Hong Kong.*
www.cathaypacific.com

KLM
Tél. *(010) 6505 3505, Pékin.*
www.klm.com.cn

Lufthansa
Tél. *(010) 6465 4488, Pékin.*
Tél. *(021) 5352 4990, Shanghai.*
www.lufthansa.com.cn

Swiss International Air Line
Tél. *(010) 8454 0180, Pékin.*
Tél. *(021) 6340 6399, Shanghai*
www.swiss.com

Thai Airways
Tél. *(010) 6460 8899, Pékin.*
www.thaiairways.com

AÉROPORT	INFORMATIONS	DISTANCE JUSQU'AU CENTRE-VILLE	DURÉE MOYENNE DU TRAJET
Aéroport Capital, Pékin	(010) 6456 3604	25 km (au nord-est)	40 min en taxi
Aéroport Hongqiao, Shanghai	(021) 6268 8918	19 km (à l'ouest)	30 min en taxi
Aéroport de Pudong, Shanghai	(021) 3848 4500	45 km (à l'est)	45 min en taxi
Aéroport international de Hong Kong	(0852) 2181 000 ou 2188 7111	32 km (à l'ouest)	25 min en train
Aéroport international de Macao	(0853) 861 111	5 km (au nord-ouest)	15 min en taxi

Vols intérieurs

Même si l'avion est plus cher que le train, c'est souvent le plus pratique dans cet immense pays qu'est la Chine. Pour se rendre rapidement d'un point extrême à un autre, il n'y a d'ailleurs souvent pas d'autre solution. Le réseau aérien national est vaste, avec plus de 150 aéroports et de nombreuses compagnies régionales. Pékin, Hong Kong, Shanghai, Dalian, Canton et Xi'an sont très bien desservies. L'achat de billets est simple : il vous suffira de comparer les prix discount qui vous seront proposés aux comptoirs de vente de l'aéroport. Il est fréquent que les vols soient annulés ou retardés pour cause de mauvais temps, surtout en hiver et sur les lignes à destination des provinces reculées. N'oubliez donc pas de vous renseigner sur les éventuels changements et de reconfirmer votre réservation de vol 72 heures avant le départ.

COMPAGNIES NATIONALES

Quelques compagnies privées opèrent au départ de Hong Kong et de Macao, mais la majorité des autres compagnies sont gérées par l'Administration générale de l'aviation civile chinoise (CAAC). Certaines compagnies régionales comme **China Southern Airlines** (code IATA : CZ) et **China Eastern Airlines** (MU) assurent également des vols internationaux. Parmi les autres transporteurs figurent **Sichuan Airlines** (3U), Shanghai Airlines (FM), Shenzhen Airlines (4G), Hainan Airlines (HU) et Xiamen Airlines (MF). Sachez qu'en leur achetant un vol intérieur sur place, vous bénéficierez de tarifs beaucoup plus avantageux que dans le pays de départ.

L'absence de concurrence n'incite pas les compagnies à améliorer la qualité du service à bord. Les repas se réduisent souvent à des sandwichs. Les annonces sont faites en anglais seulement s'il y a des passagers étrangers. Le service laisse un peu à désirer et les étrangers ont parfois la sensation qu'on les néglige, mais les choses s'améliorent peu à peu.

Si les vols internationaux offrent un bon niveau de sécurité des appareils, cela est un peu moins vrai pour les vols intérieurs. Des appareils d'un modèle moins récent assurent parfois les liaisons avec les régions périphériques. Avant de réserver un vol, vous avez toujours la possibilité néanmoins de demander le type d'appareil à bord duquel vous allez voyager. Le poids des bagages en soute est limité à 20 kg en classe économique et à 30 kg en 1re et classe affaires. Chaque passager a droit à 5 kg de bagages à main, mais il n'y a pratiquement aucun contrôle. Le supplément pour l'excédent de bagages en soute est de 1% du vol plein tarif par kilo.

AIR CHINA

Logo de la compagnie nationale Air China

AÉROPORTS DOMESTIQUES

De nouveaux aéroports se sont construits ces dernières années et ceux existants se sont agrandis et modernisés, améliorant sensiblement le confort des passagers. L'aéroport Capital à Pékin, ceux de Pudong à Shanghai, de Baiyun à Canton et de Chek Lap Kok à Hong Kong sont aujourd'hui équipés de la dernière technologie et n'ont rien à envier aux meilleurs aéroports internationaux. Les aéroports des villes touristiques comme Xi'an et Chengdu sont tout neufs et bien organisés, mais d'autres ont besoin d'être modernisés malgré le développement de l'industrie aéronautique chinoise.

DESSERTES DES AÉROPORTS

Les distances qui séparent les aéroports des centres-villes sont très variables et vous devez en tenir compte pour aller prendre votre avion. Prévoyez aussi une marge pour les imprévus. Dans beaucoup de grandes villes, les bus CAAC assurent la navette entre l'aéroport et le centre (plus précisément le bureau de la CAAC). Shanghai, Hong Kong et bientôt Pékin ont également une desserte ferroviaire : le Maglev (train à sustentation magnétique) connecté au métro à Shanghai, l'Airport Express Line (AEL) (train à

Service à bord d'un vol Sichuan Airlines à destination de Chengdu

grande vitesse ultramoderne) à Hong Kong et bientôt le métro automatique à Pékin qui sera inauguré début 2008.

Les taxis attendent à la sortie du hall d'arrivée. Prenez la file d'attente et évitez les rabatteurs qui essaient de vous imposer leurs services. Exigez du chauffeur qu'il mette le taximètre en marche. Si vous avez une réservation d'hôtel, le transfert depuis l'aéroport est probablement inclus dans le prix de la chambre.

Panneau indiquant l'aéroport de Hong Kong

ENREGISTREMENT

Pour la majorité des vols intérieurs, les passagers doivent se présenter à l'enregistrement au moins 90 minutes avant le départ, mais rares sont ceux qui arrivent en avance. Assurez-vous que vos bagages à soute portent une étiquette à votre nom et que vos bagages à main ne contiennent pas d'objets pointus (ciseaux, pinces à épiler, limes à ongles ou aiguilles à tricoter). La taxe d'aéroport est incluse dans le prix du billet.

Ancien modèle de récépissé de la taxe d'aéroport

RÉSERVATION ET ANNULATION DE BILLETS

Toutes les compagnies aériennes régionales ont une agence dans la plupart des villes, ainsi qu'un comptoir de vente dans les aéroports. Les billets peuvent s'acheter dans les agences de voyages et dans certains grands hôtels – normalement sans commission. Les tarifs les plus avantageux sont en général ceux proposés par les agences de voyages. Celles-ci acceptent les cartes de crédit, tout comme les bureaux de la CAAC, et demandent un passeport pour la réservation. Vous trouverez toujours des places, hormis entre Hong Kong et la Chine continentale ainsi que pendant le nouvel an chinois et les semaines fériées du 1er mai et du 1er octobre – il est alors conseillé d'acheter les billets longtemps à l'avance.

La CAAC publie un guide pratique (chinois/anglais) avec les horaires des vols nationaux et internationaux que l'on peut acheter dans ses bureaux et les agences des compagnies aériennes. Les horaires changent chaque mois d'avril et d'octobre.

Le prix des billets d'avion est calculé sur la base d'un trajet simple, le billet aller-retour coûtant le double. Les remises sur les tarifs officiels étant la norme, il est conseillé de demander à l'agence les meilleurs prix. Sachez que vous aurez plus de chances d'obtenir des tarifs intéressants en vous adressant à une agence située dans la ville de départ. Les billets de classe affaires et 1re classe sont respectivement 25 et 60 % plus chers que les billets de classe économique. Les enfants de moins de douze ans ont droit à une réduction spéciale, les autres paient le même prix que les adultes.

Si vous voulez annuler ou modifier un billet, vous devrez le faire au moins 24 heures avant le départ en vous adressant à l'agence émettrice. Si vous ratez votre avion, vous pourrez vous faire rembourser la moitié du billet. Une assurance voyage vous sera sans doute proposée, mais en général elle n'est pas intéressante car le montant des indemnités est très faible.

ADRESSES

BUREAUX DE LA CAAC

Lhassa
Tél. (0891) 633 3446.

Luoyang
Tél. (0379) 393 1120.

Pékin
Tél. (010) 6256 7811.

Zhengzhou
Tél. (0371) 599 1111.

CHINA EASTERN AIRLINES

www.ce-air.com

Hong Kong
Tél. (0852) 2861 0322.

Pékin
Tél. (010) 6602 4070.

Shanghai
Tél. (021) 6247 5953.

Suzhou
Tél. (0512) 522 2788.

CHINA SOUTHERN AIRLINES

www.cs-air.com

Canton
Tél. (020) 8668 2000.

Haikou
Tél. (0898) 6534 9433.

Hong Kong
Tél. (0852) 2861 0322.

Pékin
Tél. . (010) 6567 2203.

DRAGON AIR

www.dragonair.com

Haikou
Tél. (0898) 6855 0312.

Hong Kong
Tél. (0852) 2868 6777.

Pékin
Tél. (010) 6518 2533.

Shanghai
Tél. (021) 6375 6375.

Xi'an
Tél. (029) 8426 9288.

SICHUAN AIRLINES

www.scal.com.cn

Chengdu
Tél. (028) 8667 1217.

Pékin
Tél. (010) 6606 8763

Numéro gratuit
Tél. 800 86699.

Circuler en train

La Chine est un vaste pays et beaucoup de voyageurs jugent que le train est une bonne formule pour découvrir le pays et nouer des contacts avec la population locale. Le réseau ferroviaire est très étendu – avec plus de 52 000 kilomètres de voies ferrées. Les trains sont ponctuels, rapides et relativement sûrs. La réservation des places peut néanmoins poser des problèmes et, étant donné l'affluence dans les trains, il est recommandé soit d'acheter vos billets longtemps à l'avance, soit de demander à votre hôtel ou à une agence de voyages de s'en occuper.

RÉSEAU FERROVIAIRE

Les tarifs aériens n'étant pas à la portée de beaucoup de Chinois (la majorité même), le train est un mode de transport très utilisé, surtout sur les longues distances. Aussi vaste qu'efficace, le réseau ferroviaire couvre tout le territoire chinois, y compris l'île de Hainan reliée au continent par un train ferry, ainsi que le haut plateau tibétain relié depuis peu à Qinghai. Une voie ferrée relie également Hong Kong au continent. Les trains intercités sont rapides et très confortables en classe supérieure.

HORAIRES

Si les trains chinois ont le mérite d'être à l'heure, il est impossible néanmoins de déchiffrer un horaire quand on ne lit pas le chinois. Inutile également d'appeler les renseignements de la gare si on ne parle pas chinois. En revanche, il est possible de consulter le site anglophone www.travelchinaguide.com/china-trains. Les nouveaux horaires sont affichés aux guichets des gares chaque

Marchand ambulant sur le quai de la gare de Yinchuan

mois d'avril et d'octobre. Il est difficile de trouver des employés parlant anglais sur les quais, même dans les grandes villes comme Pékin et Shanghai, mais il existe des guichets « ticket office » destinés aux étrangers.

Sur les grands écrans électroniques, les heures de départ, les destinations et les numéros des trains sont parfois affichés en *pinyin* (15 minutes avant le départ). Le numéro des trains figure sur chaque wagon, avec leur itinéraire et leur destination. En règle générale, les trains circulant entre deux villes ont des numéros qui se suivent. Par exemple, le train K79 va de Shanghai à Kunming et le train K80, de Kunming à Shanghai.

Il existe trois catégories de train : les trains ordinaires *(pukuai)* avec des arrêts fréquents, les express *(tekuai)* et les rapides *(kuai)* dont le numéro est précédé respectivement de la lettre « T » ou « K ». Les trains express comptent des wagons de toutes classes et sont les plus modernes, avec une meilleure qualité de service et seulement quelques arrêts. Les trains à deux étages à sièges mous circulent sur quelques petites lignes intercités comme Pékin-Tianjin ou Shanghai-Canton. Tous les trains longue distance sont équipés de couchettes.

Il est interdit de fumer à bord des trains, sauf dans les wagons à sièges durs, mais les passagers sont généralement autorisés à fumer dans le couloir. La plupart des trains ont un wagon-restaurant et un service ambulant continu proposant nouilles, plats légers, eau minérale, café et journaux. Les haut-parleurs diffusent régulièrement de la musique et des annonces. Les trains modernes sont beaucoup plus propres qu'autrefois et ils sont climatisés.

QUATRE CLASSES

Il existe quatre classes dans les trains : les **couchettes molles** (*ruanwo* ou *soft sleeper* en anglais) climatisées de la classe supérieure, à raison de quatre lits par compartiment. Plus intimes, plus sûres et plus propres que celles des autres classes,

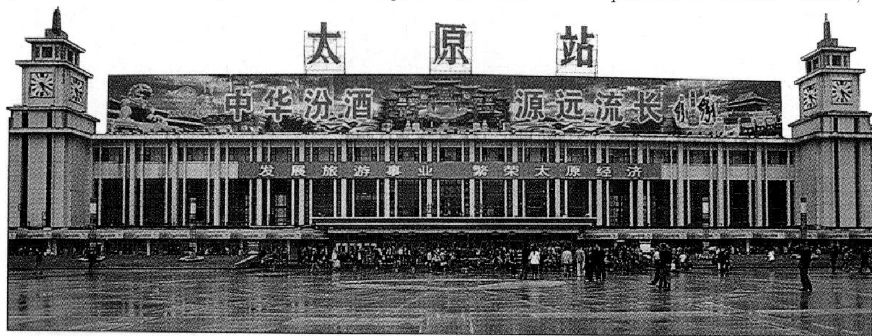

Le majestueux bâtiment de style soviétique de la gare de Taiyuan

Façade en verre et en acier de la gare de Canton

ces places sont très chères et sur certaines lignes coûtent à peine moins cher qu'un billet d'avion – sur les trajets de nuit, elles permettent néanmoins d'économiser une chambre d'hôtel.

Les **couchettes dures** *(yingwo)* sont les places les plus recherchées et il faut avoir beaucoup de chance pour en trouver à la dernière minute. Chaque compartiment (dépourvu de porte) compte six couchettes dures réparties sur trois niveaux : les couchettes supérieures *(shangpu)* qui sont les moins chères mais aussi les plus étroites et les plus proches des haut-parleurs, les couchettes intermédiaires *(zhongpu)* qui sont les plus confortables et les couchettes inférieures *(xiapu)*, les plus chères. La journée, les couchettes sont rabattues en guise de banquettes. Oreillers, draps et couvertures sont fournis ainsi, que deux bouteilles Thermos d'eau bouillante, que l'on peut aller remplir à une grosse fontaine située à l'extrémité de chaque wagon. En montant à bord du train, les passagers doivent présenter leur billet au contrôleur qui leur échangera contre une contremarque, puis leur restituera à leur arrivée à destination.

La classe la plus économique est celle des **sièges durs** *(yingzuo)* avec des banquettes de trois places légèrement rembourrées. Même si ces places conviennent sur une courte distance, le voyage peut devenir pénible au bout de quatre heures car les wagons sont généralement bondés, sales et enfumés, les haut-parleurs hurlent en permanence et les lumières restent allumées la nuit. Sachez qu'un surclassement *(bupiao)* est toujours possible dans la mesure des places disponibles. Notez également qu'en achetant un billet de cette catégorie, vous n'êtes pas assuré d'avoir un siège réservé.

Les **sièges mous** *(ruanzuo)* sont beaucoup plus larges et confortables (il s'agit de banquettes à deux places) et ils sont numérotés. Les billets de cette classe coûtent à peu près le même prix qu'une couchette dure.

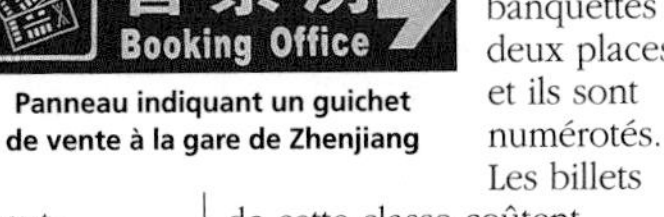

Panneau indiquant un guichet de vente à la gare de Zhenjiang

RÉSERVATIONS ET TARIFS

Il est impératif d'acheter ses billets à l'avance (deux ou trois jours ; cinq jours au plus). Pour les trajets courts, il est possible d'acheter son billet juste avant le départ, mais il est plus sûr de s'y prendre à l'avance, de même que pour les longs trajets où les trains sont toujours complets (surtout en couchette dure).

Les tarifs varient en fonction de la classe et de la distance. Tous les billets étant des allers simples, il faut acheter un autre billet pour le retour – l'achat d'un billet aller-retour n'est possible que sur les grandes lignes. L'attente aux guichets de vente peut être très éprouvante et, s'il n'y a pas de guichet pour les étrangers *(ticket office)*, il est préférable de s'adresser à la réception de son hôtel, à un bureau d'information touristique ou à une agence de voyages qui s'occupera très volontiers de la réservation moyennant une petite commission.

Les revendeurs opèrent à la sortie des gares. Si vous faites affaire avec eux, vérifiez bien la date, la destination et la classe imprimées sur le billet.

Avant le départ, les passagers se rendent dans une salle d'attente. Ils remettent ensuite leur billet à un contrôleur avant de rejoindre le quai de départ. Ce billet doit être conservé car il sera demandé à la descente du train. Sachez que les places de train sont rares pendant le nouvel an chinois (ou fête du Printemps) et durant les semaines fériées du 1er mai et du 1er octobre. Il est donc déconseillé de voyager durant ces périodes.

Chef de quai au départ d'un train à deux étages à la gare de Dalian

Circuler en autobus, en bateau

Le vaste réseau routier chinois dessert la majorité des villes et les zones rurales les plus reculées. L'autobus permet d'atteindre des endroits où le train ne va pas et il coûte moins cher. Les billets sont également plus faciles à acheter et les lignes, les fréquences et les arrêts sont plus nombreux. L'absence d'administration centrale implique cependant un nombre important de compagnies concurrentes et une réglementation minimale. En outre, les routes peuvent être en mauvais état, surtout dans les régions isolées, les véhicules mal entretenus et les conducteurs souvent imprudents. Des lignes maritimes et fluviales desservent les ports le long de la côte et de quelques cours d'eau.

AUTOBUS LONGUE DISTANCE

Il y a encore beaucoup de régions en Chine qui ne sont accessibles que par la route, comme celles où vivent les minorités ethniques du Guizhou et du Guangxi. Dans certaines régions desservies par le train, tel le Fujian, l'autobus est plus pratique car il évite les correspondances. Hormis le taxi, le meilleur moyen de transport pour visiter le Xishuangbanna au Yunnan est aussi l'autobus. Si vous ne prenez pas l'avion pour aller à Lijiang (nord du Yunnan) et dans la partie occidentale du Sichuan, il vous faudra prendre l'autobus. Pour circuler au Tibet et le long de la frontière nord-ouest, le seul moyen de sortir des villes desservies par le train est de prendre l'autobus et les trajets sont longs.

Les routes qui relient aujourd'hui les villes importantes sont nombreuses et en bon état, notamment sur la côte est, et dans certains cas l'autobus est plus rapide que le train.

Toutes les villes ont au moins une gare routière longue distance *(changtu qiche zhan)* desservie par des compagnies d'État. Les compagnies privées ont souvent aussi leurs propres gares, situées en général à proximité d'une gare ferroviaire ou à la limite de la ville – à la gare du Nord par exemple, vous trouverez les autobus à destination du Nord. Mais cela n'est pas toujours aussi simple et, pour savoir quelle gare dessert la ville où vous devez vous rendre, il est plus prudent de vous renseigner. La destination des autobus est affichée (en chinois) à l'avant des véhicules.

La qualité et le confort des autobus longue distance sont fort variables. Plusieurs compagnies pouvant emprunter le même itinéraire, choisissez la plus rapide, la plus confortable ou la plus économique selon vos priorités. Mais sachez que les longs trajets sont pénibles physiquement.

Autobus ordinaire *(putongche)* longue distance au Qinghai

Les chaussées sont souvent en mauvais état ou en réfection, les conducteurs imprudents et les accidents malheureusement fréquents. La plupart des autobus sont enfumés et bruyants, avec la musique qui hurle et le conducteur qui joue du klaxon. Pensez donc à emporter des bouchons d'oreilles.

Les **autobus ordinaires** *(putongche)* équipés de sièges en bois ou légèrement rembourrés sont les moins chers. Leurs arrêts sont fréquents et leurs porte-bagages minuscules – il n'y a pas de place sous les sièges, les sacs sont donc habituellement entassés à côté du siège du conducteur.

Les **autobus-couchettes** *(wopuche)* sont des autobus de nuit avec peu d'arrêts et donc assez rapides. Les plus récents sont équipés de sièges qui s'inclinent presque à l'horizontale, mais les plus anciens peuvent être très sales. Les sièges inférieurs *(xiapu)* coûtent plus cher que les sièges supérieurs *(shangpu)*, mais vous courrez moins le risque d'être éjecté de votre couchette quand le conducteur prend un virage un peu vite !

Panneau d'arrêt de bus à Hong Kong

Les liaisons plus courtes sont assurées par des **minibus** *(xiaoba)* qui partent seulement quand ils sont pleins, et ils sont souvent bondés.

Les **autobus express** *(kuaiche)* sont la meilleure formule. Certains sont luxueux *(haohua)*, climatisés et font respecter l'interdiction de fumer. Les bagages sont rangés dans le coffre où ils sont en sécurité vu le nombre réduit des arrêts.

Dans certaines régions comme le Gansu et le Sichuan par exemple, il se peut qu'on vous demande de souscrire une assurance auprès de la Compagnie d'assurance du peuple (PICC) avant de vous laisser monter ; cette assurance

Sur le Huangpu à Shanghai

est habituellement incluse dans le prix du billet. Sachez néanmoins qu'en cas d'accident, elle exclut la responsabilité de la compagnie d'État et ne vous couvre pas si vous êtes blessé.

TARIFS

L'autobus est en général plus économique que le train. Les billets s'achètent dans les gares routières longue distance au moment du départ – sauf si vous tenez à avoir un autobus de luxe et un siège au premier rang. Ceux des compagnies privées s'achètent dans l'autobus ou auprès des revendeurs qui officient à proximité de la gare. Dans les grandes gares, les guichets de vente sont tous informatisés et les files d'attente beaucoup plus courtes que dans les gares ferroviaires.

FERRIES ET BATEAUX

Il existe encore quelques liaisons maritimes et fluviales le long de la côte chinoise et du Yangzi, mais elles sont fortement concurrencées par l'avion, le train et l'autobus. La voie fluviale la plus fréquentée est le Yangzi entre Chongqing et Shanghai. Des bateaux de croisière vont de Chongqing à Yichang en passant par les Trois Gorges *(p. 352-354)*. Un bateau fait le trajet entre Suzhou et Hangzhou en empruntant le Grand Canal et entre Wuxi et Hangzhou *(p. 217)*. Des bateaux de croisière descendent le Lijiang entre Guilin et Yangshuo *(p. 416-417)*. Des ferries assurent la liaison entre l'île de Hainan et Beihai (Guangxi), Canton et Shenzhen. De nombreux services de ferry et d'hydroglisseur relient Macao et Hong Kong 24h/24. Il existe aussi des liaisons maritimes entre Macao et quelques ports de la province du Guangdong, ainsi qu'entre Hong Kong et Zhuhai et plusieurs villes du delta de la rivière des Perles. Des ferries relient Hong Kong aux autres îles alentour. Au nord-est, Dalian est reliée par ferry à Yantai et à Tianjin (la voie maritime est nettement plus courte que la route). Les villes de Yantai et de Weihai à l'extrémité orientale de la péninsule de Shandong sont accessibles par la mer depuis Shanghai. Notez que les horaires des ferries changent fréquemment et que des lignes sont toujours susceptibles d'être supprimées ou ajoutées.

Plusieurs liaisons maritimes relient la Chine à d'autres pays comme le Japon (vers Kobé au départ de Tianjin et de Shanghai et vers Osaka au départ de Shanghai) et la Corée-du-Sud (vers Inchou au départ de Dalian, Weihai, Gingdao et Tianjin).

Panneau publicitaire pour une croisière sur le Huangpu

Bateaux touristiques sur les bords du lac Qinghai

Circuler dans les villes

Logo du MTR de Hong Kong

Les transports urbains chinois varient d'un endroit à l'autre. Beaucoup de grandes villes ont un réseau de transports étendu, avec pour certaines le métro. À Pékin et à Shanghai, le métro *(ditié)* est le meilleur mode de déplacement. À Hong Kong, le système de transports est bien intégré et le métro ainsi que le train sont très commodes. Dans la plupart des villes, les bus sont lents et généralement bondés, mais ils ne coûtent presque rien. Le taxi *(chuzu qiche)* est une obligation pour la majorité des visiteurs et la formule la plus facile pour les déplacements, malgré la barrière de la langue. Autrefois reine, la bicyclette est moins populaire aujourd'hui en Chine, cependant, elle reste l'une des meilleures solutions pour découvrir une ville.

LE MÉTRO DE PÉKIN

Le réseau métropolitain de la capitale chinoise est en train de s'agrandir en prévision des Jeux olympiques de 2008, avec une nouvelle ligne à destination du village olympique et une autre à destination de l'aéroport Capital. Le métro pékinois est facile d'emploi et rapide, même si les couloirs de correspondance sont parfois très longs. Le prix des tickets varie en fonction de la ligne : 3 *yuan* sur les lignes 1 et 2, 4 *yuan* sur la ligne 8 et 5 *yuan* sur la ligne 13. Ils s'achètent au guichet à l'entrée des stations. Leur prix est fixe quel que soit le nombre de stations, mais cela devrait bientôt être comme à Shanghai où le prix du billet est basé sur la distance parcourue. Les tickets (qui ne portent pas de date) doivent être présentés aux agents qui se trouvent à l'entrée du quai. La ligne 13 est déjà équipée de portillons automatiques, comme le seront les lignes actuellement en construction.

LE MÉTRO DE SHANGHAI

La première ligne du métro de Shanghai date de 1995. Le réseau est peu étendu, mais il fonctionne bien et il est propre et moderne. Les lignes les plus utiles pour les touristes sont les lignes 1 et 2. La ligne aérienne numéro 3, Pearl Line, relie la périphérie nord-ouest de la ville. Les tarifs sur les lignes 1 et 2 varient entre 2 et 4 *yuan* suivant le nombre de stations. Pour acheter votre ticket au guichet ou au distributeur automatique, vous devrez d'abord consulter le plan pour calculer le nombre de stations. Vous pouvez aussi acheter un carnet de tickets magnétiques de 50 yuan. Chaque ticket se glisse dans la fente du portillon automatique et se récupère de l'autre côté de l'appareil. Conservez-le car vous en aurez besoin à la sortie.

Panneau du métro de Pékin

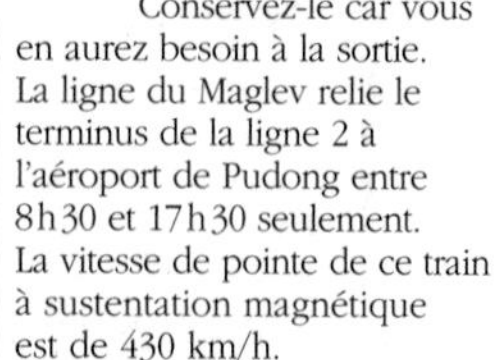

La ligne du Maglev relie le terminus de la ligne 2 à l'aéroport de Pudong entre 8h30 et 17h30 seulement. La vitesse de pointe de ce train à sustentation magnétique est de 430 km/h.

LE MTR ET LE KCR DE HONG KONG

Hong Kong possède le meilleur réseau de transports publics de toute la Chine. Les visiteurs peuvent utiliser le métro (MTR), le train de banlieue (KCR), le bus, le tramway, le ferry et l'Airport Express. La signalisation est presque partout en anglais. Les tickets s'achètent à l'unité, mais ils sont différents suivant le mode de transport. Il existe également une carte Octopus vendue 150 HK$ (incluant 50 HK$ de dépôt de garantie remboursables à sa restitution) et rechargeable dans les stations du MTR et du KCR. Le prix du trajet sera déduit chaque fois que vous la présenterez devant le lecteur électronique de couleur jaune. Cette carte permet d'emprunter aussi le KCR, le bus, le tramway, le ferry et l'Airport Express.

Le réseau du MTR compte actuellement sept lignes auxquelles des lignes supplémentaires doivent s'ajouter. Le prix du trajet varie en fonction de la distance parcourue, sauf sur la ligne de l'Airport Express qui est plus chère. Les tickets à l'unité se glissent dans la fente du tourniquet et se récupèrent de l'autre côté de celui-ci. Conservez-le car vous en aurez besoin à la sortie.

Le KCR (Kowloon-Canton Railway) compte aujourd'hui trois lignes qui couvrent les Nouveaux Territoires. La première en date, la KCR East Rail, relie Hong Kong à la Chine continentale, mais vous ne pourrez l'emprunter que jusqu'à l'avant-dernière station (Sheung Shui) si vous n'avez pas de passeport ni de visa pour passer la douane.

LE BUS ET LE TRAM

Les réseaux urbains de bus *(gonggong qiche)* sont très étendus. Leurs tarifs sont peu élevés mais les véhicules sont presque toujours bondés – au point que vous ne pourrez probablement rien voir à travers les vitres – et les passagers doivent être vigilants à cause des pickpockets.

Rickshaw à moteur à Harbin

Bicyclettes et scooters à un carrefour de Canton

Utilisez donc le bus uniquement pour les petits trajets à cause des risques d'embouteillage. Les itinéraires et les destinations finales étant généralement écrits en chinois, vous risquez d'avoir quelques difficultés. Le réseau de bus le plus confortable et le plus facile d'emploi est celui de Hong Kong, mais la circulation dans cette ville est aussi difficile qu'ailleurs.

De vieux tramways à impériale circulent à Hong Kong entre Sheung Wan et Causeway Bay. La ville de Dalian possède elle aussi quelques lignes de tram. Vous trouverez des plans de bus et de tram un peu partout, notamment à l'intérieur et à l'extérieur des gares ferroviaires.

LES TAXIS

Le meilleur moyen de se déplacer dans les villes où il n'y a pas de métro est de prendre le taxi *(chuzu qiche)*. Les taxis sont très nombreux en ville, notamment à l'abord des gares ferroviaires, et il est facile de les arrêter dans la rue. Vous pouvez aussi en appeler un depuis la réception de votre hôtel. Évitez les rabatteurs qui se précipitent sur vous à la sortie des aéroports et rejoignez plutôt la file d'attente à la station devant le hall des arrivées. Insistez pour que le chauffeur mette le taximètre *(biao)* en marche ou bien négociez un prix forfaitaire. Les taxis n'étant guère équipés de ceinture de sécurité *(anquan dai)* à l'arrière, prenez place à l'avant si vous êtes seul. Rares sont les chauffeurs qui parlent anglais et vous aurez intérêt à demander au personnel de votre hôtel de vous écrire sur un papier le nom en chinois de votre destination.

Le prix de la course varie légèrement d'une ville à l'autre, mais il est généralement correct. À Pékin, la tarification a été unifiée en 2006. Le tarif peut aussi varier en fonction du véhicule. Le pourboire n'est pas obligatoire.

La location d'un taxi à la journée est très pratique pour visiter les environs d'une ville. Mettez-vous d'accord avec le chauffeur sur le prix et assurez-vous qu'il a bien compris votre itinéraire. Au Tibet, la location d'un 4x4 avec chauffeur, dont l'usage est de payer son repas, est le seul moyen de visiter certains endroits. Dans les petites villes, les rickshaws à moteur *(sanlun motuoche)* et à pédales *(sanlun che)* sont commodes et amusants, mais dans les grandes villes ils coûtent à peu près le même prix que les taxis. Dans certaines petites villes, ils sont le seul moyen de transport. Convenez du prix avant de monter.

Agent de la circulation

Les taxis deux-roues sont très rapides sur les distances plus longues, mais ils ne sont pratiques que si vous voyagez léger et en solo. Exigez un casque.

LA BICYCLETTE

La location de bicyclette est une bonne formule pour découvrir une ville et ses environs. Les pistes cyclables sont chose courante – mais elles ne sont pas toujours respectées par les automobilistes – et il y a des réparateurs un peu partout. C'est Pékin qui se prête le mieux à l'usage de la bicyclette en raison de l'absence de relief. Si vous n'avez pas l'habitude de rouler dans une circulation dense, vous ne serez peut-être pas très à l'aise. Vérifiez que la bicyclette que vous louez a un antivol. Toutes les grandes villes ont des parcs à bicyclettes payants avec un gardien.

LES NOMS DE RUE

Les rues sont découpées en plusieurs sections correspondant aux quatre points cardinaux. C'est ainsi que dans une *Zhongshan Lu*, on trouvera une Zhongshan *Xilu* (rue ouest) et une Zhongshan *Donglu* (rue est), ou bien une Zhongshan *Beilu* (rue nord) et une Zhongshan *Nanlu* (rue sud). Sur les plans des grandes villes figure aussi la transcription des noms de rue en *pinyin*. Ce n'est pas le cas pour les plans des petites villes et les cartes des régions reculées où seuls figurent les noms chinois. Les rues portent des noms différents selon leur importance : *hutong* (ruelle), *xiang* (petite rue historique), *jie* (rue), *lu* (grande rue), *dajie* (avenue).

Bus et taxis dans une rue centrale de Macao

Index

Les numéros de page en **gras** renvoient aux entrées principales.

A

C

D

E

I

J

K

N

O

P

Q

R

T

U

V

W

X

Remerciements

L'éditeur remercie les organismes, les institutions et les particuliers suivants dont la contribution a permis la préparation de cet ouvrage

DIRECTION DE LA PUBLICATION
Kate Poole, Scarlett O'Hara

DIRECTION ÉDITORIALE
Vicki Ingle, Anna Streiffert

ÉDITION
Douglas Amrine

COORDINATION DE LA PRODUCTION
Linda Dare

AUTRES COLLABORATEURS
Calum Macleod, Helen Glaister, Sarah Waldram, Martin Walters

COLLABORATION ÉDITORIALE
Katherine Haw, Alka Thakur

RÉALISATION CARTOGRAPHIQUE
Alok Pathak

RELECTURE CARTOGRAPHIQUE
Tony Chambers

RÉFÉRENCES ARTISTIQUES
Other Shore Arts Inc.

VÉRIFICATION DES FAITS
Jennifer Atepolikhin, Natasha Dragun, Xu Fang, Gao Hang, Ian Ransom, Minnie Yang

CORRECTION
Stewart Wild

CORRECTION, CHINOIS
Jiewei Cheng

INDEX
Hilary Bird

COLLABORATION ARTISTIQUE ET ÉDITORIALE
Sonal Bhatt, Caroline Evans, Anna Freiberger, Rose Hudson, Olivia King, Maite Lantaron, Neil Lockley, Peter Neville-Hadley, Rosie Mayer, Sangita Patel, Marianne Petrou, Pollyanna Poulter, Supriya Sahai, Janis Utton, Conrad Van Dyk, Ros Walford, Gui Zhiping, Jacket Design : Tessa Bindloss.

COORDINATION PAO
Shailesh Sharma

CONCEPTION PAO
Vinod Harish

ÉQUIPE MÉDIA NUMÉRIQUES
Nishi Bhasin, Manjari Rathi Hooda, Pramod Pant, Mahesh Singh

PHOTOGRAPHIES D'APPOINT
Max Alexander, Geoff Brightling, Andy Crawford, Gadi Farfour, Steve Gorton, Colin Keates, Dave King, Stephen Lam, Ian O'Leary, Jane Miller, Hugh Thompson, Walia BPS, Paul Williams

AUTORISATIONS DE PHOTOGRAPHIER
L'éditeur tient à remercier les responsables des temples, monastères, musées, hôtels, restaurants, magasins et sites touristiques qui ont autorisé des prises de vue dans leur établissement.

CRÉDITS PHOTOGRAPHIQUES
hg= en haut à gauche ; hcg= en haut au centre à gauche ; h= en haut ; hc= en haut au centre ; hcd= en haut au centre à droite ; hd= en haut à droite ; chg= au centre en haut à gauche ; ch= au centre en haut ; chd= au centre en haut à droite ; cg= au centre à gauche ; c= au centre ; cd= au centre à droite ; cbg= au centre en bas à gauche ; cb= au centre en bas ; cbd= au centre en bas à droite ; bg= en bas à gauche ; bcg= en bas au centre à gauche ; b= en bas ; bc= en bas au centre ; bcd= en bas au centre à droite ; bd= en bas à droite ; bgh= en bas à gauche en haut ; bch= en bas au centre en haut ; bdh= en bas à droite en haut ; bgb= en bas à gauche en bas ; bcb= en bas au centre en bas ; bdb= en bas à droite en bas ; hcd= en haut au centre à droite ; hcg= en haut au centre à gauche ; hdb= en haut à droite en bas ; bh= en bas en haut ; dh= à droite en haut ; g= à gauche ; d= à droite.

Les œuvres d'art ont été reproduites avec l'aimable autorisation des organismes suivants :

Zhang San Feng dans *The Explanation of Taijiquan Shi Yi* de Dong Yingjie, image numérique de Chip Ellis avec ses remerciements à Gordon Jolly 273cg.

4CORNERS IMAGES : SKME/Grandadam Laurent 10bc, 186cbg ; SIME/Hans-Peter Huber 11bg

AKG-IMAGES : Archives CDA/St-Genes 254hd ; Han Kan 208chg ; Laurent Lacat 53hd ; VISIOARS 462cg.

ALAMY IMAGES : 524hg ; Pat Behnke 74bd, 613hd ; Tibor Bognar page de garde avant